SAGEN
DES KLASSISCHEN
ALTERTUMS

Gustav Schwab

SAGEN DES KLASSISCHEN ALTERTUMS

Knaur

Besuchen Sie uns im Internet:
www.knaur.de

Die Folie des Schutzumschlags sowie die Einschweißfolie
sind PE-Folien und biologisch abbaubar.
Dieses Buch wurde auf chlor- und säurefreiem Papier gedruckt.

Umschlaggestaltung: ZERO Werbeagentur, München
Umschlagillustration: AKG Berlin
Satz: Ventura Publisher im Verlag
Druck und Bindung: Bercker, Kevelaer
Printed in Germany
ISBN 3-426-66439-9

2 4 5 3 1

AUS DEM VORWORT VON GUSTAV SCHWAB

Es ist eine schöne Eigentümlichkeit der Mythen und Heldensagen des klassischen Altertums, dass sie für die Blicke des Forschers und für das Auge der Einfalt einen zwar verschiedenartigen, aber doch gleich mächtigen Reiz haben. Während der Gelehrte in ihnen den Anfängen alles menschlichen Wissens, den Grundgedanken der Religion und Philosophie, der ersten Morgendämmerung der Geschichte nachgeht, entzückt den unbefangenen Betrachter die Entfaltung der reichsten Gestalten, das Schauspiel einer gleichsam noch in der Schöpfung begriffenen Natur- und Geisterwelt; er sieht mit Lust und Bewunderung die Erde mit Göttern und Göttersöhnen aus dem Chaos emporsteigen und in raschen Bilderreihen den Prometheusfunken im Menschen den Kampf mit der Barbarei beginnen, die Kultur der Wildnis, die Bildung der Rohheit, die Vernunft oder die Notwendigkeit der Leidenschaft den Sieg abringen. Die innere lebendige Kraft dieser Bilder ist auch so groß, dass dieselbe nicht von der vollendeten Kunstgestalt abhängig erscheint, in welcher wir einen guten Teil jener Gebilde von den größten Dichtern verarbeitet besitzen, sondern dass die schlichteste Darstellung genügt, ihre Größe auch vor denjenigen zu entfalten, für welche die Kunstform eher ein Hemmnis als eine Förderung des Verständnisses sein muss. Die Heroensage übt einen Zauber über den Geist der Jugend, lang ehe sie im Stande ist, dieselbe in den Schöpfungen der Dichter zu fassen. Nähere Bekanntschaft mit diesen Mythen wird sogar als Vorschule für die höhere Bildung ein frühzeitiges Bedürfnis, das auch unsere Literatur längst gefühlt hat und dem sie durch Hilfsbücher aller Art bald in wissenschaftlich belehrender, bald in unterhaltender Form abzuhelfen gesucht hat und noch sucht.

In vorliegendem Buche nun wird der Versuch gemacht, die schönsten und bedeutungsvollsten Sagen des klassischen Altertums den alten Schriftstellern und vorzugsweise den Dichtern einfach und vom Glanze künstlerischer Darstellung entkleidet, doch, wo immer möglich, mit ihren eigenen Worten nachzuerzählen. Der Verfasser hat dafür gesorgt, dass alles Anstößige entfernt bleibe, und deswegen unbedenklich alle diejenigen Sagen ausgeschlossen, in welchen unmenschliche Gräuel erzählt werden, die nur eine symbolische Erklärung gewissermaßen entschuldigt, die aber als Geschichte dargestellt – als welche der Jugend diese Sagen doch gelten müssen – nur einen empörenden Eindruck auf sie machen könnten. Wo aber unsern höheren Begriffen von Sittlichkeit widerstrebende oder auch schon im Altertum als unsittlich und widernatürlich anerkannte Verhältnisse (wie in der Ödipussage) in einer ihrer Totalrichtung nach hochsittlichen Mythe nicht verschwiegen werden konnten, glaubt der Bearbeiter dieser Sagen, solche auf eine Weise angedeutet zu haben, welche die Jugend weder zum Ausspinnen unedler Bilder noch zum Grübeln der Neugier veranlasst. Vorausgesetzt wird bei diesem Buche nur die allgemeinste Kenntnis der griechisch-römischen Mythologie und Vorzeit, wie sie die Schulbildung unsrer vaterländischen Jugend beizeiten verschafft.

Auf den ersten Band, der eine Mannigfaltigkeit kleinerer Mythen und Geschichten in sich schließt, folgt im zweiten Bande eine einzige Sage, aber die großartigste der alten Zeit, DIE SAGE VON TROJA, und zwar von der Stadt Gründung bis zu ihrem Untergange, mithin in einer Vollständigkeit, wie sie als Erzählung aus den Quellen noch nie in dieser Gestalt zusammengefasst worden ist. Der Bearbeiter wünscht und hofft, dass das Ganze, auf diese Weise überschaulich gemacht, nicht nur der Jugend neu und interessant erscheinen, sondern auch manchem älteren Leser der Ilias als eine im Geiste dieses unsterblichen Gedichts wenigstens versuchte Vervollständigung nicht unwillkommen sein werde. Umso mehr hat er die Pflicht, sich darüber auszuweisen, dass jene Ergänzung von ihm nicht willkürlich, sondern mit gewissenhafter Benützung der Alten selbst, deren Quelle ihrerseits die epischen Darstellungen einzelner zyklischer Dichter waren, vorgenommen worden ist.

Den Kern der Sage bildet DIE ILIAS HOMERS, welchem der Erzähler den allgemeinen Ton der Darstellung abzulauschen, und dessen Färbung er in demjenigen Teile, in welchem er der einzige Berichterstatter ist, so unverkümmert, als es in ungebundener Rede und doch dabei zusammengedrängtem Vortrage geschehen konnte, beizubehalten sich bestrebt hat. Die homerische Geschichte der Ilias bildet auf solche Weise fast die Hälfte des zweiten Bandes. Täuscht den Verfasser dieses Buches seine Hoffnung nicht, so ist die innere Gestalt der unverderblichen Dichtung auch unter Aufopferung der poetischen Form nicht verloren gegangen, und ihr Götterleib schimmert noch durch das prunklose Gewand der schlichtesten Prosa hindurch.

Als der Plan des in den dritten und letzten Band Aufnehmbaren vom Verfasser entworfen wurde, hielt er es fast für unmöglich, die Schicksale der letzten Tantaliden einer Leserwelt, die zum großen Teile voraussichtlich aus Frauen und Kindern bestehen sollte, unverkürzt mitzuteilen. Das Verlangen nach Vollständigkeit ermutigte ihn jedoch zu dem Versuche, auch diese Schwierigkeit zu überwinden, und er hofft, dass das gerechte Urteil, welches in den früheren Bänden zarte Schonung verletzbarer Ohren und mit heiliger Scheu zu behandelnder Gemüter anerkannt hat, sich auch auf die Bearbeitung des gesamten Stoffes erstrecken werde. Bei der möglichst hergestellten Harmonie der Tragiker ist besondere Rücksicht auf diese Forderung der Sittlichkeit, welche selbst der freieste Schönheitssinn anerkennen wird, genommen worden.

In der Behandlung der ODYSSEE war eine solche Vorsicht nicht nötig. Hier brauchte sich der Darsteller nur so streng als möglich an das Originalkunstwerk des Altertums zu halten, um den rührendsten Eindruck der Unschuld und Sittenreinheit zu machen. Wer sich überzeugen will, dass die menschliche Natur, so untüchtig sie auch zum vollkommen Guten scheint, doch keineswegs vollkommen untüchtig zum Guten ist, der stärke seinen Glauben an die Menschheit, welcher der frömmsten Religionsüberzeugung nicht zuwiderläuft, an diesem Werke des grauen Heidentums.

Die ÄNEIS hat dem Verfasser am meisten zu schaffen gemacht. Hier die Längen abzuschneiden, ohne das Ziel des Weges selbst unzugänglich zu machen, alle jene Zutaten ersonnener Volkssage, die nach einer Ilias und Odyssee in ihrem prunkenden Scheine selbst einem Kinde fühlbar werden müssten, zu entfernen, ohne den Zusammenhang der originellsten und lieblichsten Erfindungen, die bald einen Teil der poetischen Geschichte des Gedichtes, bald unschätzbare Episoden bilden, unerkennbar zu machen oder gar zu zerstören – dies empfand der Bearbeiter als keine kleine Aufgabe, zumal da dieselbe noch von keinem modernen Erzähler der Sagen des Altertums versucht worden war. Sein Bestreben ging dahin, durch Zusammendrängen wesentlicher Schönheit dem kunstvollen Werke des Römers für die Jugend einen Reiz der Neuheit und gewissermaßen der Kurzweiligkeit zu geben, den man im Originale vergebens sucht.

Und so möchten denn alle diese Sagen zusammen, als der Inbegriff der klassischen Heroenmythen, sich durch gewissenhafte und dem Zwecke des Buches angemessene Bearbeitung ihres Inhalts zahlreiche Freunde bei den Jungen und manche auch bei den Alten erwerben. Mit diesem Wunsche entlässt der Verfasser sein Werk, das für ihn zugleich der Widerhall zwanzigjähriger öffentlicher und häuslicher Betätigung ist.

Stuttgart, September 1837
G. S.

ERSTER BAND

PROMETHEUS

Himmel und Erde waren geschaffen: das Meer wogte in seinen Ufern, und die Fische spielten darin; in den Lüften sangen beflügelt die Vögel; der Erdboden wimmelte von Tieren. Aber noch fehlte es an dem Geschöpfe, dessen Leib so beschaffen war, dass der Geist in ihm Wohnung machen und von ihm aus die Erdenwelt beherrschen konnte. Da betrat Prometheus die Erde, ein Sprössling des alten Göttergeschlechtes, das Zeus entthront hatte, ein Sohn des erdgebornen Uranossohnes Japetos, kluger Erfindung voll. Dieser wusste wohl, dass im Erdboden der Same des Himmels schlummere; darum nahm er vom Tone, befeuchtete denselben mit dem Wasser des Flusses, knetete ihn und formte daraus ein Gebilde nach dem Ebenbild der Götter, der Herren der Welt. Diesen seinen Erdenkloß zu beleben, entlehnte er allenthalben von den Tierseelen gute und böse Eigenschaften und schloss sie in die Brust des Menschen ein. Unter den Himmlischen hatte er eine Freundin, Athene, die Göttin der Weisheit. Diese bewunderte die Schöpfung des Titanensohnes und blies dem halbbeseelten Bilde den Geist, den göttlichen Atem ein.

So entstanden die ersten Menschen und füllten bald vervielfältigt die Erde. Lange aber wussten sie nicht, wie sie sich ihrer edlen Glieder und des empfangenen Götterfunkens bedienen sollten. Sehend sahen sie umsonst, hörten hörend nicht; wie Traumgestalten liefen sie umher und wussten sich der Schöpfung nicht zu bedienen. Unbekannt war ihnen die Kunst, Steine auszugraben und zu behauen, aus Lehm Ziegel zu brennen, Balken aus dem gefällten Holze des Waldes zu zimmern und mit allem diesem sich Häuser zu erbauen. Unter der Erde, in sonnenlosen Höhlen, wimmelte es von ihnen, wie von beweglichen Ameisen: nicht den Winter, nicht den blütenvollen Frühling, nicht den früchtereichen Sommer kannten sie an sicheren Zeichen; planlos war alles, was sie verrichteten. Da nahm sich Prometheus seiner Geschöpfe an; er lehrte sie den Auf- und Niedergang der Gestirne beobachten, erfand ihnen die Kunst zu zählen, die Buchstabenschrift; lehrte sie Tiere ans Joch spannen und zu Genossen ihrer Arbeit brauchen, gewöhnte die Rosse an Zügel und Wägen, erfand Nachen und Segel für die Schifffahrt. Auch fürs übrige Leben sorgte er den Menschen. Früher, wenn einer krank wurde, wusste er kein Mittel, nicht, was von Speise und Trank ihm zuträglich sei, kannte kein Salböl zur Linderung seiner Schäden; sondern aus Mangel an Arzneien starben sie elendiglich dahin. Darum zeigte ihnen Prometheus die Mischung milder Heilmittel, allerlei Krankheiten damit zu vertreiben. Dann lehrte er sie die Wahrsagerkunst, deutete ihnen Vorzeichen und Träume, Vogelflug und Opferschau. Ferner führte er ihren Blick unter die Erde und ließ sie hier das Erz, das Eisen, das Silber und das Gold entdecken; kurz, in alle Bequemlichkeiten und Künste des Lebens leitete er sie ein.

Im Himmel herrschte mit seinen Kindern seit kurzem Zeus, der seinen Vater Kronos entthront und das alte Göttergeschlecht, von welchem auch Prometheus abstammte, gestürzt hatte.

Jetzt wurden die neuen Götter aufmerksam auf das eben entstandene Menschenvolk. Sie verlangten Verehrung von ihm für den Schutz, welchen sie demselben angedeihen zu lassen bereitwillig waren. Zu Mekone in Griechenland ward ein Tag gehalten zwischen Sterblichen und Unsterblichen und Rechte und Pflichten der Menschen bestimmt. Bei dieser Versammlung erschien Prometheus als Anwalt seiner Menschen, dafür zu sorgen, dass die Götter für die übernommenen Schutzämter den Sterblichen nicht allzu lästige Gebühren auferlegen möchten. Da verführte den Titanensohn seine Klugheit, die Götter zu betrügen. Er schlachtete im Namen seiner Geschöpfe einen großen Stier, davon sollten die Himmlischen wählen, was sie für sich davon verlangten. Er hatte aber nach Zerstückelung des Opfertieres zwei Haufen gemacht; auf die eine Seite legte er das Fleisch, das Eingeweide und den Speck, in die Haut des Stieres zusammengefasst, auf die andere die kahlen Knochen, künstlich in das Unschlitt des Schlachtopfers eingehüllt. Und dieser Haufen war der größere. Zeus, der Göttervater, der allwissende, durchschaute aber seinen Betrug und sprach: »Sohn des Japetos, erlauchter König, guter Freund, wie ungleich hast du die Teile geteilt!« Prometheus glaubte jetzt erst recht, dass er ihn betrogen, lächelte bei sich selbst und sprach: »Erlauchter Zeus, größter der ewigen Götter, wähle den Teil, den dir dein Herz im Busen anrät zu wählen.« Zeus ergrimmte im Herzen, aber geflissentlich fasste er mit beiden Händen das weiße Unschlitt. Als er es nun auseinander gedrückt hatte und die bloßen Knochen gewahrte, stellte er sich, als entdecke er jetzt eben erst den Betrug, und zornig sprach er: »Ich sehe wohl, Freund Japetionide, dass du die Kunst des Truges noch nicht verlernt hast!«

Zeus beschloss, sich an Prometheus für seinen Betrug zu rächen, und versagte den Sterblichen die letzte Gabe, der sie zur vollendeteren Gesittung bedurften, das Feuer. Doch auch dafür wusste der schlaue Sohn des Japetos Rat. Er nahm den langen Stängel des markigen Riesenfenchels, näherte sich mit ihm dem vorüberfahrenden Sonnenwagen und setzte so den Stängel in glostenden Brand. Mit diesem Feuerzunder kam er hernieder auf die Erde, und bald loderte der erste Holzstoß gen Himmel. In innerster Seele schmerzte es den Donnerer, als er den fernhin leuchtenden Glanz des Feuers unter den Menschen emporsteigen sah. Sofort formte er, zum Ersatz für des Feuers Gebrauch, das den Sterblichen nicht mehr zu nehmen war, ein neues Übel für sie. Der seiner Kunst wegen berühmte Feuergott Hephaistos musste ihm das Scheinbild einer schönen Jungfrau fertigen; Athene selbst, die, auf Prometheus eifersüchtig, ihm abhold geworden war, warf dem Bild ein weißes, schimmerndes Gewand über, ließ ihr einen Schleier über das Gesicht wallen, den das Mädchen mit den Händen geteilt hielt, bekränzte ihr Haupt mit frischen Blumen und umschlang es mit einer goldenen Binde, die gleichfalls Hephaistos seinem Vater zulieb kunstreich verfertigt und mit bunten Tiergestalten herrlich verziert hatte. Hermes, der Götterbote, musste dem holden Gebilde Sprache verleihen und Aphrodite allen Liebreiz.

Also hatte Zeus unter der Gestalt eines Guten ein blendendes Übel geschaffen und nannte sie Pandora, das heißt die Allbeschenkte, denn jeder der Unsterblichen hatte dem Mägdlein irgendein Unheil bringendes Geschenk für die Menschen mitgegeben. Darauf führte er die Jungfrau hernieder auf die Erde, wo Sterbliche vermischt mit den Göttern lustwandelten. Alle miteinander bewunderten die unvergleichliche Gestalt. Sie aber schritt zu Epimetheus, dem argloseren Bruder des Prometheus, ihm das Geschenk des Zeus zu bringen. Vergebens hatte diesen der Bruder gewarnt, niemals ein Geschenk vom olympischen Zeus anzunehmen, damit dem Menschen kein Leid dadurch widerführe, sondern es sofort zurückzusenden. Epimetheus, dieses Wortes uneingedenk, nahm die schöne Jungfrau mit Freuden auf und empfand das Übel erst, als er es hatte. Denn bisher lebten die Geschlechter der Menschen, von seinem Bruder beraten, frei vom Übel, ohne beschwerliche Arbeit, ohne quälende Krankheit. Das Weib aber trug in den Händen ihr Geschenk, ein großes Gefäß mit einem Deckel versehen. Kaum bei Epimetheus angekommen, schlug sie den Deckel zurück, und alsbald entflog dem Gefäße eine Schar von Übeln und verbreitete sich mit Blitzesschnelle über die Erde. Ein einziges Gut war zuunterst in dem Fasse verborgen, die Hoffnung; aber auf den Rat des Göttervaters warf Pandora den Deckel wieder zu, ehe es herausflattern konnte, und verschloss sie für immer in dem Gefäß. Das Elend erfüllte inzwischen in allen Gestalten Erde, Luft und Meer. Die Krankheiten irrten bei Tag und bei Nacht unter den Menschen umher, heimlich und schweigend, denn Zeus hatte ihnen keine Stimme gegeben: eine Schar von Fiebern hielt die Erde belagert, und der Tod, früher nur langsam die Sterblichen beschleichend, beflügelte seinen Schritt.

Darauf wandte sich Zeus mit seiner Rache gegen Prometheus. Er übergab den Verbrecher dem Hephästos und seinen Dienern, dem Kratos und der Bia, dem Zwang und der Gewalt. Diese mussten ihn in die skythischen Einöden schleppen und hier, über einem schauderhaften Abgrund, an eine Felswand des Berges Kaukasus mit unauflöslichen Ketten schmieden. Ungcrne vollzog Hephaistos den Auftrag seines Vaters, er liebte in dem Titanensohn den verwandten Abkömmling seines Urgroßvaters Uranos, den ebenbürtigen Göttersprössling. Unter mitleidsvollen Worten und von den roheren Knechten gescholten, ließ er diese das grausame Werk vollbringen.

So musste nun Prometheus an der freudlosen Klippe hängen, aufrecht, schlaflos, niemals im Stande, das müde Knie zu beugen. »Viele vergebliche Klagen und Seufzer wirst du versenden«, sagte Hephaistos zu ihm, »denn Zeus' Sinn ist unerbittlich, und alle, die erst seit kurzem die Herrschergewalt an sich gerissen, sind hartherzig.«

Wirklich sollte auch die Qual des Gefangenen ewig oder doch dreißigtausend Jahre dauern. Obwohl laut aufseufzend und Winde, Ströme, Quellen und Meereswellen, die Allmutter Erde und den allschauenden Sonnenkreis zu Zeugen seiner Pein aufrufend, blieb er doch ungebeugten Sinnes. »Was das Schicksal beschlossen hat«, sprach er, »muss derjenige tragen, der die unbezwingliche Gewalt der Notwendigkeit einsehen gelernt hat.« Auch ließ er sich durch keine Drohungen des Zeus bewegen, die dunkle Weissagung, dass dem Götterherrscher durch einen neuen Ehebund Verderben und Untergang bevorstehe, näher auszudeuten. Zeus hielt Wort; er sandte dem Gefesselten einen Adler, der als täglicher Gast an seiner Leber zehren durfte, die sich, abgeweidet, immer wieder erneuerte. Diese Qual sollte nicht eher aufhören, bis ein Ersatzmann erscheinen würde, der durch freiwillige Übernahme des Todes gewissermaßen sein Stellvertreter zu werden sich erböte.

Jener Zeitpunkt erschien früher, als der Verurteilte nach Zeus' Spruch erwarten durfte. Als er dreißig Jahre an dem Felsen gehangen, kam Herakles des Weges, auf der Fahrt nach den Hesperiden und ihren Äpfeln begriffen. Wie er den Götterenkel am Kaukasus hängen sah und sich seines guten Rates zu erfreuen hoffte, erbarmte ihn sein Geschick, denn er sah zu, wie der Adler, auf den Knien des Prometheus sitzend, an der Leber des Unglückseligen fraß. Da legte er Keule und Löwenhaut hinter sich, spannte den Bogen, entsandte den Pfeil und schoss den grausamen Vogel von der Leber des Gequälten hinweg. Hierauf löste er seine Fesseln und führte den Befreiten mit sich davon. Damit aber des Göttervaters Bedingung erfüllt würde, stellte er ihm als Ersatzmann den Kentauren Chiron, der erbötig war, an jenes Statt zu sterben; denn vorher war er unsterblich. Auf dass jedoch des Kroniden Urteil, der den Prometheus auf weit längere Zeit an den Felsen gesprochen hatte, auch so nicht unvollzogen bliebe, so musste Prometheus fortwährend einen eisernen Ring tragen, an welchem sich ein Steinchen von jenem Kaukasus-Felsen befand. So konnte sich Zeus rühmen, dass sein Feind noch immer an den Kaukasus angeschmiedet lebe.

DIE MENSCHENALTER*

Die ersten Menschen, welche die Götter schufen, waren ein goldenes Geschlecht. Sie lebten, solange Kronos dem Himmel vorstand, sorgenlos und den Göttern selbst ähnlich, von Arbeit und Kummer entfernt. Auch die Leiden des Alters waren ihnen unbekannt; an Händen, Füßen und allen Gliedern immer rüstig, freuten sie sich, von jeglichem Übel frei, heiterer Gelage. Die seligen Götter hatten sie lieb und schenkten ihnen auf reichen Fluren stattliche Herden. Wenn sie verscheiden sollten, sanken sie nur in sanften Schlaf. Solange sie aber lebten, hatten sie alle möglichen Güter; das Erdreich gewährte ihnen alle Früchte von selbst und im Überflusse, und ruhig, mit allen Gütern gesegnet, vollbrachten sie ihr Tagewerk. Nachdem jenes Geschlecht dem Beschlusse des Schicksals zufolge von der Erde verschwunden war, wurden sie zu frommen Schutzgöttern, welche, dicht in Nebel gehüllt, die Erde rings durchwandelten, als Geber alles Guten, Behüter des Rechts und Rächer aller Vergehungen.

Hierauf schufen die Unsterblichen ein zweites Menschengeschlecht, aus Silber; dieses war schon weit von jenem abgeartet und glich ihm weder an Körpergestaltung noch an Gesinnung. Ganze hundert Jahre wuchs der verzärtelte Knabe noch unmündig an Geist unter der mütterlichen Pflege im Elternhause auf, und wenn einer endlich zum Jünglingsalter herangereift war, so blieb ihm nur noch kurze Frist zum Leben übrig. Unvernünftige Handlungen stürzten diese neuen Menschen in Jammer, denn sie konnten schon ihre Leidenschaften nicht mehr mäßigen und frevelten im Übermute gegeneinander. Auch die Altäre der Götter wollten sie nicht mehr mit den gebührenden Opfern ehren. Deswegen nahm Zeus dieses Geschlecht wieder von der Erde hinweg, denn ihm gefiel nicht, dass sie der Ehrfurcht gegen die Unsterblichen ermangelten. Doch waren auch diese noch nicht so entblößt von Vorzügen, dass ihnen nach ihrer Entfernung aus dem Leben nicht einige Ehre zum Anteil geworden wäre, und sie durften als sterbliche Dämonen noch auf der Erde umherwandeln.

Nun erschuf der Vater Zeus ein drittes Geschlecht von Menschen, die-

* Diese Sage ist unabhängig von der vorigen und stimmt nicht mit ihr überein.

ses nur aus Erz. Das war auch dem silbernen völlig ungleich, grausam, gewalttätig, immer nur den Geschäften des Krieges ergeben, immer einer auf des andern Beleidigung sinnend. Sie verschmähten es, von den Früchten des Feldes zu essen, und nährten sich vom Tierfleische; ihr Starrsinn war hart wie Diamant, ihr Leib von ungeheurem Gliederbau; von den Schultern wuchsen ihnen Arme, denen niemand nahe kommen durfte. Ihr Gewehr war Erz, ihre Wohnung Erz, mit Erz bestellten sie das Feld; denn Eisen war damals noch nicht vorhanden. Sie kehrten ihre eigenen Hände gegeneinander; aber so groß und entsetzlich sie waren, so vermochten sie doch nichts gegen den schwarzen Tod und stiegen, vom hellen Sonnenlichte scheidend, in die schaurige Nacht der Unterwelt hernieder.

Als die Erde auch dieses Geschlecht eingehüllt hatte, brachte Zeus, der Sohn des Kronos, ein viertes Geschlecht hervor, das auf der nährenden Erde wohnen sollte. Dies war wieder edler und gerechter als das vorige. Es war das Geschlecht der göttlichen Heroen, welche die Vorwelt auch Halbgötter genannt hat. Zuletzt vertilgte aber auch sie Zwietracht und Krieg, die einen vor den sieben Toren Thebens, wo sie um das Reich des Königs Ödipus kämpften, die andern auf dem Gefilde Trojas, wohin sie um der schönen Helena willen zahllos auf Schiffen gekommen waren. Als diese ihr Erdenleben in Kampf und Not beschlossen hatten, ordnete ihnen der Vater Zeus ihren Sitz am Rande des Weltalls an, im Ozean, auf den Inseln der Seligen. Dort führen sie nach dem Tode ein glückliches und sorgenfreies Leben, wo ihnen der fruchtbare Boden dreimal im Jahre honigsüße Früchte zum Labsal emporsendet.

»Ach, wäre ich«, so seufzt der alte Dichter Hesiodos, der diese Sage von den Menschenaltern erzählt, »wäre ich doch nicht ein Genosse des fünften Menschengeschlechtes, das jetzt gekommen ist; wäre ich früher gestorben oder später geboren! Denn dieses Menschengeschlecht ist ein eisernes! Gänzlich verderbt, ruhen diese Menschen weder bei Tage noch bei Nacht von Kümmernis und Beschwerden, immer neue nagende Sorgen schicken ihnen die Götter. Sie selbst aber sind sich die größte Plage. Der Vater ist dem Sohne, der Sohn dem Vater nicht hold; der Gast hasst den ihn bewirtenden Freund, der Genosse den Genossen; auch unter Brüdern herrscht nicht mehr herzliche Liebe wie vorzeiten. Dem grauen Haare der Eltern selbst wird die Ehrfurcht versagt, Schmachreden werden gegen sie ausgestoßen, Misshandlungen müssen sie erdulden. Ihr grausamen Menschen, denkt ihr denn gar nicht an das Göttergericht, dass ihr euren abgelebten Eltern den Dank für ihre Pflege nicht erstatten wollet? Überall gilt nur das Faustrecht; auf Städteverwüstung sinnen sie gegeneinander. Nicht derjenige wird begünstigt, der die Wahrheit schwört, der gerecht und gut ist; nein, nur den Übeltäter, den schnöden Frevler ehren sie; Recht und Mäßigung gilt nichts mehr, der Böse darf den Edleren verletzen, trügerische, krumme Worte sprechen, Falsches beschwören. Deswegen sind diese Menschen auch so unglücklich. Schadenfrohe, misslautige Scheelsucht verfolgt sie und grollt ihnen mit dem neidischen Antlitz entgegen. Die Göttinnen der Scham und der heiligen Scheu, welche sich bisher doch noch auf der Erde hatten blicken lassen, verhüllen traurig ihren schönen Leib in das weiße Gewand und verlassen die Menschen, um sich wieder in die Versammlung der ewigen Götter zurückzuflüchten. Unter den sterblichen Menschen blieb nichts als das traurige Elend zurück, und keine Rettung von diesem Unheil ist zu erwarten.«

DEUKALION UND PYRRHA

Als das eherne Menschengeschlecht auf Erden hauste und Zeus, dem Weltbeherrscher, schlimme Sage von seinen Freveln zu Ohren gekommen, beschloss er, selbst mit menschlicher Bildung die Erde zu durchstreifen. Aber allenthalben fand er das Gerücht noch milder als die Wahrheit. Eines Abends in später Dämmerung trat er unter das ungastliche Dach des Arkadierkönigs Lykaon, welcher durch Wildheit berüchtigt war. Er ließ durch einige Wunderzeichen merken, dass ein Gott gekommen sei, und die Menge hatte sich auf die Knie geworfen. Lykaon jedoch spottete über diese frommen Gebete. »Lasst uns sehen«, sprach er, »ob es ein Sterblicher oder ein Gott sei!« Damit beschloss er im Herzen, den Gast um Mitternacht, wenn der Schlummer auf ihm lastete, mit ungeahntem Tode zu verderben. Noch vorher aber schlachtete er einen armen Geisel, den ihm das Volk der Molosser gesandt hatte, kochte die halb lebendigen Glieder in siedendem Wasser oder briet sie am Feuer und setzte sie dem Fremdling zum Nachtmahle auf den Tisch. Zeus, der alles durchschaut hatte, fuhr vom Mahle empor und sandte die rächende Flamme über die Burg des Gottlosen. Bestürzt entfloh der König ins freie Feld. Der erste Wehlaut, den er ausstieß, war ein Geheul, sein Gewand wurde zu Zotteln, seine Arme zu Beinen; er war in einen blutdürstigen Wolf verwandelt.

Zeus kehrte in den Olymp zurück, hielt mit den Göttern Rat und gedachte das ruchlose Menschengeschlecht zu vertilgen. Schon wollte er auf alle Länder die Blitze verstreuen; aber die Furcht, der Äther möchte in Flammen geraten und die Achse des Weltalls verlodern, hielt ihn ab. Er legte die Donnerkeile, welche ihm die Zyklopen geschmiedet, wieder beiseite und beschloss, über die ganze Erde Platzregen vom Himmel zu senden und so unter Wolkengüssen die Sterblichen aufzureiben. Auf der Stelle ward der Nordwind samt allen andern die Wolken verscheuchenden Winden in die Höhlen des Äolos verschlossen und nur der Südwind von ihm ausgesendet. Dieser flog mit triefenden Schwingen zur Erde hinab, sein entsetzliches Antlitz bedeckte pechschwarzes Dunkel, sein Bart war schwer von Gewölk, von seinem weißen Haupthaare rann die Flut, Nebel lagerten auf der Stirne, aus dem Busen troff ihm das Wasser. Der Südwind griff an den Himmel, fasste mit der Hand die weit umherhängenden Wolken und fing an, sie auszupressen. Der Donner rollte, gedrängte Regenflut stürzte vom Himmel; die Saat beugte sich unter dem wogenden Sturm, darnieder lag die Hoffnung des Landmanns, verdorben war die langwierige Arbeit des ganzen Jahres. Auch Poseidon, des Zeus Bruder, kam ihm bei dem Zerstörungswerk zu Hilfe, berief alle Flüsse zusammen und sprach: »Lasst euren Strömungen alle Zügel schießen, fallt in die Häuser, durchbrecht die Dämme!« Sie vollführten seinen Befehl, und Poseidon selbst durchstach mit seinem Dreizack das Erdreich und schaffte durch Erschütterung den Fluten Eingang. So strömten die Flüsse über die offene Flur hin, bedeckten die Felder, rissen Baumpflanzungen, Tempel und Häuser fort. Blieb auch wo ein Palast stehen, so deckte doch bald das Wasser seinen Giebel, und die höchsten Türme verbargen sich im Strudel. Meer und Erde waren bald nicht mehr unterschieden; alles war See, und gestadeloser See. Die Menschen suchten sich zu retten, so gut sie konnten; der eine erkletterte den höchsten Berg, der andere bestieg einen Kahn und ruderte nun über das Dach seines versunkenen Landhauses oder über die Hügel seiner Weinpflanzungen hin, dass der Kiel an ihnen streifte. In den Ästen der Wälder arbeiteten sich die Fische ab; den Eber, den eilenden, erjagte die Flut: ganze Völker wurden vom Wasser hinweggerafft, und was die Welle verschonte, starb den Hungertod auf den unbebauten Heidegipfeln.

Ein solcher hoher Berg ragte noch mit zwei Spitzen im Lande Phokis über die alles bedeckende Meerflut hervor. Es war der Parnassos. An ihn schwamm Deukalion, des Prometheus Sohn, den dieser gewarnt und ihm ein Schiff erbaut hatte, mit seiner Gattin Pyrrha im Nachen heran. Kein Mann, kein Weib war je erfunden worden, die an Rechtschaffenheit und Götterscheu diese beiden übertroffen hätten. Als nun Zeus vom Himmel herabschauend die Welt von stehenden Sümpfen überschwemmt und von den vielen tausendmal Tausenden nur ein einziges Menschenpaar übrig sah, beide unsträflich, beide andächtige Verehrer der Gottheit, da sandte er den Nordwind aus, sprengte die schwarzen Wolken und hieß ihn die Nebel entführen; er zeigte dem Himmel die Erde und der Erde den Himmel wieder. Auch Poseidon, der Meeresfürst, legte den Dreizack nieder und besänftigte die Flut. Das Meer erhielt wieder Ufer, die Flüsse kehrten in ihr Bett zurück; Wälder streckten ihre mit Schlamm bedeckten Baumwipfel aus der Tiefe hervor, Hügel folgten, endlich breitete sich auch wieder ebenes Land aus, und zuletzt war die Erde wieder da.

Deukalion blickte um sich. Das Land war verwüstet und in Grabesstille versenkt. Tränen rollten bei diesem Anblick über seine Wangen, und er sprach zu seinem Weibe Pyrrha: »Geliebte, einzige Lebensgenossin! So weit ich in die Länder schaue, nach allen Weltgegenden hin, kann ich keine lebende Seele entdecken. Wir zwei bilden miteinander das Volk der Erde, alle andern sind in der Wasserflut untergegangen. Aber auch wir sind unsers Lebens noch nicht mit Gewissheit sicher. Jede Wolke, die ich sehe, erschreckt meine Seele noch. Und wenn auch alle Gefahr vorüber ist, was fangen wir Einsamen auf der verlassenen Erde an? Ach, dass mich mein Vater Prometheus die Kunst gelehrt hätte, Menschen zu erschaffen und geformtem Tone Geist einzugießen!« So sprach er, und das verlassene Paar fing an zu weinen; dann warfen sie sich vor einem halbzerstörten Altar der Göttin Themis auf die Knie nieder und begannen zu der Himmlischen zu flehen: »Sag uns an, o Göttin, durch welche

Kunst stellen wir unser untergegangenes Geschlecht wieder her! O hilf der versunkenen Welt wieder zum Leben!«

»Verlasset meinen Altar«, tönte die Stimme der Göttin, »umschleiert euer Haupt, löst eure gegürteten Glieder und werft die Gebeine eurer Mutter hinter den Rücken.«

Lange verwunderten sich beide über diesen rätselhaften Götterspruch. Pyrrha brach zuerst das Schweigen. »Verzeih mir, hohe Göttin«, sprach sie, »wenn ich zusammenschaudre, wenn ich dir nicht gehorsame und meiner Mutter Schatten nicht durch Zerstreuung ihrer Gebeine kränken will!« Aber dem Deukalion fuhr es durch den Geist wie ein Lichtstrahl. Er beruhigte seine Gattin mit dem freundlichen Worte: »Entweder trügt mich mein Scharfsinn, oder die Worte der Götter sind fromm und verbergen keinen Frevel! Unsere große Mutter, das ist die Erde, ihre Knochen sind die Steine; und diese, Pyrrha, sollen wir hinter uns werfen!«

Beide misstrauten indessen dieser Deutung noch lange. Jedoch, was schadet die Probe, dachten sie. So gingen sie denn seitwärts, verhüllten ihr Haupt, entgürteten ihre Kleider und warfen, wie ihnen befohlen war, die Steine hinter sich. Da ereignete sich ein großes Wunder: das Gestein begann seine Härtigkeit und Spröde abzulegen, wurde geschmeidig, wuchs, gewann eine Gestalt; menschliche Formen traten an ihm hervor, doch noch nicht deutlich, sondern rohen Gebilden oder einer in Marmor vom Künstler erst aus dem Groben herausgemeißelten Figur ähnlich. Was jedoch an den Steinen Feuchtes oder Erdiges war, das wurde zu Fleisch an dem Körper; das Unbeugsame, Feste ward in Knochen verwandelt; das Geäder in den Steinen blieb Geäder. So gewannen mit Hilfe der Götter in kurzer Frist die vom Manne geworfenen Steine männliche Bildung, die vom Weibe geworfenen weibliche.

Diesen seinen Ursprung verleugnet das menschliche Geschlecht nicht, es ist ein hartes Geschlecht und tauglich zur Arbeit. Jeden Augenblick erinnert es daran, aus welchem Stamm es erwachsen ist.

JO

Inachos, der uralte Stammfürst und König der Pelasger, hatte eine bildschöne Tochter mit Namen Jo. Auf sie war der Blick des Zeus, des olympischen Herrschers, gefallen, als sie auf der Wiese von Lerna der Herden ihres Vaters pflegte. Der Gott ward von Liebe zu ihr entzündet, trat zu ihr in Menschengestalt und fing an, sie mit verführerischen Schmeichelworten zu versuchen: »O Jungfrau, glücklich ist, der dich besitzen wird; doch ist kein Sterblicher deiner wert, und du verdientest, des höchsten Gottes Braut zu sein! Wisse denn, ich bin Zeus. Fliehe nicht vor mir. Die Hitze des Mittags brennt heiß. Tritt mit mir in den Schatten des erhabenen Haines, der uns dort zur Linken in seine Kühle einlädt; was machst du dir in der Glut des Tages zu schaffen? Fürchte dich doch nicht, den dunkeln Wald und die Schluchten, in welchen das Wild hauset, zu betreten. Bin doch ich da, dich zu schirmen, der Gott, der das Zepter des Himmels führt und die zackigen Blitze über den Erdboden versendet.« Aber die Jungfrau floh vor dem Versucher mit eiligen Schritten und sie wäre ihm auf den Flügeln der Angst entkommen, wenn der verfolgende Gott seine Macht nicht missbraucht und das ganze Land in dichte Finsternis gehüllt hätte. Rings umqualmte die Fliehende der Nebel, und bald waren ihre Schritte gehemmt durch die Furcht, an einen Felsen zu rennen oder in einen Fluss zu stürzen. So kam die unglückliche Jo in die Gewalt des Gottes.

Hera, die Göttermutter, war längst an die Treulosigkeit ihres Gatten gewöhnt, der sich von ihrer Liebe ab und den Töchtern der Halbgötter und der Sterblichen zuwandte; aber sie vermochte ihren Zorn und ihre Eifersucht nicht zu bändigen, und mit immer wachem Misstrauen beobachtete sie alle Schritte des Zeus auf der Erde. So schaute sie auch jetzt gerade auf die Gegenden hernieder, wo ihr Gemahl ohne ihr Wissen wandelte. Zu ihrem großen Erstaunen bemerkte sie plötzlich, wie der heitere Tag auf einer Stelle durch nächtlichen Nebel getrübt wurde und wie dieser weder einem Strome noch dem dunstigen Boden entsteige, noch sonst von einer natürlichen Ursache herrühre. Da kam ihr schnell ein Gedanke an die Untreue ihres Gatten; sie spähte rings durch den Olymp und fand ihn nicht. »Entweder ich täusche mich«, sprach sie ergrimmt zu sich selbst, »oder ich werde von meinem Gatten schnöde gekränkt!« Und nun fuhr sie auf einer Wolke vom hohen Äther zur Erde hernieder und gebot dem Nebel, der den Entführer mit seiner Beute umschlossen hielt, zu weichen. Jupiter hatte die Ankunft seiner Gemahlin geahnt, und um seine Geliebte ihrer Rache zu entziehen, verwandelte er die schöne Tochter des Inachos schnell in eine schmucke, schneeweiße Kuh. Aber auch so war die Holdselige noch schön geblieben. Hera, welche die List ihres Gemahls alsbald durchschaut hatte, pries das stattliche Tier und fragte, als wüsste sie nichts von der Wahrheit, wem die Kuh gehöre, von wannen und welcherlei Zucht sie sei. Zeus, in der Not und um sie von weiterer Nachfrage abzuschrecken, nahm seine Zuflucht zu einer Lüge und gab vor, die Kuh entstammte der Erde. Hera gab sich damit zufrieden, aber sie bat sich das schöne Tier von ihrem Gemahl zum Geschenk aus. Was sollte der betrogene Betrüger machen? Gibt er die Kuh her, so wird er seiner Geliebten verlustig; verweigert er sie, so erregt er erst recht den Verdacht seiner Gemahlin, welche der Unglücklichen dann rasches Verderben senden wird! So entschloss er sich denn, für den Augenblick auf die Jungfrau zu verzichten, und schenkte die schimmernde Kuh, die er immer noch für unentdeckt hielt, seiner Gemahlin. Hera knüpfte, scheinbar beglückt durch die Gabe, dem schönen Tier ein Band um den Hals und führte die Unselige, der ein verzweifelndes Menschenherz unter der Tiergestalt schlug, im Triumphe davon. Doch machte der Göttin dieser Diebstahl selbst Angst, und sie ruhte nicht, bis sie ihre Nebenbuhlerin der sichersten Hut überantwortet hatte. Daher suchte sie den Argos, den Sohn des Arestor, auf, ein Ungetüm, das ihr zu diesem Dienste besonders geeignet schien. Denn Argos hatte hundert Augen im Kopfe, von denen nur ein Paar abwechslungsweise sich schloss und der Ruhe ergab, während die übrigen alle, über Vorder- und Hinterhaupt wie funkelnde Sterne verstreut, auf ihrem Posten ausharrten. Diesen gab Hera der armen Jo zum Wächter, damit ihr Gemahl die entrissene Geliebte nicht entführen könne. Unter seinen hundert Augen durfte Jo, die Kuh, des Tages über auf einer fetten Trift weiden; Argos aber stand in der Nähe, und wo er sich immer hinstellen mochte, erblickte er die ihm Anvertraute; auch wenn er sich abwandte und ihr das Hinterhaupt zukehrte, hatte er sie vor Augen. Wenn aber die Sonne untergegangen war, schloss er sie ein und belastete den Hals der Unglückseligen mit Ketten; bittre Kräuter und Baumlaub waren ihre Speise, ihr

Bett der harte, nicht einmal immer mit Gras bedeckte Boden, ihr Trank schlammige Pfützen. Jo vergaß oft, dass sie kein Mensch mehr war, sie wollte Mitleiden erflehend ihre Arme zu Argos erheben: da ward sie erst daran erinnert, dass sie keine Arme mehr hatte. Sie wollte ihm in Worten rührende Bitten vortragen: dann entfuhr ihrem Munde ein Brüllen, dass sie vor ihrer eigenen Stimme erschrak, welche sie daran mahnte, wie sie durch ihres Räubers Selbstsucht in ein Tier verwandelt worden sei. Doch blieb Argos mit ihr nicht an einer Stelle, denn so hatte es ihn Hera geheißen, die durch Veränderung ihres Aufenthalts sie dem Gemahl umso gewisser zu entziehen hoffte. Ihr Wächter zog daher mit ihr im Lande herum, und so kam sie auch mit ihm in ihre alte Heimat, an das Gestade des Flusses, wo sie so oft als Kind zu spielen gepflegt hatte. Da sah sie zum ersten Mal ihr Bild in der Flut; als das Tierhaupt mit Hörnern ihr aus dem Wasser entgegenblickte, schauderte sie zurück und floh bestürzt vor sich selbst. Ein sehnsüchtiger Trieb führte sie in die Nähe ihrer Schwestern, in die Nähe ihres Vaters Inachos; aber diese erkannten sie nicht; Inachos streichelte wohl das schöne Tier und reichte ihm Blätter, die er von dem nächsten Strauche pflückte; Jo beleckte dankbar seine Hand und benetzte sie mit Küssen und heimlichen menschlichen Tränen. Aber wen er liebkoste und von wem er geliebkost wurde, das ahnte der Greis nicht. Endlich kam der Armen, deren Geist unter der Verwandlung nicht gelitten hatte, ein glücklicher Gedanke. Sie fing an, Schriftzeichen mit dem Fuße zu ziehen, und erregte durch diese Bewegung die Aufmerksamkeit des Vaters, der bald im Staube die Kunde las, dass er sein eigenes Kind vor sich habe. »Ich Unglückseliger«, rief der Greis bei seiner Entdeckung aus, indem er sich an Horn und Nacken der stöhnenden Tochter hing, »so muss ich dich wieder finden, die ich durch alle Länder gesucht habe! Wehe mir, du hast mir weniger Kummer gemacht, solange ich dich suchte als jetzt, wo ich dich gefunden habe! Du schweigst? Du kannst mir kein tröstendes Wort sagen, mir nur mit deinem Gebrüll antworten! Ich Tor, einsam sann ich darauf, wie ich dir einen würdigen Eidam zuführen könnte, und dachte nur an Brautfackel und Vermählung. Nun bist du ein Kind der Herde ...« Argos, der grausame Wächter, ließ den jammernden Vater nicht vollenden, er riss Jo von dem Vater hinweg und schleppte sie fort auf einsame Weiden. Dann klomm er selbst einen Berggipfel empor und

versah sein Amt, indem er mit seinen hundert Augen wachsam nach allen vier Winden hinauslugte.
Zeus konnte das Leid der Inachostochter nicht länger ertragen. Er rief seinem geliebten Sohne Hermes und befahl ihm, seine List zu brauchen und dem verhassten Wächter das Augenlicht auszulöschen. Dieser beflügelte seine Füße, ergriff mit der mächtigen Hand seine einschläfernde Rute und setzte seinen Reisehut auf. So fuhr er von dem Palaste seines Vaters zur Erde nieder. Dort legte er Hut und Schwingen ab und behielt nur den Stab; so stellte er einen Hirten vor, lockte Ziegen an sich und trieb sie auf die abgelegenen Fluren, wo Jo weidete und Argos die Wache hielt. Dort angekommen, zog er ein Hirtenrohr, das man Syrinx nennt, hervor und fing an, so anmutig und voll zu blasen, wie man von irdischen Hirten zu vernehmen nicht gewohnt ist. Der Diener Heras freute sich dieses ungewohnten Schalles, erhob sich von seinem Felsensitze und rief hernieder: »Wer du auch sein magst, willkommener Rohrbläser, du könntest wohl bei mir auf diesem Felsen hier ausruhen. Nirgends ist der Graswuchs üppiger für das Vieh als hier, und du siehst, wie behaglich der Schatten dieser dicht gepflanzten Bäume für den Hirten ist!« Hermes dankte dem Rufenden, stieg hinauf und setzte sich zu dem Wächter, mit welchem er eifrig zu plaudern anfing und sich so ernstlich ins Gespräch vertiefte, dass der Tag herumging, ehe Argos sich dessen versah. Diesem begannen die Augen zu schläfern, und nun griff Hermes wieder zu seinem Rohre und versuchte sein Spiel, um ihn vollends in Schlummer zu wiegen. Aber Argos, der an den Zorn seiner Herrin dachte, wenn er seine Gefangene ohne Fesseln und Obhut ließe, kämpfte mit dem Schlaf, und wenn sich auch der Schlummer in einen Teil seiner Augen schlich, so wachte er doch fortdauernd mit dem andern Teile, nahm sich zusammen, und da die Rohrpfeife erst kürzlich erfunden worden war, so fragte er seinen Gesellen nach dem Ursprunge dieser Erfindung. »Das will ich dir gerne erzählen«, sagte Hermes, »wenn du in dieser späten Abendstunde Geduld und Aufmerksamkeit genug hast, mich anzuhören. In den Schneegebirgen Arkadiens wohnte eine berühmte Hamadryade, eine Baumnymphe, namens Syrinx. Die Waldgötter und Satyrn, von ihrer Schönheit bezaubert, verfolgten sie schon lange mit ihrer Werbung, aber immer wusste sie ihnen zu entschlüpfen. Denn sie scheute das Joch der Vermählung und wollte, umgürtet und jagdliebend wie

Artemis, gleich dieser in jungfräulichem Stande verharren. Endlich wurde auf seinen Streifereien durch jene Wälder auch der mächtige Gott Pan der Nymphe ansichtig, näherte sich ihr und warb um ihre Hand dringend und im stolzen Bewusstsein seiner Hoheit. Aber die Nymphe verschmähte sein Flehen und flüchtete vor ihm durch unwegsame Steppen, bis sie zuletzt an das langsame Wasser des versandeten Flusses Ladon kam, dessen Wellen doch noch tief genug waren, der Jungfrau den Übergang zu wehren. Hier beschwor sie ihre Schutzgöttin Artemis, ehe sie in die Hand des Gottes fiele, sich ihrer Verehrerin zu erbarmen und sie zu verwandeln. Indem kam der Gott herangeflogen und umfasste die am Ufer Zögernde; aber wie staunte er, als er, statt eine Nymphe zu umarmen, nur ein Schilfrohr umfasst hielt; seine lauten Seufzer zogen vervielfältigt durch das Rohr und wiederholten sich mit tiefem, klagendem Gesäusel. Der Zauber dieses Wohllautes tröstete den getäuschten Gott. »Wohl denn, verwandelte Nymphe«, rief er mit schmerzlicher Freude, »auch so soll unsre Verbindung unauflöslich sein!« Und nun schnitt er sich von dem geliebten Schilfe ungleichförmige Röhren, verknüpfte sie mit Wachs untereinander und nannte die lieblich tönende Flöte nach dem Namen der holden Hamadryade, und seitdem heißt dieses Hirtenrohr Syrinx ...«

So lautete die Erzählung des Hermes, bei welcher er den hundertäugigen Wächter unausgesetzt im Auge behielt. Die Mär war noch nicht zu Ende, als er sah, wie ein Auge um das andere sich unter der Decke geborgen hatte und endlich alle die hundert Leuchten im dichten Schlaf erloschen waren. Nun hemmte der Götterbote seine Stimme, berührte mit seinem Zauberstabe nacheinander die hundert eingeschläferten Augenlider und verstärkte ihre Betäubung. Während nun der hundertäugige Argos in tiefem Schlafe nickte, griff Hermes schnell zu dem Sichelschwerte, das er unter seinem Hirtenrocke verborgen trug, und hieb ihm den gesenkten Nacken, da wo der Hals zunächst an den Kopf grenzt, durch und durch. Kopf und Rumpf stürzten nacheinander vom Felsen herab und färbten das Gestein mit einem Strome von Blut.

Nun war Jo befreit, und obwohl noch unverwandelt, rannte sie ohne Fesseln davon. Aber den durchdringenden Blicken Heras entging nicht, was in der Tiefe geschehen war. Sie dachte auf eine ausgesuchte Qual für ihre Nebenbuhlerin und sandte ihr eine Bremse, die das unglückliche

Geschöpf durch ihren Stich zum Wahnsinne trieb. Diese Qual jagte die Geängstigte mit ihrem Stachel landflüchtig über den ganzen Erdkreis, zu den Skythen an den Kaukasus, zum Amazonenvolke, zum kimmerischen Isthmos und an die mäotische See; dann hinüber nach Asien und endlich nach langem verzweiflungsvollem Irrlaufe nach Ägypten. Hier am Strande des Nilufers angelangt, sank Jo auf ihre Vorderfüße nieder und hob, den Hals rücklings gebogen ihre stummen Augen zum Olymp empor, mit einem Blicke voll Haders gegen Zeus. Den jammerte dieses Anblickes; er eilte zu seiner Gemahlin Hera, umfing ihren Hals mit den Armen, flehte um Barmherzigkeit für das arme Mädchen, das schuldlos an seiner Verirrung war, und schwur ihr beim Styx, dem Wasser der Unterwelt, bei dem die Götter schwören, von seiner Neigung zu ihr hinfort ganz abzulassen. Hera hörte während dieser Bitte das flehentliche Brüllen der Kuh, das zum Olymp emporstieg. Da ließ sich die Göttermutter erweichen und gab dem Gemahle Vollmacht, der Missstalteten den menschlichen Leib zurückzugeben. Zeus eilte zur Erde nieder und an den Nil. Hier strich er der Kuh mit der Hand über den Rücken; da war es wunderbar anzuschauen. Die Zotteln flohen vom Leibe des Tieres, das Gehörn schrumpfte zusammen, die Scheibe der Augen verengte sich, das Maul zog sich zu Lippen zusammen, nichts blieb von der Kuh übrig als die schöne weiße Farbe. In ganz verwandelter Gestalt erhob sich Jo vom Boden und stand aufrecht in menschlicher Schönheit leuchtend. Am Nilstrome gebar sie dem Zeus den Epaphos, und weil das Volk die wunderbar Verwandelte und Errettete göttergleich ehrte, so herrschte sie lange mit Fürstengewalt über jene Lande. Doch blieb sie auch so nicht ganz von Heras Zorn verschont. Diese stiftete das wilde Volk der Kureten auf, ihren jungen Sohn Epaphos zu entführen, und nun trat sie aufs Neue eine lange vergebliche Wanderung an, den Geraubten aufzusuchen. Endlich, nachdem Zeus die Kureten mit dem Blitz erschlagen, fand sie den entführten Sohn an der Grenze Äthiopiens wieder, kehrte mit ihm nach Ägypten zurück und ließ ihn an ihrer Seite herrschen. Er heiratete die Memphis, und diese gebar ihm Libya, von der das Land Libyen den Namen erhielt. Mutter und Sohn wurden von dem Nilvolke nach beider Tode mit Tempeln geehrt und erhielten, sie als Isis, er als Apis, göttliche Verehrung.

PHAETHON

Auf herrlichen Säulen erbaut stand die Königsburg des Sonnengottes, von blitzendem Gold und glühendem Karfunkel schimmernd; den obersten Giebel umschloss blendendes Elfenbein, gedoppelte Türen strahlten in Silberglanz, darauf in erhabener Arbeit die schönsten Wundergeschichten zu schauen waren. In diesen Palast trat Phaethon, der Sohn des Sonnengottes Helios, und verlangte den Vater zu sprechen. Doch stellte er sich nur von ferne hin, denn in der Nähe war das strahlende Licht nicht zu ertragen. Der Vater Helios, von Purpurgewand umhüllt, saß auf seinem fürstlichen Stuhle, der mit gänzenden Smaragden besetzt war; zu seiner Rechten und zu seiner Linken stand sein Gefolge geordnet, der Tag, der Monat, das Jahr, die Jahrhunderte und die Horen; der jugendliche Lenz mit seinem Blütenkranze, der Sommer mit Ährengewinden bekränzt, der Herbst mit einem Füllhorn voll Trauben, der eisige Winter mit schneeweißen Haaren. Helios, in ihrer Mitte sitzend, wurde mit seinem allschauenden Auge bald den Jüngling gewahr, der über so viele Wunder staunte. »Was ist der Grund deiner Wallfahrt«, sprach er, »was führt dich in den Palast deines göttlichen Vaters, mein Sohn?« Phaethon antwortete: »Erlauchter Vater, man spottet mein auf Erden und beschimpft meine Mutter Klymene. Sie sprechen, ich erheuchle nur himmlische Abkunft und sei der Sohn eines dunkeln Vaters. Darum komme ich, von dir ein Unterpfand zu erbitten, das mich vor aller Welt als deinen wirklichen Sprössling darstelle.« So sprach er; da legte Helios die Strahlen, die ihm rings das Haupt umleuchten, ab und hieß ihn näher herantreten: dann umarmte er ihn und sprach: »Deine Mutter Klymene hat die Wahrheit gesagt, mein Sohn, und ich werde dich vor der Welt nimmermehr verleugnen. Damit du aber ja nicht ferner zweifelst, so erbitte dir ein Geschenk; ich schwöre beim Styx, dem Flusse der Unterwelt, bei welchem alle Götter schwören, deine Bitte, welche sie auch sei, soll dir erfüllt werden!« Phaethon ließ den Vater kaum ausreden. »So erfülle mir denn«, sprach er, »meinen glühendsten Wunsch und vertraue mir nur auf einen Tag die Lenkung deines geflügelten Sonnenwagens.«

Schrecken und Reue ward sichtbar auf dem Angesichte des Gottes. Drei-, viermal schüttelte er sein umleuchtetes Haupt und rief endlich:

»O Sohn, du hast mich ein sinnloses Wort sprechen lassen! O dürfte ich dir doch meine Verheißung nimmermehr gewähren! Du verlangst ein Geschäft, dem deine Kräfte nicht gewachsen sind; du bist zu jung; du bist sterblich, und was du wünschest, ist ein Werk der Unsterblichen! Ja, du erstrebest sogar mehr, als den übrigen Göttern zu erlangen vergönnt ist. Denn außer mir vermag keiner von ihnen auf der Gluten sprühenden Achse zu stehen. Der Weg, den mein Wagen zu machen hat, ist gar steil, mit Mühe erklimmt ihn in der Frühe des Morgens mein noch frisches Rossegespann. Die Mitte der Laufbahn ist zuoberst am Himmel. Glaube mir, wenn ich auf meinem Wagen in solcher Höhe stehe, da kommt mich oft selbst ein Grausen an, und mein Haupt droht ein Schwindel zu fassen, wenn ich so herniederblicke in die Tiefe und Meer und Land weit unter mir liegen. Zuletzt ist dann die Straße ganz abschüssig, da bedarf es gar sichrer Lenkung. Die Meeresgöttin Thetis selbst, die mich in ihre Fluten aufzunehmen bereit ist, pflegt alsdann zu befürchten, ich möchte in die Tiefe geschmettert werden. Dazu bedenke, dass der Himmel sich in beständigem Umschwunge dreht und ich diesem reißenden Kreislaufe entgegenfahren muss. Wie vermöchtest du das, wenn ich dir auch meinen Wagen gäbe? Darum, geliebter Sohn, verlange nicht ein so schlimmes Geschenk und bessere deinen Wunsch, solange es noch Zeit ist. Sieh mein erschrecktes Gesicht an. O könntest du durch meine Augen in mein sorgenvolles Vaterherz eindringen! Verlange, was du sonst willst von allen Gütern des Himmels und der Erde! Ich schwöre dir beim Styx, du sollst es haben! Warum umarmst du mich mit solchem Ungestüm?«

Aber der Jüngling ließ mit Flehen nicht ab, und der Vater hatte den heiligen Schwur geschworen. So nahm er denn seinen Sohn bei der Hand und führte ihn zu dem Sonnenwagen, des Hephästos herrlicher Arbeit. Achse, Deichsel und der Kranz der Räder waren von Gold, die Speichen Silber; vom Joche schimmerten Chrysolithen und Juwelen. Während Phaethon die herrliche Arbeit beherzt anstaunte, tat im geröteten Osten die erwachte Morgenröte ihr Purpurtor und ihren Vorsaal, der voll Rosen ist, auf. Die Sterne verschwinden allmählich, der Morgenstern ist der letzte, der seinen Posten am Himmel verlässt, und die äußersten Hörner des Mondes verlieren sich am Rande. Jetzt gibt Helios den geflügelten Horen den Befehl, die Rosse zu schirren; und diese führen die

Glut sprühenden Tiere, von Ambrosia gesättigt, von den erhabenen Krippen und legen ihnen herrliche Zäume an. Während dies geschah, bestrich der Vater das Antlitz seines Sohnes mit einer heiligen Salbe und machte es dadurch geschickt, die glühende Flamme zu ertragen. Um das Haupthaar legte er ihm seine Strahlensonne, aber er seufzte dazu und sprach warnend: »Kind, schone mir die Stacheln, brauche wacker die Zügel; denn die Rosse rennen schon von selbst, und es kostet Mühe, sie im Fluge zu halten; die Straße geht schräg in weit umbiegender Krümmung; den Südpol wie den Nordpol musst du meiden. Du erblickst deutlich die Gleise der Räder. Senke dich nicht zu tief, sonst gerät die Erde in Brand: steige nicht zu hoch, sonst verbrennst du den Himmel. Auf, die Finsternis flieht, nimm die Zügel zur Hand; oder – noch ist es Zeit; besinne dich, liebes Kind; überlass den Wagen mir, lass mich der Welt das Licht schenken und bleibe du Zuschauer!«

Der Jüngling schien die Worte des Vaters gar nicht zu hören, er schwang sich mit einem Sprung auf den Wagen, ganz erfreut, die Zügel in den Händen zu haben, und nickte dem unzufriedenen Vater einen kurzen, freundlichen Dank zu. Mittlerweile füllten die vier Flügelrosse mit Glut atmendem Wiehern die Luft, und ihr Huf stampfte gegen die Barren. Thetis, Phaethons Großmutter, welche nichts vom Lose des Enkels ahnte, tat diese auf; die Welt lag in unendlichem Raume vor den Blicken des Knaben, die Rosse flogen die Bahn aufwärts und spalteten die Morgennebel, die vor ihnen lagen.

Inzwischen fühlten die Rosse wohl, dass sie nicht die gewohnte Last trugen und das Joch leichter sei als gewöhnlich: und wie Schiffe, wenn sie das rechte Gewicht nicht haben, im Meere schwanken, so machte der Wagen Sprünge in der Luft, ward hoch emporgestoßen und rollte dahin, als wäre er leer. Als das Rossegespann dies merkte, rannte es, die gebahnten Räume verlassend, und lief nicht mehr in der vorigen Ordnung. Phaethon fing an zu erbeben, er wusste nicht, wohin die Zügel lenken, wusste den Weg nicht, wusste nicht, wie er die wilden Rosse bändigen sollte. Als nun der Unglückliche hoch vom Himmel abwärts sah auf die tief, tief unter ihm sich hinstreckenden Länder, wurde er blass, und seine Knie zitterten von plötzlichem Schrecken. Er sah rückwärts; schon lag viel Himmel hinter ihm, aber mehr noch vor seinen Augen. Beides ermaß er in seinem Geiste. Unwissend, was beginnen, starrte er in die Weite, ließ die Zügel nicht nach, zog sie auch nicht weiter an; er wollte den Rossen rufen, aber er kannte ihre Namen nicht. Mit Grauen sah er die mannigfaltigen Sternbilder an, die in abenteuerlichen Gestalten am Himmel herumhingen. Da ließ er, von kaltem Entsetzen erfasst, die Zügel fahren, und wie sie herabschlotternd den Rücken der Pferde berührten, so verließen diese ihre Spur, schweiften seitwärts in fremde Luftgebiete, gingen bald hoch empor, bald tief hernieder; jetzt stießen sie an den Fixsternen an, jetzt wurden sie auf abschüssigem Pfade in die Nachbarschaft der Erde herabgerissen. Schon berührten sie die erste Wolkenschicht, die bald entzündet aufdampfte. Immer tiefer stürzte der Wagen, und unversehens war er einem Hochgebirge nahe gekommen. Da lechzte vor Hitze der Boden, spaltete sich, und weil plötzlich alle Säfte austrockneten, fing er an zu glimmen; das Heidegras wurde weißgelb und welkte hinweg: weiter unten loderte das Laub der Waldbäume auf; bald war die Glut bei der Ebene angekommen: nun wurde die Saat weggebrannt, ganze Städte loderten in Flammen auf, Länder mit all ihrer Bevölkerung wurden versengt; rings brannten Hügel, Wälder und Berge. Damals sollen auch die Mohren schwarz geworden sein. Die Ströme versiegten oder flohen erschreckt nach ihrer Quelle zurück, das Meer selbst wurde zusammengedrängt, und was jüngst noch See war, wurde trockenes Sandfeld.

An allen Seiten sah Phaethon den Erdkreis entzündet; ihm selbst wurde die Glut bald unerträglich; wie tief aus dem Innern einer Feueresse atmete er siedende Luft ein und fühlte unter seinen Sohlen, wie der Wagen erglühte. Schon konnte er den Dampf und die vom Erdbrand emporgeschleuderte Asche nicht mehr ertragen. Qualm und pechschwarzes Dunkel umgaben ihn; das Flügelgespann riss ihn nach Willkür fort; endlich ergriff die Glut seine Haare, er stürzte aus dem Wagen, und brennend wurde er durch die Luft gewirbelt, wie zuweilen ein Stern bei heiterer Luft durch den Himmel zu schießen scheint. Fern von der Heimat nahm ihn der breite Strom Eridanos auf und bespülte ihm sein schäumendes Angesicht.

Helios, der Vater, der dies alles mit ansehen musste, verhüllte sein Haupt in brütender Trauer. Damals, sagte man, sei ein Tag der Erde ohne Sonnenlicht vorübergeflohen. Der ungeheure Brand leuchtete allein.

EUROPA

Im Lande Tyrus und Sidon erwuchs die Jungfrau Europa, die Tochter des Königs Agenor, in der tiefen Abgeschiedenheit des väterlichen Palastes. Zu dieser ward mitternächtlicher Weile, wo untrügliche Träume die Sterblichen besuchen, ein seltsames Traumbild vom Himmel gesendet. Es kam ihr vor, als erschienen zwei Weltteile in Frauengestalt, Asien und der gegenüberliegende, und stritten um ihren Besitz. Die eine der Frauen hatte die Gestalt einer Fremden: die andere – und dies war Asien – glich an Aussehen und Gebärde einer Einheimischen. Diese wehrte sich, mit zärtlichem Eifer für ihr Kind Europa sprechend, dass *sie* es sei, welche die geliebte Tochter geboren und gesäugt habe. Das fremde Weib aber umfasste sie wie einen Raub mit gewaltigen Armen und zog sie mit sich fort, ohne dass Europa im Innern zu widerstreben vermochte. »Komm nur mit mir, Liebchen«, sprach die Fremde, »ich trage dich als Beute dem Aegiserschütterer Zeus entgegen; so ist dir's vom Geschicke beschieden.« Mit klopfendem Herzen erwachte Europa und richtete sich vom Lager auf, denn das Nachtgesicht war hell wie ein Anblick des Tages gewesen. Lange Zeit saß sie unbeweglich aufrecht im Bette, vor sich hinstarrend, und vor ihren weit aufgetanen Augensternen standen noch die beiden Weiber. Erst spät öffneten sich ihre Lippen zum bangen Selbstgespräche: »Welcher Himmlische«, sprach sie, »hat mir diese Bilder zugeschickt? Was für wunderbare Träume haben mich aufgeschreckt, die ich im Vaterhaus süß und sicher schlummerte? Wer war doch die Fremde, die ich im Traume gesehen? Welch eine wunderbare Sehnsucht nach ihr regt sich in meinem Herzen? Und wie ist sie selbst mir so liebreich entgegengekommen, und, auch als sie mich gewaltsam entführte, mit welchem Mutterblicke hat sie mich angelächelt! Mögen die seligen Götter mir den Traum zum Besten kehren!«

Der Morgen war herangekommen; der helle Tagesschein verwischte den nächtlichen Schimmer des Traumes aus der Seele der Jungfrau, und Europa erhob sich zu den Beschäftigungen und Freuden ihres jungfräulichen Lebens. Bald sammelten sich um sie ihre Altersgenossinnen und Gespielinnen, Töchter der ersten Häuser, welche sie zu Chortänzen, Opfern und Lustgängen zu begleiten pflegten. Auch jetzt kamen sie, ihre Herrin zu einem Gange nach den blumenreichen Wiesen des Meeres einzuladen, wo sich die Mädchen der Gegend scharenweise zu versammeln und am üppigen Wuchse der Blumen und am rauschenden Halle des Meeres zu erfreuen pflegten. Alle Mädchen waren in schmucke, blumenbestickte Gewande gekleidet; Europa selbst trug ein wunderherrliches goldbesticktes Schleppkleid voll glänzender Bilder aus der Göttersage; das köstliche Gewand war ein Werk des Hephästos, ein uraltes Göttergeschenk des Erderschütterers Poseidon, das dieser der Libya geschenkt hatte, als er um sie warb. Aus ihrem Besitze war es von Hand zu Hand als Erbstück in das Haus des Agenor gekommen. Mit diesem Brautschmuck angetan, eilte die holdselige Europa an der Spitze ihrer Gespielinnen den Meereswiesen zu, die voll der buntesten Blumen standen. Jubelnd zerstreute sich die Schar der Mädchen da und dorthin, jede suchte sich eine Blume aus, die nach ihrem Sinne war. Die eine pflückte die glänzende Narzisse, die andere wandte sich der Balsam ausströmenden Hyazinthe zu, eine dritte erwählte sich das sanfter duftende Veilchen, andern gefiel der gewürzige Quendel, wieder andere mähten den gelben lockenden Krokus. So flogen die Gespielinnen hin und her; Europa aber hatte bald ihr Ziel gefunden, sie stand, wie unter den Grazien die Liebesgöttin, alle ihre Genossinnen überragend und hielt hoch in der Hand einen vollen Strauß von glühenden Rosen.

Als sie genug Blumen gesammelt, lagerten sich die Jungfrauen, ihre Fürstin in der Mitte, harmlos auf dem Rasen und fingen an, Kränze zu flechten, die sie, den Nymphen der Wiese zum Dank, an grünenden Bäumen aufhängen wollten. Aber nicht lange sollten sie ihren Sinn an den Blumen ergötzen, denn in das sorglose Jugendleben Europas griff unversehens das Schicksal ein, das ihr der Traum der verschwundenen Nacht geweissagt hatte. Zeus, der Kronide, war von den Geschossen der Liebesgöttin, die allein auch den unbezwungenen Göttervater zu besiegen vermochten, getroffen und von der Schönheit der jungen Europa ergriffen worden. Weil er aber den Zorn der eifersüchtigen Hera fürchtete, auch nicht hoffen durfte, den unschuldigen Sinn der Jungfrau zu betören, so sann der verschlagene Gott auf eine neue List. Er verwandelte seine Gestalt und wurde ein Stier. Aber welch ein Stier! Nicht, wie er auf gemeiner Wiese geht oder unters Joch gebeugt den schwer beladenen Wagen zieht; nein, groß, herrlich von Gestalt, mit schwellenden Muskeln am Halse und vollen Wampen am Bug; seine Hörner waren zierlich und klein, wie von Händen gedrechselt, und durchsichtiger als reine Juwelen; goldgelb war seine Leibfarbe, nur mitten auf der Stirn schimmerte ein silberweißes Mal, dem gekrümmten Horne des wachsenden Mondes ähnlich; bläuliche, von Verlangen funkelnde Augen rollten ihm im Kopfe.

Ehe Zeus diese Verwandlung mit sich vornahm, rief er zu sich auf den Olymp den Hermes und sprach, ohne ihm etwas von seinen Absichten zu enthüllen: »Spute dich, lieber Sohn, getreuer Vollbringer meiner Befehle! Siehst du dort unten das Land, das links zu uns emporblickt? Es ist Phönizien: dieses betritt und treibe mir das Vieh des Königs Agenor, das du auf den Bergtriften weidend finden wirst, gegen das Meeresufer hinab.« In wenigen Augenblicken war der geflügelte Gott, dem Winke seines Vaters gehorsam, auf der sidonischen Bergweide angekommen und trieb die Herde des Königs, unter die sich auch, ohne dass Hermes es geahnt hätte, der verwandelte Zeus als Stier gemischt hatte, vom Berge herab nach dem angewiesenen Strande, eben auf jene Wiesen, wo die Tochter Agenors, von tyrischen Jungfrauen umringt, sorglos mit Blumen tändelte. Die übrige Herde nun zerstreute sich über die Wiesen ferne von den Mädchen; nur der schöne Stier, in welchem der Gott verborgen war, näherte sich dem Rasenhügel, auf welchem Europa mit ihren Gespielinnen saß. Schmuck wandelte er im üppigen Grase einher, über seiner Stirne schwebte kein Drohen, sein funkelndes Auge flößte keine Furcht ein: sein ganzes Aussehen war voll Sanftmut. Europa und ihre Jungfrauen bewunderten die edle Gestalt des Tieres und seine friedlichen Gebärden, ja sie bekamen Lust, ihn recht in der Nähe zu besehen und ihm den schimmernden Rücken zu streicheln. Der Stier schien dies zu merken, denn er kam immer näher und stellte sich endlich dicht vor Europa hin. Diese sprang auf und wich anfangs einige Schritte zurück; als aber das Tier so gar zahm stehen blieb, fasste sie sich ein Herz, näherte sich wieder und hielt ihm ihren Blumenstrauß vor das schäumende Maul, aus dem sie ein ambrosischer Atem anwehte. Der Stier leckte schmeichelnd die dargebotenen Blumen und die zarte Jungfrauenhand, die ihm den Schaum abwischte und ihn liebreich zu streicheln begann. Immer reizender kam der herrliche Stier der Jungfrau vor, ja sie wagte es und drückte einen Kuss auf seine glänzende Stirne. Da ließ das Tier ein freudiges Brüllen hören, nicht wie andere, gemeine Stiere brüllen, sondern es tönte wie der Klang einer lydischen Flöte, die ein Bergtal durchhallt. Dann kauerte es sich zu den Füßen der schönen Fürstin nieder, blickte sie sehnsüchtig an, wandte ihr den Nacken zu und zeigte ihr den breiten Rücken. Da sprach Europa zu ihren Freundinnen, den Jungfrauen: »Kommt doch auch näher, Gespielinnen, dass wir uns auf den Rücken dieses schönen Stieres setzen und unsere Lust haben; ich glaube, er könnte unserer viere aufnehmen und beherbergen wie ein geräumiges Schiff. Er ist so sanftmütig anzuschauen, so holdselig; er gleicht gar nicht anderen Stieren: wahrhaftig, er hat Verstand wie ein Mensch, und es fehlt ihm gar nichts als die Rede!« Mit diesen Worten nahm sie ihren Gespielinnen die Kränze, einen nach dem andern, aus den Händen und behängte damit die gesenkten Hörner des Stieres; dann schwang sie sich lächelnd auf seinen Rücken, während ihre Freundinnen zaudernd und unschlüssig zusahen.

Der Stier aber, als er geraubt, was er gewollt hatte, sprang vom Boden auf. Anfangs ging er ganz sachte mit der Jungfrau davon, doch so, dass ihre Genossinnen nicht gleichen Schritt mit seinem Gang halten konnten. Als er aber die Wiesen im Rücken und den kahlen Strand vor sich hatte, verdoppelte er seinen Lauf und glich nun nicht mehr einem trabenden Stiere, sondern einem fliegenden Ross. Und ehe sich Europa besinnen konnte, war er mit einem Satz ins Meer gesprungen und schwamm mit seiner Beute dahin. Die Jungfrau hielt mit der Rechten eines seiner Hörner umklammert, mit der Linken stützte sie sich auf den Rücken; in ihre Gewänder blies der Wind wie in ein Segel; ängstlich blickte sie nach dem verlassenen Lande zurück und rief umsonst den Gespielinnen; das Wasser umwallte den segelnden Stier, und seine hüpfenden Wellen scheuend, zog sie furchtsam die Fersen hinauf. Aber das Tier schwamm dahin wie ein Schiff: bald war das Ufer verschwunden, die Sonne untergegangen, und im Helldunkel der Nacht sah die unglückliche Jungfrau nichts um sich her als Wogen und Gestirne. So ging es fort, auch als der Morgen kam; den ganzen Tag schwamm sie durch die unendliche Flut auf dem Tiere dahin; doch wusste dieses so geschickt die Wellen zu durchschneiden, dass kein Tropfen seine geliebte Beute benetzte. Endlich gegen Abend erreichten sie ein fernes Ufer. Der Stier schwang sich ans Land, ließ die Jungfrau unter einem gewölbten Baume sanft vom Rücken gleiten und verschwand vor ihren Blicken. An seine Stelle trat ein herrlicher, göttergleicher Mann, der ihr erklärte, dass er der Beherrscher der Insel Kreta sei und sie schützen werde, wenn er durch ihren Besitz beglückt würde. Europa in ihrer trostlosen Verlassenheit reichte ihm ihre Hand als Zeichen der Einwilligung, und Zeus hatte das Ziel seiner Wünsche erreicht. Aber auch er verschwand, wie er gekommen war. Aus langer Betäubung erwachte Europa, als schon die Morgensonne am Himmel stand. Mit verirrten Blicken sah sie um sich her, als wollte sie die Heimat suchen. »Vater, Vater!«, rief sie mit durchdringendem Wehelaut, besann sich eine Weile und rief wieder: »Ich verworfene Tochter, wie darf ich den Vaternamen nur aussprechen? Welcher Wahnsinn hat mich die Kindesliebe vergessen lassen!« Dann sah sie wieder, wie sich besinnend, umher und fragte sich selbst: »Woher, wohin bin ich gekommen? – Zu leicht ist *ein* Tod für die Schuld der Jungfrau! Aber wache ich denn auch und beweine einen wirklichen Schimpf? Nein, ich bin gewiss unschuldig an allem, und es neckt meinen Geist nur ein nichtiges Traumbild, das der Morgenschlaf wieder entführen wird. Wie wäre es auch möglich, dass ich mich hätte entschließen können, lieber auf dem Rücken eines Untieres durch unendliche Fluten zu schwimmen, als in holder Sicherheit frische Blumen zu pflücken!« – So sprach sie und fuhr mit der flachen Hand über die Augenlider, als wollte sie den verhassten Traum verwischen. Als sie aber um sich blickte, blieben die fremden Gegenstände unverrückt vor ihren Augen; unbekannte Bäume und Felsen umgaben sie, und eine unheimliche Meeresflut schäumte, an starren Klippen sich brechend, empor am nie geschauten Gestade. »Ach, wer mir jetzt den verfluchten Stier auslieferte«, rief sie verzweifelnd, »wie wollte ich ihn zerfleischen: nicht ruhen wollte ich, bis ich die Hörner des Ungeheuers zerbrochen, das mir jüngst noch so liebenswürdig erschien! Eitler Wunsch! Nachdem ich schamlos die Heimat verlassen, was bleibt mir übrig, als zu sterben? Wenn ich nicht von allen Göttern verlassen bin, so sendet mir, ihr Himmlischen, einen Löwen, einen Tiger! Vielleicht reizt sie die Fülle meiner Schönheit, und ich muss nicht warten, bis der entsetzliche Hunger an diesen blühenden Wangen zehrt!« Aber kein wildes Tier erschien; lächelnd und friedlich lag die fremde Gegend vor ihr, und vom unumwölkten Himmel leuchtete die Sonne. Wie von Furien bestürmt, sprang die verlassene Jungfrau auf. »Elende Europa«, rief sie, »hörst du nicht die Stimme deines abwesenden Vaters, der dich verflucht, wenn du deinem schimpflichen Leben nicht ein Ende machst! Zeigt er dir nicht jene Esche, an welcher du dich mit deinem Gürtel aufhängen kannst? Deutet er nicht hin auf jenes spitze Felsgestein, von welchem herab dich ein Sprung in den Sturm der Meeresflut begraben wird? Oder willst du lieber einem Barbarenfürsten als Nebenweib dienen und als Sklavin von Tag zu Tag die zugeteilte Wolle abspinnen, du, eines hohen Königs Tochter?« So quälte sich das unglückliche, verlassene Mädchen mit Todesgedanken und fühlte doch nicht den Mut in sich, zu sterben. Da vernahm sie plötzlich ein heimliches, spottendes Flüstern hinter sich, glaubte sich belauscht und blickte erschrocken rückwärts. In überirdischem Glanze sah sie da die Göttin Aphrodite vor sich stehen, ihren kleinen Sohn, den Liebesgott, mit gesenktem Bogen zur Seite. Noch schwebte ein Lächeln auf den Lippen der Göttin, dann sprach sie: »Lass deinen Zorn und Hader, schönes Mädchen! Der verhasste Stier wird kommen und dir die Hörner zum Zerreißen darreichen; ich bin es, die dir im väterlichen Hause jenen Traum gesendet. Tröste dich, Europa! Zeus ist es, der dich geraubt hat; du bist die irdische Gattin des unbesiegten Gottes: unsterblich wird dein Name werden; denn der fremde Weltteil, der dich aufgenommen hat, heißt hinfort Europa!«

KADMOS

Kadmos war ein Sohn des phönizischen Königs Agenor, ein Bruder der Europa. Als Zeus, in einen Stier verwandelt, diese entführt hatte, sandte ihr Vater den Kadmos und dessen Brüder aus, sie zu suchen, und ohne sie erlaubte er ihnen nicht, wieder zurückzukommen. Lange hatte Kadmos vergebens die Welt durchirrt, ohne Zeus' Schliche entdecken zu können. Als er die Hoffnung verloren hatte, seine Schwester wieder aufzufinden, scheute er seines Vaters Zorn, wandte sich an das Orakel Phöbos Apollons und forschte, welches Land er künftig bewohnen sollte. Apollo gab ihm die Weisung: »Du wirst ein Rind auf einsamen Auen treffen, das noch kein Joch geduldet hat. Von diesem sollst du dich leiten lassen, und an dem Platz, wo es im Grase ruhen wird, erbaue Mauern und nenne die Stadt Theben.«

Kaum hatte Kadmos die kastalische Höhle verlassen, wo Apollons Orakel war, als er schon auf der grünen Weide eine Kuh sich bedächtig ergehen sah, die noch kein Zeichen der Dienstbarkeit um den Nacken trug. Lautlos zu Phöbos betend, folgte er mit langsamen Schritten den Spuren des Tieres. Schon hatte er die Furt des Kephissos durchwatet und war über eine gute Strecke Landes gekommen, als auf einmal das Rind stille stand, sein Gehörn gen Himmel streckte und die Luft mit Brüllen erfüllte: dann schaute es rückwärts nach der Schar der Männer, die ihm folgte, und kauerte sich endlich im schwellenden Grase nieder.

Voll Dankes warf sich Kadmos auf der fremden Erde nieder und küsste sie. Hierauf wollte er dem Zeus opfern und hieß die Diener sich aufmachen, um ihm Wasser aus lebendigem Quell zum Trankopfer zu holen. Dort war ein altes Gehölz, das noch von keinem Beile jemals ausgehauen worden war, mitten darin bildete durch zusammengefügtes Felsgestein, mit Gestrüppe und Strauchwerk verwachsen, eine Kluft, reich an Quellwasser, ein niedriges Gewölbe. In dieser Höhle versteckt, ruhte ein grausamer Drache. Weithin sah man seinen roten Kamm schimmern, aus den Augen sprühte Feuer, sein Leib schwoll von Gift, mit drei Zungen zischte er, und sein Rachen war mit drei Reihen Zähne bewaffnet. Wie nun die Phönizier den Hain betreten hatten und der Krug niedergelassen in den Wellen plätscherte, streckte der bläuliche Drache plötzlich sein Haupt weit aus der Höhle und erhob ein entsetzliches Zischen. Die Schöpfurnen entglitten der Hand der Diener, und vor Schrecken stockte ihnen das Blut im Leibe. Der Drache aber verwickelte seine schuppigen Ringe zum schlüpfrigen Knäuel, dann krümmte er sich im Bogensprungc, und über die Hälfte aufgerichtet, schaute er auf den Wald herab. Darauf reckte er sich gegen die Phönizier aus, tötete die einen durch seinen Biss, die andern erdrückte er mit seiner Umschlingung, noch andere erstickte sein bloßer Anhauch, und wieder andere brachte sein giftiger Geifer um.

Kadmos wusste nicht, warum seine Diener so lange zauderten. Zuletzt machte er sich auf, selbst nach ihnen zu schauen. Er deckte sich mit dem Felle, das er einem Löwen abgezogen hatte, nahm Lanze und Wurfspieß mit sich, dazu ein Herz, das besser war als jede Waffe. Das Erste, was ihm beim Eintritt in den Hain aufstieß, waren die Leichen seiner getöteten Diener, und über ihnen sah er den Feind mit geschwollenem Leibe triumphieren und mit der blutigen Zunge die Leichname belecken. »Ihr armen Genossen«, rief Kadmos voll Jammer aus, »entweder bin ich euer Rächer oder der Gefährte eures Todes!« Mit diesen Worten ergriff er ein Felsstück und sandte es gegen den Drachen. Mauern und Türme hätte wohl der Stein erschüttert, so groß war er. Aber der Drache blieb unverwundet, sein harter, schwarzer Balg und die Schuppenhaut schirmten ihn wie ein eherner Panzer. Nun versuchte es der Held mit dem Wurfspieß. Diesem hielt der Leib des Ungeheuers nicht stand, die stählerne Spitze stieg tief in sein Eingeweide nieder. Wütend vor Schmerz drehte der Drache den Kopf gegen den Rücken und zermalmte dadurch die Stange des Wurfspießes, aber das Eisen blieb im Leibe stecken. Ein Streich vom Schwerte steigerte noch seine Wut, der Schlund schwoll ihm auf, und weißer Schaum floss aus dem giftigen Rachen. Aufrechter als ein Baumstamm schoss der Drache hinaus, dann rannte er mit der Brust wieder gegen die Waldbäume. Agenors Sohn wich dem Anfalle aus, deckte sich mit der Löwenhaut und ließ die Drachenzähne an der Lanzenspitze sich abmüden. Endlich fing das Blut dem Untier aus dem Halse zu fließen an und rötete die grünen Kräuter umher; aber die Wunde war nur leicht, denn der Drache wich jedem Stoß und Stiche aus und verstattete den Streichen nicht, fest zu sitzen. Zuletzt jedoch stieß ihm Kadmos das Schwert in die Gurgel, so tief, dass es hinterwärts in einen Eichbaum fuhr und mit dem Nacken des Ungeheuers zugleich der Stamm durchbohrt wurde. Der Baum wurde von dem Gewichte des Drachen krumm gebogen und seufzte, weil er sich den Stamm von der Spitze des Schweifes gepeitscht fühlte. Nun war der Feind überwältigt. Kadmos betrachtete den erlegten Drachen lange; als er sich wieder umsah, stand Pallas-Athene, die vom Himmel herniedergefahren war, zu seiner Seite und befahl ihm, sofort die Zähne des Drachen als Nachwuchs künftigen Volkes in aufgelockertes Erdreich zu säen. Er gehorchte der Göttin, öffnete mit dem Pflug eine breite Furche auf dem Boden und fing an, die Drachenzähne, wie ihm befohlen war, die Öffnung entlang auszustreuen. Auf einmal begann die Scholle sich zu rühren, und aus den Furchen hervor blickte zuerst nur die Spitze einer Lanze, dann kam ein Helm hervor, auf welchem ein farbiger Busch sich schwenkte, bald ragten Schulter und Brust und bewaffnete Arme aus dem Boden, und endlich stand ein gerüsteter Krieger, vom Kopf bis zum Fuße der

Erde entwachsen, da. Dies geschah an vielen Orten zugleich, und eine ganze Saat bewaffneter Männer wuchs vor den Augen des Phöniziers empor.

Agenors Sohn erschrak und war gefasst darauf, einen neuen Feind bekämpfen zu müssen. Aber einer von dem erdentsprossenen Volke rief ihm zu: »Nimm die Waffen nicht, menge dich nicht in innere Kriege!« Und schon holte er auf einen der ihm zunächst aus der Furche hervorgekommenen Brüder mit einem Schwertstreich aus; ihn selbst streckte zu gleicher Zeit ein Wurfspieß nieder, der aus der Ferne geflogen kam. Auch der, welcher ihm den Tod gegeben, verhauchte unter einer Wunde den kaum empfangenen Lebensatem bald wieder. Der ganze Männerschwarm tobte in fürchterlichem Wechselkampfe; fast alle lagen mit zuckender Brust auf dem Boden, und die Mutter Erde trank das Blut ihrer eben erst geborenen Söhne. Nur fünf waren übrig geblieben. Einer davon – er ward später Echion genannt – warf zuerst auf Athenes Geheiß die Waffen zur Erde und erbot sich zum Frieden; ihm folgten die anderen.

Mit dieser fünf erdentsprossenen Krieger Hilfe nun baute der phönizische Fremdling Kadmos die neue Stadt, dem Orakel des Phöbos gehorsam, und nannte sie, wie ihm befohlen war, Theben.

PENTHEUS

Zu Theben war Dionysos, der Sohn des Zeus und der Semele, der Enkel des Kadmos, wunderbar geboren, der Gott der Fruchtbarkeit, der Erfinder des Weinstocks. In Indien erzogen, verließ er bald die Nymphen, seine Pflegerinnen, und durchreiste die Länder, um allenthalben die Menschen zu bilden, den Bau des herzerfreuenden Weines zu lehren und die Verehrung seiner Gottheit zu gründen. So gütig er gegen seine Freunde war, so hart bestrafte er diejenigen, die seinen Gottesdienst nicht anerkennen wollten. Schon war sein Ruhm durch die Städte Griechenlands und bis zur Stadt seiner Geburt, nach Theben, gedrungen. Dort aber herrschte Pentheus, welchem Kadmos das Königreich übergeben hatte, der Sohn des erdentsprossenen Echion und der Agave, einer Mutterschwester des Dionysos. Dieser war ein Verächter der Götter und zumeist seines Verwandten, des Dionysos. Als nun der Gott mit seinem jauchzenden Gefolge von Bacchanten herannahte, um sich dem Könige von Theben als Gott zu offenbaren, hörte dieser nicht auf die Warnung des blinden, greisen Sehers Teiresias, und als ihm die Nachricht zu Ohren kam, dass auch aus Theben Männer, Frauen und Jungfrauen zur Verehrung des neuen Gottes hinausströmten, fing er an ergrimmt zu schelten: »Welch ein Wahnsinn hat euch betört, ihr drachenentsprossenen Thebaner, dass euch, die kein Schlachtschwert, keine Trompete jemals geschreckt hat, jetzt ein weichlicher Zug von berauschten Toren und Weibern besiegt? Und ihr Phönizier, die ihr weit über Meere hierher gefahren seid und euren alten Göttern eine Stadt gegründet, habt ihr ganz vergessen, aus welchem Heldengeschlecht ihr gezeugt seid? Wollt ihr es dulden, dass ein wehrloses Knäblein Theben erobere, ein Weichling mit balsamtriefendem Haar, auf dem ein Kranz aus Weinlaub sitzt, in Purpur und Gold anstatt in Stahl gekleidet, der kein Ross tummeln kann, dem keine Wehr, keine Fehde behagt? Wenn nur ihr wieder zur Besinnung kommt, so will ich ihn bald nötigen, einzugestehen, dass er ein Mensch ist wie ich, sein Vetter, dass nicht Zeus sein Vater und all diese prächtige Gottesverehrung erlogen ist!« Dann wandte er sich zu seinen Dienern und befahl ihnen, den Anführer dieser neuen Raserei, wo sie ihn anträfen, zu fassen und in Fesseln herzuschleppen.

Seine Freunde und Verwandten, die um den König waren, erschraken über diesen frechen Befehl; sein Ahnherr Kadmos, der im hohen Greisenalter noch lebte, schüttelte das Haupt und missbilligte das Tun des Enkels: aber durch Ermahnungen wurde seine Wut nur gestachelt, sie schäumte über alle Hindernisse hin wie ein rasender Fluss über das Wehr.

Unterdessen kamen die Diener mit blutigen Köpfen zurück. »Wo habt ihr den Dionysos?«, rief ihnen Pentheus zornig entgegen. »Den Dionysos«, antworteten sie, »haben wir nirgends gesehen. Dafür bringen wir hier einen Mann aus seinem Gefolge. Er scheint noch nicht lange bei ihm zu sein.« Pentheus starrte den Gefangenen mit grimmigen Augen an und schrie dann: »Mann des Todes! Denn auf der Stelle musst du, den andern zu einem warnenden Beispiele, sterben! Sag an, wie heißt dein und deiner Eltern Name, wie dein Land; und sag auch, warum verehrst du die neuen Gebräuche?«

Frei und ohne Furcht erwiderte jener: »Mein Name ist Akötes, meine Heimat Mäonien, meine Eltern sind aus dem gemeinen Volke. Keine Fluren, keine Herden ließ mir der Vater zum Erbteil, er lehrte mich nur die Kunst mit der Angelrute zu fischen, denn diese Kunst war all sein Reichtum. Bald lernte ich auch ein Schiff regieren, die leitenden Gestirne, die Winde, die wohlgelegenen Häfen kennen und fing an, Schifffahrt zu treiben. Einst, auf einer Fahrt nach Delos, geriet ich an eine unbekannte Küste, wo wir anlegten. Ein Sprung brachte mich auf den feuchten Sand, und ich übernachtete hier noch ohne die Gefährten am Ufer. Des andern Tages machte ich mich mit der ersten Morgenröte auf und bestieg einen Hügel, um zu sehen, was der Wind uns verspreche. Inzwischen waren auch meine Gefährten gelandet, und auf dem Rückwege nach dem Schiffe begegnete ich ihnen, wie sie gerade einen Jüngling mit sich schleppten, den sie am verlassenen Gestade geraubt hatten. Der Knabe, von jungfräulicher Schönheit, schien vom Weine betäubt, taumelnd wie von Schläfrigkeit und hatte Mühe, ihnen zu folgen. Als ich Angesicht, Haltung, Bewegung des Jünglings näher ins Auge fasste, schien sich mir an demselben etwas Überirdisches zu offenbaren. ›Was für ein Gott in dem Jüngling sei‹, so sprach ich zu der Mannschaft, ›weiß ich noch nicht recht; aber so viel ist mir gewiss, dass ein Gott in ihm ist. – Wer du auch seiest‹, sprach ich weiter, ›sei uns hold und fördere unsere Arbeit! Verzeih auch diesen, die dich geraubt!‹ – ›Was fällt dir ein‹, rief ein anderer, ›lass du das Beten!‹ Auch die übrigen lachten über mich von Raubgier verblendet, und somit fassten sie den Knaben, um ihn in das Schiff zu schleppen. Vergebens stellte ich mich entgegen: der Jüngste und Kräftigste unter der Rotte, aus einer tyrrhenischen Stadt wegen eines Mordes flüchtig, packte mich an der Gurgel und schleuderte mich hinaus. Ich wäre im Meer ertrunken, wenn mich das Takelwerk nicht aufgefangen hätte. Inzwischen war der Knabe wie im tiefen Schlummer auf dem Schiffe, wohin man ihn gebracht hatte, gelegen. Plötzlich, wie vom Geschrei erwacht und vom Rausche zurückgekehrt, raffte er sich auf, trat unter die Schiffer und rief: ›Welcher Lärm? Sprecht, ihr Männer, durch welches Geschick kam ich hieher? Wohin wollt ihr mich bringen?‹ – ›Fürchte dich nicht, Knabe‹, sprach einer der falschen Schiffer, ›nenne uns nur den Hafen, nach welchem du gebracht zu werden wünschest, gewiss, wir setzen dich ab, wo du es verlangst.‹ – ›Nun wohl‹, sprach der Knabe, ›so richtet den Lauf nach der Insel Naxos; dort ist meine Heimat!‹ Die Betrüger versprachen es ihm bei allen Göttern und hießen mich die Segel richten. Uns zur rechten Seite lag Naxos. Wie ich nun die Segel rechtshin spanne, winken und murmeln sie mir alle zu: ›Unsinniger, was machst du? Was für ein Wahnwitz plagt dich? Fahr links!‹ Ich erstaunte darüber und begriff sie nicht. ›Nehme sich ein anderer des Schiffes an!‹ sprach ich und trat auf die Seite. ›Als ob das Heil unserer Fahrt allein auf dir beruhte!‹ schrie mir ein roher Geselle zu und verrichtete das Geschäft anstatt meiner. So ließen sie Naxos liegen und steuerten in der entgegengesetzten Richtung. Hohnlächelnd, als ob er den Trug jetzt erst bemerkte, schaute der Götterjüngling vom Hinterdeck in die See, und endlich, mit verstellten Tränen, sprach er: ›Wehe, nicht diese Gestade verhießet ihr mir, Schiffer, dies ist nicht das erbetene Land! Ist es auch recht, dass ihr alten Männer ein Kind auf diese Weise täuschet?‹ Aber die gottesvergessene Rotte spottete seiner und meiner Tränen und ruderte eilig davon. Plötzlich aber, als umschlösse sie eine trockene Schiffswerft, stand die Barke mitten im Meer still. Vergebens schlagen ihre Ruder die See, ziehen sie die Segel herab, streben fort mit doppelter Kraft. Efeu fängt an, die Ruder zu umschlingen, kriecht rückwärts in geschlängelter Windung herauf, streift mit seinen schwellenden Träubchen schon die Segel; Dionysos selbst – denn er war es – steht herrlich da, die Stirn mit beerenbelasteten Trauben bekränzt, den mit Weinlaub umschlungenen Thyrsosstab schwingend. Tiger, Luchse, Panter erschienen um ihn gelagert, ein duftender Strom von Wein ergoss sich durch das Schiff. Jetzt sprangen die Männer scheu empor, in Furcht und Wahnsinn. Dem ersten, der aufschreien wollte, krümmte sich Mund und Nase zum Fischmaul, und ehe die andern sich darüber entsetzen konnten, war auch ihnen das Gleiche geschehen, ihr Leib senkte sich, von blauen Schuppen umgeben, das Rückgrat wurde hochgewölbt, die Arme schrumpften zu Floßfedern ein, die Füße vereinigten sich zu einem Sehwanze. Sie waren alle zu Fischen geworden, sprangen in das Meer und tauchten auf und nieder. Ich von zwanzigen war allein übrig geblieben, aber ich zitterte an allen Gliedern und erwartete jeden Augenblick dieselbe Verwandlung. Dionysos jedoch sprach mir freundlich zu, weil ich ihm ja nur Gutes erwiesen habe. ›Fürchte dich nicht‹, sagte er, ›und steure mich gen Naxos.‹ Als wir dort gelandet waren, weihte er mich an seinem Altar zum feierlichen Dienste seiner Gottheit ein.«

»Schon zu lange horchen wir deinem Geschwätz«, schrie jetzt der König Pentheus, »auf, ergreifet ihn, ihr Diener, peinigt ihn mit tausend Martern und schickt ihn zur Unterwelt hinab!« Die Knechte gehorchten und warfen den Schiffer gefesselt in einen tiefen Kerker. Aber eine unsichtbare Hand befreite ihn.

Nun begann erst die ernstliche Verfolgung der Dionysosfeier. Des Pentheus eigene Mutter, Agave, und ihre Schwestern hatten an dem rauschenden Gottesdienste teilgenommen. Der König sandte nach ihnen aus und ließ alle Bacchantinnen in den Stadtkerker werfen. Aber ohne Hilfe eines Sterblichen wurden auch sie ihrer Bande ledig, die Pforten ihres Gefängnisses taten sich auf, und sie rannten in bacchischer Begeisterung frei in den Wäldern umher. Der Diener, der abgesandt worden, mit bewaffneter Macht den Gott selbst einzufangen, kam bestürzt zurück, denn jener hatte sich willig und lächelnd den Fesseln dargeboten. So stand er jetzt gefangen vor dem Könige, der selber nicht umhinkonnte, seine jugendliche, göttliche Schönheit zu bewundern. Und doch beharrte er in seiner Verblendung und behandelte ihn als einen Betrüger, der den Namen Dionysos fälschlich führte. Er ließ den gefangenen Gott mit Fesseln belasten und im hintersten und tiefsten Teile seines Palastes, in der Nähe der Pferdekrippen, in einem dunkeln Loche verwahren. Auf des Gottes Geheiß spaltete jedoch ein Erdbeben das Gemäuer, seine Bande verschwanden. Er trat unversehrt und herrlicher als zuvor in die Mitte seiner Verehrer.

Ein Bote über den andern kam vor den König Pentheus und meldete ihm, welche Wundertaten die Chöre begeisterter Frauen, von seiner Mutter und ihren Schwestern angeführt, verrichteten. Ihr Stab durfte nur an den Felsen schlagen, so sprang Wasser oder sprudelnder Wein heraus, die Bäche flossen unter seinem Zauberschlage mit Milch, aus den hohlen Bäumen träufelte Honig. »Ja«, fügte einer der Boten hinzu, »wärest du zugegen gewesen, o Herr, und hättest den Gott, den du jetzt schiltst, selbst gesehen, du würdest dich in Gebeten vor ihm niedergeworfen haben!«

Pentheus, immer entrüsteter, bot auf diese Nachrichten alle schwer bewaffneten Krieger, alle Reiter, alle Leichtbeschildeten gegen das rasende Weiberheer auf. Da erschien Dionysos selbst wieder und trat als sein eigener Abgeordneter vor den König. Er versprach ihm, die Bacchantinnen entwaffnet vorzuführen, wenn nur der König selbst die Frauentracht anlegen wolle, damit er nicht als Mann und Uneingeweihter von ihnen zerrissen werde. Ungerne und mit sehr natürlichem Misstrauen ging Pentheus auf den Vorschlag ein; doch folgte er endlich dem Gotte zur Schlachtbank. Aber als er hinausschritt zur Stadt, war er schon vom Wahnsinne, den ihm der mächtige Gott zugesandt hatte, besessen. Ihm deuchte es, als schaue er zwei Sonnen, ein gedoppeltes Theben und jedes seiner Tore zwiefach. Dionysos selbst kam ihm vor wie ein Stier, der mit großen Hörnern an dem Kopfe vor ihm herschreite. Er selbst wurde wider Willen von bacchischer Begeisterung ergriffen, verlangte und erhielt einen Thyrsosstab und stürmte in Raserei dahin. So gelangten sie in ein tiefes, quellenreiches, von Fichten beschattetes Tal, wo die Bacchospriesterinnen ihrem Gotte Hymnen sangen, andere ihre Thyrsosstäbe mit frischem Efeu bekleideten. Des Pentheus Augen aber waren mit Blindheit geschlagen, oder sein Führer Dionysos hatte ihn so zu leiten gewusst, dass sie die Versammlung der begeisterten Frauen nicht gewahr wurden. Der Gott fasste nun mit seiner wunderbar in die Höhe reichenden Hand den Gipfel eines Tannenbaums, beugte ihn hernieder, wie man einen Weidenzweig biegt, setzte den wahnsinnigen Pentheus darauf und ließ den Baum sachte und vorsichtig allmählich wieder in seine vorige Lage zurückkehren. Wie durch ein Wunder blieb der König fest sitzen und erschien auf einmal, hoch auf dem Tannenwipfel hingepflanzt, den Bacchantinnen im Tale, ohne dass er sie erblickte. Dann rief Dionysos mit lauter Stimme ins Tal hinab: »Ihr Mägde, schauet hier den, der unsere heiligen Feste verspottet; bestrafet ihn!« Der Äther schwieg, kein Blatt im Walde regte sich, kein Schrei eines Wildes ertönte. Auf richteten sich die Bacchantinnen, sperrten ihre Augensterne weit auf und horchten auf der Stimme Hall, die zum zweiten Mal ertönte. Als sie in dem Wort ihren Meister erkannt, schossen sie dahin, schneller denn Tauben; wilder Wahnsinn, vom Gotte gesandt, trieb sie mitten durch die angeschwollenen Waldbäche. Endlich waren sie nahe genug gekommen, um ihren Herrn und Verfolger auf dem Tannenwipfel sitzen

zu sehen. Schnell flogen Kiesel, abgerissene Tannenäste, Thyrsosstäbe gegen den Unglücklichen empor, ohne die Höhe zu erreichen, in der er zitternd schwebte. Endlich durchwühlten sie mit harten Eichenästen den Boden rings um den Tannenbaum, bis die Wurzel bloß war und Pentheus unter lautem Jammergeschrei mit der stürzenden Tanne aus der Höhe zu Boden fiel. Seine Mutter Agave, vom Gotte geblendet, dass sie den Sohn nicht wieder erkannte, gab das erste Zeichen zum Morde. Dem Könige selbst hatte die Angst seine volle Besinnung wiedergegeben. »Mutter«, rief er, sie umhalsend, »kennst du deinen Sohn nicht mehr, deinen Sohn Pentheus, den du im Hause Echions geboren? Hab Erbarmen mit mir, sei du es nicht, Mutter, die meine Sünden am eigenen Kinde straft!« Aber die wahnsinnige Bacchospriesterin, schäumend und mit weit aufgesperrten Augen, sah nicht ihren Sohn in Pentheus, sondern glaubte einen Berglöwen in ihm zu erblicken, fasste ihn an der Schulter und riss ihm den rechten Arm vom Leibe; die Schwestern verstümmelten den linken; die ganze wütende Rotte stürmte auf ihn ein, jede ergriff ein Glied des Zerrissenen; Agave selbst umklammerte das entrissene Haupt mit blutigen Fingern und trug es, als ein Löwenhaupt auf einen Thyrsosstab gesteckt, durch die Wälder des Kithairon.
So rächte der mächtige Gott Dionysos sich an dem Verächter seines Gottesdienstes.

PERSEUS

Perseus, der Sohn des Zeus, wurde mit seiner Mutter Danae von dem Großvater Akrisios, Könige von Argos, dem ein Orakelspruch gesagt hatte, dass ein Enkel ihm Leben und Thron rauben würde, in einen Kasten eingeschlossen und ins Meer geworfen; Zeus behütete sie in den Stürmen des Meeres, und sie schwammen bei der Insel Seriphos ans Land. Dort herrschten zwei Brüder, Diktys und Polydektes. Diktys fischte eben, als der Kasten angeschwommen kam, und zog ihn ans Land. Beide Brüder nahmen sich der Verlassenen liebreich an; Polydektes erhob die Mutter zu seiner Gemahlin, und der Sohn des Zeus, Perseus, wurde von ihm sorgfältig erzogen.
Als Perseus herangewachsen war, überredete ihn sein Stiefvater, auf Ta-

ten auszuziehen und etwas Großes zu unternehmen. Der mutige Jüngling zeigte sich willig, und bald waren sie einig darüber, dass Perseus der Medusa ihr furchtbares Haupt abschlagen und dem Könige nach Seriphos bringen solle. Perseus machte sich auf den Weg und kam unter der Götter Leitung in die ferne Gegend, wo Phorkys, der Vater vieler entsetzlicher Ungeheuer, hauste. Hier traf er zuerst auf drei seiner Töchter, die Graien oder Grauen; diese waren grauhaarig von Geburt an; alle drei miteinander hatten nur ein Auge und einen Zahn, die sie einander abwechslungsweise zum Gebrauche liehen. Perseus nahm ihnen beides weg, und als sie ihn flehentlich baten, das Unentbehrlichste ihnen doch wiederzugeben, zeigte er sich zur Zurückerstattung nur unter der Bedingung bereit, dass sie ihm den Weg zu den Nymphen zeigen sollten. Diese waren andere Wundergeschöpfe, die Flügelschuhe, einen Schubsack als Tasche und einen Helm von Hundefell besaßen. Wer sich damit bekleidete, konnte fliegen, wohin er wollte, sah, wen er wollte, und wurde von niemand gesehen. Die Töchter des Phorkys zeigten dem Perseus den Weg zu den Nymphen und erhielten Zahn und Auge von ihm zurück. Bei den Nymphen fand und nahm er, was er wollte, warf den Schubsack um, schnallte die Flügelschuhe an seine Knöchel und setzte den Helm aufs Haupt. Dazu erhielt er von Hermes eine eherne Sichel, und so ausgerüstet flog er zu dem Ozean, wo die anderen drei Töchter des Phorkys, die Gorgonen, hausten. Die dritte, die Medusa hieß, war allein sterblich; darum war auch Perseus ausgesandt worden, ihr Haupt zu holen. Er fand die Ungeheuer schlafend; ihre Häupter waren mit Drachenschuppen übersät, mit Schlangen statt Haaren bedeckt, große Hauzähne hatten sie wie Schweine, eherne Hände und goldene Flügel, mit welchen sie flogen. Jeden, der sie ansah, verwandelte dieser Anblick in Stein. Das wusste Perseus. Mit abgewandtem Gesicht stellte er sich deswegen vor die Schlafenden und fing nur in seinem ehernen, glänzenden Schilde ihr dreifaches Bild auf. So erkannte er die Gorgo Medusa heraus, Athene führte ihm die Hand, und er schnitt dem schlafenden Ungeheuer ohne Gefährde das Haupt ab. Kaum war dies vollbracht, so entsprang dem Rumpfe ein geflügeltes Ross, der Pegasus, und ein Riese, Chrysaor. Beides waren Geschöpfe des Poseidon. Perseus schob nun das Haupt der Medusa in den Schubsack und entfernte sich rücklings, wie er gekommen war. Indessen hatten sich die Schwestern Medusas vom

Lager erhoben. Sie erblickten den Rumpf der getöteten Schwester und erhoben sich auf ihren Fittichen, den Räuber zu verfolgen. Diesen aber verbarg der Nymphenhelm vor ihren Augen, und sie konnten ihn nirgends innewerden. In der Luft fassten inzwischen den Perseus die Winde und schleuderten ihn wie Regengewölk bald da-, bald dorthin. Als er über den Sandwüsten Libyens schwebte, rieselten blutige Tropfen vom Medusenhaupte auf die Erde nieder, welche sie auffing und zu bunten Schlangen belebte. Seitdem ist jenes Erdreich an feindseligen Nattern so ergiebig. Perseus flog nun weiter westwärts und senkte sich endlich im Reiche des Königs Atlas nieder, um ein wenig zu rasten. Dieser hütete einen Hain voll goldener Früchte mit einem gewaltigen Drachen. Umsonst bat der Besieger der Gorgone ihn um ein Obdach. Für sein goldenes Besitztum bange, stieß ihn Atlas unbarmherzig von seinem Palaste fort. Da ergrimmte Perseus und sprach: »Du willst mir nichts gönnen: empfange du wenigstens ein Geschenk von mir.« Er holte die Gorgo aus seinem Schubsacke hervor, wandte sich ab und streckte sie dem König Atlas entgegen. Groß wie der König war, wurde er augenblicklich zu Stein und in einen Berg verwandelt, Bart und Haupthaar dehnten sich zu Wäldern aus; Schultern, Hände und Gebein wurden Felsrücken; sein Haupt wuchs als hoher Gipfel in die Wolken. Perseus nahm seine Fittiche wieder und schnallte sie sich an die Sohlen, hängte sich den Schubsack um, setzte sich den Helm auf und schwang sich in die Lüfte. Auf seinem Fluge kam er an die Küste Äthiopiens, wo der König Kepheus regierte. Hier sah er an eine hervorragende Meeresklippe eine Jungfrau gebunden. Wenn nicht ihr Haupthaar ein Lüftchen bewegt hätte und in ihren Augen Tränen gezittert, so würde er sie für ein Marmorbild gehalten haben. Fast hätte er in der Luft die Flügel zu bewegen vergessen, so bezaubert war er von dem Reize ihrer Schönheit. »Sprich, schöne Jungfrau«, redete er sie an, »du, die du ganz anderes Geschmeide verdientest, warum bist du hier in Banden? Nenne mir doch den Namen deines Landes, nenne mir deinen eigenen Namen!« Das gefesselte Mädchen schwieg verschämt; sie scheute sich, den fremden Mann anzureden, und hätte gern ihr Angesicht mit den Händen bedeckt, wenn sie sich hätte regen können. So aber konnte sie nur ihre Augen mit quellenden Tränen füllen. Endlich, damit der Fremdling nicht glauben möchte, sie habe eine eigene Schuld vor ihm zu verbergen, erwiderte sie: »Ich bin Kepheus', des Königs der Äthiopier, Tochter und heiße Andromeda. Meine Mutter hatte gegen die Töchter des Nereus, die Meeresnymphen, geprahlt, schöner zu sein als sie alle. Darüber zürnten die Nereiden, und ihr Freund, der Meeresgott, ließ eine Überschwemmung und einen alles verschlingenden Haifisch über das Land kommen. Ein Orakelspruch versprach uns Befreiung von der Plage, wenn ich, die Tochter der Königin, dem Fische zum Fraße hingeworfen würde. Das Volk drang in meinen Vater, dieses Rettungsmittel zu ergreifen, und die Verzweiflung zwang ihn, mich an diesen Felsen zu binden.«

Sie hatte die letzten Worte noch nicht ausgesprochen, als die Wogen aufrauschten und aus der Tiefe des Meeres ein Scheusal auftauchte, das mit seiner breiten Brust die ganze Wasserfläche umher einnahm. Das Mädchen jammerte laut auf; zugleich sah man Vater und Mutter herbeieilen, beide trostlos; doch drückte sich in der Mutter Zügen noch dazu das Bewusstsein der Schuld aus. Sie umarmten die gefesselte Tochter, aber brachten ihr nichts mit als Tränen und Wehklagen. Jetzt begann der Fremdling: »Zum Jammern wird euch noch Zeit genug übrig bleiben; die Stunde der Rettung ist kurz. Ich bin Perseus, der Sprössling des Zeus und der Danae, ich habe die Gorgone besiegt, und wunderbare Flügel tragen mich durch die Luft. Selbst wenn die Jungfrau frei wäre und zu wählen hätte, wäre ich kein verächtlicher Eidam! Jetzt werbe ich um sie mit dem Erbieten, sie zu retten. Nehmet ihr meine Bedingung an?« Wer hätte in solcher Lage gezaudert? Die erfreuten Eltern versprachen ihm nicht nur die Tochter, sondern auch ihr eigenes Königreich zur Mitgift.

Während sie dieses verhandelten, war das Untier wie ein schnell ruderndes Schiff herangeschwommen und nur noch einen Schleuderwurf von dem Felsen entfernt. Da plötzlich, das Land mit dem Fuße abstoßend, schwang sich der Jüngling hoch empor in die Wolken. Das Tier sah den Schatten des Mannes auf dem Meere. Während es tobend auf diesen losging, als auf einen Feind, der ihm die Beute zu entreißen drohte, fuhr Perseus aus der Luft wie ein Adler herunter, trat schwebend auf den Rücken des Tieres und senkte das Schwert, mit dem er die Meduse getötet hatte, dem Haifisch unter dem Kopf in den Leib bis an den Knauf. Kaum hatte er es wieder herausgezogen, so sprang der Fisch bald hoch in die Lüfte, bald tauchte er wieder unter in die Flut, bald tobte er nach beiden Seiten, wie ein von Hunden verfolgter Eber. Perseus brachte ihm Wunde um Wunde bei, bis ein dunkler Blutstrom sich aus seinem Rachen ergoss. Indessen troffen die Flügel des Halbgottes, und Perseus wagte nicht länger, sich dem wasserschweren Gefieder anzuvertrauen. Glücklicherweise erblickte er ein Felsriff, dessen oberste Spitze aus dem Meere hervorragte. Auf die Felswand stützte er sich mit der Linken und stieß das Eisen drei- bis viermal in das Gekröse des Ungetüms. Das Meer trieb die ungeheure Leiche fort, und bald war sie in den Fluten verschwunden. Perseus hatte sich indessen ans Land geschwungen, den Felsen erklommen und die Jungfrau, die ihn mit Blicken des Dankes und der Liebe begrüßte, der Fesseln entledigt. Er brachte sie den glücklichen Eltern, und der goldene Palast empfing ihn als Bräutigam. Noch dampfte das Hochzeitsmahl, und die Stunden strichen dem Vater und der Mutter, dem Bräutigam und der geretteten Braut in sorgenfreier Eile dahin, als plötzlich die Vorhöfe der Königsburg mit einem dumpfen, brausenden Getümmel sich füllten. Phineus, der Bruder des Königs Kepheus, der früher um seine Nichte Andromeda geworben, aber in der letzten Not sie verlassen hatte, nahte mit einer Schar von Kriegern und erneuerte seine Ansprüche. Den Speer schwingend, trat er in den Hochzeitssaal und rief dem erstaunten Perseus zu: »Sieh mich hier, der ich komme, die mir entrissene Gattin zu rächen; weder deine Flügel noch dein Vater Zeus sollen dich mir entreißen!« So rief er, schon zum Speerwurfe sich anschickend; da erhub sich Kepheus, der König, vom Mahle. »Rasender Bruder«, rief er, »welcher Gedanke treibt dich zur Untat? Nicht Perseus raubt dir die Geliebte sie wurde dir schon damals entrissen, als wir sie dem Tode preisgaben, als du zusahest, wie sie gefesselt wurde, und weder als Oheim noch als Geliebter ihr deinen Beistand liehest. Warum hast du nicht selbst dir den Preis von dem Felsen geholt, an den er geschmiedet war? So lass wenigstens den, der ihn sich errungen hat, der mein Alter durch die Rettung meiner Tochter getröstet, in Ruhe!« Phineus antwortete ihm nicht, er betrachtete nur abwechselnd mit grimmigen Blicken bald seinen Bruder, bald seinen Nebenbuhler, als besänne er sich, auf wen er zuerst zielen sollte. Endlich nach kurzem Verzuge schwang er mit aller Kraft, die der Zorn ihm gab, den Speer gegen Perseus; aber er tat einen Fehlwurf, und die Waffe blieb im Polster hängen. Jetzt fuhr Perseus vom Lager empor und schleuderte seinen Spieß nach der Türe, durch welche Phineus eingedrungen war, und er würde die Brust seines Todfeindes durchbohrt haben, wenn dieser sich nicht mit einem Sprunge hinter den Hausaltar geflüchtet hätte. Das Geschoss hatte die Stirne eines seiner Begleiter getroffen, und jetzt kam das Gefolge des Eingedrungenen mit den längst von der Tafel aufgestörten Gästen ins Handgemenge. Lang und mörderisch war der Kampf; aber der Eingebrochenen war die Mehrzahl. Zuletzt wurde Perseus, an dessen Seite sich umsonst die Schwiegereltern und die Braut schutzflehend stellten, von Phineus und seinen Tausenden umringt. Die Pfeile flogen an ihnen von allen Seiten vorbei, wie Hagelkörner im Sturme. Perseus hatte die Schultern an einen Pfeiler gelehnt und sich so den Rücken gedeckt. Von da zur Heerschar der Feinde gewendet, stellte er sich dem Anlauf der Feinde und streckte einen um den andern nieder. Erst als er sah, dass die Tapferkeit der Menge erliegen müsse, entschloss er sich, das letzte, aber untrügliche Mittel, das ihm zu Gebote stand, zu gebrauchen. »Weil ihr mich genötiget«, sprach er, »will ich mir die Hilfe bei meinem alten Freunde holen! Wende sein Antlitz ab, wer noch mein Freund ist!« Mit diesen Worten zog er aus der Tasche, die ihm immer an der Seite hing, das Gorgonenhaupt und streckte es dem ersten Gegner zu, der jetzt eben auf ihn eindrang. »Suche andere«, rief dieser verächtlich beim ersten flüchtigen Blicke, »die du mit deinen Mirakeln erschüttern kannst.« Aber als seine Hand sich heben wollte, den Wurfspieß abzusenden, blieb er mitten in dieser Gebärde versteinert, wie eine Bildsäule. Und so widerfuhr es einem nach dem andern. Zuletzt waren nur noch zweihundert übrig. Da hub Perseus das Gorgonenhaupt hoch in die Luft empor, dass alle es erblicken konnten, und verwandelte die zweihundert auf einmal in starres Gestein. Jetzt erst bereute Phineus den unrechtmäßigen Krieg. Rechts und links erblickte er nichts als Steinbilder in der mannigfaltigsten Stellung. Er ruft seine Freunde mit Namen, er berührt ungläubig die Körper der Zunächststehenden: alles ist Marmor. Entsetzen fasst ihn, und sein Trotz verwandelt sich in demütiges Flehen. »Lass mir nur das Leben, dein sei das Reich und die Braut!«, rief er und kehrte sein verzagendes Angesicht seitwärts. Aber Perseus, über den Tod seiner neuen Freunde erbittert, kannte kein Erbarmen. »Verräter«, schrie er zornig, »ich will dir für alle Ewigkeit ein bleibendes Denkmal in meines Schwähers Hause stiften!« Und sosehr Phineus bemüht war, dem Anblicke zu entgehen, so traf doch bald das ausgestreckte Schreckensbild sein Auge: sein Hals erstarrte, sein feuchter Blick erharschte zu Stein. So blieb er stehen mit furchtsamer Miene, die Hände gesenkt, in knechtischer, demütiger Stellung. Ohne Hindernis führte jetzt Perseus seine Geliebte, Andromeda, heim. Lange glückliche Tage erwarteten ihn, und er fand auch seine Mutter Danae wieder. Doch sollte er an seinem Großvater Akrisos das Verhängnis erfüllen. Dieser war aus Furcht vor dem Orakelspruche zu einem fremden Könige ins Pelasgerland geflohen. Hier half er Kampfspiele feiern, als eben Perseus ankam, der auf der Fahrt nach Argos begriffen war, wo er seinen Großvater begrüßen wollte. Ein unglücklicher Wurf mit der Scheibe traf den Großvater von des Enkels Hand, ohne dass dieser jenen kannte oder treffen wollte. Nicht lange blieb ihm verborgen, was er getan. In tiefer Trauer begrub er den Akrisos außerhalb der Stadt und vertauschte das Königreich, das ihm durch des Großvaters Tod zugefallen war. Doch verfolgte ihn der Neid des Geschickes nicht länger. Andromeda gebar ihm viele herrliche Söhne, und der Ruhm des Vaters lebte in ihnen fort.

JON

Der König Erechtheus von Athen erfreute sich einer schönen Tochter, die Krëusa hieß. Mit dieser hatte sich, ohne Wissen ihres Vaters, Apollon vermählt, und sie hatte ihm einen Sohn geboren, welchen sie aus Furcht vor dem Zorn ihres Vaters in eine Kiste verschloss und in der Höhle aussetzte, wo sie ihre heimlichen Zusammenkünfte mit dem Gotte gehalten hatte, in der Hoffnung, dass sich die Götter des Verlassenen erbarmen würden. Um aber den neugebornen Knaben nicht ohne Erkennungszeichen zu lassen, hing sie ihm den Schmuck um, den sie als Jungfrau zu tragen pflegte. Apollon, dem als einem Gotte die Geburt seines Sohnes nicht verborgen geblieben war und der weder seine Geliebte verraten noch den Knaben ohne Hilfe lassen wollte, wandte sich an seinen Bruder Hermes, welcher als Götterbote, ohne Aufsehen zu erregen, zwischen Himmel und Erde zu verkehren hatte. »Lieber Bruder«, sprach er, »eine Sterbliche hat mir ein Kind geboren, es ist die Tochter des Königs Erechtheus zu Athen. Aus Furcht vor ihrem Vater hat sie es in einem hohlen Felsen verborgen; hilf mir es retten, bring es in der Kiste, in der es liegt, und mit den Windeln, in die es gewickelt ist, nach meinem Orakel zu Delphi und lege es dort auf die Schwelle des Tempels. Das Übrige lass meine Sorge sein, denn es ist mein Kind.« Hermes, der geflügelte Gott, eilte nach Athen, fand den Knaben an der bezeichneten Stelle und trug ihn in dem geflochtenen Weidenkorbe, in welchem er verschlossen lag, nach Delphi, wo er ihn vor den Pforten des Tempels niedersetzte und den Deckel des Korbes öffnete, damit das Kind bemerklich würde. Dies geschah bei Nacht. Am andern Morgen, als schon die Sonne emporstieg, kam die Delphische Priesterin nach dem Tempel geschritten, und als sie ihn betreten wollte, fiel ihr Auge auf das neugeborne Kind, das schlummernd in der Kiste lag. Sie hielt es für die Frucht irgendeines Verbrechens und war schon geneigt, es von der heiligen Schwelle fortzustoßen, als das Mitleid in ihrer Seele die Oberhand gewann, denn der Gott hatte ihr Herz gewandelt und zu ihr für seinen Sohn gesprochen. Die Prophetin nahm also das Kind aus dem Korbe und zog es auf, ohne seinen Vater und seine Mutter zu kennen. Der Knabe erwuchs, um den Altar seines Vaters spielend, und wusste nichts von seinen Eltern. Er wurde ein stattlicher Jüngling. Die Bewohner von Delphi, die ihn schon als kleinen Tempelhüter gewohnt worden waren, setzten ihn zum Schatzmeister über alle Geschenke, die der Gott erhielt, und so brachte er ein ehrbares und heiliges Leben im Tempel seines Vaters zu.

Inzwischen hatte Krëusa von dem Gotte nichts mehr erfahren und musste wohl glauben, dass er ihrer und ihres Sohnes vergessen habe. Um diese Zeit gerieten die Athener in einen Krieg mit den Bewohnern der Nachbarinsel Euböa, der bis zum Äußersten geführt wurde und in welchem die Euböer unterlagen. In diesem Kampfe war den Athenern besonders wirksam ein Fremdling aus Achaja beigestanden. Es war dies Xuthos, ein Sohn des Äolos, der selbst ein Sohn des Zeus war. Zum Lohne seiner Hilfe begehrte und erhielt er die Hand der Königstochter Krëusa; aber es war, als ob der ihr heimlich angetraute Gott die Geliebte seinen Zorn empfinden ließe, dass sie sich einem andern vermählt hatte, denn ihre Ehe war nicht mit Kindern gesegnet. Nach langer Zeit verfiel Krëusa auf den Gedanken, sich an das Orakel zu Delphi zu wenden und von ihm Kindersegen zu erflehen. Dies war es, was Apollon gewollt, denn er hatte seines Sohnes keineswegs vergessen. So brach die Fürstin mit ihrem Gemahl und einem kleinen Gefolge von Dienerinnen auf und wallfahrte zu dem Tempel nach Delphi. Als sie vor dem Gotteshause ankamen, trat gerade der junge Sohn Apollons über die Schwelle, um gewohnterweise die Pfosten der Tore mit Lorbeerzweigen zu schmücken. Da fiel sein Auge auf die edle Matrone, welche auf die Tore des Tempels zugewandelt kam und der beim Anblicke des Heiligtums Tränen über die Wangen rollten. Er wagte es, die Frau, deren würdige Gestalt ihm auffiel, bescheiden um die Ursache ihres Kummers zu befragen. »Es wundert mich nicht, o Jüngling«, erwiderte sie seufzend, »dass meine Traurigkeit deinen Blick auf sich zieht; habe ich doch Geschicke zu beweinen, die man mir wohl ansehen mag. Die Götter verfahren oft hart mit uns Sterblichen!« – »Ich will deinen Kummer nicht weiter stören«, sprach der Jüngling, »aber sage mir, wenn es zu wissen erlaubt ist, wer du bist und von wannen du kömmst.« – »Ich bin Krëusa«, antwortete die Fürstin, »mein Vater heißt Erechtheus, mein Vaterland ist Athen.« Mit unschuldiger Freude rief der Jüngling: »Ei, aus welchem berühmten Lande, aus welch berühmtem Geschlechte stammst du! Aber sage mir, ist es wahr, wie man es auf Bildern bei uns sieht, dass deines Vaters Großvater Erichthonius aus der Erde, wie ein anderes Gewächs, emporgesprossen ist, dass die Göttin Athene den erdgebornen Knaben in eine Kiste eingeschlossen, ihm zwei Drachen als Wächter beigegeben und das Kistchen den Töchtern des Kekrops zur Bewahrung überlassen habe; dass diese aus Neugierde dasselbe geöffnet und beim Anblicke des Knaben in Wahnsinn geraten und sich von dem Felsen der kekropischen Burg herabgestürzt?« Krëusa bejahte die Frage schweigend, denn das Schicksal ihres Urahns erinnerte sie an das Geschick ihres verlorenen Sohnes. Dieser aber, der vor ihr stand, fuhr fort, unbefangen weiter zu fragen: »Sage mir auch, hohe Fürstin, ist es wahr, dass dein Vater Erechtheus seine Töchter, deine Schwestern, auf den Ausspruch eines Orakels und mit ihrem freien Willen dem Tode geopfert, um über die Feinde zu siegen? Und wie kam es, dass du allein gerettet worden bist?« – »Ich war«, sprach Krëusa, »ein neugebornes Kind und lag in den Armen der Mutter.« – »Und ist es auch wahr«, so fragte der Jüngling weiter, »dass dein Vater Erechtheus von einem Erdspalt verschlungen worden ist, dass der Dreizack Poseidons ihn verderbt hat und dass in der Nähe seines Erdgrabes eine Grotte ist, die mein Herr, der pythische Apollon, so lieb hat?« – »O schweige mir von jener Grotte, Fremdling«, unterbrach ihn seufzend Krëusa, »in ihr ist eine Treulosigkeit und ein großer Frevel begangen worden.« Die Fürstin schwieg eine Weile, sammelte sich wieder und erzählte dem Jüngling, in welchem sie den Tempelhüter des Gottes erkannte, dass sie die Gemahlin des Fürsten Xuthos und mit diesem nach Delphi gewallfahrtet sei, um für ihre unfruchtbare Ehe den Segen des Gottes zu erflehen. »Phöbos Apollon«, sprach sie mit einem Seufzer, »kennt die Ursache meiner Kinderlosigkeit; er allein kann mir helfen.« – »So bist du kinderlos, Unglückliche?«, sagte betrübt der Jüngling. »Ich bin es längst«, erwiderte Krëusa, »und ich muss deine Mutter beneiden, guter Jüngling, die sich eines so holdseligen Sohnes erfreut.« – »Ich weiß nichts von einer Mutter und von einem Vater«, gab der junge Mann betrübt zur Antwort, »ich lag nie an eines Weibes Brust; ich weiß auch nicht, wie ich hieher gekommen bin; nur so viel weiß ich aus dem Munde meiner Pflegemutter, der Priesterin dieses Tempels, dass sie sich meiner erbarmt und mich großgezogen hat; das Haus des Gottes ist seitdem meine Wohnung, und ich bin sein Knecht.« Bei diesen Mitteilungen wurde die Fürstin sehr nachdenklich, doch drängte sie ihre Gedanken in die Brust zurück und sprach die traurigen Worte: »Mein Sohn, ich kenne eine Frau, der es gegangen ist wie deiner Mutter; um ihretwillen bin ich hierher gekommen und soll das Orakel befragen. So will ich denn dir, als dem Diener Gottes, ihr Geheimnis anvertrauen, bevor ihr jetziger Gatte, der diese Wallfahrt auch gemacht, aber unterwegs abgelenkt hat, um das Orakel des Trofonios zu hören, den Tempel betritt. Jene Frau behauptet, vor ihrer jetzigen Ehe mit dem großen Gotte Phöbos Apollon vermählt gewesen zu sein und ihm ohne Wissen ihres Vaters einen Sohn geboren zu haben. Diesen setzte sie aus und weiß seitdem nichts mehr von ihm, nicht, ob er das Sonnenlicht schaut oder nicht. Über sein Leben oder seinen Tod den Gott auszuforschen bin ich im Namen meiner Freundin hierher gekommen.« – »Wie lang ist es her, dass der Knabe tot ist?«, fragte der Jüngling. – »Wenn er noch lebte, so hätte er dein Alter, o Knabe«, sprach Krëusa. – »O wie ähnlich ist das Schicksal deiner Freundin und das meine«, rief mit dem Ausdruck des Schmerzes der junge Mann; »sie sucht ihren Sohn, und ich suche meine Mutter. Doch ist, was ihr geschehen ist, fern von diesem Lande geschehen, und leider sind wir beide einander ganz fremd. Hoffe auch nicht, dass der Gott von seinem Dreifuße dir die gewünschte Antwort erteilen wird. Bist du doch gekommen, ihn im Namen deiner Freundin einer Treulosigkeit anzuklagen; er wird nicht über sich selbst Richter sein wollen!« – »Halt ein, Jüngling«, rief jetzt Krëusa, »dort sehe ich den Gatten jener Frau herannahen: lass dir nichts von dem merken, was ich dir, vielleicht allzu vertraulich, vorgeplaudert habe.«

Xuthos kam fröhlich in den Tempel und auf seine Gemahlin zugeschritten. »Frau«, rief er ihr entgegen, »Trofonios hat einen glücklichen Ausspruch getan: ich soll nicht ohne Kinder von hinnen ziehen! Aber sage mir, wer ist dieser junge Prophet des Gottes?« Der Jüngling trat dem Fürsten bescheiden entgegen und erzählte ihm, wie er nur der Tempeldiener Apollons sei und im innersten Heiligtume die vornehmsten Delphier selbst, durchs Los ausgewählt, den Dreifuß umlagerten, von dem jetzt eben die Priesterin Orakel zu geben bereit sei. Als der Fürst dieses hörte, befahl er Krëusa, sich mit den Zweigen zu schmücken, welche Bittflehende zu tragen pflegen, und an dem Altare des Gottes, der mit Lorbeer umwunden unter freiem Himmel stand, zu Apollon zu beten, dass er ihnen ein günstiges Orakel senden möge. Er selbst eilte nach dem Heiligtume des Tempels, indes der junge Schatzmeister des Gottes im Vorhofe seine Wache fortsetzte. Es hatte nicht sehr lange gedauert, so hörte dieser die Türen des innersten Heiligtums gehen und sich dröhnend wieder schließen, dann sah er den Xuthos in freudiger Bestürzung herauseilen; dieser warf sich mit Ungestüm dem Jüngling um den Hals, nannte ihn zu wiederholten Malen seinen Sohn und verlangte wiederholt seinen Handschlag und Kindeskuss. Der junge Mann aber, der von allem dem nichts begriff, hielt den Alten für wahnsinnig und stieß ihn mit jugendlicher Kraft von sich. Doch Xuthos ließ sich nicht abweisen. »Der Gott selbst hat es mir geoffenbart«, sprach er; »sein Spruch lautete: Der erste, der mir draußen begegnen würde, der sei mein Sohn und ein Göttergeschenk. Wie das möglich ist, weiß ich zwar nicht, denn meine Gattin hat mir nie zuvor Kinder geboren. Doch trau' ich dem Gotte; mag er selbst sein Geheimnis enthüllen.« Jetzt gab sich auch der Jüngling der Freude hin, doch nur halb; und mitten unter den Küssen und

Umarmungen seines Vaters musste er seufzen: »O geliebte Mutter, wer bist du, wo bist du? Wann wird es mir vergönnt sein, auch dein teures Antlitz zu schauen?« Dazu kamen ihm große Zweifel, wie die kinderlose Gemahlin des Xuthos, die er nicht zu kennen glaubte, ihn als unerwarteten Stiefsohn aufnehmen, wie die Stadt Athen den nicht gesetzlichen Erben ihres Fürsten empfangen würde. Sein Vater hieß ihn aber guten Mutes sein; er versprach ihm, ihn den Athenern und seiner Gattin als einen Fremdling und nicht als seinen Sohn vorzustellen, und gab ihm den Namen Jon, das heißt Gänger, weil er im Tempel den ihm Entgegengehenden als seinen Sohn erkannt hatte.
Krëusa war indessen von dem Altare Apollons, vor dem sie sich betend niedergeworfen, nicht gewichen. Sie wurde endlich in ihrem brünstigen Flehen von ihren Dienerinnen unterbrochen, welche sich unter Wehklagen nahten. »Unglückliche Herrin«, riefen sie ihr entgegen, »dein Gatte zwar ist in große Freude versetzt, du aber wirst nie ein eigenes Kind in deine Arme nehmen und an deine Brust legen. Ihm freilich hat Apollo einen Sohn gegeben, einen erwachsenen Sohn, den ihm vorzeiten wer weiß welch ein Nebenweib geboren hat; als er aus dem Tempel trat, kam ihm dieser entgegen, er wird sich seines wieder gefundenen Kindes freuen, du aber wirst wie zuvor einer Witwe gleich im öden Hause wohnen.« Die arme Fürstin, deren Geist der Gott selbst mit Blindheit geschlagen zu haben schien, dass sich ein so nahe liegendes Geheimnis ihm nicht enthüllte, brütete über ihrem traurigen Schicksal eine Weile fort. Endlich fragte sie nach der Person und dem Namen des Stiefsohnes, den sie so unvermutet erhalten hatte. »Es ist der junge Tempelhüter, den du schon kennst«, erwiderten die Dienerinnen; »sein Vater hat ihm den Namen Jon gegeben; wer seine Mutter ist, wissen wir nicht; jetzt ist dein Gatte zu dem Altare des Bacchus gegangen, um heimlich für seinen Sohn zu opfern und dann mit ihm den Erkennungsschmaus zu feiern: uns hat er unter Androhung des Todes verboten, dir, o Herrin, die Geschichte zu entdecken, nur unsere große Liebe zu dir hat uns vermocht, dieses Verbot zu übertreten. Du wirst uns ja nicht bei ihm verraten!« Jetzt trat aus dem Gefolge ein alter Diener hervor, der dem Stamme der Erechthiden mit blinder Treue anhing und seiner Gebieterin mit großer Liebe zugetan war. Dieser schalt den Fürsten Xuthos einen treulosen Ehebrecher und ließ sich von seinem Eifer so weit verleiten, dass er ihr

das Anerbieten machte, den Bastard, der das Erbe der Erechthiden unrechtmäßigerweise an sich bringen würde, aus dem Wege zu räumen. Krëusa glaubte sich von ihrem Gatten und von ihrem früheren Geliebten, dem Gott Apollon, verlassen, und betäubt von ihrem Kummer lieh sie den frevelhaften Anschlägen des Greisen allmählich ihr Ohr und machte ihn auch zum Vertrauten ihres Verhältnisses zu dem Gott.
Als Xuthos mit Jon, in welchem er unbegreiflicherweise einen Sohn gefunden zu haben meinte, den Tempel des Gottes verlassen hatte, begab er sich mit ihm nach dem doppelten Gipfel des Berges Parnassos, wo der Gott Bacchus nicht weniger heilig als Apollon selbst von den Delphiern verehrt und mit seinem wilden Orgiendienste von den Frauen gefeiert wurde. Nachdem er hier ein Trankopfer ausgegossen zum Danke für den gefundenen Sohn, errichtete Jon im Freien mit Hilfe der Diener, die ihn begleitet hatten, ein herrliches und geräumiges Zelt, das er mit schön gewirkten Teppichen bedeckte, die er aus Apollons Tempel hatte herbeischaffen lassen. In dem Zelte wurden lange Tafeln aufgestellt und mit silbernen Schüsseln voll köstlicher Speisen und goldenen Bechern voll des edelsten Weines belastet; dann sandte der Athener Xuthos seinen Herold in die Stadt Delphi und lud sämtliche Einwohner ein, an seiner Freude teilzunehmen. Bald füllte sich das große Zelt mit bekränzten Gästen, und sie tafelten in Herrlichkeit und Freude. Beim Nachtische trat ein alter Mann, dessen sonderbare Gebärden den Gästen zur Belustigung dienten, mitten in den Saal des Zeltes und maßte sich das Amt des Mundschenken an. Xuthos erkannte in ihm jenen greisen Diener seiner Gemahlin Krëusa, lobte den Gästen seinen Eifer und seine Treue und ließ ihn arglos schalten. Der Alte stellte sich an den Schänktisch und fing an, sich der Becher anzunehmen und die Gäste zu bedienen. Als nun gegen den Schluss des Mahles die Flöten ertönten, befahl er den Knechten, die kleinen Becher von der Tafel wegzunehmen und den Gästen große silberne und goldene Trinkgefäße vorzusetzen. Er selbst ergriff das herrlichste Gefäß und trat, als wollte er damit seinen neuen jungen Herrn ehren, an den Schänktisch, füllte es zuoberst mit köstlichem Weine, schüttete aber zugleich unvermerkt ein tödliches Gift in den Becher. Indem er sich nun damit dem Jon näherte und einige Tropfen als Trankopfer auf den Boden goss, entfuhr zufälligerweise einem der nahe stehenden Knechte ein Fluch. Jon, der unter den heiligen Gebräuchen des Tempels

aufgewachsen war, erkannte darin eine böse Vorbedeutung und befahl, indem er den vollen Becher auf den Boden schüttete, dass ihm ein neuer Becher gereicht würde, aus welchem er selbst feierlich das Trankopfer ausgoss, während alle Gäste aus ihren Bechern dasselbe taten. Während dies geschah, flatterte eine Schar heiliger Tauben, die im Tempel des Apollon unter dem Schirme des Gottes aufgefüttert wurden, lustig in das Zelt herein. Als sie die Ströme Weines sahen, die von allen Seiten ausgegossen wurden, ließen sie sich, lüstern gemacht, auf den Boden nieder und fingen an, von dem herumschwimmenden Weine mit ausgereckten Schnäbeln zu nippen; und allen übrigen schadete das Trankopfer nicht: nur die eine Taube, die sich an die Stelle gesetzt hatte, wo Jon seinen ersten Becher ausgegossen, schüttelte, sowie sie den Trank gekostet hatte, krampfhaft ihre Flügel, fing, zum Staunen aller Gäste, an zu ächzen und zu toben und starb unter Flügelschlag und Zuckungen. Da erhub sich Jon von seinem Sitze, streifte sein Gewand zürnend von den Armen, ballte die Fäuste und rief: »Wo ist der Mensch, der mich töten wollte? Rede, Alter, denn du hast deine Hand dazu geliehen, du hast mir den Trank gemischt!« Damit fasste er den Greis bei der Schulter, um ihn nicht wieder loszulassen. Dieser, überrascht und erschrocken, gestand die ganze Freveltat als von Krëusa herrührend. Da verließ der durch Apollons Orakel für des Xuthos Sohn erklärte Jon das Zelt, und alle Gäste folgten ihm in wilder Aufregung nach. Als er draußen im Freien stand, erhub er die Hände, umringt von den vornehmsten Delphiern, und sprach: »Heilige Erde, du bist mein Zeuge, dass dieses fremde Erechthidenweib mich mit Gift aus dem Wege räumen will!« – »Steiniget, steiniget sie!«, erscholl es von der Versammlung der Delphier wie aus einem Munde; und die ganze Stadt brach mit Jon auf, die Verbrecherin zu suchen. Xuthos selbst, dem die schreckliche Entdeckung seine Besinnung geraubt hatte, wurde von dem Strome mit fortgerissen, ohne zu wissen, was er tat.
Krëusa hatte am Altar Apollons die Früchte ihrer verzweifelten Tat erwartet. Diese aber keimten ganz anders auf, als sie vermutet hatte. Ein Tosen aus der Ferne schreckte sie aus ihrer Versunkenheit auf, und noch ehe es ganz nahe kam, war dem heranstürmenden Haufen einer der Knechte ihres Gemahls, der ihr selbst vor andern getreu war, vorangeeilt und hatte kaum Zeit gehabt, die Entdeckung ihres Frevels und den Beschluss, den das Volk von Delphi gefasst hatte, ihr zu melden. Ihre

Dienerinnen scharten sich um sie. »Halte dich fest am Altare, Gebieterin«, riefen sie, »denn sollte dich auch der heilige Ort nicht vor deinen Mördern schützen, so werden sie doch durch deine Ermordung eine unsühnbare Blutschuld auf sich laden!« Indessen kam die tobende Schar der Delphier, von Jon angeführt, dem Altare immer näher. Noch ehe sie bei demselben angelangt waren, hörte man des Jünglings zürnende Worte, die der Wind durch die Luft führte. »Die Götter haben es gut mit mir gemeint«, rief er in lautem Grimme, »dass dieser Frevel mich von der Stiefmutter befreien sollte, die mich zu Athen erwartete. Wo ist die Verruchte, die Viper mit der Giftzunge, der Drache mit dem todspeienden Flammenauge? Auf, dass die Mörderin vom höchsten Felsen in den Abgrund gestürzt werde!« Das ihn begleitende Volk brüllte Beifall. Jetzt waren sie am Altar angekommen, und Jon zerrte an der Frau, die seine Mutter war und in der er nur seine Todfeindin erkannte, um sie von dem Asyl, auf dessen Heiligkeit und Unverletzlichkeit sie sich berief, hinwegzureißen. Aber Apollon wollte nicht, dass sein eigener Sohn der Mörder seiner Mutter würde. Auf seinen göttlichen Wink war das Gerücht von dem gedrohten Verbrechen Krëusas und der Strafe, welche sie dafür erwarte, schnell bis in den Tempel und zu den Ohren der Priesterin gedrungen, und der Gott hatte ihren Sinn erleuchtet, so dass sie einen raschen Blick in den Zusammenhang aller Ereignisse warf und ihr plötzlich klar wurde, dass ihr Pflegling Jon nicht des Xuthos, wie sie selbst nebelhaft prophezeit hatte, sondern Apollons und Krëusas Sohn sei. Sie verließ den Dreifuß und suchte das Kistchen hervor, in welchem der neugeborene Knabe samt einigen Erkennungszeichen, die sie gleichfalls sorgsam aufbewahrt hatte, einst zu Delphi vor dem Tempeltor ausgesetzt worden war. Mit diesem im Arme eilte sie ins Freie und nach dem Altare, wo Krëusa gegen den eindringenden Jon um ihr Leben kämpfte. Als Jon die Priesterin herannahen sah, ließ er sogleich von seiner Beute ab, ging ihr ehrerbietig entgegen und rief: »Sei mir willkommen, liebe Mutter, denn so muss ich dich nennen, obgleich du mich nicht geboren hast! Hörst du, welchen Nachstellungen ich entgangen bin? Kaum habe ich einen Vater gefunden, so sinnt auch schon die böse Stiefmutter auf meinen Tod! Nun sage mir, Mutter, was ich tun soll; denn deiner Mahnung will ich folgen!« Die Priesterin erhob warnend ihren Finger und sprach: »Jon, geh mit unbefleckter Hand und unter günstigen Vogelzeichen nach Athen!« Jon besann sich eine Weile, ehe er antwortete. »Ist denn der nicht fleckenlos«, sprach er endlich, »der seine Feinde tötet?« – »Tue du nicht also, bis du mich gehört hast«, sprach die ehrwürdige Frau. »Siehst du dies alte Körbchen, das ich mit frischen Kränzen umwunden in meinen Armen trage? In diesem bist du einst ausgesetzt worden, aus ihm habe ich dich hervorgezogen.« Jon staunte. »Davon, Mutter«, sprach er, »hast du mir nie etwas gesagt. Warum hast du es so lange vor mir verborgen?« – »Weil der Gott«, antwortete die Priesterin, »dich bis hierher zu seinem Priester haben wollte. Jetzt, wo er dir einen Vater gegeben hat, entlässt er dich nach Athen.« – »Was soll mir aber dieses Kistchen helfen?«, fragte Jon weiter. – »Es enthält die Windeln, in welchen du ausgesetzt worden bist, lieber Sohn!«, antwortete die Priesterin. »Meine Windeln?«, sprach Jon heftig. »Nun, das ist ja eine Spur, die mich auf meine rechte Mutter führen kann. O erwünschte Entdeckung!« Die Priesterin hielt ihm nun das offene Kistchen hin, und Jon griff gierig hinein und zog die reinlich zusammengewickelte Leinwand heraus. Während er seine betränten Augen auf die kostbaren Überbleibsel heftete, hatte sich Krëusas Angst allmählich verloren und ein Blick auf das Kistchen ihr die ganze Wahrheit entdeckt. Mit einem Sprunge verließ sie den Altar, und mit dem Freudenrufe: »Sohn!« hielt sie den staunenden Jon umschlungen. Diesem schlich sich aufs Neue Misstrauen ins Herz, er fürchtete die Umarmungen der Fremden als eine Hinterlist und wollte sich unwillig losmachen. Aber Krëusa selbst raffte sich zusammen, trat einige Schritte zurück und sprach: »Diese Leinwand soll für mich zeugen, Kind! Wickle sie getrost auseinander, du wirst die Zeichen finden, die ich dir angebe. Die Stickerei, die sie schmückt, ist das Werk meiner mädchenhaften Nadel. In der Mitte des Gewebes muss sich das Gorgonenhaupt finden, umringt von Schlangen, wie auf dem Agisschilde!« Ungläubig entfaltete Jon die Windeln, aber mit einem plötzlichen Freudenschrei rief er aus: »O großer Zeus, hier ist die Gorgone, hier sind die Schlangen!« – »Noch nicht genug«, sprach Krëusa, »es müssen in dem Kistchen auch kleine goldne Drachen sein, zur Erinnerung an die Drachen in der Kiste des Erichthonios; ein Halsschmuck für das neugeborne Knäblein.« Jon durchforschte den Korb weiter, und mit wonnigem Lächeln zog er bald auch die Drachenbilder hervor. »Das letzte Zeichen«, rief Krëusa, »muss ein Kranz aus den unverwelklichen Oliven sein, die vom erstgepflanzten Ölbaume Athenes stammen, und den ich meinem neugebornen Knaben aufgesetzt.« Jon durchsuchte den Grund des Kistchens, und seine Hand brachte einen schönen grünen Olivenkranz hervor. »Mutter, Mutter!«, rief er mit einer von schluchzenden Tränen unterbrochenen Stimme, fiel Krëusa um den Hals und bedeckte ihre Wangen mit Küssen. Endlich riss er sich von ihrem Halse los und verlangte nach seinem Vater Xuthos. Da entdeckte ihm Krëusa das Geheimnis seiner Geburt und wie er des Gottes Sohn sei, dem er so lang und getreu im Tempel gedient habe. Auch die früheren Verwicklungen und die letzte Verirrung Krëusas wurden ihm jetzt klar, und er fand selbst den verzweifelten Anschlag seiner Mutter auf des unerkannten Sohnes Leben verzeihlich. Xuthos nahm den Jon, obgleich nur als Stiefsohn, doch auch so als ein teures Göttergeschenk in seine Arme, und alle drei erschienen wieder im Tempel, dem Gotte zu danken. Die Priesterin aber weissagte von ihrem Dreifuß herab, dass Jon der Vater eines großen Stammes werden sollte, Jonier nach seinem Namen genannt; auch dem Xuthos weissagte sie Nachkommenschaft von Krëusen, einen Sohn, der Doros heißen und der weltberühmten Dorier Vater werden sollte. Mit so freudigen Erfüllungen und Hoffnungen brach das Fürstenpaar von Athen mit dem glücklich gefundenen Sohne nach der Heimat auf, und alle Einwohner Delphis gaben ihnen das Geleite.

DÄDALOS UND IKAROS

Auch Dädalos aus Athen war ein Erechthide, ein Sohn des Metion, ein Urenkel des Erechtheus. Er war der kunstreichste Mann seiner Zeit, Baumeister, Bildhauer und Arbeiter in Stein. In den verschiedensten Gegenden der Welt wurden Werke seiner Kunst bewundert, und von seinen Bildsäulen sagte man, sie leben, gehen und sehen und seien für kein Bild, sondern für ein beseeltes Geschöpf zu halten. Denn während an den Bildsäulen der früheren Meister die Augen geschlossen waren und die Hände, von den Seiten des Körpers nicht getrennt, schlaff herunterhingen, war er der Erste, der seinen Bildern offene Augen gab, sie die

Hände ausstrecken und auf schreitenden Füßen stehen ließ. Aber so kunstreich Dädalos war, so eitel und eifersüchtig war er auch auf seine Kunst, und diese Untugend verführte ihn zum Verbrechen und trieb ihn ins Elend. Er hatte einen Schwestersohn namens Talos, den er in seinen eigenen Künsten unterrichtete und der noch herrlichere Anlagen zeigte als sein Oheim und Meister. Noch als Knabe hatte Talos die Töpferscheibe erfunden; den Kinnbacken einer Schlange, auf den er irgendwo gestoßen, gebrauchte er als Säge und durchschnitt mit den gezackten Zähnen ein kleines Brettchen, dann ahmte er dieses Werkzeug in Eisen nach, in dessen Schärfe er eine Reihe fortlaufender Zähne einschnitt, und wurde so der gepriesene Erfinder der Säge. Ebenso erfand er das Drechseleisen, indem er zuerst zwei eiserne Arme verband, von welchen der eine stille stand, während der andere sich drehte. Auch andere künstliche Werkzeuge ersann er, alles ohne die Hilfe seines Lehrers, und erwarb sich damit hohen Ruhm. Dädalos fing an zu befürchten, der Name des Schülers möchte größer werden als der des Meisters, der Neid übermannte ihn, und er brachte den Knaben hinterlistig um, indem er ihn von Athenes Burg herabstürzte. Während Dädalos mit seinem Begräbnisse beschäftigt war, wurde er überrascht; er gab vor, eine Schlange zu verscharren. Dennoch wurde er von dem Gerichte des Areopags wegen eines Mordes angeklagt und schuldig befunden. Er entwich nun und irrte anfangs flüchtig in Attika umher, bis er weiter nach der Insel Kreta floh. Hier fand er bei dem Könige Minos eine Freistätte, ward dessen Freund und als berühmter Künstler hoch angesehen. Er wurde von ihm ausgewählt, um dem Minotauros, einem Ungeheuer von abscheulicher Abkunft, der ein Doppelwesen war, das vom Kopfe bis an die Schultern die Gestalt eines Stieres hatte, im Übrigen aber einem Menschen glich, einen Aufenthalt zu schaffen, an dem das Ungetüm den Augen der Menschen ganz entrückt wäre. Der erfindsame Geist des Dädalos erbaute zu dem Zwecke das Labyrinth, ein Gebäude voll gewundener Krümmungen, welche Augen und Füße des Betretenden verwirrten. Die unzähligen Gänge schlangen sich ineinander wie der verworrene Lauf des geschlängelten phrygischen Flusses Mäander, der in zweifelndem Gange bald vorwärts, bald zurückfließt und oft seinen eigenen Wellen entgegenkommt. Als der Bau vollendet war und Dädalos ihn durchmusterte, fand sich der Erfinder selbst mit Mühe zur Schwelle zurück, ein so trügerisches Irrsal hatte er gegründet. Im Innersten dieses Labyrinthes wurde der Minotauros gehegt, und seine Speise waren sieben Jünglinge und sieben Jungfrauen, die, vermöge alter Zinsbarkeit, alle neun Jahre von Athen dem Könige Kretas zugesandt werden mussten.

Indessen wurde dem Dädalos die lange Verbannung aus der geliebten Heimat doch allmählich zur Last, und es quälte ihn, bei einem tyrannischen und selbst gegen seinen Freund misstrauischen Könige sein ganzes Leben auf einem vom Meere rings umschlossenen Eilande zubringen zu sollen. Sein erfinderischer Geist sann auf Rettung. Nachdem er lange gebrütet, rief er endlich ganz freudig aus: »Die Rettung ist gefunden; mag mich Minos immerhin von Land und Wasser aussperren, die Luft bleibt mir doch offen; so viel Minos besitzt, über sie hat er keine Herrschergewalt. Durch die Luft will ich davongehen!« Gesagt, getan. Dädalos überwältigte mit seinem Erfindergeiste die Natur. Er fing an, Vogelfedern von verschiedener Größe so in Ordnung zu legen, dass er mit der kleinsten begann und zu der kürzesten Feder stets eine längere fügte, so dass man glauben konnte, sie seien von selbst ansteigend gewachsen. Diese Federn verknüpfte er in der Mitte mit Leinfäden, unten mit Wachs. Die so vereinigten beugte er mit kaum merklicher Krümmung, so dass sie ganz das Ansehen von Flügeln bekamen. Dädalos hatte einen Knaben namens Ikaros. Dieser stand neben ihm und mischte seine kindischen Hände neugierig unter die künstliche Arbeit des Vaters: bald griff er nach dem Gefieder, dessen Flaum von dem Luftzuge bewegt wurde, bald knetete er das gelbe Wachs, dessen der Künstler sich bediente, mit Daumen und Zeigefinger. Der Vater ließ es sorglos geschehen und lächelte zu dem unbeholfenen Bemühen seines Kindes. Nachdem er die letzte Hand an seine Arbeit gelegt hatte, passte sich Dädalos selbst die Flügel an den Leib, setzte sich mit ihnen ins Gleichgewicht und schwebte leicht wie ein Vogel empor in die Lüfte. Dann, nachdem er sich wieder zu Boden gesenkt, belehrte er auch seinen jungen Sohn Ikaros, für den ein kleineres Flügelpaar gefertigt und bereit lag. »Flieg immer, lieber Sohn«, sprach er, »auf der Mittelstraße, damit nicht, wenn du den Flug zu sehr nach unten senkest, die Fittiche ans Meerwasser streifen und von Feuchtigkeit beschwert dich in die Tiefe der Wogen hinabziehen oder, wenn du dich zu hoch in die Luftregion verstiegest, dein Gefieder den Sonnenstrahlen zu nahe komme und plötzlich Feuer fange. Zwischen Wasser und Sonne fliege dahin, immer nur meinem Pfade durch die Luft folgend.« Unter solchen Ermahnungen knüpfte Dädalos auch dem Sohne das Flügelpaar an die Schultern, doch zitterte die Hand des Greisen, während er es tat, und eine bange Träne tropfte ihm auf die Hand. Dann umarmte er den Knaben und gab ihm einen Kuss, der auch sein letzter sein sollte.

Jetzt erhoben sich beide mit ihren Flügeln. Der Vater flog voraus, sorgenvoll wie ein Vogel, der seine zarte Brut zum ersten Mal aus dem Nest in die Luft führt. Doch schwang er besonnen und kunstvoll das Gefieder, damit der Sohn es ihm nachtun lerne, und blickte von Zeit zu Zeit rückwärts, um zu sehen, wie es diesem gelinge. Anfangs ging es ganz gut. Bald war ihnen die Insel Samos zur Linken, bald Delos und Paros, die Eilande, vorübergeflogen. Noch mehrere Küsten sahen sie schwinden, als der Knabe Ikaros, durch den glücklichen Flug zuversichtlich gemacht, seinen väterlichen Führer verließ und in verwegenem Übermute mit seinen Flügeln einer höheren Zone zusteuerte. Aber die angedrohte Strafe blieb nicht aus. Die Nachbarschaft der Sonne erweichte mit allzu kräftigen Strahlen das Wachs, das die Fittiche zusammenhielt, und ehe es Ikaros nur bemerkte, waren die Flügel aufgelöst und zu beiden Seiten den Schultern entsunken. Noch ruderte der unglückliche Jüngling und schwang seine nackten Arme; aber er bekam keine Luft zu fassen, und plötzlich stürzte er in die Tiefe. Er hatte den Namen seines Vaters als Hilferuf auf den Lippen; doch ehe er ihn aussprechen konnte, hatte ihn die blaue Meeresflut verschlungen. Das alles war so schnell geschehen, dass Dädalos, hinter sich nach seinem Sohne, wie er von Zeit zu Zeit zu tun gewohnt war, blickend, nichts mehr von ihm gewahr wurde. »Ikaros, Ikaros!«, rief er trostlos durch den leeren Luftraum. »Wo, in welchem Bezirke der Luft soll ich dich suchen?« Endlich sandte er die ängstlich forschenden Blicke nach der Tiefe. Da sah er im Wasser die Federn schwimmen. Nun senkte er seinen Flug und ging, die Flügel abgelegt, ohne Trost am Ufer hin und her, wo bald die Meereswellen den Leichnam seines unglückseligen Kindes ans Gestade spülten. Jetzt war der ermordete Talos gerächt. Der verzweifelnde Vater sorgte für das Begräbnis des Sohnes. Es war eine Insel, wo er sich niedergelassen und wo der Leichnam ans Ufer geschwemmt worden war. Zum ewigen Gedächtnis an das jammervolle Ereignis erhielt das Eiland den Namen Ikaria.

Als Dädalos seinen Sohn begraben hatte, fuhr er von dieser Insel weiter nach der großen Insel Sizilien. Hier herrschte der König Kokalos. Wie einst bei Minos auf Kreta, fand er bei ihm gastliche Aufnahme, und seine Kunst setzte die Einwohner in Erstaunen. Noch lange zeigte man da einen künstlichen See, den er gegraben und aus dem ein breiter Fluss sich in das benachbarte Meer ergoss; auf den steilsten Felsen, der nicht zu erstürmen war und wo kaum ein paar Bäume Platz zu haben schienen, setzte er eine feste Stadt und führte zu ihr einen so engen und künstlich gewundenen Weg empor, dass drei oder vier Männer hinreichten, die Feste zu verteidigen. Diese unbezwingliche Burg wählte dann der König Kokalos zur Aufbewahrung seiner Schätze. Das dritte Werk des Dädalos auf der Insel Sizilien war eine tiefe Höhle. Hier fing er den Dampf unterirdischen Feuers so geschickt auf, dass der Aufenthalt in einer Grotte, die sonst feucht zu sein pflegte, so angenehm war wie in einem gelinde geheizten Zimmer und der Körper allmählich in einen wohltätigen Schweiß kam, ohne dabei von der Hitze belästigt zu werden. Auch den Aphroditenternpel auf dem Vorgebirge Eryx erweiterte er und weihte der Göttin eine goldene Honigzelle, die mit der größten Kunst ausgearbeitet war und einer wirklichen Honigwabe täuschend ähnlich sah.

Nun erfuhr aber König Minos, dessen Insel der Baumeister heimlich verlassen hatte, dass Dädalos sich nach Sizilien geflüchtet habe, und fasste den Entschluss, ihn mit einem gewaltigen Kriegsheere zu verfolgen. Er rüstete eine ansehnliche Flotte aus und fuhr damit von Kreta nach Agrigent. Hier schiffte er seine Landtruppen aus und schickte Botschafter an den König Kokalos, welche die Auslieferung des Flüchtlings verlangen sollten. Aber Kokalos war über den Einfall des fremden Tyrannen entrüstet und sann auf Mittel und Wege, ihn zu verderben. Er stellte sich, als ginge er auf die Absichten des Kreters ganz ein, versprach ihm in allem zu willfahren und lud ihn zu dem Ende zu einer Zusammenkunft ein. Minos kam und wurde mit großer Gastfreundschaft von Kokalos aufgenommen. Ein warmes Bad sollte ihn von der Ermüdung des Weges heilen. Als er aber in der Wanne saß, ließ Kokalos diese so lange heizen, bis Minos in dem siedenden Wasser erstickte. Die Leiche überließ der König von Sizilien den Kretern, die mit ihm gekommen waren, unter dem Vorgeben, der König sei im Bade ausgeglitten und in das heiße Wasser gefallen. Hierauf wurde Minos von seinen Kriegern mit großer Pracht bei Agrigent bestattet und über seinem Grabmal ein offener Aphroditentempel erbaut. Dädalos blieb bei dem Könige Kokalos in ununterbrochener Gunst, erzog viele und berühmte Künstler und wurde der Gründer seiner Kunst auf Sizilien. Glücklich aber war er seit dem Sturze seines Sohnes Ikaros nicht mehr, und während er dem Lande, das ihm eine Zuflucht gewährt hatte, ein heiteres und lachendes Ansehen durch die Werke seiner Hand verlieh, durchlebte er selbst ein kummervolles und trübsinniges Alter. Er starb auf der Insel Sizilien und wurde dort begraben.

DIE ARGONAUTENSAGE

Jason und Pelias

Von Äson, dem Sohne des Kretheus, stammte Jason ab. Sein Großvater hatte in einer Bucht des Landes Thessalien die Stadt und das Königreich Jolkos gegründet und dasselbe seinem Sohne Äson hinterlassen. Aber der jüngere Sohn, Pelias, bemächtigte sich des Thrones; Äson starb, und Jason, sein Kind, war zu Chiron, dem Kentauren, dem Erzieher vieler großer Helden, geflüchtet worden, wo er in guter Heldenzucht aufwuchs. Als Pelias schon alt war, wurde er durch einen dunkeln Orakelspruch geängstigt, welcher ihn warnte, er solle sich vor dem Einschuhigen hüten. Pelias grübelte vergeblich über dem Sinn dieses Wortes, als Jason, der jetzt zwanzig Jahre den Unterricht und die Erziehung des Chiron genossen hatte, sich heimlich aufmachte, nach Jolkos in seine Heimat zu wandern und das Thronrecht seines Geschlechtes gegen Pelias zu behaupten. Nach Art der alten Helden war er mit zwei Speeren, den einen zum Werfen, den andern zum Stoßen, ausgerüstet; er trug ein Reisekleid und darüber die Haut von einem Panter, den er erwürgt hatte; sein unbeschorenes Haar hing lang über die Schultern herab. Unterwegs kam er an einen breiten Fluss, an dem er eine alte Frau stehen sah, die ihn flehentlich bat, ihr über den Strom zu helfen. Es war die Göttermutter Hera, die Feindin des Königs Pelias. Jason erkannte sie in ihrer Verwandlung nicht, er nahm sie mitleidig auf die Arme und watete mit ihr durch den Fluss. Auf diesem Wege blieb ihm der eine Schuh im Schlamme stecken. Dennoch wanderte er weiter und kam zu Jolkos an, als sein Oheim Pelias gerade mitten unter allem Volke auf dem Marktplatze der Stadt dem Meeresgotte Poseidon ein feierliches Opfer brachte. Alles Volk verwunderte sich über die Schönheit und den majestätischen Wuchs des Jünglings. Sie meinten, Apollon oder Ares sei plötzlich unter sie getreten. Jetzt fielen auch die Blicke des opfernden Königs auf den Fremdling, und mit Entsetzen bemerkte er, dass nur der eine Fuß desselben beschuht war. Als die heilige Handlung vorüber war, trat er dem Ankömmling entgegen und fragte ihn mit verheimlichter Bestürzung nach seinem Namen und seiner Heimat. Jason antwortete mutig, doch sanft: er sei Äsons Sohn, sei in Chirons Höhle erzogen worden und komme jetzt, das Haus seines Vaters zu schauen. Der kluge Pelias empfing ihn auf diese Mitteilung freundlich und ohne seinen Schrecken merken zu lassen. Er ließ ihn überall im Palaste herumführen, und Jason weidete seine Augen mit Sehnsucht an dieser ersten Wohnstätte seiner Jugend. Fünf Tage lang feierte er hierauf das Wiedersehen mit seinen Vettern und Verwandten in fröhlichsten Festen. Am sechsten Tage verließen sie die Zelte, die für die Gäste aufgeschlagen waren, und traten miteinander vor den König Pelias. Sanft und bescheiden sprach Jason zu seinem Oheim: »Du weißt, o König, dass ich der Sohn des rechtmäßigen Königs bin und alles, was du besitzest, mein Eigentum ist. Dennoch lasse ich dir die Schaf- und Rinderherden und alles Feld, das du meinen Eltern entrissen hast; ich verlange nichts von dir zurück als den Königszepter und den Thron, auf welchem einst mein Vater saß.« Pelias war in seinem Geiste schnell besonnen. Er erwiderte freundlich: »Ich bin willig, deine Forderung zu erfüllen, dafür sollst aber auch du mir eine Bitte gewähren und eine Tat für mich ausrichten, die deiner Jugend wohl ansteht und deren mein Greisenalter nicht mehr fähig ist. Denn mir erscheint seit langem in nächtlichen Träumen der Schatten des Phrixos und verlangt von mir, ich solle seine Seele zufrieden stellen, nach Kolchis zum Könige Aietes reisen und von da seine Gebeine und das Vlies des goldenen Widders zurückholen. Den Ruhm dieser Unternehmung habe ich dir zugedacht: wenn du mit der herrlichen Beute zurückkehrst, sollst du Reich und Zepter in Besitz nehmen.«

Anlass und Beginn des Argonautenzuges

Mit dem Goldenen Vlies aber verhielt es sich also: Phrixos, ein Sohn des böotischen Königs Athamas, hatte viel von der Nebengattin seines Vaters, seiner bösen Stiefmutter Ino, zu dulden. Um ihn vor ihren Nachstellungen zu bewahren, raubte ihn, mit Hilfe seiner Schwester Helle, die eigene Mutter Nephele. Sie setzte die Kinder auf einen geflügelten Widder, dessen Vlies oder Fell von gediegenem Golde war und welchen sie von dem Gotte Hermes zum Geschenk erhalten hatte. Auf diesem Wundertier ritten Bruder und Schwester durch die Luft über Land und Meer hin. Unterwegs wurde das Mägdlein vom Schwindel überwältigt. Sie fiel in die Tiefe und fand ihren Tod in dem Meere, das von ihr den Namen Helles Meer oder Hellespontos erhielt. Phrixos kam glücklich in das Land der Kolcher an der Küste des Schwarzen Meeres. Hier wurde er von dem Könige Aietes gastfreundlich aufgenommen, der ihm eine seiner Töchter zur Gattin gab. Den Widder opferte Phrixos dem Zeus, dem Förderer seiner Flucht; sein Vlies gab er dem Könige Aietes zum Geschenk. Dieser weihte dasselbe dem Ares und befestigte es mit Nägeln in einem Haine, der diesem Gott geheiligt war. Zur Bewachung des Goldenen Vlieses bestellte Aietes einen ungeheuren Drachen; denn ein Schicksalsspruch hatte sein Leben vom Besitze dieses Widderfelles abhängig gemacht. Das Vlies wurde in der ganzen Welt als ein großer Schatz betrachtet, und lange trug man sich auch in Griechenland mit der Nachricht von demselben. Manchen Helden und Fürsten gelüstete es darnach; so hatte Pelias nicht falsch gerechnet, wenn er hoffte, seinen Neffen Jason durch die Aussicht auf eine so herrliche Beute zu reizen. Jason ließ sich auch bereitwillig finden; er durchschaute die Absicht seines Oheims nicht, ihn in den Gefahren dieses Zuges untergehen zu lassen, und verpflichtete sich feierlich, das Abenteuer zu bestehen. Die berühmtesten Helden Griechenlands wurden zu dem kühnen Unternehmen aufgefordert. Am Fuße des Berges Pehon, aus einer Holzart, die im Meere nicht fault, wurde unter Athenes Leitung von dem geschicktesten

Baumeister Griechenlands ein herrliches Schiff mit fünfzig Rudern erbaut und nach seinem Erbauer Argos, dem Sohne des Arestor, Argo genannt. Es war das erste lange Schiff, auf welchem sich die Griechen in die offene See wagten. Die Göttin Athene hatte dazu das weissagende Brett von einer redenden Eiche des Orakels zu Dodona gestiftet, das eine Stelle in dem Takelwerke fand. Das Schiff war auswendig mit vielen geschnitzten Arbeiten geziert und gleichwohl so leicht, dass es die Helden zwölf Tagereisen weit auf der Achsel tragen konnten. Als das Fahrzeug fertig und die Helden versammelt waren, wurden die Plätze der Argoschiffer, der Argonauten, verlost. Jason war Befehlshaber des ganzen Zuges; Tiphys war der Steuermann; Lynkeus, der Scharfblickende, machte den Lotsen des Schiffes. Im Vorderteil des Schiffs saß der herrliche Held Herakles, im Hinterteile Peleus, der Vater des Achilleus, und Telamon, der Vater des Ajax. Im innern Raume befanden sich unter andern Kastor und Pollux, die Zeussöhne, Neleus, der Vater Nestors, Admetos, der Gemahl der frommen Alkeste, Meleager, der Besieger des kalydonischen Ebers, Orpheus, der wundervolle Sänger, Menötios, der Vater des Patroklos, Theseus, nachher König von Athen, und sein Freund Peirithoos, Hylas, der junge Gefährte des Herakles, Poseidons Sohn Euphemos und Oileus, der Vater des kleineren Ajax. Jason hatte sein Schiff dem Poseidon gewidmet. Ihm und allen Meeresgöttern wurde vor der Abfahrt ein feierliches Opfer mit Gebeten dargebracht.

Als alle im Schiffe Platz genommen, wurden die Anker gelichtet, die fünfzig Ruderer begannen ihren regelmäßigen Taktschlag, ein günstiger Wind schwellte die Segel, und bald hatte das Schiff den Hafen von Jolkos hinter sich. Orpheus mit lieblichen Harfentönen und begeisterndem Gesang belebte den Mut der Argoschiffer: lustig fuhren sie an Vorgebirgen und Inseln vorbei; erst am zweiten Tage erhob sich ein Sturm und trieb sie in den Hafen der Insel Lemnos.

Die Argonauten zu Lemnos

Auf dieser Insel hatten das Jahr zuvor die Weiber alle ihre Männer, ja das ganze männliche Geschlecht ausgerottet, vom Zorn der Aphrodite verfolgt und von Eifersucht getrieben, weil jene sich Nebenweiber aus

Thrakien geholt hatten. Nur Hypsipyle hatte ihren Vater, den König Thoas, verschont und in einer Kiste dem Meere zur Rettung übergeben. Seitdem fürchteten sie unaufhörlich einen Angriff von Seiten der Thrakier, den Verwandten ihrer Nebenbuhlerinnen, und blickten oft mit ängstlichen Augen nach der hohen See hinaus. Auch jetzt, wo sie das Schiff Argo heranrudern sahen, stürzten sie alle miteinander aufgeschreckt aus den Toren und stürmten, mit Waffen angetan wie Amazonen, ans Ufer. Die Helden verwunderten sich höchlich, als sie das ganze Gestade voll von bewaffneten Weibern und keinen Mann erblickten. Sie fertigten in einem Nachen einen Herold mit dem Friedensstabe an die seltsame Versammlung ab, der von den Frauen vor die unvermählte Königin Hypsipyle gebracht wurde und in bescheidenen Worten die Bitte der Argoschiffer um gastliche Rast vorbrachte. Die Königin versammelte ihr Frauenvolk auf dem Marktplatze der Stadt; sie selbst setzte sich auf den steinernen Thron ihres Vaters; ihr zunächst lagerte sich, auf einen Stab gestützt, die greise Amme, dieser zur Rechten und zur Linken saßen je zwei blondhaarige, zarte Jungfrauen. Nachdem sie der Versammlung das friedliche Ansinnen der Argonauten vorgelegt, sprach sie aufgerichtet: »Liebe Schwestern, wir haben eine große Freveltat begangen und in der Torheit uns männerlos gemacht, wir sollen gute Freunde, wenn sie sich uns darbieten, nicht zurückstoßen. Aber wir müssen auch dafür sorgen, dass sie nichts von unserer Untat erfahren. Darum ist mein Rat, den Fremden Speise, Wein und alle Notdurft in ihr Schiff tragen zu lassen und durch solche Bereitwilligkeit sie ferne von unsern Mauern zu halten.«

Die Königin hatte sich wieder niedergesetzt und dagegen die alte Amme erhoben. Mit Mühe richtete sie ihren Kopf aus den Schultern auf und sprach: »Sendet immerhin den Fremdlingen Geschenke: dies ist wohl getan. Denket aber auch daran, was euch bevorsteht, wenn die Thrakier kommen. Und wenn ein gnädiger Gott diese ferne hält, seid ihr darum vor allem Übel sicher? Zwar die alten Weiber, wie ich, können ruhig sein, wir werden sterben, ehe die Not dringend wird, ehe alle unsere Vorräte zu Ende sind. Ihr Jüngeren aber, wie wollet ihr alsdann leben? Werden sich die Ochsen für euch von selbst ins Joch spannen und den Pflug durchs Ackerfeld ziehen? Werden sie an eurer statt, wenn das Jahr herum ist, die reifen Ähren abschneiden? Denn ihr selbst werdet diese und andere harte Arbeiten nicht allein verrichten wollen. Ich rate euch, weiset den erwünschten Schutz nicht ab, der sich euch darbietet; vertrauet Gut und Habe den edelgeborenen Fremdlingen an und lasst sie eure schöne Stadt verwalten!« Dieser Rat gefiel allen Weibern von Lemnos wohl. Die Königin schickte eine der beisitzenden Jungfrauen mit dem Herold auf das Schiff, um den Argonauten den günstigen Beschluss der Frauenversammlung kundzutun. Die Helden waren über die Nachricht hoch erfreut, sie glaubten nicht anders, als Hypsipyle sei ihrem Vater nach dessen Tode in friedlicher Übernahme der Herrschaft gefolgt. Jason warf den purpurnen Mantel, ein Geschenk der Athene, über seine Schultern und wandelte der Stadt zu, einem schimmernden Sterne ähnlich. Als er in die Tore einzog, strömten ihm die Frauen mit lautem Gruße nach und erfreuten sich des Gastes. Er aber heftete mit sittsamer Scheu die Augen auf den Boden und eilte dem Palaste der Königin zu. Dienende Mägde taten die hohen Pforten weit vor ihm auf; die Jungfrau führte ihn in das Gemach ihrer Herrin. Hier nahm er, dieser gegenüber, auf einem prachtvollen Stuhle Platz. Hypsipyle schlug die Augen nieder, und ihre jungfräulichen Wangen röteten sich. Verschämt wandte sie sich an ihn mit den schmeichelnden Worten: »Fremdlinge, warum weilet ihr so scheu außerhalb unserer Tore? Diese Stadt wird ja nicht von Männern bewohnt, dass ihr euch zu fürchten hättet. Unsere Gatten sind uns treulos geworden; sie sind mit thrakischen Weibern, die sie im Kriege erbeutet, in das Land ihrer Nebenweiber gezogen und haben ihre Söhne und männlichen Diener mit sich genommen; wir aber sind hilflos zurückgeblieben. Darum, wenn es euch gefällt, kehret hier bei unserm Volke ein, und magst du, so sollst du an meines Vaters Thoas statt die Deinigen und uns beherrschen. Du wirst das Land nicht tadeln, es ist bei weitem die fruchtbarste Insel im Meere. Geh daher, guter Führer, melde deinen Genossen den Vorschlag, und bleibet nicht länger außerhalb der Stadt.« So sprach sie und verhehlte nur die Ermordung der Männer. Ihr erwiderte Jason: »Königin, die Hilfe, die du uns Hilfsbedürftigen anbietest, nehmen wir mit dankbarem Herzen an; wenn ich meinen Genossen die Nachricht zurückgebracht habe, will ich in eure Stadt zurückkehren, aber das Zepter und die Insel behalte du selbst! Nicht, als ob ich sie verachtete: aber mich erwarten schwere Kämpfe im fernen Lande.« Jason reichte der königlichen Jungfrau die Hand zum Abschiedsgruße, dann

eilte er zurück ans Ufer. Bald kamen auch die Frauen auf schnellen Wagen nach, mit vielen Gastgeschenken. Ohne Mühe überredeten sie die Helden, die ihres Führers Botschaft schon vernommen hatten, die Stadt zu betreten und in ihren Häusern einzukehren. Jason nahm seine Wohnung in der Königsburg selbst, die andern da und dort; nur Herakles, der Feind weibischen Lebens, blieb mit wenigen auserlesenen Genossen zurück auf dem Schiffe. Jetzt füllten fröhliche Mahlzeiten und Tänze die Stadt; duftiger Opferdampf stieg zum Himmel; Einwohnerinnen und Gäste ehrten den Schutzgott der Insel, Hephästos, und Aphrodite, seine Gemahlin. Von Tag zu Tag wurde die Abfahrt verschoben, und noch lange hätten die Helden bei den freundlichen Wirtinnen verweilt, wenn nicht Herakles vom Schiffe herbeigekommen wäre und die Genossen ohne der Weiber Wissen um sich versammelt hätte. »Ihr Elenden«, schalt er, »hattet ihr nicht genug Frauen im eigenen Lande? Seid ihr der Hochzeit bedürftig hierher gekommen? Wollt ihr als Bauern zu Lemnos das Feld pflügen? Freilich, ein Gott wird für uns das Vlies holen und es uns zu Füßen legen! Lieber lasset uns jeden in seine Heimat zurückkehren; jener mag sich mit Hypsipyle vermählen, die Insel Lemnos mit seinen Söhnen bevölkern und von fremden Heldentaten hören!«
Keiner wagte gegen den Helden, der so sprach, die Augen aufzuheben oder ihm zu widersprechen. Von der Versammlung weg rüsteten sie sich zur Abfahrt. Aber die Lemnierinnen, ihre Absicht erratend, umschwärmten sie wie summende Bienen mit Klagen und Bitten. Doch ergaben sie sich zuletzt in den Entschluss der Helden. Hypsipyle trat mit tränenden Augen aus der Schar hervor, nahm Jason bei der Hand und sprach: »Geh, und mögen dir die Götter, samt deinen Genossen, wie du es wünschest, das Goldene Vlies verleihen! Wenn du je zu uns zurückkehren willst, so erwartet dich diese Insel und das Zepter meines Vaters. Aber ich weiß es wohl, du hast diese Absicht nicht. So gedenke denn wenigstens meiner in der Ferne!« Jason schied mit Bewunderung von der edlen Königin und bestieg zuerst das Schiff, nach ihm die andern Helden alle. Sie lösten die Taue, mit welchen das Fahrzeug ans Land gebunden war, die Ruderer setzten sich in Bewegung, und in kurzer Zeit hatten sie den Hellespont hinter sich.

Die Argonauten im Lande der Dolionen

Thrakische Winde trieben hier das Schiff in die Nähe der phrygischen Küste, wo auf dem Eilande Kyzikos die erdgeborenen Giganten in ungezähmter Wildheit und die friedlichen Dolionen nebeneinander wohnten. Jenen hingen sechs Arme, zwei von den mächtigen Schultern und vier an den beiden Seiten, vom Leibe herunter; diese stammten vom Meeresgotte ab, der sie auch gegen jene Ungeheuer schirmte. Ihr König war der fromme Kyzikos. Dieser und sein ganzes Volk, als sie von der Ankunft des Schiffes und dem Geschlechte der Männer gehört, gingen den Argonauten liebreich entgegen, empfingen sie gastfreundlich und überredeten sie, noch weiter zu rudern und das Schiff im Hafen der Stadt vor Anker zu legen. Der König hatte längst einen Orakelspruch erhalten: wenn die göttliche Schar der Heroen käme, so sollte er sie liebreich aufnehmen und ja nicht bekriegen. Er versah sie deswegen reichlich mit Wein und Schlachtvieh. Er selbst war noch ganz jung, und kaum erst war ihm der Bart gewachsen. Im Königshause lag ihm seine Frau in den ersten Wehen; dennoch verließ er sie, um, dem Göttersprüche folgsam, das Mahl mit den Fremden zu teilen. Hier erzählten sie ihm von dem Ziel und Zweck ihrer Fahrt, und er unterrichtete sie über den Weg, den sie zu nehmen hätten. Am andern Morgen bestiegen sie einen hohen Berg, um selbst die Lage der Insel und das Meer zu überschauen. Inzwischen waren von der anderen Seite des Eilandes die Giganten hervorgebrochen und hatten den Hafen mit Felsblöcken gesperrt. In diesem lag das Schiff Argo, von Herakles, der auch diesmal nicht an das Land gestiegen war, bewacht. Als dieser die Ungeheuer das boshafte Werk unternehmen sah, schoss er ihrer viele mit seinen Pfeilen zu Tode. Zu gleicher Zeit kamen auch die übrigen Helden zurück und richteten mit Pfeilen und Speeren unter den Giganten eine furchtbare Niederlage an, so dass sie in dem engen Hafen wie ein umgehauener Wald dalagen, die einen mit Kopf und Brust im Wasser, mit den Füßen auf dem Ufersande, die andern mit den Füßen im Meere, mit Kopf und Brust am Ufer; beide Fischen und Vögeln zur Beute bestimmt. Nachdem die Helden diesen glücklichen Kampf bestanden, lösten sie unter günstigem Winde die Ankertaue und segelten hinaus in die offene See. In der Nacht legte sich der Wind; bald aber erhob sich ein Sturm von der entgegengesetzten Seite,

und so wurden sie genötigt, noch einmal am gastlichen Lande der Dolionen vor Anker zu gehen, ohne dass sie es wussten: denn sie glaubten sich an der phrygischen Küste. Ebenso wenig erkannten die Dolionen, die bei dem Geräusche der Landung sich aus ihrer nächtlichen Ruhe erhoben hatten, die Freunde wieder, mit denen sie gestern so fröhlich gezecht hatten. Sie griffen zu den Waffen, und eine unglückselige Schlacht entspann sich zwischen Gastfreunden. Jason selbst stieß dem gütigen Könige Kyzikos den Speer mitten in die Brust, ohne ihn zu kennen und von ihm gekannt zu sein. Die Dolionen wurden endlich in die Flucht geschlagen und schlossen sich in die Mauern ihrer Stadt ein. Am andern Morgen wurde beiden der Irrtum offenbar.
Bitterer Schmerz ergriff den Argonautenführer Jason mit allen seinen Helden, als sie den guten Dolionenkönig in seinem Blute liegen sahen. Drei Tage lang trauerten in friedlicher Vermischung die Helden und die Dolionen, rauften sich die Haare und stellten den Gebliebenen zu Ehren gemeinschaftlich Trauerkampfspiele an; dann schifften die fremden Helden weiter. Klite, die Gemahlin des gefallenen Dolionenkönigs, erdrosselte sich mit dem Stricke, noch ehe sie geboren hatte.

Herakles zurückgelassen

Nach einer stürmevollen Fahrt landeten die Helden in einem Meerbusen Bithyniens bei der Stadt Kios. Die Mysier, die hier wohnten, empfingen sie gar freundlich, türmten dürres Holz zum wärmenden Feuer auf, machten den Ankömmlingen aus grünem Laub eine weiche Streu und setzten ihnen noch in der Abenddämmerung Wein und Speise zur Genüge vor. Herakles, der alle Bequemlichkeiten der Reise verschmähte, ließ seine Genossen beim Mahle sitzen und machte einen Streifzug in den Wald, um sich aus einem Tannenbaum ein besseres Ruder für den kommenden Morgen zu schnitzen. Bald fand er eine Tanne, die ihm gerecht war, nicht zu sehr mit Ästen beladen, in der Größe und im Umfang wie der Ast einer schlanken Pappel. Sogleich legte er Köcher und Bogen auf die Erde, zog sein Löwenfell aus, warf seine eherne Keule auf den Boden und zog den Stamm, den er mit beiden Händen gefasst, mitsamt den Wurzeln und der daran hängenden Erde heraus, so dass die Tanne dalag, nicht anders, denn als hätte sie ein Sturm entwurzelt. Inzwischen hatte sich auch sein junger Gefährte Hylas vom Tische der Genossen verloren. Er war mit dem ehernen Kruge aufgestanden, um Wasser für seinen Herrn und Freund zum Mahle zu schöpfen und auch alles andere ihm für seine Rückkehr vorzubereiten. Herakles hatte auf seinem Zuge gegen die Dryopen seinen Vater im Wortwechsel erschlagen, den Knaben aber aus dem Hause des Vaters mit sich genommen und sich zum Diener und Freunde nachgezogen. Als der schöne Jüngling an dem Quell Wasser schöpfte, leuchtete der Vollmond. Wie er sich nun eben mit dem Kruge nach dem Wasserspiegel neigte, erblickte ihn die Nymphe des Quells. Von seiner Schönheit betört, schlang sie den linken Arm um ihn, mit der Rechten ergriff sie seinen Ellenbogen und zog ihn so hinunter in die Tiefe. Einer der Helden, Polyphemos mit Namen, der die Rückkehr des Herakles nicht ferne von jenem Quell erwartete, hörte den Hilfeschrei des Knaben. Aber er fand ihn nicht mehr, dagegen begegnete er dem Herakles, der aus dem Walde zurückkam. »Unglücklicher«, rief er ihm entgegen, »muss ich der Erste sein, der dir die Trauerbotschaft meldet! Dein Hylas ist zum Quell gegangen und nicht wieder zurückgekehrt! Räuber führen ihn gefangen davon, oder wilde Tiere zerreißen ihn; ich selbst habe seinen Angstruf gehört.« Dem Herakles floss der Schweiß vom Haupte, als er dies hörte, und das Blut wallte ihm gegen die Brust. Zornig warf er die Tanne auf den Boden und rannte, wie ein von der Bremse gestochener Stier Hirten und Herde verlässt, mit durchdringendem Rufe durch das Dickicht dem Quell zu.

Jetzt stand der Morgenstern über dem Bergesgipfel; günstiger Wind erhub sich. Der Steuermann ermahnte die Helden, ihn zu benützen und das Schiff zu besteigen. Schon fuhren sie im Morgenlichte fröhlich dahin, als ihnen zu spät einfiel, dass zwei ihrer Genossen, Polyphemos und Herakles, von ihnen am Ufer zurückgelassen worden. Ein stürmischer Streit erhub sich unter den Helden, ob sie ohne die tapfersten Begleiter weitersegeln sollten. Jason sprach kein Wort, stille saß er, und der Kummer fraß ihm am Herzen; den Telamon aber übermannte der Zorn. »Wie kannst du so ruhig sitzen?«, rief er dem Führer zu. »Gewiss fürchtest du, Herakles möchte deinen Ruhm verdunkeln! Doch was helfen da Worte? Und wenn alle Genossen mit dir einverstanden wären, so will ich allein zu dem verlassenen Helden umkehren.« Mit diesen Worten fasste er den Steuermann Tiphys an der Brust, seine Augen funkelten wie Feuerflammen, und gewiss hätte er sie gezwungen, nach dem Gestade der Mysier zurückzukehren, wenn nicht die beiden Söhne des Boreas, Kalais und Zethes, ihm in den Arm gefallen wären und ihn mit scheltenden Worten zurückgehalten hätten. Zugleich stieg aus der schäumenden Flut Glaukos, der Meergott, hervor, fasste mit starker Hand das Ende des Schiffes und rief den Eilenden zu: »Ihr Helden, was streitet ihr euch, was begehret ihr wider den Willen des Zeus, den mutigen Herakles mit euch in das Land des Aietes zu führen? Ihm sind ganz andere Arbeiten zu verrichten vom Schicksale bestimmt. Den Hylas hat eine liebende Nymphe geraubt, und aus Sehnsucht nach ihm ist er zurückgeblieben.« Nachdem er ihnen solches geoffenbart, tauchte Glaukos wieder in die Tiefe nieder, und das dunkle Wässer schäumte in Wirbeln um ihn. Telamon war beschämt, er ging auf Jason zu, legte seine Hand in des Helden Hand und sprach: »Zürne mir nicht, Jason! Der Schmerz hat mich verführt, unvernünftige Worte zu reden! Übergib meinen Fehler den Winden und lass uns Wohlwollen üben wie früher!« Jason gab der Versöhnung gerne Gehör, und so fuhren sie bei starkem und günstigem Winde dahin. Polyphemos fand sich bei den Mysiern zurecht und baute ihnen eine Stadt. Herakles aber ging weiter, wohin ihn die Bestimmung des Zeus rief.

Pollux und der Bebrykenkönig

Am andern Morgen legten sie sich mit Sonnenaufgang an einer weit ins Meer hinausgestreckten Landzunge vor Anker. Dort befanden sich die Ställe und das ländliche Wohnhaus des wilden Bebrykenkönigs Amykos. Dieser hatte allen Fremdlingen das lästige Gesetz auferlegt, dass keiner sein Gebiet verlassen solle, ehe er sich mit ihm im Faustkampfe gemessen. Auf diese Weise hatte er schon viele Nachbarn umgebracht. Auch jetzt näherte er sich mit verächtlichen Worten dem gelandeten Schiffe: »Höret, ihr Meervagabunden«, rief er, »was euch zu wissen not ist! Kein Fremdling darf mein Land verlassen, ohne mit mir gerungen zu haben. So suchet denn euren besten Helden aus und stellet ihn mir; sonst soll es euch übel ergehen!« Nun war unter den Argoschiffern der

beste Faustkämpfer Griechenlands, Pollux, der Leda Sohn. Diesen reizte die Herausforderung, und er rief dem Könige zu: »Poltere nicht, wir wollen deinen Gesetzen gehorchen, und in mir hast du deinen Mann gefunden!« Der Bebryke blickte den kühnen Helden mit rollenden Augen an wie ein verwundeter Berglöwe den, der ihn zuerst getroffen hat. Pollux aber, der jugendliche Held, sah heiter aus wie ein Stern am Himmel; er schwang seine Hände in der Luft, um zu versuchen, ob sie nicht von der langen Ruderarbeit erstarrt seien. Als die Helden das Schiff verlassen, stellten die beiden Kämpfer sich einander gegenüber. Ein Sklave des Königs warf ein gedoppeltes Paar von Fechterhandschuhen zwischen sie auf den Boden. »Wähle, welches Paar du willst«, sagte Amykos, »ich will dich nicht lange losen lassen! Du wirst aus Erfahrung sagen können, dass ich ein guter Gerber bin und blutige Backenstreiche zu erteilen verstehe!« Pollux lächelte schweigend, nahm das Handschuhpaar, das ihm zunächst lag, und ließ es sich von seinen Freunden an die Hände festbinden. Dasselbe tat der Bebrykenkönig. Jetzt begann der Faustkampf. Wie eine Meerwelle, die sich dem Schiff entgegenwälzt und welche die Kunst des Steuermanns mit Mühe abweist, stürmte der fremde Ringer auf den Griechen ein und ließ ihm keine Ruhe. Dieser aber wich seinem Angriffe immer kunstvoll und unverletzt aus. Er hatte die schwache Seite seines Gegners bald ausgekundschaftet und versetzte ihm manchen unabgewehrten Streich. Doch nahm auch der König seines Vorteils wahr, und nun krachten die Kinnbacken und knirschten die Zähne von gegenseitigen Schlägen, und sie ruhten nicht eher aus, als bis beide atemlos waren. Dann traten sie beiseite, frischen Atem zu schöpfen und sich den strömenden Schweiß abzutrocknen. Im erneuten Kampfe verfehlte Amykos seines Widerpartes Haupt, und sein Arm traf nur die Schulter, Pollux aber traf den Gegner über das Ohr, dass ihm die Knochen im Kopfe zerbrachen und er vor Schmerz in die Knie sank.
Da jauchzten die Argonauten laut auf; aber auch die Bebryken sprangen ihrem Könige bei, kehrten ihre Keulen und Jagdspieße gegen Pollux und stürmten gegen ihn heran. Vor ihn stellten sich schirmend die Genossen mit blanken Schwertern auf. Ein blutiges Treffen entspann sich; die Bebryken wurden in die Flucht geschlagen und mussten in das Innere des Landes weichen. Die Helden warfen sich auf ihre Ställe und Viehherden und machten reichliche Beute. Die Nacht über blieben sie an Land, ver-

banden die Wunden, opferten den Göttern und blieben beim Becher wach. Sie bekränzten ihre Stirnen mit dem Uferlorbeer, an den auch das Schiff mit seinen Tauen angebunden war, und sangen zur Zither des Orpheus eine tönende Hymne. Das schweigende Ufer schien ihnen mit Lust zuzuhorchen, ihr Lied aber besang Pollux, den siegreichen Sohn des Zeus.

Phineus und die Harpyien

Der Morgen setzte dem Mahl ein Ziel, und sie fuhren weiter. Nach einigen Abenteuern warfen sie die Anker gegenüber dem bithynischen Lande an einem Ufergebiet aus, wo der König Phineus, der Sohn des Helden Agenor, hauste. Dieser war von einem großen Übel heimgesucht. Weil er die Wahrsagergabe, die ihm von Apollon verliehen worden, missbraucht hatte, war er im hohen Alter mit Blindheit geschlagen worden, und die Harpyien, die grässlichen Wundervögel, ließen ihn keine Speise ruhig genießen. Was sie konnten, raubten sie; das Zurückgebliebene besudelten sie, so dass man es nicht berühren, ja selbst die Nähe solcher Speisen nicht aushalten konnte. Doch war dem Phineus ein Trostspruch vom Orakel des Zeus gegeben: »Wenn die Boreassöhne mit den griechischen Schiffern kommen würden, sollte er wieder Speise genießen können.« So verließ denn der Greis auf die erste Nachricht von des Schiffes Ankunft sein Gemach. Bis auf die Knochen abgemagert, war er anzuschauen wie ein Schatten, seine Glieder zitterten vor Altersschwäche, vor den Augen schwindelte ihm, ein Stab unterstützte seine schwankenden Tritte, und als er bei den Argonauten angekommen war, sank er erschöpft zu Boden. Diese umringten den unglücklichen Greis und entsetzten sich ob seines Aussehens. Als der Fürst ihre Nähe vernommen und seine Besinnung wieder zurückgekehrt war, brach er in flehende Bitten aus: »O ihr teuren Helden, wenn ihr wirklich diejenigen seid, welche die Weissagung mir bezeichnet hat, so helfet mir: denn nicht nur meines Augenlichtes haben die Rachegöttinnen sich bemächtigt, auch die Speisen entziehen sie meinem Alter durch die grässlichen Vögel, die sie mir senden! Ihr leistet eure Hilfe keinem Fremdling; ich bin Phineus, Agenors Sohn, ein Grieche. Einst habe ich unter den Thrakiern geherrscht, und die Söhne des Boreas, welche Teilnehmer eures Zuges sein müssen und mich retten sollen, sind die jungen Brüder Kleopatras, die dort meine Gattin war.« Auf diese Entdeckung warf sich ihm Zethes, des Boreas Sohn, in die Arme und versprach ihm, mit Hilfe seines Bruders ihn von der Qual der Harpyien zu befreien; und auf der Stelle bereiteten sie ihm ein Mahl, das der räuberischen Vögel letztes sein sollte. Kaum hatte der König die Speise berührt, als die Vögel wie ein plötzlicher Sturm mit Flügelschlag aus den Wolken herabgestürzt kamen und sich gierig auf die Speisen setzten. Die Helden schrien laut auf: aber die Harpyien ließen sich nicht stören, sie blieben, bis sie alles aufgezehrt hatten, dann schwangen sie sich wieder in die Lüfte und ließen einen unerträglichen Geruch zurück. Doch Zethes und Kalais, die Boreassöhne, verfolgten sie mit gezücktem Schwert. Zeus verlieh ihnen Fittiche und unermüdliche Kraft, die sie wohl brauchen konnten, denn die Harpyien kamen in ihrem Fluge dem schnellsten Westwinde zuvor. Aber die Boreassöhne waren rüstig hinter ihnen drein, und oft meinten sie die Ungeheuer schon mit den Händen greifen zu können. Endlich kamen sie ihnen so nahe, dass sie dieselben ohne Zweifel erlegt hätten, als plötzlich Zeus' Botin, Iris, sich aus dem Äther herabsenkte und das Heldenpaar so anredete: »Nicht ist's erlaubt, ihr Söhne des Boreas, die Jagdhunde des großen Zeus, die Harpyien, mit dem Schwerte zu fällen. Doch schwöre ich euch den großen Göttereid beim Styx, dass die Raubvögel den Sohn des Agenor nicht mehr beunruhigen sollen.« Die Söhne des Boreas wichen dem Eide und kehrten nach dem Schiffe um.

Unterdessen pflegten die griechischen Helden den Leib des greisen Phineus, hielten eine Opfermahlzeit und luden den Ausgehungerten dazu ein. Dieser verzehrte gierig die reinen und reichlichen Speisen, es war ihm, als weidete sich sein Hunger im Traume. Während sie die Nacht über auf die Rückkehr der Boreassöhne warteten, teilte ihnen der alte König Phineus zum Danke von den Früchten seiner Wahrsagergabe mit. »Vor allen Dingen«, lautete seine Rede, »werdet ihr in einem Engpasse des Meeres den Symplegaden begegnen; dies sind zwei steile Felseninseln, deren unterste Wurzeln nicht bis zum Meeresboden reichen, sondern die in der See schwimmen; oft treiben sie einander entgegen, und dann schwillt die Meeresflut in der Mitte mit fürchterlichem Toben an. Wollet ihr nicht mit Mann und Maus zerquetscht werden, so rudert zwischen ihnen durch, so schnell wie eine Taube fliegt. Dann werdet ihr ans Gestade der Mariandyner kommen, wo der Eingang zur Unterwelt ist. An vielen anderen Vorgebirgen, Flüssen und Küsten fahret ihr dann vorüber, an Frauenstädten der Amazonen, am Lande der Chalyber, die im Schweiß ihres Angesichtes das Eisen aus der Erde graben. Endlich werdet ihr zur kolchischen Küste gelangen, wo der Phasis seinen breiten Strudel ins Meer sendet. Hier werdet ihr die getürmte Burg des Königes Aietes erblicken; hier hütet der schlaflose Drache das Goldvlies, das über dem Wipfel des Eichbaumes ausgebreitet hängt.«

Die Helden hörten dem Greise nicht ohne Grauen zu und wollten eben weiter fragen, als sich die Söhne des Boreas aus den Lüften in ihre Mitte herniedersenkten und den König mit der tröstlichen Botschaft der Iris erfreuten.

Die Symplegaden

Phineus nahm dankbar und gerührt Abschied von seinen Rettern, die weiter und mancherlei neuen Schicksalen entgegenfuhren. Zuerst wurden sie durch vierzigtägige Nordwestwinde aufgehalten, bis Opfer und Gebet zu allen zwölf Göttern ihnen zu frischer Fahrt verhalfen. Sie waren im besten Segeln ergriffen, als ein lautes Tosen ihnen schon von ferne ans Ohr schlug. Es war das Krachen der immer zusammenstoßenden und immer wieder zurückprallenden Symplegaden, der Widerhall der Ufer und das Zischen des zusammengepressten Meeres. Tiphys, der Steuermann, stellte sich wachsam ans Steuerruder. Euphemos der Held erhob sich im Schiffe und hielt auf der flachen Rechten eine Taube. Wenn diese, hatte Phineus ihnen geweissagt, furchtlos zwischen den Felsen durchflöge, so dürften auch sie kecklich die Durchfahrt wagen. Eben öffneten sich die Felsen: Euphemos ließ die Taube fliegen: alle richteten ihre Häupter in Erwartung empor. Die Taube flog mitten hindurch, aber schon näherten sich die Felsen wieder, das schäumende Meer wallte zischend einer Wolke gleich auf; ein Brausen erfüllte Wasser und Luft; jetzt stießen die Felsen zusammen und klemmten der Taube die letzten Schwanzfedern ab, doch war sie glücklich hindurchgekommen. Mit lauter Stimme ermunterte Tiphys die Ruderer, da aber öffneten sich die Felsen wieder, und die in den Zwischenraum strömende Flut zog das Schiff mit sich hinein. Jetzt hing das Verderben über ihrem Haupte: eine turmhohe Woge wälzte sich ihnen entgegen, bei deren Anblick alle die Köpfe bückten. Aber Tiphys ließ mit dem Rudern innehalten, und die schäumende Welle wälzte sich unschädlich unter dem Kiele hin und hob das Schiff hoch über die zusammenschwimmenden Felsen empor. Die Helden arbeiteten, dass die Ruder sich krümmten; jetzt riss der Strudel das Schiff wieder mitten in die Felsen hinab. Schon stießen die Felsen zu beiden Seiten an den Bauch des Schiffes; da gab ihm die Schutzgöttin Athene einen unsichtbaren Stoß, dass es glücklich durchkam und die zusammenschlagenden Felsen nur eben noch die äußersten Bretter des Hinterteiles zermalmten. Erst als die Helden den Äther und die offene See wieder vor sich sahen, da atmeten sie von der Todesangst wieder auf, und es war ihnen, als wären sie aus der Unterwelt emporgetaucht. »Das ist nicht durch unsere Kraft geschehen«, rief Tiphys, »wohl fühlte ich hinter mir die göttliche Hand Athenes, deren Schnellkraft das Schiff durch die Felsen stieß! Nichts haben wir fortan zu fürchten; alle andere Arbeiten nach dieser Gefahr hat uns Phineus als leicht geschildert.« Aber Jason schüttelte traurig sein Haupt und sprach: »Guter Tiphys, ich habe die Götter versucht, dass ich dieses Unternehmen mir von Pelias auflegen ließ; lieber hätte ich mich von ihm in Stücke sollen hauen lassen! Jetzt bringe ich in Seufzen die Nächte nach den Tagen zu, nicht für mich besorgt, nein, nur auf euer Leben und Heil bedacht und wie ich aus so grässlichen Gefahren euch der Heimat unverloren zurückgeben soll.« So sprach der Held, seine Genossen zu versuchen. Diese aber jubelten ihm freudig zu und verlangten vorwärts.

Weitere Abenteuer

Unter mancherlei Schicksalen fuhren die Helden nun weiter. Auf der Fahrt erkrankte ihnen ihr treuer Steuermann Tiphys, starb und musste am fremden Ufer begraben werden. An seine Stelle wählten sie denjenigen von den Helden, der des Steuerns am kundigsten war. Er hieß Ankäos und weigerte sich lange, das schwierige Geschäft zu übernehmen, bis ihm Hera, die Göttin, Mut und Zuversicht ins Herz gab. Dann aber stellte er sich ans Ruder und lenkte das Schiff so gut, als wenn Tiphys selbst noch am Steuer säße. Nach zwölf Tagen kamen sie mit vollen Segeln an die Mündung des Flusses Kallichoros; hier sahen sie auf einem Hügel das Grabmal des Helden Sthenelos, der mit Herakles in den Amazonenkrieg gezogen und hier, von einem Pfeile getroffen, am Meeresufer verschieden war. Sie wollten gerade weitersegeln, als der klägliche Schatten dieses Helden, von Persephone aus der Unterwelt entlassen, sichtbar ward und sehnsüchtig nach den stammesverwandten Männern blickte. Er stand zuoberst auf seinem Grabhügel in der Gestalt, in welcher er in die Schlacht gegangen war: ein purpurner Busch mit vier schönen Federn wehte ihm vom Helme. Doch war er nur wenige Augenblicke zu schauen und tauchte bald wieder in die schwarze Tiefe hinunter. Erschrocken ließen die Helden die Ruder sinken. Nur Mopsos, der Wahrsager, verstand das Verlangen der abgeschiedenen Seele; er riet seinen Genossen, den Geist des Erschlagenen mit einem Trankopfer zu sühnen. Schnell zogen sie die Segel ein, banden das Schiff am Strande an, und indem sie sich um den Grabhügel stellten, benetzten sie ihn mit Trankopfern und verbrannten geschlachtete Schafe. Dann fuhren sie weiter und weiter und gelangten endlich zur Mündung des Flusses Thermodon. Diesem glich kein anderer Strom auf der Erde: aus einer einzigen Quelle tief in den Bergen entsprungen, teilte er sich bald in eine Menge kleinerer Arme und stürmte in so viel Ausflüssen ins Meer, dass nur viere zu einem Hundert fehlten. Sie wimmelten wie eine Menge Schlangen in die offene See. An dem breitesten Ausflusse wohnten die Amazonen. Dieses Weibervolk stammte vom Gotte Ares ab und liebte die Werke des Krieges. Hätten die Argonauten hier gelandet, so wären sie ohne Zweifel in einen blutigen Krieg mit den Frauen geraten, denn diese waren den tapfersten Helden im Kampfe gewachsen. Sie wohnten nicht in einer Stadt vereinigt, sondern auf dem Lande zerstreut und in einzelne Stämme getrennt. Ein günstiger Westwind hielt die Argonauten von diesem kriegerischen Weibervolke fern. Nach der Fahrt eines Tags und einer Nacht kamen sie, wie ihnen Phineus geweissagt hatte, an das Land der Chalyber. Diese pflügten nicht das Erdreich, pflanzten keine Frucht tragenden Bäume, weideten keine Herden auf der tauigen Wiese, sie gruben nur Erz und Eisen aus dem rauen Boden und tauschten gegen dieses ihre Lebensmittel ein. Keine Sonne ging ihnen ohne schwere Arbeit auf, in schwarzer Nacht und dichtem Rauche verbrachten sie arbeitend ihren Tag.

Noch an mancherlei Völkern kamen sie vorüber. Als sie einer Insel mit Namen Aretia oder Aresinsel gegenüber waren, flog ihnen ein Bewohner dieses Eilands, ein Vogel, mit kräftigem Flügelschlage entgegen. Als er über dem Schiffe schwebte, schüttelte er seine Schwingen und ließ eine spitze Feder fallen, die in der Schulter des Helden Oileus stecken blieb. Verwundet ließ der Held das Ruder fahren: die Genossen staunten, als sie das geflügelte Geschoss erblickten, das in seiner Schulter steckte. Der, der ihm zunächst saß, zog die Feder heraus und verband die Wunde. Bald erschien ein zweiter Vogel; den schoss Klytios, der den Bogen schon gespannt hielt, im Fluge, so dass der Getroffene mitten in das Schiff herabfiel. »Wohl ist die Insel in der Nähe«, sagte da Amphidamas, ein erfahrener Held, »aber trauet jenen Vögeln nicht. Gewiss sind ihrer so viele, dass, wenn wir landeten, wir nicht Pfeile genug hätten, sie zu erlegen. Lasset uns auf ein Mittel sinnen, die kriegslustigen Tiere zu vertreiben. Setzet alle eure Helme mit hohen nickenden Büschen auf; alsdann rudert abwechslungsweise zur Hälfte, zur andern schmücket das Schiff mit blinkenden Lanzen und Schilden aus. Dann erheben wir alle ein entsetzliches Geschrei: wenn das die Vögel hören, dazu die wallenden Helmbüsche, die starrenden Lanzen, die schimmernden Schilde sehen, so werden sie sich fürchten und davonflattern.« Der Vorschlag gefiel den Helden, und alles geschah, wie er ihnen geraten hatte. Kein Vogel ließ sich blicken, solange sie heranruderten, und als sie, der Insel näher gekommen, mit den Schilden klirrten, flogen ihrer unzählige aufgeschreckt an der Küste auf und in stürmischer Flucht über das Schiff hin. Aber wie man die Fensterladen eines Hauses vor dem Hagel schließt, wenn man ihn kommen sieht, so hatten sich die Helden mit den Schilden gedeckt, dass die Stachelfedern herabfielen, ohne ihnen zu schaden; die Vögel selbst, die furchtbaren Stymphaliden, flogen weit übers Meer den jenseitigen Ufern zu. Die Argonauten landeten auf dieser Insel nach dem Rate des wahrsagenden Königs Phineus. Sie sollten hier Freunde und Begleiter finden, die sie nicht erwartet. Kaum nämlich hatten sie die ersten Schritte am Ufer getan, als ihnen vier Jünglinge im armseligsten Aufzuge, von allem entblößt, begegneten. Einer von diesen eilte den nahenden Helden entgegen und redete sie an. »Wer ihr auch seid, gute Männer«, sprach er, »kommt armen Schiffbrüchigen zu Hilfe! Teilet uns Kleider zu, unsere Blöße zu bedecken.

und Speisen, unsern Hunger zu stillen!« Jason versprach ihnen freundlich alle Hilfe und erkundigte sich nach ihrem Namen und Geschlecht. »Ihr habt wohl von Phrixos gehört, dem Sohne des Athamas«, erwiderte der Jüngling, »der das Goldene Vlies nach Kolchis gebracht hat? Der König Aietes hat ihm seine ältere Tochter zur Ehe gegeben. Wir sind seine Söhne, und ich heiße Argos. Unser Vater Phrixos ist vor kurzem gestorben, und nach seinem letzten Willen hatten wir uns zu Schiffe gesetzt, die Schätze, die er in der Stadt Orchomenos gelassen, abzuholen!« Die Helden waren hoch erfreut, und Jason begrüßte sie als Vettern, denn die Großväter Athamas' und Kretheus' waren Brüder gewesen. Die Jünglinge erzählten weiter, wie ihr Schiff im wütenden Sturme zerbrochen sei und ein Brett sie an diese unwirtliche Insel getragen habe. Als ihnen aber die Helden ihr Vorhaben mitteilten und sie zur Teilnahme an dem Abenteuer aufforderten, da verbargen sie ihr Entsetzen nicht. »Unser Großvater Aietes ist ein grausamer Mann, er soll der Sohn des Sonnengottes und deswegen mit übermenschlicher Macht begabt sein; unzählige Kolcherstämme beherrscht er, und das Vlies hütet ein entsetzlicher Drache.« Manche der Helden wurden bei diesem Berichte bleich. Peleus jedoch, einer von ihnen, erhub sich und sprach: »Glaube nicht, dass wir dem Kolcherkönige unterliegen müssen; auch wir sind Göttersöhne! Gibt er uns das Vlies nicht in Güte, so werden wir es ihm seinen Kolchern zum Trotz entreißen!« So sprachen sie miteinander noch länger beim reichlichen Mahle. Am andern Morgen schifften sich die Söhne des Phrixos, gekleidet und gestärkt, mit ihnen ein, und die Fahrt ging vorwärts. Nachdem sie einen Tag und eine Nacht gerudert, sahen sie die Spitzen des Kaukasusgebirges über die Meeresfläche hervorragen. Als es schon dunkelte, hörten sie ein Geräusch über ihren Häuptern; es war der Adler des Prometheus, der seinem Fraß entgegen hoch über das Schiff dahinflog; und doch war sein Flügelschlag so mächtig, dass alle Segel von ihm wie im Winde sich bewegten. Denn es war ein Riesenvogel, der die Luft mit seinen Flügeln schlug wie mit großen Segeln. Bald darauf hörten sie aus der Ferne das tiefe Stöhnen des Prometheus, in dessen Leber der Vogel wühlte. Nach einiger Zeit jedoch verhallten die Seufzer, und sie sahen den Adler wieder hoch über sich durch die Lüfte zurückrudern.

Noch in derselben Nacht gelangten sie ans Ziel und in die Mündung des

Flusses Phasis. Freudig kletterten sie an den Segelstangen empor und takelten das Schiff ab; dann trieben sie es mit den Rudern in das breite Bett des Stromes, dessen Wellen vor der gewaltigen Masse des Fahrzeugs sich scheu zurückzuziehen schienen. Zur Linken hatten sie den hohen Kaukasus und Kytäa, die Hauptstadt des Kolcherlandes; zur Rechten breiteten sich das Feld und der heilige Hain des Ares aus, in dem der Drache das Goldene Vlies, das an den blätterreichen Ästen einer hohen Eiche hing, mit seinen scharfen Augen bewachte. Jetzt erhob sich Jason am Borde des Schiffes, er schwenkte hoch in der Hand einen goldenen Becher voll Weins und brachte dem Flusse, der Mutter Erde, den Göttern des Landes und den auf der Fahrt verstorbenen Heroen ein Trankopfer dar. Er bat sie alle, mit liebreicher Hilfe ihnen nahe zu sein und über den Tauen des Schiffes, das sie eben anbinden wollten, zu wachen. »So wären wir denn glücklich zum kolchischen Lande gelangt«, sprach der Steuermann Ankäos. »Nun ist's Zeit, dass wir uns ernstlich beraten, ob wir den König Aietes in Güte angehen oder auf irgendeine andere Weise unser Vorhaben ins Werk setzen wollen.« – »Morgen«, riefen die müden Helden. Und so befahl denn Jason, das Schiff in einer schattigen Bucht des Flusses vor Anker gehen zu lassen. Alle legten sich zu süßem Schlummer nieder, der sie jedoch nur mit kurzer Rast erquickte, denn bald öffnete ihnen das Morgenrot die Augenlider.

Jason im Palaste des Aietes

Der frühe Morgen vereinigte die Helden zur Ratsversammlung. Jason erhub sich und sprach: »Wenn euch meine Meinung gefällt, ihr Helden und Genossen, so sollt ihr Übrigen alle ruhig, doch die Waffen in der Hand, im Schiffe bleiben; nur ich, die Söhne des Phrixos und zwei aus eurer Mitte wollen uns nach dem Palast des Königs Aietes aufmachen. Hier will ich es versuchen und ihn zuerst mit höflichen Worten fragen, ob er das Goldene Vlies in Güte uns überlassen wolle. Nun zweifle ich nicht: er wird die Bittenden, auf seine Stärke trotzend, abweisen. Wir aber werden auf diese Weise aus seinem eigenen Munde die Gewissheit erhalten, was nun zu tun ist. Und wer kann es verbürgen, dass unsere Worte nicht doch vielleicht ihn günstig stimmen werden? Hat doch auch früher die Rede über ihn vermocht, dass er den unschuldigen Phrixos, der vor seiner Stiefmutter floh, in den Schutz seiner Gastfreundschaft aufnahm.« Die jungen Helden billigten alle die Rede Jasons. So griff er selbst zum Friedensstabe des Hermes und verließ mit des Phrixos Söhnen und mit seinen Genossen Telamon und Augias das Schiff. Sie betraten ein mit Weiden bewachsenes Feld, das kirkäische genannt; hier sahen sie mit Schaudern eine Menge Leichen an Ketten aufgehängt. Doch waren es keine Verbrecher oder ermordete Fremdlinge; vielmehr galt es in Kolchis als einen Frevel, die Männer zu verbrennen oder in die Erde zu begraben, sondern sie hängten sie, in rohe Stierfelle gewickelt, an den Bäumen auf, ferne von der Stadt, und überließen sie der Luft zum Austrocknen. Nur die Weiber wurden, damit die Erde nicht zu kurz käme, in diese begraben.

Die Kolcher waren ein gar zahlreiches Volk; damit nun Jason und seine Begleiter von ihnen und dem Misstrauen des Königs Aietes keine Gefahr liefen, hängte Hera, die Beschirmerin der Argonauten, solang sie unterwegs waren, eine dichte Nebelwolke über die Stadt und zerstreute sie erst wieder, als sie glücklich in dem Palaste des Königs angekommen. Da standen sie denn in dem Vorhofe und bewunderten die dicken Mauern des Königshauses, die hochgeschweiften Tore, die mächtigen Säulen, die hier und dort an den Mauern vorsprangen. Das ganze Gebäude umgürtete ein hervorstehendes steinernes Gesimse, das mit ehernen Dreischlitzen abgekantet war. Schweigend traten sie über die Schwelle des Vorhofes. Diese umgrünten hohe Rebenlauben, darunter perlten vier immer fließende Springquelle; der eine sandte Milch empor, der zweite Wein, der dritte duftendes Öl, der vierte Wasser, das im Winter warm, im Sommer eiskalt war. Der kunstreiche Hephästos hatte diese köstlichen Werke geschaffen. Ebenso hatte er dem Besitzer Stierbilder aus Erz gefertigt, aus deren Munde ein furchtbarer Feueratem ging, und einen Pflug aus lauterm Eisen geschmiedet; alles dem Vater des Aietes, dem Sonnengotte, zu Dank, der den Hephästos in der Gigantenschlacht einst auf seinen Wagen genommen und gerettet hatte. Aus diesem Vorhofe kam man zu dem Säulengange des Mittelhofes, der sich zur Rechten und zur Linken hinzog und hinter welchem viele Eingänge und Gemächer zu schauen waren. Quer über standen die zwei Hauptpaläste, in deren einem der König Aietes selbst, im andern sein Sohn Absyrtos wohnte. Die übrigen Gemächer hielten die Dienerinnen und die Töchter des Königs, Chalkiope und Medea, besetzt. Medea, die jüngere Tochter, war sonst wenig zu sehen; fast alle Zeit brachte sie im Tempel der Hekate zu, deren Priesterin sie war. Diesmal aber hatte Hera, die Schutzgöttin der Griechen, ihr in das Herz gegeben, im Palaste zu bleiben. Sie hatte eben ihr Gemach verlassen und wollte das Zimmer ihrer Schwester aufsuchen, als sie den unerwartet daherschreitenden Helden begegnete. Beim Anblicke der Herrlichen tat sie einen lauten Schrei. Auf ihren Ruf stürzte Chalkiope mit allen ihren Dienerinnen aus ihrem Gemache hervor. Auch diese Schwester brach in einen lauten Ruf aus und streckte danksagend ihre Hände gen Himmel, denn sie erkannte in vieren der jungen Helden ihre eigenen Kinder, die Söhne des Phrixos. Diese sanken in die Arme ihrer Mutter, und lange nahm das Grüßen und Weinen kein Ende.

Medea und Aietes

Zuletzt kam auch Aietes heraus mit seiner Gemahlin Idya, denn der Jubel und die Tränen ihrer Tochter hatten sie herausgelockt. Sogleich füllte sich der ganze Vorhof mit Getümmel: hier waren Sklaven damit beschäftigt, einen stattlichen Stier für die neuen Gäste zu schlachten; dort spalteten andere dürres Holz für den Herd, wieder andere wärmten Wasser in Becken am Feuer: da war keiner, der nicht im Dienste des Königs etwas zu tun gefunden hätte. Aber von ihnen allen ungesehen schwebte hoch in der Luft der Liebesgott, zog einen Schmerz bringenden Pfeil, senkte sich mit diesem unsichtbar zur Erde nieder, und hinter Jason zusammengekauert, schnellte er vom gespannten Bogen das Geschoss auf die Königstochter Medea, der bald der Pfeil, dessen Flug niemand und sie selbst nicht bemerkt hatte, unter der Brust wie eine Flamme brannte. Wie eine schwer Erkrankte musste sie einmal über das andere hoch aufatmen; von Zeit zu Zeit warf sie heimliche Blicke auf den herrlichen Helden Jason; alles andere war aus ihrem Gedächtnisse geschwunden; ein einziger süßer Kummer bemächtigte sich ihrer Seele; Blässe wechselte auf ihrem Antlitz mit Purpurröte.

In der frohen Verwirrung ward niemand auf die Verwandlung aufmerksam, die mit der Jungfrau vorgegangen war. Die Knechte trugen die zu-

bereiteten Speisen herbei; und die Argoschiffer, die sich vom Schweiße der Ruderarbeit im warmen Bade gereinigt hatten, labten sich, fröhlich zu Tische sitzend, an Speise und Trank. Über dem Mahle erzählten dem Aietes seine Enkel das Schicksal, das sie unterwegs getroffen hatte, und nun fragte auch er sie leise nach den Fremdlingen. »Ich will es dir nicht verbergen, Großvater«, flüsterte ihm Argos zu, »diese Männer kommen, das Goldene Vlies unsers Vaters Phrixos von dir zu erbitten. Ein König, der sie gern aus ihrem Vaterlande und ihrem Eigentum vertreiben möchte, hat ihnen diesen gefährlichen Auftrag erteilt. Er hofft, sie werden dem Zorne des Zeus und der Rache des Phrixos nicht entgehen, bevor sie mit dem Vlies in ihre Heimat zurückkommen. Ihr Schiff hat ihnen Pallas bauen helfen, kein solches, wie wir Kolcher sie gebrauchen, von denen wir, deine Enkel, freilich das schlechteste bekommen haben, denn im ersten Windstoße ging es in Scheitern. Nein, diese Fremdlinge haben ein Schiff, so fest gezimmert, dass alle Stürme vergebens dagegen ankämpfen, und sie selbst sitzen unaufhörlich an dem Ruder. Die tapfersten Helden Griechenlands haben sich in diesem Schiffe versammelt.« Und nun nannte er die Vornehmsten mit Namen, meldete ihm auch Jasons, ihres Vetters, Geschlecht.
Als der König dieses hörte, erschrak er in seinem Herzen und wurde zornig auf seine Enkel, denn durch sie veranlasst, glaubte er, seien die Fremdlinge an seinen Hof gekommen. Seine Augen brannten unter den buschigen Brauen, und er sprach laut: »Geht mir aus den Augen, ihr Frevler, mit euren Ränken! Nicht das Vlies zu holen, sondern mir Zepter und Krone zu entreißen, seid ihr hierher gekommen! Säßet ihr nicht als Gäste an meinem Tisch, so hätte ich euch längst die Zungen ausreißen und die Hände abhauen lassen und euch nur die Füße geschenkt, um davonzugehen!« Als Telamon, des Äokos Sohn, der zunächst saß, dieses hörte, ergrimmte er im Geiste, wollte sich erheben und dem Könige mit gleichen Worten vergelten. Aber Jason hielt ihn zurück und antwortete selbst mit sanften Worten: »Fasse dich, Aietes, wir sind nicht in deine Stadt und deinen Palast gekommen, dich zu berauben. Wer möchte ein so weites und gefährliches Meer befahren, um fremdes Gut zu holen! Nur das Schicksal und der grausame Befehl eines bösen Königs brachten mich zu diesem Entschlusse. Verleih uns das Goldene Vlies auf unsere Bitte als eine Wohltat: du sollst in ganz Griechenland

dafür verherrlicht werden. Auch sind wir bereit, dir schnellen Dank abzustatten: gibt es einen Krieg in der Nähe, willst du ein Nachbarvolk unterjochen, so nimm uns zu Bundesgenossen an, wir wollen mit dir ziehen.« So sprach Jason besänftigend; der König aber ward unschlüssig in seinem Herzen, ob er sie auf der Stelle sollte umbringen lassen oder ihre Kräfte vorher auf die Probe setzen. Nach einigem Besinnen deuchte ihm das Letztere besser, und er erwiderte ruhiger als zuvor: »Was braucht es der ängstlichen Worte, Fremdling? Seid ihr wirklich Göttersöhne oder sonst nicht schlechter als ich und habt Lust nach fremdem Gute, so mögt ihr das Goldene Vlies mit euch fortnehmen, den tapfern Männern gönne ich alles. Aber vorher müsst ihr mir eine Probe geben und eine Arbeit verrichten, die ich selbst zu tun pflege, so gefährlich sie ist. Es weiden mir auf dem Felde des Ares zwei Stiere mit ehernen Füßen, die Flammen speien. Mit diesen durchpflüge ich das raue Feld, und wenn ich alles umgeackert, so säe ich in die Furchen nicht der Demeter gelbes Korn, sondern die grässlichen Zähne eines Drachen: daraus wachsen mir Männer hervor, die mich von allen Seiten umringen und die ich mit meiner Lanze alle erlege. Mit dem frühen Morgen schirre ich die Stiere an, am späten Abend ruhe ich von der Ernte. Wenn du das Gleiche vollbracht hast, o Führer, so magst du noch am selben Tage das Vlies mit dir fortnehmen nach deines Königs Haus; eher aber nicht, denn es ist nicht billig, dass der tapfere Mann dem schlechteren weiche.« Jason saß bei diesen Reden stumm und unschlüssig da; er wagte es nicht, ein so furchtbares Werk kecklich zu versprechen. Indessen fasste er sich und antwortete: »So groß diese Arbeit ist, so will ich sie doch bestehen, o König, und wenn ich darüber umkommen sollte. Schlimmeres als der Tod kann auf einen Sterblichen doch nicht warten, ich gehorche der Notwendigkeit, die mich hierher gesendet hat.« – »Gut«, sprach der König, »geh jetzt zu deiner Schar, aber besinne dich! Gedenkst du nicht alles auszuführen, so überlass es mir und mach dich aus dem Staube.«

Der Rat des Argos

Jason und seine zwei Helden erhoben sich von ihren Sitzen; von den Söhnen des Phrixos folgte ihnen allein Argos, denn er hatte den Brüdern gewinkt, drinnen zu bleiben. Jene aber verließen den Palast. Äsons Sohn leuchtete von Schönheit und Anmut. Die Jungfrau Medea ließ ihre Augen durch den Schleier nach ihm schweifen, und ihr Sinn folgte seinen Fußtapfen wie ein Traum. Als sie wieder allein in ihrem Frauengemach war, fing sie an zu weinen; dann sprach sie zu sich selbst: »Was verzehre ich mich in Schmerz? Was geht mich jener Held an? Mag er der herrlichste von allen Halbgöttern sein oder der schlechteste, wenn er zu Grunde gehen soll, so mag er's! Und doch – o möchte er dem Verderben entrinnen! Lass ihn, ehrwürdige Göttin Hekate, nach Hause zurückkehren! Soll er aber von den Stieren überwältigt werden, so wisse er vorher, dass ich wenigstens über sein trauriges Los mich nicht freue!«
Während Medea sich so härmte, waren die Helden unterwegs nach dem Schiffe, und Argos sagte zu Jason: »Du wirst meinen Rat vielleicht schelten; dennoch will ich ihn dir mitteilen. Ich kenne eine Jungfrau, die mit Zaubertränken umzugehen versteht, welche Hekate, die Göttin der Unterwelt, sie brauen lehrt. Können wir diese auf unsere Seite bringen, so bezweifle ich nicht, dass du siegreich aus dem Kampfe hervorgehen wirst. Willst du es, so gehe ich hin, sie für uns zu gewinnen.« – »Wenn es dir so gefällt, mein Lieber«, erwiderte Jason, »so widerstrebe ich nicht. Doch steht es schlecht um uns, wenn unsere Heimfahrt von den Weibern abhängt!« Unter solchen Reden langten sie beim Schiffe und den Genossen an. Jason berichtete, was von ihm begehrt worden sei und was er dem Könige versprochen habe. Eine Zeit lang saßen die Genossen stumm einander anblickend, endlich erhob sich Peleus und sprach: »Held Jason, wenn du dein Versprechen erfüllen zu können glaubst, so rüste dich. Hast du aber nicht volle Zuversicht, so bleibe fern und sieh dich auch nach keinem von diesen Männern hier um, denn was hätten sie anders zu erwarten als den Tod?«
Bei diesem Worte sprangen Telamon und vier andere Helden auf, alle voll kampflustigen Mutes. Aber Argos beruhigte sie und sprach: »Ich kenne eine Jungfrau, die weiß mit Zaubertränken umzugehen; sie ist eine Schwester unsrer Mutter; nun lasst mich zu meiner Mutter gehen

und sie überreden, dass sie die Jungfrau uns geneigt mache. Alsdann kann erst wieder von jenem Abenteuer, zu welchem Jason sich erboten hat, die Rede sein.« Kaum hatte er ausgesprochen, so geschah ein Zeichen in der Luft. Eine Taube, der ein Habicht nachjagte, flüchtete in Jasons Schoß, der nachstürzende Raubvogel aber fiel auf dem Boden des Hinterschiffes nieder. Jetzt erinnerte sie einer der Helden daran, dass auch der alte Phineus ihnen geweissagt, die Göttin Aphrodite würde ihnen zur Rückkehr verhelfen. Alle Helden stimmten darum dem Argos bei; nur Idas, der Sohn des Aphareus, erhob sich unwillig von seinem Sitze und sprach: »Bei den Göttern, sind wir als Weiberknechte hierher gekommen, und anstatt uns an den Ares zu wenden, rufen wir die Aphrodite an? Soll der Anblick von Habichten und Tauben uns vom Kampfe abhalten? Wohl, so vergesset den Krieg und gehet hin, schwache Jungfrauen zu betrügen.« So sprach er zornig, viele Helden murrten leise. Aber Jason entschied für Argos, das Schiff ward am Ufer angebunden, und die Helden harrten der Rückkehr ihres Boten.

Aietes hatte unterdessen außerhalb seines Palastes eine Versammlung der Kolcher gehalten. Er erzählte ihnen von der Ankunft der Fremdlinge, ihrem Begehren und dem Untergang, den er ihnen bereitet hätte. Sobald die Stiere den Führer umgebracht hätten, wollte er einen ganzen Wald ausreißen und das Schiff mitsamt den Männern verbrennen. Auch seinen Enkeln, die diese Abenteurer herbeigeführt hätten, dachte er eine schreckliche Strafe zu.

Mittlerweile ging Argos seine Mutter mit bittenden Worten an, dass sie ihre Schwester Medea zur Beihilfe bereden möchte. Chalkiope selbst hatte Mitleid mit den Fremdlingen gefühlt, aber nicht gewagt, dem grimmigen Zorn ihres Vaters entgegenzutreten. So kam ihr die Bitte des Sohnes erwünscht, und sie versprach ihren Beistand.

Medea selbst lag in unruhigem Schlummer auf ihrem Lager und sah einen ängstigenden Traum. Ihr war, als hätte der Held sich schon zu dem Kampfe mit den Stieren angeschickt. Er hatte aber diesen Kampf nicht um des Goldenen Vlieses willen unternommen, sondern um sie als Gattin in die Heimat zu führen. Nun war es ihr im Traume, als ob sie selbst den Kampf mit den Stieren bestände, die Eltern aber wollten ihr Versprechen nicht halten und dem Jason den Kampfpreis nicht geben, weil nicht sie, sondern er geheißen war, die Stiere anzuschirren. Darüber war ein heftiger Streit zwischen ihrem Vater und den Fremdlingen entbrannt, und beide Teile machten sie zur Schiedsrichterin. Da wählte sie im Traume den Fremdling; bitterer Schmerz bemächtigte sich der Eltern, sie schrien laut auf – und mit diesem Schrei erwachte Medea. Der Traum trieb sie nach dem Gemach ihrer Schwester, aber lange hielt die Scham sie unschlüssig im Vorhofe, viermal verließ sie ihn und viermal kehrte sie wieder zurück, und endlich warf sie sich wieder weinend in ihrem eigenen Gemache nieder. So fand sie eine ihrer vertrauten jungen Dienerinnen. Diese hatte Mitleid mit der Herrin und meldete der Schwester Medeas, was sie gesehen hatte. Chalkiope empfing diese Botschaft im Kreis ihrer Söhne, als sie eben sich mit ihnen beriet, wie die Jungfrau zu gewinnen wäre. Sie eilte in das Gemach der Schwester und fand sie, die Wangen zerfleischend und in Tränen gebadet. »Was ist dir geschehen, arme Schwester«, sprach sie mit innigem Mitleid, »welcher Schmerz peinigt deine Seele? Hat der Himmel dir eine plötzliche Krankheit gesendet? Hat der Vater über mich und meine Söhne Grausames zu dir gesprochen? Oh, dass ich ferne wäre vom Elternhaus und da, wo man den Namen der Kolcher nicht hört!«

Medea verspricht den Argonauten Hilfe

Die Jungfrau errötete bei diesen Fragen ihrer Schwester, und Scham verhinderte sie, zu antworten; bald schwebte ihr die Rede zuäußerst auf der Zunge, bald floh sie in die tiefste Brust zurück. Endlich machte sie die Liebe kühn, und sie sprach mit verschlagenen Worten: »Chalkiope, mein Herz ist betrübt um deine Söhne, es möchte sie der Vater mit den fremden Männern auf der Stelle töten. Solches verkündete mir ein schwerer Traum, möge ein Gott ihm die Erfüllung verweigern.« Unerträgliche Angst bemächtigte sich der Schwester. »Eben deswegen komme ich zu dir«, sprach sie, »und beschwöre dich, mir gegen unsern Vater beizustehen. Weigerst du dich, so werde ich mit meinen ermordeten Söhnen dich noch vom Orkus aus als Furie umschweben!« Sie umfasste mit beiden Händen Medeens Knie und warf das Haupt in ihren Schoß; beide Schwestern weinten bitterlich. Dann sprach Medea: »Was redest du von Furien, Schwester? Beim Himmel und der Erde schwöre ich dir:

was ich tun kann, deine Söhne zu retten, will ich gerne tun.« – »Nun«, fuhr die Schwester fort, »so wirst du auch dem Fremdling um meiner Kinder willen irgendeinen Trug an die Hand geben, jenen furchtbaren Kampf glücklich zu bestehen, denn von ihm gesendet, fleht mein Sohn Argos mich an, dem Gastfreunde deine Hilfe zu erbitten.«

Das Herz hüpfte der Jungfrau vor Freuden im Leibe, als sie dieses hörte, ihr schönes Gesicht errötete, ihr funkelndes Auge umhüllte einen Augenblick ein Schwindel, und sie brach in die Worte aus: »Chalkiope, das Morgenrot soll meinen Blicken nicht mehr leuchten, wenn dein und deiner Söhne Leben nicht mein Erstes ist. Hast du doch mich, wie mir oft die Mutter erzählte, zugleich mit ihnen gesäugt, als ich ein kleines Kind war; so liebe ich dich nicht nur wie eine Schwester, sondern auch wie eine Tochter. Morgen in aller Frühe will ich zum Tempel der Hekate gehen und dort dem Fremdlinge die Zaubermittel holen, welche die Stiere besänftigen sollen.« Chalkiope verließ das Gemach der Schwester und meldete den Söhnen die erwünschte Botschaft.

Die ganze Nacht lag Medea in schwerem Streite mit sich selbst. ›Habe ich nicht zu viel versprochen‹, sagte sie in ihrem Innern, ›darf ich so viel für den Fremdling tun? Ihn ohne Zeugen schauen, ihn anrühren, was doch geschehen muss, wenn der Trug gelingen soll? Ja, ich will ihn retten; er gehe frei hin, wohin er will: doch an dem Tage, wo er den Streit glücklich vollbracht haben wird, will ich sterben. Ein Strick oder Gift soll mich vom verhassten Leben befreien. – Aber wird mich dieses retten, wird mich nicht üble Nachrede durchs ganze Kolcherland verfolgen und sagen, dass ich mein Haus beschimpft habe, dass ich einem fremden Manne zulieb gestorben sei?‹ Unter solchen Gedanken ging sie, ein Kästchen zu holen, in welchem heil- und todbringende Arzeneien sich befanden. Sie stellte es auf ihre Knie und hatte es schon geöffnet, um von den tödlichen Giften zu kosten; da schwebten ihr alle holden Lebenssorgen vor, alle Lebensfreuden, alle Gespielinnen; die Sonne kam ihr schöner vor als vorher, eine unwiderstehliche Furcht vor dem Tode ergriff sie; sie stellte das Kästchen auf den Boden. Hera, die Beschützerin Jasons, hatte ihr Herz verwandelt. Kaum konnte sie die Morgenröte erwarten, um die versprochenen Zaubermittel zu holen und mit ihnen vor den geliebten Helden zu treten.

Jason und Medea

Während Argos mit der glücklichen Nachricht zu dem Schiffe der Helden eilte, als kaum das Morgenrot den Himmel erhellte, war die Jungfrau schon vom Lager aufgesprungen, band ihr blondes Haar auf, das bisher in Trauerflechten heruntergehangen, wischte Tränen und Harm von den Wangen und salbte sich mit köstlichem Nektaröl. Sie zog ein herrliches Gewand an, das schön gekrümmte, goldene Nadeln festhielten, und warf einen weißen Schleier über ihr strahlendes Haupt. Alle Schmerzen waren vergessen; mit leichten Füßen durcheilte sie das Haus und befahl ihren jungen Dienerinnen, deren zwölf in ihren Frauengemächern waren, schnell die Maultiere an den Wagen zu spannen, der sie nach dem Tempel der Hekate bringen sollte. Inzwischen holte Medea aus dem Kästchen die Salbe hervor, die man Prometheusöl nannte; wer, nachdem er die Göttin der Unterwelt angefleht, seinen Leib damit salbte, konnte an jenem Tage von keinem Schwertstreiche verwundet, von keinem Feuer versehrt werden, ja, er war den ganzen Tag an Kräften jedem Gegner überlegen. Die Salbe war aus dem schwarzen Saft einer Wurzel bereitet, die aus dem Blute emporgekeimt war, das aus der zerfressenen Leber des Titanensohnes auf die Heiden des Kaukasus geträufelt war. Medea selbst hatte in einer Muschel den Saft dieser Pflanze als kostbares Heilmittel aufgefangen.

Der Wagen war gerüstet; zwei Mägde bestiegen ihn mit der Herrin, sie selbst ergriff Zügel und Peitsche und fuhr, von den übrigen Dienerinnen zu Fuße begleitet, durch die Stadt. Überall wich das Volk der Königstochter ehrerbietig aus dem Wege. Als sie durchs freie Feld am Tempel angekommen war, flog sie mit gewandtem Sprunge vom Wagen und sprach zu ihren Mägden mit listigen, verstellten Worten: »Freundinnen, ich habe wohl schwer gesündigt, dass ich nicht ferne von den Fremdlingen geblieben bin, die in unserm Lande angekommen sind! Nun verlangt gar meine Schwester und ihr Sohn Argos, ich soll Geschenke von ihrem Führer annehmen, der die Stiere zu bändigen versprochen hat, und ihn mit Zaubermitteln unverwundlich machen! Ich aber habe zum Scheine zugesagt und ihn hieher in den Tempel bestellt, wo ich ihn allein sprechen soll. Da will ich die Geschenke nehmen, und wir wollen sie nachher untereinander verteilen. Ihm selber aber werde ich eine ver-

derbliche Arznei reichen, damit er umso gewisser zu Grunde geht! Entfernt euch indessen, sobald er kommt, damit er keinen Verdacht schöpfe und ich ihn allein empfangen kann, wie ich verheißen habe.«
Den Mägden gefiel der schlaue Plan. Während diese im Tempel verweilten, machte sich Argos mit seinem Freunde Jason und dem Vogelschauer Mopsos auf. So schön war kein Sterblicher, ja keiner der Göttersöhne zuvor je gewesen, wie heute Zeus' Gemahlin ihren Schützling Jason mit allen Gaben der Huldgöttinnen ausgerüstet hatte. Seine beiden Genossen selbst, sooft sie ihn unterwegs betrachteten, mussten über seine Herrlichkeit staunen. Medea war unterdessen mit ihren Mägden im Tempel, und obwohl sie sich die Zeit mit Singen verkürzten, so war doch der Fürstin Geist in ganz andern Gedanken, und kein Lied wollte ihr lange gefallen; ihre Augen weilten nicht im Kreise ihrer Dienerinnen, sondern schweiften durch die Tempelpforte verlangend über die Straße hinaus. Bei jedem Fußtritt oder Windhauch richtete sich ihr Haupt begierig in die Höhe. Nicht lange, so trat Jason mit seinen Begleitern in den Tempel, hoch einherschreitend und schön, wie Sirius dem Ozean entsteigt. Da war's der Jungfrau, als fiele ihr das Herz aus der Brust, Nacht war vor ihren Augen, und mit heißem Rot bedeckte sich ihre Wange. Inzwischen hatten sie die Dienerinnen alle verlassen. Lange standen der Held und die Königstochter einander stillschweigend gegenüber, schlanken Eichen oder Tannen ähnlich, die auf den Bergen tiefgewurzelt in Windstille regungslos beieinander stehen. Plötzlich aber kommt ein Sturm, und alle Blätter zittern in rauschender Bewegung; so sollten, vom Hauch der Liebe angeweht, sie bald viel bewegte Worte tauschen. »Warum scheuest du mich«, so brach Jason zuerst das Schweigen, »nun, da ich allein bei dir bin? Ich bin nicht wie andere prahlerische Männer und war auch zu Hause nie so. Fürchte dich nicht zu fragen und zu sagen, was dir beliebt; aber vergiss nicht, dass wir an einem heiligen Orte sind, wo betrügen ein Frevel wäre: darum täusche mich nicht mit süßen Worten; ich komme als ein Schutzflehender und bitte dich um die Heilmittel, die du deiner Schwester für mich versprochen. Die harte Notwendigkeit zwingt mich, deine Hilfe zu suchen; verlange welchen Dank du willst und wisse, dass du den Müttern und Frauen unserer Helden, die uns vielleicht schon, am Ufer sitzend, beweinen, durch deinen Beistand die schwar-

zen Sorgen zerstreuen und in ganz Griechenland Unsterblichkeit erlangen wirst.«

Die Jungfrau hatte ihn ausreden lassen; sie senkte ihre Augen mit einem süßen Lächeln; ihr Herz erfreute sich seines Lobes, ihr Blick erhub sich wieder, die Worte drängten sich auf ihre Lippen, und gern hätte sie alles zumal gesagt. So aber blieb sie ganz sprachlos und wickelte nur die duftende Binde von dem Kästchen ab, das Jason ihr eilig und froh aus den Händen nahm. Sie aber hätte ihm auch freudig die Seele aus der Brust gegeben, wenn er sie verlangt hätte, so süße Flammen wehte ihr der Liebesgott von Jasons blondem Haupte zu; ihre Seele war durchwärmt, wie der Tau auf den Rosen von den Strahlen der Morgensonne durchglüht wird. Beide blickten verschämt zu Boden, dann richteten sie ihre Augen wieder aufeinander und schickten sehnende Blicke unter den Wimpern hervor. Erst spät und mit Mühe hub die Jungfrau an: »Höre nun, wie ich dir Hilfe schaffen will. Wenn dir mein Vater die verderblichen Drachenzähne zum Säen überliefert haben wird, dann bade dich einsam im Wasser des Flusses, bekleide dich mit schwarzen Gewändern und grabe eine kreisförmige Grube; in dieser errichte einen Scheiterhaufen, schlachte ein weibliches Lamm und verbrenne es ganz darauf; dann träufle der Hekate ein Trankopfer süßen Honigs aus der Schale und entferne dich wieder vom Scheiterhaufen: auf keinen Fußtritt, auf kein Hundegebell kehre dich um, sonst wird das Opfer vereitelt. Am andern Morgen salbe dich mit diesem Zaubermittel, das ich hier dir gereicht habe; in ihm wohnt unermessliche Stärke und hohe Kraft: du wirst dich nicht den Männern, sondern den unsterblichen Göttern gewachsen fühlen. Auch deine Lanze, dein Schwert und deinen Schild musst du salben, dann wird kein Eisen in Menschenhand, keine Flamme der Wunderstiere dir schaden oder widerstehen können. Doch wirst du so nicht lange sein, sondern nur an jenem einen Tage: dennoch entziehe dich auf keine Weise dem Streit. Ich will dir auch noch ein anderes Hilfsmittel an die Hand geben. Wenn du nämlich die gewaltigen Stiere eingespannt und das Blachfeld durchpflügt hast und schon die von dir ausgesäte Drachensaat aufgegangen ist, so wirf unter sie einen mächtigen Stein: um diesen werden jene rasenden Gesellen kämpfen wie Hunde um ein Stück Brot; indessen kannst du auf sie einstürmen und sie niedermachen. Dann magst du das Goldene Vlies unangefochten aus Kolchis mit dir nehmen: dann magst du gehen, ja, gehe nur, wohin dir zu gehen beliebt!« So sprach sie, und heimliche Tränen rollten ihr über die Wange hinab; denn sie dachte daran, dass der edle Held weit fort über die Meere ziehen werde. Traurig redete sie ihn an, indem sie ihn bei der Rechten fasste, denn der Schmerz ließ sie vergessen, was sie tat: »Wenn du nach Hause kommst, so vergiss nicht den Namen Medeas; auch ich will deiner, des Fernen, gedenken. Sage mir auch, wo dein Vaterland ist, nach welchem du auf deinem Schiffe zurückkehren wirst.« Mit diesen Reden der Jungfrau bemächtigte sich auch des Helden eine unwiderstehliche Neigung, und er brach in die Worte aus: »Glaube mir, hohe Fürstin, dass ich, wenn ich dem Tode entrinne, keine Stunde bei Tag und bei Nacht dein vergessen werde. Meine Heimat ist Jolkos in Hämonien, da wo der gute Deukalion, der Sohn des Prometheus, viele Städte gegründet und Tempel gebaut hat. Dort kennt man euer Land auch nicht mit Namen.« – »So wohnest du in Griechenland, Fremdling«, erwiderte die Jungfrau. »Dort sind die Menschen wohl gastlicher als hier bei uns; darum erzähle nicht, welche Aufnahme dir hier geworden, sondern gedenke nur in der Stille mein. Ich werde dein gedenken, wenn alles dich hier vergäße. Wärest du aber im Stande, mein zu vergessen, oh, dass dann der Wind einen Vogel aus Jolkos herbeiführte, durch welchen ich dich daran erinnern könnte, dass du durch meine Hilfe von hier entronnen bist! Ja, wäre ich dann vielmehr selbst in deinem Hause und könnte dich mahnen!« So sprach sie und weinte. »O du Gute«, antwortete Jason, »lass die Winde flattern und den Vogel dazu, denn du sprichst Überflüssiges! Aber wenn du selbst nach Griechenland und in meine Heimat kämest, oh, wie würdest du von Frauen und Männern verehrt, ja wie eine Gottheit angebetet werden, weil ihre Söhne, ihre Brüder, ihre Gatten durch deinen Rat dem Tod entronnen und fröhlich der Heimat zurückgegeben sind; und mir, mir würdest du dann ganz gehören, und nichts sollte unsere Liebe trennen als der Tod.« So sprach er, ihr aber zerfloss die Seele, als sie solches hörte. Zugleich stand vor ihrem Geist alles Schreckliche, womit die Trennung vom Vaterlande drohte, und dennoch zog es sie mit wunderbarer Gewalt nach Griechenland, denn Hera hatte es ihr ins Herz gegeben. Diese wollte, dass die Kolcherin Medea ihr Vaterland verlassen und zu des Pelias Verderben nach Jolkos kommen sollte.

Inzwischen harrten in der Ferne die Dienerinnen still und traurig; denn die Zeit war längst da, wo die Fürstin nach Hause zurückkehren sollte. Sie selbst hätte die Heimkehr ganz vergessen, denn ihre Seele erfreute sich der trauten Rede, wenn nicht der vorsichtigere Jason, wiewohl auch dieser spät, so gesprochen hätte: »Es ist Zeit zu scheiden, dass nicht das Sonnenlicht früher scheide als wir und die andern alles innewerden. Lass uns an diesem Orte wieder zusammenkommen.«

Jason erfüllt des Aietes Begehr

So schieden sie. Jason kehrte fröhlich zu seinen Genossen und dem Schiffe zurück. Die Jungfrau begab sich zu ihren Dienerinnen. Diese eilten ihr alle entgegen – sie aber sah es nicht; denn ihre Seele schwebte hoch in den Wolken. Mit leichten Füßen bestieg sie den Wagen, trieb die Maultiere an, die von selbst nach Hause rannten, und kam zum Palaste zurück. Hier hatte Chalkiope voll banger Sorge um ihre Söhne längst auf sie gewartet. Sie saß auf einem Schemel, das gebeugte Haupt in der linken Hand gestützt; ihre Augen waren feucht unter den Augenlidern, denn sie dachte daran, in welches Übels Genossenschaft sie verstrickt wäre.

Jason erzählte unterdessen seinen Genossen, wie ihm die Jungfrau das herrliche Zaubermittel gereicht habe, zugleich hielt er ihnen die Salbe entgegen. Alle freuten sich; nur Idas, der Held, saß seitwärts und knirschte mit den Zähnen vor Zorn. Am andern Morgen sandten sie zwei Männer ab, den Drachensamen von Aietes zu erbitten, der sich nicht lange weigerte. Er gab ihnen von desselben Drachen Zähnen, den Kadmos bei Theben umgebracht hatte. Er tat es ganz getrost, denn er hielt es gar nicht für möglich, dass Jason es nur bis zum Säen der Zähne bringen könnte. In der Nacht, die auf diesen Tag folgte, badete sich Jason und opferte der Hekate, ganz wie Medea ihn geheißen. Die Göttin selbst vernahm sein Gebet und kam aus ihren tiefen Höhlen hervor, die Entsetzliche, umringt von grässlichen Drachen, die flammende Eichenäste im Rachen trugen. Hunde der Unterwelt schwärmten bellend um sie her. Der Anger zitterte unter ihrem Tritt, und die Nymphen des Flusses Phasis heulten. Selbst Jason ergriff das Entsetzen, als er heimkehrte,

aber dem Gebote der Geliebten getreu, schaute er sich nicht um, bis er wieder bei seinen Genossen war: und schon schimmerte die Morgenröte über dem Schneegipfel des Kaukasus.
Jetzt warf Aietes seinen starken Panzer über, den er im Kampfe mit den Giganten getragen; auf sein Haupt setzte er den goldenen Helm mit vier Büschen und griff zu dem vierhäutigen Schilde, den außer Herakles kein anderer Held hätte aufheben können. Sein Sohn hielt ihm die schnellen Rosse am Wagen: diesen bestieg er und flog, die Zügel in der Hand, aus der Stadt, ihm nach unzähliges Volk. Wie selbst zum Kampfe gerüstet, wollte er dem Schauspiele beiwohnen. Jason aber hatte sich nach Medeas Anleitung mit dem Zauberöle Lanze, Schwert und Schild gesalbt. Rings um ihn her versuchten die Genossen ihre Waffen an der Lanze, aber sie hielt stand, und jene vermochten es nicht, sie auch nur ein wenig zu krümmen; sie war in seiner festen Hand wie zu Stein geworden. Darüber ärgerte sich Idas, des Aphareus Sohn, und führte einen Streich auf den Schaft unter der Spitze; aber der Stahl fuhr zurück wie der Hammer vom Amboss, und fröhlich jubelten die Helden in der frohen Aussicht auf den Sieg. Jetzt erst salbte sich Jason auch den Leib; da fühlte er ungewöhnliche Kraft in allen Gliedern, seine beiden Hände schwollen auf von Stärke und verlangten nach dem Kampf. Wie ein Kriegsross vor der Schlacht wiehernd den Boden stampft, so streckte sich der Asonide im Gefühl seiner Streitbarkeit, hob die Füße, schwang den Erzschild und die Lanze mit der Hand. Dann ruderten die Helden mit ihrem Führer bis zum Aresfelde, wo sie den König Aietes und die Menge der Kolcher schon antrafen, jenen am Ufer, diese auf den Klippenvorsprüngen des Kaukasus gelagert. Als das Schiff angebunden war, sprang Jason mit Lanze und Schild gerüstet aus demselben und empfing sofort einen funkelnden Erzhelm voll spitzer Drachenzähne. Dann hing er das Schwert mit einem Riemen um die Schultern und schritt vor, herrlich wie Ares oder Apollon. Auf dem Blachfeld umherblickend, sah er bald die ehernen Joche der Stiere auf dem Boden liegen, dabei Pflug und Pflugschar, alles ganz aus Eisen gehämmert. Als er sich das Geräte näher betrachtet, schraubte er die Eisenspitze an den starken Schaft seiner Lanze und legte den Helm nieder. Hierauf schritt er von seinem Schilde gedeckt weiter, nach den Fußtapfen der Tiere forschend. Diese aber brachen von einer andern Seite unvermutet aus einem unterirdischen Gewölbe hervor, wo

ihre festen Ställe waren, beide Flammen schnaubend und in dicken Rauch gehüllt. Jasons Freunde schraken zusammen, als ihr Blick auf die Ungeheuer fiel, er aber stand mit ausgespreizten Beinen, den Schild vorgehalten, und erwartete ihren Anlauf wie ein Meerfels die Fluten. Sie kamen auch wirklich, mit den Hörnern stoßend, auf ihn angestürzt, und doch vermochte ihr Anlauf ihm nicht ein Glied zu verrücken. Wie in den Schmiedewerkstätten die Blasbälge murren und bald mächtige Feuer sprühen machen, bald mit ihrem Atem innehalten, so wiederholten sie brüllend und Flammen speiend ihre Stöße, dass den Helden die Glut wie lauter Blitzstrahlen umzückte. Ihn aber schirmte das Zaubermittel der Jungfrau. Endlich ergriff er den einen Stier zur Rechten am äußersten Horn und zog ihn mit allen seinen Kräften, bis er ihn an die Stelle geschleppt, wo das eherne Joch lag. Hier gab er seinen ehernen Füßen einen Tritt und warf ihn mit gekrümmten Knien zu Boden. Auf dieselbe Weise zwang er auch den zweiten, der auf ihn losrannte, mit einem einzigen Streich auf die Erde nieder. Dann warf er seinen breiten Schild weg und hielt, von ihren Flammen bedeckt, die beiden niedergeworfenen Stiere mit beiden Händen fest. Aietes musste die ungeheure Stärke des Mannes bewundern. Inzwischen reichten ihm Kastor und Pollux, wie es unter ihnen verabredet war, die Joche, die auf dem Boden lagen, und er befestigte sie mit Sicherheit an das Genick der Tiere. Dann erhob er die eherne Deichsel und fügte sie in den Ring des Joches. Die Zwillingsbrüder verließen nun schnell das Feuer, denn sie waren nicht gefeit wie Jason. Dieser aber nahm seinen Schild wieder auf und warf ihn am Riemen hinter den Rücken; dann griff er auch wieder zu dem Helme voll Drachenzähne, fasste seine Lanze und zwang mit ihren Stichen die zornigen und Flammen sprühenden Stiere, den Pflug zu ziehen. Durch ihre Kraft und den mächtigen Pflüger wurde der Boden tief aufgerissen, und die gewaltigen Erdschollen krachten in den Furchen. Jason selbst folgte mit festem Tritt und säete die Zähne in den aufgepflügten Boden, vorsichtig rückwärts blickend, ob die aufkeimende Gigantensaat sich nicht gegen ihn erhebe; die Tiere aber arbeiteten sich mit ihren ehernen Hufen vorwärts. Als noch der dritte Teil des Tages übrig war, am hellen Nachmittage, war das ganze Blachfeld, obgleich es vier Morgen fasste, von dem unermüdlichen Pflüger umgeackert, und nun wurden die Stiere vom Pflug erlöst; der Held schreckte sie mit seinen Waffen, dass sie über das offene Feld hin flohen; er selbst kehrte zum Schiffe zurück, solange er die Furchen noch leer von Erdgebornen sah. Mit lautem Zuruf umringten ihn von allen Seiten die Genossen: er jedoch sprach nichts, sondern füllte seinen Helm mit Flusswasser und löschte seinen brennenden Durst. Dann prüfte er die Gelenke seiner Knie und erfüllte sein Herz mit neuer Streitlust, wie ein schäumender Eber seine Zähne gegen die Jäger wetzt. Denn schon waren das ganze Feld entlang die Giganten hervorgekeimt: der ganze Areshain starrte von Schilden und spitzen Lanzen und erglänzte von Helmen, so dass der Schimmer durch die Luft bis zum Himmel emporblitzte. Da gedachte Jason an das Wort der schlauen Medea: er fasste einen großen runden Stein auf dem Felde, vier kräftige Männer hätten ihn nicht vom Boden heben können; er aber ergriff ihn leicht mit der Hand und warf ihn springend weithin mitten unter die bodenentsprossenen Krieger. Er selbst barg sich, ins Knie geworfen, kühn und vorsichtig unter seinem Schilde. Die Kolcher schrien laut auf, wie das Meer braust, wenn es sich an spitzen Klippen bricht: Aietes selbst starrte voll Verwunderung dem Wurfe des ungeheuren Steines nach. Die Erdgebornen, wie schnelle Hunde, fingen auf einmal an herumzuhüpfen, gingen aufeinander los und brachten sich gegenseitig mit dumpfem Knirschen um; unter ihren Lanzen fielen sie auf ihre Mutter Erde nieder wie Tannenbäume oder Eichen, welche Windwirbel umgerissen haben. Als sie mitten im Gefechte begriffen waren, stürzte Jason unter sie wie ein fallender Stern, der als Wunderzeichen mitten durch die dunkle Nachtluft schießt. Jetzt zog er sein Schwert aus der Scheide, teilte hier und dort Wunden aus, hieb manche, die schon standen, nieder, mähte andere, die erst bis zu den Schultern hervorgewachsen waren, wie Gras ab; andren spaltete er das Haupt, als sie schon zum Kampfe rannten. Die Furchen strömten vom Blute wie ein Abzugsbach; die Verwundeten und Toten stürzten nach allen Seiten hin, und viele sanken mit blutigen Köpfen wieder so tief in den Boden, als sie hervorgetaucht waren.

An der Seele des Königs Aietes nagte zehrender Ärger; ohne ein Wort zu sprechen, drehte er sich um und kehrte zur Stadt zurück, nur darauf sinnend, auf welche Weise er wirksamer gegen Jason verfahren könnte. Unter diesen Begebenheiten war der Tag zu Ende gegangen, und der Held ruhte unter den Glückwünschen seiner Freunde von der Arbeit.

Medea raubt das Goldne Vlies

Die ganze Nacht hindurch hielt der König Aietes die Häupter seines Volkes um sich im Palaste versammelt und ratschlagte, wie die Argonauten zu überlisten wären, denn er war es wohl innegeworden, dass alles, was sich den Tag zuvor ereignet hatte, nicht ohne Mitwirkung seiner Töchter geschehen war. Hera, die Göttin, sah die Gefahr, in welcher Jason schwebte: deswegen erfüllte sie das Herz Medeas mit zagender Furcht, dass sie zitterte wie ein Reh im tiefen Walde, das der Jagdhunde Gebell aufgeschreckt hat. Sogleich ahnte sie, dass ihre Hilfe dem Vater nicht verborgen sei; sie fürchtete auch die Mitwisserschaft der Mägde; darum brannten ihre Augen von Tränen, und die Ohren summten ihr. Ihr Haar ließ sie wie in Trauer hängen, und wäre das Schicksal nicht entgegen gewesen, so hätte die Jungfrau durch Gift ihrem Jammer zur Stunde ein Ende gemacht. Schon hatte sie die gefüllte Schale in der Hand, als Hera ihr den Mut aufs Neue beflügelte und sie mit verwandelten Gedanken das Gift wieder in seinen Behälter goss. Jetzt raffte sie sich zusammen; sie war entschlossen zu fliehen, bedeckte ihr Lager und die Türpfosten mit Abschiedsküssen, berührte mit den Händen noch einmal die Wände ihres Zimmers, schnitt sich eine Haarlocke ab und legte sie zum Andenken für ihre Mutter aufs Bett. »Lebe wohl, geliebte Mutter«, sprach sie weinend, »lebe wohl, Schwester Chalkiope und das ganze Haus! O Fremdling, hätte dich das Meer verschlungen, ehe du nach Kolchis gekommen wärest!« Und so verließ sie ihre süße Heimat, wie eine Gefangene fliehend den bittern Kerker der Sklaverei verlässt. Die Pforten des Palastes taten sich vor ihren Zaubersprüchen auf; durch enge Seitenwege rannte sie mit bloßen Füßen, mit der Linken den Schleier bis über die Wangen herunterziehend, mit der Rechten ihr Nachtgewand vor der Befleckung des Weges schützend. Bald war sie, unerkannt von den Wächtern, draußen vor der Stadt und schlug einen Fußpfad nach dem Tempel ein, denn als Zauberweib und als Gifttrankmischerin war sie vom Wurzelsuchen her aller Wege des Feldes wohl kundig. Selene, welche sie so wandeln sah, sprach zu sich selbst, lächelnd herniederscheinend: »So quält denn doch nicht mich allein die Liebe zum schönen Endymion! Oft hast du mich mit deinen Hexensprüchen vom Himmel hinweggezaubert, jetzt leidest du selbst um einen Jason bittere Qualen. Nun, so geh nur, aber so schlau du bist, hoffe nicht, dem derbsten Schmerz zu entfliehen!« So sprach Selene bei sich selber, jene aber trugen ihre Füße eilig davon; endlich bogen ihre Schritte gegen das Meeresufer ein, wo das Freudenfeuer, das die Helden dem Siege Jasons zu Ehren die ganze Nacht hindurch auflodern ließen, ihr zum Leitsterne diente. Dem Schiffe gegenüber angekommen, rief sie laut ihren jüngsten Schwestersohn, Phrontis; dieser, der mit Jason ihre Stimme erkannte, erwiderte dreimal den dreifachen Ruf. Die Helden, die dies alle hörten, staunten anfangs, dann ruderten sie ihr entgegen. Ehe das Schiff ans jenseitige Ufer gebunden war, sprang Jason vom Verdeck ans Land, Phrontis und Argos ihm nach. »Rettet mich«, rief das Mädchen, indem sie die Knie ihrer Neffen umfasste, »entreißt mich und euch meinem Vater! Alles ist verraten und keine Hilfe mehr; lasst uns zu Schiffe fliehen, eh er die schnellen Rosse besteigt; das Goldene Vlies will ich euch verschaffen, indem ich den Drachen einschläfere. Du aber, o Fremdling, schwöre mir zu den Göttern vor deinen Genossen, dass du mich Verwaiste in der Fremde nicht beschimpfen willst!« So sprach sie traurig und erfreute Jasons Herz. Er hub die ins Knie Gesunkene sanft vom Boden auf, umfasste sie und sprach: »Geliebte, Zeus und Hera, die Beschirmer der Ehe, seien meine Zeugen, dass ich, nach Griechenland zurückgekehrt, dich als rechtmäßige Gattin in mein Haus einführen will!« So schwur er und legte seine Hand in die ihrige. Dann hieß Medea die Helden noch in derselben Nacht das Schiff nach dem heiligen Haine rudern, um dort das Goldene Vlies zu entführen. Die Helden fuhren mit dem Schiffe davon, Jason und die Jungfrau gingen über den Pfad einer Wiese dem Haine zu. Dort suchten sie den hohen Eichbaum, an welchem das Goldne Vlies hing, strahlend durch die Nacht, einer Morgenwolke ähnlich, die von der aufgehenden Sonne beschienen wird. Gegenüber aber reckte der schlaflose Drache, aus scharfen Augen in die Ferne blickend, seinen langen Hals den Herannahenden entgegen und zischte fürchterlich, dass die Ufer des Flusses und der ganze große Hain widerhallten. Wie über einen angezündeten Wald die Flammen sich hinwälzen, so rollte das Untier mit leuchtenden Schuppen in unzähligen Krümmungen daher. Die Jungfrau aber ging ihm keck entgegen, sie rief mit süßer Stimme den Schlaf, den mächtigsten der Götter, an, das Ungeheuer einzulullen; sie rief zur mächtigen Königin der Unterwelt, ihr Vorhaben zu segnen; nicht ohne Furcht folgte ihr Jason. Aber schon durch den Zaubergesang der Jungfrau eingeschläfert, senkte der Drache die Wölbung des Rückens, und sein geringelter Leib dehnte sich der Länge nach aus; nur mit dem grässlichen Kopfe stand er noch aufrecht und drohte die beiden mit seinem aufgesperrten Rachen zu fassen. Da sprengte Medea ihm mit einem Wacholderstängel unter Beschwörungsformeln einen Zaubertrank in die Augen, dessen Duft ihn mit Schlummer übergoss; jetzt schloss sich sein Rachen, und schlafend dehnte er sich mit seinem ganzen Leibe durch den langen Wald hin.

Auf ihre Ermahnung zog nun Jason das Vlies von der Eiche, während das Mädchen fortwährend den Kopf des Drachen mit dem Zauberöl besprengte. Dann verließen beide eilig den beschatteten Areshain, und Jason hielt von ferne schon freudig das große Widdervlies entgegen, von dessen Widerschein seine Stirn und sein blondes Haar in goldenem Schimmer glänzten; auch beleuchtete sein Schein ihm weithin den nächtlichen Pfad. So ging er, es auf der linken Schulter tragend; die goldne Last hing ihm vom Hals bis auf die Füße herunter; dann rollte er es wieder auf, denn immer fürchtete er, ein Mensch oder Gott möchte ihm begegnen und ihn des Schatzes berauben. Mit der Morgenröte traten sie ins Schiff, die Genossen umringten den Führer und staunten das Vlies an, das funkelte wie des Donnerers Blitz; jeder wollte es mit den Händen betasten, aber Jason litt es nicht, sondern warf einen neugefertigten Mantel darüber. Die Jungfrau setzte er auf das Hinterverdeck des Schiffes und sprach dann so zu seinen Freunden: »Jetzt, ihr Lieben, lasst uns eilig ins Vaterland zurückkehren. Durch dieser Jungfrau Rat ist vollbracht, weswegen wir unsere Fahrt unternommen haben; zum Lohne führe ich sie als meine rechtmäßige Gemahlin nach Hause; ihr aber helft mir, sie als die Gehilfin ganz Griechenlands zu beschirmen. Denn ich zweifle nicht: bald wird Aietes da sein und mit allem seinem Volke unsere Ausfahrt aus dem Flusse hindern wollen! Deswegen soll von euch abwechslungsweise die eine Hälfte rudern, die andere, unsere mächtigen Schilde aus Rindshaut den Feinden entgegenhaltend, die Rückfahrt schirmen. Denn in unserer Hand steht jetzt die Heimkehr zu den Unsrigen und die Ehre oder Schande Griechenlands!« Mit diesen Worten hieb er die Taue ab, mit denen das Schiff angebunden war, warf sich in volle Rüstung und stellte sich so neben das Mägdlein, dem Steuermann Ankäos zur Seite. Das Schiff eilte unter dem Rudern der Mündung des Flusses entgegen.

Die Argonauten, verfolgt, entkommen mit Medea

Inzwischen hatten Aietes und alle Kolcher Medeas Liebe, Taten und Flucht erfahren. Sie traten bewaffnet auf dem Markte zusammen, und bald sah man sie mit lautem Schalle das Ufer des Flusses hinabziehen: Aietes fuhr auf einem festgezimmerten Wagen mit den Pferden, die ihm der Sonnengott verliehen; in der Linken trug er einen runden Schild, in der Rechten eine lange Pechfackel; an seiner Seite lehnte die gewaltige Lanze. Die Zügel der Rosse handhabte sein Sohn Absyrtos. Als sie aber an der Mündung des Flusses angekommen waren, da fuhr das Schiff, von den unermüdlichen Ruderern getrieben, schon weit auf der hohen See. Fackel und Schild entsanken dem König; er hub die Hände gen Himmel, rief Zeus und den Sonnengott zu Zeugen der Übeltaten und erklärte grimmig seinen Untertanen: wenn sie ihm die Tochter nicht, zu Wasser oder zu Land ergriffen, herbeiführen würden, damit er, seines Herzens Gelüste folgend, Rache üben könne, so sollten sie es alle mit ihren Häuptern büßen. Die erschrockenen Kolcher zogen noch an demselben Tage ihre Schiffe in die See, spannten die Segel aus und fuhren hinaus ins Meer; ihre Flotte, welche des Königs Sohn Absyrtos befehligte, glich einer unabsehbaren Vogelschar, welche die Luft verdunkelnd über die See dahinschwirrt.

In die Segel der Argonauten blies der günstigste Wind, denn Heras Wille war es, dass die Kolcherin Medea so bald als möglich das Verderben in Pelias' Haus bringen sollte. Schon mit der dritten Morgenröte banden sie das Schiff beim Flusse Halys am Ufer der Paphlagonen an. Hier brachten sie auf Medeas Geheiß der Göttin Hekate, die sie gerettet hatte, ein Opfer. Da fiel ihrem Führer und auch den andern Helden bei, dass der alte Wahrsager Phineus ihnen zur Rückfahrt auf einem neuen Wege geraten hatte, der Gegenden aber war keiner kundig. Nun belehrte sie Argos, der Sohn des Phrixos, der es aus Priesterschriften wusste, dass sie nach dem Isterflusse steuern sollten, dessen Quellen fern in den rhipäischen Bergen murmeln und der das Füllhorn seiner Wasser zur Hälfte ins jonische, zur andern Hälfte ins sizilische Meer ergießt. Als Argos dies geraten, erschien die breite Himmelsfurche eines Regenbogens in der Richtung, in welcher sie fahren sollten, und der günstige Wind ließ nicht ab zu wehen, und das Himmelszeichen hörte nicht auf zu leuchten, bis sie glücklich an die jonische Mündung des Flusses Ister gelangt waren.

Die Kolcher ließen aber mit ihrer Verfolgung nicht nach und kamen, schneller segelnd, mit ihren leichten Schiffen noch vor den Helden an der Mündung des Ister an. Hier legten sie sich in den Hinterhalt an den Buchten und Inseln des Ausflusses und verstellten den Helden, als diese sich in der Mündung des Stromes vor Anker gelegt, den Ausweg. Die Argonauten, die Menge der Kolcher fürchtend, landeten und warfen sich auf eine Insel des Flusses; die Kolcher folgten, und ein Treffen bereitete sich vor. Da traten die bedrängten Griechen in Unterhandlung, und von beiden Teilen wurde verabredet, dass jedenfalls die Griechen das Goldene Vlies, das der König dem Helden Jason für seine Arbeit versprochen hatte, davontragen sollten, die Königstochter Medea aber sollten sie auf einer zweiten Insel, im Tempel der Artemis, aussetzen, bis ein gerechter Nachbarkönig als Schiedsrichter entschieden hätte, ob sie zu ihrem Vater zurückkehren oder ob sie den Helden nach Griechenland folgen sollte. Bittere Sorgen bemächtigten sich der Jungfrau, als sie solches hörte, sie führte sogleich ihren Geliebten seitwärts an einen Ort, wo keiner seiner Genossen sie hören konnte; dann sprach sie unter Tränen: »Jason, was habt ihr über mich beschlossen? Hat das Glück alles bei dir in Vergessenheit gesenkt, was du mir mit heiligem Eide in der Not versprochen? In dieser Hoffnung habe ich Leichtsinnige, Ehrvergessene, Vaterland, Haus und Eltern verlassen, was mein Höchstes war. Für deine Rettung treibe ich auf dem Meer mit dir um; meine Vermessenheit hat dir das Goldne Vlies verschafft; für dich habe ich Schmach auf den Frauennamen geladen, deswegen folge ich dir als dein Mädchen, als dein Weib, als deine Schwester ins griechische Land. Und darum beschirme mich auch, lass mich nicht allein hier, überlass mich nicht den Königen zum Urteil. Wenn mich jener Richter meinem Vater zuspricht, so bin ich verloren: wie wäre dir dann deine Rückkehr angenehm? Wie könnte des Zeus Gemahlin, Hera, dieses billigen, sie, deren du dich rühmst? Ja, wenn du mich verlässest, so wirst du einst, in Elend versunken, mein gedenken. Wie ein Traum soll dir das Goldne Vlies in den Hades entschwinden! Aus dem Vaterlande sollen dich meine Rachegeister treiben, wie ich durch deine Verkehrtheit aus meinem Vaterlande getrieben worden bin!« So sprach sie in wilder Leidenschaft und gedachte, Feuer in das Schiff zu legen, alles zu verbrennen und selbst hineinzustürzen. Bei ihrem Anblicke ward Jason scheu, das Gewissen schlug ihm, und er sprach mit begütigenden Worten: »Fasse dich, Gute, mir selbst ist jener Vertrag nicht ernst! Suchen wir ja nur einen Aufschub der Schlacht, weil eine ganze Wolke von Feinden uns umringt, um deinetwillen. Denn alles, was hier wohnt, ist den Kolchern befreundet und will deinem Bruder Absyrtos helfen, dass er dich als Gefangene dem Vater zurückbringe. Wir alle aber, wenn wir jetzt den Kampf beginnen, werden elendiglich umkommen, und deine Lage wird noch hoffnungsloser, wenn wir gestorben sind und dich den Feinden als Beute zurücklassen. Vielmehr soll jener Vertrag nur ein Hinterhalt sein, der den Absyrtos ins Verderben stürzt; denn wenn ihr Führer tot ist, so werden den Kolchern die Nachbarn keine Hilfe mehr leisten wollen.« So sprach er schmeichelnd, und Medea gab ihm den grässlichen Rat: »Höre mich. Ich habe einmal gesündigt und, vom Verhängnis geblendet, Übles getan. Rückwärts kann ich nicht mehr, so muss ich vorwärts schreiten im Frevel. Wehre du im Treffen die Lanzen der Kolcher ab; ich will den Bruder betören, dass er sich in deine Hände gibt. Du empfange ihn mit einem glänzenden Mahle; kann ich dann die Herolde überreden, dass sie ihn zum Zwiegespräch allein mit mir lassen: alsdann – ich kann nicht widerstehen – magst du ihn töten und die Schlacht den Kolchern liefern.« Auf diese Weise legten die beiden dem Absyrtos einen schweren Hinterhalt. Sie sandten ihm viele Gastgeschenke, darunter ein herrliches Purpurkleid, das die Königin von Lemnos dem Jason gegeben hatte, welches einst die Huldgöttinnen selbst dem Gotte Dionysos gefertiget und das mit himmlischem Dufte getränkt war, seit der nektartrunkene Gott darauf geschlummert hatte. Den Herolden redete die schlaue Jungfrau zu, Absyrtos sollte im Dunkel der Nacht auf die andere Insel zum Dianentempel kommen; dort wollten sie eine List ausdenken, wie er das Goldne Vlies wiederbekäme und es dem Könige, ihrem Vater, zurückbringen könnte; denn sie selbst, so heuchelte sie, sei von den Söhnen des Phrixos

mit Gewalt den Fremdlingen überliefert worden. Nachdem sie so die Friedensboten betört hatte, spritzte sie von ihren Zauberölen in den Wind, so viel, dass ihr Duft auch das wildeste Tier vom höchsten Berge herabzulocken kräftig gewesen wäre. Es geschah, wie sie gewünscht hatte. Absyrtos, durch die feierlichsten Versprechungen betrogen, schiffte in dunkler Nacht nach der heiligen Insel hinüber. Dort allein mit der Schwester zusammengekommen, versuchte er das Gemüt der Verschlagenen, ob sie wirklich eine List gegen die Fremdlinge hegte; aber es war, als wenn ein schwacher Knabe durch einen angeschwollenen Bergstrom waten wollte, über den kein kräftiger Mann ungestraft setzen kann. Denn als sie mitten im Gespräche waren und die Schwester ihm alles zusagte, da stürzte plötzlich Jason aus dem verborgenen Hinterhalte hervor, das bloße Schwert in der Hand. Die Jungfrau aber wandte ihre Augen ab und bedeckte sie mit dem Schleier, um den Mord ihres Bruders nicht mit ansehen zu müssen. Wie ein Opfertier stürzte der Königssohn unter den Streichen Jasons, Gewand und Schleier der abgekehrten Medea mit seinem Bruderblut bespritzend. Aber die Rachegöttin, die nichts übersieht, schaute aus ihrem Verstecke mit finsterem Auge die grässliche Tat, die hier begangen ward.
Nachdem Jason sich von dem Morde gereinigt und den Leichnam begraben hatte, gab Medea den Argonauten mit einer Fackel das verabredete Zeichen. Diese, die sich während der Unterhandlungen wieder auf ihr Schiff zurückbegeben hatten, landeten jetzt auf der Artemisinsel und fielen, wie Habichte über Taubenscharen oder Löwen über Schafherden, über die ihres Führers beraubten Begleiter des Absyrtos her. Keiner entging dem Tode. Jason, der den Seinigen zu Hilfe kommen wollte, erschien zu spät, denn schon war der Sieg entschieden.

Weitere Heimfahrt der Argonauten

Auf des Peleus Rat schifften nun die Helden aus der Mündung hervor und schleunig davon, ehe die zurückgelassenen Kolcher zur Besinnung kommen konnten. Diese, als sie innewurden, was geschehen war, gedachten anfangs die Feinde zu verfolgen, aber Hera schreckte sie mit warnenden Blitzen vom Himmel, und da sie zu Hause den Zorn des Königs fürchteten, wenn sie ihm Sohn und Tochter nicht zurückbrächten, so blieben sie auf der Artemisinsel in der Mündung des Ister zurück und siedelten sich hier an.

Die Argonauten aber schifften an mancherlei Gestaden und Inseln vorüber, auch an dem Eilande, wo die Königin Kalypso, die Tochter des Atlas, wohnte. Schon glaubten sie in der Ferne die höchsten Bergspitzen des heimischen Festlandes aufsteigen zu sehen, als Hera, welche die Pläne des erzürnten Zeus fürchtete, einen Sturm gegen sie erhob, der ihr Schiff mit Ungestüm an die unwirtliche Insel Elektris trieb. Jetzt begann auch das weissagende Holz, das Athene mitten in den Kiel eingefügt hatte, zu sprechen, und entsetzliche Furcht ergriff die Horchenden. »Ihr werdet dem Zorn des Zeus und den Irrfahrten des Meeres nicht entgehen«, tönte das hohle Brett, »bevor nicht die Zaubergöttin Kirke euch den grausamen Mord des Absyrtos abgewaschen hat. Kastor und Pollux sollen zu den Göttern beten, dass sie euch die Pfade des Meeres öffnen und ihr Kirke finden könnet, die Tochter des Sonnengottes und der Perse.« So sprach der hölzerne Mund des Schiffes Argo um die Abenddämmerung. Schauder und Furcht ergriff die Helden, als sie den seltsamen Propheten so Schreckliches verkünden hörten. Die Zwillinge Kastor und Pollux allein sprangen auf und hatten den Mut, zu den unsterblichen Göttern um Schutz zu beten; das Schiff aber schoss weiter bis in die innerste Bucht des Eridanos, da wo einst Phaethon verbrannt vom Sonnenwagen in die Flut gefallen war. Noch jetzt schickt er aus der Tiefe Rauch und Glut aus seiner brennenden Wunde hervor, und kein Schiff kann mit leichten Segeln über dieses Gewässer hinfliegen, sondern es springt mitten in die Flamme hinein. Ringsumher am Ufer seufzen, in Pappeln verwandelt, Phaetons Schwestern, die Heliaden, im Winde und träufeln lichte Tränen aus Bernstein auf den Boden, welche die Sonne trocknet und die Flut in den Eridanos hineinzieht. Den Argonauten half zwar ihr starkes Schiff aus dieser Gefahr, aber alle Lust nach Speise und Trank verging ihnen; denn bei Tage peinigte sie der unerträgliche Geruch, der aus den Fluten des Eridanos vom dampfenden Phaethon aufstieg, und bei Nacht hörten sie ganz deutlich das Wehklagen der Helladen und wie die Bernsteintränen gleich Öltropfen ins Meer rollten. An den Ufern des Eridanos hin kamen sie zu einer Mündung des Rhodanos und wären hineingerudert, von wannen sie nicht lebendig herauskommen sollten, wenn nicht Hera plötzlich auf einer Klippe erschienen wäre und mit furchtbarer Götterstimme sie abgemahnt hätte. Diese hüllte das Schiff schirmend in schwarze Nebel, und so fuhren sie an unzähligen Keltenvölkern viele Tage und Nächte vorbei, bis sie endlich das tyrrhenische Ufer erblickten und bald darauf glücklich in den Hafen der Insel Kirkes einliefen.

Hier fanden sie die Zaubergöttin, wie sie, am Meergestade stehend, ihr Haupt in den Wellen badete. Ihr hatte geträumt, das Gemach und ganze Haus strömte über von Blut und die Flamme fresse alle Zaubermittel, mit welchen sie sonst die Fremdlinge behext hatte, sie aber schöpfe mit hohler Hand das Blut und lösche das Feuer damit. Dieser entsetzliche Traum hatte sie mit der Morgenröte vom Lager aufgeschreckt und ans Meeresufer getrieben; hier wusch sie Kleider und Haare, als ob sie blutbefleckt wären. Ungeheure Bestien, nicht andern Tieren ähnlich, sondern aus den verschiedensten Gliedern zusammengesetzt, folgten herdenweise, wie das Vieh dem Hirten aus dem Stalle. Die Helden ergriff entsetzliches Grausen, zumal da sie der Kirke nur ins Angesicht zu sehen brauchten, um sich zu überzeugen, dass sie die Schwester des grausamen Aietes sei. Die Göttin, als sie die nächtlichen Schrecken von sich entfernt hatte, kehrte schnell wieder um, lockte die Tiere und streichelte sie, wie man Hunde streichelt.

Jason hieß die ganze Mannschaft im Schiffe bleiben, er selbst sprang mit Medea ans Land und zog das widerstrebende Mädchen mit sich fort, Kirkes Palast zu. Kirke wusste nicht, was die Fremden bei ihr suchten. Sie hieß sie auf schönen Sesseln Platz nehmen. Jene aber flüchteten still und traurig an den Herd und ließen sich dort nieder. Medea legte ihr Haupt in beide Hände, und Jason stieß das Schwert, mit welchem er den Absyrtos umgebracht hatte, in den Boden, legte die Hand auf dasselbe und stützte sein Kinn darauf, ohne die Augen aufzuschlagen. Da merkte Kirke, dass es Schutzflehende seien, und verstand sogleich, dass es sich um den Jammer der Verbannung und die Sühnung eines Mordes handle. Sie trug Scheu vor Zeus, dem Beschirmer der Flehenden, und brachte das verlangte Opfer dar, indem sie eine Hündin, die frisch geworfen hatte, schlachtete und den reinigenden Zeus dazu anrief. Ihre Dienerinnen, die Najaden, mussten die Sühnungsmittel aus dem Hause und ins Meer tragen; sie selbst stellte sich an den Herd und verbrannte heilige Opferkuchen unter feierlichen Gebeten, um den Zorn der Erinnyen zu besänftigen und die Verzeihung des Göttervaters für die Mordbefleckten anzurufen. Als alles vorüber war, ließ sie die Fremden erst auf die glänzenden Stühle setzen und setzte sich ihnen gegenüber. Dann fragte sie dieselben über ihr Geschäft und ihre Schifffahrt, woher sie kämen, warum sie hier gelandet und wofür sie ihren Schutz begehrt hätten, denn ihr blutiger Traum war ihr wieder in den Sinn gekommen. Als die Jungfrau nun ihr Haupt aufrichtete und ihr ins Angesicht sah, fielen ihr die Augen des Mädchens auf: denn Medea stammte ja wie Kirke selbst vom Sonnengotte; und alle Abkömmlinge dieses Gottes haben strahlende Augen voll Goldglanz. Nun verlangte sie die Muttersprache der Landesflüchtigen zu hören, und die Jungfrau fing an in kolchischer Mundart alles, was mit Aietes, den Helden und ihr geschehen war, der Wahrheit nach zu erzählen; nur die Ermordung ihres Bruders Absyrtos wollte sie nicht gestehen. Aber der Zaubergöttin Kirke blieb nichts verborgen, doch jammerte sie ihre Nichte, und sie sprach: »Arme, du bist unehrlich geflohen und hast einen großen Frevel begangen. Gewiss wird dein Vater nach Griechenland kommen, den Mord seines Sohnes an dir zu rächen. Von mir jedoch sollst du kein weiteres Übel leiden, weil du eine Schutzflehende und dazu meine Verwandte bist. Nur verlang auch keine Hilfe von mir. Entferne dich mit dem fremden Manne, wer es auch sein mag. Ich kann weder deine Pläne noch deine schimpfliche Flucht billigen!« Ein unendlicher Schmerz ergriff die Jungfrau bei diesen Worten. Sie warf den Schleier über ihr Haupt und weinte bitterlich, bis der Held sie an der Hand ergriff und die Wankende mit sich aus Kirkes Palast hinausführte.

Doch Hera erbarmte sich ihrer Schützlinge. Sie sandte ihre Botin Iris auf dem bunten Regenbogenpfade zur Meeresgöttin Thetis hinab, ließ diese zu sich rufen und empfahl das Heldenschiff ihrem Schirm. Sogleich mit Jasons und Medeas Ankunft an Bord fingen nun sanfte Zephyre zu wehen an; froheren Mutes lichteten die Helden die Anker und spannten die hohlen Segel aus. Mit leichtem Winde wogte das Schiff weiter, und bald stellte sich ihnen eine schöne blühende Insel dar, die der Sitz der trügerischen Sirenen war, welche die Vorüberschiffenden durch ihre Gesänge anzulocken und zu verderben pflegten. Halb Vögel, halb Jungfrauen, saßen sie immer auf ihrer Warte, und kein Fremder, der vorüberfuhr, entging ihnen. Auch jetzt sangen sie den Argonauten die schönsten Lieder zu, und schon waren diese im Begriffe, die Taue nach dem Ufer zu werfen und anzulegen, als der thrakische Sänger Orpheus sich von seinem Sitze erhob und seine göttliche Leier so mächtig zu schlagen begann, dass sie die Stimmen der Jungfrauen übertönte; zugleich blies ein tönender, gottgesandter Zephyr in den Rücken des Schiffes, so dass der Sirenengesang ganz in den Lüften verhallte. Nur einer der Genossen, Butes, der Sohn des Teleon, hatte der hellen Stimme der Sirenen nicht zu widerstehen vermocht, sprang von der Ruderbank ins Meer und schwamm dem verführerischen Hall entgegen. Er wäre verloren gewesen, wenn ihn nicht die Beherrscherin des Berges Eryx in Sizilien, Aphrodite, erblickt hätte. Sie riss ihn mitten aus dem Wirbel heraus und warf ihn auf ein Vorgebirge dieser Insel, wo er hinfort wohnen blieb. Die Argonauten betrauerten ihn für tot und schifften neuen Gefahren entgegen, denn sie kamen an eine Meerenge, wo auf der einen Seite der steile Fels der Skylla in die Fluten hinausragte und das Schiff zu zerbrechen, auf der andern Seite der Strudel der Charybdis die Wasser in die Tiefe riss und das Schiff zu verschlingen drohte. Dazwischen irrten unter der Flut vom Grunde losgerissene Felsen, wo sonst die glühende Werkstätte des Hephästos ist; jetzt aber rauchte sie nur und erfüllte den Äther mit Finsternis. Hier begegneten ihnen von allen Seiten die Meernymphen, des Nereus Töchter; im Rücken des Schiffes fasste die Fürstin derselben, Thetis, selbst das Steuerruder. Alle miteinander umgaukelten das Schiff, und wenn es sich den schwimmenden Felsen nähern wollte, so stieß es eine Nymphe der andern zu, wie Jungfrauen, die Ball spielen. Bald stieg es mit den Wellen hoch empor zu den Wolken, bald flog es wieder in den Abgrund hinab. Auf dem Gipfel einer Klippe sah, den Hammer auf die Schulter gelehnt, Hephästos dem Schauspiele zu und vom gestirnten Himmel herab Zeus' Gemahlin, Hera; diese aber ergriff Athenes Hand, denn sie konnte es ohne Schwindel nicht mit ansehen. Endlich waren sie den Gefahren glücklich entgangen und fuhren weiter auf der offenen See, bis sie zu einer Insel kamen, wo die guten Phäaken und ihr frommer König Alkinoos wohnten.

Neue Verfolgung der Kolcher

Hier waren sie aufs Gastlichste aufgenommen worden und wollten sich eben recht gütlich tun, als plötzlich an der Küste ein furchtbares Heer der Kolcher erschien, deren Flotte auf einem andern Wege bis hierher vorgedrungen war. Sie verlangten die Königstochter Medea, um sie in das väterliche Haus zurückzuführen, oder bedrohten die Griechen mit einer mörderischen Schlacht schon jetzt und mehr noch, wenn Aietes selbst mit einem noch gewaltigeren Heere nachkommen würde. Der gute König Alkinoos aber hielt die Helden, da sie schon in die Schlacht eilten, zurück, und Medea umfasste die Knie seiner Gemahlin Arete: »Herrin, ich flehe dich an«, sprach sie, »lass mich nicht zu meinem Vater bringen, wenn du anders dem menschlichen Geschlechte angehörst, das allzumal durch leichten Irrtum in schnelles Unglück stürzt. So ist auch mir die Besonnenheit entschwunden. Doch nicht Leichtsinn, sondern nur entsetzliche Furcht hat mich zur Flucht mit diesem Manne bewogen. Als Jungfrau führt er mich in seine Heimat. Darum erbarme dich meiner, und die Götter mögen dir langes Leben und Kinder und deiner Stadt unsterbliche Zier gewähren.« Auch den einzelnen Helden warf sie sich flehend zu Füßen: ein jeder aber, den sie anrief, hieß sie guten Mutes sein, schüttelte die Lanze, zog sein Schwert und versprach ihr beizustehen, wenn Alkinoos sie ausliefern wollte.

In der Nacht ratschlagte der König mit seiner Gemahlin über das kolchische Mädchen. Arete bat für sie und erzählte ihm, dass der große Held Jason sie zu seiner rechtmäßigen Gemahlin machen wolle. Alkinoos war ein sanfter Mann, und sein Gemüt wurde noch weicher, als er dieses hörte. »Gerne würde ich«, erwiderte er seiner Gemahlin, »die Kolcher den Helden und der Jungfrau zulieb auch mit den Waffen vertreiben, aber ich fürchte das Gastrecht des Zeus zu verletzen; auch ist es nicht klug, den mächtigen König Aietes zu reizen, denn, so ferne er wohnt, er wäre doch im Stande, Griechenland mit einem Kriege zu überziehen. Höre daher den Ratschluss, den ich gefasst habe. Ist das Mädchen noch eine freie Jungfrau, so soll sie dem Vater zurückgegeben werden; ist sie aber des Helden Gemahlin, so werde ich sie dem Gatten nicht rauben, denn diesem gehört sie vor dem Vater.« Arete erschrak, als sie diesen Entschluss des Königs hörte. Noch in der Nacht sandte sie einen Herold

zu Jason, der ihm alles hinterbrachte und ihm riet, sich noch vor Anbruch des Morgens mit Medea zu vermählen. Die Helden, welchen Jason den unerwarteten Vorschlag mitteilte, waren es alle zufrieden, und so wurde unter den Liedern des Orpheus in einer heiligen Grotte die Jungfrau feierlich zur Gattin Jasons geweiht.
Am andern Morgen, als die Ufer der Insel und das tauige Feld von den ersten Sonnenstrahlen schimmerten, rührte sich alles Phäakenvolk auf den Straßen der Stadt, und am andern Ende der Insel standen die Kolcher auch schon unter den Waffen. Alkinoos trat versprochenermaßen hervor aus seinem Palaste, das goldne Zepter in der Hand, zu richten über das Mädchen; hinter ihm gingen scharenweise die edelsten Phäaken einher; auch die Frauen waren zusammengekommen, um die herrlichen Helden der Griechen zu schauen, und viele Landleute hatten sich versammelt, denn Hera hatte das Gerücht weit und breit ausgestreut. So war alles vor den Mauern der Stadt bereit, und die Opfer dampften zum Himmel empor. Schon lange harrten hier die Helden der Entscheidung. Als nun der König auf seinem Throne Platz genommen hatte, trat Jason hervor und erklärte mit eidlicher Bekräftigung die Königstochter Medea für seine rechtmäßige Gemahlin. Sobald Alkinoos dieses hörte und Zeugen der Vermählung aufgetreten waren, tat er mit einem feierlichen Schwure den Ausspruch, dass Medea nicht ausgeliefert werden sollte, und schirmte seine Gäste. Vergebens widersetzten sich die Kolcher; der König hieß sie entweder als friedliche Gäste in seinem Lande wohnen oder mit ihren Schiffen sich aus seinem Hafen entfernen. Sie aber, die den Zorn ihres Landesherrn fürchteten, wenn sie ohne seine Tochter zurückkehrten, wählten das Erstere. Am siebenten Tage brachen die Argonauten, ungern von Alkinoos entlassen und herrlich beschenkt, zur Weiterfahrt auf.

Letzte Abenteuer der Helden

Wieder waren sie an mancherlei Ufern und Inseln vorübergesegelt, und schon erblickten sie in der Ferne die heimische Küste des Pelopslandes, des Peloponnes, als ein grausamer Nordsturm das Schiff erfasste und mitten durchs libysche Meer neun volle Tage und Nächte auf ungewissem Pfade dahinjagte. Endlich wurden sie an das Sandwüstenufer der afrikanischen Syrten verschlagen, in eine Bucht, deren Gewässer, mit dichtem Seegras und trägem Schaume bedeckt, wie ein Sumpf in starrer Ruhe brütete. Ringsum breiteten sich Sandflächen aus, auf denen kein Tier, kein Vogel sichtbar ward. Hier wurde das Schiff von der Flut so dicht ans Gestade geschwemmt, dass der Kiel ganz auf dem Sande aufsaß. Mit Schrecken sprangen die Helden aus dem Fahrzeug, und mit Entsetzen erblickten sie den breiten Erdrücken, der sich, der Luft ähnlich, ohne Abwechslung ins Unendliche ausdehnte. Kein Wasserquell, kein Pfad, kein Hirtenhof zeigte sich; alles ruhte in totem Schweigen. »Weh uns, wie heißt dieses Land? Wohin haben uns die Stürme verschlagen?« So fragten einander die Genossen. »Wären wir doch lieber mitten in die schwimmenden Felsen hineingefahren! Hätten wir lieber etwas gegen Zeus' Willen unternommen und wären in einem großen Versuch untergegangen!« – »Ja«, sagte der Steuermann Ankäos, »die Flut hat uns sitzen lassen und wird uns nicht wieder abholen. Alle Hoffnung der Fahrt und Heimkehr ist abgeschnitten, steure wer da kann und will!« Damit ließ er das Steuerruder aus der Hand gleiten und setzte sich weinend im Schiffe nieder. Wie Männer in einer verpesteten Stadt untätig, Gespenstern gleich dem Verderben entgegensehend, so trauerten die Helden, an dem öden Ufer entlangschleichend. Als der Abend gekommen war, gaben sie einander traurig die Hände zum Abschiede, warfen sich, ohne Nahrung genommen zu haben, der eine da, der andere dort im Sande nieder und erwarteten in ihre Mäntel gehüllt, eine schlaflose Nacht hindurch, den Tag und den Tod. Auf der andern Seite seufzten die phäakischen Jungfrauen, welche Medea vom König Alkinoos zum Geschenke bekommen hatte, um ihre Herrin gedrängt; sie stöhnten wie sterbende Schwäne, ihren letzten Gesang in die Lüfte verhauchend; und gewiss wären sie alle, Männer und Frauen, untergegangen, ohne dass jemand sie betrauert hätte, wenn sich nicht die Beherrscherinnen Libyens, welche drei Halbgöttinnen waren, ihrer erbarmt hätten. Diese erschienen, mit Ziegenfellen vom Hals bis an die Knöchel bedeckt, um die heiße Mittagsstunde dem Jason und zogen ihm den Mantel, mit dem er sein Haupt bedeckt hatte, leise von den Schläfen. Erschrocken sprang er auf und wandte den Blick voll Ehrfurcht von den Göttinnen ab. »Unglücklicher«, sprachen sie, »wir kennen alle deine Mühsale, aber traure nicht länger! Wenn die Meeresgöttin den Wagen des Poseidon losgeschirrt hat, so zollet eurer Mutter Dank, die euch lang im Leibe getragen hat: dann möget ihr ins glückselige Griechenland zurückkehren.« Die Göttinnen verschwanden, und Jason erzählte seinen Genossen das tröstliche, doch rätselhafte Orakel. Während alle sich noch darüber staunend besannen, ereignete sich ein gleich seltsames Wunderzeichen. Ein ungeheures Meerpferd, dem von beiden Seiten goldne Mähnen über den Nacken wallten, sprang vom Meer ans Land und schüttelte den Wasserschaum ab, der von ihm stäubte, wie mit Windesflügeln. Freudig erhub jetzt der Held Peleus seine Stimme und rief: »Die eine Hälfte des Rätselwortes ist erfüllt: die Meeresgöttin hat ihren Wagen abgeschirrt, den dieses Ross gezogen hat, die Mutter aber, die uns lange im Leib getragen, das ist unser Schiff Argo; dem sollen wir jetzt den schuldigen Dank bezahlen. Lasst es uns auf unsere Schultern nehmen und über den Sand hintragen, den Spuren des Meerpferdes nach. Dieses wird ja nicht in den Boden schlüpfen, sondern uns den Weg zu irgendeinem Stapelplatze zeigen.« Gesagt, getan. Die Göttersöhne nahmen das Schiff auf ihre Schultern und seufzten zwölf Tage und zwölf Nächte wandernd unter der Last. Immer ging es über öde, wasserlose Sandflächen hin; hätte sie ein Gott nicht wunderbar gestärkt, sie wären, Männer und Frauen, am ersten Tage erlegen. So aber kamen sie endlich glücklich an die tritonische Meerbucht; hier ließen sie ihre Last von den Schultern gleiten und suchten, vom Durste gepeinigt wie wütende Hunde, nach einem Quell. Unterwegs begegnete der Sänger Orpheus den Hesperiden, den lieblich singenden Nymphen, welche auf dem heiligen Felde saßen, wo der Drache Ladon die goldenen Äpfel gehütet hatte. Diese flehte der Sänger an, den Schmachtenden eine Wasserquelle zu zeigen. Die Nymphen erbarmten sich, und die Vornehmste unter ihnen, Aigle, fing an zu erzählen: »Gewiss ist der kühne Räuber, der gestern hier erschienen ist, der dem Drachen das Leben und uns die goldenen Äpfel genommen hat, euch zum Heile gekommen, ihr Fremdlinge. Es war ein wilder Mann, seine Augen funkelten unter der zornigen Stirne; eine rohe Löwenhaut hing ihm über die Schultern, in der Hand trug er einen Ölzweig und die Pfeile, mit welchen er das Ungeheuer erlegt hat. Auch er kam durstig von der Sandwüste her; da er nirgends Wasser fand, stieß er mit seiner Ferse an einen Felsen. Wie von einem Zauberschlag entfloss diesem reichliches Wasser, und der schreckliche Mann legte sich bis an die Brust auf den Boden, stemmte sich mit beiden Händen an den Felsen und trank nach Herzenslust, bis er wie ein gesättigter Stier sich auf die Erde legte.« So sprach Aigle und zeigte ihnen den Felsquell, um den bald alle Helden sich drängten. Der erfrischende Trank machte sie wieder fröhlich und: »Wahrlich«, sprach einer, nachdem er die brennenden Lippen noch einmal benetzt, »auch getrennt von uns hat Herakles seine Genossen noch gerettet! Möchten wir ihm doch auf unserer ferneren Wanderung noch begegnen!« So machten sie sich auf, der eine da-, der andere dorthin, den Helden zu suchen. Als sie wieder zurückgekommen waren, glaubte ihn allein der scharf blickende Lynkeus von ferne gesehen zu haben, aber nur etwa so, wie ein Bauer den Neumond hinter Wolken erblickt zu haben meint, und er versicherte, dass niemand den Schweifenden erreichen werde. Endlich, nachdem sie durch unglückliche Zufälle zwei Genossen verloren und betrauert hatten, bestiegen sie das Schiff wieder. Lange suchten sie vergebens aus der tritonischen Bucht in die offene See zu gelangen; der Wind blies ihnen entgegen, und das Schiff kreuzte unruhig in dem Hafen hin und her wie eine Schlange, die vergebens aus ihrem Versteck hervorzudringen strebt und zischend mit funkelnden Augen ihr Haupt da- und dorthin kehrt. Auf den Rat des Sehers Orpheus stiegen sie daher noch einmal ans Land und weihten den heimischen Göttern den größten Opferdreifuß, den sie im Schiffe besaßen, und ließen ihn am Gestade zurück. Auf dem Rückwege begegnete ihnen der Meeresgott Triton in Jünglingsgestalt. Er hob eine Erdscholle vom Boden auf und reichte sie als Zeichen der Gastfreundschaft dem Helden Euphemos, der sie in seinem Busen barg. »Mich hat der Vater«, sprach der Meergott, »zum Beschirmer dieser Meeresgegend gesetzt. Sehet, dort wo das Wasser schwarz aus der Tiefe sprudelt, dort ist der schmale Ausweg aus der Bucht ins offene Meer: dorthin rudert; guten Wind will ich euch schicken. Dann seid ihr nicht mehr ferne von der Pelopsinsel!« Fröhlich stiegen sie ins Schiff; Triton nahm den Dreifuß auf die Schulter und verschwand damit in den Fluten. Nun kamen sie nach einer Fahrt von wenigen Tagen unangefochten nach der Felseninsel Karpathos und wollten von da nach dem herrlichen Eilande Kreta überschiffen. Der Wächter dieser Insel war aber der schreckliche Riese Talos. Er war allein noch übrig aus dem ehernen Geschlechte der Menschen, welche einst Buchen entsprossen waren, und Zeus hatte ihn Europa als Schwellenhüter geschenkt, dass er dreimal des Tages mit seinen ehernen Füßen die Runde auf der Insel machen sollte. Dieser war am ganzen Leibe von Erz und deswegen unverwundlich, nur am einen Knöchel hatte er eine fleischerne Sehne und eine Ader, darin Blut floss. Wer diese Stelle wusste und sie treffen konnte, durfte gewiss sein, ihn zu töten, denn er war nicht unsterblich. Als die Helden auf die Insel zuruderten, stand er auf einer der äußersten Klippen mit seiner Wacht beschäftigt; sobald er ihrer ansichtig ward, bröckelte er Felsblöcke los und fing an, sie gegen das herannahende Schiff zu schleudern. Erschrocken ruderten die Argonauten rückwärts; sie hätten, obwohl aufs Neue von Durst geplagt, das schöne Kreta auf der Seite gelassen, hätte sich nicht Medea erhoben und den Erschrockenen zugeredet: »Höret mich, Männer! Ich weiß, wie dieses Ungeheuer zu bändigen ist. Haltet das Schiff nur außerhalb der Steinwurfweite!« Dann hob sie die Falten ihres purpurnen Gewandes empor und bestieg die Schiffsgänge, über welche Jasons Hand sie hinleitete. Mit schauerlicher Zauberformel rief sie dreimal die Leben raubenden Parzen an, die schnellen Hunde der Unterwelt, die in der Luft hausend allenthalben nach den Lebendigen jagen. Hierauf verzauberte sie die Augenlider des ehernen Talos, dass sie sich schlossen und schwarze Traumbilder vor seine Seele traten. Er sank im Schlafe zusammen und stieß den fleischernen Knöchel an eine spitze Felsenkante, dass das Blut wie flüssiges Blei aus der Wunde quoll. Von dem Schmerz aufgeweckt, versuchte er es wieder, einen Augenblick sich aufzurichten; aber wie eine halb angehauene Fichte der erste Windstoß erschüttert und sie endlich krachend in die Tiefe stürzt, so taumelte er noch eine kurze Zeit auf seinen Füßen und stürzte dann entseelt mit ungeheurem Schall in die Meerestiefe.

Jetzt konnten die Genossen ungefährdet landen und erholten sich auf dem gesegneten Eilande bis zum Morgen. Kaum über Kreta hinausgeschifft, erschreckte sie ein neues Abenteuer. Eine entsetzliche Nacht brach ein, die kein Strahl des Mondes, kein Stern erleuchtete: als wäre alle Finsternis aus dem Abgrunde losgelassen, so schwarz war die Luft; sie wussten nicht, ob sie auf dem Meere oder in den Fluten des Tartaros schifften. Mit aufgehobenen Händen flehte Jason zu Phöbos Apollon, sie aus diesem grässlichen Dunkel zu befreien; Angsttränen stürzten ihm von den Wangen, und er versprach dem Gotte die herrlichsten Weihgeschenke. Dieser vernahm sein Flehen, er kam vom Olymp hernieder, sprang auf einen Meerfels, und den goldenen Bogen hoch in den Händen haltend, schoss er silberne Lichtpfeile über die Gegend hin. In dem plötzlichen Lichtglanze zeigte sich ihnen eine kleine Insel, auf welche sie zusteuerten und wo, vor Anker liegend, sie die tröstliche Morgenröte erwarteten. Als sie wieder im heitersten Sonnenlichte auf der hohen See dahinfuhren, da gedachte der Held Euphemos eines nächtlichen Traumes. Ihm hatte gedeucht, die Erdscholle des Triton, die er an der Brust liegen hatte, beginne sich zu beleben und aus seinem Busen zu rollen, dann gestalte sie sich zu einem Jungfrauenbilde, das sprach: »Ich bin die Tochter des Triton und der Libya, vertraue mich den Töchtern des Nereus an, dass ich im Meere wohne bei Anaphe; dann werde ich wieder ans Sonnenlicht hervorkommen und deinen Enkeln bestimmt sein.« An diesen Traum erinnerte sich jetzt Euphemos, denn Anaphe hatte die Insel geheißen, bei der sie den Morgen erwartet hatten. Jason, dem der Held den Traum erzählte, verstand seinen Sinn alsbald: er riet dem Freunde, die Erdscholle, die er auf dem Herzen trug, in die See zu werfen. Dieser tat es, und siehe da, vor den Augen der Schiffenden erwuchs aus dem Meeresgrund eine blühende Insel mit fruchtbarem Rücken. Man nannte sie Kalliste, das heißt die Schönste, und Euphemos bevölkerte sie in der Folge mit seinen Kindern.

Dies war das letzte Wunder, das die Helden erlebten. Bald darauf nahm sie die Insel Ägina auf. Von dort der Heimat zusteuernd, lief ohne weiteren Unfall das Schiff Argo mit seinen Helden glücklich in den Hafen von Jolkos ein. Jason weihte das Schiff auf der korinthischen Meerenge dem Poseidon, und als es längst in Staub zerfallen war, glänzte es, in den Himmel erhoben, am südlichen Firmament als ein leuchtendes Gestirn.

Jasons Ende

Jason gelangte nicht zu dem Throne von Jolkos, um dessentwillen er die gefahrvolle Fahrt bestanden, Medea ihrem Vater geraubt und an ihrem Bruder Absyrtos einen schändlichen Mord begangen hatte. Er musste das Königreich dem Sohne des Pelias, Akastos, überlassen und sich mit seiner jungen Gemahlin nach Korinth flüchten. Hier wohnte er zehn Jahre mit ihr, und sie gebar ihm drei Söhne. Die beiden ältesten waren Zwillinge und hießen Thessalos und Alkimenes; der dritte, Tisander, war viel jünger. Während jener Zeit war Medea nicht nur um ihrer Schönheit willen, sondern auch wegen ihres edlen Sinnes und ihrer übrigen Vorzüge von ihrem Gatten geliebt und geehrt. Als dann aber mit der Zeit die Reize ihrer Gestalt dahinschwanden, wurde Jason von der Schönheit eines jungen Mädchens, der Tochter des Korintherkönigs Kreon, mit Namen Glauke, entzündet und betört. Ohne dass seine Gattin darum wusste, warb er um die Jungfrau, und nachdem der Vater eingewilligt und den Tag der Hochzeit bestimmt hatte, suchte er erst seine Gemahlin zu bewegen, dass sie freiwillig auf die Ehe mit ihm verzichte. Er versicherte sie auch, dass er die neue Heirat nicht schließen wolle, weil er ihrer Liebe überdrüssig sei, sondern aus Fürsorge für seine Kinder suche er in Verwandtschaft mit dem hohen Königshause zu treten. Aber Medea war entrüstet über diesen Antrag und rief zürnend die Götter an als Zeugen seiner Schwüre. Jason achtete dessen nicht und vermählte sich mit der Königstochter. Verzweifelnd irrte Medea in dem Palaste ihres Gatten umher. »Wehe mir«, rief sie, »möchte die Flamme des Himmels auf mein Haupt herniederzücken! Was soll ich länger leben? Möchte der Tod sich meiner erbarmen! O Vater, o Vaterstadt, die ich schimpflich verlassen habe! O Bruder, den ich gemordet und dessen Blut jetzt über mich kommt! Aber nicht an meinem Gatten Jason war es, mich zu strafen, für ihn habe ich gesündigt! Göttin der Gerechtigkeit, mögest du ihn und sein junges Kebsweib verderben!«

Noch jammerte sie so, als Kreon, Jasons neuer Schwiegervater, im Palaste ihr begegnete. »Du finster Blickende, auf deinen Gemahl Ergrimmte«, redete er sie an, »nimm deine Söhne an der Hand und verlasse mir mein Land auf der Stelle; ich werde nicht nach Hause kehren, ehe ich dich über meine Grenze gejagt.« Medea, ihren Zorn unterdrückend, sprach mit gefasster Stimme: »Warum fürchtest du ein Übel von mir, Kreon? Was hast du mir Böses getan, was warest du mir schuldig? Du hast deine Tochter dem Manne gegeben, der dir gefallen hat. Was ging ich dich an? Nur meinen Gatten hasse ich, der mir alles schuldig ist. Doch es ist geschehen: mögen sie als Gatten leben. Mich aber lasst in diesem Lande wohnen; denn obgleich ich tief gekränkt bin, so will ich doch schweigen und den Mächtigern mich unterwerfen.« Aber Kreon sah ihr die Wut in den Augen an, er traute ihr nicht, obgleich sie seine Knie umschlang und ihn bei dem Namen der eigenen, ihr so verhassten Tochter Glauke beschwor. »Geh«, erwiderte er, »und befreie mich von Sorgen!« Da bat sie nur um einen einzigen Tag Aufschub, um einen Weg zur Flucht und ein Asyl für ihre Kinder wählen zu können. »Meine Seele ist nicht tyrannisch«, sprach nun der König, »schon viel törichte Nachgiebigkeit habe ich aus falscher Scheu geübt. Auch jetzt fühle ich, dass ich nicht weise handle; dennoch sei es dir gestattet, Weib.«

Als Medea die gewünschte Frist erhalten hatte, bemächtigte sich ihrer der Wahnsinn, und sie schritt zur Vollführung einer Tat, die ihr wohl bisher dunkel nur im Geiste vorgeschwebt, an deren Möglichkeit sie aber selbst nicht geglaubt hatte. Dennoch machte sie vorher einen letzten Versuch, ihren Gatten von seinem Unrecht und seinem Frevel zu überzeugen. Sie trat vor ihn und sprach zu ihm: »O du schlimmster aller Männer, du hast mich verraten, bist einen neuen Ehebund eingegangen, während du doch Kinder hast. Wärest du kinderlos, so wollte ich dir verzeihen; du hättest eine Ausrede. So bist du unentschuldbar; ich weiß nicht, meinst du, die Götter, die damals herrschten, als du mir Treue versprachest, regieren nicht mehr, oder es seien den Menschen neue Gesetze für ihre Handlungen gegeben worden, dass du glaubst meineidig werden zu dürfen? Sage mir, ich will dich fragen, als wenn du mein Freund wärest: wohin rätst du mir zu gehen? Schickst du mich zurück in meines Vaters Haus, den ich verraten, dem ich den Sohn getötet habe, dir zulieb? Oder welche andere Zuflucht weißt du für mich? Fürwahr, es wird ein herrlicher Ruhm für dich, den Neuvermählten, sein, wenn deine erste Gattin mit deinen eigenen Söhnen in der Welt betteln geht!« Doch Jason war verhärtet. Er versprach ihr, sie und die Kinder mit reichlichem Gelde und Briefen an seine Gastfreunde versehen zu entlassen. Sie aber verschmähte alles: »Geh, vermähle dich«, sprach sie, »du wirst eine Hochzeit feiern, die dich schmerzen wird!« Als sie ihren Gemahl verlassen hatte, reuten sie die letzten Worte wieder, nicht weil sie andern Sinnes geworden war, sondern weil sie fürchtete, er möchte ihre Schritte beobachten und sie an der Ausübung ihres Frevels verhindern. Sie ließ daher um eine zweite Unterredung mit ihm bitten und sprach zu ihm mit veränderter Miene: »Jason, verzeih mir, was ich gesprochen;

der blinde Zorn hat mich verführt, ich sehe jetzt ein, dass alles, was du getan hast, zu unserm eigenen Besten gereichen soll. Arm und verbannt sind wir hierher gekommen, du willst durch deine neue Heirat für dich, für deine Kinder, zuletzt auch für mich sorgen. Wenn sie eine Weile ferne gewesen sind, wirst du deine Söhne zurückberufen, wirst sie teilnehmen lassen an dem Glücke der Geschwister, die sie erhalten sollen. Kommt herbei, kommt herbei, Kinder, umarmt euren Vater, versöhnt euch mit ihm, wie ich mich mit ihm versöhnt habe!« Jason glaubte an diese Sinnesänderung und war hocherfreut darüber, er versprach ihr und den Kindern das Beste; und Medea fing an, ihn noch sicherer zu machen. Sie bat ihn, die Kinder bei sich zu behalten und sie allein ziehen zu lassen. Damit die neue Gattin und ihr Vater dieses dulde, ließ sie aus ihrer Vorratskammer köstliche goldene Gewänder holen und reichte sie dem Jason als Brautgeschenk für die Königstochter. Nach einigem Bedenken ließ dieser sich überreden, und ein Diener ward abgesandt, die Gaben der Braut zu bringen. Aber diese köstlichen Kleider waren mit Zauberkraft getränkte giftige Gewande, und als Medea heuchlerischen Abschied von ihrem Gatten genommen hatte, harrte sie von Stunde zu Stunde der Nachricht vom Empfang ihrer Geschenke, die ein vertrauter Bote ihr bringen sollte. Dieser kam endlich und rief ihr entgegen: »Steig in dein Schiff, Medea, fliehe, fliehe! Deine Feindin und ihr Vater sind tot. Als deine Söhne mit ihrem Vater das Haus der Braut betraten, freuten wir Diener uns alle, dass die Zwietracht verschwunden und die Versöhnung vollkommen sei. Die junge Königin empfing deinen Gatten mit heiterem Blick; als sie aber die Kinder sah, bedeckte sie ihre Augen, wandte das Antlitz ab und verabscheute ihre Gegenwart. Doch Jason besänftigte ihren Zorn, sprach ein gutes Wort für dich und breitete die Geschenke aus. Als sie die herrlichen Gewänder sah, wurde ihr Herz von der Pracht gereizt; ihren Sinn ändernd, versprach sie ihrem Bräutigam in alles zu willigen. Als dein Gemahl mit den Söhnen sie verlassen hatte, griff sie mit Begierde nach dem Schmuck, legte den Goldmantel um, setzte den goldenen Kranz sich ins Haar und betrachtete sich vergnügt in einem hellen Spiegel. Dann durchwandelte sie die Gemächer und freute sich wie ein kindisches Mädchen ihrer Herrlichkeit. Bald aber wechselte das Schauspiel. Sie verfärbte sich jäh; an allen Gliedern zitternd, wankte sie rückwärts, und bevor sie ihren Sitz erreicht hatte, stürzte sie auf den Boden nieder, erbleichte, begann die Augensterne zu verdrehen, und Schaum trat ihr über den Mund. Wehklagen ertönte in dem Palaste; die einen Diener eilten zu ihrem Vater, die andern zu ihrem künftigen Gatten. Inzwischen flammte der verzauberte Kranz auf ihrem Haupte in Feuer auf; Gift und Flamme zehrten an ihr um die Wette, und als ihr Vater jammernd herbeigestürzt kam, fand er nur noch den entstellten Leichnam der Tochter. Er warf sich in Verzweiflung über sie: von dem Gifte des mörderischen Gewandes ergriffen, hat auch er sein Leben geendet. Von Jason weiß ich nichts.«

Die Erzählung dieser Gräuel, statt die Wut Medeas zu dämpfen, entflammte sie vielmehr, und ganz zur Furie der Rachsucht geworden, rannte sie fort, ihrem Gatten und sich selbst den tödlichsten Schlag zu versetzen. Sie eilte nach der Kammer, wo ihre Söhne schliefen, denn die Nacht war herbeigekommen. »Waffne dich, mein Herz«, sprach sie unterwegs zu sich selber, »was zögerst du, das Grässliche und Notwendige zu vollbringen? Vergiss, Unglückliche, dass es deine Kinder sind, dass du sie geboren hast. Nur diese eine Stunde vergiss es! Nachher beweine sie dein ganzes Leben lang. Du tust ihnen selber einen Dienst. Tötest du sie nicht, so sterben sie von einer feindseligen Hand.«

Als Jason in sein Haus gestürzt kam, die Mörderin seiner jungen Braut aufzusuchen und sie seiner Rache zu opfern, scholl ihm das Jammergeschrei seiner Kinder entgegen, die unter dem Mordstahl bluteten; er trat in die aufgestoßene Kammer und fand seine Söhne wie Schuldopfer hingewürgt, Medea aber war nicht zu erblicken. Als er in Verzweiflung sein Haus verließ, hörte er in der Luft ein Geräusch über seinem Haupte. Emporschauend ward er hier die fürchterliche Mörderin gewahr, wie sie auf einem mit Drachen bespannten Wagen, den ihre Kunst herbeigezaubert hatte, durch die Lüfte davonfuhr und den Schauplatz ihrer Rache verließ. Jason hatte die Hoffnung verloren, sie je für ihren Frevel zu strafen; die Verzweiflung kam über ihn, der Mord des Absyrtos wachte wieder auf in seiner Seele; er stürzte sich in sein Schwert und fiel auf der Schwelle seines Hauses.

MELEAGER UND DIE EBERJAGD

Geneus, der König von Kalydon, brachte die Erstlinge eines mit besonderer Fülle gesegneten Jahres den Göttern dar; der Demeter Feldfrüchte, dem Bacchos Wein, Öl der Athene und so jeder Gottheit die ihr willkommene Frucht, nur Artemis wurde von ihm vergessen, und ihr Altar blieb ohne Weihrauch. Dies erzürnte die Göttin, und sie beschloss, Rache an ihrem Verächter zu nehmen. Ein verheerender Eber wurde von ihr auf die Fluren des Königs losgelassen. Glut sprühten seine roten Augen, sein Nacken starrte; gleich Schanzpfählen richteten sich seine struppigen Borsten auf, aus dem schäumenden Rachen schoss es ihm wie ein Blitzstrahl, und seine Hauer waren gleich riesigen Elefantenzähnen. So stampfte er durch Saaten und Kornfelder hin; Tenne und Scheuer warteten vergeblich auf die versprochene Ernte; die Trauben fraß er mitsamt den Ranken, die Olivenbeeren mitsamt den Zweigen ab; Schäfer und Schäferhunde vermochten ihre Herden, die trotzigsten Stiere ihre Rinder nicht gegen das Ungeheuer zu verteidigen. Endlich erhob sich der Sohn des Königs, der herrliche Held Meleager, und versammelte Jäger und Hunde, den grausamen Eber zu erlegen. Die berühmtesten Helden aus ganz Griechenland kamen, zu der großen Jagd eingeladen, unter ihnen auch die heldenmütige Jungfrau Atalante aus Arkadien, die Tochter des Jason. In einem Walde ausgesetzt, von einer Bärin gesäugt, von Jägern gefunden und erzogen, brachte die schöne Männerfeindin ihr Leben im Walde zu und lebte von der Jagd. Alle Männer wehrte sie von sich ab, und zwei Kentauren, die ihr in der Einsamkeit nachstellten, hatte sie mit ihren Pfeilen erlegt. Jetzt lockte sie die Liebe zur Jagd hervor in die Gemeinschaft der Helden. Sie kam, ihr einfaches Haar in einen einzelnen Knoten gebunden, über den Schultern hing ihr der elfenbeinerne Köcher, die Linke hielt den Bogen; ihr Antlitz wäre an Knaben ein Jungfrauengesicht, an Jungfrauen ein Knabengesicht gewesen. Als Meleager sie in ihrer Schönheit erblickte, sprach er bei sich selbst: »Glücklich der Mann, den diese würdiget, ihr Gatte zu sein!« Mehr zu denken erlaubte ihm die Zeit nicht, denn die gefährliche Jagd durfte nicht länger aufgeschoben werden.

Die Schar der Jäger ging einem Gehölze mit uralten Stämmen zu, das, in der Ebene anfangend, sich einen Bergabhang hinanzog. Als die Männer hier angekommen waren, stellten die einen Netze, die andern ließen die Hunde von der Fessel los, wieder andere folgten schon der Fährte. Bald gelangte man in ein abschüssiges Tal, das die geschwollenen Waldbäche ausgehöhlt; Binsen, Sumpfgras, Weidengebüsch und Schilfrohr wucherten unten im Abgrunde. Hier hatte das Schwein im Versteck gelegen, und von den Hunden aufgejagt, durchbrach es das Gehölz wie ein Blitzstrahl die Wetterwolke und stürzte sich wütend mitten unter die Feinde. Die Jünglinge schrien laut auf und hielten ihm die eisernen Spitzen ihrer Speere vor; aber der Eber wich aus und durchbrach eine Koppel von Hunden. Geschoss um Geschoss flog ihm nach, aber die Wunden streiften ihn nur und vermehrten seinen Grimm. Mit funkelndem Auge und dampfender Brust kehrte er um, flog wie ein vom Wurfgeschosse geschleuderter Felsblock auf die rechte Flanke der Jäger und riss ihrer drei, tödlich verwundet, zu Boden. Ein vierter, es war Nestor, der nachmals so berühmte Held, rettete sich auf die Äste eines Eichbaumes, an dessen Stamm der Eber grimmig seine Hauer wetzte. Hier hätten ihn die Zwillingsbrüder Kastor und Pollux, die hoch auf schneeweißen Rossen saßen, mit ihren Speeren erreicht, wenn das borstige Tier sich nicht ins unzugänglichere Dickicht geflüchtet hätte. Jetzt legte Atalante einen Pfeil auf ihren Bogen und sandte ihn dem Tier in das Gebüsch nach. Das Rohr traf den Eber unter dem Ohr, und zum ersten Mal rötete Blut seine Borsten. Meleager sah die Wunde zuerst und zeigte sie jubelnd seinen Gefährten. »Fürwahr, o Jungfrau«, rief er, »der Preis der Tapferkeit gebühret dir!« Da schämten sich die Männer, dass ein Weib ihnen den Sieg streitig machen sollte, und alle zumal warfen ihre Speere; aber gerade dieser Schwarm von Geschossen verhinderte die Würfe, das Tier zu treffen. Mit stolzen Worten erhob jetzt der Arkadier Ankäos die doppelte Streitaxt mit seinen beiden Händen und stellte sich zum Hieb ausholend auf die Zehen. Aber der Eber stieß ihm die beiden Hauer in die Weichen, ehe er den Streich vollführen konnte, und er stürzte, von Blut gebadet, mit entblößten Gedärmen auf den Boden. Dann warf Jason* seinen Speer; allein diesen lenkte der Zufall in den Nacken einer unschuldigen Dogge. Endlich schoss Meleager zwei Speere hintereinander ab. Der erste fuhr in den Boden, der zweite dem Eber mitten in den Rü-

* Die Eberjagd fiel vor den Argonautenzug.

cken. Das Tier fing an zu toben und sich im Kreise zu drehen. Schaum und Blut quoll aus seinem Munde, Meleager versetzte ihm mit dem Jagdspieße eine neue Wunde in den Hals, und nun fuhren ihm von allen Seiten die Spieße in den Leib. Der Eber, weit auf der Erde ausgestreckt, wälzte sich sterbend in seinem Blute. Meleager stemmte seinen Fuß auf den Kopf des Getöteten, streifte mit Hilfe seines Schwertes die borstige Hülle des Rückens vom Leibe des Tieres nieder und reichte sie mitsamt dem abgehauenen Haupte, aus dem die mächtigen Hauer hervorschimmerten, der tapferen Arkadierin Atalante. »Nimm die Beute hin«, sprach er, »die von Rechts wegen mir gehörte; ein Teil des Ruhmes soll auch auf dich kommen!« Diese Ehre missgönnten die Jäger dem Weibe, und rings in der Schar erhob sich ein Gemurmel. Mit geballten Fäusten und lauter Stimme traten vor Atalante die Söhne des Thestios hin, Meleagers Muttersbrüder. »Auf der Stelle«, riefen sie, »lege die Beute nieder, Weib, und erschleiche nicht, was uns zugehöret; deine Schönheit dürfte dir sonst wenig helfen und dein verliebter Gabenspender auch nicht!« Mit diesen Worten nahmen sie ihr das Geschenk weg und sprachen dem Helden das Recht ab, darüber zu verfügen. Dies ertrug Meleager nicht. Vor Jähzorn knirschend, schrie er: »Ihr Räuber fremden Verdienstes! Lernet von mir, wie weit Drohungen von Taten verschieden sind!« Und damit stieß er dem einen und, eh dieser sich besinnen konnte, auch dem andern Oheim den Stahl in die Brust.

Althäa, die Mutter Meleagers, war auf dem Wege nach dem Göttertempel, um Dankopfer für den Sieg ihres Sohnes darzubringen, als sie die Leichen ihrer Brüder herbeibringen sah. Sie zerschlug sich wehklagend die Brust, eilte in ihren Palast zurück, legte statt der goldenen Freudengewänder schwarze Kleidung an und erfüllte die Stadt mit Jammergeschrei. Aber als sie erfuhr, dass der Urheber des Mordes ihr eigener Sohn Meleager sei, da versiegten ihre Tränen, ihre Trauer war in Mordlust verwandelt, und sie schien sich plötzlich auf etwas zu besinnen, das ihrem Gedächtnis längst entschwunden war. Denn als Meleager nur erst wenige Stunden zählte, da waren die Parzen bei dem Wochenbette seiner Mutter Althäa erschienen. »Aus deinem Sohne wird ein tapferer Held«, verkündete ihr die erste; »dein Sohn wird ein großmütiger Mann sein«, sprach die zweite; »dein Sohn wird so lange leben«, schloss die dritte, »als der eben jetzt auf dem Herde glühende Brand vom Feuer nicht verzehrt wird.« Kaum hatten sich die Parzen entfernt, so nahm die Mutter das hell auflodernde Brandscheit aus dem Feuer, löschte es in Wasserflut, und liebevoll für das Leben ihres Sohnes besorgt, verwahrte sie es im geheimsten ihrer Gemächer. Entflammt von Rache dachte sie jetzt wieder an dieses Holz und eilte in die Kammer, wo es in einem heimlichen Verschlusse sorgfältig aufbewahrt lag. Sie hieß Kienholz auf Reisig legen und fachte einen lodernden Brand an. Dann ergriff sie das hervorgesuchte Holzscheit. Aber in ihrem Herzen bekämpften sich Mutter und Schwester, blasse Angst und glühender Zorn wechselten auf ihrem Angesichte; viermal wollte sie den Ast auf die Flammen legen, viermal zog sie die Hand zurück. Endlich siegte die Schwesterliebe über das Muttergefühl. »Wendet eure Blicke hierher«, sprach sie, »ihr Strafgöttinnen, zu diesem Furienopfer! Und ihr, kürzlich geschiedene Geister meiner Brüder, fühlet, was ich für euch tue, sieget und nehmet als teuer erkauftes Totengeschenk die unselige Frucht meines eigenen Leibes an! Mir selbst bricht das Herz von Mutterliebe, und bald werde ich dem Troste, den ich euch sende, selbst nachfolgen.« So sprach sie, und mit abgewendetem Blick und zitternder Hand legte sie das Holz mitten in die Flammen hinein.

Meleager, der inzwischen auch in die Stadt zurückgekehrt war und über seinem Siege, seiner Liebe und seiner Mordtat in wechselnden Empfindungen brütete, fühlte plötzlich, ohne zu wissen woher, seinen innersten Leib von einer heimlichen Fieberglut ergriffen, und verzehrende Schmerzen warfen ihn auf das Lager. Er besiegte sie mit Heldenkraft; aber es jammerte ihn tief, eines unrühmlichen und unblutigen Todes sterben zu müssen. Er beneidete die Genossen, die unter den Streichen des Ebers gefallen waren, er rief den Bruder, die Schwestern, den greisen Vater und mit stöhnendem Munde auch die Mutter herbei, die noch immer am Feuer stand und mit starren Augen dem sich verzehrenden Brande zusah. Der Schmerz ihres Sohnes wuchs mit dem Feuer, aber als allmählich die Kohle sich in der bleichenden Asche verbarg, erlosch auch seine Qual, und er verhauchte seinen Geist mit dem letzten Funken in die Luft. Über seiner Leiche wehklagten Vater und Schwestern, und ganz Kalydon trauerte; nur die Mutter war ferne. Den Strick um den Hals gewunden, fand man ihre Leiche vor dem Herde niedergestreckt, auf welchem die verglommene Asche des Feuerbrandes ruhte.

TANTALOS

Tantalos, ein Sohn des Zeus, herrschte zu Sipylos in Phrygien und war außerordentlich reich und berühmt. Wenn je einen sterblichen Mann die olympischen Götter geehrt haben, so war es dieser. Seiner hohen Abstammung wegen wurde er zu ihrer vertrauten Freundschaft erhoben, zuletzt durfte er an der Tafel des Zeus speisen und alles mit anhören, was die Unsterblichen unter sich besprachen. Aber sein eitler Menschengeist vermochte das überirdische Glück nicht zu tragen, und er fing an, mannigfach gegen die Götter zu freveln. Er verriet den Sterblichen die Geheimnisse der Himmlischen; er entwandte von ihrer Tafel Nektar und Ambrosia und verteilte den Raub unter seine irdischen Genossen; er barg den köstlichen goldenen Hund, den ein anderer aus dem Zeustempel zu Kreta gestohlen hatte, und als dieser ihn zurückforderte, leugnete er mit einem Eide ab, ihn erhalten zu haben. Endlich lud er im Übermute die Götter wieder zu Gaste, und um ihre Allwissenheit auf die Probe zu setzen, ließ er ihnen seinen eigenen Sohn Pelops schlachten und zurichten. Nur Demeter, in kummervolle Gedanken an ihre geraubte Tochter Persephone versunken, verzehrte von dem grässlichen Gerichte ein Schulterblatt, die übrigen Götter aber merkten den Gräuel, warfen die zerstückelten Glieder des Knaben in einen Kessel, und die Parze Klotho zog ihn mit erneuter Schönheit hervor. Anstatt der verzehrten Schulter wurde eine elfenbeinerne eingesetzt.

Jetzt hatte Tantalos das Maß seiner Frevel erfüllt und wurde von den Göttern in die Hölle gestoßen, um hier von quälenden Leiden gepeinigt zu werden. Er stand mitten in einem Teiche, und die Wasser spielten ihm um das Kinn, dennoch litt er brennendsten Durst und konnte den Trank, der ihm so nahe war, niemals erreichen. Sooft er sich bückte und den Mund gierig ans Wasser bringen wollte, entschwand versiegend vor ihm die Flut, und der dunkle Boden erschien zu seinen Füßen; ein Dämon schien den See ausgetrocknet zu haben. So litt er zugleich den peinigendsten Hunger. Hinter ihm strebten am Ufer des Teiches herrliche Fruchtbäume empor und wölbten ihre Äste über seinem Haupte. Wenn er sich emporrichtete, so lachten ihm saftige Birnen, rotwangige Äpfel, glühende Granaten, liebliche Feigen und grüne Olivenbeeren ins Auge; aber sobald er hinauflangte, sie mit seiner Hand zu fassen, so riss ein

Sturmwind, der plötzlich angeflogen kam, die Zweige hoch hinauf zu den Wolken. Zu dieser Höllenpein gesellte sich beständige Todesangst, denn ein großes Felsenstück hing über seinem Haupte in der Luft und drohte unaufhörlich auf ihn herabzustürzen. So ward dem Verächter der Götter, dem ruchlosen Tantalos, dreifache Qual, niemals endend, in der Unterwelt beschieden.

PELOPS

So schwer der Vater an den Göttern sich versündigt hatte, so fromm ehrte sie sein Sohn Pelops. Er war nach der Verbannung seines Vaters in die Unterwelt in einem Kriege mit dem benachbarten Könige Trojas aus seinem phrygischen Reiche vertrieben worden und wanderte nach Griechenland aus. Eben erst bekleidete sich das Kinn des Jünglings mit schwärzlicher Wolle, aber schon hatte er sich im Herzen eine Gattin ausersehen. Es war dies die schöne Tochter des Königs von Elis, Unomaos, mit Namen Hippodamia. Sie war ein Kampfpreis, der nicht leicht zu erringen war. Das Orakel hatte nämlich ihrem Vater vorhergesagt, er werde sterben, wenn seine Tochter einen Gatten erhielte. Deswegen wandte der erschrockene König alles an, um jeden Freier von ihr zu entfernen. Er ließ eine Verkündigung in alle Lande hinausgehen, dass derjenige seine Tochter zur Gemahlin erhalten sollte, der ihn selbst im Wagenrennen überwinden würde. Wen aber er, der König, besiegte, der sollte sein Leben lassen. Der Wettlauf geschah von Pisa aus nach dem Altare des Poseidon auf der Meerenge bei Korinth, und die Zeit zur Abfahrt der Wagen bestimmte der Vater also: er selbst wollte erst gemächlich dem Zeus einen Widder opfern, während der Freier mit dem vierspännigen Wagen ausführe; erst wenn er das Opfer beendigt hätte, sollte er selbst den Lauf beginnen und auf seinem von dem Wagenlenker Myrtilos geleiteten Wagen, mit einem Spieß in der Hand, den Freier verfolgen. Gelänge es ihm, den vorauseilenden Wagen einzuholen, so sollte er das Recht haben, den Freier mit seinem Spieß zu durchbohren. Als die vielen Freier, welche Hippodamia wegen ihrer Schönheit zählte, dieses vernahmen, waren sie alle getrosten Mutes. Sie hielten den König Unomaos für einen altersschwachen Greis, der im Bewusstsein, mit Jünglin-

gen doch nicht in die Wette rennen zu können, ihnen absichtlich einen so großen Vorsprung bewilligte, um seine wahrscheinliche Niederlage aus dieser Großmut erklären zu können. Daher kam einer um den andern nach Elis gezogen, stellte sich dem Könige vor und begehrte seine Tochter zum Weibe. Dieser empfing sie jedes Mal freundlich, überließ ihnen ein schönes Viergespann zur Fahrt und ging hin, dem Zeus einen Widder zu opfern, wobei er sich gar nicht beeilte. Dann erst bestieg er einen leichten Wagen, vor welchen seine beiden Rosse Phylla und Harpinna gespannt waren, die geschwinder liefen als der Nordwind. Mit ihnen holte sein Wagenlenker die Freier jedes Mal noch lange vor Ende der Bahn ein, und unversehens durchbohrte sie der Speer des grausamen Königs von hinten. Auf diese Art hatte er schon mehr als zwölf Freier erlegt, denn immer holte er sie mit seinen schnellen Pferden ein.
Nun war Pelops auf seiner Fahrt nach der Geliebten an der Halbinsel, die später seinen Namen führen sollte, gelandet. Bald hörte er, was sich zu Elis mit den Freiern zutrage. Da trat er nächtlicherweile ans Meeresufer und rief seinen Schutzgott, den mächtigen Dreizackschwinger Poseidon, an, der ihm zu Füßen aus der Meeresflut emporrauschte. »Mächtiger Gott«, rief Pelops ihn an, »wenn dir selbst die Geschenke der Liebesgöttin willkommen sind, so lenke den ehernen Speer des Unomaos von mir ab, entsende mich auf dem schnellsten Wagen gen Elis und führe mich zum Siege. Denn schon hat er dreizehn liebende Männer ins Verderben gestürzt, und noch schiebt er die Hochzeit der Tochter auf. Eine große Gefahr duldet keinen unkriegerischen Mann. Ich bin entschlossen, sie zu bestehen. Wer doch einmal sterben muss, was soll der ein namenloses Alter in Finsternis dasitzend erwarten, alles Edlen unteilhaftig? Darum will ich den Kampf bestehen: gib du mir den erwünschten Erfolg!«
So betete Pelops, und sein Flehen war nicht vergebens. Denn abermals rauschte es in den Wassern, und ein schimmernder goldner Wagen mit vier pfeilschnellen Flügelrossen stieg aus den Wellen empor. Auf ihn schwang sich Pelops und flog, die Götterpferde nach Gefallen lenkend, mit dem Wind um die Wette nach Elis. Als Önomaos ihn kommen sah, erschrak er, denn auf den ersten Blick erkannte er das göttliche Gespann des Meergottes. Doch verweigerte er dem Fremdling den Wettkampf nach den gewohnten Bedingungen nicht; auch er verließ sich auf die Wunderkraft seiner eigenen Rosse, die es dem Winde zuvortaten. Nach-

dem die Pferde des Pelops von der Reise durch die Halbinsel gerastet, betrat er mit ihnen die Laufbahn. Schon war er dem Ziele ganz nahe, als der König, der das Widderopfer wie gewöhnlich verrichtet hatte, mit seinen luftigen Rossen plötzlich ihm auf den Nacken kam und schon den Speer schwang, dem kühnen Freier den tödlichen Stoß zu versetzen. Da fügte es Poseidon, der den Pelops beschirmte, dass mitten im Laufe die Räder des königlichen Wagens aus den Fugen gingen und dieser zusammenbrach. Önomaos stürzte zu Boden und gab im Fallen den Geist auf. In demselben Augenblicke hielt Pelops mit seinem Viergespann am Ziele. Als er hinter sich blickte, sah er den Palast des Königs in Flammen stehen; ein Blitzstrahl hatte ihn angezündet und zerstörte ihn von Grund aus, dass nichts als eine Säule davon stehen blieb. Pelops aber eilte mit seinem Flügelgespann dem brennenden Hause zu und holte sich die Braut aus den Flammen.

NIOBE

Niobe, die Königin von Theben, war auf vieles stolz. Amphion, ihr Gemahl, hatte von den Musen die herrliche Leier erhalten, auf deren Spiel sich die Steine der thebischen Königsburg von selbst zusammensetzten; ihr Vater war Tantalos, der Gast der Götter; sie war die Gebieterin eines gewaltigen Reiches und selbst voll Hoheit des Geistes und von majestätischer Schönheit; nichts aber von allem diesem schmeichelte ihr so sehr wie die stattliche Zahl ihrer vierzehn blühenden Kinder, die zur einen Hälfte Söhne und zur andern Töchter waren. Auch hieß Niobe unter allen Müttern die glücklichste, und sie wäre es gewesen, wenn sie sich nur selbst nicht dafür gehalten hätte; so aber wurde das Bewusstsein ihres Glückes ihr Verderben.

Einst rief die Seherin Manto, die Tochter des Wahrsagers Teiresias, von göttlicher Regung angetrieben, mitten in den Straßen die Frauen Thebens zur Verehrung Letos und ihrer Zwillingskinder, Apollons und der Artemis, auf, hieß sie die Haare mit Lorbeeren bekränzen und frommes Gebet unter Weihrauchopfer darbringen. Als nun die Thebanerinnen zusammenströmten, kam auf einmal Niobe im Schwarm eines königlichen Gefolges, mit einem golddurchwirkten Gewande angetan, prunkend einhergerauscht. Sie strahlte von Schönheit, so weit es der Zorn zuließ, ihr schmuckes Haupt bewegte sich zugleich mit dem über beide Schultern herabwallenden Haar. So stand sie in der Mitte der unter freiem Himmel mit dem Opfer beschäftigten Frauen, ließ die Augen voll Hoheit auf dem Kreise der Versammelten ruhen und rief: »Seid ihr nicht wahnsinnig, Götter zu ehren, von denen man euch fabelt, während vom Himmel begünstigtere Wesen mitten unter euch weilen? Wenn ihr der Leto Altäre errichtet, warum bleibt mein göttlicher Name ohne Weihrauch? Ist doch mein Vater Tantalos der einzige Sterbliche, der am Tische der Himmlischen gesessen hat, meine Mutter Dione, die Schwester der Plejaden, die als leuchtendes Gestirn am Himmel glänzen; einer meiner Ahnen Atlas, der Gewaltige, der das Gewölbe des Himmels auf dem Nacken trägt; mein Vatersvater Zeus, der Vater der Götter; selbst Phrygiens Völker gehorchen mir, mir und meinem Gatten ist die Stadt des Kadmos, sind die Mauern untertan, die sich dem Saitenspiel Amphions gefügt haben; jeder Teil meines Palastes zeigt mir unermessliche Schätze; dazu kommt ein Antlitz, wie es einer Göttin wert ist, dazu eine Kinderschar, wie keine Mutter sie aufweisen kann: sieben blühende Töchter, sieben starke Söhne, bald ebenso viele Eidame und Schwiegertöchter. Fragt nun, ob ich auch Grund habe, stolz zu sein! Wagt es noch ferner, mir Leto, die unbekannte Titanentochter, vorzuziehen, welcher einst die breite Erde keinen Raum gegönnt hat, wo sie dem Zeus gebären konnte, bis die schwimmende Insel Delos der Umherschweifenden aus Mitleid ihren unbefestigten Sitz darbot. Dort wurde sie Mutter zweier Kinder, die Armselige. Das ist der siebente Teil meiner Mutterfreude! Wer leugnet, dass ich glücklich bin, wer zweifelt, dass ich glücklich bleibe? Tyche hätte viel zu tun, wenn sie gründlich meinem Besitze schaden wollte! Nehme sie mir dies oder jenes, selbst von der Schar meiner Geborenen, wann wird je ihr Haufe zu der armen Zwillingszahl Letos heruntersinken? Darum fort mit den Opfern, heraus aus den Haaren mit dem Lorbeer! Zerstreuet euch in eure Häuser und lasst euch nicht wieder über so törichtem Beginnen treffen!«

Erschrocken nahmen die Frauen die Kränze vom Haupte, ließen die Opfer unvollendet und schlichen nach Hause, mit stillen Gebeten die gekränkte Gottheit verehrend.

Auf dem Gipfel des delischen Berges Kynthos stand mit ihren Zwillingen Leto und schaute mit ihrem Götterauge, was in dem fernen Theben vorging. »Seht, Kinder, ich, eure Mutter, die auf eure Geburt so stolz ist, die keiner Göttin außer Hera weicht, werde von einer frechen Sterblichen geschmäht, ich werde von den alten heiligen Altären hinweggestoßen, wenn ihr mir nicht beisteht, meine Kinder! Ja, auch ihr werdet von Niobe beschimpft, werdet ihrem Kinderhaufen von ihr nachgesetzt!« Leto wollte zu ihrer Erzählung noch Bitten hinzufügen, aber Phöbos unterbrach sie und sprach: »Lass die Klage, Mutter, sie hält die Strafe nur auf!« Ihm stimmte seine Schwester bei: beide hüllten sich in eine Wolkendecke, und mit einem raschen Schwung durch die Lüfte hatten sie die Stadt und Burg des Kadmos erreicht. Hier breitete sich vor den Mauern ein geräumiges Blachfeld aus, das nicht für die Saat bestimmt, sondern den Wettläufen und Übungen zu Ross und Wagen gewidmet war. Da belustigten sich eben die sieben Söhne Amphions: die einen bestiegen mutige Rosse, die andern erfreuten sich des Ringspieles. Der älteste, Ismenos, trieb eben ein Tier im Vierteltrabe sicher im Kreise um, den schäumenden Rachen ihm bändigend, als er plötzlich »Wehe mir!« ausrief, den Zaum aus den erschlaffenden Händen fahren ließ und, einen Pfeil mitten ins Herz geheftet, langsam rechts am Buge des Rosses heruntersank. Sein Bruder Sipylos, der ihm zunächst sich tummelte, hatte das Gerassel des Köchers in den Lüften gehört und floh mit verhängtem Zügel, wie ein Steuermann vor dem Wetter jedes Lüftchen in den Segeln auffängt, um in den Hafen einzulaufen. Dennoch holte ihn ein durch die Lüfte schwirrender Wurfspieß ein, zitternd haftete ihm der Schaft hoch im Genick, und das nackte Eisen ragte zum Halse heraus. Über die Mähne des Pferdes am gestreckten Halse herab glitt der tödlich Getroffene zu Boden und besprengte die Erde mit seinem rauchenden Blut. Zwei andere – der eine hieß wie sein Großvater Tantalos, der andere Phädimos – lagen miteinander ringend, in fester Umschlingung Brust an Brust verschränkt. Da tönte der Bogen aufs Neue, und wie sie vereinigt waren, durchbohrte sie beide ein Pfeil. Beide seufzten zugleich auf, krümmten die schmerzdurchzuckten Glieder auf dem Boden, verdrehten die erlöschenden Augen und hauchten im Staube mit einem Atem die Seele aus. Ein fünfter Sohn, Alphenor, sah diese fallen: die Brust sich schlagend, flog er herbei und wollte die erkalteten Glieder der Brüder durch seine Umarmung wieder beleben, aber unter diesem frommen Geschäfte sank auch er dahin, denn Phöbos Apollon sandte ihm das tödliche Eisen tief in die Herzkammer hinein, und als er es wieder herauszog, drängte sich mit dem Atem das Blut und das Eingeweide des Sterbenden hervor. Damasichthon, den sechsten, einen zarten Jüngling mit langen Locken, traf ein Pfeil in das Kniegelenk; und während er sich rückwärts bog, das unerwartete Geschoss mit der Hand herauszuziehen, drang ihm ein anderer Pfeil bis ans Gefieder durch den offenen Mund hinab in den Hals, und ein Blutstrahl schoss wie ein Springbrunnen hoch aus dem Schlunde empor. Der letzte und jüngste Sohn, der Knabe Ilioneus, der dies alles mit angesehen hatte, warf sich auf die Knie nieder, breitete die Arme aus und fing an zu flehen: »O all ihr Götter miteinander, verschonet mich!« Der furchtbare Bogenschütze selbst wurde gerührt, aber der Pfeil war nicht mehr zurückzurufen. Der Knabe sank zusammen. Doch fiel er an der leichtesten Wunde, die kaum bis zum Herzen durchgedrungen war.

Der Ruf des Unglückes verbreitete sich bald in der Stadt. Amphion, der Vater, als er die Schreckenskunde hörte, durchbohrte sich die Brust mit dem Stahl. Der laute Jammer seiner Diener und allen Volks drang bald auch in die Frauengemächer. Niobe vermochte lange das Schreckliche nicht zu fassen; sie wollte nicht glauben, dass die Himmlischen so viel Vorrechte hätten, dass sie es wagten, dass sie es vermöchten. Aber bald konnte sie nicht mehr zweifeln. Ach, wie unähnlich war die jetzige Niobe der vorigen, die eben erst das Volk von den Altären der mächtigen Göttin zurückscheuchte und mit hohem Nacken durch die Stadt einherschritt! Jene erschien auch ihren liebsten Freunden beneidenswert, diese des Mitleids würdig selbst dem Feinde! Sie kam herausgestürzt auf das Feld, sie warf sich auf die erkalteten Leichname, sie verteilte ihre letzten Küsse an die Söhne, bald an diesen, bald an jenen. Dann hub sie die zerschlagenen Arme gen Himmel und rief: »Weide dich nun an meinem Jammer, sättige dein grimmiges Herz, du grausame Leto, der Tod dieser sieben wirft mich in die Grube; triumphiere, siegende Feindin!«

Jetzt waren auch ihre sieben Töchter, schon in Trauergewande gekleidet, herbeigekommen und standen mit fliegenden Haaren um die gefallenen Brüder her. Ein Strahl der Schadenfreude zuckte bei ihrem Anblick über Niobes blasses Gesicht. Sie vergaß sich, warf einen spottenden Blick gen Himmel und sagte: »Siegerin? Nein, auch in meinem Unglücke bleibt mir mehr als dir in deinem Glück. Auch nach so vielen Leichen bin ich noch die Überwinderin!« Kaum hatte sie's gesprochen, als man eine Sehne ertönen hörte, wie von einem straff angezogenen Bogen. Alles erschrak, nur Niobe bebte nicht, das Unglück hatte sie beherzt gemacht. Da fuhr plötzlich eine der Schwestern mit der Hand ans Herz; sie zog einen Pfeil heraus, der ihr im Innersten haftete. Ohnmächtig zu Boden gesunken, senkte sie ihr sterbendes Antlitz über den nächstgelegenen Bruder. Eine andere Schwester eilte auf die unglückselige Mutter zu, sie zu trösten; aber von einer verborgenen Wunde gebeugt, verstummt sie plötzlich. Eine dritte sinkt im Fliehen zu Boden, andere fallen, über die sterbenden Schwestern hingeneigt. Nur die letzte war noch übrig, die sich in den Schoß der Mutter geflüchtet und an diese, von ihrem faltigen Gewande zugedeckt, sich kindisch anschmiegte. »Nur die einzige lasst mir«, schrie Niobe wehklagend zum Himmel, »nur die jüngste von so vielen!« Aber während sie noch flehte, stürzte schon das Kind aus ihrem Schoße nieder, und einsam saß Niobe zwischen ihres Gatten, ihrer Söhne und ihrer Töchter Leichen. Da erstarrte sie vor Gram; kein Lüftchen bewegte das Haar ihres Hauptes; aus dem Gesicht wich das Blut; die Augen standen unbewegt in den traurigen Wangen; im ganzen Bilde war kein Leben mehr; die Adern stockten mitten im Pulsschlag, der Nacken drehte, der Arm regte, der Fuß bewegte sich nicht mehr; auch das Innere des Leibes war zum kalten Felsstein geworden. Nichts lebte mehr an ihr als die Tränen; diese rannen unaufhörlich aus den steinernen Augen hervor. Jetzt fasste den Stein eine gewaltige Windsbraut, führte ihn fort durch die Lüfte und über das Meer und setzte ihn erst in der alten Heimat Niobes, in Lydien, im öden Gebirge unter den Steinklippen des Sipylos nieder. Hier haftete Niobe als ein Marmorfelsen am Gipfel des Berges, und noch jetzt zerfließt der Marmor in Tränen.

SALMONEUS

Salmoneus, der Herrscher in Elis, war ein reicher, ungerechter und in seinem Herzen übermütiger Fürst. Er hatte eine herrliche Stadt, Salmonia genannt, gegründet und ging in seinem Stolze so weit, dass er von seinen

Untertanen göttliche Ehren und Opfer forderte und für Zeus gehalten sein wollte. Als Zeus durchzog er auch sein Land und die griechischen Völkerschaften auf einem Wagen, der dem Wagen des Donnerers gleichen sollte. Er ahmte dabei des Göttervaters Blitz durch emporgeworfene Fackeln, seinen Donner durch den Hufschlag wilder Rosse nach, die er über eherne Brücken trieb. Menschen ließ er niedermachen und gab vor, der Blitz habe sie getötet. Zeus sah vom Olymp herab das törichte Beginnen. Aus dichten Wolken griff er einen echten Blitz heraus und schleuderte ihn wirbelnd auf den im wahnsinnigen Übermute dahinfahrenden Sterblichen herunter. Der Donnerstrahl zerschmetterte den König und vertilgte die von ihm erbaute Stadt samt allen ihren Bewohnern.

AUS DER HERAKLESSAGE

Herakles der Neugeborene

Herakles war ein Sohn des Zeus und der Alkmene, Alkmene eine Enkelin des Perseus; der Stiefvater des Herakles hieß Amphitryon: auch er war ein Enkel des Perseus und König von Tiryns, hatte jedoch diese Stadt verlassen, um in Theben zu wohnen. Hera, die Gemahlin des Zeus, hasste ihre Nebenbuhlerin Alkmene und gönnte ihr den Sohn nicht, von dessen Zukunft Zeus den Göttern selbst Großes verkündet hatte. Als daher Alkmene den Herakles geboren, glaubte sie ihn vor der Göttermutter in dem Palaste nicht sicher und setzte ihn an einem Platze aus, der noch in späten Zeiten das Heraklesfeld hieß. Hier wäre das Kind ohne Zweifel verschmachtet, wenn nicht ein wunderbarer Zufall seine Feindin Hera selbst, von Athene begleitet, des Weges geführt hätte. Athene betrachtete die schöne Gestalt des Kindes mit Verwunderung, erbarmte sich sein und bewog die Begleiterin, dem Kleinen ihre göttliche Brust zu reichen. Aber der Knabe zog viel kräftiger an der Brust, als sein Alter erwarten ließ; Hera empfand Schmerzen und warf das Kind unwillig zu Boden. Jetzt hob Athene dasselbe voll Mitleid wieder auf, trug es in die nahe Stadt und brachte es der Königin Alkmene als ein armes Findelkind, das sie aus Barmherzigkeit aufzuziehen bat. So war die leibliche Mutter aus Angst vor der Stiefmutter bereit gewesen, die Pflicht der natürlichen Liebe verleugnend, ihr Kind umkommen zu lassen; und die Stiefmutter, die von natürlichem Hasse gegen dasselbe erfüllt ist, muss, ohne es zu wissen, ihren Feind vom Tode erretten. Ja noch mehr. Herakles hatte nur ein paar Züge an Heras Brust getan: aber die wenigen Tropfen Göttermilch hatten genügt, ihm Unsterblichkeit einzuflößen.

Alkmene hatte indessen ihr Kind auf den ersten Blick erkannt und es freudig in die Wiege gelegt. Aber auch der Göttin blieb nicht verborgen, wer an ihrer Brust gelegen und wie leichtsinnig sie den Augenblick der Rache vorübergelassen habe. Sogleich schickte sie zwei entsetzliche Schlangen aus, die, das Kind zu töten bestimmt, durch die offenen Pforten in Alkmenes Schlafgemach geschlichen kamen und, ehe die Dienerinnen des Gemaches und die schlummernde Mutter selbst es innewurden, sich an der Wiege emporringelten und den Hals des Knaben zu umstricken anfingen. Der Knabe erwachte mit einem Schrei und richtete seinen Kopf auf. Das ungewohnte Halsband war ihm unbequem. Da gab er die erste Probe seiner Götterkraft: er ergriff mit jeder Hand eine Schlange am Genick und erstickte die beiden mit einem einzigen Druck. Die Wärterinnen hatten die Schlangen jetzt wohl bemerkt, aber unbezwingliche Furcht hielt sie ferne. Alkmene war auf den Schrei ihres Kindes erwacht; mit bloßen Füßen sprang sie aus dem Bett und stürzte Hilfe rufend auf die Schlangen zu, die sie schon von den Händen ihres Kindes erwürgt fand. Jetzt traten auch die Fürsten der Thebaner, durch den Hilferuf aufgeschreckt, bewaffnet in das Schlafgemach; der König Amphitryon, der den Stiefsohn als ein Geschenk des Zeus betrachtete und lieb hatte, eilte erschrocken herbei, das bloße Schwert in der Hand. Da stand er vor der Wiege, sah und hörte, was geschehen war; Lust, mit Entsetzen gemischt, durchbebte ihn ob der unerhörten Kraft des kaum geborenen Sohnes. Er betrachtete die Tat als ein großes Wunderzeichen und rief den Propheten des großen Zeus, den Wahrsager Teiresias, herbei. Dieser weissagte dem Könige, der Königin und allen Anwesenden den Lebenslauf des Knaben: wie viele Ungeheuer auf Erden, wie viele Ungetüme des Meeres er hinwegräumen, wie er mit den Giganten selbst im Kampfe zusammenstoßen und sie besiegen werde und wie ihn am Ende seines mühevollen Erdenlebens das ewige Leben bei den Göttern und Hebe, die ewige Jugend, als himmlische Gemahlin erwarte.

Die Erziehung des Herakles

Als Amphitryon das hohe Geschick des Knaben aus dem Munde des Sehers vernahm, beschloss er, ihm eine würdige Heldenerziehung zu geben, und Heroen aller Gegenden versammelten sich, den jungen Herakles in allen Wissenschaften zu unterrichten. Sein Vater selbst unterwies ihn in der Kunst, einen Wagen zu regieren; den Bogen spannen und mit Pfeilen zielen lehrte ihn Eurytos; die Künste der Ringer und Faustkämpfer Harpalykos. Komolkos unterrichtete ihn im Gesang und dem zierlichen Schlag der Leier; Kastor, der Zeuszwilling, in der Kunst, schwer bewaffnet und geordnet im Felde zu fechten, Linos aber, der greise Sohn des Apollon, lehrte ihn die Buchstabenschrift. Herakles zeigte sich als gelehriger Knabe; aber Härte konnte er nicht ertragen; der alte Linos war ein grämlicher Lehrer. Als er ihn einst mit ungerechten Schlägen zurechtwies, griff der Knabe nach seinem Zitherspiel und warf es dem Hofmeister an den Kopf, dass dieser tot zu Boden fiel. Herakles, obgleich voll Reue, wurde dieser Mordtat halber vor Gericht gefordert; aber der berühmte, gerechte Richter Rhadamanthys sprach ihn frei und stellte das Gesetz auf, dass, wenn ein Totschlag Folge der Selbstverteidigung gewesen, Blutrache nicht stattfinde. Doch fürchtete Amphitryon, sein überkräftiger Sohn möchte sich wieder Ähnliches zu Schulden kommen lassen, und schickte ihn deswegen auf das Land zu seinen Ochsenherden. Hier wuchs er auf und tat sich durch Größe und Stärke vor allen hervor. Als ein Sohn des Zeus war er furchtbar anzusehen. Er war vier Ellen lang, und Feuerglanz entströmte seinen Augen. Nie fehlte er im Schießen des Pfeiles und im Werfen des Spießes. Als er achtzehn Jahre alt geworden, war er der schönste und stärkste Mann Griechenlands, und es sollte sich jetzt entscheiden, ob er diese Kraft zum Guten oder zum Schlimmen anwenden werde.

Herakles am Scheidewege

Herakles selbst begab sich um diese Zeit von Hirten und Herden weg in eine einsame Gegend und überlegte bei sich, welche Lebensbahn er einschlagen sollte. Als er so sinnend dasaß, sah er auf einmal zwei Frauen von hoher Gestalt auf sich zukommen. Die eine zeigte in ihrem ganzen Wesen Anstand und Adel, ihren Leib schmückte Reinlichkeit, ihr Blick war bescheiden, ihre Haltung sittsam, fleckenlos weiß ihr Gewand. Die andere war wohlgenährt und von schwellender Fülle, das Weiß und Rot ihrer Haut durch Schminke über die natürliche Farbe gehoben, ihre Haltung so, dass sie aufrechter schien als von Natur, ihr Auge war weit geöffnet und ihr Anzug so gewählt, dass ihre Reize so viel als möglich durchschimmerten. Sie warf feurige Blicke auf sich selbst, sah dann wieder um sich, ob nicht auch andere sie erblickten; und oft schaute sie nach ihrem eigenen Schatten. Als beide näher kamen, ging die Erstere ruhig ihren Gang fort, die andere aber, um ihr zuvorzukommen, lief auf den Jüngling zu und redete ihn an: »Herakles, ich sehe, dass du unschlüssig bist, welchen Weg durch das Leben du einschlagen sollst. Willst du nun mich zur Freundin wählen, so werde ich dich die angenehmste und gemächlichste Straße führen: keine Lust sollst du ungekostet lassen, jede Unannehmlichkeit sollst du vermeiden. Um Kriege und Geschäfte hast du dich nicht zu bekümmern, darfst nur darauf bedacht sein, mit den köstlichsten Speisen und Getränken dich zu laben, deine Augen, Ohren und übrigen Sinne durch die angenehmsten Empfindungen zu ergötzen, auf einem weichen Lager zu schlafen und den Genuss aller dieser Dinge dir ohne Mühe und Arbeit zu verschaffen. Solltest du jemals um die Mittel dazu verlegen sein, so fürchte nicht, dass ich dir körperliche oder geistige Anstrengungen aufbürden werde, im Gegenteil, du wirst nur die Früchte fremden Fleißes zu genießen und nichts auszuschlagen haben, was dir Gewinn bringen kann. Denn meinen Freunden gebe ich das Recht, alles zu benützen.«

Als Herakles diese lockenden Anerbietungen hörte, sprach er verwundert: »O Weib, wie ist denn aber dein Name?« – »Meine Freunde«, antwortete sie, »nennen mich die Glückseligkeit; meine Feinde hingegen, die mich herabsetzen wollen, geben mir den Namen der Liederlichkeit.« Mittlerweile war auch die andere Frau herzugetreten. »Auch ich«, sagte sie, »komme zu dir, lieber Herakles, denn ich kenne deine Eltern, deine Anlagen und deine Erziehung. Dies alles gibt mir die Hoffnung, du würdest, wenn du meine Bahn einschlagen wolltest, ein Meister in allem Guten und Großen werden. Doch will ich dir keine Genüsse vorspiegeln, will dir die Sache darstellen, wie die Götter sie gewollt haben. Wisse also, dass von allem, was gut und wünschenswert ist, die Götter den Menschen nichts ohne Arbeit und Mühe gewähren. Wünschest du, dass die Götter dir gnädig seien, so musst du die Götter verehren; willst du, dass deine Freunde dich lieben, so musst du deinen Freunden nützlich werden; strebst du, von einem Staate geehrt zu werden, so musst du ihm Dienste leisten; willst du, dass ganz Griechenland dich um deiner Tugend willen bewundere, so musst du Griechenlands Wohltäter werden; willst du ernten, so musst du säen; willst du kriegen und siegen, so musst du die Kriegskunst erlernen; willst du deinen Körper in der Gewalt haben, so musst du ihn durch Arbeit und Schweiß abhärten.« Hier fiel ihr die Liederlichkeit in die Rede. »Siehst du wohl, lieber Herakles«, sprach sie, »was für einen langen, mühseligen Weg zur Zufriedenheit dich dieses Weib führt? Ich hingegen werde dich auf dem kürzesten und bequemsten Pfade zur Seligkeit leiten.« – »Elende«, erwiderte die Tugend, »wie kannst du etwas Gutes besitzen? Oder welches Vergnügen kennst du, die du jeder Lust durch Sättigung zuvorkommst? Du issest, ehe dich hungert, und trinkest, ehe dich dürstet. Um die Esslust zu reizen, suchst du Köche auf, um mit Lust zu trinken, schaffst du dir kostbare Weine an, und des Sommers gehst du umher und suchest nach Schnee; kein Bett kann dir weichlich genug sein, deine Freunde lässest du die Nacht durchprassen und den besten Teil des Tages verschlafen: darum hüpfen sie auch sorgenlos und geputzt durch die Jugend dahin und schleppen sich mühselig und im Schmutze durch das Alter, beschämt über das, was sie getan, und fast erliegend unter der Last dessen, was sie tun müssen. Und du selbst, obwohl unsterblich, bist gleichwohl von den Göttern verstoßen und von guten Menschen verachtet. Was dem Ohre am lieblichsten klingt, dein eigenes Lob, hast du nie gehört; was das Auge mehr als alles erfreut, ein eigenes gutes Werk, hast du nie gesehen. – Ich hingegen habe mit den Göttern, habe mit allen guten Menschen Verkehr. An mir besitzen die Künstler eine willkommene Gehilfin, an mir die Hausväter eine treue Wächterin, an mir hat das Gesinde einen liebreichen

Beistand. Ich bin eine redliche Teilnehmerin an den Geschäften des Friedens, eine zuverlässige Mitkämpferin im Kriege, die treueste Genossin der Freundschaft. Speise, Trank und Schlaf schmecken meinen Freunden besser als den Trägen. Die Jüngeren freuen sich des Beifalls der Alten, die Älteren der Ehre bei den Jungen; mit Vergnügen erinnern sie sich an ihre früheren Handlungen und fühlen sich bei ihrem jetzigen Tun glücklich; durch mich sind sie geliebt von den Göttern, geliebt von den Freunden, geachtet vom Vaterland. Und kommt das Ende, so liegen sie nicht ruhmlos in Vergessenheit begraben, sondern gefeiert von der Nachwelt, blühen sie fort im Andenken aller Zeiten. Zu solchem Leben, Herakles, entschließe dich, und vor dir liegt das seligste Los.«

Des Herakles erste Taten

Die Gestalten waren verschwunden und Herakles wieder allein. Er war entschlossen, den Weg der Tugend zu gehen. Auch fand er bald Gelegenheit, etwas Gutes zu tun. Griechenland war damals noch voll von Wäldern und Sümpfen, von grimmigen Löwen, wütenden Ebern und anderen Ungeheuern durchstreift. Das Land von diesen Untieren zu säubern und von den Räubern zu befreien, die dem Wanderer in den Einöden auflauerten, war der alten Helden größtes Verdienst. Auch dem Herakles war dieser Beruf angewiesen. Zu den Seinigen zurückgekehrt, hörte er, dass auf dem Berge Kithäron, an dessen Fuße die Herden des Königs Amphitryon weideten, ein entsetzlicher Löwe hause. Der junge Held war, nach den Worten, die er soeben gehört, bald entschlossen. Er stieg bewaffnet hinauf ins wilde Waldgebirge, bezwang den Löwen, warf seine Haut um sich und setzte den Rachen als Helm auf.

Während er von der Jagd heimkehrte, begegneten ihm Herolde des Minyerkönigs Erginos, welche einen schimpflichen und ungerechten Jahrestribut von den Thebanern in Empfang nehmen sollten. Herakles, der sich von der Tugend zum Anwalt aller Unterdrückten geweiht fühlte, ward mit den Boten, die sich allerhand Misshandlungen des Landes erlaubt hatten, bald fertig und schickte sie, mit Stricken um den Nacken, verstümmelt ihrem Könige zurück. Erginos verlangte die Auslieferung des Täters, und Kreon, der König der Thebaner, aus Furcht vor der drohenden Gewalt, war geneigt, seinen Willen zu tun. Da beredete Herakles eine Menge mutiger Jünglinge, mit ihm dem Feinde entgegenzugehen. Nun war aber in keinem Bürgerhause eine Waffe zu finden, denn die Minyer hatten die ganze Stadt entwaffnet, damit den Thebanern kein Gedanke an einen Aufstand kommen sollte. Da rief Athene den Herakles in ihren Tempel und rüstete ihn mit ihren eigenen Waffen aus, die Jünglinge aber griffen zu den in den Tempeln aufgehängten Waffenrüstungen, welche die Vorfahren erbeutet und den Göttern geweiht hatten. So ausgerüstet zog der Held mit seiner kleinen Mannschaft den herannahenden Minyern bis zu einem Engpasse entgegen. Hier konnte dem Feind die Größe seiner Kriegsmacht nichts nützen; Erginos selbst fiel in der Schlacht, und fast sein ganzes Heer wurde aufgerieben. Aber in dem Gefechte kam auch Amphitryon, des Herakles Stiefvater, der wacker mitgekämpft hatte, ums Leben. Herakles rückte nach der Schlacht schnell gegen Orchomenos, die Hauptstadt der Minyer, vor, drang zu den Toren ein, verbrannte ihre Königsburg und zerstörte die Stadt.

Ganz Griechenland bewunderte die außerordentliche Tat, und der Thebanerkönig Kreon, das Verdienst des Jünglings zu ehren, gab ihm seine Tochter Megara zur Ehe, die dem Helden drei Söhne gebar. Seine Mutter Alkmene aber vermählte sich zum zweiten Male, mit dem Richter Rhadamanthos. Die Götter selbst beschenkten den siegreichen Halbgott: Hermes gab ihm ein Schwert, Apoll Pfeile, Hephästos einen goldenen Köcher, Athene einen Waffenrock.

Herakles im Gigantenkampfe

Der Held fand bald eine Gelegenheit, den Göttern für so große Auszeichnungen einen glänzenden Dank abzustatten. Die Giganten, Riesen mit schrecklichen Gesichtern, langen Haaren und Bärten, geschuppten Drachenschwänzen statt der Füße, Ungeheuer, welche die Gäa, oder Erde, dem Uranos, dem Himmel, geboren, wurden von ihrer Mutter gegen Zeus, den neuen Weltbeherrscher, aufgewiegelt, weil dieser ihre ältern Söhne, die Titanen, in den Tartaros verstoßen hatte. Sie brachen aus der Unterwelt, dem Erebos, auf dem weiten Gefilde von Phlegra in

Thessalien hervor. Aus Furcht vor ihrem Anblick erblassten die Gestirne, und Phöbos drehte den Sonnenwagen um. »Gehet hin und rächet mich und die alten Götterkinder«, sprach die Mutter Erde, »an Prometheus frisst der Adler, an Tityos zehrt der Geier, Atlas muss den Himmel tragen, die Titanen liegen in Banden. Geht, rächt, rettet sie! Braucht meine eigenen Glieder, die Berge, zu Stufen, zu Waffen! Ersteiget die gestirnten Burgen! Du, Alkyoneus, reiß dem Gewaltherrscher Zepter und Blitz aus der Hand; Enkelados, du bemächtige dich des Meeres und verjage den Poseidon! Rhötos soll dem Sonnengotte die Zügel entreißen, Porphyrion das Orakel zu Delphi erobern!« Die Riesen jubelten bei diesen Worten auf, als hätten sie den Sieg schon errungen, als schleppten sie schon den Poseidon oder den Ares im Triumphe daher und zerrten den Apollon am herrlichen Lockenhaar; der eine nannte schon Aphrodite sein Weib, ein andrer wollte Artemis, ein dritter Athene freien. So zogen sie den thessalischen Bergen zu, um von dort aus den Himmel zu stürmen.

Indessen rief Iris, die Götterbotin, alle Himmlischen zusammen, alle Götter, die in Wasser und Flüssen wohnen; selbst die Manen aus der Unterwelt beschwor sie herauf; Persephone verließ ihr schattiges Reich, und ihr Gemahl, der König der Schweigenden, fuhr mit seinen lichtscheuen Rossen zum strahlenden Olympos empor. Wie in einer belagerten Stadt die Bewohner von allen Seiten zusammenlaufen, ihre Burg zu schirmen, so kamen die vielgestalteten Gottheiten am Vaterherde zusammen. »Versammelte Götter«, redete sie Zeus an, »ihr sehet, wie die Mutter Erde mit einer neuen Brut sich gegen uns verschworen hat. Auf, und sendet ihr so viel Leichen hinunter, als sie uns Söhne heraufschickt!« Als der Göttervater geendet, ertönte die Wetterposaune vom Himmel, und Gäa drunten antwortete mit einem donnernden Erdbeben. Die Natur geriet in Verwirrung wie bei der ersten Schöpfung, denn die Giganten rissen einen Berg nach dem andern aus seinen Wurzeln, schleppten den Ossa, den Pelion, den Uta, den Athos herbei, brachen den Rhodope mit der Hälfte des Hebrosquells ab, und auf dieser Leiter von Gebirgen zum Göttersitz emporgeklommen, fingen sie an, mit Feuerbränden von Eichen und ungeheuren Felsenstücken den Olymp zu stürmen.

Nun war den Göttern ein Orakelspruch erteilt worden, dass von den

Himmlischen keiner der Giganten vernichtet werden könnte und diese nur dann sterben würden, wenn ein Sterblicher mitkämpfe. Gäa hatte dies in Erfahrung gebracht und suchte deswegen nach einem Arzneimittel, das ihre Söhne auch gegenüber den Sterblichen unverletzlich machte. Und es war wirklich ein solches Kraut gewachsen, aber Zeus kam ihr zuvor: er verbot der Morgenröte, dem Mond und der Sonne zu scheinen, und während Gäa in der Finsternis herumsuchte, schnitt er die Arzneikräuter eilig selbst ab und ließ seinen Sohn Herakles durch Athene zur Teilnahme am Kampfe auffordern.

Auf dem Olympos war inzwischen der Streit schon entbrannt. Ares hatte seinen Kriegswagen mit den wiehernden Rossen mitten in die dichteste Schar der heranstürzenden Feinde gelenkt. Sein goldner Schild brannte heller als Feuer, schimmernd flatterte die Mähne seines Helmes. Im Kampfgetümmel durchbohrte er den Giganten Peloros, dessen Füße zwei lebendige Schlangen waren. Dann fuhr er über die sich krümmenden Glieder des Gefallenen zermalmend mit seinem Wagen hin; aber erst bei des sterblichen Herakles Anblick, der eben die letzte Stufe des Olymps erstiegen hatte, hauchte das Ungeheuer seine drei Seelen aus. Herakles sah sich auf dem Schlachtfelde um und erkor sich ein Ziel seines Bogens: sein Pfeilschuss streckte den Alkyoneus nieder, der alsbald in die Tiefe stürzte, aber sobald er seinen Heimatboden berührt hatte, mit erneuter Lebenskraft sich wieder erhob. Auf den Rat der Athene stieg auch Herakles hinab und schleppte ihn über die Grenze seines Geburtslandes hinaus; und sowie der Riese auf fremder Erde angekommen war, entfuhr ihm der Atem.

Jetzt ging der Gigant Porphyrion in drohender Stellung auf Herakles und Hera zugleich los, um einzeln mit ihnen zu kämpfen. Aber Zeus flößte ihm schnell ein Verlangen ein, das himmlische Antlitz der Göttin zu schauen, und während er an Heras umhüllendem Schleier zerrte, traf ihn Zeus mit dem Donner, und Herakles tötete ihn vollends mit seinem Pfeile. Bald rannte aus der Schlachtreihe der Giganten Ephialtes mit funkelnden Riesenaugen hervor. »Das sind helle Zielscheiben für unsre Pfeile!«, sprach lachend Herakles zu dem neben ihm kämpfenden Phöbos Apollon, und nun schoss ihm der Gott das linke und der Halbgott das rechte Auge aus dem Kopf. Den Rhötos schlug Dionysos mit seinem Thyrsosstabe nieder: ein Hagel glühender Eisenschlacken aus Hephäs-

tos' Hand warf den Klytios zu Boden; auf den fliehenden Enkelados schleuderte Pallas Athene die Insel Sizilien; der Riese Polybotes, von Poseidon über das Meer verfolgt, flüchtete sich nach Kos, aber der Meergott riss ein Stück dieser Insel ab und bedeckte ihn damit. Hermes, den Helm des Pluton auf dem Kopfe, erschlug den Hippolytos, zwei andere trafen der Parzen eherne Keulen. Die Übrigen schmetterte Zeus mit seinem Donner nieder, und Herakles erschoss sie mit seinen Pfeilen.
Für diese Tat wurde dem Halbgotte große Gunst von den Himmlischen zuteil. Zeus nannte diejenigen unter den Göttern, welche den Kampf mit ausfechten geholfen, Olympier, um durch diesen Ehrennamen die Tapfern von den Feigen zu unterscheiden. Dieser Benennung würdigte er nun auch zwei Söhne sterblicher Weiber, den Dionysos und den Herakles.

Herakles und Eurystheus

Zeus hatte vor des Herakles Geburt im Rate der Götter erklärt, der erste Perseusenkel, welcher geboren werden würde, solle der Beherrscher aller übrigen Nachkommen des Perseus werden. Diese Ehre war seinem und Alkmenens Sohne zugedacht. Aber Heras Hinterlist, welche dieses Glück dem Sohne der Nebenbuhlerin nicht gönnte, kam ihm zuvor und ließ den Eurystheus, der auch ein Enkel des Perseus war, obwohl er später als Herakles zur Welt kommen sollte, früher geboren werden. Dadurch war Eurystheus König zu Mykene im Argiverlande und der später geborene Herakles ihm unterworfen. Jener sah mit Besorgnis den steigenden Ruhm seines jungen Verwandten und berief ihn, als seinen Untertan, zu sich, um ihm verschiedene Arbeiten aufzutragen. Da Herakles nicht gehorchte, so ließ Zeus selbst, der seinem Ratschlusse nicht zuwider handeln wollte, seinem Sohne befehlen, dem Argiverkönige seine Dienste zu widmen. Aber der Halbgott entschloss sich ungern, der Diener eines Sterblichen zu sein; er ging nach Delphi und befragte das Orakel darüber. Dieses gab ihm zur Antwort: die von Eurystheus erschlichene Oberherrschaft sei von den Göttern dahin gemildert, dass Herakles zehn Arbeiten, welche jener ihm auflegen würde, zu vollbringen habe. Wenn solches geschehen sei, sollte er der Unsterblichkeit teilhaftig werden.

Herakles fiel hierüber in tiefe Schwermut: einem Geringeren zu dienen widerstrebte seinem Selbstgefühl und deuchte ihm unter seiner Würde; aber Zeus, dem Vater, nicht zu gehorchen erschien ihm Unheil bringend und unmöglich zugleich. Diesen Augenblick ersah sich Hera, aus deren Seele die Verdienste des Herakles um die Götter den Hass nicht zu tilgen vermocht hatten, und verwandelte seinen düstern Unmut in wilde Raserei. Er kam so ganz von Sinnen, dass er seinen geliebten Vetter Jolaos ermorden wollte, und als dieser entfloh, erschoss er seine eigenen Kinder, die ihm Megara geboren hatte, im Wahne, sein Bogen ziele nach Giganten. Es währte lange, bis er von diesem Wahnsinne wieder frei wurde; als er zur Erkenntnis seines Irrtums kam, bekümmerte er sich tief über sein schweres Unglück, verschloss sich in sein Haus und vermied allen Verkehr mit den Menschen. Als endlich die Zeit seinen Kummer linderte, entschloss er sich, die Aufträge des Eurystheus zu übernehmen, und kam zu diesem nach Tiryns, das auch zu dessen Königreich gehörte.

Die drei ersten Arbeiten des Herakles

Die erste Arbeit, welche dieser König ihm auferlegte, bestand darin, dass Herakles ihm das Fell des nemëischen Löwen herbeibringen sollte. Dieses Ungeheuer hauste auf dem Peloponnes, in den Wäldern zwischen Kleonä und Nemea in der Landschaft Argolis. Der Löwe konnte mit keinen menschlichen Waffen verwundet werden. Die einen sagten, er sei ein Sohn des Riesen Typhon und der Schlange Echidna, die andern, er sei vom Mond auf die Erde herabgefallen. Herakles zog gegen den Löwen aus und kam auf seiner Fahrt nach Kleonä, wo er von einem armen Taglöhner namens Molorchos gastfreundlich aufgenommen wurde. Er traf diesen an, wie er eben dem Zeus ein Opfertier schlachten wollte. »Guter Mann«, sprach Herakles, »bewahre dein Tier noch dreißig Tage am Leben; komme ich bis dahin glücklich von der Jagd zurück, so magst du es Zeus dem Retter schlachten; erliege ich aber, so sollst du es mir selbst zum Totenopfer bringen, als einem zur Unsterblichkeit eingegangenen Helden.« So zog Herakles weiter, den Köcher auf dem Rücken, den Bogen in der einen Hand, in der andern eine Keule aus dem Stamme eines wilden Ölbaumes, den er selbst auf dem Helikon angetroffen und mitsamt den Wurzeln ausgerissen hatte. Als er in den Wald von Nemea kam, ließ Herakles seine Augen nach allen Seiten schweifen, um das reißende Tier zu entdecken, ehe er von ihm erblickt würde. Es war Mittag, und nirgends konnte er die Spur des Löwen bemerken, nirgends den Pfad zu seinem Lager erkunden, denn keinen Menschen traf er auf dem Felde bei den Stieren oder im Walde bei den Bäumen an: alle hielt die Furcht in ihre fernen Gehöfte verschlossen. Den ganzen Nachmittag durchstreifte er den dichtbelaubten Hain, entschlossen, seine Kraft zu erproben, sobald er des Ungeheuers ansichtig würde. Endlich gegen Abend kam der Löwe auf einem Waldwege gelaufen, um vom Fang in seinen Erdspalt zurückzukehren: er war von Fleisch und Blut gesättigt, Kopf, Mähne und Brust troffen von Mord, mit der Zunge leckte er sich das Kinn. Der Held, der ihn von ferne kommen sah, rettete sich in einen dichten Waldbusch, wartete, bis der Löwe näher kam, und schoss ihm dann einen Pfeil in die Flanken zwischen Rippen und Hüfte. Aber das Geschoss drang nicht ins Fleisch, es prallte wie von einem Steine ab und flog zurück auf den moosigen Waldboden. Das Tier hob seinen zur Erde gekehrten blutigen Kopf empor, ließ die Augen forschend nach allen Seiten rollen und im aufgesperrten Rachen die entsetzlichen Zähne sehen. So streckte es dem Halbgotte die Brust entgegen, und dieser sandte schnell einen zweiten Pfeil ab, um ihn mitten in den Sitz des Atems zu treffen; aber auch diesmal drang das Geschoss nicht bis unter die Haut, sondern prallte von der Brust ab und fiel zu den Füßen des Ungetüms nieder. Herakles griff eben zum dritten Pfeile, als der Löwe, die Augen seitwärts drehend, ihn erblickte; er zog seinen langen Schweif an sich bis zu den hintern Kniekehlen, sein ganzer Nacken schwoll von Zorn auf, unter Murren sträubte sich seine Mähne, sein Rücken wurde krumm wie ein Bogen. Er sann auf Kampf und ging mit einem Sprung auf seinen Feind los: Herakles aber warf seine Pfeile aus der Hand und seine eigene Löwenhaut vom Rücken, mit der Rechten schwang er über dem Haupte des Tieres die Keule und versetzte ihm einen Schlag auf den Nacken, dass es mitten im Sprunge wieder zu Boden stürzte und auf zitternden Füßen zu stehen kam, mit dem Kopfe wackelnd. Ehe es wieder aufatmen konnte, kam ihm Herakles zuvor; er warf auch noch Bogen und Köcher zu Boden, um ganz ungehindert zu sein, nahte dem Untier von hinten, schlang die Arme um seinen Nacken und schnürte ihm die Kehle

zu, bis es erstickte und seine grauenvolle Seele zum Hades zurücksandte. Lange suchte er vergebens, die Haut des Gefallenen abzuweiden, sie wich keinem Eisen, keinem Steine. Endlich kam ihm in den Sinn, sie mit den Klauen des Tieres selbst abzuziehen, was auch sogleich gelang. Später verfertigte er sich aus diesem herrlichen Löwenfell einen Panzer und aus dem Rachen einen neuen Helm; für jetzt aber nahm er Kleid und Waffen, in denen er gekommen war, wieder zu sich und machte sich, das Fell des nemëischen Löwen über den Arm gehängt, auf den Rückweg nach Tiryns. Als der König Eurystheus ihn mit der Hülle des grässlichen Tieres daherkommen sah, geriet er über die göttliche Kraft des Helden in solche Angst, dass er in einen ehernen Topf kroch. Auch ließ er forthin den Herakles nicht mehr unter seine Augen kommen, sondern ihm seine Befehle nur außerhalb der Mauern durch Kopreus, einen Sohn des Pelops, zufertigen.
Die zweite Arbeit des Helden war, die Hydra zu erlegen, die ebenfalls eine Tochter des Typhon und der Echidna war. Diese, zu Argolis im Sumpfe von Lerna aufgewachsen, kam aufs Land heraus, zerriss die Herden und verwüstete das Feld. Dabei war sie unmäßig groß, eine Schlange mit neun Häuptern, von denen acht sterblich, das in der Mitte stehende aber unsterblich war. Herakles ging auch diesem Kampf mutig entgegen: er bestieg sofort einen Wagen; sein geliebter Neffe Jolaos, der Sohn seines Stiefbruders Iphikles, der lange Zeit sein unzertrennlicher Gefährte blieb, setzte sich als Rosselenker ihm an die Seite, und so ging es im Fluge Lerna zu. Endlich wurde die Hydra auf einem Hügel bei den Quellen der Amymone sichtbar, wo sich ihre Höhle befand. Hier ließ Jolaos die Pferde halten; Herakles sprang vom Wagen und zwang durch Schüsse mit brennenden Pfeilen die vielköpfige Schlange, ihren Schlupfwinkel zu verlassen. Sie kam zischend hervor, und ihre neun Hälse schwankten emporgerichtet auf dem Leibe wie die Äste eines Baumes im Sturm. Herakles ging unerschrocken ihr entgegen, packte sie kräftig und hielt sie fest. Sie aber umschlang einen seiner Füße, ohne sich auf weitere Gegenwehr einzulassen. Nun fing er an, mit einem Sichelschwerte ihr die Köpfe abzuschlagen. Aber er konnte nicht zum Ziele kommen. War ein Haupt abgeschlagen, so wuchsen deren zwei hervor. Zugleich kam der Hydra ein Riesenkrebs zu Hilfe, der den Helden empfindlich in den Fuß kniff. Den tötete er jedoch mit seiner Keule und rief

dann Jolaos zu Hilfe. Dieser hatte schon eine Fackel gerüstet, zündete damit einen Teil des nahen Waldes an, und mit den Bränden überfuhr er die neu wachsenden Häupter der Schlange bei ihrem ersten Emporkeimen und hinderte sie so, hervorzutreiben. Auf diese Weise wurde der Held der emporwachsenden Köpfe Meister und schlug nun der Hydra auch das unsterbliche Haupt ab; dieses begrub er am Wege und wälzte einen schweren Stein darüber. Den Rumpf der Hydra spaltete er in zwei Teile, seine Pfeile aber tauchte er in ihr Blut, das giftig war. Seitdem schlug des Helden Geschoss unheilbare Wunden.

Der dritte Auftrag des Eurystheus war, die Hirschkuh Kerynitis lebendig zu fangen; diese war ein herrliches Tier, hatte goldene Geweihe und eherne Füße und weidete auf einem Hügel Arkadiens. Sie war eine der fünf Hindinnen gewesen, an welchen die Göttin Artemis ihre erste Jagdprobe abgelegt hatte. Diese allein von den fünfen hatte sie wieder in die Wälder laufen lassen, weil es vom Schicksal beschlossen war, dass Herakles sich einmal daran müde jagen sollte. Ein ganzes Jahr verfolgte er sie, kam auf dieser Jagd zu den Hyperboreern und an die Quellen des Istersflusses und holte die Hindin endlich am Flusse Ladon, unweit der Stadt Önoe, am Artemisischen Vorgebirge ein. Doch wusste er des Tieres nicht auf andere Weise Meister zu werden, als dass er es durch einen Pfeilschuss lähmte und dann auf seinen Schultern nach Arkadien trug. Hier begegnete ihm die Göttin Artemis mit Apollon, schalt ihn, dass er das Tier, das ihr geheiligt war, habe töten wollen, und machte Miene, ihm die Beute zu entreißen. »Nicht Mutwille hat mich bewogen, große Göttin«, sprach Herakles zu seiner Rechtfertigung, »die Notwendigkeit hat mich gezwungen, es zu tun; wie könnte ich sonst vor Eurystheus bestehen?« So besänftigte er den Zorn der Göttin und brachte das Tier lebendig nach Mykene.

Die vierte Arbeit des Herakles bis zur sechsten

Sofort ging es an die vierte Unternehmung. Sie bestand darin, den erymanthischen Eber, der, gleichfalls der Artemis geheiligt, die Gegend des Berges Erymanthos verwüstete, lebendig nach Mykene zu liefern. Auf seiner Wanderung nach diesem Abenteuer kehrte Herakles unterwegs bei Pholos, dem Sohne des Silentos, ein. Dieser, der wie alle Kentauren halb Mensch, halb Ross war, empfing seinen Gast sehr freundlich und setzte ihm das Fleisch gebraten vor, während er selbst es roh verzehrte. Aber Herakles begehrte zu der feinen Mahlzeit auch einen guten Trunk. »Lieber Gast«, sprach Pholos, »es liegt wohl ein Fass in meinem Keller, dieses aber gehört allen Kentauren gemeinschaftlich zu, und ich trage Bedenken, es öffnen zu lassen, weil ich weiß, wie wenig die Kentauren nach Gästen fragen.« – »Öffne es nur guten Muts«, erwiderte Herakles, »ich verspreche dir, dich gegen alle ihre Anfälle zu verteidigen; mich dürstet!« Es hatte aber dieses Fass Dionysos, der Gott des Weines, selbst einem Kentauren mit dem Befehle übergeben, dasselbe nicht eher zu öffnen, als bis nach vier Menschenaltern Herakles in dieser Gegend einkehren würde. So ging denn Pholos in den Keller; kaum aber hatte er das Fass geöffnet, so rochen die Kentauren den Duft des starken alten Weines und umringten, haufenweise herbeiströmend, mit Felsstücken und Fichtenstämmen bewaffnet, die Höhle des Pholos. Die ersten, die es wagten einzudringen, jagte Herakles mit geschleuderten Feuerbränden zurück; die übrigen verfolgte er mit Pfeilschüssen bis nach Malea, wo der gute Kentaur Chiron, des Herakles alter Freund, wohnte. Zu diesem flüchteten seine Stammesbrüder. Aber Herakles hatte, als sie eben mit ihm zusammentrafen, mit dem Bogen auf sie gezielt und schoss einen Pfeil ab, der, durch den Arm eines andern Kentauren dringend, unglücklicherweise in das Knie Chirons fuhr und dort stecken blieb. Jetzt erst erkannte Herakles den Freund seiner früheren Tage, lief bekümmert hinzu, zog den Pfeil heraus und legte ein Heilmittel auf, das der arzneikundige Chiron selbst hergegeben hatte. Aber die Wunde, vom Gifte der Hydra durchdrungen, war unheilbar; der Kentaur ließ sich in seine Höhle bringen und wünschte hier in den Armen seines Freundes zu sterben. Vergeblicher Wunsch! Der Arme hatte nicht daran gedacht, dass er zu seiner Qual unsterblich sei. Herakles nahm von dem Gequälten unter vielen Tränen Abschied und versprach ihm, es koste, was es wolle, den Tod, den Erlöser zu senden. Wir wissen, dass er Wort gehalten hat. Als Herakles von der Verfolgung der übrigen Kentauren in seines Freundes Höhle zurückkehrte, fand er Pholos, seinen liebreichen Wirt, auch tot. Dieser hatte aus einem Kentaurenleichnam den Todespfeil gezogen; während er sich nun wunderte, wie ein so kleines Ding so große Geschöpfe hatte niederwerfen können, entglitt das vergiftete Geschoss seiner Hand, fuhr ihm in den Fuß und tötete ihn auf der Stelle. Herakles war sehr betrübt, er bestattete ihn ehrenvoll, indem er ihn unter den Berg legte, der seitdem Pholoe genannt ward. Dann ging er weiter, den Eber zu jagen; er trieb denselben mit Geschrei aus dem Dickicht des Waldes heraus, verfolgte ihn ins tiefe Schneefeld, fing hier das erschöpfte Tier mit einem Stricke und brachte es, wie ihm befohlen war, lebendig nach Mykene.

Darauf schickte ihn der König Eurystheus zur fünften Arbeit fort, die eines Helden wenig würdig war. Er sollte den Viehhof des Augias in einem einzigen Tage ausmisten. Augias war König in Elis und hatte eine Menge Viehherden. Sein Vieh stand nach Art der Alten in einer großen Verzäunung vor dem Palaste. Dreitausend Rinder waren da geraume Zeit gestanden, und so hatte sich seit vielen Jahren eine unendliche Menge Mist angehäuft, den nun Herakles zur Schmach und, was unmöglich schien, in einem einzigen Tage hinausschaffen sollte.

Als der Held vor den König Augias trat und, ohne etwas von dem Auftrage des Eurystheus zu erwähnen, sich zu dem genannten Dienste erbot, maß dieser die herrliche Gestalt in der Löwenhaut und konnte kaum das Lachen unterdrücken, wenn er dachte, dass einen so edlen Krieger nach so gemeinem Knechtsdienste gelüsten könne. Indessen dachte er bei sich: Der Eigennutz hat schon manchen wackeren Mann verführt, es mag sein, dass er sich an mir bereichern will. Das wird ihm wenig helfen. Ich darf ihm immerhin einen großen Lohn versprechen, wenn er mir den ganzen Stall ausmistet, denn er wird in dem einen Tage wenig genug hinaustragen. Darum sprach er getrost: »Höre, Fremdling, wenn du das kannst und mir an einem Tage all den Mist herausschaffst, so will ich dir den zehnten Teil meines ganzen Viehstandes zur Belohnung überlassen.« Herakles ging die Bedingung ein, und der König dachte nun nicht anders, als dass er zu schaufeln anfangen würde. Herakles aber, nachdem er zuvor den Sohn des Augias, Phyleus, zum Zeugen jenes Vertrages genommen hatte, riss den Grund des Viehhofs auf der einen Seite auf, leitete die nicht weit davon fließenden Ströme Alpheos und Peneos durch einen Kanal herzu und ließ sie den Mist wegspülen und durch eine andere Öffnung wieder ausströmen. So vollzog er einen schmachvollen Auftrag, ohne zu einer Handlung sich zu erniedrigen, die eines Unsterblichen unwürdig gewesen wäre. Als aber Augias erfuhr, dass dies von Herakles im Auftrag des Eurystheus geschehen sei, verweigerte er den Lohn und leugnete geradezu, ihn versprochen zu haben; doch erklärte er sich bereit, die Streitsache einem richterlichen Spruche anheim zu stellen. Als die Richter beisammensaßen, das Urteil zu fällen, trat Phyleus, von Herakles aufgefordert, auf, zeugte gegen seinen eigenen Vater und erklärte, dass dieser allerdings über einen Lohn mit Herakles übereingekommen sei. Augias wartete den Spruch nicht ab, er ergrimmte und befahl dem Sohne wie dem Fremdling, sein Reich auf der Stelle zu verlassen.

Herakles kehrte nun unter neuen Abenteuern zu Eurystheus zurück. Dieser aber wollte die eben vollbrachte Arbeit nicht gültig sein lassen, weil Herakles Lohn dafür gefordert habe. Dennoch schickte er ihn sogleich wieder auf ein sechstes Abenteuer aus und gab ihm auf, die Stymphaliden zu verjagen. Dies waren ungeheure Raubvögel, so groß wie Kraniche, mit eisernen Flügeln, Schnäbeln und Klauen versehen. Sie hausten um den See Stymphalos in Arkadien und besaßen die Macht, ihre Federn wie Pfeile abzudrücken und mit ihren Schnäbeln selbst eherne Panzer zu durchbrechen; dadurch richteten sie in der Umgegend unter Menschen und Vieh große Verwüstungen an, und wir kennen sie schon vom Argonautenzuge her. Herakles, des Wanderns gewohnt, langte nach kurzer Reise bei dem See an, der von einem großen Gehölze dicht umschattet ruhte. In diesen Wald hatte sich eben eine unermessliche Schar jener Vögel geflüchtet, aus Furcht, von den Wölfen geraubt zu werden. Herakles stand ratlos da, als er die ungeheure Menge erblickte und nicht wusste, wie er über so viele Feinde Meister werden sollte. Auf einmal fühlte er einen leichten Schlag auf der Schulter; hinter sich blickend ward er Athenes Riesenerscheinung gewahr, die ihm zwei mächtige eherne Klappern in die Hände gab, welche Hephästos ihr verfertigt hatte; sie bedeutete ihm, diese gegen die Stymphaliden anzuwenden, und verschwand wieder. Herakles bestieg nun eine Anhöhe in der Nähe des Sees und schreckte die Vögel, indem er die Klappern zusammenschlug. Diese hielten das gellende Getöse nicht aus, sondern flogen furchtsam aus dem Walde hervor. Darauf griff Herakles zum Bogen, legte Pfeil um Pfeil an und schoss ihrer viele im Fluge weg. Die andern verließen die Gegend und kamen nicht wieder.

Die siebente, achte und neunte Arbeit des Herakles

Der König Minos in Kreta hatte dem Gotte Poseidon versprochen, ihm zu opfern, was zuerst aus dem Meere auftauchen würde, denn Minos hatte behauptet, dass er kein Tier besitze, das würdig sei, zu einem so hohen Opfer zu dienen. Darum ließ der Gott einen ausnehmend schönen Ochsen aus dem Meere aufsteigen; den König aber verleitete die herrliche Gestalt des Stieres, der sich seinen Blicken darbot, diesen heimlich unter seine Herden zu stecken und dem Poseidon einen andern als Opfer unterzuschieben. Hierüber erzürnt, hatte der Meergott zur Strafe den Stier rasend werden lassen, so dass er nun auf der Insel Kreta große Verwüstungen anrichtete. Diesen Stier zu bändigen und vor Eurystheus zu bringen wurde dem Herakles als siebente Arbeit aufgetragen. Als er mit seinem Ansinnen nach Kreta und vor Minos kam, war dieser nicht wenig erfreut über die Aussicht, den Verderber der Insel loszuwerden, ja er half ihm selbst, das wütende Tier einzufangen, und die Heldenkraft des Herakles bändigte den rasenden Ochsen so gründlich, dass er sich von ihm auf dem ganzen Wege über die See wie von einem Schiffe nach dem Peloponnes tragen ließ. Mit dieser Arbeit war Eurystheus zufrieden, ließ jedoch das Tier, nachdem er es eine kurze Zeit mit Wohlgefallen betrachtet, sofort wieder frei. Als der Stier nicht mehr im Banne des Herakles war, kehrte seine alte Raserei zurück, er durchirrte ganz Lakonien und Arkadien, streifte über den Isthmus nach Marathon in Attika und verheerte hier das Land wie vordem auf der Insel Kreta. Erst dem Theseus gelang es später, Meister über ihn zu werden.

Als achte Arbeit trug nun sein Vetter dem Herakles auf, die Stuten des Thrakiers Diomedes nach Mykene zu bringen. Dieser war ein Sohn des Ares und König der Bistonen, eines sehr kriegerischen Volkes. Er besaß Stuten, die so wild und stark waren, dass man sie an eherne Krippen mit eisernen Ketten band. Ihr Futter bestand nicht aus Hafer, sondern die Fremdlinge, welche das Unglück hatten, in die Stadt des Königs zu kommen, wurden ihnen vorgeworfen, und das Fleisch derselben diente den Rossen zur Nahrung. Als Herakles ankam, war sein Erstes, den unmenschlichen König selbst zu fassen und ihn seinen eigenen Stuten vorzuwerfen, nachdem er die bei den Krippen aufgestellten Wächter übermannt hatte. Durch diese Speise wurden die Tiere zahm, und er trieb sie nun ans Gestade des Meeres. Aber die Bistonen kamen unter Waffen hinter ihm her, so dass Herakles sich umwenden und gegen sie kämpfen musste. Er gab die Tiere seinem Liebling und Begleiter Abderos, dem Sohne des Hermes, zu bewachen. Als Herakles fort war, kam die Stuten wieder ein Gelüste nach Menschenfleisch an, und Herakles fand, als er die Bistonen in die Flucht geschlagen hatte und zurückgekehrt war, seinen Freund von den Rossen zerrissen. Er bedauerte den Getöteten und gründete ihm zu Ehren die Stadt Abdera. Dann bändigte er die Stuten wieder und gelangte glücklich mit ihnen zu Eurystheus. Dieser weihte die Pferde der Hera. Ihre Nachkommenschaft dauerte noch lange fort, ja der König Alexander von Makedonien ritt noch auf einem Abkömmling derselben. Nachdem Herakles diese Arbeit ausgeführt, schiffte er sich mit dem Heere des Jason, der das Goldne Vlies holen sollte, nach Kolchis ein, wovon wir schon erzählt haben.

Von langer Irrfahrt zurückgekehrt, unternahm der Held den Zug gegen die Amazonen, um das neunte Abenteuer zu bestehen und das Wehrgehenk der Amazone Hippolyta dem Könige Eurystheus zu bringen. Die Amazonen bewohnten die Gegend um den Fluss Thermodon in Pontus und waren ein großes Frauenvolk, das einzig Männerwerk trieb. Von ihren Kindern erzogen sie nur diejenigen, die weiblichen Geschlechts waren. In Scharen vereinigt, zogen sie zu Kriegen aus. Hippolyta, ihre Königin, trug als Zeichen ihrer Herrscherwürde den genannten Gürtel, den sie vom Kriegsgotte selbst zum Geschenk erhalten hatte. Herakles sammelte zu seinem Zuge freiwillige Kampfgenossen auf einem Schiffe, fuhr nach mancherlei Ereignissen ins Schwarze Meer und lief endlich in die Mündung des Flusses Thermodon und in den Hafen der Amazonenstadt Themiskyra ein. Hier kam ihm die Königin der Amazonen entgegen. Das herrliche Ansehen des Helden flößte ihr Hochachtung ein, und als sie die Absicht seines Kommens erkundet, versprach sie ihm das Wehrgehenk. Aber Hera, die unversöhnliche Feindin des Herakles, nahm die Gestalt einer Amazone an, mischte sich unter die Menge der übrigen und breitete das Gerücht aus, dass ein Fremder ihre Königin entführe. Augenblicklich schwangen sich alle Männinnen zu Pferde und griffen den Halbgott in dem Lager an, das er vor der Stadt aufgeschlagen hatte. Die gemeinen Amazonen fochten mit den Kriegern des Helden, die vornehmsten aber stellten sich ihm selbst gegenüber und bereiteten ihm einen schweren Kampf. Die erste, die den Streit mit ihm begann, hieß von ihrer Schnelligkeit Aëlla oder Windsbraut, aber sie fand an Herakles einen noch schnelleren Gegner, musste weichen und ward auf windschneller Flucht von ihm eingeholt und niedergemacht. Eine zweite fiel auf den ersten Angriff, dann Prothoe, die dritte, die siebenmal im Zweikampf gesiegt hatte. Nach ihr erlagen acht andere, darunter drei Jagdgefährtinnen der Artemis, die sonst immer so sicher mit dem Wurfspieße getroffen hatten, nur diesmal ihr Ziel verfehlten und, vergebens unter ihren Schilden sich deckend, den Pfeilen des Heros erlagen. Auch Alkippe fiel, die geschworen hatte, ihr Leben lang unvermählt zu bleiben; den Schwur hielt sie, aber am Leben blieb sie nicht. Nachdem auch Melanippe, die tapfere Führerin der Amazonen, gefangen war, griffen alle zur wilden Flucht, und Hippolyta, die Königin, gab das Wehrgehenk heraus, wie sie auch vor der Schlacht versprochen hatte. Herakles nahm es als Lösegeld an und gab Melanippe dafür frei.

Auf der Rückfahrt bestand der Held ein neues Abenteuer an der trojanischen Küste. Hier war Hesione, Laomedons Tochter, an einen Felsen gebunden und einem Ungeheuer zum Fraß ausgesetzt. Ihrem Vater hatte Poseidon die Mauern von Troja erbaut und den Lohn nicht erhalten; dafür verwüstete ein Seeuntier Trojas Gebiet so lange, bis der verzweifelte Laomedon ihm seine Tochter preisgab. Als Herakles vorüberfuhr, rief ihn der jammernde Vater zu Hilfe und versprach, ihm für die Rettung der Tochter die herrlichen Rosse zu geben, die sein Vater von Zeus zum Geschenke bekommen hatte. Herakles legte an und erwartete das Ungetüm. Als es kam und den Rachen aufsperrte, die Jungfrau zu verschlingen, sprang er selbst in den Rachen des Tieres, zerschnitt ihm alle Eingeweide und stieg aus dem Getöteten wie aus einer Mördergrube wieder hervor. Aber Laomedon hielt auch diesmal sein Wort nicht, und Herakles fuhr unter Drohungen davon.

Die drei letzten Arbeiten des Herakles

Als der Held das Wehrgehenk der Königin Hippolyta zu Eurystheus' Füßen niedergelegt hatte, gönnte dieser ihm keine Ruhe, sondern schickte ihn sogleich wieder aus, die Rinder des Riesen Geryones herbeizuschaffen. Dieser besaß auf der Insel Erythia, im Meerbusen von Gadira (Cadix), eine Herde schöner braunroter Rinder, die ein anderer Riese und ein zweiköpfiger Hund ihm hüteten. Geryones selbst war ungeheuer groß, hatte drei Leiber, drei Köpfe, sechs Arme und sechs Füße. Kein Erdensohn hatte sich je an ihn gewagt; Herakles sah wohl, wie viele Vorbereitungen dieses beschwerliche Unternehmen erfordere. Es war weltbekannt, dass des Geryones Vater, Chrysaor, der den Namen Goldschwert von seinem Reichtum hatte, König von ganz Iberien (Spanien) war, dass außer Geryones noch drei tapfere und riesige Söhne für ihn stritten und jeder Sohn ein zahlreiches Heer von streitbaren Männern unter seinem Befehle hatte. Eben darum hatte Eurystheus dem Herakles jene Arbeit aufgetragen, denn er hoffte, auf einem Kriegszug in ein solches Land werde er sein verhasstes Leben doch endlich lassen müssen. Doch Herakles ging den Gefahren nicht erschrockener entgegen als allen seinen früheren Taten. Er sammelte seine Heere auf der Insel Kreta, die er von wilden Tieren befreit hatte, und landete zuerst in Libyen. Hier rang er mit dem Riesen Antäos, der neue Kräfte erhielt, sooft er die Erde berührte: aber Herakles hielt ihn in die freie Luft empor und drückte ihn da zu Tode. Auch reinigte er Libyen von den Raubtieren; denn er hasste wilde Tiere und ruchlose Menschen, weil er in ihnen allen das Bild des übermütigen und ungerechten Herrschers erblickte, dem er so lange dienstbar gewesen war.

Nach einer langen Wanderung durch wasserlose Gegenden kam er endlich in ein fruchtbares, von Flüssen durchströmtes Gebiet. Hier gründete er eine Stadt von ungeheurer Größe und nannte sie Hekatompylos: Hunderttor. Zuletzt gelangte er an den Atlantischen Ozean, gegenüber von Gadira; hier pflanzte er die beiden berühmten Heraklessäulen auf. Die Sonne brannte entsetzlich, Herakles ertrug es nicht länger, er richtete seine Augen nach dem Himmel und drohte mit aufgehobenem Bogen, den Sonnengott niederzuschießen. Dieser bewunderte seinen Mut und lieh ihm, um weiterzukommen, die goldne Schale, in welcher der Sonnengott selbst seinen nächtlichen Weg vom Niedergange bis zum Aufgange zurücklegt. Auf dieser fuhr Herakles mit seiner nebenher segelnden Flotte nach Iberien hinüber. Hier fand er die drei Söhne des Chrysaor mit drei großen Heeren, einen nicht weit vom andern gelagert; er aber tötete die Anführer alle im Zweikampfe und eroberte das Land. Dann kam er nach der Insel Erythia, wo Geryones mit seinen Herden hauste. Sobald der doppelköpfige Hund seine Ankunft innewurde, fuhr er auf ihn los; allein Herakles empfing ihn mit dem Knüttel, erschlug ihn und darauf auch den riesigen Rinderhirten, der dem Hunde zu Hilfe gekommen war. Dann eilte er mit den Rindern davon, aber Geryones holte ihn ein, und es kam zu einem schweren Kampfe. Hera selbst erschien, dem Riesen beizustehen; doch Herakles schoss ihr einen Pfeil in die Brust, dass die Göttin verwundet entfliehen musste. Auch der dreifache Leib des Riesen, der in der Gegend des Magens zusammenlief, fing hier den tödlichen Pfeil auf und musste erliegen. Unter glorreichen Taten vollbrachte Herakles seinen Rückweg, indem er zu Lande die Rinder durch Iberien und Italien trieb. Bei Rhegium in Unteritalien entlief ihm einer seiner Ochsen, setzte über die Meerenge und kam so nach Sizilien. Sogleich trieb er auch die andern Ochsen ins Wasser und schwamm, indem er einen Stier am Horn fasste, nach Sizilien hinüber. Unter mancherlei Taten kam der Held nun glücklich über Italien, Illyrien und Thrakien nach Griechenland zurück und in dem Isthmus an.

Jetzt hatte Herakles zehn Arbeiten vollbracht, weil aber Eurystheus zwei nicht gelten ließ, so musste er sich bequemen, noch zwei weitere zu verrichten.

Einst bei der feierlichen Vermählung des Zeus mit Hera, als alle Götter dem erhabenen Paar ihre Hochzeitsgeschenke darbrachten, wollte auch Gäa nicht zurückbleiben; sie ließ daher am Westgestade des großen Weltmeeres einen ästereichen Baum voll goldener Äpfel hervorwachsen. Vier Jungfrauen, Hesperiden genannt, Töchter der Nacht, waren die Wärterinnen dieses heiligen Gartens, den außerdem noch ein hundertköpfiger Drache bewachte, Ladon, ein Sprössling des Phorkys, des berühmten Vaters so vieler Ungeheuer, und der erdgeborenen Keto. Kein Schlaf kam je über die Augen dieses Drachen, und ein fürchterliches Gezisch verkündete seine Nähe, denn jede seiner hundert Kehlen ließ eine andere Stimme hören. Diesem Ungeheuer, so lautete der Befehl des Eurystheus, sollte Herakles die goldenen Äpfel der Hesperiden entreißen. Der Halbgott machte sich auf den langen und abenteuerlichen Weg, auf welchem er sich dem blinden Zufall überließ, denn er wusste nicht, wo die Hesperiden wohnten. Zuerst gelangte er nach Thessalien, wo der Riese Termeros hauste, der alle Reisenden, denen er begegnete, mit seinem harten Hirnkasten zu Tode rannte. Aber an des göttlichen Herakles Schädel zersplitterte das Haupt des Riesen. Weiter vorwärts, am Flusse Echedoros, kam dem Helden ein anderes Ungetüm in den Weg: Kycnus, der Sohn des Ares und der Pyrene. Dieser, von dem Halbgotte nach den Gärten der Hesperiden befragt, forderte statt aller Antwort den Wanderer zum Zweikampf heraus und wurde von Herakles erschlagen. Da erschien Ares, der Gott selbst, den getöteten Sohn zu rächen, und Herakles sah sich gezwungen, mit ihm zu kämpfen. Aber Zeus wollte nicht, dass seine Söhne Bruderblut vergössen, und ein plötzlich mitten zwischen beide geschleuderter Blitz trennte die Kämpfer. Herakles schritt nun weiter durchs illyrische Land, eilte über den Fluss Eridanos und kam zu den Nymphen des Zeus und der Themis, die an den Ufern dieses Stromes wohnten. Auch an sie richtete der Held seine Frage. »Geh zu dem alten Stromgotte Nereus«, war ihre Antwort, »der ist ein Wahrsager und weiß alle Dinge. Überfall ihn im Schlafe und binde ihn, so wird er gezwungen, den rechten Weg dir anzugeben.« Herakles befolgte diesen Rat und bemächtigte sich des Flussgottes, obgleich dieser nach seiner Gewohnheit sich in allerlei Gestalten verwandelte. Er ließ ihn nicht eher los, bis er erkundet hatte, in welcher Weltgegend er die goldenen Äpfel der Hesperiden antreffen werde. Hierüber belehrt, durchzog er weiter Libyen und Ägypten. Über das letztere Land herrschte Busiris, der Sohn des Poseidon und der Lysianassa. Ihm war bei einer neunjährigen Teuerung durch einen Wahrsager aus Cypern das grausame Orakel geworden, dass die Unfruchtbarkeit aufhören solle, wenn dem Zeus jährlich ein fremder Mann geschlachtet würde. Zum Danke machte Busiris den Anfang mit dem Wahrsager selbst; allmählich fand der Barbar ein Gefallen an dieser Gewohnheit und schlachtete alle Fremdlinge, welche nach Ägypten kamen. So wurde denn auch Herakles ergriffen und zu den Altären des Zeus geschleppt. Er aber riss die Bande, die ihn fesselten, entzwei und erschlug den Busiris mitsamt seinem Sohn und dem priesterlichen Herold. Unter mancherlei Abenteuern zog der Held weiter, befreite, wie schon erzählt worden ist, den an den Kaukasus geschmiedeten Titanen Prometheus und gelangte endlich nach der Anweisung des Entfesselten in das Land, wo Atlas die Last des Himmels trug und in dessen Nähe der Baum mit den goldenen Äpfeln von den Hesperiden gehütet wurde. Prometheus hatte dem Halbgotte geraten, sich nicht selbst dem Raube der goldenen Früchte zu unterziehen, sondern den Atlas auf diesen Fang auszusenden. Er selbst erbot sich dafür, so lange das Tragen des Himmels auf sich zu nehmen. Atlas bezeigte sich willig, und Herakles stemmte die mächtigen Schultern dem Himmelsgewölbe unter. Jener dagegen machte sich auf, schläferte den um den Baum sich ringelnden Drachen ein, tötete ihn, überlistete die Hüterinnen und kam mit drei Äpfeln, die er gepflückt, glücklich zu Herakles. »Aber«, sprach er, »meine Schultern haben nun einmal empfunden, wie es schmeckt, wenn der eherne Himmel nicht auf ihnen lastet. Ich mag ihn fürder nicht wieder tragen.« So warf er die Äpfel vor dem Halbgott auf den Rasen und ließ diesen mit der ungewohnten, unerträglichen Last stehen. Herakles musste auf eine List sinnen, um loszukommen. »Lass mich«, sprach er zu dem Himmelsträger, »nur einen Bausch von Stricken um den Kopf winden, damit mir die entsetzliche Last nicht das Gehirn zersprengt.« Atlas fand die Forderung billig und stellte sich, nach seiner Meinung auf wenige Augenblicke, dem Himmel wieder unter. Aber er konnte lange warten, bis Herakles ihn wieder ablöste, und der Betrüger wurde zum Betrogenen. Denn Herakles nahm die Äpfel vom Rasen auf und machte sich mit den goldenen Früchten aus dem Staube. Er brachte diese dem Eurystheus, der sie, da sein Zweck, den Herakles aus dem Wege zu räumen, doch nicht erreicht war, dem Helden wieder als Geschenk zurückgab. Dieser legte sie auf dem Altare Athenes nieder; die Göttin aber wusste, dass es der heiligen Bestimmung dieser göttlichen Früchte zuwider war, irgendwo anders aufbewahrt zu werden, und so trug sie die Äpfel wieder in den Garten der Hesperiden zurück.

Statt den verhassten Nebenbuhler zu vernichten, hatten die bisher ihm von Eurystheus aufgetragenen Arbeiten den Herakles nur in dem Berufe verherrlicht, der ihm vom Schicksal angewiesen war: sie hatten ihn als Vertilger jeder Unmenschlichkeit auf Erden, als den echt menschlichen Wohltäter der Sterblichen dargestellt. Das letzte Abenteuer aber sollte er in einer Region bestehen, wohin ihn – so hoffte der arglistige König –

seine Heldenkraft nicht begleiten würde; ein Kampf mit den finstern Mächten der Unterwelt stand ihm bevor: er sollte Kerberos, den Höllenhund, aus dem Hades heraufbringen. Dies Untier hatte drei Hundsköpfe mit grässlichen Rachen, aus denen unaufhörlich giftiger Geifer träufte, ein Drachenschwanz hing ihm vom Leibe herunter, und das Haar der Köpfe und des Rückens bildeten zischende geringelte Schlangen. Sich für diese Grausen erregende Fahrt zu befähigen ging Herakles in die Stadt Eleusis im attischen Gebiete, wo eine Geheimlehre über göttliche Dinge der Ober- und Unterwelt von kundigen Priestern gehegt wurde, und ließ sich von dem Priester Eumolpos in die dortigen Geheimnisse einweihen, nachdem er an heiliger Stätte vom Morde der Kentauren entsündigt worden war. So mit geheimer Kraft, den Schrecken der Unterwelt zu begegnen, ausgerüstet, wanderte er in den Peloponnes und nach der lakonischen Stadt Tänaros, wo sich die Mündung der Unterwelt befand. Hier stieg er, von Hermes, dem Begleiter der Seelen, geleitet, die tiefe Erdkluft hinab und kam zur Unterwelt vor die Stadt des Königs Pluton. Die Schatten, die vor den Toren der Hadesstadt traurig wandelten – denn in der Unterwelt ist kein heiteres Leben wie im Sonnenlichte –, ergriffen die Flucht, als sie Fleisch und Blut in lebendiger Menschengestalt erblickten; nur die Gorgone Medusa und der Geist Meleagers hielten stand. Nach jener wollte Herakles einen Schwertstreich führen, aber Hermes fiel ihm in den Arm und belehrte ihn, dass die Seelen der Abgeschiedenen leere Schattenbilder und vom Schwerte nicht verwundbar seien. Mit der Seele Meleagers dagegen unterhielt sich der Halbgott freundlich und empfing von ihm sehnsüchtige Grüße für die Oberwelt an seine geliebte Schwester Deïanira. Ganz nahe zu den Pforten des Hades gekommen, erblickte er seine Freunde Theseus und Peirithoos; der Letztere hatte sich in der Unterwelt, vom andern begleitet, als Freier der Persephone eingefunden, und beide waren wegen dieses frechen Unterfangens von Pluton an den Stein, auf den die Ermüdeten sich niedergelassen hatten, gefesselt worden. Als beide den befreundeten Halbgott erblickten, streckten sie flehend die Hände nach ihm aus und zitterten vor Hoffnung, durch seine Kraft die Oberwelt wieder erklimmen zu können. Den Theseus ergriff auch Herakles wirklich bei der Hand, befreite ihn von seinen Banden und richtete ihn vom Boden, an den gefesselt er gelegen hatte, wieder auf. Ein zweiter Versuch, auch den Peirithoos zu befreien, misslang, denn die Erde fing an, ihm unter den Füßen zu beben. Vorschreitend erkannte Herakles auch den Askalaphos, der einst verraten hatte, dass Persephone von den die Rückkehr verwehrenden Granatäpfeln des Hades gegessen; er wälzte den Stein ab, den Demeter in Verzweiflung über den Verlust ihrer Tochter auf ihn gewälzt hatte. Dann fiel er unter die Herden des Pluton und schlachtete eines der Rinder, um die Seelen mit Blut zu tränken; dies wollte der Hirte dieser Rinder, Menötios, nicht gestatten und forderte deswegen den Helden zum Ringkampfe auf. Herakles aber fasste ihn mitten um den Leib, zerbrach ihm die Rippen und gab ihn nur auf Bitten der Unterweltsfürstin Persephone selbst wieder frei. Am Tore der Totenstadt stand der König Pluton und verwehrte ihm den Eingang. Aber das Pfeilgeschoss des Heroen durchbohrte den Gott an der Schulter, dass er Qualen der Sterblichen empfand und, als der Halbgott nun bescheidentlich um Entführung des Höllenhundes bat, sich nicht länger widersetzte. Doch forderte er als Bedingung, dass Herakles desselben mächtig werden solle, ohne die Waffen zu gebrauchen, die er bei sich führe. So ging der Held, einzig mit seinem Brustharnisch bedeckt und mit der Löwenhaut umhangen, aus, das Untier zu fahen. Er fand ihn an der Mündung des Acheron hingekauert, und ohne auf das Bellen des Dreikopfs zu achten, das wie ein sich in Widerhallen vervielfältigender, dumpfer Donner tönte, nahm er die Beine, umschlang den Hals mit den Armen und ließ ihn nicht los, obgleich der Schwanz des Tieres, der eine lebendige Schlange war, sich vorwärts bäumte und der Drache ihn in die Weiche biss. Er hielt den Nacken des Ungetüms fest und schnürte ihn so lange zu, bis er über das ungebärdige Tier Meister ward, es dann aufhob und durch eine andere Mündung des Hades bei Trözen im argolischen Lande glücklich wieder zur Oberwelt auftauchte. Als der Höllenhund das Tageslicht erblickte, entsetzte er sich und fing an, den Geifer von sich zu speien; davon wuchs der giftige Eisenhut aus dem Boden hervor. Herakles brachte das Ungeheuer in Fesseln sofort nach Tiryns und hielt es dem staunenden Eurystheus, der seinen eigenen Augen nicht traute, entgegen. Jetzt verzweifelte der König daran, jemals des verhassten Zeussohnes ledig zu werden, ergab sich in sein Schicksal und entließ den Helden, der den Höllenhund seinem Eigentümer zurück in die Unterwelt brachte.

Herakles und Eurytos

Herakles, nach allen diesen Mühsalen endlich vom Dienste des Eurystheus befreit, kehrte nach Theben zurück. Mit seiner Gemahlin Megara, der er im Wahnsinne die Kinder umgebracht hatte, konnte er nicht mehr leben; er trat sie daher mit ihrem Willen seinem geliebten Vetter Jolaos zur Gattin ab und dachte selbst auf eine neue Vermählung. Seine Neigung wandte sich der schönen Jole zu, der Tochter des Königs Eurytos zu Öchalia auf der Insel Euböa, der den Herakles einst als Knaben in der Kunst des Bogenschießens unterrichtet hatte. Dieser König hatte seine Tochter dem Wettkämpfer versprochen, der ihn und seine Söhne im Bogenschießen übertreffen würde. Auf diese Bekanntmachung eilte Herakles nach Öchalia und trat unter der Schar der Bewerber auf. Er bewies in diesem Wettkampfe, dass er kein unwürdiger Schüler des alten Eurytos gewesen, denn er besiegte ihn und seine Söhne. Der König hielt seinen Gast in allen Ehren; im Herzen aber erschrak er gewaltig über dessen Sieg, denn er musste an das Schicksal der Megara denken und fürchtete für seine Tochter ein gleiches Los. Er erklärte daher auf die Anfrage des Helden, sich wegen der Heirat noch längere Zeit bedenken zu wollen. Inzwischen war der älteste Sohn des Eurytos, Iphitos, ein Altersgenosse des Herakles, der eine neidlose Freude über die Stärke und Heldenherrlichkeit seines Gastes empfand, sein inniger Freund geworden und wandte alle Künste der Überredung an, um seinen Vater dem edlen Fremdling geneigter zu machen. Eurytos aber beharrte auf seiner Weigerung. Gekränkt verließ Herakles das Königshaus und irrte lang in der Fremde umher. Was ihm hier bei dem Könige Admetos begegnete, soll der nächste Abschnitt erzählen. Mittlerweile kam ein Bote vor den König Eurytos und meldete, dass ein Räuber unter die Rinderherde des Königs gefallen sei. Es hatte dies der listige und betrügerische Autolykos verübt, dessen Diebereien weit und breit bekannt waren. Der erbitterte König aber sprach: »Dies hat kein anderer getan als Herakles; solche unedle Rache nimmt er, weil ich ihm, dem Mörder seiner Kinder, die Tochter versagt habe!« Iphitos verteidigte seinen Freund mit warmen Worten und erbot sich, selbst zu Herakles zu gehen und mit ihm die gestohlenen Rinder aufzusuchen. Dieser nahm den Königssohn gastfreundlich auf und zeigte sich bereitwillig, den Zug mit ihm zu unternehmen. Indessen kehrten sie unverrichteter Dinge zurück, und als sie die Mauern von Tirynos bestiegen hatten, um mit den Blicken die Gegend durchschweifen und die gestohlenen Rinder irgendwo entdecken zu können, siehe, da bemächtigte sich der unselige Wahnsinn auf einmal wieder des Heldengeistes; Herakles, von Heras Zorn getrieben, hielt seinen treuen Freund Iphitos für einen Mitverschworenen des Vaters und stürzte ihn über die hohen Stadtmauern von Tiryns herab.

Herakles bei Admetos

In der Zeit, als der Held, aus dem Hause des Königs von Öchalia mit Unwillen entwichen, in der Irre umherstreifte, hat sich Folgendes begeben. Zu Pherä in Thessalien lebte der edle König Admetos mit seiner jungen und schönen Gemahlin Alkestis, die ihren Gatten über alles liebte, von blühenden Kindern umringt, von glücklichen Untertanen geliebt. In früherer Zeit, als Apollon, der die Zyklopen getötet hatte, aus dem Olymp entflohen war und sich gezwungen sah, einem Sterblichen dienstbar zu werden, hatte ihn Admetos, der Sohn des Pheres, liebreich aufgenommen, und er weidete ihm als Sklave seine Rinder. Seitdem stand er unter dem wirksamen Schutze des später von seinem Vater Zeus wieder zu Gnaden angenommenen Gottes. Als nun die Lebenszeit des Königs Admetos verstrichen und vom Schicksal ihm der Tod zuerkannt war, da erwirkte sein Freund Apollon, dem dies als einem Gotte bewusst, bei den Schicksalsgöttinnen, dass sie ihm gelobten, Admetos solle dem Hades, der ihn bedrohte, entfliehen, wenn ein anderer Mensch für ihn sterben und in das Totenreich hinabsteigen wollte. Apollon verließ daher den Olymp und kam nach Pherä zu seinem alten Gastfreunde, ihm und den Seinigen die Botschaft vom Tode, den das Geschick über ihn beschlossen, zu überbringen, zugleich aber ihm das Mittel anzugeben, wodurch er seinem Schicksal zu entrinnen vermöge. Admetos war ein redlicher Mann, aber er liebte das Leben, und auch alle die Seinigen samt seinen Untertanen erschraken, dass dem Hause die Stütze, der Gattin und den Kindern Gatte und Vater, dem Volke ein milder Herrscher geraubt werden sollte. Deswegen ging Admetos umher und forschte, ob er einen Freund fände, der für ihn sterben wollte.

Aber da war nicht einer, der dazu Lust gehabt hätte, und sosehr sie vorher den Verlust, der ihnen bevorstände, bejammert hatten, so kalt wurde ihr Sinn, als sie hörten, unter welcher Bedingung ihm das Leben erhalten werden könnte. Selbst der greise Vater des Königs, Pheres, und die gleichfalls hochbetagte Mutter, die den Tod jede Stunde vor sich sahen, wollten das wenige Leben, das sie noch zu hoffen hatten, nicht für den Sohn dahingeben. Nur Alkestis, seine blühende, lebensvolle Gattin, die glückliche Mutter hoffnungsvoll heranblühender Kinder, war von so reiner und aufopfernder Liebe zu dem Gemahl beseelt, dass sie sich bereit erklärte, dem Sonnenlichte für ihn zu entsagen. Kaum war diese Erklärung aus ihrem Munde gegangen, als auch schon der schwarze Priester der Toten, Thanatos (der Tod), den Toren des Palastes nahte, sein Opfer ins Schattenreich hinabzuführen. Denn er wusste Tag und Stunde genau, an welchem dem Admetos vom Schicksale bestimmt gewesen war zu sterben. Als Apollon den Tod herankommen sah, verließ er, der Gott des Lebens, schnell den Königspalast, um von seiner Nähe nicht entheiligt zu werden. Die fromme Alkestis aber, als sie den entscheidenden Tag sich nahen sah, reinigte sich als Opfer des Todes in fließendem Wasser, nahm festliches Gewand und Geschmeide aus dem Schranke von Zedernholz, und nachdem sie so sich ganz würdevoll geschmückt, betete sie vor ihrem Hausaltare zur Göttin der Unterwelt. Dann umschlang sie Kinder und Gemahl und trat endlich, von Tag zu Tage mehr abgezehrt, zur bestimmten Stunde, von ihren Dienerinnen umringt, an der Seite ihres Gatten und ihrer Kinder in das Gemach, wo sie den Boten der Unterwelt empfangen wollte. Hier schickte sie sich zum feierlichen Abschiede von den Ihrigen an. »Lass mich zu dir reden, was mein Herz begehrt«, sprach sie zu ihrem Gemahle. »Weil dein Leben mir teurer ist als das meinige, sterbe ich für dich jetzt, wo mir das Sterben noch nicht drohte, wo ich, einen edlen Thessalier zum zweiten Gemahle wählend, im beglückten Fürstenhause hätte wohnen können. Aber ich wollte nicht leben, deiner beraubt, die verwaisten Kinder anschauend. Dein Vater und deine Mutter haben dich verraten, da doch ihnen Sterben rühmlicher gewesen wäre; denn dann wärest du nicht einsam geworden und hättest keine Waisen aufzuziehen gehabt. Doch da es die Götter einmal so gefügt haben, so bitte ich dich nur, meiner Wohltat eingedenk zu sein und den Kleinen, welche du nicht weniger liebest als ich, die ich sie verlassen muss, kein anderes Weib als Mutter zuzuführen, das von Neid gequält sie selber plagen könnte. Denn oft sind Drachen sanftmütiger als Stiefmütter.« Unter Tränen schwur ihr der Gemahl, dass, wie sie im Leben die Seine gewesen, so auch im Tode nur sie ihm Gattin heißen solle. Dann übergab ihm Alkestis die wehklagenden Kinder und sank ohnmächtig nieder.

Unter den Vorbereitungen zur Bestattung geschah es nun, dass der umherirrende Herakles nach Pherä und vor die Tore des Königspalastes kam. Eingelassen, geriet er in eine Unterredung mit den Dienern des Hauses, und zufällig kam Admetos selbst dazu. Dieser nahm seinen Gast, den eigenen Kummer unterdrückend, mit großer Herzlichkeit auf, und als Herakles, durch den Anblick seiner Trauerkleider betroffen, ihn um seinen Verlust befragte, erwiderte er, um den Gast nicht zu betrüben oder gar zu verscheuchen, auf eine so verdeckte Weise, dass Herakles der Meinung war, es sei eine ferne Anverwandte des Admetos, die zu Besuche bei dem Könige war, gestorben. Er blieb daher fröhlichen Sinnes, ließ sich von einem Sklaven in das Gastgemach geleiten und hier Wein vorsetzen. Als ihm die Traurigkeit des Dieners auffiel, schalt er diesen um sein übermäßiges Leid. »Was siehst du mich so ernst und feierlich an?«, sprach er. »Ein Diener muss gefällig gegen Fremdlinge sein! Was ist's auch, wenn eine Fremde in eurem Hause gestorben ist; weißt du denn nicht, dass dies das allgemeine Los der Menschen ist? Den Trübseligen ist das Leben eine Qual; geh, bekränze dich, wie du mich siehst, und trinke mit mir! Ich weiß gewiss, ein überwallender Becher wird bald alle Runzeln deiner Stirne vertreiben.« Aber der Diener wandte sich mit Grauen ab. »Uns traf ein Geschick«, sprach er, »dem nicht Lachen und Schmausen ziemt. Fürwahr, der Sohn des Pheres ist nur allzu gastfreundlich, dass er in so tiefer Trauer einen so leichtsinnigen Gast aufgenommen hat.« – »Soll ich nicht fröhlich sein«, erwiderte Herakles verdrießlich, »weil eine fremde Frau gestorben ist?« – »Eine fremde Frau!«, rief der Diener verwundert. »Dir mochte sie fremd sein; uns war sie es nicht!« – »So hat mir Admetos seinen Unfall nicht recht berichtet«, sagte Herakles stutzend. Aber der Sklave sprach: »Nun sei du immerhin fröhlich; der Gebieter Weh geht ja nur ihre Freunde und Diener an!« Aber Herakles hatte keine Ruhe mehr, bis er die Wahrheit erfahren hatte. »Ist's möglich?«, rief er. »Eines so herrlichen Weibes ward er beraubt, und dennoch hat er den Fremdling so gastlich aufgenommen? Trat ich doch mit geheimem Widerwillen zum Tore herein, und nun hab ich hier im Trauerhause das Haupt mit Kränzen geschmückt, gejubelt und getrunken! Aber sage mir, wo liegt das fromme Weib bestattet?« – »Wenn du den geraden Weg gehst, der nach Larissa führt«, antwortete der Sklave, »so siehst du das schmucke Totenmal, das ihr schon aufgerichtet ist.« Mit diesen Worten verließ der Diener weinend den Fremdling.

Allein gelassen brach Herakles in keine Klagen aus, sondern der Held hatte schnell einen Entschluss gefasst. »Retten muss ich«, sprach er zu sich selbst, »diese Gestorbene, sie wieder einführen in das Haus des Gatten; anders kann ich seine Gunst nicht würdig vergelten. Ich gehe an das Grabmal; dort harre ich des Thanatos, des Totenbeherrschers. Ich finde ihn wohl, wie er kommt, das Opferblut zu trinken, das ihm über dem Denkmal der Verstorbenen gespendet wird. Dann springe ich aus meinem Hinterhalte hervor, ergreife ihn schnell, umschlinge ihn mit den Händen, und keine Macht auf Erden soll ihn mir entreißen, ehe er mir seine Beute überlässt.« Mit diesem Vorsatze verließ er in aller Stille den Palast des Königs.

Admetos war in sein verödetes Haus zurückgekehrt und trauerte mit seinen verlassenen Kindern in schmerzlicher Sehnsucht nach der geopferten Gattin, und kein Trost getreuer Diener vermochte seinen Kummer zu lindern. Da betrat sein Gastfreund Herakles die Schwelle wieder, ein verschleiertes Weib an der Hand führend. »Du hast nicht wohl daran getan, o König«, sagte er, »mir den Tod deiner Gattin zu verhehlen; du nahmst mich in dein Haus auf, als ob nur fremdes Leiden dich bekümmerte; so habe ich unwissend groß Unrecht getan und im Unglückshause fröhliches Trankopfer ausgegossen. Doch ich will dich in deinem Ungemache nicht noch weiter betrüben. Höre jedoch, warum ich noch einmal gekommen bin. Diese Jungfrau hier habe ich als Siegeslohn bei einem Kampfspiele empfangen. Nun gehe ich hin, den König der Bistonier in Thrazien zu bekriegen. Bis ich diesen Zug vollbracht habe, übergebe ich dir die Jungfrau als Dienerin; sorge du für sie als das Eigentum eines Freundes.«

Admetos erschrak, als er den Herakles so sprechen hörte. »Nicht weil ich den Freund verachtet oder verkannt hätte«, erwiderte er, »habe ich dir meiner Gattin Tod verborgen, sondern um mir nicht noch mehr Leiden dadurch zu bereiten, dass ich dich in eines anderen Freundes Haus davonziehen ließe. Dieses Weib aber, Herr, bitte ich dich einem andern Bewohner von Pherä zuzuführen, nicht mir, der ich so viel gelitten habe. Hast du ja doch genug Gastfreunde in dieser Stadt. Wie könnte ich ohne Tränen diese Jungfrau in meinem Hause erblicken? Den Männeraufhalt könnte ich ihr nicht zur Wohnung geben, und sollte ich ihr die Gemächer der verstorbenen Gattin einräumen? Das sei ferne! Ich fürchte die üble Nachrede der Pheräer, ich fürchte auch den Tadel der Entschlafenen!« So sprach abwehrend der König, aber ein wunderbares Sehnen zog seine Blicke doch wieder auf die tief verschleierte Gestalt. »Wer du auch seiest, o Weib«, sagte er seufzend, »wisse, dass du an Größe und Gestalt wundersam meiner Alkestis gleichest. Bei den Göttern beschwöre ich dich, Herakles führe mir diese Frau aus den Augen und quäle den Gequälten nicht noch mehr; denn wenn ich sie erblicke, wähne ich mein verstorbenes Weib zu sehen, ein Strom von Tränen bricht aus meinen Augen, und aufs Neue versinke ich in Kümmernis.« Herakles unterdrückte sein wahres Gefühl und antwortete betrübt: »Oh, wäre mir von Zeus die Macht verliehen, dir dein heldenmütiges Weib aus dem Schattenreich ans Licht zurückzuführen und dir für deine Güte solche Gunst zu erweisen!« – »Ich weiß, du tätest es«, erwiderte Admet, »wann aber kehrte je ein Toter aus dem Schattenreiche zurück?« – »Nun«, fuhr Herakles lebhafter fort, »weil dies nicht geschehen kann, so gestatte der Zeit, deinen Kummer zu lindern, den Toten geschieht doch kein Gefallen mit der Trauer, verbanne auch den Gedanken nicht ganz, dass eine zweite Gattin dir einst noch das Leben erheitern kann. Endlich mir zuliebe nimm das edle Mädchen, das ich dir hier bringe, in dein Haus auf. Versuch es wenigstens; sobald es dir nicht frommen sollte, soll sie dein Haus wieder verlassen!« Admet sah sich von dem Gaste, den er nicht beleidigen wollte, bedrängt; er befahl, jedoch nur ungerne, dass die Diener das Weib in die innern Gemächer geleiten sollten. Aber Herakles gab dieses nicht zu. »Vertraue«, sprach er, »mein Kleinod keinen Sklavenhänden, o Fürst! Du selbst, wenn es dir gefällt, sollst sie hineinführen!« – »Nein«, sprach Admet, »ich berühre sie nicht; ich würde schon so das Wort, das ich der geliebten Toten gegeben habe, zu verletzen glauben. Eingehen möge sie, aber ohne mich!« Doch Herakles ruhte nicht, bis er die Hand der Verschleierten ergriffen hatte. »Nun dann«, sagte Herakles freudig, »so bewahre sie; blicke die Jungfrau auch recht an, ob sie wirklich deinem Ehegemahl gleicht, und ende deinen Gram!« Damit enthüllte er die Verschleierte und gab dem in Staunen zweifelnden König seine wiederbelebte Gemahlin zu schauen. Während Admetos, wie leblos, die Lebende an der Hand hielt und sich mit Furcht und Zittern an ihrem Anblick weidete, erzählte ihm der Halbgott, wie er den Thanatos am Grabeshügel ergriffen und seine Beute ihm abgerungen habe. Da sank Admetos in die Arme seines Weibes. Aber diese blieb sprachlos und durfte seinen zärtlichen Ausruf nicht erwidern. »Du wirst«, belehrte ihn Herakles, »ihre Stimme nicht wieder vernehmen, als bis die Totenweihe von ihr genommen und der dritte Tag erschienen ist. Doch führe sie getrost hinein in dein Gemach und erfreue dich ihres Besitzes. Er ist dir zuteil geworden, weil du an Fremdlingen so edle Gastfreundschaft geübt hast. Mich aber lass meinem Geschicke nachziehen.« – »So zeuch in Frieden, Held!«, rief Admetos dem Scheidenden nach. »Du hast mich in ein besseres Leben zurückgeführt; glaube mir, dass ich meine Seligkeit dankbar erkenne! Alle Bürger meines Königreichs sollen mir Chortänze aufführen helfen, und Opferduft entsteige den Altären! Dabei wollen wir dein, o du mächtiger Zeussohn, in Dank und Liebe gedenken!«

Herakles im Dienste der Omphale

Der Mord des Iphitos, obgleich im Wahnsinne verübt, lag schwer auf Herakles. Er wanderte von einem Priesterkönige zum andern, um sich reinigen zu lassen; erst zum Könige Neleus von Pylos, dann zu Hippokoon, König von Sparta; aber beide weigerten sich dessen; der dritte endlich, Deiphobos, ein König zu Amyklä, übernahm es, ihn zu entsühnen. Nichtsdestoweniger schlugen ihn die Götter zur Strafe der Untat mit einer schweren Krankheit. Der Held, sonst von Kraft und Gesundheit strotzend, konnte das plötzliche Siechtum nicht ertragen. Er wandte sich nach Delphi und hoffte, bei dem pythischen Orakel Genesung zu finden. Aber die Priesterin weigerte ihm, als einem Mörder, ihren Spruch. Da raubte er im Heldenzorn den Dreifuß, trug ihn hinaus aufs

Feld und errichtete sein eigenes Orakel. Erbost über diesen kühnen Eingriff in seine Rechte, erschien Apollon und forderte den Halbgott zum Kampfe heraus. Aber Zeus wollte auch diesmal kein Bruderblut fließen sehen; er schlichtete den Kampf, indem er einen Donnerkeil zwischen die Streitenden warf. Jetzt erhielt endlich Herakles einen Orakelspruch, welchem zufolge er von seinem Übel befreit werden sollte, wenn er zu dreijährigem Knechtsdienste verkauft würde, das Handgeld aber als Sühne dem Vater gäbe, dem er den Sohn erschlagen. Herakles, von Krankheit überwältigt, fügte sich in diesen harten Spruch. Er schiffte sich mit einigen Freunden nach Asien ein und wurde dort von einem derselben mit seiner Einwilligung als Sklave verkauft an Omphale, die Tochter des Jardanos, die Königin des damaligen Mäoniens, was später Lydien hieß. Den Kaufpreis brachte der Verkäufer, dem Orakel gemäß, dem Eurytos, und als dieser das Geld zurückwies, übergab er es den Kindern des erschlagenen Iphitos. Jetzt wurde Herakles wieder gesund. Im Vollgefühle der wiedergewonnenen Körperkraft zeigte er sich anfangs auch als Sklave der Omphale noch als Held und fuhr fort, in seinem Berufe als Wohltäter der Menschheit zu wirken. Er züchtigte alle Räuber, welche das Gebiet seiner Herrin und der Nachbarn beunruhigten. Die Kerkopen, die in der Gegend von Ephesos hausten und durch Plünderung viel Schaden anrichteten, wurden von ihm teils erschlagen, teils gebunden der Omphale überliefert. Den König Syleus in Aulis, einen Sohn des Poseidon, der die Reisenden auffing und sie zwang, ihm die Weinberge zu hacken, erschlug er mit dem Spaten und grub seine Weinstöcke mit den Wurzeln aus. Den Itonen, die wiederholt ins Land der Omphale einfielen, zerstörte er ihre Stadt von Grund aus und machte sämtliche Einwohner zu Sklaven. In Lydien trieb damals Lityerses, ein unechter Sohn des Midas, sein Wesen. Er war ein reich begüterter Mann und lud alle Fremden, die bei seinem Sitze vorüberreisten, höflich zu Gaste. Nach dem Mahle zwang er sie, mit ihm in seine Ernte zu gehen, und des Abends schlug er ihnen die Köpfe ab. Auch diesen Tyrannen brachte Herakles um und warf ihn in den Fluss Mäander. Einmal fuhr er auf einem dieser Züge an der Insel Doliche an und sah hier einen Leichnam, von den Wellen herangespült, am Gestade liegen. Es war die Leiche des unglücklichen Ikarus, der mit den wachsgefügten Flügeln seines Vaters auf der Flucht aus dem Labyrinthe zu Kreta der Sonne zu nahe gekommen und in das Meer gefallen war. Mitleidig begrub Herakles den Verunglückten und gab der Insel, ihm zu Ehren, den Namen Ikaria. Für diesen Dienst errichtete der Vater des Ikarus, der kunstreiche Dädalos, das wohlgetroffene Bildnis des Herakles zu Pisa. Der Held selbst aber, als er einst dorthin kam, hielt das Bild, von der Dunkelheit der Nacht getäuscht, für belebt. Seine eigene Heldengebärde erschien ihm als das Drohen eines Feindes, er griff zu einem Steine und zerschmetterte so das schöne Denkmal, das seiner Barmherzigkeit vom Freunde gesetzt worden war. In die Zeit seiner Knechtschaft bei Omphale fiel auch die Teilnahme des Helden an der Jagd des kalydonischen Ebers.

Omphale bewunderte die Tapferkeit ihres Knechts und mochte wohl ahnen, dass ein herrlicher, weltberühmter Held ihr Sklave sei. Nachdem sie erfahren, dass er Herakles, der große Sohn des Zeus, sei, gab sie ihm nicht nur in Anerkennung seiner Verdienste die Freiheit wieder, sondern sie vermählte sich auch mit ihm. Aber Herakles vergaß hier im üppigen Leben des Morgenlandes der Lehren, die ihm die Tugend am Scheidewege seines Jugendlebens gegeben, er versank in weibische Wollust. Dadurch geriet er bei seiner Gemahlin Omphale selbst in Verachtung; sie kleidete sich in die Löwenhaut des Helden, ihm selbst aber ließ sie weichliche lydische Weiberkleider anlegen und brachte ihn in seiner blinden Liebe so weit, dass er, zu ihren Füßen sitzend, Wolle spann. Der Nacken, dem einst bei Atlas der Himmel eine leichte Last gewesen war, trug jetzt ein goldenes Weiberhalsband, die nervigen Heldenarme umspannten Armbänder, mit Juwelen besetzt, sein Haar quoll ungeschoren unter einer Mitra hervor, langes Frauengewand wallte über die Heldenglieder herab. So saß er, den Rocken vor sich, unter andern jonischen Mägden, spann mit seinen knochigen Fingern den dicken Faden ab und fürchtete das Schelten seiner Herrin, wenn er sein Tagewerk nicht vollständig geliefert. War sie aber guter Laune, so musste der Mann in Weibertracht ihr und ihren Frauen die Taten seiner Heldenjugend erzählen; wie er die Schlangen mit der Knabenhand erdrückt, wie den Riesen Geryones als Jüngling erlegt, wie der Hydra den unsterblichen Kopf abgeschlagen, wie den Höllenhund aus dem Rachen des Hades heraufgezogen. An diesen Taten ergötzten sich dann die Weiber, wie man an Ammenmärchen seine Freude hat.

Endlich, als seine Dienstjahre bei Omphale vorüber waren, erwachte Herakles aus seiner Verblendung. Mit Abscheu schüttelte er die Weiberkleider ab, und es kostete ihn nur das Wollen eines Augenblicks, so war er wieder der krafterfüllte Zeussohn, voll von Heldenentschlüssen. Der Freiheit zurückgegeben, beschloss er, zuallererst an seinen Feinden Rache zu nehmen.

Die späteren Heldentaten des Herakles

Vor allen Dingen machte er sich auf den Weg, den gewalttätigen und eigenmächtigen König Laomedon, den Erbauer und Beherrscher Trojas, zu züchtigen. Denn als Herakles, von dem Amazonenkampfe zurückkehrend, die von dem Drachen bedrohte Tochter dieses Fürsten, Hesione, befreit hatte, verweigerte ihm der wortbrüchige Laomedon den versprochenen Lohn, die schnellen Arespferde, und hieß ihn scheltend weiterziehen. Jetzt nahm Herakles nicht mehr als sechs Schiffe und nur eine geringe Menge Kriegsvolkes mit sich. Aber unter diesen waren die ersten Helden Griechenlands, Peleus, Oikleus, Telamon. Zu dem Letztern war Herakles in seine Löwenhaut gekleidet gekommen und hatte ihn eben beim Schmause getroffen. Telamon erhob sich vom Tische und reichte dem willkommenen Gast eine goldne Schale voll Weines, hieß ihn sitzen und trinken. Freudig bewegt von solcher Gastfreundschaft, hub Herakles die Hände gen Himmel und betete: »Vater Zeus, wenn du je meine Bitten gnädig erhöret hast, so flehe ich jetzt zu dir, dass du dem kinderlosen Telamon hier einen kühnen Sohn zum Erben verleihen mögest, so unverwundbar, wie ich es in dieser Haut des Nemeischen Löwen bin. Hoher Mut soll ihm immer zur Seite sein!« Kaum hatte Herakles das Wort geredet, so sandte ihm der Gott den König der Vögel, einen mächtigen Adler. Dem Herakles lachte darüber das Herz im Leibe; wie ein Wahrsager rief er begeistert aus: »Ja, Telamon, du wirst den Sohn haben, den du begehrst; herrlich wird er werden wie dieser gebieterische Adler, und Ajax soll sein Name sein, weithin gewaltig im Werke des Kriegsgotts.« So sprach er und setzte sich wieder nieder zum Schmause; dann zogen sie, Telamon und Herakles, vereint mit den andern Helden in den Krieg gegen Troja. Als sie dort ans Land gestiegen, übertrug Herakles die Wache bei den Schiffen dem Oikleus, er selbst mit den übrigen Helden rückte gegen die Stadt vor. Inzwischen hatte Laomedon mit eilig zusammengerafftem Volke die Schiffe der Heroen überfallen und den Oikleus im Kampfe getötet; aber als er sich wieder entfernen wollte, wurde er von den Gefährten des Herakles umringt. Die Belagerung wurde unterdessen scharf betrieben; Telamon durchbrach die Mauer und war der Erste, der in die Stadt eindrang. Erst hinter ihm kam Herakles. Es war das erste Mal in seinem Leben, dass der Held sich in Tapferkeit von einem andern übertroffen sah; die schwarze Eifersucht bemächtigte sich seines Geistes, und ein böser Gedanke stieg in seinem Herzen auf; er zückte das Schwert und war im Begriffe, den vor ihm herschreitenden Telamon niederzuhauen. Dieser blickte um sich und erriet das Vorhaben des Herakles an seiner Gebärde. Schnell besonnen, las er die nächstgelegenen Steine zusammen, und auf des Nebenbuhlers Frage, was er hier mache, erwiderte er: »Ich baue Herakles, dem Sieger, einen Altar!« Diese Antwort entwaffnete den eifersüchtigen Zorn des Helden. Sie kämpften wieder gemeinsam, und Herakles erlegte mit seinen Pfeilen den Laomedon samt allen seinen Söhnen, nur einen ausgenommen. Als die Stadt erobert war, schenkte er Laomedons Tochter Hesione seinem Freunde Telamon als Siegesbeute. Zugleich gab er ihr die Erlaubnis, nach eigener Wahl einen der Gefangenen in Freiheit zu setzen. Sie wählte ihren Bruder Podarkes. »Es ist recht, er sei dein«, sagte Herakles, »aber er muss vorher die Schmach erlitten haben und Knecht gewesen sein, dann magst du ihn um den Preis, den du für ihn geben willst, hinnehmen!« Als der Knabe nun wirklich zum Sklaven verkauft war, riss Hesione ihren königlichen Schmuck vom Haupte und gab ihn als Lösegeld für den Bruder hin; daher trug dieser den Namen Priamos (der Losgekaufte) davon. Von ihm wird die Sage vieles zu erzählen haben.

Hera gönnte dem Halbgotte diesen Triumph nicht. Auf der Heimfahrt von Troja begriffen, wurde er durch ihre Schickung von schweren Ungewittern überfallen, bis der ergrimmte Zeus ihrem Schalten Einhalt tat. Nach mancherlei Abenteuern beschloss der Held, eine zweite Rache am König Augias zu nehmen, der ihm auch einst den versprochenen Lohn vorenthalten hatte; er bewältigte seine Stadt Elis und tötete ihn mitsamt seinen Söhnen. Dem Phyleus aber, der wegen seiner Freundschaft für Herakles vertrieben worden war, übergab er das Königreich Elis. Nach diesem Siege setzte Herakles die Olympischen Spiele ein und weihte ihrem ersten Stifter, Pelops, einen Altar, auch den zwölf Göttern Altäre, je zweien einen. Damals soll selbst Zeus in Menschengestalt mit Herakles gerungen und, überwunden, seinem Sohn zur Götterstärke Glück gewünscht haben. Dann zog Herakles gegen Pylos und den König Neleus, der ihm einst die Entsündigung verweigert hatte; er überfiel seine Stadt und machte ihn mit zehn seiner Söhne nieder. Nur der junge Nestor, der in der Ferne bei den Gereniern erzogen wurde, blieb verschont. In dieser Schlacht verwundete Herakles selbst den Gott der Unterwelt, den Hades, der den Pyliern zu Hilfe gekommen war.

Noch war Hippokoon von Sparta übrig zu bestrafen, der zweite König, der sich nach Ermordung des Iphitos der Reinigung des Mörders entzogen hatte. Auch die Söhne dieses Königs hatten den Hass des Helden aufs Neue sich zugezogen. Als er nämlich mit Öonos, seinem Vetter und Freunde, nach Sparta gekommen war, fiel jenen, der den Palast des Hippokoon betrachtete, ein großer molossischer Schäferhund an. Öonos begrüßte ihn mit einem Steinwurfe. Da rannten die Söhne des Königs hervor und erschlugen den Fremdling mit Knüppeln. Um nun auch seines Freundes Tod zu rächen, versammelte Herakles ein Heer gegen Sparta; auf dem Marsche durch Arkadien lud er auch den König Kepheus mit seinen zwanzig Söhnen zum Kampfe ein. Dieser fürchtete jedoch einen Einfall von seinen Nachbarn, den Argivern, und lehnte es anfangs ab, mitzuziehen. Aber Herakles hatte von Athene in einer ehernen Urne eine Locke des Medusenhauptes erhalten. Diese übergab er der Tochter des Kepheus, Sterope, und sprach: »Wenn das Heer der Argiver anrückt, so darfst du nur diese Locke, ohne auf sie hinzublicken, dreimal über die Stadtmauern emporhalten; dann werden eure Feinde die Flucht ergreifen!« Als Kepheus solches hörte, ließ er sich bewegen, mit allen seinen Söhnen auszuziehen. Die Argiver wurden auch glücklich von seiner Tochter vertrieben; für ihn selbst aber fiel der Feldzug zum Unheil aus: er wurde mit allen seinen Söhnen erschlagen, und außer diesen auch der Bruder des Herakles, Iphiklos. Herakles selbst aber eroberte Sparta, und nachdem er den Hippokoon und seine Söhne getötet, führte er den Tyndareos, den Vater der Dioskuren Kastor und Pollux, zurück und setzte ihn wieder auf den Thron, behielt sich aber das eroberte Reich, das er ihm übergab, für seine Nachkommen vor.

Herakles und Deïanira

Nachdem der Heros noch mancherlei Taten im Peloponnes verrichtet, kam er nach Ätolien und Kalydon zum Könige Öneus, der eine wunderschöne Tochter, Deïanira mit Namen, hatte. Diese erlitt mehr als irgendein anderes Ätolierweib bittere Not durch eine sehr lästige Brautwerbung. Sie lebte anfangs zu Pleuron, einer andern Hauptstadt ihres väterlichen Reichs. Dort hatte sich ein Fluss, Acheloos genannt, als Freier eingefunden, und in drei Gestalten verwandelt, erbat er sie von ihrem Vater. Das eine Mal kam er in einen leibhaftigen Stier verzaubert, das andre Mal als schillernder, gewundener Drache, endlich zwar in Menschengestalt, aber mit einem Stierhaupte, dem vom zottigen Kinne hernieder frische Quellbäche strömten. Deïanira konnte einem so entsetzlichen Freier nicht ohne tiefe Bekümmernis entgegensehen; sie flehte zu den Göttern inbrünstig um ihren Tod. Lange hatte sie dem Bewerber widerstrebt, aber dieser wurde immer dringender, und ihr Vater zeigte sich nicht abgeneigt, sie dem Stromgotte von uraltem Götteradel zu überlassen. Da erschien, wenn auch spät, doch immer noch zu rechter Zeit als zweiter Freier Herakles, dem sein Freund Meleager von der hohen Schönheit dieser Königstochter erzählt hatte. Er kam mit der Vorahnung, dass er die liebliche Jungfrau nicht ohne heißen Kampf gewinnen würde, daher war er streitbar ausgerüstet, wie wenn er sonst in Fehden zog. Während er auf den Palast zuwanderte, flatterte ihm die Löwenhaut im Winde vom Rücken, sein Köcher hallte von Wurfpfeilen, und er schwang in der Luft prüfend die Keule. Als der gehörnte Stromgott ihn kommen sah, quollen die Adern seines Stierhauptes auf, und er versuchte sein Horn im Stoße. Der König Öneus, wie er beide so kampflustig und furchtbar mit ihrer Werbung vor sich stehen sah, wollte keinen der mächtigen Liebhaber durch eine abschlägige Antwort beleidigen und versprach seine Tochter demjenigen zum Weibe zu geben, der den andern im Kampf überwinden würde.

Bald begann auch vor den Augen des Königs, der Königin und ihrer Tochter Deïanira der wütende Zweikampf. Von der Faust des Herakles, von seinem Bogen klang es, aber mitten durch Streich und Schuss fuhr, lange unverwundet, das gewaltige Stierhaupt des Stromgotts, um den Gegner mit den tödlichen Stößen seiner Hörner zu treffen. Endlich wurde das Gefecht zum Ringkampfe, Arm verschlang sich in Arm, Fuß in Fuß, der Schweiß strömte den Ringern von Haupt und Gliedern, beide stöhnten laut unter übermenschlicher Anstrengung. Zuletzt bekam der Sohn des Zeus die Oberhand und warf den starken Flussgott zu Boden. Dieser verwandelte sich sofort in eine Schlange; aber Herakles, der mit Schlangen längst zu hantieren verstand, fasste sie und hätte sie erdrückt, wenn nicht Acheloos, plötzlich zu einer andern Verwandlung schreitend, die Gestalt eines Stieres angenommen hätte. Doch Herakles ließ sich nicht irremachen, er ergriff das Untier an einem Horne und stürzte es mit solcher Macht zur Erde, dass das ergriffene Horn abbrach. Nun erkannte sich der Stromgott für überwunden und überließ dem Sieger die Braut. Acheloos, der vorzeiten von der Nymphe Amalthea das Horn des Überflusses, mit Obst aller Art, Granatäpfeln und Trauben, angefüllt, erhalten hatte, tauschte gegen dieses Horn das eigene, das ihm Herakles abgebrochen hatte, wieder ein.

Die Vermählung des Helden brachte in seiner Lebensweise keine Veränderung hervor; er eilte wie zuvor von Abenteuer zu Abenteuer, und als er wieder bei seiner Gattin und ihrem Vater zu Hause war, nötigte ihn der unvorsätzliche Totschlag eines Knaben, der ihm bei der Mahlzeit das Wasser zum Händewaschen reichen sollte, abermals zur Flucht, auf welcher ihn seine junge Gemahlin und sein kleiner Sohn Hyllos, den sie ihm geboren hatte, begleiteten.

Herakles und Nessos

Die Reise ging nach Kalydon, zu dem Freunde des Helden Keyx. Es war die verhängnisvollste, die Herakles je unternommen hatte. Als er nämlich am Flusse Evenos angelangt war, fand er dort den Kentauren Nessos, der für Lohn die Reisenden auf seinen Händen über den Fluss zu setzen pflegte und dieses Vorrecht von den Göttern seiner Ehrlichkeit wegen erhalten zu haben behauptete. Herakles selbst bedurfte nun freilich seiner nicht; er durchschritt den Fluss mit mächtigen Schritten, ohne fremde Beihilfe. Deïaniren aber überließ er zum Hinüberschaffen dem Nessos, der ihn um den gewohnten Lohn ansprach; der Kentaur nahm die Gemahlin des Herakles auf die Schulter und trug sie rüstig durch das Wasser. Mitten in der Furt aber, durch die Schönheit des Weibes betört, wagte er es, sie mit schnöder Hand anzurühren. Herakles, der am Ufer war, hörte den Hilferuf seiner Frau und wendete sich schnell um. Als er sie in der Gewalt des raubehaarten Halbmenschen sah, besann er sich nicht lange, holte aus seinem Köcher einen beflügelten Pfeil hervor und schoss den Nessos, der mit seiner Beute eben ans Ufer emporstieg, durch den Rücken, so dass das Geschoss zur Brust wieder herausging. Deïanira hatte sich den Armen des zu Boden Sinkenden entwunden und wollte ihrem Gatten zueilen, als der Sterbende, der noch im Tode auf Rache sann, sie zurückrief und die trügerischen Worte sprach: »Höre mich, Tochter des Öneus! Weil du die Letzte bist, die ich getragen habe, so sollst du auch noch einen Vorteil von meinem Dienste haben, wenn du mir folgen willst! Fasse das frische Blut auf, das mir aus der Todeswunde quoll und jetzt da, wo der Pfeil, vom Geifer der lernäischen Schlange vergiftet, mir im Leibe steckt, ganz verdickt und leicht zu sammeln ringsum steht, so wird es dir zu einem Zauber für das Gemüt deines Gatten dienen; färbst du damit sein Unterkleid, so wird er niemals ein anderes Weib, das ihm je vorkommt, mehr lieben denn dich!« Nachdem er Deïaniren dieses tückische Vermächtnis hinterlassen, verschied er augenblicklich an der vergifteten Wunde. Deïanira, obgleich an der Liebe ihres Gatten nicht zweifelnd, tat doch nach seiner Vorschrift, sammelte das verdickte Blut in ein Gefäß, das sie bei der Hand hatte, und bewahrte es ohne Wissen des Herakles auf, der zu ferne stand, um zu sehen, was sie tat. Beide kamen darauf nach einigen andern Abenteuern miteinander glücklich zu Keyx, dem Könige von Trachis, und ließen sich mit ihren Begleitern aus Arkadien, die dem Herakles überallhin folgten, dort häuslich nieder.

Herakles, Jole und Deïanira. Sein Ende

Die letzte Fehde, die Herakles bestand, war sein Feldzug gegen Eurytos, den König von Öchalia, gegen welchen er einen alten Groll hegte, weil derselbe ihm seine Tochter Jole verweigert hatte. Er sammelte ein großes Heer von Griechen und zog nach Euböa, den Eurytos und seine Söhne in ihrer Stadt Öchalia zu belagern. Der Sieg folgte ihm: die hohe Burg wurde in den Staub geworfen, der König mit seinen drei Söhnen erschlagen, die Stadt vertilgt. Jole, noch immer jung und schön, wurde die Gefangene des Herakles.

Derweilen hatte Deïanira in Sorgen zu Hause auf Nachricht von ihrem Gatten geharrt. Endlich jauchzte im Palaste Freudengeschrei empor. Ein Bote kam herangesprengt: »Dein Gemahl, o Fürstin, lebt« – so meldete er der ängstlich auf seine Botschaft Horchenden –, »naht in Siegesruhm und führt jetzt eben die Erstlinge des Kampfes den heimatlichen Göttern zu. Sein Diener Lichas, den er hinter mir hergesendet hat, verkündet auf offener Wiese dem Volke den Sieg. Seine eigene Ankunft verzögert sich nur dadurch, dass er auf Euböas Vorgebirge Kenäon dem Zeus das schuldige Dankopfer darzubringen sich anschickt.« Bald erschien der Abgeordnete des Helden, Lichas, und in seinem Geleite die Gefangenen. »Heil dir, Gemahlin meines Herrn«, sprach er zu Deïanira, »die Himmlischen lieben den Frevel nicht: Herakles' gerechte Sache ist gesegnet worden; die üppigen Prahler mit ihrem verruchten Munde sind alle in den Hades hinabgeeilt, die Stadt ist in Knechtschaft. Doch der Gefangenen, die wir hier bringen, sollst du schonen, lässt dein Gemahl dir sagen, vor allem der unglücklichen Jungfrau, die sich hier vor deine Füße wirft.« Deïanira heftete einen Blick voll tiefen Mitleids auf das schöne, jugendliche Mädchen, das von Gestalt und Auge lieblich glänzte, erhob sie vom Boden und sprach: »Ja, ihr Lieben, herbes Mitgefühl hat mich erfasst, sooft ich Unglückliche heimatlos durch fremde Landschaften herumgeschleppt und Freigeborne Slavenlos dulden sah. Zeus, Überwinder, mögest du nie deinen Arm so gegen mein Haus erheben! Aber wer bist du, jammervolles Mägdlein, du scheinst unvermählt und von hohem Stamme! Sage mir, Lichas, wer sind die Eltern dieser Jungfrau?« – »Wie weiß ich das? Weswegen fragst du dies?«, antwortete der Abgesandte mit verstelltem Sinne, und seine Miene verriet ein Geheimnis. »Sie ist«, fuhr er nach einigem Zögern fort, »gewiss aus keinem der niedrigsten Häuser Öchalias.« Da das arme Mädchen selbst nur seufzte und schwieg, so forschte Deïanira auch nicht weiter, sondern befahl, sie in das Haus zu führen und dort auf das Schonendste zu behandeln. Während Lichas diesem Befehl Folge leistete, trat der zuerst angekommene Bote seiner Gebieterin näher, und sobald er sich unbelauscht wusste, flüsterte er ihr die Worte zu: »Traue dem Abgesandten deines

Gemahls nicht, Deïanira. Er verbirgt dir die Wahrheit. Aus seinem eigenen Munde habe ich mitten auf dem Marktplatz von Trachin in vieler Zeugen Gegenwart gehört, dass dein Gatte Herakles ganz allein um dieser Jungfrau willen die hohe Burg Öchalias niedergeworfen hat. Es ist Jole, die Tochter des Eurytos, die du aufgenommen hast, zu der Herakles in Liebe entbrannt war, ehe er dich kennen gelernt hat. Nicht als deine Sklavin, sondern als deine Nebenbuhlerin, als Nebenweib ist sie in dein Haus gekommen.« Über diese Mitteilung brach Deïanira in laute Wehklagen aus. Doch fasste sie sich bald wieder und rief den Diener ihres Gatten, Lichas, selbst herbei. Dieser schwur anfangs beim höchsten Zeus, dass er ihr die Wahrheit gesagt habe und ihm unbewusst sei, wer die Eltern dieser Jungfrau wären. Lange beharrte er bei dieser Lüge. Deïanira aber beschwor ihn, des höchsten Zeus nicht länger zu spotten. »Wäre es auch möglich, dass ich meinem Gatten seiner Untreue wegen abhold würde«, sagte sie weinend zu ihm, »so bin ich nicht so unedler Gesinnung, dass ich dieser Jungfrau zürne, die mir nie einen Schimpf angetan hat. Nur mit Mitleiden schaue ich sie an, denn ihre Schönheit hat all ihr Lebensglück zertrümmert, ja ihr ganzes Geburtsland in Knechtschaft gestürzt!« Als Lichas sie so menschlich reden hörte, gestand er alles. Hierauf entließ ihn Deïanira ohne Vorwurf und befahl ihm nur so lange zu warten, bis sie für die reiche Schar von Gefangenen, die der Gemahl ihr zugesendet und zur Verfügung gestellt hatte, diesem eine Gegengabe gerüstet hätte.

Fern vom Feuer, unberührt vom Strahle des Lichtes hatte Deïanira, der Vorschrift des tückischen Kentauren gemäß, die Salbe, die sie vom giftigen Blute seiner Pfeilwunde gesammelt, am verborgenen Orte bewahrt. An dieses Zaubermittel, das sie, unerfahren in den Ränken, welche die Rache spinnt, für ganz unschädlich hielt und das ihr nur das Herz und die Treue des Gatten wiedergewinnen sollte, dachte nun die bedrängte Fürstin zum ersten Male wieder, seit sie es sorgsam verhüllt im Schranke verborgen. Jetzt galt es zu handeln. Sie schlich sich daher in das Gemach und färbte mit einer Flocke vom weißem Lämmervlies, welche sie mit der Salbe getränkt hatte, im Verborgenen ein köstliches Unterkleid, das für Herakles bestimmt war. Sorgfältig hütete sie während dieser Arbeit Flocke und Gewand vor dem Sonnenstrahl und schloss das blutrot gefärbte Kleid, schön zusammengefaltet, in ein Kästchen ein. Als dies geschehen war, warf sie die Wolle, die zu nichts mehr dienlich, auf die Erde, ging und überreichte dem herbeigerufenen Lichas das für ihren Gatten bestimmte Geschenk. »Bring meinem Gemahl«, sprach sie, »dieses schön gewobene Leibgewand, meiner eigenen Hände Werk. Kein andrer soll es tragen als er selbst; auch soll er das Kleid nicht dem Feuerherde oder dem Sonnenglanz aussetzen, bevor er es, am feierlichen Opfertage damit geschmückt, den Göttern gezeigt hat. Denn dieses Gelübde habe ich getan, wenn ich ihn je siegreich zurückkehren sehen würde. Dass du ihm wirklich meine Botschaft überbringst, soll er an diesem Siegelringe erkennen, den ich dir für ihn anvertraue.« Lichas versprach alles auszurichten, wie die Herrin befohlen; er verweilte keinen Augenblick länger im Palast, sondern eilte mit der Gabe nach Euböa, um den opfernden Herrn nicht länger ohne Kunde von der Heimat zu lassen. Einige Tage vergingen, und der älteste Sohn des Herakles und der Deïanira, Hyllos, war seinem Vater entgegengeeilt, um ihm die Ungeduld der harrenden Mutter zu schildern und ihn zu beschleunigter Heimkehr zu bewegen. Inzwischen hatte Deïanira zufällig das Gemach wieder betreten, wo das Zaubergewand von ihr gefärbt worden war. Sie fand die Wollenflocke auf dem Boden liegen, wo sie, unachtsam hingeworfen, lag, dem Sonnenstrahl ausgesetzt und von ihm durchwärmt. Ihr Anblick aber entsetzte sie, denn die Wolle war wie zu Staub oder Sägspänen zusammengeschwunden, und aus den Überbleibseln zischte ein blasiger, giftiger Schaum auf. Eine dunkle Ahnung ergriff die jammervolle Frau, dass sie Unglückseliges begangen habe, und in entsetzlicher Unruhe durchirrte sie seit diesem Augenblicke den Palast.

Endlich kam Hyllos zurück, aber ohne den Vater. »O Mutter«, rief er ihr mit Abscheu zu, »ich wollte, du hättest nie gelebt oder du wärest nie meine Mutter gewesen oder die Götter hätten dir eine andere Sinnesart gegeben!« So unruhig die Fürstin schon vorher war, so erschrak sie doch noch mehr bei diesen Worten ihres Sohnes. »Kind«, erwiderte sie ihm, »was ist denn so Gehässiges an mir?« – »Ich komme vom Vorgebirge Kenäon, Mutter«, entgegnete ihr der Sohn mit lautem Schluchzen. »Du bist es, die mir den Vater dahingewürgt!« Deïanira wurde totenbleich, doch raffte sie sich zusammen und sprach: »Von wem weißt du das, mein Sohn, wer darf mich so entsetzlicher Untat zeihen?« – »Kein fremder Mund hat mich belehrt«, fuhr der Jüngling fort, »mit eigenen

Augen habe ich mich von dem Jammerlose des Vaters überzeugt. Ich traf ihn auf dem Vorgebirge Kenäon, wo er eben dem Überwinder Zeus auf vielen Dankaltären zugleich Brandopfer schlachten wollte. Da erschien der Herold Lichas, sein Diener, mit deiner Gabe, deinem verfluchten mörderischen Gewande. Deinem Auftrage folgend, legte der Vater das Unterkleid sogleich an und begann, damit geschmückt, die Opferung zwölf stattlicher Stiere. Anfangs betete der Unglückselige, deines schönen Schmuckes froh, voll Heiterkeit. Plötzlich aber, als die Opferglut schon gen Himmel flammte, durchbrach ein heftiger Schweiß seine Haut, das Gewand schien, wie vom Schmied angelötet, an seinen Seiten zu kleben, und ein Zucken durchfuhr seinen ganzen Körper. Als fräße eine Natter an seinem Leibe, schrie der Gequälte brüllend nach Lichas, dem unschuldigen Überbringer deines giftigen Gewandes; dieser kam und wiederholte unbefangen deinen Auftrag; der Vater aber ergriff ihn am Fuße und warf ihn an die Felsen des Meeres, dass er zerschmettert in der aufspritzenden Flut untersank. Das ganze Volk jammerte bei dieser Tat des Wahnsinnes auf, und niemand wagte, sich dem rasenden Helden zu nähern. Dieser wälzte sich bald auf dem Boden, bald sprang er heulend wieder auf, dass rings Fels und Waldgebirge widerhallten. Er verfluchte dich und euren Ehebund, der ihm zur Todesqual geworden. Dann kehrte er sich zu mir und rief: ›Mein Sohn, wenn du Mitleid mit deinem Vater empfindest, so segle mit mir ohne Zögern davon, dass ich nicht im fremden Lande sterbe!‹ Auf dieses Verlangen legten wir den Armen in das Schiff, und unter Zuckungen brüllend ist er hier angelangt. Bald wirst du ihn lebendig oder tot vor dir sehen. Das alles ist dein Werk, Mutter. Den allerbesten Helden hast du jämmerlich dahingemordet!«

Deïanira, ohne sich auf diese schreckliche Rede zu rechtfertigen, verließ ihren Sohn Hyllos in schweigender Verzweiflung. Das Hausgesinde, dem sie ihr Geheimnis, den Gatten sich durch des Nessos Zaubersalbe treu zu erhalten, früher anvertraut hatte, belehrte den Knaben, dass sein Jähzorn der Mutter unrecht getan. Er eilte der Unglücklichen nach, aber er kam zu spät. Sie lag im Schlafgemach tot auf dem Lager ihres Gatten ausgestreckt, die Brust mit einem zweischneidigen Schwerte durchbohrt. Der Sohn umarmte jammernd die Leiche und streckte sich dann zu ihrer Seite hin, seine Unbedachtsamkeit bereuend. Die Ankunft des

Vaters im Palaste störte ihn aus dieser kläglichen Ruhe auf. »Sohn«, rief dieser, »Sohn, wo bist du? Zieh doch das Schwert gegen deinen Vater, durchhaue mir den Nacken und heile so die Wut, in welche deine gottlose Mutter mich versetzt hat! Zage nicht, sei mitleidig mit mir, mit einem Helden, der wie ein Mägdlein in Tränen schluchzen muss!« Dann wandte er sich verzweiflungsvoll an die Umstehenden, streckte seine Arme aus und rief: »Kennet ihr diese Glieder, denen das Mark entsaugt ist, noch? Es sind dieselben, die den Schrecken der Hirten, den Nemeischen Löwen, gebändigt, die den Drachen von Lerna erwürgt, die den erymanthischen Eber erlegen halfen, die den Kerberos aus der Höhle heraufgetragen! Kein Speer, kein wildes Tier des Waldes, kein Gigantenheer hat mich überwältigt; die Hand eines Weibes hat mich vertilgt! Darum, Sohn, töte mich und strafe deine Mutter!«
Als aber Herakles aus dem Munde seines Sohnes Hyllos unter heiligen Beteuerungen erfuhr, dass seine Mutter die unfreiwillige Ursache seines Unglücks gewesen und ihre Unbedachtsamkeit mit dem Selbstmorde gebüßt habe, wandte sich auch sein Sinn vom Zorn zur Wehmut. Er verlobte seinen Sohn Hyllos mit der gefangenen Jungfrau Jole, die ihm selbst so lieb gewesen war, und da ein Orakel von Delphi gekommen, dass er auf dem Berge Öta, der zum Gebiete von Trachin gehörte, sein Leben beschließen müsse, so ließ er sich, seinen Qualen zum Trotz, auf den Gipfel dieses Berges tragen. Hier ward auf seinen Befehl ein Scheiterhaufen errichtet, auf welchem der kranke Held seinen Platz nahm. Und nun forderte er die Seinen auf, den Holzstoß anzuzünden. Aber niemand wollte ihm den traurigen Liebesdienst erweisen. Endlich entschloss sich, auf die eindringliche Bitte des von Schmerzen bis zur Verzweiflung gequälten Helden, sein Freund Philoktetes, ihm den Willen zu tun. Zum Danke für diese Bereitwilligkeit reichte Herakles ihm seine unüberwindlichen Pfeile nebst dem siegreichen Bogen. Sobald der Scheiterhaufen angezündet war, schlugen Blitze vom Himmel darein und verstärkten der Flammen Glut. Dann senkte sich eine Wolke herab auf den Holzstoß und trug den Unsterblichen unter Donnerschlägen zum Olymp empor. Als nun, da der Scheiterhaufen schnell zu Asche verbrannt war, Jolaos und die andern Freunde der Brandstätte sich näherten, die Überbleibsel des Helden zusammenzulesen, fanden sie nicht eine leibliche Spur. Sie konnten auch nicht länger zweifeln, dass Hera-

kles, dem alten Götterspruche zufolge, aus dem Kreise der Menschen in den der Himmlischen versetzt worden sei, brachten ihm ein Totenopfer als einem Heros und weihten ihn so zu einer allmählich von ganz Griechenland verehrten Gottheit. Im Himmel aber empfing den vergötterten Herakles seine Freundin Athene und führte ihn in den Kreis der Unsterblichen. Selbst Hera versöhnte sich mit ihm, nachdem er sein sterbliches Geschick vollendet. Sie gab ihm ihre Tochter Hebe, die Göttin der ewigen Jugend, zur Gemahlin, und diese gebar ihm droben im Olymp unsterbliche Kinder.

BELLEROPHONTES

Sisyphos, der Sohn des Äolos, der listigste aller Sterblichen, baute und beherrschte die herrliche Stadt Korinth auf der schmalen Erdzunge zwischen zwei Meeren und zwei Ländern. Für allerlei Betrug traf ihn in der Unterwelt die Strafe, dass er einen schweren Marmorstein mit aller Anspannung seiner Arme und Beine eine Anhöhe hinaufwälzen musste. Wenn er aber schon glaubte, ihn auf den Gipfel gestemmt zu haben, so wandte sich die Last um, und der tückische Stein rollte wieder in die Tiefe hinunter. So musste der gepeinigte Verbrecher von neuem und immer von neuem wieder das Felsstück emporwälzen, dass der Angstschweiß von seinen Gliedern floss.

Sein Enkel war Bellerophontes, der Sohn des Korintherkönigs Glaukos. Wegen eines unvorsätzlichen Mordes flüchtig, wandte sich der Jüngling nach Tiryns, wo der König Prötos regierte. Bei diesem wurde er gütig aufgenommen und von seinem Morde gereinigt. Bellerophontes hatte von den Unsterblichen schöne Gestalt und männliche Tugenden empfangen. Deswegen entbrannte die Gemahlin des Königs Prötos, Anteia, in unreiner Liebe zu ihm und wollte ihn zum Bösen verführen. Aber der edel gesinnte Bellerophontes gehorchte ihr nicht. Da verwandelte sich ihre Liebe in Hass: sie sann auf Lüge, ihn zu verderben, erschien vor ihrem Gemahl und sprach zu ihm: »Erschlage den Bellerophontes, o Gemahl, wenn dich nicht selbst unrühmlicher Tod treffen soll, denn der Treulose hat mir seine strafbare Neigung bekannt und mich zur Untreue gegen dich verleiten wollen.« Als der König solches vernommen, bemächtigte sich seiner blinde Eifersucht. Weil er jedoch den verständigen Jüngling so lieb gehabt, vermied er den Gedanken, ihn zu ermorden, denn er machte ihm Grauen. Aber dennoch sann er auf sein Verderben. Er schickte daher den Unschuldigen zu seinem Schwiegervater Jobates, dem Könige von Lykien, und gab ihm ein zusammengefaltetes Täfelchen mit, das er diesem bei seiner Ankunft in Lykien, gleichsam als einen Empfehlungsbrief, vorweisen sollte; auf dieses waren gewisse Zeichen geritzt, die den Wink enthielten, den Überbringer hinrichten zu lassen. Arglos wandelte Bellerophontes dahin, aber die allwaltenden Götter nahmen ihn in ihren Schutz. Als er, übers Meer nach Asien gefahren, am schönen Strome Xanthos angekommen war und also Lykien erreicht hatte, trat er vor den König Jobates. Dieser aber, ein gütiger, gastfreundlicher Fürst, nahm nach der alten Sitte den edlen Fremdling auf, ohne zu fragen, wer er sei, noch woher er komme. Seine würdige Gestalt und sein fürstliches Benehmen genügten ihm zur Überzeugung, dass er keinen gemeinen Gast beherberge. Er ehrte den Jüngling auf jede Weise, gab ihm alle Tage ein neues Fest und brachte den Göttern von Morgen zu Morgen ein neues Stieropfer. Neun Tage waren so vorübergegangen, und erst als die zehnte Morgenröte am Himmel aufstieg, fragte er den Gast nach seiner Herkunft und seinen Absichten. Da sagte ihm Bellerophontes, dass er von seinem Eidam Prötos komme, und wies ihm als Beglaubigungsschreiben das Täfelchen vor. Als der König Jobates den Sinn der mörderischen Zeichen erkannte, erschrak er in tiefster Seele, denn er hatte den edeln Jüngling sehr lieb gewonnen. Doch mochte er nicht denken, dass sein Schwiegersohn ohne gewichtige Ursache die Todesstrafe über den Unglücklichen verhänge, glaubte also, dieser müsse durchaus ein todeswürdiges Verbrechen verübt haben. Aber auch er konnte sich nicht entschließen, den Menschen, der so lange sein Gast gewesen und durch sein ganzes Benehmen sich seine Zuneigung zu erwerben gewusst hatte, geradezu umzubringen. Er gedachte ihm deswegen nur Kämpfe aufzutragen, in denen er notwendig zu Grunde gehen müsse. Zuerst ließ er ihn das Ungeheuer Chimära erlegen, das Lykien verwüstete und das göttlicher, nicht menschlicher Art emporgewachsen war. Der grässliche Typhon hatte es mit der riesigen Schlange Echidna gezeugt. Vorn war es ein Löwe, hinten ein Drache, in der Mitte eine Ziege, aus seinem Rachen ging Feuer und ein entsetzlicher Gluthauch. Die Götter selbst trugen Mitleiden mit dem schuldlosen Jüngling, als sie sahen, welcher Gefahr er ausgesetzt wurde. Sie schickten ihm auf seinem Wege zu dem Ungeheuer das unsterbliche Flügelross Pegasos, das Poseidon mit der Medusa gezeugt hatte. Wie konnte ihm aber dieses helfen? Das göttliche Pferd hatte nie einen sterblichen Reiter getragen. Es ließ sich nicht einfangen und nicht zähmen. Müde von seinen vergeblichen Anstrengungen war der Jüngling am Quell Pirene, wo er das Ross gefunden hatte, eingeschlafen. Da erschien ihm im Traume seine Beschirmerin Athene; sie stand vor ihm, einen köstlichen Zaum mit goldenen Buckeln in der Hand, und sprach: »Was schläfst du, Abkömmling des Äolos? Nimm dieses Rosse bändigende Werkzeug; opfre dem Poseidon einen schönen Stier und brauche des Zaumes.« So schien sie dem Helden im Traume zuzusprechen, schüttelte ihren dunklen Agisschild und verschwand. Er aber erwachte aus dem Schlafe, sprang auf und fasste mit der Hand nach dem Zaume. Und, o Wunder! Der Zaum, nach dem er im Traume gegriffen – der Wachende hielt ihn wirklich und leibhaftig in der Hand. Bellerophontes suchte nun den Seher Polyiodos auf und erzählte ihm seinen Traum sowie das Wunder, das sich darin zugetragen hatte. Der Seher riet ihm, das Begehren der Göttin ungesäumt zu erfüllen, dem Poseidon den Stier zu schlachten und seiner Schutzgöttin Athene einen Altar zu bauen. Als dies alles geschehen war, fing und bändigte Bellerophontes das Flügelross ohne alle Mühe, legte ihm den goldenen Zaum an und bestieg es in eherner Rüstung. Nun schoss er aus den Lüften herab und tötete die Chimära mit seinen Pfeilen. Hierauf schickte ihn Jobates gegen das Volk der Solymer aus, ein streitbares Männergeschlecht, das an den Grenzen von Lykien wohnte, und nachdem er wider Erwarten den härtesten Kampf mit diesen glücklich bestanden, wurde er von dem König gegen die männergleiche Schar der Amazonen gesandt. Auch aus diesem Streite kam er unverletzt und siegreich zurück. Nun legte ihm der König, um dem Verlangen seines Eidams doch endlich nachzukommen, eben auf diesem Rückwege einen Hinterhalt, wozu er die tapfersten Männer des lykischen Landes ausersehen hatte. Aber keiner von ihnen kehrte zurück, denn Bellerophontes erschlug alle, die ihn überfallen hatten, bis auf den Letzten. Nunmehr erkannte der König, dass der Gast, den er beherbergte, kein Verbrecher, sondern ein Liebling der Götter sei. Statt ihn zu verfolgen, hielt er ihn in seinem Königreiche zurück, teilte den Thron mit ihm und gab ihm seine blühende Tochter Philonoe zur Gemahlin. Die Lykier überließen ihm die schönsten Äcker und Pflanzungen zum Bebauen. Seine Gemahlin gebar ihm drei Kinder, zwei Söhne und eine Tochter.

Aber jetzt hatte das Glück des Bellerophontes ein Ende. Sein ältester Sohn Isander wuchs zwar auch zu einem gewaltigen Helden auf, aber er fiel in einer Schlacht gegen die Solymer. Seine Tochter Laodameia wurde, nachdem sie dem Zeus den Helden Sarpedon geboren, durch einen Pfeil der Artemis erschossen. Nur sein jüngerer Sohn Hippolochos gelangte zu ruhmvollem Alter und schickte im Kampfe der Trojaner einen heldenmütigen Sohn, Glaukos, den auch sein Vetter Sarpedon begleitete, mit einer stattlichen Schar von Lykiern den Troern zu Hilfe.

Bellerophontes selbst, durch den Besitz des unsterblichen Flügelrosses übermütig geworden, wollte sich auf diesem zum Olymp emporschwingen und, der Sterbliche, sich in die Versammlung der Unsterblichen eindrängen. Aber das göttliche Ross selbst widersetzte sich dem kühnen Unterfangen, bäumte sich in der Luft und schleuderte den irdischen Reiter hinunter auf den Boden. Bellerophontes erholte sich zwar von diesem Fall, aber den Himmlischen seitdem verhasst und vor den Menschen sich schämend, irrte er einsam umher, vermied die Pfade der Sterblichen und verzehrte sich in einem ruhmlosen und kummervollen Alter.

THESEUS

Des Helden Geburt und Jugend

Theseus, der große Held und König von Athen, war ein Sohn des Ägeus und der Äthra, der Tochter des Königs Pittheus von Trözen. Seine väterliche Abkunft steigt zu dem Könige Erechtheus und zu jenen ersten Athenern auf, die nach der Sage des Landes unmittelbar aus dem Boden entsprossen waren. Von der Mutter Seite war Pelops, durch die Zahl seiner Kinder der mächtigste unter den Königen des Peloponneses, sein Ahnherr. Bei einem seiner Söhne, Pittheus, dem Gründer der kleinen Stadt Trözen, kehrte der kinderlose König Ägeus von Athen, der dort etwa zwanzig Jahre vor Jasons Argonautenzug herrschte, ein, weil er sein Gastfreund war. Diesen Ägeus, den ältesten der vier Söhne des Königs Pandion, bekümmerte es schwer, dass seine Ehe mit keiner Nachkommenschaft gesegnet war. Er fürchtete nämlich gar sehr die fünfzig Söhne seines Bruders Pallas, welche feindliche Absichten gegen ihn hegten und den Kinderlosen verachteten. So kam er auf den Gedanken, sich heimlich und ohne Wissen seiner Gemahlin noch einmal zu vermählen, in der Hoffnung, er werde so einen Sohn erhalten, der die Stütze seines Alters und seines Reiches werden könne. Er vertraute sich seinem Gastfreunde Pittheus an, und das gute Glück wollte, dass gerade diesem ein seltsames Orakel zuteil geworden war, das ihm verkündigte, wie seine Tochter kein rühmliches Ehebündnis eingehen, aber einen berühmten Sohn gebären werde. Dies machte den König von Trözen geneigt, dem Manne, der schon zu Hause eine Gattin hatte, seine Tochter Äthra heimlich zu vermählen. Als dieses geschehen war, blieb Ägeus nur noch wenige Tage zu Trözen und reiste dann wieder nach Athen zurück. Als er am Meeresufer Abschied von seiner neu vermählten Gattin nahm, legte er Schwert und Fußsohlen unter ein Felsstück und sprach: »Wenn die Götter unserm Bunde, den ich nicht aus Leichtsinn geschlossen habe, sondern um meinem Haus und Land eine Stütze zu verschaffen, hold sind und dir einen Sohn gewähren, so ziehe ihn heimlich auf und sage keinem Menschen, wer sein Vater sei. Ist er so weit herangewachsen, dass er die Kraft besitzt, das Felsstück abzuwälzen, so führe ihn an diese Stelle, lass ihn Schwert und Schuhe hervorholen und sende ihn damit zu mir nach Athen.« Äthra gebar auch wirklich einen Sohn, nannte ihn Theseus und ließ ihn unter der Fürsorge seines Großvaters Pittheus aufwachsen; den wahren Vater des Kindes verheimlichte sie, dem Befehl ihres Gatten gemäß, und der Großvater verbreitete die Sage, dass er ein Sohn des Poseidon sei. Diesem Gott erwiesen nämlich die Trözenier besondere Ehre als dem Schutzgott ihrer Stadt, brachten ihm die Erstlinge ihrer Früchte zum Opfer, und sein Dreizack war das Abzeichen von Trözen. So gab es dem Lande keinen Anstoß, wenn die Königstochter einer Leibesfrucht von dem hoch geehrten Gott gewürdigt worden war.

Als aber der Jüngling nicht bloß zu herrlicher Körperstärke heranwuchs, sondern auch Kühnheit, Einsicht und festen Sinn zeigte, da führte ihn seine Mutter Äthra zu dem Steine, unterrichtete ihn über seine wahre Herkunft und forderte ihn auf, die Erkennungszeichen seines Vaters Ägeus hervorzuholen und nach Athen zu segeln. Theseus stemmte sich an den Stein und schob ihn mit Leichtigkeit zurück; er band sich die Sohlen unter die Füße und das Schwert an die Seite. Zur See zu reisen aber weigerte er sich, obgleich Großvater und Mutter ihn inständig darum baten. Der Landweg nach Athen war nämlich damals sehr gefährlich, weil allenthalben Räuber und Bösewichte lauerten. Denn jenes Zeitalter brachte Menschen hervor, welche sich zwar in Leibesstärke und Taten der Faust unüberwindlich zeigten, aber diese Vorzüge nicht zu menschenfreundlichen Handlungen anwandten, sondern ihre Freude an Übermut und Gewalttaten hatten und alles misshandelten oder vertilgten, was ihnen in die Hände fiel. Einige von ihnen hatte Herakles auf seinen Zügen erschlagen. Um jene Zeit aber diente dieser gerade als Sklave bei der Königin Omphale in Lydien und säuberte zwar jenes Land, in Griechenland aber brachen die Gewalttätigkeiten von neuem hervor, weil niemand ihnen Einhalt tat. Deswegen war die Landreise aus dem Peloponnes nach Athen mit der größten Gefahr verbunden, und sein Großvater beschrieb dem jungen Theseus genau jeden dieser Räuber und Mörder, und welche Grausamkeiten sie an den Fremden zu verüben pflegten. Aber Theseus hatte sich längst den Herakles und seine Tapferkeit zum Vorbilde genommen. Als er sieben Jahre alt war, hatte dieser Held seinen Großvater Pittheus besucht, und als dieser mit dem König zu Tische saß und schmauste, durfte unter andern Knaben der Trözenier auch der kleine Theseus zuschauen. Herakles hatte beim Mahle seine Löwenhaut abgelegt. Die übrigen Knaben nun machten sich, als sie die Haut erblickten, auf die Flucht, Theseus aber ging ohne Furcht hinaus, nahm einem der Diener eine Axt aus der Hand und rannte damit auf die Haut los, die er für einen wirklichen Löwen hielt. Seit diesem Besuche des Herakles träumte Theseus voll Bewunderung des Nachts von seinen Taten, und am Tage sann er auf nichts anderes, als wie er dereinst Ähnliches unternehmen wollte. Auch waren die beiden blutsverwandt, denn ihre Mütter waren Kinder von Geschwistern. So konnte jetzt der sechzehnjährige Theseus den Gedanken nicht ertragen, dass, während sein Vetter überall die Frevler aufsuche und Land und Meer von ihnen reinige, er die sich ihm darbietenden Kämpfe fliehen sollte. »Was würde«, sprach er unwillig, »der Gott, den man meinen Vater nennt, von dieser feigen Reise im sichern Schoß seiner Gewässer denken, was würde mein wahrer Vater sagen, wenn ich ihm als Kennzeichen Schuhe ohne Staub und ein Schwert ohne Blut brächte?« Diese Worte gefielen seinem Großvater, der auch ein tapferer Held gewesen war. Die Mutter gab ihm ihren Segen, und Theseus ging davon.

Seine Wanderung zum Vater

Der Erste, der ihm in den Weg kam, war der Straßenräuber Periphetes, dessen Waffe eine mit Eisen beschlagene Keule war, von welcher er den Beinamen Keulenschwinger führte und mit der er die Wanderer zu Boden schmetterte.

Als Theseus in die Gegend von Epidauros kam, stürzte dieser Bösewicht aus seinem finstern Walde hervor und versperrte ihm den Weg. Der Jüngling aber rief ihm wohlgemut zu: »Elender! Du kommst mir eben gelegen, deine Keule wird dem wohl anstehen, der als ein zweiter Herakles in der Welt aufzutreten gesonnen ist!« Mit diesem Ausruf warf er sich auf den Räuber und erschlug ihn nach einem kurzen Kampfe. Dem Getöteten nahm er die Keule aus der Hand und trug sie als Siegeszeichen und Waffe von dannen.

Einem andern Frevler begegnete er auf der Landenge von Korinth; dieser war Sinnis der Fichtenbeuger, so genannt, weil er, wenn er einen Wanderer in seine Gewalt bekommen hatte, mit seinen riesenstarken Händen zwei Fichtenwipfel herunterzubeugen pflegte; an die band er seinen Gefangenen und ließ ihn von den zurückschnellenden Bäumen zerreißen. Mit der Erlegung dieses Ungeheuers weihte Theseus seine Keule ein. Sinnis hatte eine sehr schöne, schlanke Tochter, Perigune mit Namen, die Theseus bei der Ermordung ihres Vaters erschrocken hatte fliehen sehen und nun überall suchte. Das Mädchen hatte sich an einem dicht mit Gartengewächsen bepflanzten Ort versteckt und flehte, als verständen sie es, mit kindlicher Unschuld diese Sträucher an, indem sie ihnen unter Schwüren gelobte, sie niemals zu verletzen oder gar zu verbrennen, wenn sie sie verdecken und retten wollten. Da sie aber Theseus zurückrief mit der Versicherung, ihr nichts zu Leide tun, vielmehr aufs Beste für sie sorgen zu wollen, kam sie hervor und blieb seitdem unter seinem Schirme. Er gab sie später dem Deioneus, dem Sohne des Königs Eurytos von Öchalia, zur Gattin. Ihre ganze Nachkommenschaft hielt den Schwur und verbrannte nie eines von den Gewächsen, welche ihre Ahnfrau geschirmt hatten.

Aber nicht nur von verderblichen Menschen säuberte Theseus den Weg, auf welchem er einherzog, auch gegen schädliche Tiere glaubte er, hierin nicht weniger dem Herakles ähnlich, den Kampf wagen zu müssen. So erlegte er denn unter anderem die Phäa: so hieß das krommyonische Schwein, welches kein gemeines Tier, sondern streitbar und schwer zu besiegen war. Über solchen Taten kam er an die Grenze von Megara und stieß hier auf den Skiron, einen dritten berüchtigten Straßenräuber, der seinen Aufenthalt auf den hohen Felsen zwischen dem Megarerlande und Attika genommen hatte. Dieser pflegte aus frechem Mutwillen den Fremden seine Füße vorzuhalten, mit dem Befehle, sie zu waschen, und während dies geschah, stürzte er sie mit einem Tritt ins Meer. Die gleiche Todesstrafe vollzog nun Theseus an ihm selber. Schon auf attischem Gebiete, bei der Stadt Eleusis begegnete er dem Wegelagerer Kerkyon; dieser forderte die Vorbeireisenden zum Ringkampfe auf, und wenn er siegte, brachte er sie um. Theseus nahm die Herausforderung an, überwand ihn und befreite die Welt von dem Ungeheuer. Nachdem er nun eine kleine Strecke weit gereist war, kam er zu dem letzten und grausamsten jener Straßenräuber, dem Damastes, den aber jedermann nur unter seinem Beinamen Prokrustes – das heißt der Gliedausrecker – kannte. Dieser hatte zwei Bettstellen, eine sehr kurze und eine sehr lauge. Kam nun ein Fremder in sein Gehege, der klein war, so führte ihn der finstere Räuber beim Schlafengehen zur langen Bettstelle. »Wie du siehst«, sprach er dann, »ist meine Lagerstatt für dich viel zu groß; lass dir das Bett anpassen, Freund!« Und damit reckte er ihm die Glieder so lange auseinander, bis er den Geist aufgab; kam aber ein langer Gast, so brachte er ihn zur kurzen Bettstelle; und zu diesem sagte er: »Es ist mir leid, Guter, dass mein Lager nicht für dich gemacht und viel zu klein ist, doch dem soll bald geholfen sein!«, und so hieb er ihm die Füße ab, so weit sie das Bett überragten. Diesen, der ein Riese von Natur war, legte Theseus in das kleine Bett des Räubers selbst und schnitt ihm den Leib zusammen, dass er jämmerlich umkam. So widerfuhr den meisten dieser Verbrecher von der Hand des Theseus nach der Weise ihres eigenen Unrechtes ihr Recht. Auf seiner ganzen bisherigen Reise war dem Helden nichts Freundliches begegnet. Endlich aber, als er zum Flusse Kephissos kam, traf er auf einige Männer aus dem Geschlechte der Phytaliden, bei denen er gastfreie Aufnahme fand. Vor allen Dingen reinigten sie ihn auf seine Bitte mit den gewohnten Gebräuchen von dem vergossenen Blute und bewirteten ihn in ihrem Hause. Nachdem er sich gütlich getan und den wackern Leuten seinen Dank mit herzlichen Worten bezeugt, lenkte er seine Schritte der nahen väterlichen Heimat zu.

Theseus in Athen

Zu Athen fand der junge Held nicht den Frieden und die Freude, die er erwartet hatte. Bei der Bürgerschaft herrschte Verwirrung und Zwietracht, und das Haus seines Vaters Ägeus selbst fand er in trauriger Lage. Medea, die auf ihrem Drachenwagen Korinth und den verzweifelten Jason verlassen hatte, war in Athen angekommen, hatte sich in die Gunst des alten Ägeus eingeschlichen und versprochen, durch ihre Zaubermittel ihm die Kraft seiner Jugend zurückzugeben. Deswegen lebte der König mit ihr in vertrautem Verhältnisse. Durch ihren Zauber hatte das furchtbare Weib vorher Kunde von der Ankunft des Theseus erhalten, und nun überredete sie den Ägeus, den der Parteizwist seiner Bürger mit Argwohn erfüllte, den Fremdling, in welchem er den Sohn nicht ahnte und den sie ihm als einen gefährlichen Späher darzustellen wusste, als Gast zu bewirten und mit Gift aus dem Wege zu räumen. So erschien denn Theseus unerkannt beim Frühmahle und freute sich, den Vater selbst entdecken zu lassen, wen er vor sich habe. Schon war ihm der Giftbecher vorgesetzt, und Medea harrte mit Ungeduld auf den Augenblick, wo der neue Ankömmling, von dem sie aus dem Hause vertrieben zu werden fürchtete, die ersten Züge daraus tun würde, die wirksam genug sein sollten, ihm die jungen, wachsamen Augen für immer zu schließen. Theseus aber, den mehr nach der Umarmung seines Vaters als nach dem Becher verlangte, zog, scheinbar um das vorgelegte

Fleisch zu zerschneiden, das Schwert, das sein Vater für ihn unter den Felsblock hinterlegt hatte, damit Ägeus es gewahr werde und den Sohn in ihm erkennen solle. Dieser sah nicht so bald die ihm wohl bekannte Waffe blinken, als er den Giftbecher umwarf, und nachdem er sich durch einige Fragen vollends überzeugt hatte, dass er den vom Schicksal ersehnten Sohn in junger Heldenblüte vor sich habe, so schloss er ihn in seine Arme. Sofort stellte der Vater ihn der Versammlung des Volkes vor, dem er die Abenteuer seiner Reise erzählen musste und das den früh erprobten Helden mit freudigem Jauchzen begrüßte. Gegen die falsche Medea hatte der König Ägeus jetzt einen Abscheu gefasst, und die mordlustige Zauberin wurde aus dem Lande vertrieben.

Theseus bei Minos

Die erste Tat, die Theseus verrichtete, seitdem er als Königssohn und Erbe des attischen Throns an des Vaters Seite lebte, war die Vernichtung der fünfzig Söhne seines Oheims Pallas, welche früher gehofft hatten, den Thron zu erlangen, wenn Ägeus ohne Kinder stürbe, und welche ergrimmt waren, dass jetzt nicht bloß ein angenommener Sohn des Pandion, wie Ägeus war, König der Athener sei, sondern dass auch in Zukunft ein hergelaufener Fremdling die Herrschaft über sie und das Land führen sollte. Sie griffen daher zu den Waffen und legten dem Ankömmling einen Hinterhalt. Aber der Herold, den sie mit sich führten und der ein fremder Mann war, verriet diesen Plan dem Theseus, der nun plötzlich ihren Versteck überfiel und alle fünfzig niedermachte. Um durch die blutige Notwehr die Gemüter des Volkes nicht von sich abzukehren, zog hierauf Theseus auf ein gemeinnütziges Wagestück aus, bezwang den marathonischen Stier, der den Bewohnern von vier attischen Gemeinden nicht wenig Not verursacht hatte, führte ihn zur Schau durch Athen und opferte ihn endlich dem Apollon.

Um diese Zeit kamen von der Insel Kreta zum dritten Mal Abgeordnete des Königs Minos, um den gebräuchlichen Tribut zu holen. Mit diesem verhielt es sich also: der Sohn des Minos, Androgeos, war, wie die Sage ging, im attischen Gebiete durch Hinterlist getötet worden. Dafür hatte sein Vater die Einwohner mit einem verderblichen Kriege heimgesucht.

und die Götter selbst hatten das Land durch Dürre und Seuchen verwüstet. Da tat das Orakel Apollons den Spruch, der Zorn der Götter und die Leiden der Athener würden aufhören, wenn sie den Minos besänftigten und seine Verzeihung erlangen könnten. Hierauf hatten sich die Athener mit Bitten an ihn gewendet und Frieden erhalten unter der Bedingung, dass sie alle neun Jahre sieben Jünglinge und sieben Jungfrauen als Tribut nach Kreta zu schicken hätten. Diese sollen nun von Minos in sein berühmtes Labyrinth eingeschlossen worden sein, und dort habe sie, erzählt man, der gräuliche Minotauros, ein zwitterhaftes Geschöpf, das halb Mensch und halb Stier war, getötet oder sie auf andere Weise verschmachten lassen. Als nun die Zeit des dritten Tributes herbeigekommen war und die Väter, welche unverheiratete Söhne und Töchter hatten, diese dem entsetzlichen Lose unterwerfen mussten, da erneuerte sich der Unwille der Bürger gegen Ägeus, und sie fingen an, darüber zu murren, dass er, der Urheber des ganzen Unheils, allein seinen Teil an der Strafe nicht zu leiden habe und, nachdem er einen hergelaufenen Bastard zum Nachfolger ernannt, gleichgültig zusehe, wie ihnen ihre rechtmäßigen Kinder entrissen würden. Den Theseus, der sich schon gewöhnt hatte, das Geschick seiner Mitbürger nicht als ein fremdes zu betrachten, schmerzten diese Klagen. In der Volksversammlung erklärte er sich bereit, sich selbst ohne Los hingeben zu wollen. Alles Volk bewunderte seinen Edelmut und aufopfernden Bürgersinn; auch blieb sein Entschluss, obgleich sein Vater ihn mit den dringendsten Bitten bestürmte, dass er ihn des unterwarteten Glückes, einen Sohn und Erben zu besitzen, doch nicht so bald wieder berauben solle, unerschütterlich fest. Seinen Vater aber beruhigte er durch die zuversichtliche Versicherung, dass er mit den herausgelosten Jünglingen und Jungfrauen nicht in das Verderben gehe, sondern den Minotauros bezwingen werde. Bisher nun war das Schiff, das die unglücklichen Opfer nach Kreta hinüberführte, zum Zeichen ihrer Rettungslosigkeit mit schwarzem Segel abgesendet worden. Jetzt aber, als Ägeus seinen Sohn mit so kühnem Stolze sprechen hörte, rüstete er zwar das Schiff noch auf dieselbe Weise aus: doch gab er dem Steuermann ein anderes Segel von weißer Farbe mit und befahl ihm, wenn Theseus gerettet zurückkehre, dieses auszuspannen: wo nicht, mit dem schwarzen zurückzukehren und so das Unglück zum Voraus anzukündigen.

Als nun das Los gezogen war, führte der junge Theseus die Knaben und Mädchen, die es getroffen hatte, zuerst in den Tempel des Apollon und brachte dem Gott in ihrem Namen den mit weißer Wolle umwundenen Ölzweig, das Weihgeschenk der Schutzflehenden, dar. Nachdem das feierliche Gebet gesprochen war, ging er von allem Volk begleitet mit den auserlesenen Jünglingen und Jungfrauen ans Meeresufer hinab und bestieg das Trauerschiff.

Das Orakel zu Delphi hatte ihm geraten, er solle die Göttin der Liebe zur Führerin wählen und ihr Geleite sich erbitten. Theseus verstand diesen Spruch nicht, brachte jedoch der Aphrodite ein Opfer dar. Der Erfolg aber gab der Weissagung ihren guten Sinn. Denn als Theseus auf Kreta gelandet war und vor dem König Minos erschien, zog seine Schönheit und Heldenjugend die Augen der reizenden Königstochter Ariadne auf sich. Sie gestand ihm ihre Zuneigung in einer geheimen Unterredung und händigte ihm einen Knäuel Faden ein, dessen Ende er am Eingang des Labyrinthes festknüpfen und den er während des Hinschreitens durch die verwirrenden Irrgänge in der Hand ablaufen lassen solle, bis er an die Stelle gelangt sei, an der der Minotauros seine grässliche Wache hielt. Zugleich übergab sie ihm ein gefeites Schwert, womit er dieses Ungeheuer töten könne. Theseus ward mit allen seinen Gefährten von Minos in das Labyrinth geschickt, machte den Führer seiner Genossen, erlegte mit seiner Zauberwaffe den Minotauros und wand sich mit allen, die bei ihm waren, durch Hilfe des abgespulten Zwirns aus den Höhlengängen des Labyrinths glücklich heraus. Jetzt entfloh Theseus samt allen seinen Gefährten mit Hilfe und in Begleitung Ariadnes, die der junge Held, beglückt durch den lieblichen Kampfpreis, den er unerwartet errungen, mit sich führte. Auf ihren Rat hatte er auch den Boden der kretischen Schiffe zerhauen und so ihrem Vater das Nachsetzen unmöglich gemacht. Schon glaubte er seine holde Beute ganz in Sicherheit und kehrte mit Ariadne sorglos auf der Insel Dia ein, die später Naxos genannt wurde. Da erschien ihm der Gott Bacchos im Traum, erklärte, dass Ariadne die ihm selbst vom Schicksal bestimmte Braut sei, und drohte ihm alles Unheil, wenn Theseus die Geliebte nicht ihm überlassen würde. Theseus war von seinem Großvater in Götterfurcht erzogen worden: er scheute den Zorn des Gottes, ließ die wehklagende, verzagende Königstochter auf der einsamen Insel zurück und schiffte weiter. In der Nacht erschien Ariadnes rechter Bräutigam, Bacchos, und entführte sie auf den Berg Drios; dort verschwand zuerst der Gott, bald darauf ward auch Ariadne unsichtbar. Theseus und seine Gefährten waren über den Raub der Jungfrau sehr betrübt. In ihrer Traurigkeit vergaßen sie, dass ihr Schiff noch die schwarzen Segel aufgezogen hatte, mit welchen es die attische Küste verlassen; sie unterließen, dem Befehle des Ägeus zufolge die weißen Tücher aufzuspannen, und das Schiff flog in seiner schwarzen Trauertracht der Heimatküste entgegen. Ägeus befand sich eben an der Küste, als das Schiff herangesegelt kam, und genoss von einem Felsenvorsprunge die Aussicht auf die offene See. Aus der schwarzen Farbe der Segel schloss er, dass sein Sohn tot sei. Da erhob er sich von dem Felsen, auf dem er saß, und im unbegrenzten Schmerze des Lebens überdrüssig, stürzte er sich in die jähe Tiefe. Indessen war Theseus gelandet, und nachdem er im Hafen die Opfer dargebracht hatte, die er bei der Abfahrt den Göttern gelobt, schickte er einen Herold in die Stadt, die Rettung der sieben Jünglinge und Jungfrauen und seine eigene zu verkündigen. Der Bote wusste nicht, was er von dem Empfange denken sollte, der ihm in der Stadt zuteil ward. Während die einen ihn voll Freude bewillkommneten und ihn als den Überbringer froher Botschaft bekränzten, fand er andere in tiefe Trauer versenkt, die seinen fröhlichen Worten gar kein Gehör schenkten. Endlich löste sich ihm das Rätsel durch die erst allmählich sich verbreitende Nachricht vom Tode des Königs Ägeus. Der Herold nahm nun zwar die Kränze in Empfang, schmückte aber damit nicht seine Stirne, sondern nur den Heroldsstab und kehrte so zum Gestade zurück. Hier fand er den Theseus noch im Tempel mit der Darbringung des Dankopfers beschäftigt, er blieb daher vor der Türe des Tempels stehen, damit die heilige Handlung nicht durch die Trauernachricht gestört würde. Sobald das Brandopfer ausgegossen war, meldete er des Ägeus Ende. Theseus warf sich, vom Schmerz wie vom Blitze getroffen, zur Erde, und als er sich wieder aufgerafft harte, eilten alle nicht unter Freudenjubel, wie sie es sich gedacht hatten, sondern unter Wehgeschrei und Klageruf in die Stadt.

Theseus als König

Nachdem Theseus unter vielen Klagen seinen Vater bestattet hatte, weihte er dem Apollon, was er ihm gelobt hatte. Das Schiff, in welchem er mit den attischen Jünglingen und Jungfrauen abgefahren und gerettet zurückgekehrt war, ein Fahrzeug von dreißig Rudern, wurde zum ewigen Andenken von den Athenern aufbewahrt, indem das abgängige Holz immer wieder durch neues ersetzt ward. Und so wurde dieser heilige Überrest alter Heldenzeit noch geraume Zeit nach Alexander dem Großen den Freunden des Altertums gezeigt.
Theseus, der jetzt König geworden war, bewies bald, dass er nicht nur ein Held in Kampf und Fehde sei, sondern auch fähig, einen Staat einzurichten und ein Volk im Frieden zu beglücken. Hierin tat er es selbst seinem Vorbilde Herakles zuvor. Er unternahm nämlich ein großes und bewundernswürdiges Werk. Vor seiner Regierung wohnten die meisten Einwohner Attikas zerstreut um die Burg und kleine Stadt Athen herum, auf einzelnen Bauernhöfen und weilerartigen Dörfern. Sie konnten daher nur schwer zusammengebracht werden, um über öffentliche Angelegenheiten zu ratschlagen; ja bisweilen gerieten sie auch über kleinliche Gegenstände des Nachbarbesitzes miteinander in Streit. Theseus nun war es, der alle Bürger des attischen Gebietes in einer Stadt vereinigte und so aus den zerstreuten Gemeinden einen gemeinschaftlichen Staat bildete; und dieses große Werk brachte er nicht wie ein Tyrann durch Gewalt zu Stande, sondern er reiste bei den einzelnen Gemeinden und Geschlechtern herum und suchte ihre freiwillige Einstimmung zu erlangen. Die Armen und Niedrigen bedurften keiner langen Ermahnung, sie konnten bei dem Zusammenleben mit den Vermöglicheren nur gewinnen; den Mächtigen und Reichen aber versprach er Beschränkung der Königsgewalt, die bisher zu Athen unbeschränkt gewesen war, und eine vollkommen freie Verfassung. »Ich selbst«, sprach er, »will nur euer Anführer im Kriege und Beschützer der Gesetze sein, im Übrigen soll allen meinen Mitbürgern Gleichheit der Rechte gestattet werden.« Dieses leuchtete vielen der Vornehmen ein; andere, denen die Umwandlung der Staatsverhältnisse weniger willkommen war, fürchteten sich vor seiner Beliebtheit beim Volke, vor der großen Macht, die er bereits besaß, und seinem wohl bekannten kühnen Mute. Sie wollten

daher lieber der Überredung desjenigen nachgeben, der sie zwingen konnte.

So hob er denn alle einzelnen Rathäuser und unabhängigen Obrigkeiten in den Gemeinden auf und gründete ein allen gemeinsames Rathaus mitten in der Stadt, stiftete auch ein Fest für alle Staatsbürger, welches er die Panathenäen, das heißt das All-Athener-Fest, nannte. Erst jetzt wurde Athen zu einer förmlichen Stadt und auch ihr Name Athen erst recht gangbar. Vorher war es nichts anders als eine Königsburg gewesen, Kekropsburg von ihrem Gründer benannt, und nur wenige Bürgerhäuser waren darumher gestanden. Um diese neue Stadt noch mehr zu vergrößern, rief er unter Zusicherung gleicher Bürgerrechte aus allen Gegenden neue Ansiedler herbei, denn er wollte in Athen einen allgemeinen Völkerverein gründen. Damit aber die zusammengeströmte Menschenmenge nicht Unordnung in den neu begründeten Staat brächte, teilte er das Volk zuerst in Edle, Landbauern und Handwerker und wies jedem Stande seine eigentümlichen Rechte und Pflichten zu, so dass die Edeln durch Ansehn und Amtstätigkeit, die Landbauern durch ihre Nützlichkeit, die Handwerker durch ihre Menge den Vorzug zu haben schienen. Seine eigene Gewalt als König beschränkte er, wie er versprochen hatte, und machte sie von dem Rate der Edeln und der Versammlung des Volkes abhängig.

Der Amazonenkrieg

Während Theseus damit beschäftigt war, den Staat durch Götterfurcht zu befestigen, und daher den Dienst der Athene als Schutzgöttin des Landes begründete, auch dem Poseidon zu Ehren, dessen besonderer Schützling er war und für dessen Sohn er lange gegolten hatte, die heiligen Kampfspiele auf dem Isthmus von Korinth einführte oder doch erneuerte, wie einst Herakles die Olympischen Spiele des Zeus angeordnet hatte, wurde Athen von einem seltsamen und außerordentlichen Kriege heimgesucht. Theseus war nämlich in jüngeren Jahren auf einem Fehdezuge an der Küste der Amazonen gelandet, und diese, die nicht männerscheu waren, flohen so wenig vor dem stattlichen Helden, dass sie ihm vielmehr Gastgeschenke zusandten. Dem Theseus aber gefielen nicht nur die Gaben, sondern auch die schöne Amazone, die deren Überbringerin war. Diese hieß Hippolyte, und der Held lud sie ein, sein Schiff zu besuchen; als sie dieses bestiegen hatte, fuhr er mit seinem schönen Raube davon. Zu Athen angekommen, vermählte er sich mit ihr. Hippolyte war nicht ungern die Gemahlin eines Helden und eines herrlichen Königs. Aber das streitbare Weibervolk der Amazonen war über jenen frechen Raub entrüstet, und noch als dieser längst vergessen schien, sannen sie auf Rache, nahmen eine Gelegenheit wahr, wo der Staat der Athener unbewacht schien, und eines Tages landeten sie plötzlich mit einer Schiffeschar, bemächtigten sich des Landes und umzingelten die Stadt, in welche sie im Sturm einbrachen. Ja, sie schlugen mitten in dieser ein ordentliches Lager auf, und die erschrockenen Einwohner hatten sich auf die Burg zurückgezogen. Beide Teile verzögerten darauf aus Scheu den Angriff; endlich begann Theseus den Kampf von der Burg herab, nachdem er dem Orakel gemäß dem Gotte des Schreckens ein Opfer gebracht hatte. Anfangs wichen die athenischen Männer dem Andrange der fremden Mannweiber und wurden bis zu dem Tempel der Furien zurückgedrängt. Dann aber erneuerte sich der Kampf von einer andern Seite her; der rechte Flügel der Amazonen wurde bis zu ihrem Lager zurückgetrieben, und viele wurden getötet. Die Königin Hippolyte soll in dieser Schlacht, ihres Ursprungs uneingedenk, mit ihrem Gemahl gegen die Amazonen gekämpft haben. Ein Wurfspieß traf sie an Theseus' Seite und streckte sie tot darnieder. Ihrem Gedächtnis wurde später eine Säule zu Athen errichtet. Den ganzen Krieg beschloss ein Friedensschluss, demzufolge die Amazonen Athen verließen und in ihr Vaterland zurückkehrten.

Theseus und Peirithoos. Lapithen- und Kentaurenkampf

Theseus stand im Rufe außerordentlicher Stärke und Tapferkeit. Peirithoos, einer der berühmtesten Helden des Altertums, ein Sohn Ixions, empfand Lust, ihn auf die Probe zu setzen, und trieb Rinder, die jenem gehörten, von Marathon weg; und als ihm zu Ohren kam, dass Theseus, die Waffen in der Hand, ihm nachsetze, da hatte er, was er wollte, und floh nicht, sondern wandte sich um, ihm entgegenzugehen. Als die beiden Helden einander nahe genug waren, um einer den andern zu messen, da wurde jeder von Bewunderung vor der schönen Gestalt und Kühnheit des Gegners so sehr ergriffen, dass sie wie auf ein gegebenes Zeichen die Streitwaffen zu Boden warfen und aufeinander zueilten. Peirithoos streckte dem Theseus die Rechte entgegen und forderte ihn auf, selbst als Schiedsrichter über den Raub der Rinder zu entscheiden: der Genugtuung, die Theseus bestimmen werde, der wolle er sich freiwillig unterwerfen. »Die einzige Genugtuung, die ich verlange«, erwiderte Theseus mit leuchtendem Blicke, »ist die, dass du aus einem Feinde und Beschädiger mein Freund und Kampfgenosse werdest!« Nun umarmten sich die beiden Helden und schwuren einander treue Freundschaft zu.

Als hierauf Peirithoos die thessalische Fürstentochter Hippodameia, aus dem Geschlechte der Lapithen, freite, lud er auch seinen Waffenbruder Theseus zu der Hochzeit. Die Lapithen, unter denen die Festlichkeit gefeiert wurde, waren ein berühmter Stamm Thessaliens, rohe, zur Tiergestalt sich neigende Bergmenschen, die ersten Sterblichen, welche Pferde bändigen lernten. Die Braut aber, welche diesem Geschlechte entsprossen war, hatte nichts den Männern dieses Stammes Ähnliches. Sie war holdselig von Gestalt, zarten jungfräulichen Antlitzes und so schön, dass den Peirithoos alle Gäste um ihretwillen glückselig priesen. Sämtliche Fürsten Thessaliens waren bei dem Feste erschienen; aber auch die Verwandten des Peirithoos, die Kentauren, fanden sich ein, die Halbmenschen, die von dem Ungeheuer abstammten, das die Wolke, welche Ixion, der Vater des Peirithoos, anstatt der Hera umarmt hatte, diesem geboren: daher sie auch alle zusammen die Wolkensöhne hießen. Sie waren die beständigen Feinde der Lapithen. Diesmal aber hatte die Verwandtschaft mit dein Bräutigam sie den alten Groll vergessen lassen und zu dem Freudenfeste herbeigelockt. Die festliche Hofburg des Peirithoos erscholl von wirrem Getümmel; Brautlieder wurden gesungen, von Glut, Wein und Speisen dampften die Gemächer. Der Palast fasste nicht alle die Gäste. Lapithen und Kentauren, in bunten Reihen gemengt, saßen an geordneten Tischen in baumumschatteten Grotten zu Gaste.

Lange rauschte das Fest in ungestörter Fröhlichkeit. Da begann vom vielen Genusse des Weines das Herz des wildesten unter den Kentauren, Eurytion, zu rasen, und der Anblick der schönen Jungfrau Hippodameia verführte ihn zu dem tollen Gedanken, dem Bräutigam seine Braut zu rauben. Niemand wusste, wie es gekommen war, niemand hatte den Beginn der unsinnigen Tat bemerkt, aber auf einmal sahen die Gäste den wütenden Eurytion, wie er die sich sträubende und hilferufende Hippodameia an den Haaren gewaltsam auf dem Boden schleifte. Seine Untat war für die weinerhitzte Schar der Kentauren ein Zeichen, Gleiches zu wagen; und ehe die fremden Helden und die Lapithen sich von ihren Sitzen erhoben hatten, hielt schon jeder der Kentauren eines der thessalischen Mädchen, die am Hofe des Königs dienten oder als Gäste bei der Hochzeit waren, mit rohen Händen als eine Beute gefasst. Die Hofburg und die Gärten glichen einer eroberten Stadt. Das Geschrei der Weiber hallte durch das weite Haus. Schnell sprangen Freunde und Geschlechtsverwandte der Braut von ihren Sitzen empor. »Welche Verblendung treibt dich, Eurytion«, rief Theseus, »den Peirithoos zu reizen, während ich noch lebe, und so zwei Helden in einem zu kränken?« Mit diesen Worten drang er auf die Stürmenden ein und entriss dem wütenden Räuber die Geraubte. Eurytion sprach nichts darauf, denn er konnte seine Tat nicht verteidigen, sondern er hub seine Hand gegen Theseus auf und versetzte diesem einen Schlag gegen die Brust. Aber Theseus ergriff – da ihm keine Waffe zur Hand war – einen ehernen Krug mit erhabener Arbeit, der zufällig neben ihm stand; diesen schmetterte er dem Gegner ins Antlitz, dass er rücklings in den Sand fiel und Gehirn und Blut zugleich aus der Kopfwunde drang. »Zu den Waffen!«, scholl es jetzt von allen Seiten an den Kentaurentischen; zuerst flogen Becher, Flaschen und Näpfe; dann entriss ein tempelräuberisches Untier Weihgeschenke der benachbarten heiligen Stätten; ein anderer riss die Lampe herab, die über dem Mahle voll Kerzen brannte, wieder ein anderer focht mit einem Hirschgeweih, das an den Wänden der Grotte als Schmuck und Weihgeschenk hing. Ein grauenhaftes Gemetzel wurde unter den Lapithen angerichtet. Rhötos, der Schlimmste nach Eurytion, ergriff die größte Brandfackel vom Altare und bohrte sie einem schon verwundeten Lapithen wie ein Schwert in die klaffende Wunde, dass sie im Blut wie Eisen in der Esse zischte. Gegen diesen jedoch hub der tapferste Lapithe, Dryas, einen in Feuer geglühten Pfahl und durchbohrte ihn zwischen Nacken und Schulter. Der Fall dieses Kentauren tat dem Morden seiner rasenden Gesellen Einhalt, und Dryas vergalt nun dem Wütenden, indem er fünf hintereinander niederstreckte. Jetzt flog auch der Speer des Helden Peirithoos und durchbohrte einen riesigen Kentauren, den Peträos, wie er gerade einen Eichenstamm aus der Erde zu rütteln bemüht war, um damit zu kämpfen; sowie er den Stamm eben umklammert hielt, heftete der Speer seine schwer atmende Brust ans knorrige Eichenholz. Ein Zweiter, Diktys, fiel von den Streichen des griechischen Helden und zerknickte im Fallen eine mächtige Esche. Ein Dritter wollte diesen rächen, wurde aber von Theseus mit einem Eichpfahl zermalmt. Der schönste und jugendlichste unter den Kentauren war Zyllaros; goldfarben sein langes Lockenhaar und sein Bart, sein Antlitz freundlich, Nacken, Schultern, Hände und Brust wie vom Künstler geformt, auch der untere Teil seines Körpers, der Rossleib, war ohne Fehler, der Rücken bequem zum Sitzen, die Brust hochgewölbt, die Farbe pechschwarz, nur Beine und Schweif lichtfarbig. Er war mit seiner Geliebten, der schönen Kentaurin Hylonome, beim Fest erschienen, die sich beim Mahle liebkosend an ihn lehnte und auch jetzt mit ihm vereint im wütenden Kampf an seiner Seite focht. Diesen traf, von unbekannter Hand, eine leichte Wunde ins Herz, dass er sterbend seiner Gemahlin in die Arme sank. Hylonome pflegte seine sterbenden Glieder, küsste ihn und versuchte den entfliehenden Atem aufzuhalten. Als sie ihn verscheiden sah, zog sie ihm den Wurfpfeil aus dem Herzen und stürzte sich darein.

Noch lange wütete der Kampf zwischen den Lapithen und den Kentauren fort, bis diese ganz unterlegen waren und nur Flucht und Nacht dem weitern Gemetzel sie entrückte. Jetzt blieb Peirithoos im unbestrittenen Besitze seiner Braut, und Theseus verabschiedete sich am andern Morgen von seinem Freunde. Der gemeinschaftliche Kampf hatte das frisch geknüpfte Band dieser Verbrüderung schnell in einen unauflöslichen Knoten zusammengezogen.

Theseus und Phädra

Theseus stand jetzt auf dem Wendepunkt seines Glücks. Gerade ein Versuch, dieses nicht nur auf Abenteuern zu suchen, sondern es sich an seinem eigenen Herde zu gründen, stürzte ihn in schwere Drangsal. Als der Held in der Blüte seiner Taten und in den ersten Jünglingsjahren die Geliebte seiner Jugend, Ariadne, ihrem Vater Minos auf Kreta entführte, wurde diese von ihrer kleinen Schwester Phädra begleitet, welche nicht von ihr weichen wollte und, nachdem Ariadne von Bacchos geraubt worden war, den Theseus nach Athen begleitete, weil sie nicht wagen durfte, zu ihrem tyrannischen Vater zurückzukehren. Erst als ihr Vater gestorben war, ging das aufblühende Mädchen in ihre Heimat Kreta zurück und wuchs dort in dem Königshause ihres Bruders Deukalion, der als der älteste Sohn des Königs Minos die Insel jetzt beherrschte, zu einer schönen und klugen Jungfrau heran. Theseus, der nach dem Tode seiner Gemahlin Hippolyta lange Zeit unvermählt geblieben war, hörte viel von ihren Reizen und hoffte, sie an Schönheit und Anmut seiner ersten Geliebten, ihrer Schwester Ariadne, ähnlich zu finden; Deukalion, der neue König von Kreta, war auch dem Helden nicht abhold und schloss, als Theseus von der blutigen Hochzeit seines thessalischen Freundes zurückgekehrt war, ein Schutz-und-Trutz-Bündnis mit den Athenern. An ihn wandte sich nun Theseus mit seiner Bitte, ihm die Schwester Phädra zur Gemahlin zu geben. Sie wurde ihm nicht versagt, und bald führte der Sohn des Ägeus die Jungfrau aus Kreta heim, die wirklich von Gestalt und äußerer Sitte der Geliebten seiner Jugend so ähnlich war, dass Theseus die Hoffnung seiner jungen Jahre im späteren Mannesalter erfüllt glauben konnte. Damit zu seinem Glücke nichts fehlen konnte, gebar sie in den ersten Jahren ihrer Ehe dem Könige zwei Söhne, den Akamas und den Demophoon. Aber Phädra war nicht so gut und treu, als sie schön war. Ihr gefiel der junge Sohn des Königs, Hippolytos, der ihres Alters war, besser als der greise Vater. Dieser Hippolytos war der einzige Sohn, den die von Theseus entführte Amazone ihrem Gemahl geboren hatte. In früher Jugend hatte der Vater den Knaben nach Trözen geschickt, um ihn bei den Brüdern seiner Mutter Äthra erziehen zu lassen. Als er erwachsen war, kam der schöne und züchtige Jüngling, der sein ganzes Leben der reinen Göttin Artemis zu weihen beschlossen und noch keiner Frau ins Auge geschaut hatte, nach Athen und Eleusis, um hier an den Mysterien teilzunehmen. Da sah ihn Phädra zum ersten Male; sie glaubte ihren Gatten verjüngt wieder zu sehen, und seine schöne Gestalt und Unschuld entflammte ihr Herz zu unreinen Wünschen; doch verschloss sie ihre verkehrte Leidenschaft noch in ihrer

Brust. Als der Jüngling abgereist war, erbaute sie auf der Burg von Athen der Liebesgöttin einen Tempel, von wo aus man nach Trözen blicken konnte und der später den Namen Tempel der Aphrodite, Fernschauerin, erhielt. Hier saß sie tagelang, den Blick auf das Meer gerichtet. Als endlich Theseus eine Reise nach Trözen machte, seine dortigen Verwandten und den Sohn zu besuchen, begleitete ihn seine Gemahlin dorthin und verweilte geraume Zeit daselbst. Auch hier kämpfte sie noch lange mit dem unlauteren Feuer in ihrer Brust, suchte die Einsamkeit und weinte über ihr Elend unter einem Myrtenbaume. Endlich aber vertraute sie sich ihrer alten Amme an, einem verschmitzten und ihrer Gebieterin in blinder und törichter Liebe ergebenen Weibe, die es bald auf sich nahm, den Jüngling von der strafbaren Leidenschaft seiner Stiefmutter zu unterrichten. Aber der unschuldige Hippolytos hörte ihren Bericht mit Abscheu an, und sein Entsetzen stieg, als ihm die pflichtvergessene Stiefmutter sogar den Antrag machen ließ, den eigenen Vater vom Thron zu stoßen und mit der Ehebrecherin Zepter und Herrschaft zu teilen. In seinem Abscheu fluchte er allen Weibern und meinte, schon durch das bloße Anhören eines so schändlichen Vorschlags entweiht zu sein. Und weil Theseus gerade abwesend von Trözen war – denn diesen Zeitpunkt hatte das treulose Weib erspäht –, so erklärte Hippolytos, auch keinen Augenblick mit Phädra unter einem Dache verweilen zu wollen. Er eilte, nachdem er die Amme gebührend abgefertigt, ins Freie, um im Dienste seiner geliebten Herrin, der Göttin Artemis, in den Wäldern zu jagen und so lange dem Königshause nicht wieder zu nahen, bis sein Vater zurückgekehrt sein würde und er sein gepeinigtes Herz vor ihm ausschütten könne.

Phädra vermochte die Abweisung ihrer verbrecherischen Anträge nicht zu überleben. Das Bewusstsein ihres Frevels und die unerhörte Leidenschaft stritten sich in ihrer Brust; aber die Bosheit gewann die Oberhand. Als Theseus zurückkehrte, fand er seine Gattin erhängt und in ihrer krampfhaft zusammengeballten Rechten einen von ihr vor dem Tode abgefassten Brief, in welchem geschrieben stand: »Hippolytos hat nach meiner Ehre getrachtet; seinen Nachstellungen zu entfliehen ist mir nur ein Ausweg geblieben. Ich bin gestorben, ehe ich die Treue meinem Gatten gegenüber verletzt habe.«

Lange stand Theseus vor Entsetzen und Abscheu wie eingewurzelt in die

Erde. Endlich hub er seine Hände gen Himmel und betete: »Vater Poseidon, der du mich stets geliebt hast wie dein leibliches Kind, du hast mir einst drei Bitten freigegeben, die du mir erfüllen wollest und deine Gnade mir erzeigen unweigerlich. Jetzt gemahne ich dich an dein Versprechen. Nur eine Bitte will ich erfüllt haben: lass meinem verfluchten Sohne an diesem Tag die Sonne nicht mehr untergehen!« Kaum hatte er diesen Fluch ausgesprochen, als auch Hippolytos, von der Jagd heimgekehrt und von der Rückkehr seines Vaters unterrichtet, in den Palast einging und, der Spur des Wehklagens nachgehend, vor das Antlitz des Vaters und die Leiche der Stiefmutter trat. Auf die Schmähungen des Vaters erwiderte der Sohn mit sanfter Ruhe: »Vater, mein Gewissen ist rein. Ich weiß mich einer Untat nicht schuldig.« Aber Theseus hielt ihm den Brief seiner Stiefmutter entgegen und verbannte ihn ungerichtet aus dem Lande. Hippolytos rief seine Schutzgöttin, die jungfräuliche Artemis, zur Zeugin seiner Unschuld auf und sagte seinem zweiten Heimatlande Trözen unter Seufzern und Tränen Lebewohl.

Noch am Abende desselben Tages suchte den König Theseus ein Eilbote auf und sprach, als er vor ihn gestellt war: »Herr und König, dein Sohn Hippolytos sieht das Tageslicht nicht mehr!« Theseus empfing diese Botschaft ganz kalt und sagte mit bitterem Lächeln: »Hat ihn ein Feind erschlagen, dessen Weib er entehrt, wie er das Weib des Vaters entehren wollte?« – »Nein, Herr!«, erwiderte der Bote. »Sein eigener Wagen und der Fluch deines Mundes haben ihn umgebracht!« – »O Poseidon«, sprach Theseus, die Hände dankend gen Himmel erhoben, »so hast du dich mir heute als ein rechter Vater bezeugt und meine Bitte erhört! Aber sprich, Bote, wie ist mein Sohn geendet, wie hat meinen Ehrenschänder die Keule der Vergeltung getroffen?« Der Bote fing an zu erzählen: »Wir Diener striegelten am Meeresufer die Rosse unseres Herrn Hippolytos, als die Botschaft von seiner Verbannung und bald er selbst kam, von einer Schar wehklagender Jugendfreunde begleitet, und uns Rosse und Wagen zur Abfahrt zu rüsten befahl. Als alles bereit war, hub er die Hände gen Himmel und betete: »Zeus, mögest du mich vertilgen, wenn ich ein schlechter Mann war! Und möge, sei ich nun tot oder lebendig, mein Vater erfahren, dass er mich ohne Fug entehrt!« Dann nahm er den Rossestachel zur Hand, schwang sich auf den Wagen, ergriff die Zügel und fuhr von uns Dienern begleitet auf dem Wege nach

Argos und Epidaurien davon. Wir waren so ans öde Meergestade gekommen, zu unserer Rechten die Flut, zur Linken von den Hügeln vorspringende Felsblöcke, als wir plötzlich ein tiefes Geräusch vernahmen, unterirdischem Donner ähnlich. Die Rosse wurden aufmerksam und spitzten ihr Ohr; wir alle sahen uns ängstlich um, woher der Schall käme. Als unser Blick auf das Meer fiel, zeigte sich uns hier eine Welle, die turmhoch gen Himmel ragte und alle Aussicht auf das weitere Ufer und den Isthmus uns benahm; der Wasserschwall ergoss sich bald mit Schaum und Tosen über das Ufer, gerade auf den Pfad zu, den die Rosse gingen. Mit der tobenden Welle zugleich aber spie die See ein Ungeheuer aus, einen riesenhaften Stier, von dessen Brüllen das Ufer und die Felsen widerhallten. Dieser Anblick jagte den Pferden eine plötzliche Angst ein. Unser Herr jedoch, ans Lenken der Rosse gewöhnt, zog den Zügel mit beiden Händen straff an und gebrauchte sie, wie nur ein geschickter Steuermann sein Ruder regiert. Aber die Rosse waren läufig geworden, bissen in den Zaum und rannten, dem Lenker ungehorsam, davon. Aber wie sie nun auf ebener Straße fortjagen wollten, vertrat ihnen das Seeungeheuer den Weg; bogen sie seitwärts zu den Felsen um, so drängte es sie ganz hinüber, indem es den Rädern dicht zur Seite trabte. So geschah es endlich, dass auf der andern Seite die Radfelgen auf die Felsen aufzusitzen kamen und dein unglücklicher Sohn kopfüber herabgestürzt und mitsamt dem umgeworfenen Wagen von den Rossen, die ohne Führer dahinstürmten, über Sand und Felsgestein geschleift wurde. Alles ging viel zu schnell, als dass wir begleitenden Diener dem Herrn hätten zu Hilfe kommen können. Halb zerschmettert hauchte er den Zuruf an seine sonst so gehorsamen Rosse und die Wehklage über den Fluch seines Vaters in die Lüfte. Eine Felsecke entzog uns den Anblick. Das Meerungeheuer war verschwunden, wie vom Boden verschlungen. Während nun die übrigen Diener atemlos die Spur des Wagens verfolgten, bin ich hierher geeilt, o König, das jammervolle Schicksal deines Sohnes dir zu verkünden!«

Theseus starrte auf diesen Bericht lange sprachlos zu Boden. »Ich freue mich nicht über sein Unglück; ich beklage es nicht«, sprach er endlich nachsinnend und in Zweifel vertieft. »Könnte ich ihn doch lebend noch sehen, ihn befragen, mit ihm handeln über seine Schuld.« Diese Rede wurde durch das Wehgeschrei einer alten Frau unterbrochen, die mit

grauem fliegendem Haar und zerrissenem Gewande herbeieilend die Reihen der Dienerschaft trennte und dem Könige Theseus sich zu Füßen warf. Es war die greise Amme der Königin Phädra, die auf das Gerücht von Hippolytos' jämmerlichem Untergange, von ihrem Gewissen gefoltert, nicht länger schweigen konnte und unter Tränen und Geschrei die Unschuld des Jünglings und die Schuld ihrer Gebieterin dem König offenbarte. Ehe der unglückliche Vater recht zur Besinnung kommen konnte, wurde auf einer Tragbahre von wehklagenden Dienern sein Sohn Hippolytos, zerschmettert, aber noch atmend, in den Palast und vor seine Augen getragen. Theseus warf sich reumütig und verzweifelnd über den Sterbenden, der seine letzten Lebensgeister zusammenraffte und an die Umstehenden die Frage richtete: »Ist meine Unschuld erkannt?« Ein Wink der Nächststehenden gab ihm diesen Trost. »Unglückseliger, getäuschter Vater«, sprach der sterbende Jüngling, »ich vergebe dir!«, und verschied.
Er wurde von Theseus unter demselben Myrtenbaum begraben, unter welchem einst Phädra mit ihrer Liebe gekämpft und dessen Blätter sie oft, in der Verzweiflung an den Ästen zerrend, zerrissen hatte und wo nun, als an ihrem Lieblingsplatz, auch ihre Leiche beigesetzt war; denn der König wollte seine Gemahlin im Tode nicht entehren.

Theseus auf Frauenraub

Durch die Verbindung mit dem jungen Helden Peirithoos erwachte in dem verlassenen und alternden Theseus die Lust zu kühnen und selbst mutwilligen Abenteuern wieder. Dem Peirithoos war seine Gattin Hippodameia nach kurzem Besitze gestorben, und da auch Theseus jetzt ehelos war, so gingen beide auf Frauenraub aus. Damals war die nachher so berühmt gewordene Helena, die Tochter des Zeus und der Leda, die in dem Palaste ihres Stiefvaters Tyndareus zu Sparta aufwuchs, noch sehr jung. Aber sie war schon die schönste Jungfrau ihrer Zeit, und ihre Anmut fing an, in ganz Griechenland bekannt zu werden. Diese sahen Theseus und Peirithoos, als sie auf dem genannten Raubzuge nach Sparta kamen, in einem Tempel der Artemis tanzen. Beide wurden von Liebe zu ihr entzündet. Sie raubten die Fürstin in ihrem Übermut aus dem Heiligtum und brachten sie zuerst nach Tegea in Arkadien. Hier warfen sie das Los über sie, und einer versprach dem andern brüderlich, ihm, wenn das Los ihn verfehle, zum Raub einer andern Schönheit behilflich zu sein. Das Los teilte die Beute dem Theseus zu, und nun brachte dieser die Jungfrau nach Aphidnä im attischen Gebiete, übergab sie dort seiner Mutter Äthra und stellte sie unter den Schutz seines Freundes. Darauf zog Theseus weiter mit seinem Waffenbruder, und beide sannen auf eine heroische Tat. Peirithoos entschloss sich nämlich, die Gemahlin Plutons, Persephone, der Unterwelt zu entführen und sich durch ihren Besitz für den Verlust Helenas zu entschädigen. Dass ihnen dieser Versuch missglückte und sie von Pluton zu ewigem Sitzen in der Unterwelt verdammt wurden, dass Herakles, der beide befreien wollte, nur den Theseus aus dem Hades erretten konnte, wurde schon erzählt. Während nun Theseus auf diesem unglücklichen Zuge abwesend war und in der Unterwelt gefangen saß, machten sich die Brüder Helenas, Kastor und Pollux, auf und rückten in Attika ein, um ihre Schwester Helena zu befreien. Indessen verübten sie anfangs keine Feindseligkeiten im Lande, sondern kamen friedlich nach Athen und forderten hier die Zurückgabe Helenas. Als aber die Leute in der Stadt antworteten, dass sie weder die junge Fürstin bei sich hätten noch wüssten, wo Theseus sie zurückgelassen, wurden sie zornig und schickten sich mit den sie begleitenden Scharen zum wirklichen Kriege an. Jetzt erschraken die Athener, und einer aus ihrer Mitte, mit Namen Akademos, der das Geheimnis des Theseus auf irgendeine Art erfahren hatte, entdeckte den Brüdern, dass der Ort, wo sie verborgen gehalten werde, Aphidnä sei. Vor diese Stadt rückten nun Kastor und Pollux, siegten in einer Schlacht und eroberten den Platz im Sturm.

Zu Athen hatte sich inzwischen auch anderes begeben, was für Theseus ungünstig war. Menestheus, der Sohn des Peteos, ein Urenkel des Erechtheus, hatte sich als Volksführer und Schmeichler der Menge gegen den leer stehenden Thron aufgelehnt und auch die Vornehmen aufgewiegelt, indem er ihnen vorstellte, wie der König sie dadurch, dass er sie von ihren Landsitzen in die Stadt hereingezogen, zu Untertanen und Sklaven gemacht habe. Dem Volk aber hielt er vor, wie es, dem Traume der Freiheit zulieb, seine ländlichen Heiligtümer und Götter habe verlassen müssen und, statt von vielen guten einheimischen Herren abhängig zu sein, einem Fremdling und Despoten diene. Wie nun Aphidnäs Eroberung durch die Tyndariden Athen mit Schrecken erfüllte, da benutzte Menestheus auch diese Stimmung des Volkes. Er bewog die Bürger, den Söhnen des Tyndareos, welche die Jungfrau Helena ihren Wächtern entrissen hatten und mit sich führten, die Stadt zu öffnen und sie freundlich zu empfangen, da sie nur gegen Theseus als den Räuber des Mädchens Krieg führten. Ihr Betragen bewies, dass Menestheus diesmal wahr gesprochen hatte, denn obgleich sie durch offene Tore in Athen eingezogen und alles dort in ihrer Gewalt war, so taten sie doch niemandem etwas zu Leide, verlangten vielmehr nur, wie andere vornehme Athener und Verwandte des Herakles in den Geheimdienst der eleusinischen Mysterien aufgenommen zu werden, und zogen dann mit der geretteten Helena, von den Bürgern, die sie liebten und ehrten, zur Stadt hinausgeleitet, wieder in ihre Heimat.

Theseus' Ende

In seiner langen Gefangenschaft im Hades hatte Theseus Zeit gehabt, das Unbesonnene und Unedle seiner letzten Handlungsweise, die mit seinem übrigen Heldentum gar nicht zusammenstimmte, zu erkennen und zu bereuen. Er kam als ernster Greis zurück und vernahm die Rettung Helenas durch ihre Brüder nicht mit Unwillen, denn er schämte sich seiner Tat. Mehr bekümmerte ihn die Zwietracht, die er im Staate antraf, und obgleich er die Zügel der Regierung wieder ergriff und die Partei des Menestheus zurückdrängte, genoss er doch keine rechte Ruhe mehr sein Leben lang. Und als er das Ruder des Staates mit Ernst führen wollte, brachen aufs Neue Empörungen gegen ihn aus, an deren Spitze immer Menestheus stand, welcher hinter sich die Partei der Edlen hatte, die immer noch von Pallas, seinem Oheim, und dessen besiegten und erschlagenen Söhnen sich die Pallantiden nannten. Diejenigen, welche ihn vorher gehasst hatten, verlernten allmählich auch die Furcht vor ihm, und das gemeine Volk hatte Menestheus so verwöhnt, dass es, anstatt zu gehorchen, immer nur geschmeichelt werden wollte. Anfänglich versuchte nun Theseus gewaltsame Mittel; als aber aufwieglerische Umtriebe und offene Widersetzlichkeit alle seine Bemühungen vereitelten, da beschloss der unglückliche König, seine unbotmäßige Stadt freiwillig zu verlassen, nachdem er schon vorher seine Söhne Akamas und Demophoon heimlich nach Euböa zu dem Fürsten Elephenor geflüchtet hatte. In einem Flecken von Attika, Gargettos genannt, sprach er feierliche Verwünschungen gegen die Athener aus, da, wo man noch lange nachher das Verwünschungsfeld zeigte; dann schüttelte er den Staub von seinen Füßen und schiffte sich nach Skyros ein. Die Einwohner dieser Insel hielt er für seine besonderen Freunde, denn der König besaß darauf ansehnliche Güter, die er von seinem Vater geerbt hatte.

Damals war Lykomedes Beherrscher von Skyros. Zu diesem ging Theseus und bat sich von ihm seine Güter aus, um auf ihnen seinen Sitz zu nehmen. Aber das Geschick hatte ihn einen schlimmen Weg geführt. Lykomedes, sei es, dass er den großen Ruf des Mannes fürchtete, sei's, dass er mit Menestheus in geheimem Einverständnisse war, dachte darauf, wie er den in seine Hände gegebenen Gast, ohne Aufsehen zu erregen, aus dem Wege räumen könne. Er führte ihn deswegen auf den höchsten Felsengipfel der Insel, der schroff in das Land hinaussprang. Er wollte ihn, war sein Vorgeben, die schönen Güter, die sein Vater auf dem Eilande besessen hatte, mit einem Blick überschauen lassen. Theseus, oben angekommen, ließ seine Augen gierig über die herrlichen Gefilde streifen: da gab ihm der treulose Fürst einen Stoß von hinten, dass er über die Felsen hinabstürzte und nur sein zerschmetterter Leichnam in der Tiefe ankam.

Zu Athen war Theseus von dem undankbaren Volke bald vergessen, und Menestheus regierte, als wenn er den Thron von vielen Ahnen ererbt hätte. Die Söhne des Theseus zogen mit dem Helden Elephenor als gemeine Krieger vor Troja. Viele Jahrhunderte später, nach dem glorreichen Kriege gegen die Perser, befahl das Orakel an Delphi den Athenern, des Theseus Gebeine zu holen und ehrenvoll zu bestatten. Aber wo sollten sie dieselben suchen? Und wenn sie auch auf der Insel Skyros das Grab gefunden hätten, wie sollten sie seine Überreste aus den Händen roher und den Fremden unzugänglicher Barbaren erlösen? Da geschah es, dass der berühmte Athener Kimon, der Sohn des Miltiades, auf einem neuen Feldzuge die Insel Skyros eroberte. Während dieser nun mit großem Eifer das Grab des Nationalheros suchte, bemerkte er über einem Hügel einen Adler schwebend. Er machte Halt an dieser Stelle und sah bald, wie der Vogel herabschoss und die Erde des Grabhügels mit seinen Krallen aufscharrte. Kimon erblickte in diesem Zeichen eine göttliche Fügung, ließ nachgraben und fand tief in der Erde den Sarg eines großen Leichnams, daneben eine eherne Lanze und ein Schwert. Er und seine Begleiter zweifelten nicht daran, des Theseus Gebeine gefunden zu haben. Die heiligen Überreste wurden von Kimon auf ein schönes Kriegsschiff mit drei Ruderbänken gebracht und in Athen mit Jubel unter glänzenden Aufzügen und Opfern empfangen. Es war, als ob Theseus selbst in die Stadt zurückkehrte. So bezahlten nach Jahrhunderten die Nachkommen dem Begründer der Freiheit und Bürgerverfassung Athens den Dank, den ihm eine schnöde Mitwelt schuldig geblieben war.

DIE SAGE VON ÖDIPUS

Des Ödipus Geburt, Jugend, Flucht, Vatermord

Laïos, Sohn des Labdakos, aus dem Stamme des Kadmos, war König von Theben und lebte mit Jokaste, der Tochter eines vornehmen Thebaners, Menökeus, lange in kinderloser Ehe. Da ihn nun sehnlich nach einem Erben verlangte und er darüber den delphinischen Apollon um Aufschluss befragte, wurde ihm ein Orakelspruch des folgenden Inhalts zuteil: »Laïos, Sohn des Labdakos! Du begehrst Kindersegen. Wohl, dir soll ein Sohn gewährt werden. Aber wisse, dass dir vom Geschicke verhängt ist, durch die Hand deines eigenen Kindes das Leben zu verlieren. Dies ist das Gebot des Kroniden Zeus, der den Fluch des Pelops erhört hat, dem du einst den Sohn geraubt.« Laïos war nämlich in seiner Jugend landesflüchtig und im Peloponnese am Hofe des Königs als Gast aufgenommen worden. Er hatte aber seinem Wohltäter mit Undank gelohnt und Chrysippos, den schönen Sohn des Pelops, auf den nemeischen Spielen entführt. Dieser Schuld sich bewusst, glaubte Laïos dem Orakel und lebte lange von seiner Gattin getrennt. Doch führte die herzliche Liebe, in der sie einander zugetan waren, trotz der Warnung des Schicksals beide wieder zusammen, und Jokaste gebar endlich ihrem

Gemahl einen Sohn. Als das Kind zur Welt gekommen war, fiel den Eltern der Orakelspruch wieder ein, und um dem Spruche des Gottes auszuweichen, ließen sie den neugebornen Knaben nach drei Tagen mit durchstochenen und zusammengebundenen Füßen in das wilde Gebirge Kithäron werfen. Aber der Hirte, welcher den grausamen Auftrag erhalten hatte, empfand Mitleid mit dem unschuldigen Kinde und übergab es einem andern Hirten, der in demselben Gebirge die Herden des Königs Polybos von Korinth weidete. Dann kehrte er wieder heim und stellte sich vor dem Könige und seiner Gemahlin Jokaste, als hätte er den Auftrag erfüllt. Diese glaubten, das Kind sei verschmachtet oder von wilden Tieren zerrissen und die Erfüllung des Orakelspruches dadurch unmöglich gemacht. Sie beruhigten ihr Gewissen mit dem Gedanken, dass sie das Kind durch seine Aufopferung vor Vatermord behütet hätten, und lebten jetzt erst recht mit erleichtertem Herzen.
Der Hirte des Polybos löste indessen dem Kinde, das ihm, ohne dass er es wusste, woher es kam, übergeben worden war, die ganz durchbohrten Fersen der Füße und nannte ihn von seinen Wunden Ödipus, das heißt Schwellfuß. So brachte er ihn nach Korinth zu seinem Herrn, dem Könige Polybos. Dieser erbarmte sich des Findlings, übergab ihn seiner Gemahlin Merope und zog ihn als seinen eigenen Sohn auf, für den er auch am Hofe und im ganzen Lande galt. Zum Jünglinge herangereift, wurde er dort stets für den höchsten Bürger gehalten und lebte selbst in der glücklichen Überzeugung, Sohn und Erbe des Königs Polybos zu sein, der keine anderen Kinder hatte. Da ereignete sich ein Zufall, der ihn aus dieser Zuversicht plötzlich in den Abgrund der Zweifel stürzte. Ein Korinther, der ihm schon längere Zeit aus Neid abhold war, rief an einem Festmahle, vom Wein überfüllt, dem ihm gegenüber gelagerten Ödipus zu, er sei seines Vaters echter Sohn nicht. Von diesem Vorwurfe schwer getroffen, konnte der Jüngling das Ende der Mahlzeit kaum erwarten; doch verschloss er seinen Zweifel selbigen Tag noch kämpfend in der Brust. Am andern Morgen aber trat er vor seine beiden Eltern, die freilich nur seine Pflegeeltern waren, und verlangte von ihnen Auskunft. Polybos und seine Gattin waren über den Schmäher, dem diese Rede entfallen war, sehr aufgebracht und suchten ihrem Sohn seine Zweifel auszureden, ohne sie ihm jedoch durch eine runde Antwort zu nehmen. Die Liebe, die er in ihrer Äußerung erkannte, war ihm zwar sehr er-

quicklich; aber jenes Misstrauen nagte doch seitdem an seinem Herzen, denn die Worte seines Feindes waren zu tief eingedrungen. Endlich griff er heimlich zum Wanderstabe, und ohne seinen Eltern ein Wort zu sagen, suchte er das Orakel zu Delphi auf und hoffte von ihm eine Widerlegung der ehrenrührigen Beschuldigung zu vernehmen. Aber Phöbus Apollon würdigte ihn dort keiner Antwort auf seine Frage, sondern deckte ihm nur ein neues, weit grauenvolleres Unglück, das ihm drohte, auf. »Du wirst«, sprach das Orakel, »deines eigenen Vaters Leib ermorden, deine Mutter heiraten und den Menschen eine Nachkommenschaft von verabscheuungswürdiger Art zeigen.« Als Ödipus dies vernommen hatte, ergriff ihn unaussprechliche Angst, und da ihm das Herz doch immer noch sagte, dass so liebevolle Eltern wie Polybor und Merope seine rechten Eltern sein müssten, so wagte er es nicht, in seine Heimat zurückzukehren, aus Furcht, er möchte, vom Verhängnisse getrieben, Hand an seinen geliebten Vater Polybos legen und, von den Göttern mit unwiderstehlichem Wahnsinne geschlagen, ein verruchtes Ehebündnis mit seiner Mutter Merope eingehen. Von Delphi aufbrechend, schlug er den Weg nach Böotien ein. Er befand sich noch auf der Straße zwischen Delphi und der Stadt Daulia, als er, an einen Kreuzweg gelangt, einen Wagen sich entgegenkommen sah, auf dem ein ihm unbekannter alter Mann mit einem Herolde, einem Wagenlenker und zwei Dienern saß. Der Rosselenker samt dem Alten trieben den Fußgänger, der ihnen in den schmalen Pfad gekommen war, ungestüm aus dem Wege. Ödipus, von Natur jähzornig, versetzte dem trotzigen Wagenführer einen Schlag. Der Greis aber, wie er den Jüngling so keck auf den Wagen zuschreiten sah, zielte scharf mit seinem doppelten Stachelstabe, den er zur Hand hatte, und versetzte ihm einen schweren Streich auf den Scheitel. Jetzt war Ödipus außer sich gebracht: zum ersten Male bediente er sich der Heldenstärke, die ihm die Götter verliehen hatten, erhob seinen Reisestock und stieß den Alten, dass er sich schnell rücklings vom Wagensitze herabwälzte. Ein Handgemenge entstand; Ödipus musste sich gegen ihrer drei seines Lebens erwehren; aber seine Jugendstärke siegte, er erschlug sie alle bis auf einen, der entrann, und zog davon.

Ihm kam keine Ahnung in seine Seele, dass er etwas anderes getan, als aus Notwehr sich an einem gemeinen Phokier oder Böotier mit seinen Knechten, die ihm gemeinsam ans Leben wollten, gerächt habe. Denn der Greis, der ihm begegnete, trug kein Zeichen höherer Würde an sich. Aber der Gemordete war Laïos, König von Theben, der Vater des Mörders, gewesen, der auf einer Reise nach dem pythischen Orakel dieses Weges zog; und also war die gedoppelte Weissagung, die Vater und Sohn erhalten und der sie beide entgehen wollten, an beiden vom Geschick erfüllt worden. Ein Mann aus Platäa, mit Namen Damasistratos, fand die Leichen der Erschlagenen am Kreuzwege liegen, erbarmte sich ihrer und begrub sie. Ihr Denkmal aus angehäuften Steinen mitten im Kreuzwege sah nach vielen hundert Jahren noch der Wanderer.

Ödipus in Theben, heiratet seine Mutter

Nicht lange Zeit nachdem dies geschehen, war vor den Toren der Stadt Theben in Böotien die Sphinx erschienen, ein geflügeltes Ungeheuer, vorn wie eine Jungfrau, hinten wie ein Löwe gestaltet. Sie war eine Tochter des Typhon und der Echidna, der schlangengestalteten Nymphe, der fruchtbaren Mutter vieler Ungeheuer, und eine Schwester des Höllenhundes Kerberos, der Hydra von Lerna und der Feuer speienden Chimära. Dieses Ungeheuer hatte sich auf einem Felsen gelagert und legte dort den Bewohnern von Theben allerlei Rätsel vor, die sie von den Musen erlernt hatte. Erfolgte die Auflösung nicht, so ergriff sie denjenigen, der es übernommen hatte, das Rätsel zu lösen, zerriss ihn und fraß ihn auf. Dieser Jammer kam über die Stadt, als sie eben um ihren König trauerte, der – niemand wusste, von wem – auf einer Reise erschlagen worden war und an dessen Stelle Kreon, Bruder der Königin Jokaste, die Zügel der Herrschaft ergriffen hatte. Zuletzt kam es, dass des Kreon eigener Sohn, dem die Sphinx auch ein Rätsel aufgegeben und der es nicht gelöst hatte, ergriffen und verschlungen worden war. Diese Not bewog den Fürsten Kreon, öffentlich bekannt zu machen, dass demjenigen, der die Stadt von der Würgerin befreien würde, das Reich und seine Schwester Jokaste als Gemahlin zuteil werden sollte. Eben als jene Bekanntmachung öffentlich verkündigt wurde, betrat Ödipus an seinem Wanderstabe die Stadt Theben. Die Gefahr wie ihr Preis reizten ihn, zumal da er das Leben wegen der drohenden Weissagungen, die über ihm schwebten, nicht hoch anschlug. Er begab sich daher nach dem Felsen, auf dem die Sphinx ihren Sitz genommen hatte, und ließ sich von ihr ein Rätsel vorlegen. Das Ungeheuer gedachte dem kühnen Fremdling ein recht unauflösliches aufzugeben, und ihr Spruch lautete also: »Es ist am Morgen vierfüßig, am Mittag zweifüßig, am Abend dreifüßig. Von allen Geschöpfen wechselt es allein mit der Zahl seiner Füße; aber wenn es die meisten Füße bewegt, sind Kraft und Schnelligkeit seiner Glieder ihm am geringsten.« Ödipus lächelte, als er das Rätsel vernahm, das ihm selbst gar nicht schwierig erschien. »Dein Rätsel ist der Mensch«, sagte er, »der am Morgen seines Lebens, solang er ein schwaches und kraftloses Kind ist, auf seinen zween Füßen und seinen zwei Händen geht; ist er erstarkt, so geht er am Mittage seines Lebens nur auf den zween Füßen; ist er endlich am Lebensabend als ein Greis angekommen und der Stütze bedürftig geworden, so nimmt er den Stab als dritten Fuß zu Hilfe.« Das Rätsel war glücklich gelöst, und aus Scham und Verzweiflung stürzte sich die Sphinx selbst vom Felsen und zu Tode. Ödipus trug zum Lohne das Königreich von Theben und die Hand der Witwe, welche seine eigene Mutter war, davon. Jokaste gebar ihm nach und nach vier Kinder, zuerst die männlichen Zwillinge Eteokles und Polyneikes, dann zwei Töchter, die ältere Antigone, die jüngere Ismene. Aber diese vier waren zugleich seine Kinder und seine Geschwister.

Die Entdeckung

Lange Zeit schlief das grauenhafte Geheimnis, und Ödipus, bei manchen Gemütsfehlern ein guter und gerechter König, herrschte glücklich und geliebt an Jokastes Seite über Theben. Endlich aber sandten die Götter eine Pest in das Land, die unter dem Volke grausam zu wüten begann und gegen welche kein Heilmittel fruchten wollte. Die Thebaner suchten gegen das fürchterliche Übel, in dem sie eine von den Göttern gesandte Geißel erblickten, Schutz bei ihrem Herrscher, den sie für einen Günstling des Himmels hielten. Männer und Frauen, Greise und Kinder, die Priester mit Ölzweigen an ihrer Spitze erschienen vor dem königlichen Palaste, setzten sich um und auf die Stufen des Altars, der davor stand, und harrten auf die Erscheinung ihres Gebieters. Als Ödipus, durch den Zusammenlauf herausgerufen, aus seiner Königsburg trat und nach der Ursache fragte, warum die ganze Stadt von Opferrauch und Klagelaut erfüllt sei, antwortete ihm im Namen aller der älteste Priester: »Du siehst selbst, o Herr, welches Elend auf uns lastet: Triften und Felder versengt unerträgliche Hitze; in unsern Häusern wütet die verzehrende Seuche, umsonst strebt die Stadt, aus den blutigen Wogen des Verderbens ihr Haupt emporzutauchen. In dieser Not nehmen wir unsere Zuflucht zu dir, geliebter Herrscher. Du hast uns schon einmal von dem tödlichen Zins erlöst, mit dem uns die grimmige Rätselsängerin zehntete. Gewiss ist solches nicht ohne Götterhilfe geschehen. Und darum vertrauen wir auf dich, dass du, sei es bei Göttern oder Menschen, uns auch diesmal Hilfe finden werdest.« – »Arme Kinder«, erwiderte Ödipus, »wohl ist mir die Ursache eures Flehens bekannt. Ich weiß, dass ihr kranket, aber niemand krankt im Herzen so wie ich. Denn mein Gemüt beseufzt nicht nur einzelne, sondern die ganze Stadt! Darum erwecket ihr mich nicht wie einen Entschlummerten aus dem Schlafe, sondern hin und her habe ich im Geiste nach Rettungsmitteln geforscht, und endlich glaube ich eines gefunden zu haben. Denn mein eigener Schwager Kreon ist von mir zum pythischen Apollon nach Delphi abgesandt worden, dass er frage, welch Werk oder welche Tat die Stadt befreien kann.«

Noch sprach der König, als auch Kreon unter die Menge trat und den Bescheid des Orakels dem Könige vor den Ohren des Volkes mitteilte. Dieser lautete freilich nicht tröstlich: »Der Gott befahl, einen Frevel, den das Land beherberge, hinauszuwerfen und nicht das zu pflegen, was keine Säuberung zu sühnen vermöge. Denn der Mord des Königs Laïos laste als eine schwere Blutschuld auf dem Lande.« Ödipus, ganz ohne Ahnung, dass jener von ihm erschlagene Greis derselbe sei, um dessentwillen der Zorn der Götter sein Volk heimsuche, ließ sich die Ermordung des Königs erzählen, und noch immer blieb sein Geist mit Blindheit geschlagen. Er erklärte sich berufen, für jenen Toten Sorge zu tragen, und entließ das versammelte Volk. Sodann ließ er ins ganze Land die Verkündigung ausgehen, wem irgendeine Kunde von dem Mörder des Laïos geworden wäre, der sollte alles anzeigen; auch wer in fremdem Lande darum wüsste, dem sollte für seine Angabe der Lohn und Dank der Stadt zuteil werden. Der dagegen, der, für einen Freund besorgt, schweigen und die Schuld der Mitwissenschaft von sich abwälzen wollte, der sollte von allem Götterdienst, von Opfermahlen, ja von Umgang und Unterredung mit seinen Mitbürgern ausgeschlossen werden. Den Täter selbst endlich verfluchte er unter schauerlichen Beteuerungen, wünschte ihm Not und Plage durch das ganze Leben an und zuletzt das Verderben. Und das sollte ihm widerfahren, selbst wenn er am Herde des Königs verborgen lebe. Zu allem dem sandte er zwei Boten an den blinden Seher Teiresias, der an Einsicht und Blick ins Verborgene fast dem wahrsagenden Apollon selber gleichkam. Dieser erschien auch bald, an der Hand eines leitenden Knaben geführt, vor dem Könige und in der Volksversammlung. Ödipus trug ihm die Sorge vor, die ihn und das ganze Land quäle. Er bat ihn, seine Seherkunst anzuwenden und ihnen auf die Spur des Mordes zu verhelfen.

Aber Teiresias brach in einen Weheruf aus und sprach, indem er seine Hände abwehrend gegen den König ausstreckte: »Entsetzlich ist das Wissen, das dem Wissenden nur Unheil bringt! Lass mich heimkehren, König; trag du das deine und lass mich das meine tragen!« Ödipus drang jetzt umso mehr in den Seher, und das Volk, das ihn umringte, warf sich flehend vor ihm auf die Knie. Als er aber auch so keine weitern Aufschlüsse geben zu wollen bereit war, da entbrannte der Jähzorn des Königs Ödipus, und er schalt den Teiresias als Mitwisser oder gar Fausthelfer bei der Ermordung des Laïos. Ja, wenn er nur sehend wäre, so traute er ihm allein die Untat zu. Diese Beschuldigung löste dem blinden Propheten die Zunge. »Ödipus«, sprach er, »gehorche deiner eigenen Verkündigung. Rede mich nicht, rede keinen aus dem Volke fürder an. Denn du selbst bist der Gräuel, der diese Stadt besudelt! Ja, du bist der Königsmörder, du bist derjenige, der mit den Teuersten in fluchwürdigem Verhältnisse lebt.«

Ödipus war nun einmal verblendet: er schalt den Seher einen Zauberer, einen ränkevollen Gaukler; er warf Verdacht auch auf seinen Schwager Kreon und beschuldigte beide der Verschwörung gegen den Thron, von welchem sie durch ihre Lügengespinste ihn, den Erretter der Stadt, stürzen wollten. Aber nur noch näher bezeichnete ihn jetzt Teiresias als Vatermörder und Gatten der Mutter, weissagte ihm sein nahe bevorstehendes Elend und entfernte sich zürnend an der Hand seines kleinen Führers. Auf die Beschuldigung des Königs war indessen auch der Fürst Kreon herbeigeeilt, und es entspann sich ein heftiger Wortwechsel zwischen beiden, den Jokaste, die sich zwischen die Streitenden warf, vergeblich zu beschwichtigen suchte. Kreon schied unversöhnt und im Zorn von seinem Schwager.

Noch blinder als der König selbst war seine Gemahlin Jokaste. Sie hatte kaum aus dem Munde des Gatten erfahren, dass Teiresias ihn den Mörder des Laïos genannt, als sie in laute Verwünschungen gegen Seher und Seherweisheit ausbrach. »Sieh nur, Gemahl«, rief sie, »wie wenig die Seher wissen; sieh es an einem Beispiel! Mein erster Gatte Laïos hatte auch einst ein Orakel erhalten, dass er durch Sohneshand sterben werde. Nun erschlug aber jenen eine Räuberschar am Kreuzweg, und unser einziger Sohn wurde, an den Füßen gebunden, ins öde Gebirge geworfen und nicht über drei Tage alt. So erfüllen sich die Sprüche der Seher!« Diese Worte, die die Königin mit Hohnlachen sprach, machten auf Ödipus einen ganz andern Eindruck, als sie erwartet hatte. »Am Kreuzweg«, fragte er in höchster Gemütsangst, »ist Laïos gefallen? O sprich, wie war seine Gestalt, sein Alter?« – »Er war groß«, antwortete Jokaste, ohne die Aufregung ihres Gatten zu begreifen, »die ersten Greisenlocken schmückten sein Haupt; er war dir selbst, mein Gemahl, von Gestalt und Ansehen gar nicht unähnlich.« – »Teiresias ist nicht blind, Teiresias ist sehend!«, rief jetzt voll Entsetzen Ödipus, dem die Nacht seines Geistes auf einmal wie durch einen Blitzstrahl erleuchtet ward. Doch trieb ihn das Grässliche selber, weiter danach zu forschen, als müssten auf seine Fragen Antworten kommen, welche die schreckliche Entdeckung auf einmal als Irrtum darstellten. Aber alle Umstände trafen zusammen, und zuletzt erfuhr er, dass ein entronnener Diener den ganzen Mord gemeldet habe. Dieser Knecht aber habe, sowie er den Ödipus auf dem Throne sah, flehentlich gebeten, ihn so weit als möglich von der Stadt weg auf die Weiden des Königs zu schicken. Ödipus begehrte ihn zu sehen, und der Sklave wurde vom Lande hereinbeschieden. Ehe er jedoch noch ankam, erschien ein Bote aus Korinth, meldete dem Ödipus den Tod seines Vaters Polybos und rief ihn auf den erledigten Thron des Landes.

Bei dieser Botschaft sprach die Königin abermals triumphierend: »Hohe Göttersprüche, wo seid ihr? Der Vater, den Ödipus umbringen sollte, ist sanft an Altersschwäche verschieden!« Anders wirkte die Nachricht auf den frommeren König Ödipus, der zwar noch immer gerne geneigt war, den Polybos für seinen Vater zu halten, aber doch nicht begreifen konnte, wie ein Orakel unerfüllt bleiben sollte. Auch wollte er nicht nach Korinth gehen, weil seine Mutter Merope dort noch lebte und der andere Teil des Orakels, seine Heirat mit der Mutter, immer noch erfüllt werden konnte. Diesen Zweifel benahm ihm freilich der Bote bald. Er war derselbe Mann, der vor vielen Jahren das neugeborne Kind von einem Diener des Laïos auf dem Berge Kithäron empfangen und ihm die durchbohrten und gebundenen Fersen gelöst hatte. Er bewies dem Könige leicht, dass er nur ein Pflegesohn, wiewohl Erbe des Königs Polybos von Korinth sei. Ein dunkler Trieb nach Wahrheit ließ den Ödipus nach jenem Diener des Laïos verlangen, der ihn als Kind dem Korinther übergeben hatte. Von seinem Gesinde erfuhr er, dass dies derselbe Hirt sei, der, von dem Morde des Laïos entronnen, jetzt an der Grenze das Vieh des Königs weide.

Als Jokaste dies hörte, verließ sie ihren Gemahl und das versammelte Volk mit einem lauten Weheruf. Ödipus, der sein Auge absichtlich mit Nacht zu bedecken suchte, missdeutete ihre Entfernung. »Gewiss befürchtet sie«, sprach er zu dem Volke, »als ein Weib voll Hochmut, die Entdeckung, dass ich unedlen Stammes sei. Ich aber halte mich für einen Sohn des Glückes und schäme mich dieser Abkunft nicht!« Jetzt erschien der greise Hirte, der aus der Ferne herbeigeholt worden war und von dem Korinther sogleich als derjenige erkannt wurde, der ihm einst den Knaben auf dem Kithäron übergeben hatte. Der alte Hirt aber war ganz blass vor Schrecken und wollte alles leugnen; nur auf die zornigen Drohungen des Ödipus, der ihn mit Stricken zu binden befahl, sagte er endlich die Wahrheit: wie Ödipus der Sohn des Laïos und der Jokaste sei, wie der furchtbare Götterspruch, dass er den Vater ermorden werde, ihn in seine Hände geliefert, er aber ihn aus Mitleid erhalten habe.

Jokaste und Ödipus strafen sich

Aller Zweifel war nun gehoben und das Entsetzliche enthüllt. Mit einem wahnsinnigen Schrei stürzte Ödipus davon, irrte in dem Palast umher und verlangte nach einem Schwert, um das Ungeheuer, das seine Mutter und Gattin sei, von der Erde zu vertilgen. Da ihm, wie einem Rasenden, alles aus dem Wege ging, suchte er grässlich heulend sein Schlafgemach auf, sprengte das verschlossene Doppeltor und brach hinein. Ein grauenhafter Anblick hemmte seinen Lauf. Er erblickte hier, hoch über dem Lager schwebend, Jokaste mit fliegendem und zerrauftem Haupthaar, die sich mit einem Strang die Kehle zugeschnürt und erhängt hatte. Nach langem Hinstarren nahte sich Ödipus der Leiche mit brüllendem Stöhnen, ließ das hoch aufgezogene Seil zur Erde herab, dass sich die Leiche auf den Boden senkte, und wie sie nun vor ihm ausgestreckt lag, riss er die goldgetriebenen Brustspangen aus dem Gewande der Frau. Diese hob er hoch in der Rechten auf, fluchte seinen Augen, dass sie nimmer schauen sollten, was er tat und duldete, und wühlte mit dem spitzen Gold in ihnen, bis die Augäpfel durchbohrt waren und ein Blutstrom aus den Höhlen drang. Dann verlangte er, dass ihm, dem Geblendeten, das Tor geöffnet werde, ihn herauszuführen, ihn dem ganzen Thebanervolk als den Vatermörder, als den Muttergatten, als einen Fluch des Himmels und ein Scheusal der Erde vorzustellen. Die Diener erfüllten sein Verlangen, aber das Volk empfing den einst so geliebten und verehrten Herrscher nicht mit Abscheu, sondern mit innigem Mitleid. Kreon selbst, sein Schwager, den sein ungerechter Verdacht gekränkt hatte, eilte herbei, nicht um ihn zu verspotten, wohl aber um den fluchbelasteten Mann dem Sonnenlicht und dem Auge des Volkes zu entziehen und ihn dem Kreise seiner Kinder anzuempfehlen. Den gebeugten Ödipus rührte so viele Güte. Er übergab seinem Schwager den Thron, den er seinen jungen Söhnen aufbewahren sollte, und erbat sich für seine unselige Mutter ein Grab, für seine verwaisten Töchter den Schutz des neuen Herrschers: für sich selbst aber begehrte er Ausstoßung aus dem Lande, das er mit doppeltem Frevel besudelt, und Verbannung auf den Berg Kithäron, den schon die Eltern ihm zum Grabe bestimmt hatten und wo er jetzt leben oder sterben wollte, je nach der Götter Willen. Dann verlangte er nach seinen Töchtern, deren Stimme er noch einmal hören wollte, und legte seine Hand auf ihre unschuldigen Häupter. Den Kreon segnete er für alle Liebe, die dieser ihm, der es nicht um ihn verdient hätte, erwiesen, und wünschte ihm und allem Volke bessern Schutz der Götter, denn er selbst erfahren hatte.

Darauf führte ihn Kreon in das Haus zurück, und der jüngst noch verherrlichte Retter Thebens, der mächtige Herrscher, dem viele Tausende gehorchten, der Ödipus, der so tiefe Rätsel erforscht und so spät erst das eigene furchtbare Rätsel seines Lebens gelöst hatte, sollte, einem blinden Bettler gleich, durch die Tore seiner Vaterstadt und an die Grenzen seines Königreichs wandern.

Ödipus und Antigone

In der ersten Stunde der Entdeckung wäre der schnellste Tod dem Ödipus das Liebste gewesen, ja, er hätte es als eine Wohltat aufgenommen, wenn das Volk sich gegen ihn erhoben und ihn gesteinigt hätte. Und so erschien ihm auch die Verbannung, um welche er flehte und welche sein Schwager Kreon ihm bewilligte, als ein Geschenk. Als er aber in seiner Finsternis zu Hause saß und der Zorn allmählich auskochte, da fing er auch an, das Grässliche zu empfinden, was das Herumirren eines blinden Verbannten in der Fremde mit sich führen musste. Die Liebe zur Heimat begann mit dem Gefühle wieder zu erwachen, dass er für nicht beabsichtigte und nicht mit Bewusstsein begangene Verbrechen teils durch den Tod Jokastes, teils durch die Blendung, die er an sich selbst vollzogen habe, doch eigentlich genug bestraft sei, und er scheute sich auch nicht, den Wunsch, zu Hause zu bleiben, gegen Kreon und seine eigenen Söhne Eteokles und Polyneikes laut werden zu lassen. Aber da zeigte sich, dass die Rührung des Fürsten Kreon nur eine vorübergehende gewesen und auch seine Söhne eine harte und selbstsüchtige Gemütsart hatten. Kreon nötigte seinen unglücklichen Verwandten, auf seinem ersten Beschlusse zu verharren, und die Söhne, deren erste Pflicht doch war, dem Vater zu helfen, verweigerten ihm ihren Beistand. Ja, fast ohne dass ein Wort gewechselt wurde, gab man ihm den Bettelstab in die Hand und stieß ihn zum Königspalaste von Theben hinaus. Nur seine Töchter fühlten kindliches Erbarmen mit dem Verstoßenen. Die jüngere Tochter Ismene blieb im Hause ihrer Brüder zurück, um hier so viel als möglich der Sache des Vaters zu dienen und gleichsam der Anwalt des Entfernten zu sein. Die ältere, Antigone, teilte mit dem Vater die Verbannung und lenkte die Schritte des Blinden. So zog sie mit ihm auf schwerer Irrfahrt umher, schweifte unbeschuht und ohne Speise mit ihm durch die wilden Wälder: Sonnenhitze und Regenguss hielt die zarte

Jungfrau mit dem Vater aus, und während sie zu Hause bei den Brüdern die beste Pflege genießen konnte, war sie im Elende zufrieden, wenn nur der Vater satt wurde. Sein Wille war anfangs gewesen, in einer Wüstenei des Berges Kithäron das elende Leben zu fristen oder zu endigen. Doch weil er ein frommer Mann war, wollte er auch diesen Schritt nicht ohne den Willen der Götter tun, und so pilgerte er vorher zum Orakel des pythischen Apollon. Hier ward ihm ein tröstlicher Spruch zuteil. Die Götter erkannten, dass Ödipus wider seinen Willen sich gegen die Natur und die heiligen Gesetze der Menschengesellschaft versündigt hatte. Gebüßt musste ein so schweres Vergehen freilich werden, wenn es auch unfreiwillig war; aber ewig sollte die Strafe nicht währen. Darum eröffnete ihm der Gott: Nach langer Frist zwar, aber endlich doch harre seiner die Erlösung, wenn er zu dem ihm vom Schicksale bestimmten Lande gelangt wäre, wo die ehrwürdigen Göttinnen, die strengen Eumeniden, ihm eine Zufluchtsstätte gönnten. Nun war aber der Name Eumeniden, die Wohlwollenden, ein Beiname der Erinnyen oder Furien, der Göttinnen der Rache, welche die Sterblichen mit einem so begütigenden Namen ehren und besänftigen wollten. Der Orakelspruch lautete rätselhaft und schauerlich. Bei den Furien sollte Ödipus für seine Sünden gegen die Natur Ruhe und Erlösung von seiner Strafe finden! Dennoch vertraute er auf die Verheißung des Gottes und zog, dem Schicksal überlassend, wann die Erfüllung eintreten sollte, in Griechenland herum, von seiner frommen Tochter geleitet und gepflegt und vom Almosen mitleidiger Menschen erhalten. Immer bat er nur um weniges und erhielt auch nur weniges. Aber er begnügte sich damit jedes Mal, denn die lange Dauer seiner Verbannung, die Not und seine eigene edle Sinnesart lehrten ihn Genügsamkeit.

Ödipus auf Kolonos

Nach langer Wanderung, bald durch bewohntes, bald durch wüstes Land, waren die beiden eines Abends in einer sehr milden Gegend bei einem anmutigen Dorfe mitten im lieblichsten Haine angekommen. Nachtigallen flatterten durch das Gebüsch und sangen mit süßem Schall, Rebenblüte duftete, mit Oliven- und Lorbeerbäumen waren die rauen Felsstücke, welche die Gegend viel mehr schmückten als entstellten, überkleidet. Der blinde Ödipus selbst hatte durch seine übrigen Sinne eine Empfindung von der Anmut des Ortes und schloss aus der Schilderung seiner Tochter, dass es ein geheiligter sein müsse. Aus der Ferne stiegen die Türme einer Stadt auf, und ihre Erkundigungen hatten Antigone belehrt, dass sie sich in der Nähe von Athen befänden. Ödipus hatte sich, von dem Wege des Tages müde, auf ein Felsstück gesetzt. Ein Bewohner des Dorfes, der vorüberging, hieß ihn jedoch bald diesen Sitz verlassen, weil der Boden geheiligt sei und keinen Fußtritt dulde. Da erfuhren denn die Wanderer bald, dass sie sich im Flecken Kolonos und auf dem Gebiet und in dem Haine der alles erspähenden Eumeniden niedergelassen, unter welchem Namen die Athener hier die Erinnyen verehrten.

Nun erkannte Ödipus, dass er am Ziele seiner Wanderung angekommen und der friedlichen Lösung seines feindseligen Geschickes nahe sei. Seine Worte machten den Koloneer nachdenklich, und er wagte es jetzt schon nicht mehr, den Fremdling von seinem Sitz zu vertreiben, ehe er den König von dem Vorfall unterrichtet hätte. »Wer gebietet denn in eurem Lande?«, fragte Ödipus, dem in seinem langen Elende die Geschichten und Verhältnisse der Welt fremd geworden waren. »Kennst du den gewaltigen und edlen Helden Theseus nicht?«, fragte der Dorfbewohner. »Ist doch die ganze Welt voll von seinem Ruhm!« – »Nun, ist euer Herrscher so hochgesinnt«, erwiderte Ödipus, »so werde du mein Bote zu ihm und bitte ihn, nach dieser Stelle zu kommen; für so kleine Gunst verspreche ich ihm großen Lohn.« – »Welche Wohltat könnte unsrem König ein blinder Mann erweisen?«, sagte der Bauer und warf einen lächelnden, mitleidigen Blick auf den Fremdling. »Doch«, setzte er hinzu, »wäre nicht deine Blindheit, Mann, du hättest ein edles, hohes Aussehen, das mich zwingt, dich zu ehren. Darum will ich dein Verlangen erfüllen und meinen Mitbürgern und dem Könige deine Bitte melden. Bleibe so lange hier sitzen, bis ich deinen Auftrag ausgerichtet habe. Jene mögen dann entscheiden, ob du hier verweilen kannst oder gleich wieder weiterwandern sollst.«

Als Ödipus mit seiner Tochter wieder allein war, erhub er sich von seinem Sitze, warf sich zu Boden und ergoss sein Herz in einem brünstigen Gebete zu den Eumeniden, den furchtbaren Töchtern des Dunkels und der Mutter Erde, die eine so liebliche Wohnung in diesem Haine aufgeschlagen. »Ihr Grauenvollen und doch Gnädigen«, sprach er, »zeiget mir jetzt nach dem Ausspruche Apollons die Entwicklung meines Lebens, wenn anders ich in meinem mühseligen Dasein nicht immer noch zu wenig erduldet habe! Erbarmet euch, ihr Kinder der Nacht, erbarme dich, ehrenwerte Stadt Athenes, über das Schattenbild des Königs Ödipus, das vor euch steht, denn er selbst ist es nicht mehr!«

Sie blieben nicht lange allein. Die Kunde, dass ein blinder Mann von Ehrfurcht gebietendem Aussehen sich in dem Furienhaine gelagert, den zu betreten Sterblichen sonst nicht vergönnt ist, hatte bald die Ältesten des Dorfes, welche die Entweihung zu hindern gekommen waren, um ihn versammelt. Noch größerer Schrecken ergriff sie, als der Blinde sich ihnen als ein vom Schicksale verfolgter Mann zu erkennen gab. Sie fürchteten, den Zorn der Gottheit auf sich zu laden, wenn sie einen vom Himmel Gezeichneten länger an diesem heiligen Orte duldeten, und befahlen ihm, auf der Stelle ihre Landschaft zu verlassen. Ödipus bat sie inständig, ihn von dem Ziele seiner Wanderschaft, das ihm die Stimme der Gottheit selbst angewiesen habe, nicht zu verstoßen; Antigone vereinigte ihr Flehen mit dem seinen. »Wenn ihr euch der grauen Haare meines Vaters nicht erbarmen wollet«, sprach die Jungfrau, »so nehmt ihn doch um meiner, der Verlassenen, willen auf, denn auf mir lastet ja keine Schuld. Eilet, bewilliget uns eure Gunst unverhofft!« Während sie solche Zwiesprache pflegten und die Einwohner zwischen Mitleid und Furcht vor den Erinnyen in ihrem Entschlusse zweifelhaft hin und her schwankten, sah Antigone ein Mädchen, auf einem kleinen Rosse sitzend, das Angesicht mit einem Reisehut vor der Sonne geschützt, heraneilen. Ein Diener, gleichfalls zu Rosse, folgte ihr. »Es ist meine Ismene«, sagte sie in freudigem Schrecken, »schon glänzt mir ihr liebes, helles Auge! Gewiss bringt sie uns neue Kunde aus der Heimat!« Bald war die Jungfrau, das jüngste Kind des verstoßenen Königs, bei ihnen angelangt und vom Saumrosse gesprungen. Mit einem einzigen Knechte, den sie allein treu befunden, hatte sie sich von Theben aufgemacht, um dem Vater Nachricht von dem Stande der dortigen Angelegenheiten zu bringen. Seine Söhne waren dort von großer, selbstverschuldeter Not bedrängt. Anfangs hatten sie die Absicht, ihrem Oheime Kreon den Thron ganz zu überlassen, denn der Fluch ihres Stammes schwebte ihnen drohend vor Augen. Allmählich aber, je mehr ihres Vaters Bild in die Ferne trat, verlor sich diese Regung; das Verlangen nach Herrschaft und Königswürde und mit ihm die Zwietracht erwachte bei ihnen. Polyneikes, der das Recht der Erstgeburt auf seiner Seite hatte, setzte sich zuerst auf den Thron. Aber Eteokles, der Jüngere, nicht zufrieden, abwechslungsweise mit ihm zu herrschen, wie der Bruder vorschlug, verführte das Volk und stieß den älteren Bruder aus dem Lande fort. Dieser, so ging in Theben das Gerücht, war nach Argos im Peloponnes entflohen, wurde dort der Schwiegersohn des Königs Adrastos verschaffte sich Freunde und Bundesgenossen und bedrohte seine Vaterstadt mit Eroberung und Rache. Zugleich aber war ein neuer Götterspruch ruchbar geworden, welcher dahin lautete, dass die Söhne des Ödipus ohne ihn selbst nichts vermöchten; dass sie ihn suchen müssten, tot oder lebendig, wenn ihr eigenes Heil ihnen lieb wäre.

Dies waren die Nachrichten, welche Ismene ihrem Vater brachte. Die Koloneer horchten staunend, und Ödipus hub sich hoch empor von seinem Sitze: »Also steht es mit mir«, sprach er, und königliche Hoheit strahlte von dem blinden Antlitze, »bei dem Verbannten, bei dem Bettler sucht man Hilfe? Nun, da ich nichts bin, werde ich erst ein rechter Mann?« – »So ist es«, fuhr Ismene in ihren Nachrichten fort. »Auch wisse, Vater, dass eben deswegen unser Oheim Kreon in ganz kurzer Zeit hierher kommen wird und dass ich mich sehr beeilt habe, ihm zuvorzukommen. Denn er will dich überreden oder fangen, wegführen und an die Grenzen des thebanischen Gebietes stellen, damit der Orakelspruch sich zu seinen und unsers Bruders Eteokles Gunsten erfülle und deine Gegenwart die Stadt doch nicht entweihe.« – »Von wem weißt du alles dieses?«, fragte der Vater. – »Von Opferpilgern, die nach Delphi ziehen.« – »Und wenn ich dort sterbe«, fragte Ödipus weiter, »werden sie mich in thebanischer Erde begraben?« – »Nein«, erwiderte die Jungfrau, »das duldet deine Blutschuld nicht.« – »Nun«, rief der alte König entrüstet, »so sollen sie auch meiner niemals mächtig werden! Wenn bei meinen beiden Söhnen die Herrschsucht stärker ist als die kindliche Liebe, so soll ihnen auch der Himmel nie ihre verhängnisvolle Zwietracht löschen, und wenn auf mir die Entscheidung ihres Streites beruht, so soll weder der, welcher jetzt das Zepter in Händen hat, auf dem Throne sitzen bleiben noch der Verjagte je sein Vaterland wieder sehen! Nur diese Töchter sind meine wahren Kinder! In ihnen ersterbe meine Schuld, für sie erflehe ich den Segen des Himmels, für sie bitte ich auch um euren Schutz, mitleidige Freunde! Gewährt ihnen und mir euren tätigen Beistand; und ihr erwerbet dadurch eurer Stadt eine mächtige Brustwehr!«

Ödipus und Theseus

Die Koloneer hatte große Ehrfurcht vor dem blinden Ödipus erfüllt, der in seiner Verbannung noch so gewaltig erschien; sie rieten ihm, durch ein Trankopfer die Entweihung des Furienhaines zu sühnen. Erst jetzt erfuhren auch die Greise den Namen und die unverschuldete Schuld des Königs Ödipus, und wer weiß, ob das Grauen vor seiner Tat sich nicht aufs Neue gegen ihn verhärtet hätte, wenn nicht ihr König Theseus, den die Botschaft herbeigerufen hatte, jetzt eben in ihren Kreis getreten wäre. Dieser ging freundlich und ehrerbietig auf den blinden Fremdling zu und redete ihn mit liebreichen Worten an: »Armer Ödipus, mir ist dein Geschick nicht unbekannt, und schon deine gewaltsam geblendeten Augen sagen mir, wen ich vor mir habe. Dein Unglück rührt mich tief in der Seele. Sage mir, was du bei der Stadt und mir suchest. Die Tat, zu der du meine Beihilfe verlangst, müsste eine schreckliche sein, wenn ich mich von ihr abwenden könnte. Ich hab es nicht vergessen, dass auch ich gleich dir in fremden Landen herangewachsen bin und viele Fährlichkeiten ausgestanden habe.« – »Ich erkenne deinen Seelenadel in dieser kurzen Rede«, antwortete Ödipus, »ich komme, dir eine Bitte vorzutragen, die eigentlich eine Gabe ist. Ich schenke dir diesen meinen leidensmüden Leib, freilich ein sehr unscheinbares Gut, aber doch ein großes Gut. Du sollst mich begraben und reichen Segen von deiner Mildigkeit ernten!« – »Fürwahr«, sagte Theseus erstaunt, »die Gunst, um welche du flehst, ist klein. Verlange etwas Besseres, etwas Höheres, und es soll dir alles von mir gewährt sein.« – »Die Gunst ist nicht so leicht, als du glaubst«, fuhr Ödipus fort, »du wirst einen Streit um diesen meinen elenden Leib zu bestehen haben.« Nun erzählte er ihm seine Verjagung und das späte und eigennützige Verlangen seiner Verwandten, ihn wieder zu besitzen; darin bat er ihn flehentlich um seinen Heldenbeistand. Theseus hörte aufmerksam zu und sprach dann feierlich: »Schon weil jedem Gastfreunde mein Haus offen steht, darf ich meine Hand nicht von dir abziehen: wie sollte ich es tun, da du noch dazu mir und meinem Lande so viel Heil versprichst und von der Hand der Götter an meinen Herd geleitet worden bist!« Er ließ dem Ödipus hierauf die Wahl, mit ihm nach Athen zu gehen oder hier in Kolonos als Gast zu bleiben. Dieser wählte das zweite, weil ihm vom Schicksal bestimmt sei, an der Stelle, wo er jetzt eben sich befinde, den Sieg über seine Feinde davonzutragen und sein Leben rühmlich zu beschließen. Der Athenerkönig versprach ihm den kräftigsten Schutz und kehrte in die Stadt zurück.

Ödipus und Kreon

Bald darauf drang der König Kreon von Theben mit Bewaffneten in Kolonos ein und eilte auf Ödipus zu. »Ihr seid von meinem Eintritt ins attische Gebiet überrascht«, sprach er zu den noch immer versammelten Dorfbewohnern gewendet; »doch sorget und zürnet nicht: ich bin nicht so jung, im Übermute gegen die stärkste Stadt Griechenlands einen Kampf zu unternehmen. Ich bin ein Greis, den seine Mitbürger nur abgesandt haben, diesen Mann hier durch gütliche Überredung zu bewegen, mit mir nach Theben zurückzukehren.« Dann kehrte er sich zu Ödipus und drückte in den ausgesuchtesten Worten eine erheuchelte Teilnahme an seinem und seiner Töchter Elend aus. Aber Ödipus erhob seinen Stab und streckte ihn aus, zum Zeichen, dass Kreon ihm nicht näher kommen solle. »Schamlosester Betrüger«, rief er, »das fehlte noch zu meiner Pein, dass du kämest und mich gefangen mit dir fortführest! Hoffe nicht, durch mich deine Stadt von der Züchtigung zu befreien, die ihr bevorsteht. Nicht ich werde zu euch kommen, sondern nur den Dämon der Rache werde ich euch senden, und meine lieblosen Söhne sollen nur so viel von thebanischem Boden besitzen, als sie brauchen, um sterbend darauf zu liegen!« Kreon wollte nun versuchen, den blinden König mit Gewalt hinwegzuführen, aber die Bürger von Kolonos erhoben sich dagegen, stützten sich auf Theseus' Wort und duldeten es nicht. Inzwischen hatten in dem Getümmel auf einen Wink ihres Herrn die Thebaner Ismene und Antigone ergriffen und von der Seite ihres Vaters weggerissen. Diese schleppten sie fort und trieben den Widerstand der Koloneer ab. Kreon aber sprach höhnend: »Deine Stäbe wenigstens habe ich dir entrissen. Versuch es jetzt, Blinder, und wandre weiter!« Und durch diesen Erfolg kühner gemacht, ging er aufs Neue auf Ödipus los und legte schon Hand an ihn, als Theseus, den die Nachricht vom bewaffneten Einfalle in Kolonos zurückgerufen hatte, herzutrat. Sobald er hörte und sah, was geschehen und noch im Werke sei, entsandte er Diener zu Fuß und zu Rosse auf der Straße hin, auf der die Töchter von den Thebanern als Raub fortgeführt wurden; dem Kreon aber erklärte er, ihn nicht eher freilassen zu wollen, als bis er dem Ödipus die Töchter zurückgegeben. »Sohn des Ägeus«, hub dieser beschämt an, »ich bin wahrlich nicht gekommen, dich und deine Stadt zu bekriegen. Wusste ich doch nicht, dass deine Mitbürger ein solcher Eifer für diesen meinen blinden Verwandten, dem ich Gutes tun wollte, befallen habe, dass sie den Vatermörder, den Gatten seiner Mutter lieber bei sich hegen würden als ihn in sein Vaterland entlassen!« Theseus befahl ihm zu schweigen, ohne Verzug mit ihm zu gehen und den Aufenthalt der Jungfrauen anzugeben; und in kurzem führte er die geretteten Töchter dem tief gerührten Ödipus in die Arme. Kreon und die Diener waren abgezogen.

Ödipus und Polyneikes

Aber noch sollte der arme Ödipus keine Ruhe haben. Theseus brachte von dem kurzen Zuge die Nachricht mit, dass ein naher Blutsverwandter von ihm, jedoch nicht aus Theben kommend, Kolonos betreten und sich an dem Altar des benachbarten Poseidontempels, wo Theseus eben geopfert hatte, als Schutzflehender niedergelassen habe. »Das ist mein hassenswerter Sohn Polyneikes«, rief Ödipus zürnend aus. »Es wäre mir unerträglich, ihn anhören zu müssen!« Doch Antigone, die diesen Bruder als den sanfteren und besseren liebte, wusste die Zornaufwallung des Vaters zu dämpfen und dem Unglücklichen wenigstens Gehör zu verschaffen. Nachdem sich Ödipus auch gegen ihn den Arm seines Beschützers ausgebeten hatte, falls er ihn mit Gewalt hinwegführen wollte, ließ er den Sohn vor sich.

Polyneikes zeigte schon durch sein Auftreten eine ganz andere Gemütsart als sein Oheim Kreon, und Antigone versäumte nicht, ihren blinden Vater darauf aufmerksam zu machen. »Ich sehe jenen Fremdling«, rief sie, »ohne Begleiter herschreiten! Ihm strömen die Tränen aus den Augen.« – »Ist er es?«, fragte Ödipus und wendete sein Haupt ab. – »Ja, Vater«, erwiderte die gute Schwester, »dein Sohn Polyneikes steht vor dir.« Polyneikes warf sich vor dem Vater nieder und umschlang seine Knie. An ihm hinaufblickend, betrachtete er jammernd seine Bettlerkleidung, seine hohlen Augen, sein ungekämmt in der Luft flatterndes Greisenhaar. »Ach, zu spät erfahre ich alles dieses«, rief er, »ja, ich selbst muss es bezeugen, ich habe meines Vaters vergessen! Was wäre er ohne die Fürsorge meiner Schwestern! Ich habe mich schwer an dir versündigt, Vater! Kannst du mir nicht vergeben? Du schweigst? Sprich doch etwas, Vater! Zürne nicht, so unerbittlich hinweggewandt! O ihr lieben Schwestern, versucht ihr es, den abgekehrten Mund meines Erzeugers zu rühren!« – »Sage du selbst zuvor, Bruder, was dich hergeführt hat«, sprach die milde Antigone, »vielleicht öffnet deine Rede auch seine Lippen!« Polyneikes erzählte nun seine Verjagung durch den Bruder, seine Aufnahme beim König Adrastos in Argos, der ihm die Tochter zur Gemahlin gab, und wie er dort sieben Fürsten mit siebenfacher Schar für seine gerechte Sache geworben habe und diese Bundesgenossen das thebanische Gebiet bereits umringt hätten. Dann bat er den Vater unter Tränen, sich mit ihm aufzumachen und, nachdem durch seine Hilfe der übermütige Bruder gestürzt sei, die Krone von Theben aus Sohneshänden zum zweiten Mal zu empfangen. Doch die Reue des Sohnes vermochte den harten Sinn des gekränkten Vaters nicht zu erweichen. »Du Verruchter!«, sprach er und hob den Niedergeworfenen nicht vom Boden auf. »Als Thron und Zepter noch in deinem Besitze waren, hast du den Vater selbst aus der Heimat verstoßen und in dieses Bettlerkleid eingehüllt, das du jetzt an ihm bemitleidest, wo gleiche Not über dich gekommen ist! Du und dein Bruder, ihr seid nicht meine wahren Kinder; hinge es von euch ab, so wäre ich längst tot. Nur durch meine Töchter lebe ich. Auch harrt euer schon der Götter Rache. Du wirst deine Vaterstadt nicht vertilgen; in deinem Blute wirst du liegen und dein Bruder in dem seinen. Dies ist die Antwort, die du deinen Bundesfürsten bringen magst!« Antigone nahte sich jetzt ihrem Bruder, der bei dem Fluche des Vaters entsetzt vom Boden aufgesprungen und einige Schritte rückwärts gewichen war. »Höre mein inbrünstiges Flehen, Polyneikes«, sprach sie, ihn umfassend, »kehre mit deinem Heere nach Argos zurück, bekriege deine Vaterstadt nicht!« – »Es ist unmöglich«, erwiderte zögernd der Bruder; »die Flucht brächte mir Schmach, ja Verderben! Und wenn wir Brüder beide zu Grunde gehen müssen, dennoch können wir nicht Freunde sein!« So sprach er, wand sich aus der Schwester Armen und stürzte verzweifelnd davon.

So hatte Ödipus den Versuchungen seiner Verwandten nach beiden Seiten hin widerstanden und sie dem Rachegott preisgegeben. Jetzt war sein eigenes Geschick vollendet. Donnerschlag auf Donnerschlag erscholl vom Himmel. Der Greis verstand diese Stimme und verlangte sehnlich nach Theseus. Die ganze Gegend hüllte sich in Gewitterfinsternis. Eine große Angst bemächtigte sich des blinden Königs: er fürchtete, von seinem Gastfreunde nicht mehr lebend oder nicht mehr unverstörten Sinnes getroffen zu werden und ihm den vollen Dank für so viele Wohltaten nicht mehr bezahlen zu können. Endlich erschien Theseus, und nun sprach Ödipus seinen feierlichen Segen über die Stadt Athen. Dann forderte er den König auf, dem Heroldrufe der Götter zu folgen und ihn allein an die Stelle zu begleiten, wo er, von keiner sterblichen Hand berührt und nur vom Auge des Theseus geschaut, enden sollte. Keinem Menschen dürfe er sagen, wo Ödipus die Erde verlassen. Bleibe das heilige Grab, das ihn verschlingen würde, verborgen, so werde es mehr als Speer und Schild und alle Bundesgenossen eine Schutzwehr gegen alle Feinde Athens sein. Seinen Töchtern und den Bewohnern von Kolonos erlaubte er dann, ihn eine Strecke weit zu begleiten, und so vertiefte sich der ganze Zug in die schauerlichen Schatten des Furienhaines. Keines durfte an Ödipus rühren; er, der Blinde, bisher von der Tochter Hand geleitet, schien auf einmal ein Sehender geworden, ging wunderbar gestärkt und aufgerichtet allen andern voran und zeigte ihnen den Weg zu dem vom Schicksal ihm bestimmten Ziele.

Mitten in dem Haine der Erinnyen sah man einen geborstenen Erdschlund, dessen Öffnung mit einer ehernen Schwelle versehen war und zu welchem mehrere Kreuzwege führten. Von dieser Höhle ging von uralter Zeit her die Sage, dass sie einer der Eingänge in die Unterwelt sei. Jener Kreuzwege einen betrat nun Ödipus, doch ließ er sich von dem Gefolge nicht bis zu der Grotte selbst begleiten, sondern unter einem hohlen Baume machte er Halt, setzte sich auf einen Stein nieder und löste den Gürtel seines schmutzigen Bettlerkleides. Dann rief er nach einer

Spende fließenden Wassers, wusch sich von aller Unreinigkeit der langen Wanderung und zog ein schmuckes Gewand an, das ihm durch seine Töchter aus einer nahen Wohnung herbeigebracht wurde. Als er nun völlig umgekleidet und wie erneuert dastand, tönte unterirdischer Donner vom Boden herauf. Bebend warfen sich die Jungfrauen, die bisher um ihren Vater bemüht gewesen waren, in seinen Schoß; Ödipus aber schlang seinen Arm um sie, küsste sie und sprach: »Kinder, lebt wohl, von diesem Tag an habt ihr keinen Vater mehr!« Aus dieser Umarmung weckte sie eine donnergleiche Stimme, von der man nicht wusste, ob sie vom Himmel herab- oder aus der Unterwelt herauftönte. »Was säumest du, Ödipus? Was zögern wir zu gehen?«, rief es. Als der blinde König die Stimme vernahm und wusste, dass der Gott ihn abfordere, machte er sich aus den Armen seiner Kinder los, rief den König Theseus zu sich und legte seiner Töchter Hände in seine Hand zum Zeichen seiner Verpflichtung, sie nimmermehr zu lassen. Dann befahl er allen andern, umgewendet sich zu entfernen. Nur Theseus an seiner Seite durfte auf die offene Schwelle mit ihm zuschreiten. Seine Töchter und das Gefolge waren dem Winke gefolgt und schauten sich erst um, als sie eine gute Strecke rückwärts gegangen waren. Da hatte sich ein großes Wunder ereignet. Von dem Könige Ödipus war keine Spur mehr zu erblicken. Kein Blitz war zu sehen, kein Donner zu hören, kein Wirbelwind zu spüren; die tiefste Stille herrschte in der Luft. Die dunkle Schwelle der Unterwelt schien sich sanft und lautlos für ihn aufgetan zu haben, und durch den Erdspalt war der entsündigte Greis ohne Stöhnen und Pein sachte wie auf Geisterflügeln zur Tiefe hinabgetragen worden. Den Theseus aber erblickten sie allein, mit der Hand die Augen sich überschattend, als hätte er ein göttliches, überwältigendes Gesicht gehabt. Dann sahen sie, wie er, seine Hände hoch gen Himmel gehoben, zu den Olympiern und wieder, demütig auf den Boden niedergeworfen, zu den Göttern der Unterwelt flehte. Nach kurzem Gebete kehrte der König zu den Jungfrauen zurück, versicherte sie seines väterlichen Schutzes und wandelte mit ihnen in tiefsinnige Betrachtungen versunken nach Athen zurück.

DIE SIEBEN GEGEN THEBEN

Polyneikes und Tydeus bei Adrast

Adrastos, der Sohn des Talaos, König von Argos, hatte fünf Kinder, darunter auch zwei schöne Töchter, Argia und Deïpyle. Über diese war ihm ein seltsamer Orakelspruch geworden: er werde sie dereinst einem Löwen und einem Eber zu Gemahlinnen geben. Vergebens besann sich der König, welchen Sinn dieses dunkle Wort haben könne, und als die Mägdlein herangewachsen waren, gedachte er sie so zu vermählen, dass die ängstliche Wahrsagung auf keine Weise erfüllt werden könnte. Aber das Götterwort sollte nicht zu Schanden werden. Von zweierlei Seiten kamen zwei Flüchtlinge durch Argos' Tore. Aus Theben war Polyneikes von seinem Bruder Eteokles verjagt worden; Tydeus, des Öneus Sohn, war aus Kalydon geflohen, wo er auf der Jagd einen Verwandtenmord, nicht absichtlich, verübt hatte. Beide Flüchtlinge trafen sich vor dem Königspalaste von Argos. In der Dunkelheit der Nacht hielten sie sich für Feinde und gerieten miteinander ins Handgemenge. Adrastos hörte das Waffengetümmel unter seiner Burg, stieg bei Fackelschein von ihr herab und trennte die Streitenden. Als ihm nun zur Rechten und zur Linken je einer der Helden stand, die noch eben miteinander gekämpft hatten, so erstaunte der König wie vor einem plötzlichen Gesichte, denn von dem Schilde des Polyneikes blickte ihm ein Löwenhaupt, von dem des Tydeus starrte ihm ein Eberkopf entgegen. Der Erstere trug solches Abzeichen auf dem Schilde zu Ehren des Herakles, der andere hatte sich das Wappen zum Andenken an die Jagd des kalydonischen Ebers und Meleagers gewählt. Adrastos sah jetzt die Deutung jenes dunkeln Orakelwortes vor sich, und aus den Flüchtlingen wurden ihm Schwiegersöhne. Polyneikes erhielt die Hand der älteren Tochter Argia; die jüngere Tochter, Deïpyle, wurde dem Tydeus zuteil. Beiden gab er zugleich das Versprechen, sie in ihre väterlichen Reiche, aus denen sie vertrieben waren, wieder einzuführen.

Zuerst wurde der Feldzug gegen Theben beschlossen, und Adrastos sammelte seine Helden, sieben Fürsten, ihn selbst einbegriffen, mit sieben Scharen, um sich. Ihre Namen waren Adrastos, Polyneikes, Tydeus;

Amphiaraos und Kapaneus, der Erste der Schwestergemahl Adrasts, der andere ein Schwestersohn; endlich seine zwei Brüder, Hippomedon und Parthenopäos. Aber Amphiaraos, der Schwager des Königs, der früher lange sein Feind gewesen, war ein Prophet, und als solcher sah er den unglücklichen Ausgang des ganzen Feldzuges voraus. Nachdem er sich nun vergebens bemüht hatte, den Adrastos und die übrigen Helden von ihrem Vorhaben abwendig zu machen, suchte er einen Schlupfwinkel auf, den nur seine Gemahlin Eriphyle, die Schwester des Königs, kannte, und verbarg sich dort aufs Sorgfältigste. Lange suchten ihn die Helden vergebens, und ohne ihn, den er das Auge seines Heeres zu nennen pflegte, wagte Adrast den Feldzug nicht zu unternehmen. Nun hatte Polyneikes, als er aus Theben flüchtig werden musste, das Halsband und den Schleier mitgenommen, die Unglück bringenden Geschenke, die einst Aphrodite der Harmonia zu ihrem Beilager mit Kadmos, dem Gründer Thebens, verehrt hatte und die jedem, der sie trug, das Verderben brachten. Diese Gaben hatten auch wirklich schon der Harmonia selbst, der Semele, der Mutter des Bacchos, und der Jokaste den Untergang gebracht. Zuletzt hatte sie Argia, die Gemahlin des Polyneikes, die auch unglücklich werden sollte, besessen, und jetzt beschloss ihr Gemahl, mit dem Halsbande die Eriphyle zu bestechen, dass sie ihm und seinen Kampfgenossen den Aufenthalt ihres Gatten verriete. Als das Weib, das längst die Nichte um den herrlichen Schmuck, den ihr der Fremdling zugedacht, beneidet hatte, die funkelnden Edelsteine und Goldspangen an dem Halsbande sah, konnte sie der Lockung nicht widerstehen, hieß den Polyneikes folgen und zog den Amphiaraos aus seiner Zufluchtsstätte hervor. Jetzt konnte dieser der Teilnahme an dem Feldzug umso weniger entgehen, als er schon früher, da er sich mit dem Adrastos ausgesöhnt und von ihm die Schwester zur Ehe erhalten hatte, das Versprechen gegeben, bei jeder künftigen Streitigkeit mit dem Schwager die Entscheidung seiner Gattin zu überlassen. Er tat seine Rüstung an und sammelte seine Krieger. Bevor er jedoch auszog, rief er seinen Sohn Alkmäon zu sich und verpflichtete ihn mit einem heiligen Schwure, ihn nach seinem Tode, sobald er ihm kundbar würde, an der treulosen Mutter zu rächen.

Auszug der Helden. Hypsipyle und Opheltes

Auch die übrigen Helden rüsteten sich, und bald hatte Adrastos ein gewaltiges Heer um sich gesammelt, das, in sieben Heerhaufen abgeteilt und von sieben Helden befehligt, unter dem Schalle der Zinken und Trompeten jauchzend und voll Hoffnung die Stadt Argos verließ. Aber schon auf dem Wege stellte sich das Unglück ein. Sie waren in den Wald von Nemea gelangt, wo alle Quellen, Flüsse und Seen ausgetrocknet waren und des Tages Hitze mit brennendem Durste sie quälte. Panzer und Schilde wurden ihnen zu schwer; der Staub, der sich von dem Zug auf der Straße erhob, setzte sich ihnen auf den dürren Gaumen, selbst ihren Rossen trocknete der Schaum vor dem Maule hinweg, und sie bissen knirschend mit trockenen Nüstern in den Zaum. Während nun Adrastos nebst einigen Kriegern vom Heere vergebens die Waldungen nach Quellen durchirrte, stießen sie auf einmal auf ein trauriges Weib von seltener Schöne, das, einen Knaben an der Brust, mit wallenden Haaren und in ärmlicher Kleidung, doch mit königlicher Miene unter dem Schatten eines Baumes saß. Der überraschte König glaubte nicht anders als eine Nymphe des Waldes vor sich zu sehen, warf sich vor ihr auf ein Knie und flehte sie für sich und die Seinigen um Rettung aus der Not an, mit welcher der Durst sie bedrohe. Aber die Frau antwortete mit gesenktem Auge und demütiger Stimme: »Fremdling, ich bin keine Göttin; du magst, wie dein herrliches Aussehen mich vermuten lässt, von Göttern stammen: wenn an mir etwas Übermenschliches, so muss es nur mein Leiden sein, denn ich habe mehr erduldet, als sonst Sterblichen zu leiden auferlegt wird. Ich bin Hypsipyle, einst die gefeierte Königin der Amazonen auf Lemnos, die Tochter des herrlichen Thoas, jetzt nach unnennbarem Jammer von Seeräubern entführt und verkauft, die gefangene Sklavin des Königs Lykurgos von Nemea. Der Knabe, den ich säuge, ist nicht mein eigenes Kind; er ist Opheltes, der Sohn meines Herrn, und ich bin ihm zur Wärterin bestellt. Aber was ihr von mir begehrt, will ich euch gerne verschaffen. Noch eine einzige Quelle sprudelt in dieser trostlosen Einöde, und ihren geheimen Zugang kennt niemand als ich. Sie ist ergiebig genug, euer ganzes Heer zu erquicken. Folget mir!« Die Frau stand auf, legte den Säugling sorglich ins Gras und lullte ihn mit einem Wiegenliede in den Schlaf. Die Helden riefen ihre Genossen, und nun drängte sich das ganze Heer Hypsipyles Tritten nach auf geheimen Pfaden, die durchs dichteste Waldgebüsch führten. Bald gelangten sie zu einer felsigen Talschlucht, aus welcher kühler Wasserstaub empordrang und die erhitzten Angesichter der vordersten Krieger, die der Führerin und ihrem König vorangeeilt waren, mit leichtem Schaum erfrischte. Zugleich rauschte das Murmeln eines starken Wasserfalles an ihr Ohr. »Wasser!« so tönte der Freudenruf aus dem Munde der Vorangedrungenen, die mit einigen Sprüngen schon unten in der Schlucht und mitten auf dem bespülten Felsgesteine standen und die Strahlen des herabfließenden Quelles mit den Helmen auffassten. »Wasser, Wasser!«, wiederholte das ganze Heer, und der Jubelruf übertönte den Wasserfall und hallte von den Bergen wider, welche die Schlucht umgaben. Nun warfen sich alle am grünenden Ufer des weithin sich schlängelnden Baches nieder und genossen mit tiefen Zügen die lang entbehrte Lust. Bald fand man auch für Wagen und Rosse Pfade, die durch den Wald bequem in die Tiefe hinabführten, und die Wagenlenker fuhren, ohne die Rosse auszuspannen, mitten in die wallende Flut hinein, da wo der Bach sich zu ebenem Laufe ausbreitete, und ließen die Rosse, die ihren Leib in den Wellen kühlten, unausgeschirrt den langen Durst stillen.

Alles war erquickt, und die gute Führerin Hypsipyle, die Taten und Leiden der Weiber von Lemnos erzählend, führte den Adrastos und seine Helden, denen jetzt das Heer in ehrerbietiger Entfernung folgte, auf die breitere Straße zurück, dahin, wo sie sie zuerst mit ihrem Pflegekind unter dem gewölbten Baume hatten sitzen sehen. Aber ehe sie jener Stelle noch ansichtig wurden, erschreckte die fein hörende Pflegerin aus der Ferne ein klägliches Kindeswimmern, das ihre Begleiter kaum vernahmen, sie selbst aber sogleich als die Stimme ihres kleinen Opheltes erkannte. Hypsipyle war selbst die Mutter großer und kleiner Kinder, die sie, von den Räubern entführt, in Lemnos hatte zurücklassen müssen. Nun hatte sie ihre ganze Mutterliebe auf diesen Säugling übertragen, dem sie als Sklavin beigegeben war. Eine bange Ahnung durchzuckte ihr zärtliches Herz. Sie flog den Helden voraus und dem wohl bekannten Platze zu, wo sie mit dem Kind an der Brust zu ruhen pflegte. Aber ach, der Kleine war verschwunden, und ihre irrenden Augen fanden keine Spur von ihm, und sie vernahm auch die Stimme nicht mehr. Als sie ihre

Blicke in weiterem Kreise umhersandte, ward ihr bald das entsetzliche Schicksal klar, das ihr Pflegekind getroffen hatte, während sie dem Heere der Argiver den frommen Liebesdienst leistete. Denn nicht weit von dem Baume lag eine grässliche Schlange geringelt, ihren Kopf auf den schwellenden Bauch zurückgelegt, in träger Ruhe das eben abgehaltene Mahl verdauend. Der unseligen Pflegemutter sträubte sich das Haar, und ihr Jammergeschrei erfüllte die Lüfte. Auf dieses waren auch die Helden herbeigeeilt; der erste, der den Drachen erblickte, war Hippomedon; ohne zu säumen, riss er ein Felsstück aus dem Boden und schleuderte es auf das Ungetüm; aber sein gepanzerter Rücken schüttelte den Wurf ab, als wäre es eine Hand voll Erde; da sandte Hippomedon seinem ersten Wurfe den Speer nach, und dieser verfehlte sein Ziel nicht; er fuhr der Schlange in den Rachen, durchs hervorspritzende Gehirn, und die Spitze drang heraus zum Kamme. Das Untier drehte sich wie ein Kreisel mit dem lang vorragenden Speer in der Wunde und hauchte endlich zischend seinen Atem aus.

Als die Schlange erledigt war, getraute sich erst die arme Pflegemutter der Spur ihres Kindes nachzugehen, sie fand weithin die Gräser vom Blute gerötet und endlich fernab von dem Ort ihrer Ruhe das nackte Gebein des Kindleins. Die Verzweifelte sammelte es in ihren Schoß und übergab es den Helden, die mit ihrem ganzen Heere dem unglücklichen Knaben, der ihnen zum Opfer gefallen war, nachdem sie seine Überreste feierlich bestattet, herrliche Leichenspiele bereiteten, ihm zu Ehren die nemeischen heiligen Kämpfe stifteten und ihn unter dem Namen Archemoros, das heißt der früh Vollendete, zuerst als Halbgott verehrten.

Hypsipyle entging der Wut nicht, in welche die Mutter des Kindes, Lykurgos' Gemahlin Eurydike, der Verlust ihres Sohnes versetzte. Sie wurde von ihr in ein grausames Gefängnis geworfen, und der fürchterlichste Tod war ihr geschworen. Das Glück wollte, dass die verlassenen ältesten Söhne Hypsipyles ihrer Mutter schon auf der Spur waren und nicht lange nach dieser Begebenheit in Nemea eintrafen, wo sie die gefangene Mutter befreiten.

Die Helden vor Theben angekommen

»Da habt ihr ein Vorzeichen, wie dieser Feldzug enden wird!«, sprach der Seher Amphiaraos finster, als das Gebein des Knaben Opheltes entdeckt war. Aber die anderen alle dachten mehr an die Erlegung der Schlange und priesen diese als eine glückliche Vorbedeutung. Und weil sich das Heer eben von einer großen Bedrängnis erholt hatte, so war alles guter Dinge: der schwere Seufzer des Unglückspropheten wurde überhört, und der Zug ging lustig weiter. Es währte nicht viele Tage mehr, so war das Heer der Argiver unter den Mauern von Theben angekommen.

In dieser Stadt hatte Eteokles mit seinem Oheim Kreon alles zu einer hartnäckigen Verteidigung vorbereitet und sprach zu den versammelten Bürgern: »Bedenket jetzt, ihr Mitbürger, was ihr eurer Vaterstadt schuldig seid, die euch in ihrem milden Schoße aufgezogen und zu wackeren Kriegern gebildet hat. Ihr alle, vom Jünglinge, der noch nicht Mann ist, bis zum Manne, dessen Locke schon grau wird, wehret euch für sie, für die Altäre der heimischen Götter, für Väter, Weiber und Kinder und für euren freien Boden! Mir meldet der Vogelschauer, dass in der nächsten Nacht das Argivenheer sich zusammenziehen und einen Angriff auf die Stadt machen wird. Darum, ihr alle, auf die Mauerzinnen, an die Tore geeilt! Brecht vor mit allen Waffen! Besetzt die Schanzen, stellt euch an die Türme mit euren Geschossen, bewahrt jeden Ausgang sorgfältig und fürchtet euch nicht vor der Menge der Feinde! Draußen schleichen meine Kundschafter umher, und ich bin gewiss, dass sie mir genaue Kunde bringen. Nach ihren Meldungen werde ich handeln.«

Während Eteokles so zu seinen Reitern sprach, stand auf der höchsten Zinne des Palastes mit einem greisen Waffenträger ihres Großvaters Laïos die Jungfrau Antigone. Sie war nach ihres Vaters Tode nicht lange unter dem liebevollen Schutze des Königs Theseus zu Athen geblieben, sondern hatte mit ihrer Schwester Ismene in ihre Heimat zurückverlangt, wohin eine unbestimmte Hoffnung, ihrem Bruder Polyneikes nützlich werden zu können, und auch die Liebe zu ihrer Vaterstadt sie trieb, deren Belagerung durch den Bruder sie nicht billigen konnte und deren Schicksal sie teilen wollte. Dort war sie von dem Fürsten Kreon und ihrem Bruder Eteokles mit offenen Armen aufgenommen worden, denn sie betrachteten die Jungfrau als eine freiwillige Geisel und eine willkommene Vermittlerin. Diese war jetzt die alte Zederntreppe des Palastes emporgestiegen und stand auf der Plattform, von der aus ihr der Greis die Stellung der Feinde erklärte. Ringsum auf den Fluren um die Stadt, die Ufer des Ismenos entlang und um die von Alters berühmte Quelle Dirke her, war das mächtige Feindesheer gelagert. Es hatte sich eben in Bewegung gesetzt, und Truppenschar sonderte sich von Truppenschar. Das ganze Gefilde schimmerte von Erzglanz wie ein wogendes Meer. Massen von Fußvolk und Reiterei schwärmten brausend um die Tore der belagerten Stadt. Die Jungfrau erschrak bei diesem Anblicke; der Greis jedoch sprach ihr Trost ein: »Unsere Mauern sind hoch und fest, unsere Eichentore liegen in schweren eisernen Riegeln. Von innen bietet die Stadt alle Sicherheit und ist voll mutiger, den Kampf nicht scheuender Krieger.« Darauf fing er an, die Fragen des Mädchens nach einzelnen hervorragenden Führern zu beantworten: »Der, welcher dort im leuchtenden Helme, seinen blanken Erzschild mit Leichtigkeit schwingend, einer Heerschar voranzieht, das ist der Fürst Hippomedon, der um das Gewässer Lernas in Mykene wohnt; hoch ragt sein Wuchs empor wie eines erdentsprossenen Giganten! – Weiter rechts dort, der im Dirkequell wandelt, in fremder Waffentracht wie ein Halbbarbar, das ist deines Bruders Schwager, Tydeus, des Öneus Sohn; er und seine Ätoler sind Schildträger und die besten Lanzenwerfer; ich kenne ihn an seinem Wappenschilde; denn ich bin schon als Unterhändler in das feindliche Lager abgeschickt worden.« – »Wer ist denn«, fragte jetzt das Mägdlein, »der jugendliche Held dort im unjugendlichen Haare, der mit wildem Blicke an jenem Helden-Grabmal vorüberschreitet und dem völlig gerüstetes Volk langsam nachfolgt?« – »Das ist Parthenopäos«, belehrte sie der Alte, »der Sohn Atalantas, der Freundin der Artemis. Aber siehst du dort die zwei Helden am Grabe der Niobetöchter? Der ältere ist Adrastos, der Führer des ganzen Zuges: den jüngeren, kennst du den?« – »Ich sehe«, rief Antigone schmerzlich bewegt, »nur die Brust und den Umriss seines Leibes, und doch erkenne ich ihn: es ist mein Bruder Polyneikes! Oh, könnte ich mit den Wolken fliegen und bei ihm sein und meinen Arm um den Hals des lieben Flüchtlings schlagen! Wie funkelt seine goldene Rüstung gleich der Sonne Morgenstrahl! Doch wer ist jener dort, der, mit fester Hand die Rosse zügelnd, einen weißen Wagen lenkt und die Geißel so ruhig und besonnen schwingt?« – »Das ist«, sprach der Greis, »der Seher Amphiaraos, meine Herrin!« – »Aber siehst du dort den, der an den Mauern auf und ab geht und sie misst und sorglich die Stellen erkundet, an welchen die Basteien dem Sturme zugänglich wären?« – »Das ist der übermütige Kapaneus, der unserer Stadt so schrecklich Hohn spricht, der euch zarte Jungfrauen an Lernas Gewässer in die Knechtschaft führen will!« – Antigone erblasste und verlangte umzukehren; der Greis reichte ihr die Hand und geleitete sie hinunter in die Mädchenzelle.

Menökeus

Inzwischen hielten Kreon und Eteokles Kriegsrat und besetzten im Zuge der gefassten Beschlüsse jedes der sieben Tore Thebens mit einem Führer, indem sie der Feinde Zahl die gleiche Zahl gegenüberstellten. Doch wollten sie, bevor der Kampf um die Stadt ausbrach, auch vorher die Zeichen erforschen, welche die Vogelschau ihnen über den Ausgang des Kampfes gewähren könnte. Nun lebte unter den Thebanern, wie die Sage von Ödipus schon erzählt hat, der Seher Teiresias, der Sohn des Eueres und der Nymphe Chariklo; dieser hatte als Jüngling die Göttin Athene bei seiner Mutter überrascht und geschaut, was er nicht schauen sollte. Dafür war er von der Göttin mit Blindheit geschlagen worden. Seine Mutter Chariklo hatte ihre Freundin zwar flehentlich gebeten, ihm das Gesicht wiederzugeben, aber Athene vermochte dieses nicht mehr; doch erbarmte sie sich seiner und reinigte ihm dafür sein Gehör, dass er alle Stimmen der Vögel verstand. Und so war er von Stund an der Vogelschauer der Stadt.

Zu diesem jetzt greisen Seher schickte Kreon seinen jungen Sohn Menökeus, dass er in den Königspalast ihn geleite. Mit wankendem Knie, von seiner Tochter Manto und dem Knaben geführt, erschien auch bald darauf der Alte vor Kreon. Dieser drang in ihn, zu melden, was der Vögel Flug ihm vom Schicksale der Stadt verkündige. Teiresias schwieg lange; endlich sprach er die traurigen Worte: »Die Söhne des Ödipus haben sich an ihrem Vater schwer versündigt; sie bringen ins Thebanerland bittere Trübsal. Argiver und Kadmeer werden sich morden, die Söhne

einer von des andern Hand fallen. Nur eine Rettung weiß ich für die Stadt; aber sie ist für die Geretteten selbst zu bitter, als dass mein Mund sie offenbaren sollte. Lebet wohl!« Er wandte sich und wollte gehen, aber Kreon flehte so lange, bis er blieb. »Du willst es dennoch hören?«, sprach der Seher in strengem Tone. »So vernimm es! Aber sage mir zuvor, wo weilt dein Sohn Menökeus, der mich hergeleitete?« – »Er steht neben dir!«, erwiderte Kreon. – »Nun, so fliehe er, so weit er kann, hinweg von meinem Götterspruch!«, sagte der Greis. – »Warum das?«, fragte Kreon. »Menökeus ist seines Vaters Kind; er kann schweigen, wenn er soll, und wird sich freuen, wenn er das Mittel erfährt, das uns retten soll!« – »So vernehmet denn, was ich aus dem Fluge der Vögel gesehen habe«, sprach Teiresias. »Es kommt das Heil, aber über harte Schwelle. Der Jüngste von der Drachenzähnesaat muss fallen; nur unter dieser Bedingung wird euch der Sieg!« – »Wehe mir«, rief Kreon, »was bedeutet dieses Wort, o Greis?« – »Dass der jüngste Enkel des Kadmos sterben soll, wenn die Stadt gerettet sein will!« – »Du verlangst den Tod meines geliebten Kindes, meines Sohnes Menökeus?«, fuhr der Fürst entrüstet auf. »Packe dich fort in die Stadt! Ich bedarf deines Seherspruches nicht!« – »Ist die Wahrheit ungültig, weil sie dir Leid bringt?«, fragte Teiresias ernst. Jetzt warf sich Kreon ihm zu Füßen, umfasste seine Knie, flehte den blinden Propheten bei seinem grauen Haare an, den Spruch zurückzunehmen. Aber der Seher blieb unerbittlich. »Die Forderung ist unabwendbar«, sprach er. »Am Dirkequell, wo einst der Lindwurm gelagert hat, muss er sein Blut im Opfertode vergießen; dann werdet ihr die Erde zur Freundin haben, wenn sie für das Menschenblut, das sie einst dem Kadmos aus den Drachenzähnen emporsandte, wieder Menschenblut, und zwar verwandtes, empfangen hat. Wenn dieser Jüngling hier sich für seine Stadt aufopfert, so wird er im Tode ihr Erretter sein, und für Adrastos und sein Heer wird die Heimkehr grauenvoll werden! Wähle dir nun, Kreon, welches Los von zweien du willst.«
Also sprach der Wahrsager und entfernte sich an der Hand seiner Tochter. Kreon stand in Schweigen versunken. Endlich rief er angstvoll: »Wie gern wollte ich selbst für mein Vaterland sterben! Aber dich, Kind, soll ich opfern? Flieh, mein Sohn, fliehe, so weit dich deine Füße tragen, aus diesem verfluchten Lande, das zu schlimm ist für deine Unschuld. Geh über Delphi, Ätolien, Thesprotia zum Heiligtume Dodo-

nas: dort birg dich in des Orakels Schutz!« – »Gerne«, sprach Menökeus mit leuchtendem Blicke; »versieh mich nur mit dem Nötigen zur Reise, Vater, und glaube mir, ich werde den rechten Weg gewiss nicht verfehlen.« Als sich Kreon bei der Willigkeit des Knaben beruhigt hatte und auf seinen Posten geeilt war, warf sich dieser, sobald er allein war, auf die Erde nieder und betete mit Inbrunst zu den Göttern: »Verzeihet mir, ihr himmlischen Reinen, wenn ich gelogen habe, wenn ich meinem alten Vater durch falsche Worte die unwürdige Furcht benommen! Zwar, dass er, der Greis, sich fürchtet, ist verzeihlich; aber welch ein Feiger wäre ich, wenn ich das Vaterland verriete, dem ich das Leben verdanke. Höret darum meinen Schwur, ihr Götter, und nehmet ihn gnädig auf! Ich gehe, mein Vaterland durch meinen Tod zu retten. Flucht würde mich schänden. Auf den Mauerkranz will ich treten, mich selbst in die tiefe dunkle Kluft des Drachens stürzen und so, wie der Seher angezeigt, das Land erlösen.«

Getrost sprang der Knabe auf, eilte nach der Zinne und tat, wie er gesagt hatte. Er stellte sich auf die höchste Höhe der Burgmauer, überschaute mit einem Blicke die Schlachtordnung der Feinde und verwünschte sie in kurzem feierlichem Fluche; dann zog er einen Dolch hervor, den er im Gewande verborgen gehalten, durchbohrte sich den Hals mit einem einzigen Stoß und stürzte von der Höhe herab zerschmettert am Ufer des Dirkequells zusammen.

Der Sturm auf die Stadt

Der Orakelspruch war erfüllt; Kreon bezähmte seinen Jammer; Eteokles teilte den sieben Torbeschirmern sieben Scharen zu, und wo er diese hinweggenommen, stellte er Reiter hinter Reiter zum Ersatz auf, dazu leichtes Fußvolk hinter die Schildträger, um überall, wo die Mauern durch den Angriff leiden sollten, sie mit Heeresmacht schirmen zu können. Auch das Heer der Argiver brach jetzt auf, und der Sturm auf den Wall nahm seinen Anfang. Der Kriegsgesang erscholl, und vom feindlichen Heere wie von den Mauern der Thebaner herab schmetterten zu gleicher Zeit die Trompeten. Zuerst führte Parthenopäos, der Sohn der Jägerin Atalanta, den Trupp der Seinigen, Schild an Schild gedrängt, wider eines der Tore. Auf dem Felde seines Schildes war seine Mutter abgebildet, wie sie einen ätolischen Eber mit fliegendem Pfeil erlegte. Auf ein zweites Tor zog, Opfertiere auf seinem Wagen, der priesterliche Seher Amphiaraos los; er trug schmucklose Waffen ohne Wappenschild oder sonstigen Prunk. Aufs dritte Tor rückte Hippomedon heran; auf seinem Schilde war der hundertäugige Argos zu schauen, wie er die von Hera in eine Kuh verwandelte Jo bewacht. Zum vierten Tore lenkte Tydeus seine Scharen, der eine struppige Löwenhaut im Schilde führte und mit wilder Gebärde in der Rechten eine Brandfackel schwang. Der vertriebene König Polyneikes befehligte den Sturm auf das fünfte Tor; sein Schild stellte ein in Wut sich bäumendes Rossegespann vor. Zum sechsten Tore führte seine Kriegerschar Kapaneus, der sich vermaß, mit dem Gotte Ares um die Wette streiten zu können: auf dem Eisenrücken seines Schildes war ein Gigant ausgeprägt, der eine ganze Stadt, ihrem Grunde enthoben, auf den Schultern trug, welches Schicksal dieser Schildträger der Stadt Theben zugedacht hatte. Zu dem siebenten und letzten Tore endlich kam Adrastos, der Argiverkönig, angerückt. Auf dem Felde seines Schildes waren hundert Schlangen abgebildet, welche in ihren Kiefern thebanische Kinder davontrugen. Als alle nahe genug vor die Tore gekommen waren, wurde der Kampf zuerst mit Schleudern, dann mit Bogen und Speeren eröffnet. Aber den ersten Angriff wehrten die Thebaner siegreich ab, so dass die Scharen der Argiver rückwärts gingen. Da riefen Tydeus und Polyneikes schnell besonnen: »Ihr Brüder, was brechet ihr nicht, ehe die Geschosse euch niederwerfen, mit vereinigter Macht auf die Tore ein, Fußvölker, Reiter, Wagenlenker, alle miteinander?« Dieser Ruf, der sich schnell durch das Heer verbreitete, entfachte den Mut der Argiver aufs Neue. Alles lebte wieder auf, und der Sturm begann mit verstärkter Macht, aber nicht glücklicher denn zuvor. Mit blutbespritzten Köpfen sanken die Stürmenden zu den Füßen der Verteidiger nieder, und ganze Linien röchelten unter den Mauern ihr Leben aus, so dass der dürre Boden vor der Stadt von Blutbächen floss. – Da stürzte der Arkadier Parthenopäos wie ein Sturmwind auf sein Tor und rief nach Feuer und Äxten, um es in den Grund zu hauen. Ein thebanischer Held, der auf der Mauer nicht ferne seinen Posten hatte, Periklymenos, beobachtete seine Anstrengungen und riss, als es höchste Zeit war, ein Stück der steinernen Brustwehr von der Mauer, so groß, dass es eine ganze Wagenlast ausgemacht hätte; dieser Wurf zermalmte dem Stürmer sein blond gelocktes Haupt und zerschlug ihm die Knochen, dass er zerschmettert zu Boden stürzte. Sobald nun Eteokles dieses Tor gesichert sah, flog er den andern zu. Am vierten traf er den Tydeus, der wütete wie ein Drache, den die Sonne sticht; er schüttelte sein Haupt unter dem fliegenden Helmbusch, und sein Schild, den er darüber hielt, tönte von gellenden Glocken, die den Rand umgaben; er selbst schwang mit der Rechten die Lanze hoch nach der Mauer, und eine ganze Schar Schildträger umgab ihn, die einen Hagel von Speeren auf den höchsten Burgsaum aufwärts schleuderten, so dass die Thebaner sich von dem Rande der Brustwehr flüchten mussten. In diesem Augenblicke erschien Eteokles, sammelte sie, wie ein Jäger zerstreute Hunde, und führte sie auf die Mauerzinne zurück. Dann eilte er weiter von Tor zu Tor. Da stieß er auch auf den tobenden Kapaneus, der eine vielsprossige Sturmleiter wider die Stadt herantrug und prahlend ausrief, selbst des Götterkönigs Blitz solle ihn nicht aufhalten, die Grundfeste der eroberten Stadt zu brechen. Mit solchen Trotzworten legte er die Leiter an und klomm unter seinem Schilde, umsaust von Steinen, die glatten Sprossen empor. Aber ihn für seinen Frevelmut zu züchtigen blieb nicht den Thebanern überlassen; Zeus selbst übernahm es und traf ihn, als er schon über den Mauerkranz drang, mit seinem Donnerkeile. Es war ein Schlag, dass die Erde dröhnte; seine zerfetzten Gliedmaßen flogen weit umher von der Leiter, das entflammte Haar flatterte gen Himmel, das Blut floss auf die Erde; Hände und Füße rollten im Kreise wie ein Rad; der Rumpf endlich stürzte feurig auf den Boden nieder.

Der König Adrast erkannte aus diesem Zeichen, dass der Göttervater seinem Vorhaben feindselig sei; er führte seine Scharen aus dem Stadtgraben heraus und wich mit ihnen rückwärts. Die Thebaner dagegen, als sie das Glück bringende Zeichen, das ihnen Zeus gesandt hatte, erkannten, brachen zu Fuß und zu Wagen aus der Stadt hervor; ihr Fußvolk stürzte mitten unter die argivische Heerschar, Wagen rannten gegen Wagen, Leichname lagen zu Haufen; der Sieg blieb den Thebanern, und erst nachdem sie die Feinde auf eine gute Strecke von der Stadt zurückgeworfen, kehrten sie wieder dorthin zurück. Auf der Flucht der Argiver geschah es auch, dass der thebanische Held Periklymenos den Seher Amphiaraos bis zum Strande des Flusses Isemenos verfolgte. Hier hemmte den mit Ross und Wagen Fliehenden das Wasser. Der Thebaner war ihm auf den Fersen. In der Verzweiflung hieß der Seher seinen Wagenlenker die Pferde ihren Weg durch die tiefe Furt suchen, aber ehe er im Wasser war, hatte der Feind das Ufer erreicht, und sein Speer drohte seinem Nacken. Da spaltete Zeus, der seinen Seher nicht auf unrühmlicher Flucht umkommen lassen wollte, mit einem Blitze den Boden, dass er sich auftat wie eine schwarze Höhle und die Rosse, die eben den Übergang suchten, zusamt dem Wagen, dem Seher und seinem Genossen verschlang.

Der Brüder Zweikampf

Auf solche Weise endete der Sturm auf die Stadt Theben. Als Kreon und Eteokles mit den Ihrigen in die Mauern zurückgekehrt waren, ordnete sich das Heer der geschlagenen Argiver wieder, und bald war es von neuem im Stande, der belagerten Stadt näher zu rücken. Als dies die Thebaner innewurden und die Hoffnung, das zweite Mal zu widerstehen, nachdem auch ihre Kräfte durch den ersten Angriff nicht wenig geschwächt worden, ziemlich gesunken war, fasste der König Eteokles einen großen Entschluss. Er sandte seinen Herold zur Stadt hinaus nach dem Argiverheere, das, wieder dicht um die Mauern Thebens gelagert, am Rande des Stadtgrabens lag, und ließ sich Stille erbitten. Dann rief er, auf der obersten Höhe der Burg stehend, seinen eigenen, innerhalb der Stadt aufgestellten Scharen und den die Stadt umringenden Argivern mit lauter Stimme zu: »Ihr Danaer und Argiver alle, die ihr hierher gezogen seid, und ihr Völker Thebens, gebet doch so vielfaches Leben nicht, ihr einen dem Polyneikes – noch mir, seinem Bruder, ihr anderen, preis! Lasst vielmehr mich selbst die Gefahr dieses Kampfes übernehmen und so allein im Gefechte mit meinem Bruder Polyneikes mich messen. Töte ich ihn, so lasst mich allein den Herrn im Hause bleiben; fall ich von seiner Hand, so sei ihm das Zepter überlassen, und ihr Argiver senket dann die Waffen und kehret in euer Heimatland zurück, ohne vor diesen Mauern euer Leben nutzlos zu verbluten.« Aus den Reihen der Argiver sprang jetzt Polyneikes hervor und rief zur Burg empor, dass er den Vorschlag seines Bruders anzunehmen bereit sei. Von beiden Seiten war man des blutigen Krieges, der nur einem von zwei Männern zugute kommen sollte, schon lange müde. Daher klatschten beide Heere dem gerechten Gedanken Beifall. Es wurde ein Vertrag darüber abgeschlossen, und der Eid der Führer bekräftigte ihn von beiden Seiten auf dem Felde, das zwischen beiden Heeren lag. Jetzt hüllten sich die Söhne des Ödipus in ihre vollen Waffenrüstungen; den Beherrscher Thebens schmückten die edelsten Thebaner, den vertriebenen Polyneikes die Häupter der Argiver. So standen beide im Stahle prangend da, stark und festen Blickes. »Bedenke«, riefen die Freunde dem Polyneikes zu, »dass Zeus von dir ein Siegesdenkmal zu Argos erwartet!« Die Thebaner aber ermunterten ihren Fürsten Eteokles: »Du kämpfest für die Vaterstadt und für das Zepter; dieser doppelte Gedanke verleihe dir den Sieg!« Ehe der verhängnisvolle Kampf begann, opferten auch noch die Seher, aus beiden Heeren zusammentretend, um aus den Gestaltungen der Opferflamme den Ausgang des Streites zu mutmaßen. Das Zeichen war zweideutig, es schien Sieg oder Untergang beiden zugleich zu verkünden. Als das Opfer vorbei war und die beiden Brüder noch immer in kampfbereiter Stellung dastanden, erhob Polyneikes flehend seine Hände, drehte sein Haupt rückwärts dem Argiverlande zu und betete: »Hera, Beherrscherin von Argos, aus deinem Lande habe ich ein Weib genommen, in deinem Lande wohne ich; lass deinen Bürger im Gefechte siegen, lass ihn seine Rechte färben mit des Gegners Blute!« Auf der andern Seite kehrte sich Eteokles zum Tempel der Athene in Theben: »Gib, o Tochter des Zeus«, flehte er, »dass ich die Lanze siegreich zum Ziele schleudere, in die Brust dessen, der mein Vaterland zu verwüsten kam!« Bei seinem letzten Worte schmetterte der Trompetenklang, das Zeichen des blutigen Kampfes, und die Brüder stürzten wilden Laufes aufeinander ein und packten sich wie zwei Eber, die die Hauer grimmig aufeinander gewetzt haben. Die Lanzen sausten aneinander vorüber und prallten beide von den Schilden ab; nun zielten sie mit den Speeren sich gegenseitig nach dem Gesichte, nach den Augen, aber die schnell vorgehaltenen Schildränder vereitelten auch diesen Stoß. Den Zuschauern selbst floss der Schweiß in dichten Tropfen vom Leibe beim Anblick des erbitterten Kampfes. Endlich vergaß sich Eteokles, und während er beim Ausfallen mit dem rechten Fuß einen Stein, der ihm im Wege lag, beiseite stoßen wollte, streckte er das Bein unvorsichtig unter dem Schilde hervor; da stürzte Polyneikes mit dem Speere heran und durchbohrte ihm das Schienbein. Das ganze Argiverheer jubelte bei seinem Stoße und sah darin schon den entscheidenden Sieg. Aber während des Stoßes hatte der Verwundete, der seine Besinnung keinen Augenblick verlor, die eine Schulter an seinem Gegner entblößt gesehen und warf seinen Wurfspieß nach derselben, der auch in der Schulter haftete, doch so, dass die Spitze ihm abbrach. Die Thebaner ließen nur einen halben Laut der Freude von sich hören. Eteokles wich zurück, ergriff einen Marmelstein und zerschlug die Lanze seines Gegners in zwei Hälften. Der Kampf war jetzt gleich, da beide sich ihres Wurfgeschosses beraubt sahen. Nun fassten sie rasch die Griffe ihrer Schwerter und rückten einander ganz nahe auf den Leib; Schild schlug gegen Schild, lautes Kampfgetöse hallte. Da besann sich Eteokles auf einen Kunstgriff, den er im thessalischen Lande gelernt. Er wechselte plötzlich seine Stellung, zog sich nach hinten auf seinen linken Fuß zurück, deckte sich den eigenen Unterleib mit Sorgfalt, setzte dann den vorderen Fuß voran und stach den Bruder, der auf eine so veränderte Haltung des Gegners nicht gefasst war und den unteren Teil des Leibes nicht mehr mit dem Schilde gedeckt hatte, über den Hüften mitten durch den Leib. Vor Schmerzen neigte sich Polyneikes auf die Seite und sank bald unter Strömen Blutes zusammen. Eteokles, nicht mehr an seinem Siege zweifelnd, warf sein Schwert von sich und beugte sich über den Sterbenden, ihn zu berauben. Dies aber war sein Verderben, denn jener hatte im Sturze sein Schwert dennoch fest mit der Hand umklammert, und jetzt, so schwach er atmete, war ihm doch noch Kraft genug geblieben, dasselbe dem über ihn gebeugten Eteokles tief in die Leber zu stoßen. So sank auch er und fiel hart neben dem sterbenden Bruder nieder.

Nun öffneten sich die Tore Thebens, die Frauen, die Diener stürzten heraus, die Leiche ihres Herrschers zu bejammern; Antigone aber warf sich über ihren geliebten Bruder Polyneikes, um die letzten Worte von seinen Lippen zu vernehmen. Mit Eteokles war es schneller zu Ende gegangen als mit diesem; nur noch ein tiefer Seufzer aus röchelnder Brust, und er war verschieden. Polyneikes aber atmete noch, wandte sein brechendes Auge nach der Schwester und sprach: »Wie beklage ich dein Los, Schwester, wie auch das Schicksal des toten Bruders, der aus einem Freunde mein Feind geworden war. Jetzt erst im Tode empfinde ich, dass ich ihn geliebt habe! Du aber, liebe Schwester, begrabe mich in meiner Heimat und versöhne die zürnende Vaterstadt, dass sie mir, obschon ich der Herrschaft beraubt worden bin, wenigstens so viel gewähre! Drücke mir auch die Augen mit deiner Hand zu, denn schon breitet die Nacht des Todes ihre Schatten über mich aus.«

So starb er auch in der Schwester Armen. Nun erhob sich lauter Zwist von beiden Seiten unter der Menge. Die Thebaner schrieben ihrem Herrn Eteokles den Sieg zu, die Feinde dem Polyneikes. Derselbe Hader war unter den Anführern und den Freunden der Gefallenen. »Polyneikes führte den ersten Lanzenstoß!«, hieß es da. »Aber er war auch der Erste, der unterlegen ist!«, scholl's von der andern Seite entgegen. Unter diesem Streite wurde zu den Waffen gegriffen; glücklicherweise für die Thebaner, die sich geordnet hatten und in voller Waffenrüstung teils vor dem Zweikampfe, teils während desselben und bei seinem Schlusse eingefunden, während die Argiver die Waffen abgelegt und, wie des Sieges gewiss, sorglos zugeschaut hatten. Die Thebaner warfen sich plötzlich aufs Argiverheer, ehe dieses sich mit Rüstungen bedecken konnte. Sie fanden keinen Widerstand; die waffenlosen Feinde füllten in ungeregelter Flucht die Ebene, das Blut floss in Strömen, denn der Wurf der Lanzen streckte die Fliehenden zu Hunderten nieder. Bald war die Umgebung Thebens von sämtlichen Feinden gereinigt. Von allen Seiten brachten die Thebaner Schilde der erlegten Flüchtlinge und andere Beute herbei und trugen sie triumphierend in die Stadt.

Kreons Beschluss

Hierauf wurde an die Bestattung der Toten gedacht. Die Königswürde von Theben war nach dem Tode der beiden gefallenen Brüder an ihren Oheim Kreon gekommen, und dieser hatte nun über das Begräbnis seiner beiden Neffen zu verfügen. Sofort ließ er den Eteokles, als für die Verteidigung der Stadt gefallen, mit königlichen Ehren und aller sonstigen Gebühr feierlich zur Erde bestatten: alle Bewohner Thebens folgten dem Leichenzuge, während Polyneikes unbegraben und in Unehren dalag. Dann ließ Kreon unter Heroldsruf der ganzen Stadt verkündigen, den Feind des Vaterlandes, der gekommen sei, ihre Mauern mit Feuersglut zu zerstören, sich am Blute der Seinigen zu sättigen, die Landesgötter selbst zu vertreiben und was übrig bliebe, in Knechtschaft zu stürzen – den weder zu beklagen noch ihm ein Grab angedeihen zu lassen, vielmehr den Leichnam des Verfluchten unbegraben den Vögeln und Hunden zum Fraße zu übergeben. Zugleich gebot er den Bürgern, selbst Aufsicht darüber zu führen, dass diese königliche Willensmeinung vollzogen würde, und stellte noch besondere Späher zu dem Leichname, welche dafür zu sorgen hatten, dass niemand käme, denselben zu stehlen oder zu begraben. Der Lohn dessen, der dies doch täte, sollte unerbittlich der Tod sein; in offener Stadt sollte er gesteinigt werden.

Diese grausame Verkündigung hatte auch Antigone, die fromme Schwester, mit angehört und war ihres Versprechens, das sie dem Sterbenden gegeben, wohl eingedenk. Sie wandte sich mit beschwertem Herzen an ihre jüngere Schwester Ismene und wollte diese bereden, mit ihr gemeinschaftlich das Wagestück zu unternehmen, mit Hand anzulegen und den Leib des Bruders seinen Feinden zu entreißen. Aber Ismene war ein schwaches Mädchen und solchem Heldenmute nicht gewachsen. »Hast du denn, Schwester«, sagte sie weinend, »den grauenhaften Untergang unseres Vaters und unserer Mutter schon so ganz vergessen, ja, ist dir das frische Verderben unsrer Brüder schon aus dem Gedächtnisse verschwunden, dass du auch uns Zurückgebliebene noch ins gleiche Todeslos hineinziehen willst?« Antigone wandte sich mit Kälte von ihrer furchtsamen Schwester ab. »Ich will dich gar nicht zur Helferin«, sagte sie. »Ich gehe hin, den Bruder allein zu begraben. Wenn ich dies getan habe, sterbe ich mit Freuden und lege mich nieder neben dem, den ich im Leben geliebt habe!«

Bald darauf kam einer der Wächter mutlos und zögernden Schrittes vor den König Kreon: »Der Leichnam, den du uns zu bewahren gegeben, ist begraben«, rief er dem Herrscher entgegen, »und der unbekannte Täter ist entkommen. Wir wissen auch nicht, wie es geschehen ist. Als der erste Tageswächter uns die Tat anzeigte, war es uns allen ein Bekümmernis. Nur ein dünner Staub lag auf dem Toten, nur so viel als notwendig ist, wenn ein Begräbnis vor den Göttern der Unterwelt für ein solches gelten soll. Kein Hieb, kein Schaufelwurf zeigte sich, keine Wagenspuren gingen durch den Boden. Unter uns Wächtern entstand Streit darüber, jeder beschuldigte den andern, und am Ende kam es zu Schlägen.

Zuletzt jedoch einigten wir uns, dir, o König, den Vorgang auf der Stelle zu melden, und mich traf dieses unselige Los!« Kreon geriet auf diese Nachricht in großen Zorn; er bedrohte sie alle, sie lebendig aufhängen zu lassen, wenn sie ihm den Täter nicht unverzüglich in die Hände lieferten. Diese mussten auch auf seinen Befehl den Leichnam wieder von aller Erde entblößen und hielten nach wie vor Wache bei ihm. So saßen sie vom Morgen bis zum Mittage im heißesten Sonnenschein. Da erhub sich plötzlich ein Sturm, und der Luftkreis füllte sich mit Staub. Die Wächter besannen sich noch über das unerwartete Zeichen, als sie eine Jungfrau herankommen sahen, die so wehmütig klagte wie ein Vogel, der sein Nest ausgeleert findet. Sie hatte in der Hand eine eherne Gießkanne, die sie schnell mit Staub füllte, dann näherte sie sich mit Vorsicht der Leiche – denn die Wächter, um von der Nähe des nun schon so lang unbegraben daliegenden Leichnams nicht zu leiden, saßen ziemlich ferne an einem Hügel – und spendete dem Toten, anstatt des Begräbnisses, einen dreifachen Aufguss von Erde. Da zögerten die Wächter nicht länger, sie eilten herbei, griffen sie und schleppten die auf der Tat selbst Ertappte vor den zürnenden Herrscher.

Antigone und Kreon

Kreon erkannte in der Täterin seine Nichte Antigone. »Törin«, rief er ihr entgegen, »wie du die Stirne zur Erde senkst, gestehst oder leugnest du dieses Werk?« – »Ich gestehe es«, erwiderte die Jungfrau und richtete ihr Haupt in die Höhe. – »Und kanntest du«, fragte der König weiter, »das Gesetz, das du so ohne Scheu übertratest?« – »Wohl kannte ich es«, sprach Antigone fest und ruhig, »aber von keinem der unsterblichen Götter stammt diese Satzung. Auch kenne ich andere Gesetze, die nicht von gestern und heute sind, die in Ewigkeit gelten und von denen niemand weiß, von wannen sie kommen. Kein Sterblicher darf diese übertreten, ohne dem Zorn der Götter anheim zu fallen; ein solches Gesetz hat mir befohlen, den toten Sohn meiner Mutter nicht unbegraben zu lassen. Erscheint dir diese Handlungsweise töricht, so ist es ein Tor, der mich der Torheit beschuldigt.« – »Meinst du«, sprach Kreon, noch mehr erbittert durch den Widerspruch der Jungfrau, »deine starre Sinnesart sei nicht zu beugen? Zerspringt doch auch der sprödeste Stahl am ehesten. Wer in eines andern Gewalt ist, der soll nicht trotzen!« – Darauf antwortete Antigone: »Du kannst mir doch nicht mehr antun als den Tod; wozu darum Aufschub? Mein Name wird nicht ruhmlos dadurch werden, dass ich sterbe; auch weiß ich, dass deinen Bürgern hier nur die Furcht den Mund verschließt und dass alle meine Tat im Herzen billigen; denn den Bruder zu lieben ist die erste Schwesterpflicht.« – »Nun, so liebe denn im Hades«, rief der König immer erbitterter, »wenn du lieben musst!« Und schon hieß er die Diener sie ergreifen, als Ismene, die vom Los ihrer Schwester vernommen hatte, herbeigestürmt kam. Sie schien ihre weibliche Schwäche und ihre Menschenfurcht ganz abgeschüttelt zu haben. Mutig trat sie vor den grausamen Oheim, bekannte sich als Mitwisserin und verlangte mit der Schwester in den Tod zu gehen. Zugleich erinnerte sie den König daran, dass Antigone nicht nur seiner Schwester Tochter, dass sie auch die verlobte Braut seines eigenen Sohnes Hämon sei und er durch ihren Tod seinem eigenen Sprössling die Ehe wegmorde. Statt aller Antwort ließ Kreon auch die Schwester fassen und beide durch seine Schergen in das Innere des Palastes führen.

Hämon und Antigone

Als Kreon seinen Sohn herbeieilen sah, glaubte er nicht anders, als das über seine Braut gefällte Urteil müsse diesen gegen seinen Vater empört haben. Hämon setzte jedoch seinen verdächtigenden Fragen Worte voll kindlichen Gehorsams entgegen, und erst nachdem er den Vater von seiner frommen Anhänglichkeit überzeugt hatte, wagte er es, für seine geliebte Braut Fürbitte zu tun. »Du weißt nicht, Vater«, sprach er, »was das Volk spricht, was es zu tadeln findet. Dein Auge schreckt jeden Bürgersmann zurück, irgendetwas zu sprechen, das deinem Ohr nicht willkommen ist; mir hingegen wird es möglich, auch derlei Dinge im Dunkeln zu hören. Und so lass mich dir denn sagen, dass diese Jungfrau von der ganzen Stadt bejammert, dass ihre Handlung von der ganzen Bürgerschaft als wert des Nachruhms gepriesen wird, da niemand glaubt, sie, die fromme Schwester, die ihren Bruder nicht von Hunden und Vögeln zerfleischen ließ, habe den Tod als Lohn verdient! Darum, geliebter

Vater, gib der Stimme des Volkes nach; tu es den Bäumen gleich, die, längs dem angeschwollenen Waldstrome gepflanzt, sich ihm nicht entgegenstemmen, sondern der Gewalt des Wassers nachgeben und unverletzt bleiben, während diejenigen, die es dennoch wagen, Widerstand zu leisten, durch die Wellen von Grund aus entwurzelt werden.« – »Will der Knabe mich Verstand lehren?«, rief Kreon verächtlich aus. »Es scheint, er kämpft im Bunde mit dem Weib!« – »Ja, wenn du ein Weib bist!«, antwortete der Jüngling schnell und lebhaft. »Denn nur zu deinem Besten ist dies alles gesagt!« – »Ich merke wohl«, endete der Vater entrüstet, »blinde Liebe zu der Verbrecherin hält deinen Sinn in Banden, aber lebendig wirst du diese nicht freien. Denn wisse: ferne, wo keine Menschentritte schallen, soll sie bei lebendigem Leibe in einem verschlossenen Felsengrabe geborgen werden. Nur wenig Speise wird ihr mitgegeben, so viel als nötig ist, die Stadt vor der Befleckung zu bewahren, die der Gräuel eines unmittelbaren Mordes ihr zuziehen würde. Mag sie dann von dem Gotte der Unterwelt, den sie doch allein ehrt, sich Befreiung erflehen; zu spät wird sie erkennen, dass es klüger ist, den Lebenden zu gehorchen, als den Toten.«

Zornig wandte sich Kreon mit diesen Worten von seinem Sohne ab, und bald waren alle Anstalten getroffen, den grässlichen Beschluss des Tyrannen zu vollziehen. Öffentlich vor allen Bürgern Thebens wurde Antigone nach dem gewölbten Grabe abgeführt, das ihrer wartete; sie stieg unter Anrufung der Götter und der Geliebten, mit denen sie vereinigt zu werden hoffte, unerschrocken hinab.

Noch immer lag der verwesende Leichnam des erschlagenen Polyneikes unbegraben da. Die Hunde und Vögel nährten sich von ihm und befleckten die Stadt, indem sie die Überreste des Toten hin und her trugen. Da erschien der greise Seher Teiresias vor dem Könige Kreon, wie er einst vor Ödipus erschienen war, und verkündete jedem aus dem Vogelfluge und der Opferschau ein Unheil. Schlimmer, übelgesättigter Vögel Gekrächz hatte er vernommen, das Opfertier auf dem Altare, statt hell in Flammen zu verlodern, war unter trübem Rauche verschmort. »Offenbar zürnen uns die Götter«, endete er seinen Bericht, »wegen der Misshandlung des erschlagenen Königssohnes. Sei darum nicht halsstarrig, Herrscher, weiche dem Entseelten, sieh nicht nach Ermordeten! Welcher Ruhm ist es, Tote noch einmal zu töten? Lass ab davon; in guter Meinung rate ich dir!« Aber Kreon wies, wie damals Ödipus, den Wahrsager mit kränkenden Worten zurück, schalt ihn geldgierig und beschuldigte ihn der Lüge. Da entbrannte das Gemüt des Sehers, und ohne Schonung zog er vor den Augen des Königs den Schleier weg, der die Zukunft bedeckte. »Wisse«, sprach er, »dass die Sonne nicht untergehen wird, ehe du aus deinem eigenen Blute einen Leichnam für zwei Leichen zum Ersatz bringst. Doppelten Frevel begehst du, indem du den Toten der Unterwelt vorenthältst, der ihr gebührt, und die Lebende, die der Oberwelt angehört, nicht heraufläßsest zu ihr! Schnell entführe mich, Knabe. Geben wir diesen Mann seinem Unglücke preis!« So ging er an der Hand seines Führers, auf seinen Seherstab gestützt, davon.

Kreons Strafe

Der König blickte dem zürnenden Wahrsager bebend nach. Er berief die Ältesten der Stadt zu sich und befragte sie, was zu tun sei. »Entlass die Jungfrau aus der Höhle, bestatte den preisgegebenen Leib des Jünglings!«, lautete ihr einstimmiger Rat. Schwer kam es den unbeugsamen Herrscher an nachzugeben. Aber das Herz war ihm entsunken. So willigte er geängstigt darein, den einzigen Ausweg zu ergreifen, der das Verderben, das der Seher verkündigt hatte, von seinem Hause abwälzen könnte. Er selbst machte sich mit Dienern und Gefolge zuerst nach dem Felde, wo Polyneikes lag, und dann nach dem Grabgewölbe, in welches Antigone verschlossen worden war, auf, und im Palaste blieb seine Gemahlin Eurydike allein zurück. Diese vernahm bald auf den Straßen ein Klagegeschrei, und als sie auf den immer lauter werdenden Ruf ihre Gemächer endlich verließ und in den Vorhof ihres Palastes heraustrat, kam ihr ein Bote entgegen, der ihrem Gemahl als Führer nach dem hohen Blachfelde gedient hatte, wo der Leib seines Neffen erbarmungslos zerrissen, bisher nicht begraben, lag. »Wir beteten zu den Göttern der Unterwelt«, erzählte der Bote, »badeten den Toten im heiligen Bade und verbrannten dann den Überrest seines bejammernswürdigen Leichnams. Nachdem wir ihm aus vaterländischer Erde einen Grabhügel aufgetürmt, gingen wir nach dem steinernen Gewölbe, in das die Jungfrau hinabgestiegen war, ihr Leben dort im elenden Hungertode zu enden.

Hier vernahm ein vorangeeilter Diener schon aus der Ferne hell tönende Jammerlaute vom Tore des grauenvollen Gemaches her. Er eilte zu unserem Herrn zurück, es ihm kundzutun. Aber auch zu seinem Ohre war jener betrübte Klagelaut schon gedrungen, und er hatte darin die Stimme des Sohnes erkannt. Wir Diener eilten auf sein Geheiß heran und blickten durch den Felsenspalt. Wehe uns, was mussten wir hier schauen? Tief im Hintergrunde der Höhle sahen wir die Jungfrau Antigone in den Schlingen ihres Schleiers aufgeknüpft und schon entseelt. Vor ihr lag, ihren Leib umschlingend, dein Sohn Hämon, in heulender Wehklage die entrissene Braut bejammernd und des Vaters Untat verfluchend. Inzwischen war dieser vor der Kluft angekommen und wandelte tief aufseufzend durch die offene Tür hinein. ›Unseliger Knabe‹, rief er, ›auf was sinnest du? Was droht uns dein verirrter Blick? Komm heraus zu deinem Vater! Flehend, auf den Knien liegend, beschwöre ich dich!‹ Doch der Sohn starrte ihn in Verzweiflung an und riss ohne Antwort sein zweischneidiges Schwert aus der Scheide, der Vater stürzte zu dem Gewölbe hinaus und entwich dem Stoße. Hierauf bückte der unglückselige Hämon sich über den Stahl und trieb ihn tief durch seine Seite. Er sank, aber noch sinkend schlang er seinen Arm fest um die Leiche der Braut und liegt jetzt tot, wie er die Tote gefasst hatte, in der Grabeshöhle.« Eurydike hörte diese Botschaft schweigend an und enteilte dann, ohne ein gutes oder böses Wort zu sprechen. Dem verzweifelnden Könige, der, von Dienern begleitet, welche die Leiche seines einzigen Sohnes trugen, jammernd in den Palast zurückkehrte, kam die Nachricht entgegen, dass im Innern des Hauses seine Gemahlin entseelt in ihrem Blute liege, mit einer tiefen Schwertwunde im Herzen.

Bestattung der thebanischen Helden

Vom ganzen Stamme des Ödipus war jetzt, außer zwei Söhnen der gefallenen Brüder, nur noch Ismene übrig. Von ihr erzählt die Sage nichts: sie starb unvermählt oder kinderlos, und mit ihrem Tode erlosch das unselige Geschlecht. Von den sieben thebanischen Helden, die gegen Theben ausgezogen waren, entkam dem unglücklichen Sturme und der letzten Schlacht der König Adrastos allein, den sein unsterbliches Ross

Arion, von Poseidon und Demeter erzeugt, auf geflügelter Flucht rettete. Er erreichte glücklich Athen, nahm dort seine Zuflucht als Schutzflehender an dem Altar der Barmherzigkeit und beschwor, einen Ölzweig in der Hand, die Athener, ihn zu unterstützen, dass er die vor Theben gefallenen Helden und Mitbürger zu ehrlicher Bestattung sich erstreiten könne. Die Athener erhörten seinen Wunsch und zogen unter Theseus mit ihm zu Felde. Die Thebaner wurden gezwungen, die Beerdigung zu gestatten. Nun errichtete Adrastos den Leichnamen der gefallenen Helden sieben getürmte Scheiterhaufen und hielt am Asopos dem Apollon zu Ehren ein Wettrennen. Als der Scheiterhaufen des Kapaneus brannte, stürzte sich seine Gattin Euadne, des Iphis Tochter, hinein und verbrannte zugleich mit ihm. Der Leichnam des Amphiaraos, den die Erde verschlungen hatte, war nicht zum Begräbnisse aufgefunden worden. Es schmerzte den König, seinem Freunde diese letzte Ehre nicht erzeigen zu können. »Ich vermisse«, sprach er, »das Auge meines Heeres, den Mann, der beides war, der trefflichste Seher und der tapferste Kämpfer im Streit!« Als die feierliche Bestattung vorüber war, errichtete Adrastos der Nemesis oder Vergeltung einen schönen Tempel vor Theben und zog mit seinen Bundesgenossen, den Athenern, wieder aus dem Lande.

DIE EPIGONEN

Zehn Jahre nachher entschlossen sich die Söhne der vor Theben umgekommenen Helden, Epigonen oder Nachkömmlinge genannt, zu einem neuen Feldzuge gegen diese Stadt, den Tod ihrer Väter zu rächen. Es waren ihrer acht: Alkmäon und Amphilochos, die Söhne des Amphiaraos, Ägialeus, der Sohn Adrasts, Diomedes, der Sohn des Tydeus, Promachos, des Parthenopäos Sohn, Sthenelos, der Sohn des Kapaneus, Thersander, des Polyneikes, und Euryalos, des Mekisteus* Sohn. Auch der alte König Adrastos, aus dem Kampfe der Väter allein noch übrig, gesellte sich zu ihnen, übernahm jedoch den Oberbefehl nicht, sondern

* Mekisteus war nicht eigentlich einer der sieben, sondern nur ein Bruder Adrasts. Andere nennen deswegen auch statt des Euryalos den Eurypylus oder den Polydorus als Sohn des Hippomedon.

wollte ihn einem jüngeren und rüstigeren Helden lassen. Da befragten die Verbündeten das Orakel des Apollon darüber, wen sie zum Anführer wählen sollten. Dieses bezeichnete ihnen den Alkmäon, des Amphiaraos Sohn. Also ward Alkmäon von ihnen zum Feldherrn gewählt. Er aber war ungewiss, ob er diese Würde annehmen dürfe, bevor er den Vater gerächt; deswegen ging auch er hin zum Gotte und befragte das Orakel. Apollon antwortete ihm, er solle beides ausführen. Seine Mutter Eriphyle war bisher nicht nur im Besitze des verderblichen Halsbandes gewesen, sie hatte sich auch das zweite Unheil bringende Geschenk Aphroditens, den Schleier, zu verschaffen gewusst. Thersander, der Sohn des Polyneikes, der den Schleier als Erbe besaß, hatte ihn ihr, wie einst sein Vater das Halsband, geschenkt und sie damit bestochen, dass sie ihren Sohn Alkmäon überreden sollte, an dem Feldzuge gegen Theben teilzunehmen. Dem Orakelspruche gehorsam, übernahm Alkmäon den Oberbefehl und verschob seine Rache auf die Heimkehr. Er brachte nicht nur aus Argos selbst ein ansehnliches Heer zusammen, sondern viele kampflustige Krieger aus den Nachbarstädten vereinigten sich mit ihm, und nun führte er eine ansehnliche Streitmacht unter Thebens Tore. Hier nun erneuerten die Söhne den hartnäckigen Kampf, wie er zehn Jahre früher von den Vätern gekämpft worden war. Aber die Söhne waren glücklicher als die Väter, und der Sieg entschied sich für Alkmäon. In der Hitze des Streites fiel nur einer der Epigonen, Ägialeus, der Sohn des Königs Adrastos, welchen der Anführer der Thebaner, Laodamas, des Eteokles Sohn, mit eigener Hand tötete, dafür aber von Alkmäon, dem Feldherrn der Epigonen, erschlagen wurde. Nach dem Verluste ihres Führers und vieler Mitbürger verließen die Thebaner das Schlachtfeld und flohen hinter ihre Mauern zurück. Hier suchten sie Rat bei dem blinden Teiresias, dem Seher, der, jetzt wohl hundert Jahre alt, noch immer in Theben lebte. Er riet ihnen, den einzigen Rettungsweg einzuschlagen und, während sie einen Herold mit Friedensaufträgen an die Argiver absendeten, die Stadt zu verlassen. Sie gingen auf den Vorschlag ein, fertigten einen Abgesandten an die Feinde ab, und während dieser unterhandelte, luden sie ihre Kinder und Frauen auf Wagen und flohen aus der Stadt. Im Dunkel der Nacht kamen sie in eine Stadt Böotiens, die Tilphussion hieß. Aus dem Quell, der bei der Stadt floss, tat der blinde Teiresias, der selbst geflüchtet war, einen kalten Trunk und starb. Noch in der Unterwelt wurde der weise Seher ausgezeichnet. Er lief nicht gedankenlos umher wie andere Schatten, sondern sein hoher Sinn und Seherverstand war ihm geblieben. Seine Tochter Manto hatte die Flucht nicht geteilt; sie war in Theben zurückgelassen worden und fiel hier den Eroberern, welche die verödete Stadt besetzten, in die Hände. Diese hatten ein Gelübde getan, das Beste, was sie von Beute in Theben finden würden, dem Apollon zu weihen. Nun urteilten sie, dass dem Gotte kein Teil der Beute besser gefallen könne als die Seherin Manto, welche die göttliche Gabe von ihrem Vater ererbt hatte. Deswegen brachten die Epigonen sie nach Delphi und weihten sie hier dem Gotte als Priesterin. So wurde sie immer vollkommener in der Wahrsagekunst und anderer Weisheit und bald die berühmteste Seherin ihrer Zeit. Oft sah man bei ihr einen greisen Mann aus und ein gehen, den sie herrliche Gesänge lehrte, welche bald in ganz Griechenland widertönten. Es war der Mäonier Homeros.

ALKMÄON UND DAS HALSBAND

Als Alkmäon von Theben zurückgekehrt war, überdachte er, wie er auch den zweiten Teil des Orakelspruchs erfüllen und an seiner Mutter, der Mörderin seines Vaters, Rache nehmen könne. Seine Erbitterung gegen sie war noch gewachsen, als er nach seiner Zurückkunft erfahren hatte, dass Eriphyle, auch ihn zu verraten, Geschenke genommen habe. Er glaubte sie nicht länger schonen zu müssen, überfiel sie mit dem Schwerte und ermordete sie. Dann nahm er das Halsband und den Schleier zur Hand und verließ das elterliche Haus, das ihm ein Gräuel geworden war. Aber obgleich die Rache des Vaters ihm vom Orakel befohlen worden war, so war doch auch wieder der Muttermord für sich ein Frevel wider die Natur, und die Götter konnten ihn nicht ungestraft lassen. So wurde denn zur Verfolgung des Alkmäon eine Erinnys gesandt und er mit Wahnsinn geschlagen. In diesem Zustande kam er zuerst nach Arkadien zum Könige Oïkleus. Aber hier gönnte ihm die Erinnys keine Ruhe, und er musste weiterwandern. Endlich fand er eine Zufluchtsstätte zu Psophis in Arkadien bei dem Könige Phegeus. Von diesem entsündigt, erhielt er die Hand seiner Tochter Arsinoe, und die verhängnisvollen Geschenke, Halsband und Schleier, wanderten nun in ihren Besitz. Alkmäon war jetzt zwar vom Wahnsinne frei, der Fluch jedoch noch nicht ganz von seinem Haupte genommen, denn das Land seines Schwähers wurde um seiner Anwesenheit willen mit Unfruchtbarkeit heimgesucht. Alkmäon befragte das Orakel; dieses aber fertigte ihn mit dem trostlosen Ausspruche ab: er würde Ruhe finden, wenn er in ein Land gekommen, das bei seiner Mutter Ermordung noch nicht vorhanden gewesen sei. Es hatte nämlich Eriphyle sterbend jedes Land verflucht, das den Muttermörder aufnehmen würde. Ohne Hoffnung verließ Alkmäon seine Gattin und seinen kleinen Sohn Klytios und ging hinaus in die weite Welt. Nach langem Umherirren fand er endlich doch, was ihm die Wahrsagung verheißen hatte. Er kam an den Strom Acheloos und fand dort eine Insel, die dieser erst seit kurzem angesetzt hatte. Hier ließ er sich nieder und ward von seiner Plage ganz frei. Aber die Befreiung von dem Fluch und das neue Glück machten sein Herz übermütig; er vergaß seine frühere Gemahlin Arsinoe und seinen kleinen Sohn und vermählte sich abermals, mit der schönen Kallirrhoe der Tochter des Stromgottes Acheloos, die ihm auch bald nacheinander zwei Söhne, Akarnan und Amphoteros, gebar. Wie aber dem Alkmäon überall der Ruf von den unschätzbaren Kleinodien voranging, in deren Besitze man ihn glaubte, so fragte auch seine junge Gemahlin gar bald nach dem herrlichen Halsband und Schleier. Diese Schätze jedoch hatte Alkmäon in den Händen seiner Gattin gelassen, als er diese heimlich verließ. Nun sollte seine neue Gemahlin nichts von jenem früheren Ehebund erfahren; so erdichtete er einen Ort in der Ferne, wo er die Kostbarkeiten aufgehoben hätte, und machte sich anheischig, ihr dieselben zu holen. Da wanderte er denn nach Psophis zurück, trat wieder vor seinen ersten Schwiegervater und seine verstoßene Gattin und entschuldigte sich wegen seiner Entfernung mit einem Reste von Wahnsinn, der ihn ausgetrieben habe und noch immer verfolge. »Frei vom Fluch zu werden und wieder zurückzukehren«, sprach der Falsche, »gibt es, wie mir geweissagt ist, nur ein Mittel: wenn ich das Halsband und den Schleier, die ich dir geschenkt habe, dem Gott nach Delphi als Weihgeschenk bringe.« Durch diese Trugworte ließen Phegeus und seine Tochter sich bereden und gaben beides her. Alkmäon machte sich mit seinem Raube fröhlich davon; er ahnte nicht, dass die unheilvollen Gaben endlich auch ihm den Untergang bringen müssten. Es hatte nämlich einer seiner Diener, der um das Geheimnis wusste, dem Könige Phegeus anvertraut, dass Alkmäon eine zweite Gattin besitze und den Schmuck zu sich genommen habe, um ihn dieser zu bringen. Nun machten sich die Brüder der verstoßenen Gemahlin auf seine Spur, eilten ihm zuvor, erlauerten ihn in einem Hinterhalte und stießen den sorglos Einherziehenden nieder. Halsband und Schleier brachten sie ihrer Schwester zurück und rühmten sich der Rache, die sie für sie genommen. Aber Arsinoe liebte auch den ungetreuen Alkmäon noch und verwünschte ihre Brüder, als sie seinen Tod vernahm. Jetzt sollten die verderblichen Geschenke ihre Kraft auch an Arsinoe bewähren. Die erbitterten Brüder glaubten den Undank der Schwester nicht hart genug bestrafen zu können: sie ergriffen sie, sperrten sie in eine Kiste und führten sie in dieser zu ihrem Gastfreunde, dem Könige Agapenor, nach Tegea mit der falschen Botschaft, dass Arsinoe die Mörderin des Alkmäon sei. So starb sie eines elenden Todes.

Inzwischen hatte Kallirrhoe den kläglichen Untergang ihres Gatten Alkmäon erfahren, und mit dem tiefsten Schmerz durchzuckte sie das Verlangen nach schneller Rache. Sie warf sich auf ihr Angesicht nieder und flehte zu Zeus, dass er ein Wunder tun und ihre kleinen Söhne, Akarnan und Amphoteros, plötzlich mannbar werden lasse, damit sie dann die Mörder ihres Vaters bestrafen könnten. Da Kallirrhoe schuldlos war, erhörte Zeus ihre Bitte, und die Söhne, die als unmündige Knaben zu Bette gegangen waren, erwachten als bärtige Männer voll Tatkraft und Rachelust. Sie zogen aus und wandten sich zuerst nach Tegea. Hier kamen sie gerade um dieselbe Zeit an, als die Söhne des Phegeus, Pronoos und Agenor, mit ihrer unglücklichen Schwester Arsinoe dort angelangt und im Begriffe waren, nach Delphi zu reisen, um dort den heillosen Schmuck Aphroditens im Tempel Apollons als Weihgeschenk niederzulegen. Diese wussten nicht, wen sie vor sich hatten, als die bärtigen Jünglinge auf sie eindrangen, den Mord ihres Vaters zu rächen, und ehe sie den Grund des Angriffes erfahren konnten, waren sie erschlagen. Die Söhne Alkmäons rechtfertigten sich bei Agapenor und erzählten ihm den wahren Hergang der Sachen; sie wandten sich hierauf nach Psophis in Arkadien, traten hier in den Palast und töteten den König Phegeus mitsamt seiner Gemahlin. Verfolgt und gerettet, verkündigten sie ihrer Mutter die vollbrachte Rache; dann zogen sie nach Delphi und legten nach dem Rate ihres Großvaters Acheloos Halsband und Schleier als Weihgeschenk im Tempel Apollons nieder. Als dies geschehen war, erlosch der Fluch, der auf dem Hause des Amphiaraos gelegen, und seine Enkel, die Söhne Alkmäons und Kallirrhoes, sammelten Ansiedler in Epirus und gründeten Akarnanien. Klytios, der Sohn Alkmäons und Arsinoes, hatte nach des Vaters Ermordung seine mütterlichen Verwandten mit Abscheu verlassen und in Elis eine Zuflucht gefunden.

DIE SAGE VON DEN HERAKLIDEN

Die Herakliden kommen nach Athen

Als Herakles in den Himmel versetzt war und sein Vetter Eurystheus, König von Argos, ihn nicht mehr zu fürchten hatte, verfolgte seine Rache die Kinder des Halbgottes, deren größerer Teil mit Alkmene, der Mutter des Helden, zu Mykene, der Hauptstadt von Argos, lebte. Sie entflohen seinen Nachstellungen und begaben sich in den Schutz des Königs Keyx zu Trachin. Als aber Eurystheus von diesem kleinen Fürsten ihre Auslieferung verlangte und ihn mit einem Kriege bedrohte, hielten sie sich unter seinem Schutze nicht mehr für sicher, verließen Trachin und flüchteten sich durch Griechenland. Vaterstelle bei ihnen vertrat der berühmte Neffe und Freund des Herakles, der Sohn des Iphikles, Jolaos. Wie dieser in jungen Jahren mit Herakles alle Mühsale und Abenteuer geteilt hatte, so nahm er auch jetzt, schon ergraut, die verlassene Kinderschar des Freundes unter seine Flügel und schlug sich mit ihnen durch die Welt. Ihre Absicht war, sich den Besitz des Peloponneses, den ihr Vater erobert hatte, zu sichern; so kamen sie, unablässig von Eurystheus verfolgt, nach Athen, wo der Sohn des Theseus, Demophoon, regierte, der den unrechtmäßigen Besitzer des Thrones, Menestheus, eben verdrängt hatte. Zu Athen lagerte sich die Schar auf der Agora oder dem Markt am Altare des Zeus und flehte den Schutz des athenischen Volkes an. Noch nicht lange saßen sie so, als auch schon wieder ein Herold des Königes Eurystheus einhergeschritten kam. Er stellte sich trotzig vor Jolaos hin und sprach in höhnendem Tone: »Du meinst wohl gar, hier einen sicheren Sitz gefunden zu haben und in eine verbündete Stadt gekommen zu sein, törichter Jolaos! Freilich, es wird auch jemandem einfallen, deine unnütze Bundesgenossenschaft mit der des mächtigen Eurystheus zu vertauschen! Darum fort von hier mit allen deinen Sippen gen Argos, wo euer nach Urteil und Recht die Steinigung wartet!« Jolaos antwortete ihm getrost: »Das sei ferne! Weiß ich doch, dass dieser Altar eine Stätte ist, die mich nicht nur vor dir, dem Unmächtigen, sondern selbst vor den Heerscharen deines Herrn schützen wird, und dass es das Land der Freiheit ist, in welches wir uns gerettet haben.« – »So wisse«, entgegnete ihm Kopreus – so hieß der Herold –, »dass ich nicht allein komme, sondern hinter mir eine genügende Macht, welche deine Schützlinge bald von dieser vermeintlichen Freistätte hinwegreißen wird!«

Bei diesen Worten erhoben die Herakliden einen Klageruf, und Jolaos wandte sich mit lauter Stimme an die Bewohner Athens: »Ihr frommen Bürger«, rief er, »duldet es nicht, dass die Schützlinge eures Zeus mit Gewalt fortgeführt werden, dass der Kranz, den wir als Flehende auf dem Haupte tragen, besudelt wird, dass die Götter Entehrung und eure ganze Stadt Schmach treffe.« Auf diesen durchdringenden Hilferuf strömten die Athener von allen Seiten auf den Markt herbei und sahen nun erst die Schar der Flüchtlinge um den Altar sitzen. »Wer ist der ehrwürdige Greis? Wer sind die schönen lockigen Jünglinge?«, so tönte es von hundert Lippen zugleich. Als sie vernahmen, dass es Herakles' Söhne seien, die den Schutz der Athener anflehten, ergriff die Bürger nicht nur Mitleid, sondern auch Ehrfurcht, und sie befahlen dem Herolde, der bereit schien, Hand an einen der Flüchtlinge zu legen, sich von dem Altare zu entfernen und sein Begehren bescheidentlich dem Könige des Landes vorzutragen. »Wer ist der König dieses Landes?«, fragte Kopreus, durch die entschiedene Willensäußerung der Bürger eingeschüchtert. »Es ist ein Mann«, war die Antwort, »dessen Schiedsrichterspruche du dich gar wohl unterwerfen darfst. Demophoon, der Sohn des unsterblichen Theseus, ist unser König.«

Demophoon

Es dauerte nicht lange, so hatte den König in seiner Burg die Kunde erreicht, dass der Markt von Flüchtlingen besetzt und fremde Heeresmacht mit einem Herolde erschienen sei, sie zurückzufordern. Er selbst begab sich auf den Platz und vernahm aus dem Munde des Heroldes das Begehren des Eurystheus. »Ich bin ein Argiver«, sprach zu ihm Kopreus, »und Argiver sind es, die ich wegführen will, über die mein Herr Gewalt hat. Du wirst nicht so sinnverlassen sein, o Sohn des Theseus, dass du, allein von ganz Griechenland, dich des ratlosen Unglückes dieser Flüchtlinge erbarmest und zu einem Kampf um dieselben mit der Kriegsmacht des Eurystheus und der mächtigen Bundesgenossenschaft dieses Fürsten dich entschließest!«

Demophoon war ein weiser und besonnener Mann. »Wie sollte ich«, sprach er auf die heftige Rede des Herolds, »die Sache richtig ansehen und den Streit entscheiden können, ehe ich beide Parteien angehört habe? Darum sprich du, Führer dieser Jünglinge, was hast du für dein Recht zu sagen?« Jolaos, an den diese Worte gerichtet waren, erhob sich von den Stufen des Altares, neigte sich ehrerbietig vor dem Könige und hub an: »König, nun erfahre ich zum ersten Male, dass ich in einer freien Stadt bin: denn hier gilt reden lassen und anhören; anderswo aber bin ich mit meinen Schützlingen verstoßen worden, ohne dass mir Aufmerksamkeit geschenkt worden wäre. Nun höre mich. Eurystheus hat uns aus Argos vertrieben; keine Stunde hätten wir länger in seinem Lande verweilen dürfen. Wie kann er uns nun noch Untertanen heißen, noch auf Argiver, auf mich und diese, Anspruch machen, die er aller Untertanenrechte und dieses Namens selbst beraubt hat? Es müsste denn derjenige, der aus Argos geflohen ist, auch ganz Griechenland meiden müssen! Nein, wenigstens Athen nicht! Die Einwohner dieser heldenmütigen Stadt werden die Söhne des Herakles nicht aus ihrem Lande jagen. Ihr König wird die Schutzflehenden nicht vom Altare der Götter reißen lassen. Seid getrost, meine Kinder; wir sind im Lande der Freiheit, ja noch mehr, wir sind bei Verwandten angekommen. Denn wisse, König dieses Landes, dass du keine Fremdlinge beherbergest. Dein Vater Theseus und Herakles, der Vater dieser verfolgten Söhne, waren beide Urenkel des Pelops. Noch mehr, sie beide waren Waffenbrüder; ja

der Vater dieser Kinder hat deinen Vater aus der Unterwelt erlöst.« Als Jolaos so gesprochen umfasste er die Knie des Königs, ergriff seine Hand und sein Kinn und betrug sich in allem, wie im Altertum ein Schutzflehender sich zu gebärden pflegte. Der König aber hub ihn von dem Boden auf und sprach: »Dreifache Nötigung drängt mich, deine Bitte nicht abzuweisen, o Held. Zuerst Zeus und dieser heilige Altar; dann die Verwandtschaft und endlich die Wohltaten, die ich vom Vater her dem Herakles schulde. Lasse ich euch vom Altare hinwegreißen, so wäre dies Land nicht mehr das Land der Freiheit, der Götterfurcht und der Tugend! Darum, o Herold, kehre nach Mykene zurück und melde solches deinem Herrscher. Nimmermehr wirst du diese mit dir führen!« – »Ich gehe«, sprach Kopreus und erhob drohend seinen Heroldsstab, »aber ich komme wieder mit argivischer Heeresmacht. Zehntausend Schildträger harren auf den Wink meines Königs; er selbst wird ihr Führer sein. Wisse, sein Heer ist schon an deiner Grenze gelagert.« – »Gehe zum Hades«, sprach Demophoon verächtlich, »ich fürchte dich und dein Argos nicht!«
Der Herold entfernte sich, und jetzt sprangen die Söhne des Herakles, eine ganze Schar blühender Jünglinge und Knaben, freudig vom Altare auf und bewillkommten mit Gruß und Handschlag ihren Blutsverwandten, den König der Athener, in welchem sie ihren großmütigen Retter sahen. Jolaos führte abermals das Wort für sie und dankte dem trefflichen Manne und den Bürgern der Stadt mit Worten voll Rührung: »Wenn uns je wieder Heimkehr beschert ist«, sprach er, »und wenn ihr Kinder Haus und Würden eures Vaters Herakles wieder in Besitz nehmt, so vergesset diese eure Retter und Freunde nie, und nimmer lasst euch einfallen, diese gastliche Stadt mit Krieg zu überziehen, sondern erblickt vielmehr stets in ihr die liebste Freundin und treueste Bundesgenossin!«
Der König Demophoon traf nun alle Anstalten, das Heer seines neuen Feindes gerüstet zu empfangen; er versammelte die Seher und verordnete feierliche Opfer. Dem Jolaos und seinen Schützlingen wollte er Wohnungen im Palaste anweisen. Aber dieser erklärte, den Altar des Zeus nicht verlassen und mit allen den Seinigen unter Gebeten für das Heil der Stadt hier verharren zu wollen. »Erst wenn der Sieg mit der Götter Hilfe errungen ist«, sprach er, »wollen wir unsre müden Leiber unter dem Dache der Gastfreunde bergen.« – Inzwischen bestieg der König

den höchsten Turm seiner Burg und beobachtete das heranziehende Heer der Feinde; dann sammelte er die Streitmacht der Athener, traf alle kriegerischen Anordnungen, beratschlagte mit den Sehern und war bereit, die feierlichen Opfer darzubringen. Am Altare des Zeus war indes Jolaos und seine Schar in flehenden Gebeten begriffen, als Demophoon mit schnellen Schritten und verstörtem Gesichte auf sie zugegangen kam. »Was ist zu tun, ihr Freunde?«, rief er ihnen sorgenvoll entgegen. »Wohl ist mein Heer gerüstet, die nahenden Argiver zu empfangen, aber der Ausspruch aller meiner Seher knüpft den Sieg an eine Bedingung, die nicht zu erfüllen ist. Das Lied der Orakel, sagen sie, lautet so: ›Ihr sollt kein Kalb oder keinen Stier schlachten, sondern eine Jungfrau, die vom edelsten Geschlechte ist; nur dann dürft ihr, nur dann darf diese Stadt auf Sieg oder Rettung hoffen!‹ Wie soll nun aber solches geschehen? Ich selbst habe blühende Töchter in meinem Königshause; aber wer darf dem Vater zumuten, ein solches Opfer zu bringen? Und welcher andere der edelsten Bürger, der eine Tochter hat, wird sie mir ausliefern, wenn ich es auch wagen wollte, sie ihm abzuverlangen? So würde mir, während ich den auswärtigen Krieg zu beendigen bedacht bin, in der Stadt selbst der Bürgerkrieg erwachen!« Mit Schrecken hörten die Söhne des Herakles die angstvollen Zweifel ihres Beschützers. »Weh uns«, rief Jolaos, »die wir Schiffbrüchigen gleichen, die schon den Strand erreicht haben und vom Sturme wieder in die hohe See hinausgeschleudert werden! Eitle Hoffnung, warum hast du uns in deine Träume eingewiegt? Wir sind verloren, Kinder, nun wird er uns ausliefern, und können wir's ihm verdenken?« Doch auf einmal blitzte ein Strahl der Hoffnung in dem Auge des Greisen. »Weißt du, was mir der Geist eingibt, König, was uns alle retten wird? Hilf mir dazu, dass es geschieht! Liefere mich dem Eurystheus aus anstatt dieser Söhne des Herakles! Gewiss würde jener am liebsten mir, dem steten Begleiter des großen Helden, einen schmählichen Tod antun. Ich aber bin ein alter Mann; gern opfere ich meine Seele für diese Jünglinge!« – »Dein Anerbieten ist edel«, erwiderte Demophoon traurig, »aber es kann uns nichts helfen. Meinst du, Eurystheus werde sich mit dem Tode eines Greisen zufrieden stellen? Nein, das Geschlecht des Herakles selbst, das junge, blühende, will er ausrotten. Weißt du einen andern Rat, so sage mir ihn; dieser aber ist vergeblich.«

Makaria

Jetzt entstand ein großes Wehklagen nicht nur unter den Herakliden, sondern auch unter den Bürgern Athens, dass das laute Jammergeschrei empordrang bis zur Königsburg. Dort waren bald nach dem Einzuge der Flüchtlinge die greise Mutter des Herakles, Alkmene, von Alter und Leid gebeugt, und seine blühende Tochter Makaria, die ihm Deïanira geboren hatte, vor den Blicken der Neugierigen von Demophoon geborgen worden und lebten in stiller Erwartung dessen, was da kommen sollte. Alkmene, hochbejahrt und in sich gekehrt, vernahm von dem, was draußen vorging, nichts. Ihre Enkelin aber horchte auf die Jammerlaute, die aus der Tiefe emporstiegen. Es ergriff sie eine Angst um das Schicksal ihrer Brüder, und sie eilte, nicht bedenkend, dass sie allein und eine in tiefer Zurückgezogenheit aufgewachsene Jungfrau sei, in das Gewühl des Marktes hinunter. Die versammelten Bürger mit ihrem Könige und nicht weniger Jolaos mit seinen Schützlingen erstaunten, als sie die Jungfrau in ihre Mitte treten sahen. Diese hatte sich eine Weile unter dem Haufen verborgen gehalten und auf diese Weise erlauscht, in welcher Not sich Athen und die Herakliden befanden und welch ein verhängnisvoller Orakelspruch einem glücklichen Erfolge jeden Ausweg zu versperren schien. Mit festen Schritten trat sie daher vor den König Demophoon und sprach: »Ihr suchet ein Opfer, das euch den glücklichen Ausgang des Krieges verbürge und durch dessen Tod meine armen Brüder vor der Wut des Tyrannen geschützt werden mögen: eine reine Jungfrau aus edlem Stamme sollt ihr darbringen. Habt ihr denn gar nicht daran gedacht, dass die jungfräuliche Tochter des adeligsten Sterblichen, des Herakles, in eurer Mitte weilt? Ja, ich selbst biete mich als Opfer an, das den Göttern umso willkommener sein muss, da es freiwillig ist. Wenn diese Stadt edelmütig genug für Herakles' Nachkommen einen gefahrvollen Krieg unternimmt und ihre Söhne zu Hunderten opfern wird, wie sollte sich unter seiner Nachkommenschaft nicht auch ein Leben finden, das bereit ist, so trefflichen Männern durch seine Opferung den Sieg zu sichern? Wir wären nicht wert, beschirmt und gerettet zu werden, wenn keines unter uns so dächte! Darum führet mich immerhin an den Ort, wo mein Leib geopfert werden soll, bekränzet mich, wie man ein Opfertier bekränzt, zücket den Stahl, meine Seele wird willig entfliehen!« – Jolaos

und alle Umstehenden schwiegen lange, nachdem das heldenmütige Mädchen ihre feurige Anrede längst geendet hatte. Endlich sprach der Führer der Herakliden: »Jungfrau, du hast deines Vaters würdig gesprochen; ich schäme mich deiner Worte nicht, obwohl ich dein Geschick beweine. Mir aber deuchte billig, dass alle Töchter deines Stammes zusammenkämen und das Los entschiede, welche für ihre Brüder sterben soll!« – »Ich möchte nicht durch das Los sterben«, antwortete Makaria freudig; »aber zögert nicht lange, dass nicht der Feind euch überfalle und der Orakelspruch vergebens euch verliehen sei. Heißet die Frauen des Landes mit mir gehen, dass ich nicht vor Männeraugen sterbe.«
So ging die hochgesinnte Jungfrau, von den edelsten Frauen Athens begleitet, freiwilligem Tode entgegen.

Die Rettungsschlacht

Bewunderungsvoll blickten der scheidenden Jungfrau König und Bürger Athens, voll Wehmut und Schmerz die Herakliden und Jolaos nach. Aber das Schicksal erlaubte beiden Teilen nicht, ihren Gedanken und Empfindungen nachzuhängen. Denn kaum war Makaria verschwunden, als ein Bote mit freudiger Miene und lautem Rufe dem Altare zugerannt kam. »Seid gegrüßt, ihr lieben Söhne!«, rief er. »Sagt mir, wo ist der Greis Jolaos? Ich habe ihm Freudenbotschaft zu bringen!« Jolaos erhob sich vom Altare, aber er konnte den tiefen Schmerz nicht mit einem Male aus den Zügen verbannen, so dass der Bote selbst ihn vor allen Dingen nach der Ursache seiner Traurigkeit fragen musste. »Ein häuslicher Kummer bedrückt mich«, erwiderte der alte Held, »forsche nicht weiter, sage mir lieber, was dein fröhlicher Blick Gutes bringt!« – »Kennst du mich denn nicht mehr«, sprach jener, »den alten Diener des Hyllos, der ein Sohn ist des Herakles und der Deïanira? Du weißt, dass mein Herr sich auf der Flucht von euch getrennt hat, um Bundesgenossen zu werben. Nun ist er zur guten Stunde mit einem mächtigen Heere gekommen und steht dem Könige Eurystheus gerade gegenüber gelagert.« Eine freudige Bewegung durchlief die Schar der Flüchtlinge, die den Altar umringt hielten, und teilte sich auch den Bürgern mit. Die greise Alkmene selbst lockte diese frohe Botschaft aus den Frauengemächern des Palastes hervor, und der alte Jolaos, auf keine Widerrede achtend, ließ sich Streitwaffen bringen und schnallte sich den Harnisch an den Leib. Er empfahl die Obhut über die Kinder seines Freundes und ihre Großmutter den Ältesten Athens, die in der Stadt zurückblieben. Mit der jungen Mannschaft und ihrem Könige Demophoon zog er selbst aus, sich mit dem Heere des Hyllos zu vereinigen. Als nun die verbündete Schar in schöner Schlachtordnung stand und das Feld weithin von blanken Waffenrüstungen glänzte, gegenüber aber auf einen Steinwurf das gewaltige Heer des Königs Eurystheus, er selbst an der Spitze, seine unabsehbaren Reihen dehnte – da stieg Hyllos, der Sohn des Herakles, von seinem Streitwagen, stellte sich mitten in die Gasse, welche die feindlichen Heere noch frei gelassen hatten, und rief dem gegenüberstehenden Argiverkönige zu: »Fürst Eurystheus! Ehe nutzloses Blutvergießen seinen Anfang nimmt und zwei große Städte sich um weniger Menschen willen bekämpfen und mit Vernichtung bedrohen, höre meinen Vorschlag! Lass uns beide durch redlichen Zweikampf den Streit entscheiden: falle ich von deiner Hand, so magst du die Kinder des Herakles, meine Geschwister, mit dir führen und handeln mit ihnen, wie dir gefällt; wird mir aber gegeben, dich zu fällen, so soll die väterliche Würde und seine Wohnung und Herrschaft im Peloponnes mir und den Seinigen allen gesichert sein!« Das Heer der Verbündeten gab durch lauten Zuruf seinen Beifall zu erkennen, und auch die Scharen der Argiven murrten zustimmend herüber. Nur der arge Eurystheus, wie er schon vor Herakles seine Feigheit bewiesen hatte, schonte auch jetzt seines Lebens, wollte von dem Vorschlage nichts hören und verließ die Schlachtreihe, an deren Spitze er stand, nicht. Auch Hyllos trat jetzt wieder zu seinem Heere zurück, die Seher opferten, und bald ertönte der Schlachtruf. »Mitbürger«, rief Demophoon den Seinigen zu, »bedenkt, dass ihr für Haus und Herd, für die Stadt, die euch geboren und ernähret hat, kämpft!« Auf der andern Seite beschwor Eurystheus die Seinigen, Argos und Mykene keinen Schimpf anzutun und dem Rufe dieses mächtigen Staates Ehre zu machen. Jetzt ertönten die tyrrhenischen Trompeten, Schild klang an Schild; Geräusch der Wagen, Stoß der Speere, Klirren der Schwerter erscholl und dazwischen der Wehruf der Gefallenen. Einen Augenblick wichen die Verbündeten der Herakliden vor dem Stoße der argivischen Lanzen, die ihre Reihen zu durchbrechen drohten; doch bald wehrten sie die Feinde ab und rückten selbst vor: nun entstand erst das rechte Handgemenge, das den Kampf lange unentschieden ließ. Endlich wankte die Schlachtordnung der Argiver, ihre Schwerbewaffneten und ihre Streitwagen wandten sich zur Flucht. Da kam auch den alten Jolaos die Lust an, seine Greisenjahre noch durch eine Tat zu verherrlichen, und als eben Hyllos auf seinem Streitwagen an ihm vorbeirannte, um dem fliehenden Feindesheer in den Nacken zu kommen, streckte er die Rechte zu ihm empor und bat ihn, dass Hyllos ihn an seiner statt den Wagen möge besteigen lassen. Dieser wich ehrerbietig dem Freunde seines Vaters und dem Beschützer seiner Brüder, er stieg vom Wagen, und für ihn schwang sich der alte Jolaos in den Sitz. Es wurde ihm nicht leicht, mit seinen Greisenhänden das Viergespann zu bewältigen, doch trieb er es vorwärts und war an das Heiligtum der pallenischen Athene gekommen, als er den fliehenden Wagen des Eurystheus in der Ferne dahinstäuben sah. Da erhub er sich in seinem Wagen und flehte zu Zeus und Hebe, der Göttin der Jugend, der unsterblichen Gemahlin seines in den Olymp versetzten Freundes Herakles, ihm nur für diesen Tag der Schlacht wieder Jünglingskraft zu verleihen, damit er sich an dem Feinde des Herakles rächen könne. Da war ein großes Wunder zu schauen: zwei Sterne senkten sich vom Himmel hernieder und setzten sich auf das Joch der Rosse, zugleich hüllte sich der ganze Wagen in eine dichte Nebelwolke; dies dauerte nur wenige Augenblicke, so waren Sterne und Nebel wieder verschwunden, in dem Wagen aber stand Jolaos verjüngt, mit braunen Locken, aufrechtem Nacken, nervigen Jünglingsarmen, in jugendfester Hand die Zügel des Viergespanns haltend. So stürmte er dahin und erreichte den Eurystheus, als er schon die skyronischen Felsen im Rücken hatte, beim Eingang in ein Tal, durch welches der Argiver flüchten wollte. Eurystheus erkannte seinen Verfolger nicht und wehrte sich von seinem Wagen herab; aber die dem Jolaos von den Göttern verliehene Jünglingsstärke siegte, er zwang seinen alten Gegner vom Wagen herunter, band ihn auf seinem eigenen fest und führte ihn so als den Erstling des Sieges dem verbündeten Heer zu. Jetzt war die Schlacht ganz gewonnen, das führerlose Heer der Argiver stürzte in wilder Flucht davon; alle Söhne des Eurystheus und unzählige Streiter wurden erschlagen, und bald war kein Feind auf attischem Boden mehr zu sehen.

Eurystheus vor Alkmene

Das Heer der Sieger war in Athen eingezogen, und Jolaos, der jetzt wieder in seiner vorigen Greisengestalt erschien, stand mit dem gedemütigten Verfolger des Heldengeschlechts, dem Hände und Füße gefesselt waren, vor der Mutter des Herakles. »Kommst du endlich, Verhasster!«, rief ihm die Greisin zu, als er vor ihren Augen stand. »Hat dich nach so langer Zeit die strafende Gerechtigkeit der Götter erreicht? Senke dein Angesicht nicht so zur Erde, sondern blicke deinen Gegnern ins Auge. Du also bist es, der meinen Sohn so viele Jahre hindurch mit Arbeit und Schmach überhäuft, ihn ausgesandt hat, giftige Schlangen und grimmige Löwen zu erwürgen, damit er im verderblichen Kampf erliege, ihn hinuntergejagt in das finstere Reich des Hades, damit er dort der Unterwelt verfiele? Und nun treibst du mich, seine Mutter, und diese Schar seiner Kinder, so viel an dir ist, aus ganz Griechenland fort und wolltest sie von den beschirmenden Altären der Götter hinwegreißen? Aber du bist auf Männer und eine freie Stadt gestoßen, die dich nicht gefürchtet haben. Jetzt ist's an dir, zu sterben, und du darfst dich glücklich preisen, wenn du nur sterben musst. Denn da du mannigfachen Frevel verübt hast, so hättest du auch verdient, durch mancherlei Qual einen vielfachen Tod zu erleiden!« Eurystheus wollte dem Weibe gegenüber keine Furcht zeigen; er raffte sich zusammen und sprach mit erzwungener Kaltblütigkeit: »Du sollst kein Wort aus meinem Munde hören, das einem Flehen gliche; ich weigere mich nicht zu sterben. Nur so viel sei mir vergönnt, zu meiner Rechtfertigung zu sagen, dass nicht ich es gewesen bin, der freiwillig dem Herakles als Widersacher entgegengetreten. Hera, die Göttin, war es, die mir auftrug, diesen Kampf zu bestehen. Alles, was ich getan habe, ist in ihrem Auftrage geschehen. Da ich mir nun aber einmal wider Willen den mächtigen Mann und Halbgott zum Feinde gemacht, wie hätte ich nicht darauf bedacht sein sollen, alles aufzubieten, was mich vor seinem Zorne sicherstellen konnte? Wie hätte ich nicht nach seinem Tode sein Geschlecht verfolgen sollen, aus welchem lauter Feinde und Rächer ihres Vaters mir entgegenwuchsen? Tue nur mit mir, was du willst; ich verlange nicht nach dem Tode; aber es schmerzt mich auch nicht, wenn ich das Leben verlassen soll.« So sprach Eurystheus und schien mit Ruhe sein Schicksal zu erwarten. Hyllos selbst sprach für seinen Gefangenen, und die Bürger Athens riefen auch die milde Sitte ihrer Stadt an, die den überwundenen Verbrecher zu begnadigen pflegte. Aber Alkmene blieb unerbittlich; sie gedachte aller Leiden, die ihr unsterblicher Sohn auf Erden zu dulden hatte, solange er ein Knecht des grausamen Königs war; ihr schwebte der Tod der geliebten Enkelin vor Augen, die sie hierher begleitet und freiwillig in den Tod gegangen war, um dem mit überwältigender Heeresmacht drohenden Eurystheus den Sieg zu entreißen; sie malte sich mit grausen Farben aus, welch Schicksal ihr selbst und allen ihren Enkeln zuteil geworden wäre, wenn Eurystheus als Sieger und nicht als Gefangener ietzt vor ihr stände: »Nein, er soll sterben«, rief sie, »kein Sterblicher soll diesen Verbrecher mir entreißen!« Da kehrte sich Eurystheus zu den Athenern und sprach: »Euch, ihr Männer, die ihr gütig für mich gebeten habt, soll mein Tod keinen Unsegen bringen. Wenn ihr mich eines ehrlichen Begräbnisses würdiget und mich bestattet, wo das Verhängnis mich ereilt hat, am Tempel der pallenischen Athene, so werde ich als ein heilbringender Gast die Grenze eures Landes bewachen, dass kein Heer sie jemals überschreiten soll. Denn wisset, dass die Nachkommen dieser Jünglinge und Kinder, die ihr hier beschützet, euch einst mit Heeresmacht überfallen und euch die Wohltat schlecht lohnen werden, die ihr ihren Vätern erzeigt habt. Alsdann werde ich, der geschworene Feind des heraklischen Geschlechtes, euer Retter sein.« Mit diesen Worten ging er unerschrocken zum Tode und starb besser, als er gelebt hatte.

Hyllos, sein Orakel und seine Nachkommen

Die Herakliden gelobten ihrem Beschirmer Demophoon ewige Dankbarkeit und verließen Athen unter der Anführung ihres Bruders Hyllos und ihres väterlichen Freundes Jolaos. Sie fanden jetzt allenthalben Mitstreiter und zogen in ihr väterliches Erbe, den Peloponnes, ein. Ein ganzes Jahr lang kämpften sie hier von Stadt zu Stadt, bis sie außer Argos alles unterworfen hatten. Während dieser Zeit wütete auf der ganzen Halbinsel eine grausame Pest, welche kein Ende nehmen wollte. Endlich erfuhren die Herakliden durch einen Göttersprüch, dass sie selbst schuld an diesem Unglück seien, weil sie zurückgekehrt, bevor sie dazu berechtigt gewesen. Deswegen verließen sie den schon eingenommenen Peloponnes, kamen wieder ins attische Gebiet und wohnten dort auf den Feldern von Marathon. Hyllos hatte inzwischen, nach dem Willen seines sterbenden Vaters, die schöne Jungfrau Jole, um welche einst Herakles selbst sich beworben hatte, geheiratet und sann unaufhörlich auf Mittel, in den Besitz des angestammten Vatererbes zu kommen. Er wandte sich daher abermals an das Orakel zu Delphi, und dieses gab ihm zur Antwort: »Erwartet ihr die dritte Frucht, so wird euch die Rückkehr gelingen.« Hyllos deutete dieses, wie es am natürlichsten schien, von den Feldfrüchten des dritten Jahres, wartete geduldig den dritten Sommer ab und fiel dann aufs Neue mit Heeresmacht in den Peloponnes ein.

Zu Mykene war nach dem Tode des Eurystheus der Enkel des Tantalos und Sohn des Pelops, Atreus, König geworden; dieser schloss bei der feindlichen Annäherung der Herakliden einen Bund mit den Einwohnern der Stadt Tegea und anderer Nachbarstädte und zog den Heranrückenden entgegen. An der Landenge von Korinth standen beide Heere einander gegenüber. Aber Hyllos, der immer gerne Griechenland schonte, war hier wieder der Erste, der den Streit durch einen Zweikampf zu schlichten bemüht war. Er forderte einen der Feinde, wer da wolle, zum Streite heraus und stellte, auf seine vom Orakel gebilligte Unternehmung vertrauend, die Bedingung, wenn er, Hyllos, seinen Gegner besiege, so sollten die Herakliden das alte Reich des Eurystheus ohne Schwertstreich einnehmen; würde dagegen er überwunden, so sollten die Nachkommen des Herakles fünfzig Jahre lang den Peloponnes nicht mehr betreten dürfen. Als diese Aufforderung im feindlichen Heere ruchbar wurde, erhob sich Echemos, der König von Tegea, ein kecker Kämpfer in den besten Mannesjahren, und nahm die Herausforderung an. Beide kämpften mit seltener Tapferkeit; zuletzt aber unterlag Hyllos, und ein finsteres Sinnen über die Zweideutigkeit des Orakelspruchs, den er erhalten hatte, umschwebte die Stirnfalten des Sterbenden. Dem Vertrage gemäß standen jetzt die Herakliden von ihrem Unternehmen ab, kehrten nach dem Isthmos um und wohnten nun wieder in der Gegend von Marathon. Die fünfzig Jahre gingen vorüber, ohne dass die Kinder des Herakles daran dachten, dem Vertrage zuwider ihr Erbland aufs Neue zu erobern. Inzwischen war Kleodäos, der Sohn des Hyllos und der Jole, ein Mann von mehr als fünfzig Jahren geworden. Da nun der Vergleich abgelaufen und ihm die Hände nicht mehr gebunden waren, machte er sich mit andern Enkeln des Herakles gegen den Peloponnes auf, als der Trojanische Krieg schon dreißig Jahre vorüber war. Aber auch er war nicht glücklicher als sein Vater und kam mit seinem ganzen Heer auf diesem Feldzuge um. Zwanzig Jahre später machte sein Sohn Aristomachos, der Enkel des Hyllos und Urenkel des Herakles, einen zweiten Versuch. Dies geschah, als Tisamenos, ein Sohn des Orestes, über die Peloponnesier herrschte. Auch den Aristomachos führte das Orakel durch einen zweideutigen Rat irre. »Die Götter«, sprach es, »verleihen dir den Sieg durch den Pfad des Engpasses.« Er brach über den Isthmos ein, wurde zurückgeschlagen und ließ wie sein Vater und Großvater sein Leben.

Neue dreißig Jahre gingen vorüber, und Troja lag schon achtzig Jahre in Asche. Da unternahmen die Söhne des Aristomachos, des Kleodäos Enkel, mit Namen Temenos, Kresphontes und Aristodemos, den letzten Zug. Trotz aller Zweideutigkeit der Orakelsprüche hatten sie den Glauben an die Götter nicht verloren, zogen nach Delphi und befragten die Priesterin. Die Sprüche aber lauteten von Wort zu Wort, wie sie ihren Vätern erteilt worden waren. »Wenn die dritte Frucht abgewartet worden, so wird die Rückkehr gelingen.« Und wiederum: »Die Götter verleihen den Sieg durch den Pfad des Engpasses.« Klagend sprach da der älteste der Brüder, Temenos: »Diesen Aussprüchen sind mein Vater, Großvater und Urgroßvater gefolgt, und es ist zu ihrer aller Verderben gewesen!« Da erbarmte sich ihrer der Gott und schloss durch seine Priesterin ihnen den wahren Sinn des Orakels auf: »An allen ihren Unglücksfällen«, sprach sie, »sind eure Väter selbst schuldig gewesen, weil sie der Götter weise Sprüche nicht zu deuten wussten! Diese nämlich meinen nicht die dritte Frucht der Erde, die erwartet werden müsse, sondern die dritte Frucht des Geschlechtes: die erste war Kleodäos, die zweite Aristomachos; die dritte Frucht, der der Sieg prophezeit ist, das seid ihr. Wiederum unter dem Engpasse, der zum Siege führen soll, ist nicht, wie euer Vater fälschlich deutete, der Isthmos verstanden, sondern jener weitere Schlund, nämlich das dem Isthmos zur Rechten liegende Meer. Jetzt wisset ihr den Sinn der Orakelsprüche. Was ihr tun wollet, das tut mit der Götter Glück!«

Als Temenos solche Auslegung vernahm, fiel es ihm wie Schuppen von den Augen; er rüstete mit seinen Brüdern eilig ein Heer aus und baute Schiffe zu Lokri, an dem Orte, der von dieser Ausrüstung den Namen Naupaktos, das heißt Schiffswerft, bekam. Aber auch dieser Zug sollte den Nachkommen des Herakles nicht leicht werden und sie viel Kummer und Tränen kosten. Als das Heer versammelt war, traf den jüngsten der Brüder, Aristodemos, der Blitzstrahl und machte seine Gattin Argia, die Urenkelin des Polyneikes, zur Witwe und seine Zwillingssöhne, Eurysthenes und Prokles, zu Waisen. Als sie den Bruder bestattet und beweint hatten und nun das Schiffsheer von Naupaktos aufbrechen wollte, fand sich ein Seher bei ihnen ein, der von den Göttern begeistert war und Orakelsprüche erteilte. Sie aber hielten denselben für einen Zauberer und Kundschafter, der von den Peloponnesiern zum Verderben ihres Heeres abgesandt sei. Schon lange waren sie ihm daher aufsässig, bis Hippotes, der Sohn des Phylas, ein Urenkel des Herakles, nach dem Seher einen Wurfspieß warf, der ihn traf und auf der Stelle tötete. Darüber zürnten die Götter den Herakliden: die Seemacht wurde vom Sturm überfallen und ging zu Grunde: die Landtruppen wurden von einer Hungersnot gepeinigt, und so löste sich allmählich das ganze Heer auf. Temenos befragte auch über dieses Unglück das Orakel. »Um des Sehers willen, den ihr getötet habt«, eröffnete ihm der Gott, »hat euch Unheil getroffen. Den Mörder sollt ihr auf zehn Jahre des Landes verweisen und dem Dreiäugigen den Heerbefehl übertragen.« Der erste Teil des Orakels war bald erfüllt: Hippotes wurde aus dem Heere gestoßen und musste in die Verbannung gehen. Aber der zweite Teil brachte die armen Herakliden zur Verzweiflung. Denn wie und wo sollten sie einem Menschen mit drei Augen begegnen? Indessen forschten sie unermüdlich und im Vertrauen auf die Götter nach einem solchen. Da stießen sie auf Oxylos, Sohn des Hämon und Nachkommen des Öneus, aus ätolischem Königsgeschlechte. Dieser hatte zu der Zeit, da die Herakliden in den Peloponnes eingedrungen waren, einen Totschlag begangen, der ihn aus seinem Vaterlande Ätolien nach dem Ländchen Elis im Peloponnese zu flüchten nötigte. Jetzt war er nach Jahresfrist im Begriffe, von da in seine Heimat zurückzukehren, und begegnete auf seinem Maultiere den Herakliden. Er war aber einäugig, denn das andere Auge hatte er sich in der Jugend mit einem Pfeile ausgestoßen. So musste das Maultier ihm sehen helfen, und sie hatten zusammen der Augen drei. Die Herakliden fanden auch dieses seltsame Orakel erfüllt, wählten den Oxylos zum Heerführer, und als auf diese Weise die Bedingung des Geschickes erfüllt war, griffen sie mit frisch geworbenen Truppen und neu gezimmerten Schiffen die Feinde an und töteten deren Anführer Tisamenos.

Die Herakliden teilen den Peloponnes

Nachdem die Herakliden auf solche Weise den ganzen Peloponnes erobert hatten, errichteten sie dem Zeus, ihrem väterlichen Ahnherrn, drei Altäre, worauf sie opferten; dann begannen sie die Städte durchs Los zu verteilen. Das erste Los war Argos, das zweite Lakedämon, das dritte Messene. Sie wurden einig darüber, dass in einer Urne voll Wassers gelost werden sollte. Nun ward beschlossen, dass jeder ein Los hineinwerfen sollte, das mit seinem Namen bezeichnet war. Da warfen Temenos und die Söhne des Aristodemos, die Zwillinge Eurysthenes und Prokles, bezeichnete Steine hinein, der schlaue Kresphontes aber, der am liebsten Messene gewonnen hätte, warf eine Erdscholle in das Wasser. Diese löste sich auf. Nun wurde zuerst über Argos gelost, und der Stein des Temenos kam zum Vorschein; dann über Lakedämon: da kam der Stein der Aristodemossöhne. Nach dem dritten fand man überflüssig zu suchen, und so bekam Kresphontes Messene. Als sie hierauf mit ihren Begleitern den Göttern auf ihren Altären opferten, da wurden ihnen seltsame Zeichen zuteil, denn jeder fand auf seinem Altare ein anderes Tier. Diejenigen, welche Argos durchs Los erhalten hatten, fanden darauf eine Kröte; die, denen Lakedämon zuteil geworden war, einen Drachen; die endlich, die Messene bekommen hatten, einen Fuchs. Nachdenklich über diese Zeichen geworden, befragten sie die einheimischen Wahrsager. Diese deuteten die Sache also: »Welche die Kröte erhalten haben, werden am besten tun, in ihrer Stadt daheim zu bleiben, denn das Tier hat keinen Schutz auf der Wanderung; die, denen sich der Drache auf dem Altar gelagert, werden gewaltige Angreifer werden und mögen sich immerhin über die Grenze ihres Landes hinauswagen; die endlich, denen der Fuchs auf ihren Altar gelegt worden, sollen es weder mit der Einfalt halten noch mit der Gewalt: ihre Schutzwehr soll die List sein.«

Diese Tiere wurden in der Folge die Schildwappen der Argiver, Spartaner und Messenier. Nun bedachten sie auch ihren einäugigen Führer Oxylos und gaben ihm das Königreich Elis zum Lohne seiner Feldherrnschaft. Vom ganzen Peloponnese aber blieb allein das bergige Hirtenland Arkadien unbesiegt durch die Herakliden. Von den drei Reichen, die sie auf dieser Halbinsel begründeten, hatte nur Sparta eine längere Dauer. Zu Argos hatte Temenos dem Deïphontes, auch einem Urenkel des Herakles, seine Tochter Hyrnetho, die er unter allen seinen Kindern am meisten liebte, zur Ehe gegeben und zog ihn in allem zu Rate, so dass man vermutete, dass er ihm und seiner Tochter auch die Regierung zuwenden wolle. Darüber ergrimmten seine eigenen Söhne, verschworen sich gegen ihn und erschlugen ihren Vater. Die Argiver erkannten zwar den ältesten Sohn als König; weil sie aber Freiheit und Gleichheit vor allem liebten, so beschränkten sie die Königsgewalt so sehr, dass ihm und seinen Nachkommen nichts übrig blieb als der Königstitel.

Merope und Äpytos

Kein besseres Los als seinen Bruder Temenos traf den König von Messene, Kresphontes. Dieser hatte die Tochter des Königs Kypselos von Arkadien, Merope, geheiratet, die ihrem Gemahl viele Kinder gebar, unter welchen Äpytos das jüngste war. Für seine vielen Söhne und sich selbst erbaute er im Lande eine stattliche Königsburg. Er selbst war ein Freund des gemeinen Volkes und begünstigte dieses, wo er konnte, in seiner Verwaltung. Darüber empörten sich die Reichen und erschlugen ihn samt allen seinen Söhnen, bis auf den jüngsten, Äpytos. Diesen entzog die Mutter den Händen der Mörder und rettete ihn glücklich zu ihrem Vater Kypselos nach Arkadien, wo der Knabe heimlich erzogen wurde. In Messenien hatte sich indessen Polyphontes, ebenfalls ein Heraklide, des Thrones bemächtigt und die Witwe des ermordeten Königs gezwungen, ihm ihre Hand zu reichen. Da wurde es ruchbar, dass noch ein Thronerbe des Kresphontes am Leben sei, und Polyphontes, der neue Herrscher, setzte einen großen Preis auf seinen Kopf. Aber niemand war, der ihn verdienen wollte oder auch nur konnte. Denn die Sage ging nur dunkel, und man wusste nicht, wo der Geächtete zu suchen wäre.

Mittlerweile wuchs Äpytos zum Jünglinge heran, verließ heimlich den Palast seines Großvaters, und ohne dass jemand es ahnte, traf er zu Messene ein. Der Jüngling hatte von dem Preise gehört, der auf den Kopf des unglücklichen Äpytos gesetzt sei. Da fasste er sich ein Herz, kam als ein Fremdling, von niemand gekannt, selbst von der eigenen Mutter nicht, an den Hof des Königs Polyphontes, trat vor ihn und sprach in Gegenwart der Königin Merope: »Ich bin erbötig, o Herrscher, den Preis zu verdienen, den du auf das Haupt des Fürsten gesetzt hast, der als Sohn des Kresphontes deinem Throne so furchtbar ist. Ich kenne ihn so genau wie mich selber und will ihn dir in die Hände liefern.«

Die Mutter erblasste, als sie dieses hörte; schnell sandte sie nach einem alten vertrauten Diener, der schon bei der Rettung des kleinen Äpytos tätig gewesen war und jetzt aus Furcht vor dem neuen Könige fern vom Hof und der Königsburg lebte. Diesen schickte sie heimlich nach Arkadien, um ihren Sohn vor Nachstellung zu sichern, vielleicht auch ihn herbeizurufen, damit er sich an die Spitze der Bürger stelle, denen sich Polyphontes durch seine Tyrannei verhasst gemacht hatte, und den väterlichen Thron wiedererringe. Als der alte Diener nach Arkadien kam, fand er den König Kypselos und das ganze Königshaus in großer Bestürzung, denn sein Enkel Äpytos war verschwunden, und niemand wusste, was aus ihm geworden war. Trostlos eilte der alte Diener nach Messene zurück und erzählte der Königin, was geschehen. Beide hatten nun keinen andern Gedanken, als dass der Fremdling, der vor dem Könige erschienen sei, den Preis zu verdienen, gewiss den armen Äpytos in Arkadien ermordet und seinen Leichnam nach Messene gebracht habe. Sie besannen sich nicht lange, und da der Fremde, von Polyphontes in seine Königsburg aufgenommen, seine Wohnung in derselben hatte, betrat die Königin, von Rachedurst erfüllt, mit einer Axt bewaffnet und von ihrem Vertrauten, dem alten Diener, begleitet, nächtlicherweile die Kammer des Fremden, in der Absicht, den Schlummernden zu erschlagen. Der Jüngling aber schlief ruhig und sanft, und der Strahl des Mondes beleuchtete sein Antlitz. Schon hatten sich beide über sein Lager gebeugt und Merope die Mordaxt erhoben, als der Diener, der, dem Schlafenden näher stehend, sein Angesicht genauer betrachtete, plötzlich mit einem angstvollen Schrei der Überraschung den Arm der Königin erfasste. »Halt ein«, rief er, »es ist dein Sohn Äpytos, den du erschlagen willst!« Merope ließ den Arm mit der Axt sinken und warf sich über das Bett ihres Sohnes, den sie mit ihrem lauten Schluchzen erweckte. Nachdem sich beide lange in den Armen gelegen, eröffnete ihr der Sohn, dass er gekommen sei, nicht sich den Mördern in die Hände zu liefern, sondern diese zu bestrafen, sie selbst von dem verhassten Ehebund zu erlösen und mit Hilfe der Bürger, die er für sein gutes Recht zu gewinnen hoffte, den Thron des Vaters zu besteigen. Er verabredete hierauf gemeinschaftlich mit der Mutter und dem alten Diener des Hauses die Maßregeln, die zu ergreifen wären, um sich an dem verhassten und verruchten Polyphontes zu rächen. Merope legte Trauerkleider an, trat vor ihren Gatten und erzählte ihm, wie sie soeben die Trauerbotschaft von dem Tode ihres einzigen noch übrigen Sohnes erhalten habe. Fortan sei sie bereit, im Frieden mit ihrem Gatten zu leben und des vorigen Leides nicht zu gedenken. Der Tyrann ging in die Schlinge, die ihm gelegt war. Er wurde vergnügt, weil ihm die schwerste Sorge vom Herzen genommen war, und erklärte, den Göttern ein Dankopfer bringen zu wollen dafür, dass alle seine Feinde jetzt aus der Welt verschwunden seien. Als nun die ganze Bürgerschaft auf öffentlichem Markte, aber mit widerwilligem Herzen, erschienen war – denn das gemeine Volk hatte es immer mit dem liebreichen Könige Kresphontes gehalten und betrauerte auch jetzt seinen Sohn Äpytos, in welchem es die letzte Hoffnung verloren glaubte –, da überfiel Äpytos den opfernden König und stieß ihm den Stahl ins Herz. Jetzt eilte Merope mit dem Diener herbei, und beide zeigten dem Volke in dem Fremdling Äpytos den totgeglaubten rechtmäßigen Erben des Thrones. Dieses begrüßte ihn jubelnd, und noch an demselben Tage nahm der Jüngling den erledigten Thron seines Vaters Kresphontes ein und bezog, eingeführt von der Mutter, die Königsburg. Er bestrafte jetzt die Mörder seines Vaters und seiner Brüder wie die Mitanstifter des Mordes. Im Übrigen gewann er durch sein zuvorkommendes Wesen selbst die vornehmen Messenier und durch seine Freigebigkeit alle, die zum Volke gehörten, und erwarb sich ein solches Ansehen, dass seine Nachkommen sich Äpytiden statt Herakliden nennen durften.

ZWEITER BAND

DIE SAGEN TROJAS

Trojas Erbauung

In uralten Zeiten wohnten auf der Insel Samothrake im Agäischen Meere zwei Brüder, Jasion und Dardanos, Söhne des Zeus und einer Nymphe, Fürsten des Landes. Von diesen wagte Jasion als ein Göttersohn seine Augen zu einer Tochter des Olymp zu erheben, warf seine ungestüme Neigung auf die Göttin Demeter und wurde zur Strafe seiner Kühnheit vom eigenen Vater mit dem Blitze erschlagen. Dardanos, der andere Sohn, verließ, tief betrübt über den Tod seines Bruders, Reich und Heimat und ging hinüber auf das asiatische Festland, an die Küste Mysiens, da wo die Flüsse Simois und Skamander vereinigt in das Meer strömen und das hohe Idagebirge sich nach dem Meere abgedacht in eine Ebene verliert. Hier herrschte König Teukros, kretischen Ursprungs, und nach ihm hieß auch das Hirtenvolk jener Gegenden Teukrer. Von diesem Könige wurde Dardanos gastfreundlich aufgenommen, bekam einen Strich Landes zum Eigentum und die Tochter des Königs zur Gemahlin. Er gründete eine Ansiedlung, das Land wurde nach ihm Dardania und das Volk der Teukrer von nun an Dardaner genannt. Ihm folgte sein Sohn Erichthonios in der Herrschaft, und dieser zeugte den Tros, nach welchem die Landschaft nun Troas, der offene Hauptort des Landes Troja und Teukrer oder Dardaner jetzt auch Trojaner oder Troer genannt wurden. Nachfolger des Königs Tros war sein ältester Sohn Ilos. Als dieser einst das benachbarte Land der Phryger besuchte, wurde er von dem Könige Phrygiens zu eben angeordneten Kampfspielen eingeladen und trug hier im Ringkampfe den Sieg davon. Er erhielt als Kampfpreis fünfzig Jünglinge und ebenso viele Jungfrauen, dazu eine bunt gefleckte Kuh, die ihm der König mit der Weisung eines alten Orakelspruches übergab: wo sie sich niederlegen würde, da solle er eine Burg gründen. Ilos folgte der Kuh, und da sie sich bei dem offenen Flecken lagerte, der seit seinem Vater Tros der Hauptort des Landes und seine eigene Wohnung war, auch schon Troja hieß, so baute er hier auf einem Hügel die feste Burg Ilion oder Ilios, auch Pergamos geheißen, wie denn das ganze Wesen von nun an bald Troja, bald Ilion, bald Pergamos genannt wurde. Ehe er jedoch die Burg anlegte, bat er seinen Ahnherrn Zeus noch um ein Zeichen, dass ihm diese Gründung genehm sei. Am folgenden Tage fand er das vom Himmel gefallene Bild der Göttin Athene, Palladion genannt, vor seinem Zelte liegen. Es war drei Ellen hoch, hatte geschlossene Füße und hielt in der rechten Hand einen erhobenen Speer, in der andern Rocken und Spindel. Mit diesem Bilde hatte es folgende Bewandtnis. Die Göttin Athene wurde nach der Sage von ihrer Geburt an bei einem Triton, einem Meergott, erzogen, der eine Tochter namens Pallas hatte, die gleichen Alters mit Athene und ihre geliebte Gespielin war. Eines Tages nun, als die beiden Jungfrauen ihren kriegerischen Übungen oblagen, traten sie zu einem scherzhaften Wettkampfe einander gegenüber. Eben wollte die Tritonentochter Pallas einen Streich auf ihre Gespielin führen, als Zeus, für seine Tochter bangend, den Schild aus Ziegenfell, die Ägis, dieser vorhielt. Dadurch erschreckt, blickte Pallas furchtsam auf und wurde in diesem Augenblick von Athene tödlich verwundet. Tiefe Trauer bemächtigte sich der Göttin, und sie ließ zum dauernden Andenken ein recht ähnliches Bild ihrer geliebten Gespielin Pallas verfertigen, legte diesem einen Brustharnisch von dem gleichen Ziegenfelle, wie der Schild war, um, der nun auch Ägispanzer hieß, stellte das Bild neben die Bildsäule des Zeus und hielt es hoch in Ehren. Sie selbst aber nannte sich seitdem Pallas Athene. Dieses Palladion nun warf, mit Einwilligung seiner Tochter, Zeus vom Himmel in die Gegend der Burg Ilions herunter, zum Zeichen, dass Burg und Stadt unter seinem und seiner Tochter Schutz stehe.

Der Sohn des Königs Ilos und der Eurydike war Laomedon, ein eigenmächtiger und gewalttätiger Mann, welcher Götter und Menschen betrog. Dieser dachte darauf, den offenen Flecken Troja, der noch nicht befestigt war wie die Burg, mit einer Mauer zu umgeben und so zu einer förmlichen Stadt zu machen. Damals irrten die Götter Apollon und Poseidon, die sich gegen ihren Vater Zeus empört hatten und aus dem Himmel gestoßen waren, heimatlos auf der Erde umher. Es war der Wille des Zeus, dass sie dem Könige Laomedon an der Mauer Trojas bauen helfen sollten, damit seine und Athenes Lieblingsstadt der Zerstörung trotzende Mauern hätte. So führte sie denn ihr Geschick in die Nähe von Ilios, als eben mit dem Bau der Stadtmauern begonnen wurde. Die Götter machten dem Könige Laomedon ihre Anträge, und da sie auf der Erde nicht müßig gehen durften noch ohne Arbeit mit Ambrosia gespeist wurden, so bedingten sie sich einen Lohn aus, der ihnen auch versprochen ward, und fingen nun an zu frönen. Poseidon half unmittelbar bei dem Bau; unter seiner Leitung stieg die Ringmauer breit und schön in die Höhe, eine undurchdringliche Schutzwehr der Stadt. Phöbos Apollon weidete inzwischen das Hornvieh des Königes in den gewundenen Schluchten und Tälern des waldreichen Gebirges Ida. Die Götter hatten versprochen, auf diese Weise dem Könige ein Jahr lang zu dienen. Als nun diese Frist abgelaufen war, auch die herrliche Stadtmauer fertig stand, entzog der trügerische Laomedon den Göttern gewaltsam ihren gesamten Lohn, und als sie mit ihm rechteten und der beredte Apollon ihm bittere Vorwürfe machte, so jagte er beide fort mit der Androhung, dem Phöbos Hände und Füße fesseln zu lassen, beiden aber die Ohren abzuschneiden. Mit großer Erbitterung schieden die Götter und wurden Todfeinde des Königs und des Volkes der Trojaner; auch Athene kehrte sich von der Stadt ab, die bisher ihre Schützlingin gewesen, und von nun an war, einer stillschweigenden Einwilligung Zeus' zufolge, die eben erst mit stattlichen Mauern versehene Hauptstadt mit ihrem Königsgeschlecht und Volke diesen Göttern, zu welchen sich mit dem glühendsten Hasse in kurzer Zeit auch Hera gesellte, zum Verderben überlassen.

Priamos, Hekabe und Paris

Das weitere Los des Königs Laomedon und seiner Tochter Hesione ist schon von uns berichtet worden. Ihm folgte sein Sohn Priamos in der Regierung. Dieser vermählte sich in zweiter Ehe mit Hekabe, der Tochter des phrygischen Königs Dymas. Ihr erster Sohn war Hektor. Als aber die Geburt ihres zweiten Kindes herannahte, da schaute Hekabe in einer dunklen Nacht im Traume ein entsetzliches Gesicht. Ihr war, als gebäre sie einen Fackelbrand, der die ganze Stadt Troja in Flammen setze und zu Asche verbrenne. Erschrocken meldete sie diesen Traum ihrem Gemahle Priamos. Der ließ seinen Sohn aus erster Ehe, Äsakos mit Namen, kommen, welcher ein Wahrsager war und von seinem mütterlichen Großvater Merops die Kunst, Träume zu deuten, erlernt hatte. Äsakos erklärte, seine Stiefmutter Hekabe werde einen Sohn gebären, der seiner Vaterstadt zum Verderben gereichen müsse. Er riet daher, das Kind, das sie erwartete, auszusetzen. Wirklich gebar die Königin einen Sohn, und die Liebe zum Vaterland überwog bei ihr das Muttergefühl. Sie gestattete ihrem Gatten Priamos, das neugeborene Kind einem Sklaven zu geben, der es auf den Berg Ida tragen und daselbst aussetzen sollte. Der Knecht hieß Agelaos. Dieser tat, wie ihm befohlen war, aber eine Bärin reichte dem Säugling die Brust, und nach fünf Tagen fand der Sklave das Kind gesund und munter im Walde liegen. Jetzt hob er es auf, nahm es mit sich, erzog es auf seinem Äckerchen wie sein eigenes Kind und nannte den Knaben Paris.

Als der Königssohn unter den Hirten zum Jünglinge herangewachsen war, zeichnete er sich durch Körperstärke und Schönheit aus und wurde ein Schutz aller Hirten des Berges Ida gegen die Räuber, daher ihn jene auch nur Alexander, das heißt Männerhilf, nannten.

Nun geschah es eines Tages, als er mitten im abwegsamsten und schattigsten Tale, das sich durch die Schluchten des Berges Ida hinzog, zwischen Tannen und Steineichen, ferne von seinen Herden, die den Zugang zu dieser Einsamkeit nicht fanden, an einen Baum gelehnt mit verschränkten Armen hinabschaute durch den Bergriss, der eine Durchsicht auf die Paläste Trojas und das ferne Meer gewährte, dass er einen Götterfußtritt vernahm, der die Erde um ihn her beben machte. Ehe er sich besinnen konnte, stand, halb von seinen Flügeln, halb von den Füßen getragen, Hermes, der Götterbote, den goldenen Heroldsstab in den Händen, vor ihm; doch war auch er nur der Verkünder einer neuen Göttererscheinung: denn drei himmlische Frauen, Göttinnen des Olymp, kamen mit leichten Füßen über das weiche, nie gemähte und nie abgeweidete Gras einhergeschritten, dass ein heiliger Schauer den Jüngling überlief und seine Stirnhaare sich aufrichteten. Doch der geflügelte Götterbote rief ihm entgegen: »Lege alle Furcht ab, die Göttinnen kommen zu dir als zu ihrem Schiedsrichter: dich haben sie gewählt, zu entscheiden, welche von ihnen dreien die schönste sei. Zeus befiehlt dir, dich diesem Richteramte zu unterziehen: er wird dir seinen Schirm und Beistand nicht versagen!« So sprach Hermes und erhob sich auf seinen Fittichen, den Augen des Königssohnes entschwebend, über das enge Tal empor. Seine Worte hatten dem blöden Hirten Mut eingeflößt, er wagte es, den schüchtern gesenkten Blick zu erheben und die göttlichen Gestalten, die in überirdischer Größe und Schönheit, seines Spruches gewärtig, vor ihm standen, zu mustern. Der erste Anblick schien ihm zu sagen, dass eine wie die andere wert sei, den Preis der Schönheit davonzutragen; doch bald gefiel ihm jetzt die eine Göttin mehr, jetzt die andere, je länger der Blick auf einer der herrlichen Gestalten verweilt hatte. Nur schien ihm allmählich eine, die jüngste und zarteste, holder und liebenswürdiger als die andern, und ihm war, als ob aus ihren Augen ein Netz von Liebesstrahlen ausgehend sich ihm um Blick und Stirne spänne. Indessen hub die stolzeste der drei Frauen, die an Wuchs und Hoheit über die beiden andern hervorragte, dem Jünglinge gegenüber an: »Ich bin Hera, die Schwester und Gemahlin des Zeus. Wenn du diesen goldenen Apfel, welchen Eris, die Göttin der Zwietracht, beim Hochzeitsmahle der Thetis und des Peleus unter die Gäste warf, mit der Aufschrift: ›Der Schönsten‹, mir zuerkennst, so soll dir, ob du gleich nur ein aus dem Königspalaste verstoßener Hirte bist, die Herrschaft über das herrlichste Reich der Erde nicht fehlen.« – »Ich bin Pallas, die Göttin der Weisheit«, sprach die andere mit der reinen, gewölbten Stirne, den tiefblauen Augen und dem jungfräulichen Ernst im schönen Antlitz, »wenn du mir den Sieg zuerkennst, sollst du den höchsten Ruhm der Weisheit und Männertugend unter den Menschen ernten!« Da schaute die dritte, die bisher immer nur mit den Augen gesprochen hatte, den Hirten mit einem süßen Lächeln noch durchdringender an und sagte: »Paris, du wirst dich doch nicht durch das Versprechen von Geschenken betören lassen, die beide voll Gefahr und ungewissen Erfolges sind! Ich will dir eine Gabe geben, die dir gar keine Unlust bereiten soll; ich will dir geben, was du nur zu lieben brauchst, um seiner froh zu werden: das schönste Weib der Erde will ich dir als Gemahlin in die Arme führen! Ich bin Aphrodite, die Göttin der Liebe!«

Als Aphrodite dem Hirten dies Versprechen tat, stand sie vor ihm mit ihrem Gürtel geschmückt, der ihr den höchsten Zauber der Anmut verlieh. Da erblasste vor dem Schimmer der Hoffnung und ihrer Schönheit der Reiz der anderen Göttinnen vor seinen Augen, und mit trunkenem Mute erkannte er der Liebesgöttin das goldene Kleinod, das er aus Heras Hand empfangen hatte, zu. Hera und Athene wandten ihm zürnend den Rücken und schwuren, die Majestätsbeleidigung ihrer Gestalt an ihm, an seinem Vater Priamos, am Volk und Reiche der Trojaner zu rächen und alle miteinander zu verderben, und Hera insbesondere wurde von diesem Augenblicke an die unversöhnlichste Feindin der Trojaner. Aphrodite aber schied von dem entzückten Hirten mit holdseligem Gruße, nachdem sie ihm ihr Versprechen feierlich und mit dem Göttereide bekräftiget wiederholt hatte.

Paris lebte seiner Hoffnung geraume Zeit als unerkannter Hirte auf den Höhen des Ida; aber da die Wünsche, welche die Göttin in ihm rege gemacht hatte, so lange nicht in Erfüllung gingen, so vermählte er sich hier mit einer schönen Jungfrau namens Önone, die für die Tochter eines Flussgottes und einer Nymphe galt und mit welcher er auf dem Berge Ida bei seinen Herden glückliche Tage in der Verborgenheit verlebte. Endlich lockten ihn Leichenspiele, die der König Priamos für einen verstorbenen Anverwandten hielt, zu der Stadt hinab, die er früher nie betreten hatte. Priamos setzte nämlich bei diesem Feste als Kampfpreis einen Stier aus, den er bei den Hirten des Ida von seinen Herden holen ließ. Nun traf es sich, dass gerade dieser Stier das Lieblingstier des Paris war, und da er ihn seinem Herrn dem Könige nicht vorenthalten durfte, so beschloss er, wenigstens den Kampf darum zu versuchen. Hier siegte er in den Kampfspielen über alle seine Brüder, selbst über den hohen Hektor, der der tapferste und herrlichste von ihnen war. Ein anderer mutiger Sohn des Königs Priamos, Deïphobos, von Zorn und Scham über seine Niederlage überwältigt, wollte den Hirtenjüngling niederstoßen. Paris aber flüchtete sich zum Altare des Zeus, und die Tochter des Priamos, Kassandra, welche die Wahrsagergabe von den Göttern zum Angebinde erhalten hatte, erkannte in ihm ihren ausgesetzten Bruder. Nun umarmten ihn die Eltern, vergaßen über der Freude des Wiedersehens die verhängnisvolle Weissagung bei seiner Geburt und nahmen ihn als ihren Sohn auf.

Vorerst kehrte nun Paris zu seiner Gattin und seinen Herden zurück, indem er auf dem Berge Ida eine stattliche Wohnung als Königssohn erhielt. Bald jedoch fand sich Gelegenheit für ihn zu einem königlicheren Geschäfte, und nun ging er, ohne es zu wissen, dem Preis entgegen, den ihm seine Freundin, die Göttin Aphrodite, versprochen hatte.

Der Raub der Helena

Wir wissen, dass, als König Priamos noch ein zarter Knabe war, seine Schwester Hesione von Herakles, der den Laomedon getötet und Troja erobert hatte, als Siegesbeute fortgeschleppt und seinem Freunde Telamon geschenkt worden war. Obgleich dieser Held sie zu seiner Gemahlin erhoben und zur Fürstin von Salamis gemacht, so hatten doch Priamos und sein Haus diesen Raub nicht verschmerzt. Als nun an dem Königshofe einmal wieder die Rede von dieser Entführung war und Priamos seine große Sehnsucht nach der fernen Schwester zu erkennen gab, da stand in dem Rate seiner Söhne Alexander oder Paris auf und erklärte, wenn man ihn mit einer Flotte nach Griechenland schicken wolle, so gedenke er mit der Götter Hilfe des Vaters Schwester den Feinden mit Gewalt zu entreißen und mit Sieg und Ruhm gekrönt nach Hause zurückzukehren. Seine Hoffnung stützte sich auf die Gunst der Göttin Aphrodite, und er erzählte deswegen dem Vater und den Brüdern, was ihm bei seinen Herden begegnet war. Priamos selbst zweifelte jetzt nicht länger, dass sein Sohn Alexander den besondern Schutz der Himmlischen erhalten werde, und auch Deïphobos sprach die gute Zuversicht aus, dass, wenn sein Bruder mit einer stattlichen Kriegsrüstung erschiene, die Griechen Genugtuung geben und Hesione ihm ausliefern würden. Nun war aber unter den vielen Söhnen des Priamos auch ein Seher namens Helenos. Dieser brach plötzlich in weissagende Worte aus und versicherte, wenn sein Bruder Paris ein Weib aus Griechenland mitbringe, so werden die Griechen nach Troja kommen, die Stadt schleifen, den Priamos und alle seine Söhne niedermachen. Diese Wahrsagung brachte Zwiespalt in den Rat. Troilos, der jüngste Sohn des Priamos, ein tatenlustiger Jüngling, wollte von den Prophezeiungen seines Bruders nichts hören, schalt seine Furchtsamkeit und riet, sich durch seine Drohungen nicht vom Kriege abschrecken zu lassen. Andere zeigten sich bedenklicher. Priamos aber trat auf die Seite seines Sohnes Paris, denn ihn verlangte sehnlich nach der Schwester.

Nun wurde von dem König eine Volksversammlung berufen, in welcher Priamos den Trojanern vortrug, wie er schon früher unter Antenors Anführung eine Gesandtschaft nach Griechenland geschickt, Genugtuung für den Raub der Schwester und diese selbst zurückverlangt hätte. Damals sei Antenor mit Schmach abgewiesen worden, jetzt aber gedenke er, wenn es dem versammelten Volke so gefalle, seinen eigenen Sohn Paris mit einer ansehnlichen Kriegsflotte auszusenden und das mit Gewalt zu erzwingen, was Güte nicht zu Wege gebracht. Zur Unterstützung dieses Vorschlags erhub sich Antenor, schilderte mit Unwillen, was er selbst als friedlicher Gesandter Schmähliches in Griechenland geduldet hatte, und beschrieb das Volk der Griechen als trotzig im Frieden und verzagt im Kriege. Seine Worte feuerten die Trojaner an, dass sie sich mit lautem Zuruf für den Krieg erklärten. Aber der weise König Priamos wollte die Sache nicht leichtsinnig beschlossen wissen und forderte jeden auf zu sprechen, der ein Bedenken in dieser Angelegenheit auf dem Herzen hätte. Da stand Panthoos, einer der Ältesten Trojas, in der Versammlung auf und erzählte, was sein Vater Othrys, von der Götter Orakel belehrt, ihm selbst in jungen Jahren anvertraut hatte. Wenn je einmal ein Königssohn aus Laomedons Geschlechte eine Gemahlin aus Griechenland ins Haus führen würde, so stehe den Trojanern das äußerste Verderben bevor. »Darum«, schloss er seine Rede, »lasset uns durch den trügerischen Kriegsruhm nicht verführen, Freunde, und unser Leben lieber in Frieden und Ruhe dahinbringen als auf das Spiel der Schlachten setzen und es zuletzt mitsamt der Freiheit verlieren.« Aber das Volk murrte über diesen Vorschlag und rief seinem Könige Priamos zu, den furchtsamen Worten eines alten Mannes kein Gehör zu schenken und zu tun, was er im Herzen doch schon beschlossen hätte.

Da ließ Priamos Schiffe rüsten, die auf dem Berge Ida gezimmert worden, und sandte seinen Sohn Hektor ins Phrygerland, Paris und Deïphobos aber ins benachbarte Phäonien, um verbündete Völker zu sammeln; auch Trojas waffenfähige Männer schickten sich zum Kriege an, und so kam bald ein gewaltiges Heer zusammen. Der König stellte dieses unter den Befehl seines Sohnes Paris und gab ihm den Bruder Deïphobos, den Sohn des Panthoos, Polydamas, und den Fürsten Äneas an die Seite; die mächtige Ausrüstung ging in die See und steuerte der griechischen Insel Kythera zu, wo sie zuerst zu landen gedachten. Unterwegs begegnete die Flotte dem Schiffe des griechischen Völkerfürsten und spartanischen Königs Menelaos, der auf einer Fahrt nach Pylos zu dem weisen Fürsten Nestor begriffen war. Dieser staunte, als er den prächtigen Schiffszug erblickte, und auch die Trojaner betrachteten neugierig das schöne griechische Fahrzeug, das festlich ausgeschmückt einen der ersten Fürsten Griechenlands zu tragen schien. Aber beide Teile kannten einander nicht, jeder besann sich, wohin wohl der andere fahren möge, und so flogen sie auf den Wellen aneinander vorüber. Die trojanische Flotte kam glücklich auf der Insel Kythera an. Von dort wollte sich Paris nach Sparta begeben und mit den Zeussöhnen Kastor und Pollux in Unterhandlung treten, um seine Vatersschwester Hesione in Empfang zu nehmen. Würden die griechischen Helden sie ihm verweigern, so hatte er von seinem Vater den Befehl, mit der Kriegsflotte nach Salamis zu segeln und die Fürstin mit Gewalt zu entführen.

Ehe jedoch Paris die Gesandtschaftsreise nach Sparta antrat, wollte er in einem der Aphrodite und der Artemis gemeinschaftlich geweihten Tempel zuvor ein Opfer darbringen. Inzwischen hatten die Bewohner der Insel die Erscheinung der prächtigen Flotte nach Sparta gemeldet, wo in der Abwesenheit ihres Gemahls Menelaos die Fürstin Helena allein Hof hielt. Diese, eine Tochter des Zeus und der Leda und die Schwester von Kastor und Pollux, war die schönste Frau ihrer ganzen Zeit und als zartes Mädchen schon von Theseus entführt, aber von ihren Brüdern ihm wieder entrissen worden.

Als sie, zur Jungfrau erblüht, bei ihrem Stiefvater Tyndareos, dem König zu Sparta, heranwuchs, zog ihre Schönheit ein ganzes Heer Freier herbei, und der König fürchtete, wenn er einen von ihnen zum Eidam wähle, sich alle anderen zu Feinden zu machen. Da gab ihm Odysseus von Ithaka, der griechische Held, den Rat, alle Freier durch einen Eid zu verpflichten, dass sie dem erkorenen Bräutigam gegen jeden anderen, der den König um dieser Heirat seiner Tochter willen anfeinden würde, mit den Waffen in der Hand beistehen wollten. Als Tyndareos dies vernommen, ließ er die Freier den Eid schwören, und nun wählte er selbst den Sohn des Atreus, Agamemnons Bruder, Menelaos, den Argiverfürsten, gab ihm die Tochter zur Gemahlin und überließ ihm sein Königreich Sparta. Helena gebar ihrem Gemahl eine Tochter, Hermione, die noch in der Wiege lag, als Paris nach Griechenland kam.

Als nun die schöne Fürstin Helena, die in ihrem Palaste während des Gemahls Abwesenheit freudlose Tage ohne Abwechslung verlebte, von der Ankunft der herrlichen Ausrüstung eines fremden Königssohnes auf der Insel Kythera Kunde erhielt, wandelte sie eine weibliche Neugier an, den Fremdling und sein kriegerisches Gefolge zu schauen, und um dies Verlangen befriedigen zu können, veranstaltete auch sie ein feierliches Opfer im Artemistempel auf Kythera. Sie betrat das Heiligtum in dem Augenblicke, als Paris sein Opfer vollbracht hatte. Wie dieser die eintretende Fürstin gewahr ward, sanken ihm die zum Gebet erhobenen Hände, und er verlor sich in Staunen, denn er meinte die Göttin Aphrodite selbst wieder zu erblicken, wie sie ihm in seinem Hirtengehöfte erschienen war. Der Ruf der Schönheit Helenas war zwar längst auch nach Troja gedrungen, und Paris war begierig gewesen, ihrer Reize in Sparta ansichtig zu werden, doch hatte er gemeint, das Weib, das ihm die Göttin der Liebe verheißen hatte, müsse viel schöner sein, als die Beschreibung von Helena lautete. Auch dachte er bei der Schönen, die ihm versprochen war, an eine Jungfrau und nicht an die Gattin eines anderen. Jetzt aber, wo er die Fürstin von Sparta vor Augen sah und ihre Schönheit mit der Schönheit der Liebesgöttin selbst wetteiferte, ward ihm plötzlich klar, dass nur dieses Weib es sein könne, das ihm Aphrodite zum Lohne für sein Urteil zugesagt. Der Auftrag seines Vaters, der ganze Zweck der Ausrüstung und Reise schwand in diesem Augenblick aus seinem Geiste; er schien sich mit seinen Tausenden Bewaffneter nur dazu ausgesendet, Helena zu erobern. Während er so in ihre Schönheit versunken stand, betrachtete auch die Fürstin Helena den schönen asiatischen Königssohn mit dem langen Haarwuchs, in Gold und Purpur mit orientalischer Pracht gekleidet, mit nicht unterdrücktem Wohlgefallen, das Bild ihres Gemahls verblasste in ihrem Geiste, und an seine Stelle trat die reizende Gestalt des jugendlichen Fremdlings.

Indessen kehrte Helena nach Sparta in ihren Königspalast zurück, suchte das Bild des schönen Jünglings aus ihrem Herzen zu verdrängen und wünschte ihren noch immer auf Pylos verweilenden Gatten Menelaos zurück. Statt seiner erschien Paris selbst mit seinem erlesenen Volk in Sparta und bahnte sich mit seiner Botschaft den Weg in des Königs Halle, obgleich dieser abwesend war. Die Gemahlin des Fürsten Menelaos empfing ihn mit der Gastfreundschaft, welche sie dem Fremden, und mit der Auszeichnung, welche sie dem Königssohne schuldig war. Da betörte seine Saitenkunst, sein einschmeichelndes Gespräch und die heftige Glut seiner Liebe das unbewachte Herz der Königin. Als Paris ihre Treue wanken sah, vergaß er den Auftrag seines Vaters und Volkes, und nur das trügerische Versprechen der Liebesgöttin stand vor seiner Seele. Er versammelte seine Getreuen, die bewaffnet mit ihm nach Sparta gekommen waren, und verführte sie durch Aussicht auf reiche Beute, in den Frevel zu willigen, welchen er mit ihrer Hilfe auszuführen gedachte. Dann stürmte er den Palast, bemächtigte sich der Schätze des griechischen Fürsten und entführte die schöne Helena widerstrebend und doch nicht ganz wider Willen nach der Insel und seiner Flotte.

Als er mit seiner reizenden Beute auf der See durch das Ägäische Meer schwamm, überfiel die eilenden Fahrzeuge eine plötzliche Windstille: vor dem Königsschiffe, das den Räuber mit der Fürstin trug, teilte sich die Woge, und der uralte Meeresgott Nereus hub sein schilfbekränztes Haupt mit den triefenden Haar- und Bartlocken aus der Flut empor und rief dem Schiffe, welches wie mit Nägeln in das Wasser geheftet schien, das selber einem ehernen Walle glich, der sich um die Rippen des Fahrzeuges aufgeworfen hatte, seine fluchende Wahrsagung zu: »Unglücksvögel flattern deiner Fahrt voran, verwünschter Räuber! Die Griechen werden kommen mit Heeresmacht, verschworen, deinen Frevelbund und das alte Reich des Priamos zu zerreißen! Wehe mir, wie viel Rosse, wie viel Männer erblicke ich! Wie viele Leichen verursachst du dem dardanischen Volke! Schon rüstet Pallas ihren Helm, ihren Schild und ihre Wut! Jahrelang dauert der blutige Kampf, und den Untergang deiner Stadt hält nur der Zorn eines Helden auf. Aber wenn die Zahl der Jahre voll ist, wird griechischer Feuerbrand die Häuser Trojas fressen!«

So prophezeite der Greis und tauchte wieder in die Flut. Mit Entsetzen hatte Paris zugehört; als aber der Fahrwind wieder lustig blies, vergaß er bald im Arm der geraubten Fürstin der Weissagung und legte sich mit seiner ganzen Flotte vor der Insel Kranae vor Anker, wo die treulose und leichtsinnige Gattin des Menelaos ihm jetzt freiwillig ihre Hand reichte und das feierliche Beilager gehalten wurde. Da vergaßen beide Heimat und Vaterland und zehrten von den mitgebrachten Schätzen lange Zeit in Herrlichkeit und Freuden. Jahre vergingen, bis sie nach Troja aufbrachen.

Die Griechen

Die Versündigung, die sich Paris als Gesandter zu Sparta gegen Völkerrecht und Gastrecht hatte zu Schulden kommen lassen, trug im Augenblick ihre Früchte und empörte gegen ihn ein bei dem Heldenvolke der Griechen alles vermögendes Fürstengeschlecht. Menelaos, König von Sparta, und Agamemnon, sein älterer Bruder, König von Mykene, waren Nachkommen des Tantalos, Enkel des Pelops, Söhne des Atreus, aus einem an hohen wie an verruchten Taten reichen Stamme; diesen beiden mächtigen Brüdern gehorchten außer Argos und Sparta die meisten Staaten des Peloponneses, und die Häupter des übrigen Griechenlands waren mit ihnen verbündet. Als daher die Nachricht von dem Raube seiner Gattin Helena den König Menelaos bei seinem greisen Freunde Nestor zu Pylos traf, eilte der entrüstete Fürst zu seinem Bruder Agamemnon nach Mykene, wo dieser mit seiner Gemahlin Klytämnestra, der Halbschwester Helenas, regierte. Dieser teilte den Schmerz und den Unwillen seines Bruders; doch tröstete er ihn und versprach, die Freier Helenas ihres Eides zu gemahnen. So bereisten die Brüder ganz Griechenland und forderten seine Fürsten zur Teilnahme an dem Kriege gegen Troja auf. Die ersten, die sich anschlossen, waren Tlepolemos, ein berühmter Fürst aus Rhodos, ein Sohn des Herakles, der sich erbot, neunzig Schiffe zu dem Feldzuge gegen die trügerische Stadt Troja zu stellen; dann Diomedes, der Sohn des unsterblichen Helden Tydeus, der mit achtzig Schiffen die mutigsten Peloponnesier der Unternehmung zuzuführen versprach. Nachdem die beiden Fürsten mit den Atriden zu Sparta Rat gepflogen, erging die Aufforderung auch an die Dioskuren oder Zeussöhne Kastor und Pollux, die Brüder Helenas. Diese aber waren schon auf die erste Nachricht von der Entführung ihrer Schwester dem Räuber nachgesegelt und bis zur Insel Lesbos, ganz nahe an die trojanische Küste, gekommen; dort ergriff ein Sturm ihr Schiff und verschlang es. Die Dioskuren selbst verschwanden; aber die Sage versichert, sie seien nicht in den Wellen umgekommen, sondern ihr Vater Zeus habe sie als Sternbilder an den Himmel versetzt, wo sie als Beschirmer der Schifffahrt und Schutzgötter der Schifffahrenden ihr sorgenvolles Amt von Zeitalter zu Zeitalter verwalten. Indessen erhub sich ganz Griechenland und gehorchte der Aufforderung der Atriden; zuletzt waren nur zwei berühmte Fürsten noch zurück. Der eine war der schlaue Odysseus aus Ithaka, der Gemahl Penelopes. Dieser wollte sein junges Weib und seinen zarten Knaben Telemachos der treulosen Gattin des Spartanerköniges zuliebe nicht verlassen. Als daher Palamedes, der Sohn des Fürsten Nauplios aus Euböa, der vertraute Freund des Menelaos, mit dem Spartanerfürsten deswegen zu ihm kam, heuchelte er Narrheit, spannte zu dem Ochsen einen Esel an den Pflug und pflügte mit dem seltsamen Paare sein Feld, indem er in die Furchen, die er zog, statt des Samens Salz ausstreute. So ließ er sich von beiden Helden treffen und hoffte, dadurch von dem verhassten Zuge frei zu bleiben. Aber der einsichtsvolle Palamedes durchschaute den verschlagensten aller Sterblichen, ging, während Odysseus seinen Pflug lenkte, heimlich in seinen Palast, brachte seinen jungen Sohn Telemachos aus der Wiege herbei und legte diesen in die Furche, über die Odysseus eben hinwegackern wollte. Da hob der Vater den Pflug sorgfältig über das Kind hinweg und wurde von den laut auflachenden Helden seines Verstandes überwiesen. Er konnte sich jetzt nicht länger mehr weigern, an dem Zuge teilzunehmen, und versprach, die bitterste Feindschaft gegen Palamedes in seinem listigen Herzen, zwölf bemannte Schiffe aus Ithaka und den Nachbarinseln dem Könige Menelaos zur Verfügung zu stellen.

Der andere Fürst, dessen Zustimmung noch nicht erfolgt, ja dessen Aufenthalt man nicht einmal kannte, war Achilleus, der junge, aber herrliche Sohn des Peleus und der Meeresgöttin Thetis. Als dieser ein neugebornes Kind war, wollte seine unsterbliche Mutter auch ihn unsterblich machen, steckte ihn, von seinem Vater Peleus ungesehen, des Nachts in ein himmlisches Feuer und fing so zu vertilgen an, was vom Vater her an ihm sterblich war. Bei Tage aber heilte sie die versengten Stellen mit Ambrosia. Dies tat sie von einer Nacht zur andern. Einmal aber belauschte sie Peleus und schrie laut auf, als er seinen Sohn im Feuer zappeln sah. Diese Störung hinderte Thetis, ihr Werk zu vollbringen, sie ließ den unmündigen Sohn, der auf diese Weise sterblich geblieben war, trostlos liegen, entfernte sich und kehrte nicht mehr in den Palast ihres Gatten zurück, sondern entwich in das feuchte Wellenreich der Nereiden. Peleus aber, der seinen Knaben gefährlich verwundet glaubte, hub ihn vom Boden auf und brachte ihn zu dem großen Wundarzt, dem Erzieher so vieler Helden, dem weisen Kentauren Chiron. Dieser nahm ihn liebreich auf und nährte den Knaben mit Bärenmark und mit der Leber von Löwen und Ebern. Als nun Achilleus neun Jahre alt war, erklärte der griechische Seher Kalchas, dass die ferne Stadt Troja in Asien, welcher der Untergang durch griechische Waffen bevorstehe, ohne den Knaben nicht werde erobert werden können. Diese Wahrsagung drang auch zu seiner Mutter Thetis hinab durch die tiefe See in ihr unsterbliches Ohr, und weil sie wusste, dass jener Feldzug ihrem Sohne den Tod bringen würde, so stieg sie wieder empor aus dem Meere, schlich sich in ihres Gatten Palast, steckte den Knaben in Mädchenkleider und brachte ihn in dieser Verwandlung zu dem Könige Lykomedes auf der Insel Skyros, der ihn unter seinen Mädchen als Jungfrau heranwachsen ließ und in weiblichen Arbeiten großzog. Als aber dem Jüngling der Flaum um das Kinn zu keimen anfing, entdeckte er sich in seiner Verkleidung der lieblichen Tochter des Königs, Deïdameia. Die gleiche zärtliche Neigung vereinigte in der Verborgenheit den Heldenjüngling mit der königlichen Jungfrau, und während er bei allen Bewohnern der Insel für eine Verwandte des Königs galt und auch bei Deïdameia für nichts anderes gelten sollte, war er heimlich ihr Gemahl geworden. Jetzt, wo der Göttersohn zur Besiegung Trojas unentbehrlich war, entdeckte der Seher Kalchas, dem wie sein Geschick, so auch sein Aufenthalt kein Geheimnis geblieben, diesen Letzteren den Atriden; und nun schickten die Fürsten den Odysseus und den Diomedes ab, ihn in den Krieg zu holen. Als die Helden auf der Insel Skyros ankamen, wurden sie dem Könige und seinen Jungfrauen vorgeführt. Aber das zarte Jungfrauengesicht verbarg den künftigen Helden, und so scharfsichtig der Blick der beiden Griechenfürsten war, so vermochten sie doch nicht, ihn aus der Mädchenschar heraus zu erkennen. Da nahm Odysseus seine Zuflucht zu einer List. Er ließ wie von ungefähr in den Frauensaal, in dem die Mädchen sich befanden, einen Schild und einen Speer bringen und dann die Kriegstrompete blasen, als ob der Feind heranrückte. Bei diesen Schreckenstönen entflohen alle Frauen aus dem Saale, Achilleus aber blieb allein zurück und griff mutig zu dem Speer und zu dem Schilde. Jetzt ward er von den Fürsten entlarvt und erbot sich, an der Spitze seiner Myrmidonen oder Thessalier in Begleitung seines Erziehers Phönix und seines Freundes Patroklos, welcher mit ihm einst bei Peleus auferzogen worden war, mit fünfzig Schiffen zu dem griechischen Heere zu stoßen.

Zum Versammlungsort aller griechischen Fürsten und ihrer Scharen und Schiffe wurde die Hafenstadt Aulis in Böotien an der Meerenge von Euböa durch Agamemnon ausersehen, den die Volkshäupter als den tätigsten Beförderer der Unternehmung zu ihrem obersten Befehlshaber ernannt hatten.

In jenem Hafen sammelten sich nun außer den genannten Fürsten mit ihren Schiffen unzählige andere. Die vornehmsten darunter waren der riesige Ajax, der Sohn des Telamon aus Salamis, und sein Halbbruder Teukros, der treffliche Bogenschütze; der kleine schnelle Ajax aus dem Lokrerlande; Menestheus aus Athen, Askalaphos und Jalmenos, Söhne des Kriegsgottes, mit ihren Minyern aus Orchomenos; aus Böotien Peneleos, Arkesilaos, Klonios, Prothoenor; aus Phokis Schedios und Epistrophos; aus Euböa und mit den Abantern Elephenor; mit einem Teile der Argiver und andern Peloponnesiern außer Diomedes Sthenelos, der Sohn des Kapaneus, und Euryalos, der Sohn des Mekisteus; aus Pylos Nestor der Greis, der schon drei Menschenalter gesehen; aus Arkadien Agapenor, der Sohn des Ankäos; aus Elis und andern Städten Amphimachos, Thalpios, Diores und Polyxeos; aus Dulichion und den echinadischen Inseln Meges, der Sohn des Phyleus; mit den Ätoliern Thoas, der Sohn des Andrämon; aus Kreta Idomeneus und Meriones; aus Rhodos der Heraklide Tlepolemos; aus Syma Nireus, der schönste Mann im griechischen Heere; von den kalydnischen Inseln die Herakliden Phidippos und Antiphos; aus Phylake Podarkes, Sohn des Iphiklos; aus Pherä in Thessalien Eumelos, der Sohn des Admetos und der frommen Alkestis; aus Methone, Thaumakia und Meliböa Philoktetes; aus Trikka, Ithome und Öchalia die zwei heilkundigen Männer Podalirios und Machaon; aus Ormenium und der Umgegend Eurypylos, der Sohn des Eumäon; aus Agrissa und der Gegend Polypötes, der Sohn des Peirithoos, des Theseusfreundes; Guneus aus Kyphos, Prothoos aus Magnesia am Pelion.

Dies waren nebst den Atriden, Odysseus und Achilleus die Fürsten und Gebieter der Griechen, die, keiner mit wenigen Schiffen, sich in Aulis sammelten. Die Griechen selber wurden damals bald Danaer genannt von dem alten ägyptischen König Danaos her, der sich zu Argos im Peloponnes niedergelassen hatte, bald Argiver von der mächtigsten Landschaft Griechenlands Argolis oder dem Argiverlande, bald Achäer oder

Achiver von dem alten Namen Griechenlands Achaja. Später hießen sie Griechen von Gräkos, dem Sohne des Thessalos, und Hellenen von Hellen, dem Sohne des Deukalion und der Pyrrha.

Botschaft der Griechen an Priamos

Unterdessen, solange die Ausrüstung der Griechen sich vorbereitete, ward von Agamemnon im Rate seiner Vertrauten und der Häupter des Volks, um auch gütliche Mittel nicht unversucht zu lassen, beschlossen, dass eine Gesandtschaft nach Troja an den König Priamos abgehen sollte, um sich über die Verletzung des Völkerrechts und den Raub der griechischen Fürstin zu beschweren und die entrissene Gattin des Fürsten Menelaos samt ihren Schätzen zurückzufordern. Es wurden hierzu in der Versammlung der Kriegshäupter Palamedes, Odysseus und Menelaos auserwählt, und obgleich Odysseus im Herzen der Todfeind des Palamedes war, so unterwarf er sich doch zum gemeinen Besten der Einsicht dieses Fürsten, der in dem griechischen Heere um seines Verstandes und seiner Erfahrung willen hoch gefeiert war, und überließ ihm willig die Ehre, am Hofe des Königs Priamos als Sprecher aufzutreten. Die Trojaner und ihr König waren über die Ankunft einer Gesandtschaft, die mit einer ansehnlichen Schiffsrüstung erschien, in kein geringes Staunen versetzt. Sie wussten von der unmittelbaren Ursache der Sendung noch nichts, denn Paris verweilte noch immer mit seiner geraubten Gattin auf der Insel Kranae und galt in Troja verschollen. Priamos und sein Volk glaubten deswegen nicht anders, als der trojanische Kriegszug, der die Gesandtschaft des Paris und die Zurückforderung der Hesione unterstützen sollte, habe Widerstand in Griechenland gefunden und jetzt seien, nach seiner Niederwerfung, die Griechen übermütig geworden, über die See gekommen, um die Trojaner in ihrem eignen Lande anzugreifen. Die Nachricht, dass sich griechische Gesandte der Stadt näherten, versetzte sie daher in nicht geringe Spannung. Indessen öffneten sich ihnen die Tore willig, und die drei Fürsten wurden sofort in den Palast des Priamos und vor den König selbst, der seine zahlreichen Söhne und die Häupter der Stadt zu einem Rate zusammenberufen hatte, geführt. Palamedes ergriff vor dem Könige das Wort und

beklagte sich bitter im Namen aller Griechen über die schändliche Verletzung des Gastrechtes, die sich sein Sohn Paris durch den Raub der Königin Helena hatte zu Schulden kommen lassen. Dann entwickelte er die Gefahren eines Krieges, die dem Reiche des Priamos aus dieser Untat erwüchsen, zählte die Namen der mächtigsten Fürsten Griechenlands auf, die mit allen ihren Völkern auf mehr als tausend Schiffen vor Troja erscheinen würden, und verlangte die gütliche Auslieferung der geraubten Fürstin. »Du weißt es nicht, o König«, schloss er seine Rede, »was für Sterbliche durch deinen Sohn beschimpft worden sind: es sind die Griechen, die alle lieber sterben, als dass einem einzigen von ihnen durch einen Fremdling ungerechte Kränkung widerfahre. Sie hoffen aber, indem sie dieses Unrecht zu rächen kommen, nicht zu sterben, sondern zu siegen, denn ihre Zahl ist wie Sand am Meere, und alle sind von Heldenmut erfüllt, und alle brennen vor Begierde, die Schmach, die ihrem Volke widerfahren ist, in dem Urheber zu tilgen. Darum verkündigt euch unser oberster Feldherr, Agamemnon, König der mächtigen Landschaft Argos und der erste Fürst Griechenlands, und mit ihm lassen euch alle anderen Fürsten der Danaer sagen: Gebt die Griechin, die ihr uns gestohlen habt, heraus oder seid alle des Untergangs gewärtig!«
Bei diesen trotzigen Worten ergrimmten die Söhne des Königs und die Ältesten von Troja, zogen ihre Schwerter und schlugen streitlustig an ihre Schilde. Aber König Priamos gebot ihnen Ruhe, erhob sich von seinem Königssitze und sprach: »Ihr Fremdlinge, die ihr im Namen eures Volkes so strafende Worte an uns richtet, gönnt mir erst, dass ich von meinem Staunen mich erhole. Denn wessen ihr mich beschuldiget, davon ist uns allen nichts bewusst; vielmehr sind wir es, die wir bei euch uns über das Unrecht zu beklagen haben, das ihr uns andichtet. *Unsre* Stadt hat euer Landsmann Herakles mitten im Frieden angefallen, aus *unsrer* Stadt hat er meine unschuldige Schwester Hesione als Gefangene mit sich geführt und sie seinem Freunde, dem Fürsten Telamon auf Salamis, als Sklavin geschenkt; und es ist der gute Wille dieses Mannes, dass sie von ihm zu seiner ehelichen Gemahlin erhoben worden ist und nicht als Magd und Kebsweib dient. Doch konnte dies den unehrlichen Raub nicht wieder gutmachen, und es ist schon die zweite Gesandtschaft, die diesmal unter meinem Sohne Paris nach eurem Lande abgegangen ist, meine freventlich geraubte Schwester zurückzuverlangen, damit ich we-

nigstens noch im Greisenalter mich ihrer erfreuen könne. Wie mein Sohn Paris diesen meinen königlichen Auftrag ausgerichtet, was er getan hat und wo er weilt, weiß ich nicht. In meinem Palaste und in unserer Stadt befindet sich kein griechisches Weib, dies weiß ich gewiss. Ich kann euch also die verlangte Genugtuung nicht geben, auch wenn ich wollte. Kommt mein Sohn Paris, wie mein väterlicher Wunsch ist, glücklich nach Troja zurück und bringt er eine entführte Griechin mit, so soll euch diese ausgeliefert werden, wenn sie anders nicht als Flüchtling unsern Schutz anfleht. Aber auch dann werdet ihr sie unter keiner andern Bedingung und nicht eher zurückerhalten, als bis ihr meine Schwester Hesione aus Salamis wieder in meine Arme zurückgeführt habt!«

Der Rat der Trojaner stimmte zu diesen Worten des Königs; aber Palamedes sprach trotzig: »Die Erfüllung unserer Forderung, o König, lässt sich von keiner Bedingung abhängig machen. Wir glauben deinem ehrwürdigen Antlitz und der Rede deines Mundes, die uns versichert, dass die Gemahlin des Menelaos noch nicht in deinen Mauern angekommen ist. Sie wird aber kommen, zweifle nicht; ihre Entführung durch deinen unwürdigen Sohn ist nur allzu gewiss. Was zu unsrer Väter Zeiten von Herakles geschehen ist, dafür sind wir nicht mehr verantwortlich. Aber was einer deiner Söhne uns jetzt eben von empörender Kränkung zugefügt hat, dafür verlangen wir Rechenschaft von dir. Hesione ist willig mit Telamon davongezogen, und sie selbst sendet einen Sohn in diesen Krieg, der euch bevorsteht, wenn ihr uns nicht Genugtuung gebt, den gewaltigen Fürsten Ajax. Helena aber ist wider Willen und freventlich geraubt worden. Dankt dem Himmel, der euch durch eures Räubers Zögerung Bedenkzeit gegeben hat, und fasset einen Beschluss, der das Verderben von euch abwendet.«

Priamos und die Trojaner empfanden die übermütige Rede des Gesandten Palamedes übel, doch ehrten sie an den Fremdlingen das Recht der Gesandtschaft: die Versammlung wurde aufgehoben, und ein Ältester von Troja, der Sohn des Äsyetes und der Kleomestra, der verständige Antenor, schirmte die fremden Fürsten vor allen Beschimpfungen des Pöbels, führte sie in sein Haus und beherbergte sie dort mit edler Gastlichkeit bis zum andern Morgen. Dann gab er ihnen das Geleite an den Strand, wo sie die glänzenden Schiffe wieder bestiegen, die sie herbeigeführt hatten.

Agamemnon und Iphigenia

Während nun die Flotte zu Aulis sich versammelte, vertrieb der Völkerfürst Agamemnon sich die Zeit mit der Jagd. Da kam ihm eines Tages eine herrliche Hindin in den Schuss, die der Göttin Artemis geheiligt war. Die Jagdlust verführte den Fürsten. Er schoss nach dem heiligen Wild und erlegte es mit dem prahlenden Worte: Artemis selbst, die Göttin der Jagd, vermöge nicht besser zu treffen. Über diesen Frevel erbittert, schickte die Göttin, als in der Bucht von Aulis alles Griechenvolk gerüstet mit Schiffen, Ross und Wagen beisammen war und der Seezug nun vor sich gehen sollte, dem versammelten Heere tiefe Windstille zu, so dass man ohne Ziel und Fahrt müßig in Aulis sitzen musste. Die ratsbedürftigen Griechen wandten sich nun an ihren Seher Kalchas, den Sohn des Thestor, welcher dem Volke schon früher wesentliche Dienste geleistet hatte und jetzt erschienen war, als Priester und Wahrsager den Feldzug mitzumachen. Dieser tat auch jetzt den Ausspruch: »Wenn der oberste Führer der Griechen, der Fürst Agamemnon, Iphigenia, sein und Klytämnestras geliebtes Kind, der Artemis opfert, so wird die Göttin versöhnt sein: Fahrwind wird kommen, und der Zerstörung Trojas wird kein übernatürliches Hindernis mehr im Wege stehen.«
Diese Worte des Sehers raubten dem Feldherrn der Griechen allen Mut. Sogleich beschied er den Herold der versammelten Griechen, Talthybios aus Sparta, zu sich und ließ denselben mit hellem Heroldsruf vor allen Völkern verkündigen, dass Agamemnon den Oberbefehl über das griechische Heer niedergelegt habe, weil er keinen Kindesmord auf sein Gewissen laden wolle. Aber unter den versammelten Griechen drohte auf die Verkündigung dieses Entschlusses eine wilde Empörung auszubrechen. Menelaos begab sich mit dieser Schreckensnachricht zu seinem Bruder in das Feldherrnzelt, stellte ihm die Folgen seiner Entschließung, die Schmach, die ihn, den Menelaos, treffen würde, wenn sein geraubtes Weib Helena in Feindeshänden bleiben sollte, vor und bot so beredt alle Gründe auf, dass endlich Agamemnon sich entschloss, den Gräuel geschehen zu lassen. Er sandte an seine Gemahlin Klytämnestra nach Mykene eine briefliche Botschaft, welche ihr befahl, die Tochter Iphigenia zum Heere nach Aulis zu senden, und bediente sich, um diesem Gebote Gehorsam zu verschaffen, des in der Not erdichteten Vorwandes, die

Tochter solle, noch bevor das Heer der trojanischen Küste zusegle, mit dem jungen Sohne des Peleus, dem herrlichen Pythierfürsten Achilleus, von dessen geheimer Vermählung mit Dëidameia niemand wusste, verlobt werden. Kaum aber war der Bote fort, so bekam in Agamemnons Herzen das Vatergefühl wieder die Oberhand. Von Sorgen gequält und voll Reue über den unüberlegten Entschluss, rief er noch in der Nacht einen alten, vertrauten Diener und übergab ihm einen Brief an seine Gemahlin Klytämnestra zur Bestellung; in diesem stand geschrieben, sie solle die Tochter nicht nach Aulis schicken, er, der Vater, habe sich eines andern besonnen, die Vermählung müsse bis aufs nächste Frühjahr aufgeschoben werden. Der treue Diener eilte mit dem Briefe davon, aber er erreichte sein Ziel nicht. Noch ehe er vor der Morgendämmerung das Lager verließ, ward er von Menelaos, dem die Unschlüssigkeit des Bruders nicht entgangen war und der deswegen alle seine Schritte überwacht hatte, ergriffen, der Brief ihm mit Gewalt entrissen und sofort von dem jüngeren Atriden erbrochen. Das Blatt in der Hand trat Menelaos abermals in das Feldherrnzelt des Bruders. »Es gibt doch«, rief er ihm unwillig entgegen, »nichts Ungerechteres und Ungetreueres als den Wankelmut! Erinnerst du dich denn gar nicht mehr, Bruder, wie begierig du nach dieser Feldherrnwürde strebtest, wie du vor übel verheimlichter Lust branntest, das Heer vor Troja zu führen, wie demütig du dich da gegen alle griechischen Fürsten gebärdetest, wie gnädig du jedem Danaer die Rechte schütteltest? Deine Tür war stets unverschlossen; jedem, auch dem Untersten des Volkes, schenktest du Zutritt, und alle diese Geschmeidigkeit bezweckte nichts anderes, als dir jene Würde zu verschaffen. Aber als du nun Herr geworden warest, da war bald alles anders; da warst du nicht mehr deiner alten Freunde Freund wie vorher; zu Hause warst du schwer zu treffen, draußen bei dem Heere zeigtest du dich nur selten. So sollte es ein Ehrenmann nicht machen; er sollte am meisten dann sich unveränderlich gegen seine Freunde zeigen, wenn er ihnen am meisten nützen kann! Du hingegen, wie hast du dich betragen? Als du mit dem Griechenheere nach Aulis gekommen warest und, vom göttlichen Geschicke heimgesucht, vergebens auf Fahrwind hofftest und nun im Heere rings der Ruf sich hören ließ: ›Lass uns davonsegeln und nicht vergeblich in Aulis uns abmühen!‹, wie zerstört und trostlos blickte da dein Auge umher, und wie wusstest du mitsamt deinen Schiffen keinen Rat! Damals beriefst du mich und verlangtest nach einem Auswege, deine schöne Feldherrnwürde nicht zu verlieren. Und als hierauf der Seher Kalchas befahl, anstatt eines Opfers der Artemis deine Tochter darzubringen, da gelobtest du nach kurzem Zuspruche freiwillig deines Kindes Opferung und schicktest Botschaft an dein Weib Klytämnestra, deine Tochter, scheinbar als Braut des Achilleus, herzusenden. Und jetzt – o Schande – weichst du wieder aus und verfasst eine neue Schrift, durch welche du erklärst, des Kindes Mörder nicht werden zu können? Aber freilich, tausend andern ist es schon so gegangen wie dir. Rastlos bis sie ans Ruder gelangt sind, treten sie später schimpflich zurück, wenn es gilt, das Ruder mit Aufopferung zu lenken! Und doch taugt keiner zum Heeresfürsten und Staatenlenker, der nicht Einsicht und Verstand hat und beides auch in den schwierigsten Lagen des Lebens nicht verliert!«

Solche Vorwürfe aus dem Munde des Bruders waren nicht geeignet, das Herz Agamemnons zu beruhigen. »Was schnaubest du so schrecklich«, entgegnete er ihm, »was ist dein Auge wie mit Blut unterlaufen? Wer beleidigt dich denn? Was vermissest du denn? Deine liebenswürdige Gattin Helena? Ich kann sie dir nicht wieder verschaffen! Warum hast du deines Eigentums nicht besser wahrgenommen? Bin ich denn töricht, wenn ich einen Missgriff durch Besinnung wieder gutgemacht habe? Viel eher handelst du unvernünftig, der du aufs Neue nach der Hand eines falschen Weibes trachtest, anstatt dass du froh sein solltest, ihrer losgeworden zu sein. Nein, nimmermehr entschließe ich mich, gegen mein eigenes Blut zu wüten. Weit besser stände dir selbst die gerechte Züchtigung deines buhlerischen Weibes an.«

So haderten die Brüder miteinander, als ein Bote vor ihnen erschien und dem Fürsten Agamemnon die Ankunft seiner Tochter Iphigenia meldete, der die Mutter und sein kleiner Sohn Orestes auf dem Fuße folgten. Kaum hatte der Bote sich wieder entfernt, so überließ sich Agamemnon einer so trostlosen und herzzerreißenden Verzweiflung, dass Menelaos selbst, der bei Ankunft der Botschaft auf die Seite getreten war, jetzt sich dem Bruder wieder näherte und nach seiner rechten Hand griff. Agamemnon reichte sie ihm wehmütig dar und sprach unter heißen Tränen: »Da hast du sie, Bruder; der Sieg ist dein! Ich bin vernichtet!« Menelaos dagegen schwor ihm, von der alten Forderung abstehen zu wollen; ja er ermahnte ihn jetzt selbst, sein Kind nicht zu töten, und erklärte, einen guten Bruder um Helenas willen nicht verderben und nicht verlieren zu wollen. »Bade doch dein Angesicht nicht länger in Tränen«, rief er. »Gibt der Göttersspruch mir Anteil an deiner Tochter, so wisse, dass ich denselben ausschlage und meinen Teil dir abtrete! Wundre dich nicht, dass ich von der Heftigkeit meiner natürlichen Gemütsart umgekehrt bin zur Bruderliebe; denn des biedren Mannes Weise ist es, der bessern Überzeugung zu folgen, sobald sie in unserm Herzen die Oberhand gewinnt!«

Agamemnon warf sich dem Bruder in den Arm, doch ohne über das Geschick seiner Tochter beruhigt zu sein. »Ich danke dir«, sprach er, »lieber Bruder, dass uns gegen Verhoffen dein edler Sinn wieder zusammengeführt hat. Über mich aber hat das Schicksal entschieden. Der blutige Tod der Tochter muss vollzogen sein: das ganze Griechenland verlangt ihn; Kalchas und der schlaue Odysseus sind einverstanden; sie werden das Volk auf ihrer Seite haben, dich und mich ermorden und mein Töchterlein abschlachten lassen. Und flöhen wir gen Argos, glaube mir, sie kämen und rissen uns aus den Mauern hervor und schleiften die alte Kyklopenstadt! Deswegen beschränke dich darauf, Bruder, wenn du in das Lager kommst, darüber zu wachen, dass meine Gemahlin Klytämnestra nichts erfahre, bis dass mein und ihr Kind dem Orakelspruch erlegen ist!«

Die herannahenden Frauen unterbrachen das Gespräch der Brüder, und Menelaos entfernte sich in trüben Gedanken.

Die Begrüßung der beiden Gatten war kurz und von Agamemnons Seite frostig und verlegen; die Tochter aber umschlang den Vater mit kindlicher Zuversicht und rief: »O Vater, wie entzückt mich dein lang entbehrtes Angesicht!« Als sie ihm hierauf näher in sein sorgenvolles Auge sah, fragte sie zutraulich: »Warum ist dein Blick so unruhig, Vater, wenn du mich doch gerne siehst?« – »Lass das, Töchterchen«, erwiderte der Fürst mit beklommenem Herzen, »den König und Fürsten kümmert gar vielerlei!« – »So verbanne doch diese Furchen«, sprach Iphigenia, »und schlage ein liebendes Auge zu deiner Tochter auf! Warum ist es denn so von Tränen angefeuchtet?« – »Weil uns eine lange Trennung bevorsteht«, erwiderte der Vater. – »Oh, wie glücklich wäre ich«, rief das Mädchen, »wenn ich deine Schiffsgefährtin sein dürfte!« – »Nun, auch du wirst eine Fahrt anzutreten haben«, sagte Agamemnon ernst; »zuvor aber opfern wir noch – ein Opfer, bei dem du nicht fehlen wirst, liebe Tochter!« Die letzten Worte erstickten unter Tränen, und er schickte das ahnungslose Kind in das für sie bereitgehaltene Zelt zu den Jungfrauen, die in ihrem Gefolge waren. Mit der Mutter musste der Atride seine Unwahrheit fortsetzen und die fragende, neugierige Fürstin über Geschlecht und Verhältnisse des ihr zugedachten Bräutigams unterhalten. Nachdem sich Agamemnon von der Gemahlin losgemacht, begab er sich zu dem Seher Kalchas, um mit diesem das Nähere wegen des unvermeidlichen Opfers zu verabreden.

Derweilen musste der tückische Zufall Klytämnestra im Lager mit dem jungen Fürsten Achilleus, der den Heerführer Agamemnon aufsuchte, weil seine Myrmidonen den längern Verzug nicht ertragen wollten, zusammenführen, und sie nahm keinen Anstand, ihn als den künftigen Eidam mit freundlichen Worten zu begrüßen. Aber Achilleus trat verwundert zurück. »Von welcher Hochzeit redest du, Fürstin?«, sprach er. »Niemals habe ich um dein Kind gefreit, nie ist ein Einladungswort zur Vermählung von deinem Gemahl Agamemnon an mich gelangt!« So begann das Rätsel sich vor Klytämnestras Augen aufzuhellen, und sie stand unentschlossen und voll Beschämung vor Achilleus. Dieser aber sagte mit jugendlicher Gutmütigkeit: »Lass dich's nicht kümmern, Königin, wenn auch jemand seinen Scherz mit dir getrieben hätte, nimm es leicht und verzeih mir, wenn mein Erstaunen dir wehe getan hat.« Und so wollte er mit ehrerbietigem Gruße davoneilen, den Feldherrn aufzusuchen, da öffnete eben ein Diener das Zelt Agamemnons und lief mit verstörter Miene den beiden Sprechenden entgegen; es war der vertraute Sklave Agamemnons und Klytämnestras, den Menelaos mit dem Briefe ergriffen hatte. »Höre«, sprach er leise, doch atemlos, »was dir dein treuer Diener zu vertrauen hat: deine Tochter will der Vater eigenhändig töten!« Und nun erfuhr die zitternde Mutter das ganze Geheimnis aus dem Munde des getreuen Sklaven. Klytämnestra warf sich dem jungen Sohne des Peleus zu Füßen, und seine Knie wie eine Schutzflehende umfassend, rief sie: »Ich erröte nicht, so vor dir im Staube zu liegen, ich, die Sterbliche, vor dem Göttersprössling. Weiche, Stolz, vor der Mutterpflicht. Du aber, o Sohn der Göttin, rette mich und mein Kind von der Verzweiflung! Dir als ihrem Gatten habe ich sie bekränzt hierher geführt; zwar eitler Weise, dennoch heißest du mir meines Mädchens Bräutigam! Bei allem, was dir teuer ist, bei deiner göttlichen Mutter beschwöre ich dich, hilf sie mir jetzt retten. Sieh, ich habe keinen Altar, zu dem ich flüchten könnte, als deine Knie! Du hast Agamemnons grausames Unterfangen gehört; du siehst, wie ich, ein wehrloses Weib, in der Mitte eines gewalttätigen Heeres eingetreten bin! Breite über uns deinen Arm aus, so ist uns geholfen!«

Achilleus hob die vor ihm liegende Königin voll Ehrfurcht vom Boden und sprach: »Sei getrost, Fürstin! Ich bin in eines frommen, hilfreichen Mannes Hause aufgezogen worden; am Herde Chirons habe ich schlichte, redliche Sinnesart gelernt. Ich gehorche den Söhnen des Atreus gerne, wenn sie mich zum Ruhme führen, aber schnödem Befehle gehorche ich nicht. Darum will ich dich schützen, so weit es den Armen eines Jünglings möglich ist, und nimmermehr soll deine Tochter, die einmal mein genannt wurde, von ihrem Vater hingewürgt werden. Ich selbst erschiene mir nicht unbefleckt, wenn meine erlogene Brautschaft dieses Kind verdürbe, ich käme mir wie der feigste Wicht im Heere und wie der Sohn eines Missetäters vor, wenn mein Name deinem Gemahl zum Vorwand eines Kindesmordes dienen könnte.« – »Ist das wirklich dein Wille, edler, mitleidiger Fürst«, rief Klytämnestra, außer sich vor Freude, »oder erwartest du vielleicht noch, dass auch meine Tochter deine Knie als Schutzflehende umschlingen soll? Zwar ist es nicht jungfräulich; aber wenn es dir gefällt, so wird sie züchtiglich nahen, wie es einer Freigebornen ziemt.« – »Nein«, entgegnete ihr Achilleus, »führe dein Mädchen nicht vor mein Angesicht, damit wir nicht in Verdacht und üble Nachrede kommen, denn ein so großes Heer, das keine Heimatsorgen hat, liebt faules Geschwätz; aber vertraue mir, ich habe nie gelogen. Möge ich selbst sterben, wenn ich dein Kind nicht rette.« Mit dieser Versicherung verließ der Sohn des Peleus Iphigenias Mutter, die jetzt mit unverhehltem Abscheu vor ihren Gatten Agamemnon trat. Dieser, der nicht wusste, dass der Gemahlin das Geheimnis verraten war, rief ihr die zweideutigen Worte entgegen: »Entlass jetzt dein Kind aus dem Zelte und übergib es dem Vater, denn Mehl und Wasser und das Opfer, das unter dem Stahle vor dem Hochzeitsfest fallen soll, alles ist schon bereit.« – »Vortrefflich«, rief Klytämnestra, und ihr Auge funkelte; »tritt selbst aus unserm Zelte heraus, o Tochter, du kennst ja gründlich deines Vaters Willen, nimm auch deinen kleinen Bruder Orestes mit heraus!« Und als die Tochter erschienen war, fuhr sie fort: »Siehe, Vater, hier steht sie dir zu Gehorsam da, lass auch mich zuvor ein Wort an dich richten: sage mir ohne Winkelzüge, willst du meine und deine Tochter umbringen?« Lange stand der Feldherr lautlos da, endlich rief er in Verzweiflung aus: »O mein Schicksal, mein böser Geist! Aufgedeckt ist mein Geheimnis, alles ist verloren!« – »So höre mich denn«, sprach Klytämnestra weiter, »ich will mein ganzes Herz vor dir ausschütten. Mit einem Verbrechen hat unsre Ehe begonnen; du hast mich gewaltsam entführt, hast meinen früheren Gatten erschlagen, mein Kind mir von der Brust genommen und getötet. Schon zogen meine Brüder Kastor und Pollux auf ihren Rossen mit Heeresmacht gegen dich heran. Mein alter Vater Tyndareos war es, der dich, den Flehenden, rettete, und so wurdest du aufs Neue mein Gemahl. Du selbst wirst es bezeugen, dass ich tadellos in diesem Ehebunde war, deine Wonne im Hause und dein Stolz draußen. Drei Mädchen und diesen Sohn habe ich dir geboren, und nun willst du des ältesten Kindes mich berauben, und fragt man dich, warum, so antwortest du: damit dem Menelaos seine Ehebrecherin wieder zuteil werde! Oh, zwinge mich nicht, bei den Göttern, schlecht gegen dich zu werden, und sei nicht schlecht gegen mich! Du willst deine Tochter schlachten? Welch Gebet willst du dabei sprechen, was willst du dir beim Tochtermord erflehen? Eine unglückselige Rückkehr, so wie du jetzt schmählich von Hause wegziehst? Oder soll ich etwa Segen für dich erbitten? Müsste ich doch die Götter selbst zu Mördern machen, wenn ich es täte! Warum soll es denn dein eigenes Kind sein, das als Opfer fällt? Warum sprichst du nicht zu den Griechen: ›Wenn ihr vor Troja schiffen wollet, so werfet das Los darüber, wessen Tochter sterben soll.‹ Nun soll ich, deine treue Gattin, mein Kind verlieren, während er, dessen Sache angefochten wird, Menelaos, seiner Tochter Hermione sich ohne Sorgen erfreuen darf, während seine treulose Gattin dieses Kind in Spartas Pflege geborgen weiß? Antworte, ob ich ein einziges ungerechtes Wort gesagt habe. Ward aber von mir die Wahrheit gesprochen, oh, so töte doch deine und meine Tochter nicht, tue es nicht, besinne dich!«

Jetzt warf sich auch Iphigenia zu den Füßen ihres Vaters und sprach mit erstickter Stimme: »Besäße ich den Zaubermund des Orpheus, o Vater, dass ich Felsen lenken könnte, so wollte ich mich mit beredten Worten an dein Mitleid wenden. Jetzt aber sind alle meine Künste nur Tränen, und anstatt des Ölzweiges umflechte ich deine Knie mit meinem Leibe. Verdirb mich nicht frühzeitig, Vater; lieblich ist das Licht zu schauen, nötige mich nicht, das zu sehen, was die Nacht verbirgt! Gedenke deiner Liebkosungen, mit welchen du mich als Kind auf deinem Vaterschoße gewiegt hast! Noch weiß ich alle deine Reden: wie du hofftest, mich in eines edlen Mannes Wohnung einzuführen, mich in Wohlergehen und Blüte zu schauen, wenn du heimgekehrt wärest. Du aber hast das alles vergessen; du willst mich töten! Oh, tu es nicht, bei dieser Mutter beschwör ich dich, die mich mit Schmerzen geboren hat und jetzt noch größeren Schmerz um mich empfindet! Was gehen mich Helena und Paris an? Warum muss ich sterben, weil er nach Griechenland gekommen ist? Oh, blicke mich an; gönne mir dein Auge, deinen Kuss, dass ich doch sterbend noch ein Andenken von dir empfange, wenn dich mein Wort nicht mehr zu rühren vermag! Sieh deinen Knaben, meinen Bruder, an, Vater; schweigend fleht er für mich. Er ist noch ein Küchlein; ich aber bin herangereift! So lass dich doch erweichen und erbarme dich meiner. Das Licht zu schauen ist für Sterbliche doch das Holdseligste! Elend leben ist besser als der allerschönste Tod.«

Aber Agamemnons Entschluss war gefasst, er stand unerbittlich wie ein Fels und sprach: »Wo ich Mitleid fühlen darf, da fühle ich Mitleid: denn ich liebe meine Kinder, ich wäre ja sonst ein Rasender. Mit schwerem Herzen, o Gemahlin, führe ich das Schreckliche aus, aber ich muss. Ihr sehet ja, welch ein Schiffsheer mich umringt, wie viele Fürsten im Kriegspanzer mich umstehen; diese alle finden die Fahrt nach Troja nicht, Troja wird nicht erobert, wenn ich dich nicht opfere, Kind, nach dem Ausspruche des Sehers. Diese Helden alle wollen den Entführungen der Griechenfrauen ein Ziel stecken; sie sind es fest entschlossen; und bekämpfte ich nun diesen Götterspruch, so mordeten sie euch und mich. Hier hat meine Macht eine Grenze; nicht meinem Bruder Menelaos, sondern ganz Griechenland weiche ich.«

Ohne weiteres Bitten abzuwarten, entfernte sich der König und ließ die jammernden Frauen allein in seinem Zelte. Da hallte plötzlich Waffenlärm vor diesem. »Es ist Achilleus«, rief Klytämnestra freudig. Vergebens suchte sich Iphigenia in tiefer Beschämung vor dem erheuchelten

Bräutigam zu verbergen. Der Sohn des Peleus trat, von einigen Bewaffneten begleitet, hastig in das Zelt: »Unglückliche Tochter Ledas«, rief er, »das ganze Lager ist in Aufruhr und verlangt den Tod deiner Tochter; ich selbst, der ich mich dem Geschrei widersetzte, wäre fast gesteiniget worden.« – »Und deine Myrmidonen?«, fragte Klytämnestra mit stockendem Atem. »Die empörten sich zuerst«, fuhr Achilleus fort, »und schalten mich einen liebeskranken Schwätzer. Mit diesem treuen Häuflein hier komme ich, euch gegen den anrückenden Odysseus zu verteidigen. Tochter, klammere dich an deine Mutter; mein Leib soll euch decken, ich will sehen, ob sie es wagen, den Sohn der Göttin anzugreifen, von dessen Leben das Schicksal Trojas abhängt.« Diese letzten Worte, die einen Schimmer von Hoffnung enthielten, gaben der Mutter den Atem wieder.

Jetzt aber machte sich Iphigenia aus ihren Armen los, richtete ihr Haupt auf und stellte sich mit entschlossenen Schritten vor die Königin und den Fürsten: »Höret meine Reden an!«, sprach sie mit einer Stimme, die alles Zittern verloren hatte. »Vergebens, liebe Mutter, zürnest du deinem Gatten; er kann sich nicht gegen das Notwendige stemmen. Alles Lob verdient der Eifer dieses Fremdlings, aber er wird es büßen müssen, und du wirst gelästert werden. Höret deswegen den Entschluss, den mir die Überlegung eingegeben hat. Ich habe beschlossen zu sterben, ich verbanne jede niedrige Regung aus meiner freien Brust und will es vollenden. Auf mir ruht jetzt jedes Auge des herrlichen Griechenlands, auf mir die Fahrt der Flotte und der Fall Trojas, auf mir die Ehre der griechischen Frauen. Alles dieses werde ich mit meinem Tode schirmen; mit Ruhm wird sich mein Name bedecken, die Befreierin Griechenlands werde ich heißen. Soll ich, eine Sterbliche, der Göttin Artemis in den Weg treten, weil es ihr gefällt, mein Leben für das Vaterland zu verlangen? Nein, ich gebe es willig dahin; opfert mich, zerstöret Troja, das wird mein Denkmal sein und mein Hochzeitsfest.«

Mit leuchtendem Blicke, wie eine Göttin, stand Iphigenia vor der Mutter und dem Peliden, während sie also sprach. Da senkte sich der herrliche Jüngling Achilleus vor ihr auf ein Knie und rief: »Kind Agamemnons! Die Götter machten mich zum glückseligsten Menschen, wenn mir deine Hand zuteil würde. Um dich beneide ich Griechenland, und um Griechenland, das mir angetraut ist, dich. Liebessehnsucht ergreift

mich nach dir, du Herrliche, nun ich dein Wesen geschaut habe. Erwäg es wohl! Der Tod ist ein schreckliches Übel, ich aber möchte dir gern Gutes tun, möchte dich heimführen zum Leben und Glück!« Lächelnd erwiderte ihm Iphigenia: »Männerkrieg und Mord genug hat Frauenschönheit durch die Tyndaridin Helena angeregt, mein lieber Freund, stirb nicht auch du für ein Weib noch töte jemand um meinetwillen. Nein, lass mich Griechenland retten, wenn ich es vermag!« – »Erhabene Seele«, rief der Pelide, »tue, was dir gefällt, ich aber eile mit diesen meinen Waffen zum Altar, deinen Tod zu hindern. In deiner Unbesonnenheit darfst du mir nicht sterben, vielleicht nimmst du mich noch beim Worte, wenn du den Mordstahl auf deinen Nacken gezückt siehst.« So eilte er der Jungfrau voran, die bald darauf, der Mutter alle Klage verbietend und ihr den kleinen Bruder Orestes auf die Arme legend, im beseligenden Bewusstsein, das Vaterland zu retten, dem Tode freudig entgegenging. Die Mutter warf sich im Zelt auf ihr Angesicht und vermochte nicht, ihr zu folgen.
Unterdessen versammelte sich die ganze griechische Heeresmacht in dem blumenreichen Haine der Göttin Artemis vor der Stadt Aulis. Der Altar war errichtet, und neben ihm stand der Seher und Priester Kalchas. Ein Ruf des Staunens und Mitleids ging durch das ganze Heer, als man Iphigenia, von ihren treuen Dienerinnen begleitet, den Hain betreten und auf den Vater Agamemnon zuwandeln sah. Dieser seufzte laut auf, wandte sein Angesicht zurück und verbarg einen Tränenstrom in sein Gewand. Die Jungfrau aber stellte sich dem Vater zur Seite und sprach: »Lieber Vater, siehe, hier bin ich schon! Vor der Götter Altar übergebe ich mein Leben, wenn es der Götterspruch so gebeut, den Führern des Heeres zum Opfer fürs Vaterland. Mich freut es, wenn ihr glücklich seid und mit Siegeslohn zur Heimat wiederkehrt. Berühr mich drum auch kein Argiver; mutig und still will ich den Nacken dem Opferstahle bieten!«
Ein lautes Staunen ging durch das Heer, als es Zeuge solchen Hochsinnes war. Nun gebot Talthybios, der Herold, in der Mitte stehend, Stillschweigen und Andacht. Der Seher Kalchas zog einen blanken schneidenden Stahl aus der Seite und legte ihn vor dem Altar in einem goldenen Korbe nieder. Jetzt trat Achilleus in voller Waffenrüstung und mit gezücktem Schwerte vor den Altar. Aber ein Blick der Jungfrau wandelte auch seinen Entschluss. Er warf das Schwert auf die Erde, besprengte

den Altar mit Weihwasser, ergriff den Opferkorb, umwandelte den Festaltar wie ein Priester und sprach: »O hohe Göttin Artemis, nimm dieses heilige, freiwillige Opfer, das unbefleckte Blut des schönen Jungfrauennackens, das Agamemnon und Griechenlands Heer dir jetzt weiht, gnädig an, gib unseren Schiffen glückliche Fahrt und Trojas Sturz unsern Speeren!« Die Atriden und das ganze Heer standen stumm zur Erde blickend. Der Priester Kalchas nahm seinen Stahl, betete und fasste die Kehle der Jungfrau scharf ins Auge. Deutlich hörte man den Fall seines Schlages. Aber, o Wunder, in demselben Augenblicke war die Jungfrau aus den Augen des Heeres verschwunden. Artemis hatte sich ihrer erbarmt, und eine Hindin von hohem Wuchs und herrlicher Gestalt lag zappelnd auf dem Boden und besprengte mit reichlichem Opferblute den Altar. »Ihr Führer des vereinten Griechenheeres«, rief Kalchas, nachdem er sich von seinem freudigen Staunen erholt hatte, »sehet hier das Opfer, welches die Göttin Artemis gesandt hat und das ihr willkommener ist als die Jungfrau, deren edles Blut den Altar nicht besudeln sollte. Die Göttin ist versöhnt, gibt unsern Schiffen fröhliche Fahrt und verspricht uns die Erstürmung Trojas. Seid guten Muts, ihr Seegefährten, denn noch an diesem Tage verlassen wir die Bucht von Aulis!« So sprach er und sah zu, wie das Opfertier allmählich vom Feuer verkohlt ward. Als der letzte Funke erloschen war, unterbrach die Stille der Luft ein Sausen des Windes, die Blicke des Heeres kehrten sich nach dem Hafen und sahen hier die Schiffe im bewegten Meere schwanken. Mit lautem Jubelrufe ward aus dem Haine der Artemis aufgebrochen, und alles Volk eilte nach den Zelten.

Als Agamemnon in dem seinigen ankam, fand er seine Gattin Klytämnestra nicht mehr dort; ihr treuer Diener war ihm vorausgeeilt und hatte die ohnmächtig auf dem Boden Liegende mit der Nachricht von der Rettung ihrer Tochter erweckt und aufgerichtet. Mit einem flüchtigen Gefühl des Dankes und der Freude erhob die zur Besinnung gekommene Königin ihre Hände gen Himmel, dann aber rief sie mit bitterem Schmerze: »Mein Kind ist mir doch geraubt! Er ist doch der Mörder meiner Mutterfreude! Lass uns eilen, dass meine Augen den Kindesmörder nicht schauen!« Der Diener eilte, den Wagen und das Gefolge zu bestellen, und als Agamemnon von dem Opferfeste zurückkam, war seine Gemahlin schon fern auf dem Wege nach Mykene.

Abfahrt der Griechen. Aussetzung des Philoktetes

Noch an demselben Tage ging die Flotte der Griechen unter Segel, und der günstigste Fahrwind führte sie schnell auf die hohe See. Nach einer kurzen Fahrt landeten sie auf der kleinen Insel Chryse, um frisches Wasser einzunehmen. Hier entdeckte Philoktetes, der Sohn des Königs Pöas aus Meliböa in Thessalien, der erprobte Held und Waffengefährte des Herakles, der Erbe seiner unüberwindlichen Pfeile, einen verfallenen Altar, welchen einst der Argonaute Jason auf seiner Fahrt der Göttin Pallas Athene, der die Insel heilig war, geweiht hatte. Der fromme Held freute sich seines Fundes und wollte der Beschirmerin der Griechen auf ihrem verlassenen Heiligtume opfern. Da schoss eine giftige Natter, dergleichen die Heiligtümer der Götter zu bewachen pflegten, auf den Herantretenden zu und verwundete den Helden mit ihrem Biss am Fuße. Erkrankt wurde er wieder zu Schiffe gebracht, und die Flotte segelte weiter. Die giftige und stets weiterfressende Wunde aber peinigte den Sohn des Pöas mit unerträglicher Qual, und seine Schiffsgenossen konnten den üblen Geruch des eiternden Geschwüres und sein beständiges Jammergeschrei nicht länger aushalten. Keine Spende, kein Opfer vermochten sie ruhig darzubringen; in alles mischte sich sein unheiliger Angstruf. Endlich traten die Söhne des Atreus mit dem verschlagenen Odysseus zusammen, denn die Unzufriedenheit der Begleiter des kranken Helden fing an, sich durch das ganze Heer zu verbreiten, welches fürchtete, dass der wunde Philoktetes das Lager von Troja verpesten und den Griechen mit seiner endlosen Wehklage das Leben verbittern möchte. Deswegen fassten die Anführer des Volkes den grausamen Entschluss, als sie an der wüsten und unbewohnbaren Küste der Insel Lemnos vorüberfuhren, den armen Helden hier auszusetzen, und bedachten dabei nicht, dass sie mit dem tapfern Manne sich zugleich seiner unüberwindlichen Geschosse beraubten. Der schlaue Odysseus erhielt den Auftrag, diesen hinterlistigen Anschlag zu vollführen; er lud den schlafenden Helden sich auf, fuhr mit ihm in einem Nachen an den Strand und legte ihn hier unter einer nahen Felsengrotte nieder, nachdem er so viel Kleidungsstücke und Lebensmittel zurückgelassen hatte, als zur kümmerlichen Fristung seines Lebens für die nächsten Tage nötig waren. Das Schiff hatte am Strand nur so lange angehalten, als es Zeit bedurfte, den Unglücklichen auszusetzen: dann segelte es, sobald Odysseus zurückgekehrt war, weiter und vereinigte sich bald wieder mit dem übrigen Zuge.

Die Griechen in Mysien. Telephos

Die griechische Flotte kam jetzt glücklich an die Küste von Kleinasien. Da aber die Helden der Gegend nicht recht kundig waren, ließen sie sich von dem günstigen Winde zuerst ferne von Troja an die mysische Küste treiben und legten sich dort mit allen ihren Schiffen vor Anker. Längs des Gestades fanden sie zur Bewachung des Ufers allenthalben Bewaffnete aufgestellt, die ihnen im Namen des Landesherrn verboten, dies Gebiet zu betreten, bevor dem Könige gemeldet wäre, wer sie seien. Der König von Mysien war selbst ein Grieche, Telephos, der Sohn des Herakles und der Auge, der nach wunderbaren Schicksalen seine Mutter bei dem Könige Teuthras in Mysien antraf, des Königs Tochter Argiope zur Gemahlin erhielt und nach dessen Tode König der Mysier geworden war. Die Griechen, ohne zu fragen, wer der Herr des Landes wäre, und ohne den Wächtern eine Antwort zu erteilen, griffen zu den Waffen, stiegen ans Land und hieben die Küstenwächter nieder. Wenige entrannen und meldeten dem Könige Telephos, dass viel Tausend unbekannte Feinde in sein Land gefallen wären, die Wachen niedergemetzelt hätten und sich jetzt im Besitze des Ufers befänden. Der König sammelte in aller Eile einen Heerhaufen und ging den Fremdlingen entgegen. Er selbst war ein herrlicher Held und seines Vaters Herakles würdig, hatte auch seine Kriegsscharen zu griechischer Heereszucht gebildet. Die Danaer fanden deswegen einen Widerstand, wie sie ihn nicht erwartet hatten; denn es entspann sich ein blutiges und lange unentschiedenes Treffen, in welchem sich Held mit Helden maß. Unter den Griechen tat sich in der Schlacht besonders Thersander hervor, der Enkel des berühmten Königs Ödipus und Sohn des Polyneikes, der vertraute Waffengenosse des Fürsten Diomedes, der schon als Epigone sich berühmt gemacht hatte. Dieser raste in dem Heere des Telephos mit Mord und erschlug endlich den geliebtesten Freund und ersten Krieger des Königs an seiner Seite. Darüber entbrannte der König in Wut, und es entspann sich ein grimmiger Zweikampf zwischen dem Enkel des Ödipus und dem Sohne des Herakles. Der Heraklide siegte, und Thersander sank, von einem Lanzenstiche durchbohrt, in den Staub. Laut seufzte sein Freund Diomedes auf, als er dies aus der Ferne sah, und ehe der König Telephos sich auf den Leichnam werfen und ihm die Rüstung abziehen konnte, war er herzugesprungen, hatte sich den Leichnam des Freundes über die Schultern gelegt und eilte mit Riesenschritten, ihn aus dem Kampfgewühle zu tragen. Als der Held mit seiner Last fliehend an Ajax und Achilleus vorüberkam, durchfuhr auch diese Helden ein schmerzlicher Zorn, sie sammelten ihre wankenden Scharen, teilten sie in zwei Haufen und gaben durch eine geschickte Schwenkung dem Treffen eine andere Wendung. Die Griechen waren jetzt bald wieder im Vorteil, und als Teuthrantios, der Halbbruder des Telephos, von einem Geschosse des Ajax gefallen war und Telephos selbst, in der Verfolgung des Odysseus begriffen, dem sinkenden Bruder zu Hilfe kommen wollte, strauchelte er über einen Weinstock: denn durch die Geschicklichkeit der Griechen waren die kämpfenden Scharen der Feinde in eine Weinpflanzung gelockt worden, in der die Stellung der Danaer die günstigere war. Diesen Augenblick ersah sich Achilleus, und während Telephos vom Falle sich aufrichtete, durchbohrte sein Wurfspieß die linke Weiche des Mysiers. Dieser richtete sich dennoch auf, zog das Geschoss aus der Seite, und durch den Zusammenlauf der Seinigen beschirmt, entging er weiterer Gefahr. Noch lange hätte das Treffen mit abwechselndem Glücke fortgedauert, wenn nicht die Nacht eingebrochen wäre und beide Teile, der Ruhe bedürftig, sich von dem Kampfplatze zurückgezogen hätten. Und so begaben sich die Mysier nach ihrer Königsstadt, die Griechen nach ihrem Ankerplatze zurück, nachdem von beiden Seiten viele tapfere Männer gefallen, viele verwundet waren.

Am folgenden Tage schickten sodann beide Heere Gesandte wegen eines Waffenstillstandes, damit die Leiber der Gefallenen zusammengesucht und begraben werden könnten. Jetzt erst erfuhren die Griechen zu ihrem Staunen, dass der König, der sein Gebiet so heldenmütig verteidigt habe, ihr Volksgenosse und der Sohn ihres größten Halbgottes sei, und Telephos ward mit Schmerzen inne, dass ihm Bürgerblut an den Händen klebte. Nun fand es sich auch, dass im griechischen Heere drei Fürsten waren, Tlepolemos, ein Sohn des Herakles, Phidippos und Antiphos, Söhne des Königs Thessalos und Enkel des Herakles, alle drei also Verwandte des Königs Telephos. Diese nun erboten sich, im Geleite der mysischen Gesandten vor ihren Bruder und Vetter Telephos zu gehen und ihm näher zu berichten, wer die Griechen seien, die an seiner Küste gelandet, und in welcher Absicht sie nach Asien kämen. Der König Telephos nahm seine Verwandten liebreich auf und konnte sich nicht genug von ihnen erzählen lassen. Da erfuhr er, wie Paris mit seinem Frevel ganz Griechenland beleidigt hatte und Menelaos mit seinem Bruder Agamemnon und allen verbündeten Griechenfürsten aufgebrochen sei. »Darum«, sprach Tlepolemos, der als ein leiblicher Halbbruder des Königs für die übrigen das Wort führte, »lieber Bruder und Landsmann, entziehe dich deinem Volke nicht, für das ja auch unser lieber Vater Herakles in allen Orten und Enden der Welt gestritten, von dessen Vaterlandsliebe ganz Griechenland unzählige Denkmale aufzuweisen hat; heile die Wunden wieder, die du, ein Grieche, Griechen geschlagen hast, indem du deine Scharen mit den unsrigen vereinigst und als unser Verbündeter gegen das meineidige Trojanervolk ziehest.«

Telephos richtete sich von seinem Lager, auf welchem er, durch die Wunde des Achilleus darniedergestreckt, die griechischen Helden empfangen hatte, mit Mühe auf und erwiderte freundlich: »Eure Vorwürfe sind nicht gerecht, liebe Volksgenossen; durch eure eigene Schuld seid ihr aus Freunden und Blutsverwandten meine erbitterten Feinde geworden. Haben doch die Küstenwächter, meinem strengen Befehle gehorsam, euch wie alle Landenden geziemend nach Namen und Abkunft gefragt und nicht nach roher Barbarenweise, sondern nach dem Völkerrechte der Griechen mit euch gehandelt. Ihr aber seid in der Meinung, dass gegen Barbaren alles erlaubt sei, ans Land gesprungen, ohne ihnen die verlangte Weisung zu geben, und habt meine Untertanen, ohne sie anzuhören, niedergemacht. Auch mir habt ihr« – hier zeigte er auf seine Seite – »ein Andenken hinterlassen, das mich, wohl fühle ich es, mein Leben lang an unser gestriges Zusammentreffen erinnern wird. Doch grolle ich euch darüber nicht und kann die Freude, Blutsverwandte und Griechen in meinem Reiche aufgenommen zu haben, nicht zu teuer erkaufen. Hört nun, was in Beziehung auf eure Anforderung mein Bescheid ist. Gegen Priamos zu Felde zu ziehen mutet mir nicht zu. Mein zweites Gemahl, Astyoche, ist seine Tochter; dazu ist er selbst ein frommer Greis, und seine übrigen Söhne sind edelmütig, er und sie haben keinen Anteil an dem Verbrechen des leichtsinnigen Paris. Sehet dort meinen Knaben Euryphylos; wie sollte ich ihm das Herzeleid antun und das Reich seines Großvaters zerstören helfen! Wie ich aber dem Priamos nichts zu Leide tun will, so werde ich auch euch, meine Landsleute, auf keinerlei Weise schädigen. Nehmt Gastgeschenke von mir und fasset Mundvorrat, so viel euch nötig ist. Dann gehet hin und fechtet in der Götter Namen euren Handel aus, den ich nicht schlichten kann.«

Mit dieser gütigen Antwort kamen die drei Fürsten vergnügt in das Lager der Argiver zurück und meldeten dem Agamemnon und den anderen Fürsten, wie sie Freundschaft im Namen der Griechen mit Telephos geschlossen. Der Kriegsrat der Helden beschloss, den Ajax und Achilleus sofort an den König zu senden, dass sie das Bündnis mit ihm bestätigten und ihn wegen seiner Wunde trösteten. Diese fanden den Herakliden schwer darniederliegen, und Achilleus warf sich weinend über sein Lager und bejammerte es, dass sein Speer unwissentlich einen Landsmann und edlen Sohn des Herakles getroffen. Der König aber vergaß seine Schmerzen und bedauerte nur, von der Ankunft so herrlicher Gäste nicht unterrichtet gewesen zu sein, um ihnen einen königlichen Empfang zu bereiten. Hierauf lud er die Atriden feierlich in die Hofburg ein, bewirtete sie mit festlicher Pracht und erfreute sie mit köstlichen Geschenken. Diese brachten auf die Bitte des Achilleus die beiden weltberühmten Ärzte Podaleiros und Machaon mit, die Wunde des Königs zu untersuchen und zu heilen. Das Letztere gelang ihnen zwar nicht, denn der Speer des Göttersohnes hatte seine eigene Kraft, und die Wunden, die er schlug, widerstanden der Heilung; doch befreiten die Linderungsmittel, die sie auflegten, den König für den Augenblick von den unerträglichsten Schmerzen. Und nun erteilte er von seinem Krankenlager aus den Griechen allerlei heilsame Ratschläge, versah die Flotte mit Lebensmitteln und ließ sie nicht eher abziehen, bevor der Winter, der im Anzuge war, da sie landeten, mit seinen härtesten Stürmen vorüber war. Darauf belehrte er sie über die Lage der Stadt Troja und über den Weg, den sie dahin zu machen hätten, und bezeichnete ihnen als einzigen Landungsplatz die Mündung des Flusses Skamander.

Paris zurückgekehrt

Obgleich in Troja noch nichts von der Abfahrt der großen griechischen Flotte bekannt war, herrschte doch seit der Abreise der griechischen Gesandten Schrecken und Furcht vor dem bevorstehenden Kriege in dieser Stadt. Paris war inzwischen mit der geraubten Fürstin, der herrlichen Beute und seiner ganzen Flotte zurückgekommen. Der König Priamos sah die unerbetene Schwiegertochter nicht mit Freuden in seinen Palast eintreten und versammelte auf der Stelle seine zahlreichen Söhne zu einer Fürstenversammlung. Diese ließen sich durch den Glanz der Schätze, die ihr Bruder unter sie zu verteilen bereit war, und die Schönheit der Griechinnen aus den edelsten Fürstengeschlechtern, welche er im Gefolge Helenas mitgebracht und denjenigen seiner Brüder, die noch keine Frauen hatten, zur Ehe zu geben bereit war, leicht betören. Weil ihrer viele noch jung und alle kampflustig waren, so fiel die Beratung dahin aus, dass die Fremde in den Schutz des Königshauses aufgenommen und den Griechen nicht ausgeliefert werden sollte. Ganz anders hatte freilich das Volk der Stadt, dem vor einem feindlichen Angriff und einer Belagerung gar bange war, die Ankunft des Königssohnes und seinen schönen Raub aufgenommen; mancher Fluch hatte ihn durch die Straßen verfolgt, und hier und da war selbst ein Stein nach ihm geflogen, als er die erbeutete Gemahlin in des Vaters Palast geleitete. Doch hielt die Ehrfurcht vor dem alten König und seinem Willen die Trojaner ab, sich der Aufnahme der neuen Bürgerin ernstlich zu widersetzen.

Als nun im Rate des Priamos der Beschluss gefasst war, die Fürstin nicht zu verstoßen, sandte der König seine eigene Gemahlin zu ihr in das Frauengemach, um sich zu überzeugen, dass sie freiwillig mit nach Troja gekommen sei. Da erklärte Helena, dass sie durch ihre eigene Abstammung den Trojanern ebenso sehr angehöre wie den Griechen; denn Danaos und Agenor seien ebenso wohl ihre eigenen Stammväter als die Stammhalter des trojanischen Königshauses. Unfreiwillig geraubt, sei sie jetzt doch durch langen Besitz und innige Liebe an ihren neuen Gemahl gefesselt und freiwillig die Seinige. Nach dem, was geschehen, könnte sie von ihrem vorigen Gatten und ihrem Volke keine Verzeihung erwarten; nur Schande und Tod stände ihr bevor, wenn sie ausgeliefert würde.

So sprach sie mit einem Strom von Tränen und warf sich der Königin

Hekabe zu Füßen, welche die Schutzflehende liebreich aufrichtete und ihr den Willen des Königs und seiner Söhne verkündete, sie gegen jeden Angriff zu schirmen.

Die Griechen vor Troja

So lebte denn Helena ungefährdet am Königshofe von Troja und bezog darauf mit Paris einen eigenen Palast. Auch das Volk gewöhnte sich bald an ihre Lieblichkeit und griechische Holdseligkeit, und als nun endlich die fremde Flotte wirklich an der trojanischen Küste erschien, waren die Einwohner der Stadt minder verzagt denn zuvor.

Sie zählten ihre Bürger und ihre Bundesgenossen, die sie schon vorher beschickt und deren wirksamer Hilfe sie sich versichert hatten, und sie fanden sich an Zahl und Kraft ihrer Helden und Streiter den Griechen gewachsen. So hofften sie, mit dem Schutze der Himmlischen – denn außer Aphrodite waren noch mehrere Götter, darunter der Kriegsgott, Apollon und Zeus, der Vater der Olympischen selbst, auf ihrer Seite – die Belagerung ihrer Stadt abwenden und die Feinde zum schnellen Rückzuge nötigen zu können.

Zwar war ihr Anführer, König Priamos selbst, ein nicht mehr kampffähiger Greis, aber fünfzig Söhne, worunter neunzehn von seiner Gattin, der Königin Hekabe, umringten ihn teils im blühenden, teils im kräftigsten Alter, vor allen Hektor, nächst ihm Deïphobos, und nach diesen als die ausgezeichnetsten Helenos, der Wahrsager, Pammon, Polfites, Antiphos, Hipponoos und der zarte Troilos. Vier liebliche Töchter, Krëusa, Laodike, Kassandra und die in der Kindheit schon von Schönheit strahlende Polyxena umgaben seinen Thron. Dem Heere, das sich jetzt streitfertig machte, stand als Oberfeldherr Hektor, der helmumflatterte Held, vor; neben ihm befehligte die Dardaner Äneas, der Schwiegersohn des Königs Priamos und Gemahl Krëusas, ein Sohn der Göttin Aphrodite und des greisen Helden Anchises, der noch immer ein Stolz des trojanischen Volkes war; an die Spitze einer andern Schar stellte sich Pandaros, der Sohn des Lykaon, dem Apollon selbst seinen Bogen verliehen hatte; andere Scharen, zum Teil trojanischer Hilfsvölker, führten Adrastos, Amphios, Asios mit seinen Söhnen Adainas und Phänops;

Hippothoos und Pyläos aus Larissa, die Nachkommen des Kriegsgottes; die Söhne Antenors Iphidamas, Agenor, Archilochos und Akamas; Pyrächmes, Pylämenes, Hodios und dessen Bruder Epistrophos; Chromis und Ennomos eine Hilfsschar von Mysiern; Phorkis und Askanios eine gleiche der Phryger, Mesthles und Antiphos die Mäonier, Nastes und Amphimachos die Karier, die Lykier Sarpedon und Glaukos.

Die Griechen waren inzwischen gelandet und hatten sich längs dem Gestade des Meeres zwischen den beiden Vorgebirgen Sigeion und Rhöteion in einem geräumigen Lagerplatz angesiedelt, der einer ordentlichen Stadt nicht unähnlich war. Die Fahrzeuge waren ans Land gezogen worden und in mehreren Reihen hintereinander aufgestellt, so dass sie sich, weil der Boden des Ufers aufwärts ging, stufenförmig übereinander erhoben. Die Schiffszüge der einzelnen Völkerschaften reihten sich in der Ordnung aneinander, wie sie gelandet. Die Schiffe selbst waren auf Unterlagen von Steinen aufgestellt, damit sie vom feuchten Boden nichts zu leiden hätten und luftiger ständen. In der ersten Reihe vom Land aus hatten an den beiden äußersten Enden der Telamonier Ajax und Achilleus, beide das Gesicht gegen Troja gekehrt, jener zur Linken, dieser zur Rechten ihre Fahrzeuge aufgestellt und ihre Lagerhütten aufgepflanzt, die wir nur uneigentlich und der Kürze halber Zelte nennen. Das Quartier des Achilleus wenigstens glich beinahe einem ordentlichen Wohnhause, hatte Scheunen und Ställe für Mundvorräte, Wagenpferde und zahmes Vieh; und neben seinen Schiffen war Raum zu Wettrennen, Leichenspielen und andern Feierlichkeiten. An Ajax schlossen sich die Schiffe des Protesilaos an, dann kamen andere Thessalier, dann die Kreter, Athener, Phokier, Böotier, zuletzt Achilleus mit seinen Myrmidonen; in der zweiten Reihe standen unter andern die Lokrer, Dulichier, Epeer; in der dritten waren minder namhafte Völker mit ihren Schiffen gelagert, aber auch Nestor mit den Pyliern, Eurypylos mit den Orchomeniern, zuletzt Menelaos. In der vierten und letzten längs dem Meeresgestade selbst standen Diomedes, Odysseus und Agamemnon, so dass Odysseus in der Mitte, zur Rechten Agamemnon, links Diomedes lagerte. Vor Odysseus befand sich die Agora, der freie Platz, der zu allen Versammlungen und Verhandlungen bestimmt war und auf welchem die Altäre der Götter standen. Dieser Platz teilte auch noch die dritte Reihe, so dass derselbe den Nestor zur Linken, den Eurypylos zur Rechten hatte. Der Raum nach dem Meere hin verengte sich, und auch die Agora nahm viel Platz weg, so dass die dritte und vierte Reihe die wenigsten Schiffe enthielt. Das ganze Schiffslager war wie eine ordentliche Stadt von vielen Gassen und Wegen durchschnitten, die Hauptstraßen aber liefen zwischen den vier Reihen durch; vom Lande nach dem Meere gingen Quergassen, welche die Schiffe jeder Völkerschaft voneinander trennten; die Schiffe selbst waren von den Lagerhütten ihrer Völkerschaften wieder durch kleine Zwischenräume abgesondert, und jede Völkerschaft zerfiel wieder in kleinere Unterabteilungen nach den verschiedenen Städten oder Anführern. Die Lagerhütten waren aus Erde und Holz aufgebaut und mit Schilf bedeckt. Jeder Anführer hatte sein Quartier in der vordersten Reihe seiner Schar, und ein jedes war nach dem Range des Bewohners schöner oder geringer geschmückt. Die Schiffe dienten zugleich dem ganzen Lager zur Verteidigung. Vor ihnen hatten die Griechen noch einen Erdwall aufgeworfen, der erst in der letzten Zeit der Belagerung einer Mauer Platz machte. Hinter ihm war ein Graben, vorn mit einer dichten Reihe von Schanzpfählen versehen. Zu allen diesen schönen Einrichtungen hatten die Griechen während der langen Zeit, da König und Rat von Troja über die beste Weise der Verteidigung sich berieten, Muße gefunden. Ihre Krieger verrichteten zugleich den Schiffsdienst und erhielten dafür ihr Brot auf öffentliche Kosten. Für die übrigen Lebensbedürfnisse hatte ein jeder selbst zu sorgen. Die gemeinen Streiter waren leicht bewaffnet und fochten zu Fuße, die vornehmeren stritten auf Kriegswagen, so dass jeder streitende Held einen andern als Wagenlenker bei sich hatte. Von Reiterei wussten die Völker jener alten Zeit noch nichts. Die Streitwagen mit den größten Helden waren auch bestimmt, in der ersten Reihe zu kämpfen, und sollten immer das Vordertreffen bilden.

Zwischen dem Schiffslager der Griechen und der Stadt Troja breitete sich, von den Flüssen Skamander und Simois eingeschlossen, die sich erst beim griechischen Lager zu einer Mündung vereinigten, die blumige skamandrische Wiese und die troische Ebene vier Wegestunden lang aus, die zum Schlachtfelde bestimmt und wie geschaffen war und hinter welcher sich mit hohen Mauern, Zinnen und Türmen die von Götterhand befestigte, herrliche Stadt und Burg Troja erhob. Sie lag auf einem Hügel weithin sichtbar, ihr Inneres war uneben und bergicht und von vielen

Straßen durchschnitten. Nur von zweien Seiten war sie leichter zugänglich, und hier befand sich auf der einen Seite das skäische, auf der andern das dardanische Tor mit einem Turme. Die übrigen Seiten waren höckricht und mit Gebüschen verwachsen, und ihre Tore und Törchen kamen wenig in Betracht. In der oberen Stadt oder Burg Ilion, auch Pergamos genannt, standen die Paläste des Priamos, des Paris, die Tempel der Hekate, der Athene und des Apollon, auf der höchsten Spitze der Burg ein Tempel des Zeus. Vor der Stadt am Simois, den Griechen zur Linken, war der Hügel Kallikolone, zur Rechten führte die Straße an den Quellen des Skamander und dann an dem hohen Hügel Batieia vorbei, der umgangen werden konnte und außen vor der Stadt lag. Hinter Troja kam das ilische Feld, das sich schon bergan zog und die unterste Stufe des waldigen Idagebirges bildete, dessen höchster Gipfel Gargaros hieß, das bis in die Ebene hinablief und dessen beide letzte Äste rechts und links von den Griechen das sigeische und rhöteische Vorgebirge bildeten.

Noch ehe der Kampf zwischen beiden Völkern seinen Anfang nahm, wurden die Griechen durch die Ankunft eines werten Gastes überrascht. Der König Telephos von Mysien, der sie so großmütig unterstützt hatte, war seitdem an der Wunde, die ihm der Speer des Achilleus geschlagen, unheilbar krank gelegen, und die Mittel, die ihm Podaleirios und Machaon aufgelegt hatten, taten schon lange keine Wirkung mehr. Gequält von den unerträglichsten Schmerzen, hatte er ein Orakel des Phöbos Apollon, das in seinem Lande war, befragen lassen, und dieses hatte ihm die Antwort erteilt, nur der Speer, der ihn geschlagen, vermöge ihn zu heilen. So dunkel das Wort des Gottes lautete, so trieb ihn doch die Verzweiflung, sich einschiffen zu lassen und der griechischen Flotte zu folgen. So kam denn auch er bei der Mündung des Skamander an und ward in die Lagerhütte des Achilleus getragen. Der Anblick des leidenden Königs erneuerte den Schmerz des jungen Helden. Betrübt brachte er seinen Speer herbei und legte ihn so dem Könige zu den Füßen seines Lagers, ohne Rat zu wissen, wie man sich seiner zur Heilung der eiternden Wunde bedienen sollte. Viele Helden umstanden ratlos das Bett des gepeinigten Wohltäters, bis es Odysseus einfiel, aufs Neue die großen Ärzte des Heeres zu Rate zu ziehen. Podaleirios und Machaon eilten auf seinen Ruf herbei. Sobald sie das Orakel Apollons vernommen, verstanden sie als weise, viel erfahrene Söhne des Asklepios seinen Sinn, feilten ein wenig Rost vom Speere des Peliden ab und legten ihn sorgfältig verbreitet über die Wunde. Da war ein Wunder zu schauen: sowie die Feilspäne auf eine eiternde Stelle des Geschwüres gestreut wurden, fing diese vor den Augen der Helden zu heilen an, und in wenigen Stunden war der edle König Telephos, dem Orakel zufolge, durch den Speer des Achilleus von der Wunde desselben Speeres genesen. Jetzt erst war die Freude der Helden über den großmütigen Empfang, der ihnen in Mysien zuteil geworden war, vollkommen. Gesundet und froh ging Telephos wieder zu Schiffe, und wie jüngst die Griechen ihn, so verließ er sie jetzt unter Danksagungen und Segenswünschen, in sein Reich Mysien zurückkehrend. Er eilte aber, nicht Zeuge des Kampfes zu sein, den seine lieben Gastfreunde gegen den ebenso geliebten Schwäher beginnen würden.

Ausbruch des Kampfes. Protesilaos. Kyknos

Die Griechen waren noch mit dem Geleite des Königs Telephos beschäftigt, als die Tore Trojas sich auftaten und die völlig gerüstete Heeresmacht der Trojaner unter Hektors Anführung sich über die skamandrische Ebene ergoss und ohne Widerstand gegen die Schiffe der sorglosen Argiver anrückte. Die Äußersten im Schiffslager, die zuerst zerstreut zu den Waffen griffen und den heranziehenden Feinden entgegeneilten, wurden von der Übermacht erdrückt. Doch hielt das Gefecht mit ihnen die Heerschar der Trojaner so lange auf, dass die Griechen im Lager sich sammeln und auch ihrerseits in einem geordneten Heerhaufen den Feinden entgegentreten konnten. Da gestaltete sich nun die Schlacht ganz ungleich. Denn wo Hektor selbst zugegen war, gewannen die Trojaner die Oberhand, in die Schlachtreihen aber, die ferne von ihm fochten, drangen die Griechen siegreich ein. Der erste namhafte Held unter den Griechen, der von der Hand des trojanischen Fürsten Äneas in dieser Schlacht fiel, war Protesilaos, des Iphiklos Sohn. Als verlobter Jüngling war er gegen Troja gezogen und der erste Grieche, der bei der Landung ans Ufer sprang: so sollte er auch als das erste Heldenopfer fallen, und seine Braut Laodameia, die holdselige Tochter des Argonauten Akastos, sollte den Bräutigam, den sie mit banger Sorge in den Krieg hatte ziehen lassen, nicht wieder erblicken.

Noch war Achilleus vom Kampfplatz entfernt. Er hatte dem Mysier, den er einst mit dem Speere verwundet und jetzt mit dem Speere geheilt hatte, das Geleite ans Meer gegeben und sah nachdenklich dem Schiffe nach, das sich in die ferne Flut vertiefte. Da kam sein Freund und Kampfgeselle Patroklos auf ihn zugeeilt, fasste ihn bei der Schulter und rief: »Wo weilst du, Freund, die Griechen bedürfen deiner. Der erste Kampf ist entbrannt: des Königs Priamos ältester Sohn, Hektor, rast an der Spitze der feindlichen Scharen wie ein Löwe, dessen Höhle Jäger umstellt haben. Äneas, der Eidam des Königs, hat aus der Mitte unserer Fürsten den edlen Protesilaos, der an Jugend und Mut dir ähnlich, doch an Kraft dir nicht gleich war, erschlagen. Wenn du nicht kommst, so wird der Mord unter unsern Helden einreißen!« Aus seinen Träumen erwacht, blickte Achilleus hinter sich, sah den mahnenden Freund, und in diesem Augenblicke drang auch der Hall des Kampfgetümmels in sein Ohr. Da sprang er, ohne ein Wort zu erwidern, durch die Gassen des Schiffslagers seinem Zelte zu. Hier erst fand er die Sprache wieder, rief mit lauter Stimme seine Myrmidonen unter die Waffen und erschien mit ihnen wie ein donnerndes Wetter in der Schlacht. Seinem stürmischen Angriffe hielt selbst Hektor nicht stand. Zwei Söhne des Priamos erschlug er, und der Vater sah wehklagend von den Mauern herab den Tod seiner Kinder von des fürchterlichen Heldenjünglings Hand. Dicht an der Seite des Peliden kämpfte der Telamonier Ajax, dessen Riesenleib alle andern Danaer überragte; vor den Streichen der beiden Helden flohen die Trojaner wie eine Herde von Hirschen vor einer Hundekoppel daher; zuletzt wurde die Flucht der Feinde allgemein, und die Trojaner schlossen die Tore wieder hinter sich. Die Griechen aber begaben sich in Ruhe wieder zu ihren Schiffen und fuhren in der Vollendung ihres Lagerbaus gemächlich fort. Achilleus und Ajax wurden von Agamemnon zu Wächtern der Schiffe bestimmt, und diese setzten wieder andere Helden zu Wächtern über einzelne Abteilungen der Flotte.

Alsdann begaben sie sich zum Begräbnisse des Protesilaos, legten den Leichnam auf einen schön geschmückten und aufgetürmten Scheiterhaufen und begruben seine Gebeine auf einer Halbinsel des Strandes unter schönen hohen Ulmbäumen. Noch waren sie mit der Bestattung nicht ganz fertig, als ein zweiter Überfall die sorglos Feiernden erschreckte.

In Kolonai bei Troja herrschte der König Kyknos, der, von einer Nymphe dem Meeresgotte Poseidon geboren, auf der Insel Tenedos wunderbarerweise von einem Schwan großgezogen worden war, daher er auch seinen Namen Kyknos, das heißt Schwan, bekommen hatte. Dieser war den Trojanern verbündet, und ohne besonders dazu von Priamos aufgefordert zu sein, hielt er sich verpflichtet, als er die Landung der fremden Kriegsvölker vor Troja gewahr wurde, seinen alten Freunden zu Hilfe zu kommen. Daher sammelte er in seinem Königreiche einen ansehnlichen Heerhaufen, legte sich in der Nähe des griechischen Schiffslagers in einen Hinterhalt und war mit seiner Schar eben erst in diesem Versteck angekommen, als die Griechen, aus dem ersten Treffen mit den Trojanern als Sieger zurückgekehrt, ihrem gefallenen Helden die letzte Ehre erwiesen. Während sie sorglos und nicht in der vollen Waffenrüstung um den Scheiterhaufen geschart standen, sahen sie sich plötzlich von den Streitwagen und Bewaffneten umringt, und ehe sie sich nur besinnen konnten, ob der Boden die Streiter ausgespien habe oder woher sie sonst erschienen seien, hatte Kyknos mit seiner Heeresmacht ein furchtbares Blutbad unter den Griechen angerichtet.

Doch war nur ein Teil der Argiver bei der Leichenfeier des Protesilaos beschäftigt und zugegen. Die andern bei den Schiffen und in den Lagerhütten waren ihren Waffen näher und eilten den Ihrigen, den Peliden Achilleus an der Spitze, bald in voller Rüstung und in geschlossenen Kriegsreihen zu Hilfe. Ihr Anführer selbst saß auf dem Streitwagen, schrecklich anzuschauen, und seine todbringende Lanze traf mit ihrem Stoß bald diesen, bald jenen Koloniten, bis er, in den Reihen der Schlacht nur den Feldherrn der Fremdlinge suchend, diesen im fernen Kampfgewühle an den gewaltigen Stößen erkannte, die auch er, auf einem hohen Streitwagen stehend, rechts und links an die Griechen austeilte. Dorthin lenkte der Held Achilleus seine schneeweißen Rosse, und als er nun dem Kyknos gegenüber auf dem Wagen stand, rief er, die bebende Lanze mit nervigem Arme schwingend: »Wer du auch seist, Jüngling, nimm diesen Trost mit in den Tod, dass du von dem Sohne der Göttin Thetis getroffen worden bist!« Diesem Ausruf folgte sein Geschoss. Aber so sicher er die Lanze abgezielt hatte, so rüttelte sie dem Sohne des Poseidon doch nur mit dumpfem Stoße an der Brust; und mit staunendem Blicke maß der Pelide seinen unverwundlichen Gegner. »Wundre dich nicht, Sohn der Göttin«, rief dieser ihm lächelnd zu;

»nicht mein Helm, den du anzustaunen scheinst, oder mein hohler Schild in der Linken halten die Stöße von meinem Leibe ab; vielmehr trage ich diese Schutzwaffe als bloßen Zierrat, wie auch wohl der Kriegsgott Ares zuweilen zum Scherze Waffen anzulegen pflegt, deren er doch gewiss nicht bedarf, seinen Götterleib zu schirmen. Wenn ich alle Bedeckung von mir werfe, so wirst du mir doch die Haut mit deinem Speere nicht ritzen können. Wisse, dass ich am ganzen Leibe fest wie Eisen bin und dass es etwas heißt, nicht etwa der Sohn einer Meernymphe zu sein, nein, der geliebte Sohn dessen, der dem Nereus und seinen Töchtern und allen Meeren gebeut. Erfahre, dass du dem Sohne Poseidons selbst gegenüberstehst!« Mit diesen Worten schleuderte er seinen Speer auf den Peliden und durchbohrte damit die Wölbung seines Schildes, so dass der Speer durch das Erz und die neun ersten Stierhäute der göttlichen Waffe hindurchdrang: erst in der zehnten Lage blieb das Wurfgeschoss stecken. Achilleus aber schüttelte den Speer aus dem Schilde und sandte dafür den seinigen gegen den Göttersohn ab. Aber der Leib des Feindes blieb unverwundet. Selbst das dritte Geschoss, das der Pelide absandte, blieb ohne Wirkung. Jetzt geriet Achilleus in Wut wie im Tiergefechte ein Stier, dem ein rotes Tuch vorgehalten wird und der mit den Hörnern in die Luft gestoßen hat. Noch einmal warf er die Lanze aus Eschenholz nach Kyknos, traf diesen auch wirklich an der linken Schulter und jubelte laut auf, denn die Schulter war blutig. Doch seine Freude war vergeblich, das Blut war nicht das Blut des Göttersohnes; es war der Blutstrahl des Menötes, eines neben Kyknos fechtenden und von anderer Hand getroffenen feindlichen Helden. Knirschend vor Wut sprang jetzt Achilleus vom Wagen, eilte auf den Gegner zu und hieb mit gezücktem Schwerte auf ihn ein; aber selbst der Stahl prallte stumpf an dem zu Eisen gehärteten Körper ab. Da erhub Achilleus in der Verzweiflung den zehnhäutigen Schild und zerpochte dem unverwüstlichen Feinde, ganz auf ihn eingedrungen, drei-, viermal die Schläfe mit dem Schildbuckel. Jetzt erst fing Kyknos an zu weichen, und Nebel schwamm ihm vor den Augen; er wandte seine Schritte rückwärts, strauchelte über einen Stein, und darüber ergriff ihn Achilleus mit der Hand im Nacken und warf ihn vollends zu Boden. Dann stemmte er sich mit Schild und Knien auf die Brust des Liegenden und schnürte dem Feinde mit seinem eigenen Helmbande die Kehle zu.

Der Fall ihres göttlichen Führers nahm den Kolonäern plötzlich den Mut; sie verließen den Kampfplatz in wilder Flucht, und bald war von dem ganzen Überfalle nichts mehr zu sehen als die vielen Leichen von Griechen und Barbaren, die auf dem Felde um den halb vollendeten Grabhügel des Protesilaos zerstreut umherlagen und den um viele der Ihrigen trauernden Argivern neue Arbeit machten.
Die Folge dieses Überfalls war, dass die Griechen in die Landschaft des erschlagenen Königs Kyknos einfielen und aus der Haupstadt Metora seine Kinder als Beute hinwegführten. Dann griffen sie das benachbarte Killa an, eroberten auch diese feste Stadt mit unermesslicher Kriegsbeute und kehrten so beladen zu ihrem wohlbewachten Schiffslager zurück.

Palamedes und sein Tod

Der einsichtsvollste Mann im griechischen Heere war Palamedes, tätig, weise, gerecht und standhaft, von zarter Gestalt, des Gesanges und Leierspieles kundig. Seine Beredsamkeit hatte den Atriden die meisten Fürsten Griechenlands für den Feldzug gegen Troja gestimmt, seine Klugheit selbst den Sohn des Laertes überlistet. Dadurch hatte er sich aber auch einen unversöhnlichen Feind in dem Heer der Danaer erworben, der Tag und Nacht auf Rache sann und nur umso finsterer darüber brütete, je mehr das Ansehen des verständigen Euböers unter den Fürsten zunahm. Nun wurde den Griechen durch ein Orakel Apollons bekannt, dass sie diesem Gott als Apollon Sminthios – unter solchem Namen wurde er in der Landschaft Trojas verehrt – eine Hekatombe an der Stelle opfern sollten, wo seine Bildsäule und sein Tempel standen, und Palamedes war von dem Gotte auserwählt worden, die stattlichen Opfertiere nach der heiligen Stätte zu führen. Dort wartete ihrer Chryses, der Priester des Gottes, der das feierliche Opfer vollbrachte. Die Verehrung Apollons in dieser Landschaft hatte einen seltsamen Ursprung. Als die alten Teukrer, aus Kreta herüber mit ihrem Könige Teukros kommend, an dieser Küste Kleinasiens gelandet waren, gab ihnen das Orakel den Befehl, da zu bleiben, wo sie ihre Feinde aus der Erde würden hervorkriechen sehen. Als sie nun in Hamaxitos, einer Stadt dieser Landschaft, angekommen waren, benagten die Mäuse, aus der Erde hervorschlüpfend, in einer Nacht alle ihre Schilde. Sie sahen auf diese Weise den Spruch des Gottes erfüllt, ließen sich in der Gegend nieder und erbauten dem Apollon eine Bildsäule, der eine Maus, was in äolischer Mundart Smintha bedeutet, zu Füßen lag.

Diesem Apollon dem Sminthier, der seinen Tempel nicht weit von Chrysa auf einer Anhöhe stehen hatte, ward nun unter Palamedes' Anführung von seinem Priester Chryses eine Hekatombe oder Hundertzahl heiliger Schafe geopfert. Die Ehre, die dem Palamedes durch die Anordnung Apollons selbst widerfuhr, beschleunigte seinen Untergang. Denn in Odysseus' sonst nicht unedlem Gemüte gewann jetzt ganz der Neid die Oberhand, und er sann auf eine fluchwürdige List, durch welche er dem edlen Manne den Untergang bereitete. Er verbarg eigenhändig in tiefster Heimlichkeit eine Summe Goldes im Zelte des Palamedes. Dann schrieb er im Namen des Priamos einen Brief an den griechischen Helden, in welchem dieser von überschicktem Golde sprach und dem Palamedes seinen Dank ausdrückte, dass derselbe ihm das Heer der Griechen verraten habe. Dieser Brief wurde einem phrygischen Gefangenen in die Hände gespielt, bei demselben sodann von Odysseus entdeckt und der unschuldige Träger auf seine Anordnung sofort auf der Stelle niedergemacht. Den Brief zeigte Odysseus vor der Fürstenversammlung im griechischen Lager. Palamedes wurde von den entrüsteten Häuptern der Danaer vor einen Kriegsrat gestellt, welchen Agamemnon aus den vornehmsten Fürsten zusammensetzte und in welchem Odysseus sich den Vorsitz zu verschaffen wusste; auf seine Veranlassung ward im Zelte des Beschuldigten geforscht, endlich nachgegraben und so die Summe Goldes, die der trügerische Odysseus dort versteckt hatte, unter seiner Lagerstätte aufgefunden. Die Richter, nichts vom wahren Hergang der Sache ahnend, sprachen einstimmig das Todesurteil aus. Palamedes würdigte sie keiner Selbstverteidigung: er durchschaute den Trug, aber er hatte keine Hoffnung, Beweise seiner Unschuld sowie der Schuld seines Gegners vorzubringen. Als daher das Urteil gefällt war, das auf Steinigung lautete, brach er nur in die Worte aus: »O ihr Griechen, ihr tötet die gelehrteste, die unschuldigste, die gesangreichste Nachtigall!« Die verblendeten Fürsten lachten über diese Verteidigung und führten den edelsten Mann im griechischen Heere zum unbarmherzigsten Tode fort, den er mit heldenmütiger Standhaftigkeit ertrug. Als ihn schon die ersten Steinwürfe niedergeschmettert hatten, brach er in die Worte aus: »Freue dich, Wahrheit, du bist vor mir gestorben!« Als er diese Worte gesprochen, fuhr ihm, von Odysseus' rachsüchtiger Hand geschleudert, ein Stein an die Schläfe, dass er umsank und starb. Aber Nemesis, die Göttin der Gerechtigkeit, schaute vom Himmel herab und beschloss, den Griechen und ihrem Verführer Odysseus noch am Ziel ihrer Taten den Frevel zu vergelten.

Taten des Achilleus und Ajax

Von den nächsten Kriegsjahren vor Troja erzählt die Sage nichts Ausführliches. Die Griechen lagen nicht untätig vor Troja; da aber die Bewohner dieser Stadt ihre Kräfte schonten und selten Ausfälle machten, so wandten die Danaer ihre Macht gegen die Umgegend. Achilleus zerstörte und plünderte allmählich zwölf Städte mit seiner Flotte, elf nahm er zu Lande ein. Dem Prieser Chryses führte er auf einem Streifzuge nach Mysien seine schöne Tochter Astynome oder Chryseïs gefangen fort. Bei der Einnahme von Lyrnessos überfiel er den Palast des Königs oder Priesters Brises, der in der Verzweiflung den Strick um den Hals schlang und sich den Tod gab. Sein holdseliges Kind Briseïs oder Hippodameia wurde dem Sieger zuteil, und er führte sie als eine Lieblingsbeute ins griechische Lager mit sich davon. Auch die Insel Lesbos und die Stadt Theben in Mysien, am Fuße des Berges Plakos gegründet, unterlagen seinen Angriffen. In der letzten Stadt herrschte der Eidam des Königs Priamos, der König Eëtion, dessen Tochter Andromache mit dem tapfersten Helden Trojas, mit Hektor, vermählt war. Sieben blühende Söhne wuchsen noch in seinem Königshause. Da kam Achilleus, stürmte die hochragenden Tore der Stadt und erschlug den König mit den sieben Söhnen. Als der Leichnam des hohen Fürsten, der von herrlicher, Ehrfurcht gebietender Gestalt war, vor dem jungen Helden ausgestreckt lag, bemächtigte sich desselben ein Grauen und eine Scheu, und er wagte es nicht, den Liegenden der Waffen zu berauben und sich dieselben als rühmliche Siegesbeute anzueignen. Er verbrannte daher den Leichnam zur ehrlichen Bestattung im vollen, kunstreich gearbeiteten Waffengeschmeide und türmte ihm ein mächtiges Denkmal auf, das noch lange, von hohen Ulmen umschattet, die Gegend schmückte. Die Gemahlin des Königs, die Mutter Andromaches, führte er mit sich fort in die Sklaverei, doch gab er sie später gegen ein reiches Lösegeld frei, und sie kehrte nach der Heimat zurück, wo ein Pfeil der Göttin Artemis sie am Webstuhl traf und tötete. Aus dem Stalle des Königs führte Achilleus sein treffliches Pferd, Pedasos genannt, mit sich fort, das, obwohl sterblich gezeugt, doch an Kraft und Schnelligkeit seinen eigenen unsterblichen Rossen es gleichtat und mit ihnen um die Wette am Wagen einherlief; aus der Rüstkammer des Königs Eëtion aber nahm er viel andere Herrlichkeiten mit, unter andern auch eine ungeheure eiserne Wurfscheibe, so groß, dass sie einem Bauern fünf Jahre lang Eisen zu seinem Ackergeräte würde gegeben haben.

Nächst Achilleus war der tapferste und riesigste Held unter den Griechen der Telamonsohn Ajax. Auch er feierte nicht. Er führte seinen Schiffszug nach der thrakischen Halbinsel, wo die Königsburg Polymnestors prangte. Diesem hatte der König Priamos von Troja seinen jüngsten Sohn Polydoros, den er mit der Laothoe, einem Kebsweibe, gezeugt hatte, zur Pflege übersandt und dadurch, weil er sein Liebling war, dem Waffendienst entzogen, auch dem thrakischen Könige zur Beköstigung des Kindes Gold und Kostbarkeiten genug übergeben. Dieser Schätze und des ihm anvertrauten Unterpfandes bediente sich nun der treulose Barbar, als sein Land von dem Helden Ajax überfallen und seine Burg belagert wurde, den Frieden zu erkaufen; er verleugnete seine Freundschaft mit dem Könige Priamos, verfluchte ihn, teilte Geld und Getreide, das er zur Nahrung des Knaben von ihm empfangen, unter die griechischen Streiter aus; dem Ajax selbst aber überlieferte er das Gold und alle Kostbarkeiten seines Verbündeten und endlich den Knaben Polydoros selbst.

Ajax kehrte mit seiner Beute nicht sogleich zum griechischen Schiffslager zurück, sondern wandte sich auf seinen Schiffen nach der phrygischen Küste. Dort griff er das Reich des Königs Teuthras an, tötete den König, der ihm an der Spitze eines Heerhaufens entgegenzog, in der Schlacht und schleppte die Tochter des Teuthras, die königliche Jungfrau Tekmessa, die edelgesinnt und von herrlicher Gestalt war, als Kriegsbeute mit sich fort. Doch ward sie ihm bald wegen ihrer Schönheit und ihres Edelsinnes lieb; er hielt sie hoch wie eine Gemahlin und hätte sich feierlich mit ihr vermählt, wenn es Griechenbrauch gewesen wäre, eine Barbarin zu freien.

Achilleus und der Telamonier trafen von ihren glücklichen Streifzügen, ihre Lastschiffe voll Beute, zu gleicher Zeit im griechischen Schiffslager vor Troja wieder ein. Alle Danaer gingen ihnen unter Lobgesängen entgegen; bald umringte sie eine ganze Versammlung von Streitern; man stellte die Helden in die Mitte, und unter jubelndem Zuruf wurde ihnen als Lohn der Siege ein Olivenkranz aufs Haupt gesetzt. Alsdann hielten die Helden einen Rat, um über die mitgebrachte Beute, die von den Griechen als Gemeingut angesehen wurde, einen Beschluss zu fassen. Da wurden denn auch die gefangenen Frauen vorgeführt, und alle Danaer staunten über ihre Schönheit. Das Anrecht auf die holde Brisestochter wurde dem Achilleus, dem Helden Ajax der Besitz der königlichen Tekmessa bestätigt. Überdies durfte der Pelide auch die Gespielin seiner Geliebten, die holde Jungfrau Diomedes, behalten, welche sich von der Königstochter nicht trennen wollte, mit der sie von zarter Kindheit an im Hause des Brises aufgewachsen war; sie hatte sich, vor die griechischen Helden geführt, zu Achilleus' Füßen geworfen und flehte ihn unter Tränen an, sie nicht von ihrer lieben Herrin trennen zu lassen. Nur Astynome, die Tochter des Priesters Chryses, wurde dem Völkerhirten Agamemnon, seine Königswürde zu ehren, zugesprochen und von Achilleus auch willig abgetreten. Die andere Kriegsbeute an Gefangenen und Mundvorrat ward Mann für Mann unter das griechische Heer verteilt. Dann brachte Ajax, von Odysseus und Diomedes aufgefordert, die Schätze des Königs Polymnestor aus seinen Schiffen herbei, und es wurde auch davon dem Könige Agamemnon ein schöner Teil an Gold und Silber übergeben.

Polydoros

Endlich berieten sich die Helden über den allerkostbarsten Teil der Beute, über den Knaben Polydoros, den Sohn des Königs Priamos, und nach kurzer Ratschlagung wurde einstimmig beschlossen, dass Odysseus und Diomedes als Gesandte zu König Priamos abgeordnet werden und ihm die Übergabe seinen jungen Sohnes anbieten sollten, sobald Helena den Gesandten Griechenlands ausgeliefert sein würde. Den beiden Helden wurde der Gemahl der geraubten Fürstin, Menelaos, als dritter Gesandter beigegeben, und so machten sich alle drei mit dem jungen Polydoros auf den Weg und wurden unter dem Schutze des Völkerrechts als heilige Gesandte von den Trojanern ohne Widerspruch in ihre Mauern aufgenommen.

Priamos und seine Söhne in ihrem Königspalaste, der fern auf der Burg der Stadt gelegen war, wussten noch nicht, was zu ihren Füßen vorging, als schon die Gesandtschaft auf dem Marktplatze Trojas stille hielt und, vom trojanischen Volk umgeben, Menelaos das Wort ergriff und sich mit herzzerschneidenden Worten über die frevelhafte Verletzung des Völkerrechts beklagte, die sich Paris an seinem heiligsten und teuersten Besitztum durch den frechen Raub seiner Gemahlin hatte zu Schulden kommen lassen. Er sprach so beredt und eindringlich, dass die umstehenden Trojaner alle, und darunter die ältesten Häupter des Volkes, von seinen Worten ergriffen wurden und unter Tränen des Mitleids ihm Recht geben mussten. Als Odysseus ihre Rührung bemerkte, nahm auch er das Wort und sprach: »Mir dünkt, ihr sollet wissen, Häupter und andre Bewohner von Troja, dass die Griechen ein Volk sind, die nichts unüberlegterweise unternehmen, und dass sie schon von ihren Vorfahren her bei allen ihren Taten darauf bedacht sind, Lob und nicht Schmach davonzutragen. So wisset ihr denn auch, dass nach der unerhörten Beleidigung, die eures Königs Sohn Paris uns allen durch die Entführung der Fürstin Helena angetan hat, wir, bevor wir die Waffen gegen euch erhoben, zur gütlichen Beilegung dieses Handels eine friedliche Gesandtschaft an euch geschickt haben. Erst als dies vergeblich war, ist der Krieg, und zwar noch dazu durch einen Überfall von eurer Seite, begonnen worden. Auch jetzt, nachdem ihr unsern Arm gefühlt habt und alle euch unterworfenen oder mit euch verbündeten Städte ringsumher in Trümmern liegen, ihr selbst aber nach vieljähriger Belagerung in mannigfaltige Not geraten seid, liegt ein glücklicher Ausgang unseres Streites immer noch in eurer Hand, ihr Trojaner! Gebt uns heraus, was ihr uns geraubt habt, und auf der Stelle brechen wir unsere Lagerhütten ab, steigen zu Schiffe, lichten die Anker und verlassen mit der furchtbaren Flotte, die euch so vielen Schaden getan hat, euren Strand für immer. Auch kommen wir nicht mit leeren Händen. Wir bringen eurem König einen Schatz, der ihm lieber sein sollte als die Fremde, die eure Stadt zu seinem und eurem eigenen Fluche beherbergen muss. Wir bringen ihm den Knaben Polydoros, sein jüngstes und geliebtestes Kind, den unser Held Ajax in Thrakien dem Könige Polymnestor entrissen hat und der hier gebunden vor euch steht und von eurem und eures Königs, seines Vaters, Entschlusse seine Freiheit und sein Leben erwartet. Gebt ihr uns Helena heraus und liefert ihr sie heute noch in unsere Hände, so wird der Knabe seiner Fesseln ledig und bleibt im Hause seines Vaters. Wird uns Helena verweigert, so gehe eure Stadt zu Grunde, und vorher noch wird euer König sehen müssen, was er für sein Leben nicht sehen möchte!«

Ein tiefes Stillschweigen herrschte in der ihn umringenden Versammlung des trojanischen Volkes, als Odysseus aufgehört hatte zu sprechen. Endlich ergriff der weise und bejahrte Antenor das Wort und sprach: »Liebe Griechen und einst meine Gäste! Alles, was ihr uns saget, wissen wir selbst und müssen in unserm Herzen euch Recht geben; auch fehlt uns der Wille nicht, die Sache zu bessern, wohl aber die Gewalt. Wir leben in einem Staate, in welchem der Befehl des Königs alles gilt; ihm sich zu widersetzen erlaubt die Verfassung unseres Reiches, der Glaube, den wir von den Vätern ererbt, und das Gewissen des Volkes keinem von uns. Wir dürfen in allen öffentlichen Angelegenheiten nur alsdann sprechen, wenn der König uns zu Rate zieht; und wenn wir gesprochen haben, so behält er noch immer freie Hand, zu tun, was er will; damit du aber erfahrest, was die Meinung der Besten im Volke über eure Angelegenheit ist, so werden sich die Ältesten unseres Volkes versammeln und vor euch ihre Meinung abgeben. Dies ist, was uns zu tun übrig bleibt und unser König selbst uns nicht verweigern kann.«

Und so geschah es. Antenor veranstaltete einen Rat der Ältesten und führte die Gesandten in denselben ein. Hier nahm er selbst den Vorsitz und befragte die Häupter des Volkes der Reihe nach über die Gewalttat des Paris. Die vornehmsten Männer Trojas erklärten einer nach dem andern, dass sie die Tat für einen fluchwürdigen Frevel hielten; nur Antimachos, ein kriegslustiger, aber tückischer Mann, verteidigte den Raub der griechischen Fürstin. Er war von Paris mit reichlichen Gaben bestochen worden, wo es immer Gelegenheit gäbe, sich seiner anzunehmen und die Auslieferung Helenas zu verhindern. Auch diesmal arbeitete er für diesen Zweck, und hinter dem Rücken der Helden erteilte er den ruchlosen Rat, die Gesandten der Griechen, drei ihrer tapfersten und klügsten Helden, umzubringen. Als aber die Trojaner diesen Vorschlag mit Abscheu von sich wiesen, riet er, sie wenigstens so lange zu behalten, bis sie den gefangenen Polydoros ohne Lösegeld und Tausch dem Priamos ausgeliefert hätten. Auch dieser Rat wurde als treulos verworfen, und da Antimachos nicht aufhörte, selbst öffentlich in der Versammlung die Helden zu schmähen, so wurde er von seinen Mitbürgern, welche den Griechen ihre Missbilligung seines Betragens und seiner Grundsätze beweisen wollten, mit Schimpf aus der Versammlung gestoßen.

Erbittert begab sich Antimachos auf die Burg und unterrichtete den König von der Ankunft der griechischen Gesandtschaft. Nun erhub sich im Rate des Königs und seiner Söhne selbst eine lange zwiespältige Beratung, zu welcher auch ein Ältester, der edle Panthoos, der das volle Vertrauen des alten Königs genoss, gezogen wurde. Dieser wandte sich an den tapfersten, gerechtesten und tugendhaftesten aller Söhne des Königs, an Hektor, mit der flehentlichen Bitte, dem Rate aller besseren Trojaner nachzugeben und die unheilvolle Urheberin des Krieges auszuliefern. »Hat doch«, sprach er, »Paris so viele Jahre lang Zeit gehabt, sich seines ungerechten Raubes zu erfreuen und seine Lust zu büßen! Jetzt sind alle unsere verbündeten Städte zerstört, und ihr Untergang weissagt uns unser eigenes Schicksal; dazu haben die Griechen deinen kleinen Bruder in ihrer Gewalt, und wir wissen nicht, was aus ihm werden wird, wenn wir Helena den Griechen nicht ausliefern!«

Hektor wurde schamrot und bis zu Tränen betrübt, als er der Untat seines Bruders Paris gedachte. Dennoch sprach er sich im Rate des Königs nicht für die Auslieferung der Fürstin aus. »Sie ist«, antwortete er dem Panthoos, »einmal die Schutzflehende unsres Hauses. Als solche haben wir sie aufgenommen, sonst hätten wir sie von der Schwelle des Königspalastes zurückweisen müssen. Statt dies zu tun, haben wir ihr und dem Paris ein prächtiges Haus gebaut, und sie haben darin in Herrlichkeit und Freuden lange Jahre verlebt, und ihr alle habt dazu geschwiegen und habt doch diesen Krieg kommen sehen! Warum sollen wir sie jetzt vertreiben?« – »Ich habe nicht geschwiegen«, erwiderte Panthoos, »mein Gewissen ist ruhig: ich habe euch die Prophezeiung meines Vaters mitgeteilt und euch gewarnt; ich warne euch zum zweiten Male. Komme, was da will, ich werde die Stadt und den König mit euch getreulich verteidigen helfen, auch wenn ihr meinen heilsamen Rat nicht befolgt!« Mit solchen Worten verließ er die Versammlung der Königssöhne.

In dieser wurde zuletzt auf Hektors Vorschlag beschlossen, zwar die Fürstin Helena nicht auszuliefern, wohl aber Genugtuung und Ersatz für alles zu leisten, was mit ihr geraubt worden sei. An ihrer statt sollte dem Menelaos eine der Töchter des Königs Priamos selbst, die weise Kassandra oder die ihrer Jugendblüte heranreifende Polyxena, mit königlicher Mitgift zur Gemahlin angeboten werden. Als die griechischen Gesandten, vor den König und seine Söhne geführt, diesen Vorschlag vernahmen, ergrimmte Menelaos und sprach: »Wahrhaftig, es ist mit mir weit gekommen, wenn ich, so viele Jahre des Ehegemahls meiner Wahl beraubt, am Ende von den Feinden mir eine Gattin auslesen lassen muss! Behaltet eure Barbarentochter und gebt mir das Weib meiner Jugend zurück!« Dagegen erhob sich der Eidam des Königs, der Gemahl Krëusas, der Held Äneas, und rief dem Fürsten Menelaos, der die letzten Worte mit verächtlichem Hohnlachen gesprochen hatte, mit rauer Stimme zu: »Du sollst weder das eine noch das andere erhalten, Elender, wenn es nach meiner Abstimmung geht und nach der Meinung aller derjenigen, die den Paris lieben und es mit der Ehre dieses alten Königshauses halten! Noch hat das Reich des Priamos seine Beschützer! Und würde auch der Knabe Polydoros, der Sohn des Kebsweibes, ihm verloren gehen, so ist Priamos dadurch nicht kinderlos geworden! Sollen die Griechen einen Freibrief von uns erhalten, Frauen zu rauben? Genug der Worte! Wenn ihr euch nicht auf der Stelle mit eurer Flotte davonmacht, so sollt ihr den Arm der Trojaner fühlen! Noch haben wir streitlustiger Jugend genug, und aus der Ferne kommen uns von Tag zu Tag mächtigere Verbündete, wenn auch die Schwachen in der Nähe erlegen sind!«

Diese Rede des Äneas wurde von lautem Beifallsruf in der trojanischen Fürstenversammlung begleitet und die Gesandten nur durch Hektor vor rohen Misshandlungen geschützt. Voll heimlicher Wut entfernten sie sich mit ihrem Gefangenen Polydoros, den der König Priamos nur aus der Ferne erblickt hatte, und kehrten zu den Schiffen der Griechen zurück. Als sich hier die Nachricht von dem verbreitete, was ihnen in Troja widerfahren war, von den Umtrieben des Antimachos, von dem

Übermute des Äneas und aller Priamossöhne außer Hektor, entstand ein Auflauf unter dem Heere, und alles Volk schrie mit wilden Gebärden um Rache. Ohne lange die Fürsten zu fragen, wurde in einer unordentlichen Kriegerversammlung der Beschluss gefasst, den unglücklichen Knaben Polydoros büßen zu lassen, was seine Brüder und sein Vater verschuldet. Und auf der Stelle schritten sie zur Ausführung des Beschlossenen. Das arme Kind wurde auf Schussweite unter die Mauern Trojas geführt, und als, durch den großen Heeresauflauf herbeigelockt, König Priamos selbst mit seinen Söhnen auf den Mauern erschien, tönte bald ein kläglicher Weheruf von den Zinnen herab, denn mit ihren eigenen Augen mussten sie sehen, wie die Drohung des Odysseus an dem Knaben vollzogen ward. Steine flogen von allen Seiten gegen sein bloßes Haupt und seinen aller Beschirmung baren Leib, und unter unzähligen Würfen starb er eines kläglichen und grausamen Todes. Den entfleischten Leichnam gestatteten die Griechenfürsten dem flehenden Vater zum ehrlichen Begräbnis auszuliefern; die Diener des Königs erschienen, von dem Trojanerhelden Idäos begleitet, und luden die Leiche des Kindes unter Tränen und Wehklagen auf den Trauerwagen, der sie dem trostlosen Vater zuführen sollte.

Chryses, Apollon und der Zorn des Achilleus

Unter diesen Begebnissen war das zehnte Jahr des Krieges angebrochen und der griechische Held Ajax von vielen glücklichen Streifzügen zurückgekehrt. Mit der Ermordung des Polydoros flammte der Hass zwischen den beiden Nationen feuriger auf als zuvor, und die Götter des Himmels selbst, die einen durch die Grausamkeit der Griechen den Trojanern zugeneigt, die andern zum Schutze der Danaer aufgeregt, nahmen tätigen Anteil an dem Kampfe: Hera, Athene, Hermes, Poseidon, Hephästos auf Seite der Griechen, auf der Gegenseite Ares und Aphrodite, so dass von diesem zehnten und letzten Jahre der Belagerung Trojas zehnmal mehr erzählt und gesungen wird als von den neun andern. Denn jetzt hebt das Lied des Fürsten der Dichter, des Homeros, vom Zorne des Achilleus an und von allen Übeln, die der Groll ihres größten Helden über die Argiver brachte.

Die Veranlassung zum Zorne des Peliden war folgende. Die Griechen hatten nach der Rückkehr ihrer Gesandten die Drohung der Trojaner nicht vergessen und bereiteten sich in ihrem Lager zu entscheidenden Kämpfen vor, als der Priester Apollons, Chryses, dem seine Tochter von Achilleus geraubt und dem König Agamemnon überlassen worden war, den Lorbeer seines Gottes um den goldenen Friedensstab geschlungen, mit reichen Lösegeldern im Schiffslager der Griechen ankam, seine Tochter freizukaufen. Mit dieser Bitte stellte er sich vor die Atriden und das gesamte Heer und sprach: »Ihr Söhne des Atreus und andre Argiver, mögen euch die Olympischen Vertilgung Trojas und glückliche Heimkehr verleihen, wenn ihr, den fernhin treffenden Gott Apollon, dessen Priester ich bin, ehrend, mir gegen die Lösung, die ich bringe, die geliebte Tochter zurückgebt!«

Das ganze Heer gab seinen Worten Beifall und gebot, den ehrwürdigen Priester zu scheuen und die kostbare Lösung anzunehmen. Nur der König Agamemnon, der die liebliche Sklavin nicht verlieren wollte, wurde zornig und sprach: »Lass dich nicht mehr bei den Schiffen treffen, Greis, weder jetzt noch in Zukunft; deine Tochter ist und bleibt meine Dienerin und wird in meinem Königshause zu Argos bis ins Alter hinter dem Webstuhl sitzen! Geh, reize mich nicht, mache, dass du gesund in deine Heimat kommst!«

Chryses erschrak und gehorchte. Schweigend eilte er an den Meeresstrand; dort aber erhob er seine Hände zu dem Gotte, dem er diente, und flehte ihn an: »Höre mich, Sminthier, der du zu Chrysa, Killa und Tenedos herrschest! Wenn ich dir je deinen Tempel zum Wohlgefallen geschmückt und dir auserlesene Opfer dargebracht habe, so vergilt jetzt den Argivern mit dem Geschosse!«

So betete er laut, und Apollon erhörte seine Bitte. Zorn im Herzen, verließ er den Olymp, Bogen und Köcher mit den hallenden Pfeilen auf der Schulter; so wandelte er einher wie die düstere Nacht, dann setzte er sich in einiger Entfernung von den griechischen Schiffen nieder und schnellte Pfeil um Pfeil ab, dass sein silberner Bogen grauenvoll erklang. Wen aber sein unsichtbarer Pfeil traf, der starb den plötzlichen Tod der Pest. Anfangs nun erlegte er im Lager nur Maultiere und Hunde, bald aber wandte er sein Geschoss auch gegen die Menschen, dass einer um den andern dahinsank und bald die Totenfeuer unaufhörlich aus den

Scheiterhaufen loderten. Neun Tage lang wütete die Pest im griechischen Heere. Am zehnten Tage berief Achilleus, dem die Beschirmerin der Griechen, Hera, es ins Herz gelegt, eine Volksversammlung, nahm das Wort und riet, einen der Oberpriester, Seher oder Traumdeuter im Heere zu befragen, durch welche Opfer der Zorn Phöbos Apollons besänftigt und das Unheil abgewendet werden könne.

Hierauf stand der weiseste Vogelschauer im Heere, der Seher Kalchas, auf und erklärte, den Zorn des fernhin treffenden Gottes deuten zu wollen, wenn ihm der Held Achilleus Schutz zuspräche. Der Sohn des Peleus hieß ihn getrost sein, und Kalchas sprach: »Keine versäumten Gelübde oder Hekatomben haben den Gott erzürnt. Er ist ergrimmt über die Misshandlung seines Priesters durch Agamemnon und wird seine Hand zu unserm Verderben nicht zurückziehen, bis das Mägdlein dem erfreuten Vater zurückgegeben und ohne Entgelt mit einem hundertfachen Sühneopfer nach Chrysa heimgeführt wird. Nur auf diese Weise möchten wir die Gnade des Gottes wiedergewinnen.«

Im Blute des Königs Agamemnon kochte es bei diesen Worten des Sehers; sein Auge funkelte, und er begann mit drohendem Blicke: »Unglücksseher, der noch nie ein Wort gesprochen, das mir Gedeihen gebracht hätte, auch jetzt beredest du das Volk, der Fernhintreffer habe uns die Pest gesandt, weil ich das Lösegeschenk für die Tochter des Chryses verworfen habe. Wahr ist's, ich behielte sie gerne in meinem Hause, denn sie ist mir lieber als selbst Klytämnestra, das Weib meiner Jugend, und steht ihr an Wuchs, Schönheit, Geist und Kunst nicht nach! Dennoch will ich sie eher zurückgeben, als dass ich das Volk verderben sehe. Aber ich verlange ein anderes Ehrengeschenk zum Ersatze für sie!«

Nach dem Könige nahm Achilleus das Wort. »Ich weiß nicht, ruhmvoller Atride«, sprach er, »welches Ehrengeschenk deine Habsucht von den Argivern verlangt. Wo ist denn noch viel Gemeinschaftliches aufgespeichert? Alle Beute aus den eroberten Städten ist längst verteilt, und den Einzelnen kann man doch das Ausgeteilte nicht wieder nehmen! Darum entlass die Tochter des Priesters! Wenn uns dereinst Zeus die Eroberung Trojas gönnt, so wollen wir dir den Verlust drei- und vierfach ersetzen!« – »Tapferer Held«, rief ihm der König zu, »sinne nicht auf Trug! Meinst du, ich werde deinem Befehle folgen und mein Geschenk hergeben, während du das deinige behältst? Nein. Geben mir die Griechen keinen Ersatz, so gehe ich hin, mir einen aus eurer Beute zu holen, sei es ein Ehrengeschenk des Ajax oder des Odysseus oder auch das deinige, Pelide; mögt ihr dann noch so sehr zürnen. Doch davon reden wir ein andermal. Jetzt aber immerhin ein Schiff und die Hekatombe gerüstet; sie selbst, die rosige Tochter des Chryses, möget ihr einschiffen, und einer der Fürsten, meinethalben du, Achilleus, mag das Schiff befehligen!«

Finster entgegnete Achilleus: »Schamloser, selbstsüchtiger Fürst! Wie mag dir nur ein Grieche noch gehorchen! Ich selbst, dem die Trojaner nichts zu Leide getan haben, bin dir nur gefolgt, um deinen Bruder Menelaos dir rächen zu helfen. Und das achtest du nun nicht, sondern willst mir mein Ehrengeschenk entreißen, das ich mir mit meinem Schweiße errungen und die Griechen mir geschenkt haben! Bekam ich doch nach keiner Städteeroberung je ein so herrliches Geschenk wie du; die schwerste Last des Kampfes hatte mein Arm stets zu tragen, aber wenn es zur Teilung kommt, trägst du das Beste davon, und ich kehre streitmüde und mit wenigem vergnügt zu den Schiffen zurück! Jetzt aber gehe ich heim nach Phythia; versuch es und häufe dir Güter und Schätze ohne mich!«

»Fliehe nur, wenn dir's dein Herz gebeut«, rief ihm Agamemnon zu, »ich habe genug Helden ohne dich, du bist doch einer der zanksüchtigsten! Aber wisse, die Tochter des Chryses erhält zwar ihr Vater wieder, ich dagegen hole mir selbst die liebliche Brisëis aus deinem Zelte, damit du lernest, wie viel ich höher sei als du, und keiner mehr es wage, mir ins Antlitz zu trotzen, wie du tust!«

Achilleus entbrannte, sein Herz ratschlagte unter seiner Männerbrust, ob er das Schwert ziehen und den Atriden auf der Stelle niederhauen oder seinen Zorn beherrschen solle. Da stand plötzlich unsichtbar hinter ihm die Göttin Athene, enthüllte sich ihm allein, indem sie ihn am braunen Lockenhaar fasste, und sprach flüsternd: »Fasse dich, zücke das Schwert nicht, schelten magst du immerhin. Wenn du mir gehorchst, verspreche ich dir dreifache Gabe!«

Auf diese Mahnung hemmte Achilleus seine Rechte am silbernen Hefte seines Schwertes und stieß es in die Scheide zurück; aber seinen Worten ließ er freien Lauf: »Unwürdiger«, sprach er, »wann hat dein Herz dir eingegeben, mit den Edelsten Griechenlands in einen Hinterhalt zu ziehen oder in offener Schlacht zuvorderst zu kämpfen? Viel bequemer dünkt es dir, hier im Heereslager sein Geschenk dem zu entwenden, der es wagte, dir zu widersprechen! Aber ich schwöre dir bei diesem Fürstenzepter, so gewiss es nie wieder als Baumast grünen wird, hinfort siehest du den Sohn des Peleus nicht mehr in der Schlacht; umsonst wirst du Rettung suchen, wenn der männermordende Hektor die Griechen scharenweise niederwirft; umsonst wird alsdann an deiner Seele der Gram fressen, dass du den edelsten der Danaer keiner Ehre wert geachtet hast!« So sprach Achilleus, warf sein Zepter auf die Erde und setzte sich nieder. Vergebens suchte der ehrwürdige Nestor die Streitenden mit milder Rede zu versöhnen. Endlich rief Achilleus, sich aus der Versammlung erhebend, dem Könige zu: »Tue, was du willst, nur mute mir keinen Gehorsam zu. Nie werde ich des Mägdleins wegen gegen dich oder andere die Arme zum Streit erheben. Ihr gabet sie mir, ihr könnt sie mir auch wieder nehmen. Aber lass dir nicht einfallen, das Mindeste sonst bei meinen Schiffen anzutasten, wenn du nicht willst, dass dein Blut von meiner Lanze triefe.«

Die Versammlung trennte sich. Agamemnon ließ die Tochter des Chryses und die Hekatombe zu Schiffe bringen, und Odysseus führte beide ihrer Bestimmung zu. Dann aber berief der Atride die Herolde Talthybios und Eurybates und befahl ihnen, die Tochter des Brises aus dem Zelte des Peliden zu holen. Die Herolde gingen ungerne, jedoch dem drohenden Wort ihres Herrschers gehorchend, zum Schiffslager. Sie fanden den Achilleus vor seinem Zelte sitzend, und er wurde ihres Anblickes nicht fröhlich; sie selbst aber wagten vor Scheu und Ehrfurcht nicht, zu verkündigen, weswegen sie kämen. Aber Achilleus hatte es ihnen im Geiste schon abgelauscht. »Freude sei mit euch«, rief er ihnen zu, »ihr Herolde des Zeus und der Menschen! Nahet euch immerhin; nicht ihr tragt die Schuld eurer Forderung, sondern Agamemnon. Wohlan denn, Freund Patroklos, führe die Jungfrau heraus und übergib sie ihnen. Aber, sie selbst sollen mir Zeugen sein vor den Göttern, den Menschen und jenem Wüterich: wenn man je wieder meiner Hilfe bedarf, so ist es nicht meine Schuld, sondern die Schuld des Atriden, wenn ich nicht erscheine.«

Patroklos brachte das Mädchen, das den Herolden widerstrebend folgte, denn sie hatte ihren milden Herrn lieb gewonnen. Achilleus aber

setzte sich weinend an den Strand, schaute hinunter in die dunkle Meeresflut und flehte seine Mutter Thetis um Hilfe an. Da ertönte ihre Stimme aus der Tiefe: »Wehe mir, mein Kind, dass ich dich gebar; so kurz währet dein Leben; und nun sollst du auch noch so viel Tränen und Kränkung erfahren! Aber ich selbst gehe hinauf zum Donnerer und flehe für dich um Hilfe. Zwar ist er gestern zum Mahle der frommen Äthiopier an den Strand des Okeanos gegangen, und erst nach zwölf Tagen wird er wiederkehren; dann aber eile ich hinauf zu ihm und umfasse ihm die Knie. Solange setze du dich zu deinen Schiffen, zürne den Danaern und enthalte dich des Krieges.« Achilleus verließ mit der Antwort seiner Mutter im Herzen den Strand und setzte sich grollend mit verschlungenen Armen in seinem Zelte nieder.
Inzwischen war Odysseus mit dem Schiffe zu Chrysa angekommen und übergab dem freudig überraschten Vater sein holdseliges Kind. Dankbar hob Chryses seine Hände gen Himmel und flehte zu Phöbos um Abwendung der Plage, die er den Griechen zugesandt, und in diesem Augenblicke hörte die Pest unter dem griechischen Heere auf, und als Odysseus mit dem Schiffe ins Lager der Griechen zurückkam, fand er diese des Übels ledig.
Der zwölfte Tag, seit Achilleus sich in seine Lagerstätte zurückgezogen hatte, war angebrochen, und Thetis hatte ihr Versprechen nicht vergessen. Im frühesten Morgennebel tauchte sie aus dem Meere und stieg empor zum Olymp. Hier fand sie auf der höchsten Kuppe des gezackten Berges abseits von den andern Göttern den waltenden Zeus gelagert, setzte sich zu ihm, und mit der Linken seine Knie umschlingend, mit der Rechten nach der Sitte Flehender sein Kinn berührend, sprach sie zu ihm: »Vater Zeus, wenn ich dir je mit Worten oder Taten gedient habe, so gewähre mir mein Verlangen: Ehre meinen Sohn, der vom Geschicke so früh zu welken bestimmt ist; Agamemnon hat ihn jetzt eben aufs Tiefste gekränkt und ihm das Ehrengeschenk entzogen, das er selbst erbeutet hatte. Deswegen bitte ich dich, Göttervater, gib den Trojanern so lange Sieg, bis die Griechen meinem Sohne wieder die verdiente Ehre erweisen!« Lange blieb Zeus unbeweglich und schweigend. Aber Thetis schmiegte sich ihm immer fester ans Knie und flüsterte: »So gewähre mir doch meine Bitte, Vater, oder verweigere sie mir rundweg, damit ich wisse, ob ich mehr als alle anderen Götter einer Ehre von dir gewürdigt

werde!« So nötigte sie endlich den Vater der Götter zu der unmutigen Antwort: »Es ist nicht zum Heile, dass du mich zwingst, mit der Göttermutter Hera zu hadern, die ohnehin mir immer zuwider ist. Eile nur hinweg, dass sie dich nicht bemerke, und es genüge dir der Wink meines Hauptes, welcher der untrüglichsten Verheißung gleich ist.« So sprechend nickte Zeus mit den Augenbrauen, und die Höhen des Olymps erbebten von dem Nicken seines Hauptes. Zufrieden fuhr Thetis hinab zur Meerestiefe. Hera aber, welche die Ratschlagung ihres Gemahles mit der Göttin wohl beachtet hatte, trat heran zu Zeus und reizte ihn mit Vorwürfen. Doch dieser antwortete der Göttin ruhig: »Getraue dir nicht einzusehen, was ich beschließe; schweig und gehorche meinem Gebote.« Da erschrak Hera vor dem Wort ihres Gemahls, des Götter- und Menschenvaters, und wagte nicht weiter Einsprache zu tun gegen seinen Entschluss.

Versuchung des Volkes durch Agamemnon

Zeus gedachte des Winks, den er der Meeresgöttin Thetis zugenickt hatte. Er schickte den Traumgott in das Lager der Griechen und in das Zelt des schlummernden Königs Agamemnon. Dieser stellte sich in Nestors Gestalt, den der König vor allen andern Ältesten ehrte, zu seinen Häupten und sprach zu ihm: »Schläfst du, Sohn des Atreus? Ein Mann, der das ganze Volk beraten soll, darf nicht so lange schlafen. Höre mich, der ich als ein Bote des Zeus zu dir komme; er befiehlt dir, die Argiver zur Schlacht zu rüsten: jetzt sei die Stunde, wo Troja bezwungen werden kann. Die Himmlischen sind entschlossen, und Verderben schwebt über der Stadt.«

Agamemnon erwachte vom Schlafe und verließ eilig das Lager. Er band sich die Sohlen unter die Füße, zog das Gewand an, hängte das Schwert über die Schulter, ergriff das Zepter und wandelte in der Frühe des Morgens zu den Schiffen. Die Herolde gingen auf sein Geheiß, das Volk zur Versammlung zu rufen, von einer Lagerstatt zu der andern; die Fürsten des Heeres aber wurden am Schiffe Nestors in einen Rat gerufen. Hier eröffnete Agamemnon die Beratung mit den Worten: »Freunde, vernehmt! Ein gottgesandter Traum, in Nestors Gestalt zu mir tretend, hat mich belehrt, dass, von Zeus herabgeschickt, über Troja Verderben schwebe. Lasst uns nun sehen, ob es uns gelingt, die durch den Zorn des Achilleus entmutigten Männer zur Schlacht zu rüsten. Ich selbst will sie zuerst mit Worten versuchen und ihnen den Rat erteilen, zu Schiffe zu gehen und die trojanische Küste zu verlassen; dann sollt ihr euch, der eine da-, der andere dorthin eilend, verteilen und die Völker zum Bleiben zu bewegen suchen.« Nach Agamemnon erhob sich Nestor und sprach zu den Fürsten: »Wenn ein anderer Mann uns einen solchen Traum erzählte, so würden wir ihn der Lüge beschuldigen und uns verächtlich abwenden. So aber ist der, der diesen Traum gesehen hat, der erste Fürst aller Danaer; und darum glauben wir ihm und gehen ans Werk!« Nestor verließ den Rat, und alle Fürsten folgten ihm auf den Markt, wo das gesamte Volk sich schon wie ein Bienenschwarm versammelte. Neun Herolde ordneten dasselbe, dass es sich im Kreise lagerte und allmählich der Lärm und das Flüstern der Redenden verstummte. Dann sprach Agamemnon, in der Mitte der Versammlung stehend und auf seinen Herrscherstab sich lehnend: »Liebe Freunde, versammelte heldenmütige Streiter des Danaervolkes! Der grausame Zeus hat mich in starke Schuld verstrickt, der mir einst so gnädig gelobt hatte, dass ich nur als Vertilger Trojas heimziehen sollte. Jetzt aber gefällt es ihm, der schon so viele Städte zu Boden geschmettert hat und in seiner Allmacht noch niederschmettern wird, mir zu befehlen, dass ich, nachdem so viel Volk umsonst erlegen ist, ruhmlos nach Argos zurückkehren soll. Auch ist es freilich schmählich, wenn ein späteres Geschlecht vernehmen soll, dass dieses große Griechenland in einem heillosen Streite gegen so viel schwächere Feinde fortkämpfe. Denn wahrhaftig, wenn wir die Zahl der Trojaner im Frieden mit der Zahl der Unsrigen messen wollten, so dass je ein Trojaner einem Tische von zehn Griechen den Wein kredenzte: viele Tische, deucht mir, würden des Weines entbehren müssen. Aber freilich haben sie mächtige Bundesgenossen aus vielen Städten, deren Macht mir nicht erlaubt, ihre Stadt zu vertilgen, wie ich wohl möchte. Inzwischen sind neun Jahre herumgegangen, das Holz an unsern Schiffen wird brüchig, die Seile vermodern, unsere Weiber und Kinder sitzen zu Hause und schmachten nach uns: so ist es wohl das Beste, wir fügen uns in des Zeus Gebot, gehen zu Schiffe und kehren ins liebe Land der Väter zurück.« Die Worte Agamemnons bewegten die

Versammlung wie schwellende Meereswogen. Das ganze Heer geriet in Aufruhr; alles stürzte den Schiffen zu, dass der Staub in die Luft wirbelte; einer ermunterte den andern, die Schiffe ins Meer zu ziehen; die Balken unter diesen wurden hinweggezogen, die Gräben, die mit dem Meer in Verbindung standen, geräumt.

Den Freunden der Griechen im Olymp selbst wurde bange, als sie den Ernst der Völker sahen, und Hera ermahnte Athene, hinunterzueilen ins Heer der Argiver und durch ihre schmeichelnde Götterrede die Flucht derselben zu hemmen. Pallas Athene gehorchte ihr und flog von den Felsenhöhlen des Olymp hinab ins Schiffslager der Griechen. Hier fand sie den Odysseus mit gramvollem Herzen regungslos vor seinem Schiffe stehend, das er nicht zu berühren wagte. Die Göttin näherte sich ihm, und indem sie sich seinen Blicken offenbarte, sprach sie freundlich zu ihm: »Also wollt ihr euch wirklich in die Schiffe stürzen und fliehen, wollt dem Priamos den Ruhm und den Trojanern Helena lassen, die Griechin, um welche so viele Griechen fern vom Vaterlande dahingesunken sind? Nein, das wirst du nicht dulden, edler, kluger Odysseus! Eilig, dich ins Heer der Danaer geworfen, nicht gezaudert! Brauche deine Beredsamkeit, ermahne, hemme sie!« Auf den Ruf der Göttin warf Odysseus schnell seinen Mantel weg, welchen Eurybates, sein Herold, aufnahm, und eilte unter das Volk. Stieß er nun auf einen der Fürsten und edlern Männer, so hielt er ihn mit freundlichen Worten an und sprach zu ihm: »Ziemet es dir auch, mein Trefflicher, zu verzagen wie ein Feigling? Du solltest vielmehr ruhig bleiben und auch die andern beruhigen. Weißt du doch nicht, wie der Atride wirklich im Herzen gesinnt ist und ob er die Griechen nicht hat versuchen wollen!« Wenn er aber wo einen Mann vom Volke lärmend und schreiend antraf, den schlug er mit seinem Zepter und bedrohte ihn mit lauter Stimme: »Elender, rühre dich nicht; hör du, was andre sagen, du, auf den man weder im Kampf noch im Rate rechnen kann! Wir Griechen können doch nicht alle Könige sein! Vielherrschaft ist nichts nütze, nur einem hat Zeus das Zepter verliehen, und diesem sollen die andern gehorchen!«

So ließ Odysseus seine herrschende Stimme durchs Heer erschallen und bewog endlich das Volk, von den Schiffen auf den Versammlungsplatz zurückzuströmen. Allmählich wurde alles ruhig und verharrte geduldig auf den Sitzen. Nur eine einzige Stimme krächzte noch: es war Thersites, der sich wie gewöhnlich mit fordernden Scheltworten gegen die Fürsten vernehmen ließ. Dieser war der hässlichste Mann, der aus Griechenland mit vor Troja gekommen war; er schielte mit dem einen Auge und war lahm am andern Fuße, hatte einen Höcker auf dem Rücken, die Schultern gegen die Brust eingeengt, einen Spitzkopf, dessen Scheitel nur mit dünner Wolle spärlich besät war. Besonders war der Haderer dem Peliden und Odysseus verhasst, denn gegen diese Helden lästerte er unaufhörlich. Diesmal aber kreischte er seine Schmähungen dem Völkerfürsten Agamemnon entgegen: »Was hast du zu klagen, Atride«, schrie er; »wessen bedarfst du denn? Ist nicht dein Zelt voll von edlem Erz und voll von Weibern? Du lässest es dir wohl sein, und wir sollen uns von dir in allen Jammer hineinführen lassen? Viel besser tun wir, auf den Schiffen heimzusegeln und diesen hier allein vor Troja sich mit Ehrengeschenken mästen lassen! Hat er doch jetzt selbst den mächtigen Achilleus verunehrt und enthält ihm seine Ehrengabe vor. Aber der träge Pelide hat keine Galle in der Leber, sonst hätte der Tyrann zum letzten Mal gefrevelt!«

Während Thersites so schalt, stellte sich Odysseus neben ihn und maß ihn mit finsterem Blick, dann hub er sein Zepter, bläute ihm Rücken und Schultern und rief: »Find ich dich noch einmal im Wahnsinne toben wie jetzt, du Schuft, so soll mein Haupt nicht auf meinen Schultern stehen und Telemachos nicht mein Sohn sein, wenn ich dir nicht die Kleider bis auf die Blöße vom Leibe ziehe und dich, mit Geißelhieben gestäupt, nackt zu den Schiffen sende!« Thersites krümmte sich unter den Streichen des Helden mit blutigen Striemen auf Schultern und Nacken und lief dann tobend vor Schmerz und heulend vor Wut von dannen. Im Volke aber stieß ein Nachbar den andern lachend an und freute sich darüber, dass der ekelhafte Mensch die verdiente Strafe erhielt.

Jetzt aber trat der Held Odysseus vor das Volk; neben ihm Pallas Athene, welche die Gestalt eines Herolds angenommen hatte und den Völkern Stillschweigen gebot. Er selbst hob seinen Fürstenstab in die Höhe, dass die Umstehenden aufmerkten, und sprach: »Sohn des Atreus, wahrhaftig, so weit ist es gekommen, dass die Griechen dir Schmach bereiten und ihren Verheißungen ungetreu werden, sie, die versprochen haben, nicht eher von dannen zu ziehen, als bis sie Troja vertilgt hätten. Nun jammern sie wie Weiber und kleine Kinder nach der Heimkehr und

klagen einander ihr Leid! Aber welche Schande wäre es für uns, nachdem wir so lange hier verweilt, leer heimzukehren! Darum, ihr Freunde, geduldet euch doch noch ein weniges; erinnert euch an das Zeichen, das uns vor unserer Abfahrt von Aulis zuteil wurde, als wir auf geweihten Altären, um jenen Sprudelquell her, Hekatomben unter dem schönen Ahornbaume opferten. Mir ist, als wäre es erst gestern geschehen! Ein grässlicher Drache mit dunkelfarbigen Schuppen schlüpfte unter dem Altar hervor und fuhr schlängelnd an dem Ahornbaume hinauf. Dort hing ein Sperlingsnest mit nackten Jungen schwankend auf einem Aste: ihrer acht schmiegten sich in die Blätter, das neunte aber war die brütende Mutter der Vögel. Die umflog mit kläglichem Zwitschern die Kleinen, bis der Drache sein Haupt hindrehte und die Jammernde am Flügel erhaschte. Nachdem er die Mutter samt den Jungen verzehrt, verwandelte Zeus, der den Drachen gesandt hatte, ihn zum offenbaren Wunderzeichen in einen Stein, und ihr Argiver saht es mit staunendem Grauen. Kalchas aber, der Seher, rief euch zu: ›Was stehet ihr verstummt, ihr Griechen? Wisset ihr nicht, dass dies Wunder eine Wahrsagung des Zeus ist? Die neun Sperlinge sind neun Jahre, die ihr um Troja kriegen werdet: im zehnten aber sollt ihr die prachtvolle Stadt erobern.‹ So weissagte damals Kalchas. Nun aber wird ja alles vollendet! Die neun Jahre des Kampfes sind vorüber, das zehnte Jahr ist erschienen, und der Sieg muss mit ihm kommen. So harrt denn die kleine Weile miteinander noch aus, ihr Griechen! Bleibet, bis wir die Feste des Königs Priamos zerstört haben!«
Ein Jubel der versammelten Argiver beantwortete die Rede des Odysseus, der weise Nestor benützte die umgewandelte Stimmung der Völker und riet dem Könige Agamemnon, hinfort, wenn sich etwa noch einer unbändig nach der Heimkehr sehnte, einem solchen nicht zu verweigern, zu Schiffe zu gehen und von dannen zu fahren. Dann aber sollte er die Männer nach Stamm und Geschlecht absondern und kämpfen lassen: so würde er am sichersten erfahren, wer von Kriegern und Führern der Mutigere oder der Feigere sei und ob Göttergewalt oder Furcht oder mangelnde Kriegserfahrung die Eroberung Trojas verhindere. Erfreut antwortete auf diesen Vorschlag der Völkerfürst:
»Fürwahr, Nestor, du, der Greis, übertriffst unsere Männer alle durch Einsicht. Hätte ich im Rate der Griechen noch zehn deinesgleichen, so

sollte mir Trojas hochragende Burg bald zertrümmert in den Staub sinken! Ich selbst muss gestehen, dass ich unbesonnen gehandelt habe, mich mit Achilleus wegen des Mädchens zu entzweien. Zeus hatte mich damals mit Blindheit geschlagen. Versöhnen wir beide uns je wieder, so wird der Untergang Trojas nicht länger säumen! Doch nun wollen wir uns zum Angriffe rüsten, stärke sich jeder mit einem Mahl, bereite Schild und Lanze, füttere und tränke seine Rosse, besichtige den Streitwagen und gedenke der Schlacht, die bis zum Abend dauern wird. Bleibt mir einer absichtlich bei den Schiffen zurück, dessen Leib soll den Hunden und Vögeln nicht entgehen!«

Als Agamemnon ausgeredet, schrien die Danaer laut, dass es tönte wie die Meerflut, wenn sie sich beim Südwind am hohen Felsenstrande bricht. Das Volk sprang auf, jeder eilte zu seinen Schiffen, und bald sah man den Rauch des Frühstücks aus den Lagerhütten aufsteigen. Agamemnon selbst opferte dem Zeus einen Stier und lud die edelsten Argiver zum Mahle ein. Als dies vorüber war, gebot er den Herolden, die Griechen zur Schlacht zu rufen, und bald stürzten die Haufen, Scharen von Kranichen oder Schwänen gleich, die am Flussufer hinflattern, auf die skamandrische Wiese. Die Führer, an ihrer Spitze der Atride, ordneten die Reihen. Herrlich war der Fürst der Fürsten Agamemnon anzuschauen, an Augen und Haupt dem Göttervater gleich, an breiter Brust dem Poseidon, gerüstet wie der streitbare Kriegsgott selbst.

Paris und Menelaos

Das Heer, auf Nestors Rat nach Volksstämmen geordnet, stand in Schlachtordnung, als man endlich den Staub der aus ihren Mauern heranziehenden Trojaner gewahr wurde. Nun setzten sich auch die Griechen in Bewegung. Als beide Heere einander nahe genug waren, dass der Kampf beginnen konnte, schritt aus der Reihe der Trojaner der Königssohn Paris vor, in ein buntes Panterfell gekleidet, den Bogen um die Schultern gehängt, sein Schwert an der Seite, und indem er zwei spitze Lanzen schwenkte, forderte er den Tapfersten aller Griechen heraus, mit ihm den Zweikampf zu wagen. Als diesen Menelaos aus den sich heranwälzenden Scharen hervorspringen sah, freute er sich wie ein hungriger Löwe, dem eine ansehnliche Beute, ein Gämsbock oder ein Hirsch, in den Weg kommt, und schnell sprang er in voller Rüstung von seinem Wagen zur Erde herab, den frevelhaften Dieb seines Hauses zu bestrafen. Dem Paris graute beim Anblick eines solchen Gegners, und er entzog sich dem Kampfe erblassend und ins Gedränge seiner Landsleute zurückfahrend, als hätte er eine Natter gesehen. Als ihn Hektor so in die Menge der Trojaner zurücktauchen sah, rief er ihm voll Unmut zu: »Bruder, du bist doch nur von Gestalt ein Held, in Wahrheit aber nichts als ein weibischer, schlauer Verführer. Wärest du lieber gestorben, ehe du um Helena gebuhlt! Siehst du nicht, wie die Griechen ein Gelächter erheben, dass du es nicht wagst, dem Manne standzuhalten, dem du die Gattin gestohlen hast? Du wärest wert zu erfahren, an welchem Manne du dich versündigt, und ich würde dich nicht bemitleiden, wenn du dich verwundet auf dem Boden wälztest und der Staub dein zierliches Lockenhaar besudelte.« Paris antwortete ihm: »Hektor, dein Herz ist hart und dein Mut unwiderstehlich wie eine Axt aus Erz, mit der der Schiffszimmermann Balken behaut, und du tadelst mich nicht mit Unrecht; aber schilt mir nicht meine Schönheit, denn sie ist auch eine Gabe der Unsterblichen. Wenn du mich aber jetzt kämpfen sehen willst, so heiß Trojaner und Griechen ruhen; dann will ich um Helena und alle ihre Schätze mit dem Helden Menelaos vor allem Volke den Zweikampf wagen. Wer von uns beiden siegt, mag sie heimführen; ein Bund soll es bekräftigen; ihr bauet alsdann das trojanische Land in Frieden, und jene schiffen heim gen Argos.«

Eine freudige Überraschung hatte sich Hektors bei diesen Worten seines Bruders bemächtigt; er trat vor die Schlachtordnung heraus in die Mitte und hemmte, den Speer vorhaltend, den Anlauf der trojanischen Haufen. Als die Griechen seiner ansichtig wurden, zielten sie um die Wette mit Wurfspießen, Pfeilen und Steinen nach ihm. Agamemnon aber rief laut nach den griechischen Reihen zurück: »Haltet ein, Argiver, werfet nicht, der helmumflatterte Hektor begehrt zu reden!« Die Griechen ließen ihre Hände sinken und verharrten in Schweigen ringsumher; und nun verkündete Hektor mit lauter Stimme den Völkern den Entschluss seines Bruders Paris. Seine Rede beantwortete ein tiefes Stillschweigen. Endlich nahm Menelaos vor den Heeren das Wort: »Höret mich an«, rief er, »mich, auf dessen Seele der allgemeine Kummer am schwersten lastet! Endlich, hoffe ich, werdet ihr Argiver und Trojaner, nachdem ihr um des Streites willen, den Paris angefacht, so viel Schlimmes erduldet habt, versöhnt voneinander scheiden! Einer von uns zweien, welchen auch das Schicksal auserkoren hat, soll sterben; ihr andern aber sollt in Frieden scheiden. Lasst uns opfern und schwören, alsdann mag der Zweikampf beginnen!«

Beide Heere wurden froh über diesen Worten, denn sie sehnten sich nach einem Ende des unseligen Kriegs. Auf beiden Seiten zogen die Wagenlenker den Rossen die Zügel an, die Helden sprangen von den Streitwagen, zogen die Rüstung aus und legten sie, Feinde ganz nahe an Feinden, auf die Erde nieder. Hektor sandte eilig zwei Herolde nach Troja, die Opferlämmer zu bringen und den König Priamos herbeizurufen; auch der König Agamemnon schickte den Herold Talthybios zu den Schiffen, ein Lamm zu holen. Die Götterbotin Iris aber, in Priamos' Tochter Laodike umgestaltet, eilte, die Botschaft der Fürstin Helena in die Stadt zu bringen. Sie fand sie am Webstuhl, ein köstliches Gewand mit den Kämpfen der Trojaner und Griechen durchwirkend, die Augen auf ihre Arbeit geheftet. »Komm doch heraus, trautes Kind«, rief sie ihr zu, »du sollst etwas Seltsames schauen! Die Trojaner und Griechen, die noch eben voll Ingrimm zur Feldschlacht gegeneinander anrückten, ruhen stillschweigend, auf die Schilde hingelehnt, die Speere in den Boden gesteckt, einander gegenüber; aller Krieg ist beendigt; nur deine Gatten Alexander und Menelaos werden mit der Lanze um dich kämpfen, und wer seinen Gegner besiegt, trägt dich als Gemahlin davon!«

So sprach die Göttin und erfüllte das Herz Helenas mit Sehnsucht nach ihrem Jugendgemahl Menelaos, nach der Heimat und nach den Freunden. Sie hüllte sich schnell in einen silberweißen Schleier, in welchem sie die Träne verbarg, die ihr an den Wimpern hing, und eilte, von Athra und Klymene, zweien ihrer Dienerinnen, gefolgt, nach dem skäischen Tore. Hier saß auf den Zinnen König Priamos mit den ältesten und verständigsten Greisen des trojanischen Volkes, Panthoos, Thymötes, Lampos, Klytios, Hiketaon, Antenor und Ukalegon; die beiden Letzteren waren die verständigsten Männer von Troja; sie alle ruhten zwar in ihrem hohen Alter vom Kriege aus; in der Ratsversammlung aber war ihr Wort das tüchtigste. Als diese von der Höhe des Turmes Helena herankommen sahen, flüsterten die Greise, die Gestalt der Fürstin bestaunend, einander leise zu: »Fürwahr, niemand soll Trojaner und Griechen tadeln, dass sie für ein solches Weib so lange im Elend ausharren. Gleicht sie doch einer unsterblichen Göttin an Herrlichkeit! Aber auch mit solcher Gestalt mag sie immerhin auf den Schiffen der Danaer heimkehren, damit uns und unsern Söhnen nicht der Schaden zurückbleibe!« Priamos aber rief Helena liebreich herbei: »Komm näher heran«, sprach er, »mein Töchterchen, setze dich zu mir her, ich will dir deinen ersten Gemahl, deine Freunde und deine Verwandten zu schauen geben; du bist mir nicht schuld an diesem jammervollen Kriege; die Götter sind es, die ihn mir zugesendet haben. Nenne mir denn jenes gewaltigen Mannes Namen, der dort so groß und herrlich über alle Danaer hervorprangt; an Haupt überragen ihn zwar hier und da noch größere Männer in dem Heere; aber von so königlicher Gestalt habe ich doch noch keinen unter ihnen gesehen.«

Ehrfurchtsvoll entgegnete Helena dem Könige: »Teurer Schwiegervater, Scheu und Furcht bewegen mich, indem ich dir nahe. Mir wäre der bitterste Tod besser gewesen, als dass ich, Heimat, Tochter und Freunde verlassend, deinem Sohne hierher gefolgt bin. In Tränen möchte ich zerfließen, dass es geschah! Nun aber höre: der dort, nach dem du fragst, ist Agamemnon, der trefflichste König und ein tapferer Krieger; er war, ach, er war dereinst mein Schwager!« – »Glücklicher Atride«, rief Priamos aus, den Helden sich betrachtend, »Gesegneter, dessen Zepter zahllose Griechen gehorchen! Auch ich stand einst in männlicher Jugend an der Spitze eines großen Heeres, als wir die Horde der Amazonen von Phrygien abwehrten; doch war mein Heer nicht so groß wie das deinige!« Dann fragte der Greis von neuem: »Nenne mir nun auch jenen, Töchterchen, er ragt nicht so hoch empor wie der Atride, aber seine Brust ist breiter, seine Schultern sind mächtiger; seine Wehr liegt zu Boden gestreckt, er selbst umwandelt die Reihen der Männer wie ein Widder die Schafe.« – »Das ist der Sohn des Laertes«, antwortete Helena, »der schlaue Odysseus; Ithaka, die felsige Insel, ist seine Heimat.« Jetzt mischte sich auch der Greis Antenor ins Gespräch: »Du hast Recht, Fürstin«, sagte er, »ihn und Menelaos kenne ich gut; habe ich sie doch in meinem Haus als Gesandte einst beherbergt. Im Stehen überragte Menelaos den Helden Odysseus; wenn sie sich aber beide gesetzt, erschien Odysseus als der Herrlichere. Auch redete Menelaos wenig, lauter hingeworfene, inhaltsreiche Worte. Odysseus aber, wenn er reden wollte, stand da, die Augen zur Erde geheftet, den Stab unbeweglich in der Hand, anzusehen wie ein Verlegener; man wusste nicht, ist er tückisch oder dumm. Sandte er aber einmal die gewaltige Stimme aus der Brust, dann drängten sich seine Worte wie Schneeflocken im Winter, und kein Sterblicher konnte sich mit Odysseus an Beredsamkeit messen.«

Priamos hatte sich indessen noch weiter umgeschaut. »Wer ist denn der Riese dort«, rief er, »der so gar groß und gewaltig über alles Volk hervorragt?« – »Das ist der Held Ajax«, antwortete Helena, »die Stütze der Argiver; und weiter drüben steht wie ein Gott unter seinen Kretern Idomeneus. Ich kenne ihn wohl; Menelaos hat ihn oft in unserer Wohnung beherbergt. Und ach, nun erkenne ich einen um den andern, die freudigen Krieger aus meiner Heimat; hätten wir Muße, so wollte ich dir sie alle mit Namen nennen! Nur meine leiblichen Brüder Kastor und Pollux sehe ich nicht. Sind sie wohl nicht mit hierher gekommen? Oder scheuen sie sich in der Schlacht zu erscheinen, weil sie sich ihrer Schwester schämen?« Über diesen Gedanken verstummte Helena; sie wusste nicht, dass ihre Brüder schon lange von der Erde verschwunden waren.

Während diese sich so unterredeten, trugen die Herolde die Bundesopfer durch die Stadt, welche aus zwei Lämmern und zum Trankopfer aus einheimischem Weine bestanden, der in einen bocksledernen Schlauch gefüllt war. Der Herold Idäos folgte mit einem blinkenden Krug und goldenem Becher. Als sie durchs skäische Tor kamen, nahte dieser dem Könige Priamos und sprach zu ihm: »Mach dich auf, König, beide, die Fürsten der Trojaner und der Griechen, rufen dich hinab ins Gefilde, damit du dort einen heiligen Vertrag beschwörest, dein Sohn Paris und Menelaos werden allein um das Weib mit dem Speer kämpfen: wer im Kampfe siegt, dem folgt sie mitsamt den Schätzen. Alsdann schiffen die Danaer nach Griechenland zurück.« Der König stutzte, doch befahl er seinen Gefährten, die Rosse anzuschirren, und mit ihm bestieg Antenor den Wagensitz. Priamos ergriff die Zügel, und bald flogen die Rosse durchs skäische Tor hinaus aufs Blachfeld. Zwischen den beiden Völkern angekommen, verließ der König mit seinem Begleiter den Wagen und stellte sich in die Mitte. Aus dem griechischen Heere eilten jetzt Agamemnon und Odysseus herbei. Die Herolde führten die Bundesopfer heran, mischten den Wein im Kruge und besprengten die beiden Könige mit dem Weihwasser. Dann zog der Atride das Opfermesser, das ihm immer neben der großen Scheide seines Schwertes herabhing, schnitt den Lämmern, wie bei Opfern gebräuchlich, das Stirnhaar ab und rief den Göttervater zum Zeugen des Bündnisses. Dann durchschnitt er den Lämmern die Kehlen und legte die Geopferten in den Staub nieder; die Herolde gossen unter Gebet den Wein aus goldenen Bechern, und alles Volk von Griechenland und Troja flehte dazu laut: »Zeus und ihr unsterblichen Götter alle! Welche von uns zuerst den Eidschwur brechen, deren Gehirn fließe auf den Boden wie dieser Wein, ihres und ihrer Kinder!«

Priamos aber sprach: »Jetzt, ihr Trojaner und Griechen, lasst mich wieder zu Ilions hoher Burg zurückkehren, denn ich kann es unmöglich mit eigenen Augen ansehen, wie mein Sohn hier auf Leben und Tod mit dem Fürsten Menelaos kämpft; weiß doch Zeus allein, welchem von beiden der Untergang verhängt ist!« So sprach der Greis, ließ die Opferlämmer in den Wagen legen, bestieg mit seinem Begleiter den Sitz und lenkte die Rosse wieder der Stadt Troja zu.

Hierauf maßen Hektor und Odysseus den Raum des Kampfplatzes ab und schüttelten in einem ehernen Helm zwei Lose, um zu entscheiden, wer zuerst die Lanze auf den Gegner werfen dürfte. Hektor, rückwärts gewandt, schwenkte den Helm, da sprang das Los des Paris heraus. Nun waffneten sich beide Helden und wandelten in Panzer und Helm, die mächtigen Lanzen in der Hand, mit drohendem Blicke in der Mitte der Trojaner und Griechen einher, von beiden Völkern angestaunt. Endlich traten sie einander in dem abgemessenen Kampfraume gegenüber und schwangen zornig ihre Speere. Durch das Los berechtigt, entsandte zuerst Paris den seinigen: der traf dem Menelaos den Schild, aber die Lanzenspitze bog sich am Erze und sank zurück. Dann erhob auch Menelaos seinen Speer und betete dazu mit lauter Stimme: »Zeus, lass mich den strafen, der mich zuerst beleidigt hat, dass man noch unter den späten Enkeln sich scheue, dem Gastfreunde Böses zu tun!« Der entsandte Speer durchschmetterte dem Paris den Schild, durchdrang den Harnisch und durchschnitt ihm den Leibrock an der Weiche; nun riss der Atride sein Schwert aus der Scheide und führte einen Streich auf den Helm des Gegners, aber die Klinge zersprang ihm klirrend. »Grausamer Zeus, was missgönnst du mir den Sieg?«, rief Menelaos, stürmte auf den Feind ein, ergriff ihn am Helm und zog ihn umgewendet der griechischen Schlachtordnung zu, ja er hätte ihn geschleift und der beengende Kehlriemen ihn erwürgt, wenn nicht die Göttin Aphrodite die Not gesehen und den Riemen gesprengt hätte. So blieb dem Menelaos der leere Helm in der Hand; diesen schleuderte der Held den Griechen zu und wollte von neuem auf seinen Gegner eindringen. Den aber hatte Aphrodite in einen schirmenden Nebel gehüllt und plötzlich nach Troja geführt. Hier setzte sie ihn im süß duftenden Gemache nieder, trat dann in Gestalt einer alten spartanischen Spinnerin zu Helena, die auf einem der Türme unter vielen trojanischen Weibern saß. Die Göttin zupfte sie am Gewand und sprach zu ihr: »Komm, Paris ruft dich, er sitzt in der Kammer in reizendem Feierkleide; du solltest glauben, er gehe zum Reigen, und nicht, er komme vom Zweikampf.« Als Helena aufblickte, sah sie Aphrodite in göttlichem Reize vor sich verschwinden. Unbemerkt von den Frauen schlich sie sich davon und eilte nach ihrem Palaste. Dort fand sie im hohen Gemache den Gatten, von Aphrodite geschmückt, in einen Sessel gelagert. Sie setzte sich ihm gegenüber, kehrte die Augen weg und schalt ihren Gemahl: »So kommst du vom Kampfe zurück? Lieber sähe ich dich getötet von dem Gewaltigen, der mein erster Gatte war! Noch kürzlich prahltest du, ihn im Lanzenwurf und im Handgemenge zu besiegen! Geh nun und fordere ihn noch einmal heraus! Doch nein, ich rate dir, bleib in Ruhe, das zweite Mal dürfte er dir übler mitspielen!« – »Kränke mir das Herz nicht durch deine Schmähungen, Frau«, erwiderte ihr Paris; »wenn Menelaos mich besiegt hat, so geschah es mit Athenes Hilfe. Ein andermal werde ich über ihn siegen; die Götter haben auch uns noch nicht vergessen.« Da wandte Aphrodite Helenas Herz, dass sie den Gatten freundlicher ansah und ihm versöhnt die Lippen zum Kusse reichte.

Auf dem Kampfplatze durchstürmte Menelaos noch immer wie ein Raubtier das Heer, nach dem verschwundenen Paris ausspähend: aber weder ein Trojaner noch ein Grieche konnte ihm den Fürsten zeigen, und doch hätten sie ihn gewiss nicht verhehlt, denn er war beiden zuwider wie der Tod. Endlich erhob Agamemnon seine Stimme und sprach: »Höret mein Wort, ihr Danaer und Griechen! Menelaos ist der offenbare Sieger. So gebt uns denn jetzt Helena samt den Schätzen zurück und bezahlt uns für alle Folgezeit einen Tribut!« Die Argiver nahmen diesen Vorschlag mit Jubel auf – die Trojaner schwiegen.

Pandaros

Auf dem Olymp war große Götterversammlung: Hebe wandelte an den Tischen umher und schenkte Nektar ein. Die Götter tranken einander aus goldenen Pokalen zu und schauten auf Troja nieder. Da ward von Zeus und Hera Trojas Untergang beschlossen. Der Vater der Götter wandte sich zu seiner Tochter Athene und befahl ihr, auf den Kampfplatz hinabzueilen und die Trojaner zu versuchen, dass sie die auf ihren Sieg stolzen Griechen wider den Vertrag zu beleidigen anfingen. Pallas Athene mischte sich sofort unter das Getümmel der Trojaner, nachdem sie die Gestalt des Laodokos, der ein Sohn Antenors war, angenommen. In dieser Verhüllung suchte sie den Sohn Lykaons, den trotzigen Pandaros, auf, der ihr zu dem Werke geschickt schien, das ihr der Vater aufgetragen. Dieser war ein Verbündeter der Trojaner und aus Lykien mit seiner Heerschar hergekommen. Die Göttin fand ihn bald, in der Mitte der Seinigen stehend. Sie trat nahe zu ihm, klopfte ihm auf die Schulter und sprach: »Höre, kluger Pandaros, jetzt könntest du etwas tun, wodurch du bei allen Trojanern dir Preis und Dank verdientest, vor allem von Paris, der dir gewiss mit den herrlichsten Geschenken lohnen würde. Siehst du dort Menelaos, den hochmütigen Sieger, stehen? Wage es und drücke deinen Pfeil auf ihn ab.« So sprach die verhüllte Göttin, und das Herz des Toren gehorchte ihr. Schnell entblößte er den Bogen, öffnete den Deckel des Köchers, wählte einen befiederten Pfeil, legte ihn auf die Sehne, und bald sprang das Geschoss vom schwirrenden Horn. Athene aber lenkte den Pfeil auf den Leibgurt, so dass er zwar durch diesen und den Harnisch drang, aber nur die oberste Haut ritzte, jedoch so, dass das Blut aus der Wunde drang und den Menelaos ein leichter Schauer durchflog. Wehklagend umringten ihn Agamemnon und die Genossen. »Teurer Bruder«, rief der König, »dir zum Tode hab ich das Bündnis geschlossen; die treulosen Feinde haben es mit Füßen getreten. Zwar werden sie es büßen, und ich weiß gewiss, dass der Tag kommt, wo Troja mit Priamos und dem ganzen Volke hinsinkt; mich aber erfüllt dein Tod mit dem bittersten Schmerz. Wenn ich ohne dich heimkehre und deine Gebeine auf trojanischem Boden am unvollendeten Werk dahinmodern, mit welcher Schmach würde mich das Vaterland empfangen; denn einem andern, nicht mir ohne dich, ist beschieden, Troja zu erobern und

Helena fortzuführen; und die Trojaner werden spottend über deinem Grabe hüpfen! Täte sich doch die Erde unter mir auf!« Aber Menelaos tröstete seinen Bruder. »Sei ruhig«, sprach er, »das Geschoss hat mich nicht zum Tode verwundet, mein Leibgurt hat mich geschützt.« – »Oh, dass dem so wäre«, seufzte Agamemnon und verständigte durch seinen Herold eilig den heilkundigen Machaon. Dieser kam, zog den Pfeil aus dem Gurt, löste diesen, öffnete das Blech des Harnisches und beschaute die Wunde; dann sog er selbst das quellende Blut heraus und legte ihm eine lindernde Salbe auf.

Während der Arzt und die Helden so um den verwundeten Menelaos beschäftigt waren, rückten die Schlachtreihen der Trojaner schon heran; auch die Griechen hüllten sich wieder in ihre Wehren, und Agamemnon übergab dem Eurymedon Rosse und Wagen mit der Weisung, sie ihm zu bringen, wenn er ihn vom Durcheilen der Schlachtordnung ermattet sehe. Dann begab er sich zu Fuß unter die Scharen der Streiter und ermunterte sie zur Abwehr, die Mutigen belobend, die Saumseligen tadelnd. So gelangte er auf seinem Gange zu den Kretern, die gewappnet ihren Heerführer Idomeneus umringten. Dieser stand an ihrer Spitze, kampflustig wie ein Eber. Die hinteren Reihen munterte sein Freund Meriones auf. Als Agamemnon die Scharen sah, wurde sein Herz fröhlich. »Du bist mir doch der Besten einer, Idomeneus«, rief er ihm zu, »bei jedem Geschäfte, im Kriege wie beim Mahle, wenn man den funkelnden Ehrenwein in den mächtigen Krügen mischt: wenn da die andern ihr bescheidenes Maß trinken, so steht dein Becher immer voll wie der meinige. Jetzt aber stürme mit mir in die Schlacht, wie du dich so oft gegen mich gerühmt.« – »Wohl bleibe ich dein treuer Genosse, König«, erwiderte jener, »geh nur andere anzuspornen, bei mir bedarf es dessen nicht. Möge Tod und Verderben die bundbrüchigen Trojaner treffen!«

Jetzt erreichte Agamemnon die beiden Ajax, hinter denen ein ganzes Gewühl von Fußvolk einherzog. »Wenn doch«, rief ihnen der König im Vorübereilen zu, »ein Mut wie der eurige den Busen aller Danaer beseelte, dann sollte die Burg des Priamos bald unter unsern Händen in Trümmer fallen.« Nun traf er weiterschreitend auf Nestor. Dieser ordnete gerade seinen Heerhaufen: voran die Helden mit Ross und Wagen, viele und tapfere Männer zu Fuß, die Feigen in die Mitte gedrängt. Dazu ermahnte er sie mit weisen Worten: »Wage sich mir keiner mit seinem

Streitwagen zu weit vor, weiche mir auch keiner zurück; stößt Wagen auf Wagen, so strecket die Lanze vor.« Wie ihn Agamemnon die Seinigen so ermahnen hörte, rief er ihm zu: »O Greis, möchten dir die Knie folgen und deine Leibeskraft ausreichen, wie dir der Mut noch den Busen füllt. Könnte doch ein anderer dir die Last des Alters abnehmen, dass du zum Jüngling umgeschaffen würdest!« – »Wohl möchte ich der sein, der ich einst war«, antwortete ihm Nestor, »doch haben die Götter den Menschen nicht alles zugleich verliehen. Mögen die Jüngeren Speere werfen, ich begleite meine Männer mit Worten und weisem Rate, den auch das Alter geben kann.« Freudig ging Agamemnon an ihm vorüber und stieß jetzt auf Menestheus, den Sohn des Peteos, um den die Athener geschart waren und neben welchem die Kephallenier in dichten Schlachtreihen unter Odysseus standen. Beider Haufen ruhten in Erwartung und wollten andere Züge voranstürmen lassen. Dies verdross den Völkerfürsten, und er sprach mürrisch zu ihnen: »Was schmiegt ihr euch so zusammen, ihr beiden, auf andere harrend? Wenn wir Braten schmausen und Wein trinken, seid ihr immer die Ersten; nun aber würdet ihr es nicht ungerne sehen, wenn zehn Griechenscharen vor euch in die Schlacht eindrängen!« Odysseus aber sah ihn finster an und sprach: »Was denkst du, Atride? Uns schiltst du saumselig? Warte nur, wenn wir einmal losbrechen, ob wir die Wut der Schlacht nicht gehörig gegen die Troer aufregen und du mich nicht im vordersten Getümmel erblicken wirst. Drum schwatze mir nicht voreilig nichtige Worte!« Als er den Helden so zürnen sah, erwiderte Agamemnon lächelnd: »Ich weiß es wohl, edler Sohn des Laertes, dass du weder Tadel noch Ermahnung bedarfst; auch bist du im Herzensgrund milde wie ich; lass uns keine harten Worte wechseln.« So verließ er ihn und eilte weiter. Da fand er den Sohn des Tydeus, den stolzen Diomedes, neben Sthenelos, des Kapaneus Sohn, seinem Freund und Wagenlenker, auf dem herrlichen Streitwagen harrend. Auch diesen versuchte er mit verdrießlichen Worten: »Wehe mir«, sprach er, »Sohn des Tydeus, du scheinst dich bange nach dem Treffen umzusehen; so blickte dein Vater nicht, als er gegen Theben zog; den sah man immer mitten in der Arbeit!« Diomedes schwieg auf den Verweis des Herrschers, sein Freund Sthenelos antwortete für hin: »Du weißt es besser, Atride«, sprach er, »wir rühmen uns größerer Tapferkeit denn unsere Väter; haben wir doch Theben erobert, vor dem sie einst erlegen

sind!« Diomedes aber unterbrach seinen Genossen und sagte finster: »Schweige, Trauter, ich verarge es dem Völkerhirten nicht, dass er die Griechen zum Kampfe anspornt; ihm wird der Ruhm zuteil, wenn wir siegen; ihm unendlicher Gram, wenn wir überwunden werden! Darum auf, lass uns der Abwehr gedenken!« So sprach Diomedes und sprang vom Wagen, dass ihm das Erz um die Brust klirrte.
Indessen zogen die Danaer Haufen an Haufen rastlos in die Schlacht, wie sich Meereswogen ans Gestade wälzen. Die Völkerfürsten befehligten; die andern gingen lautlos einher. Die Trojaner dagegen lärmten, wie eine Herde Lämmer blökt, und gemischte Sprache der mancherlei Völker tönte aus ihren Reihen. Auch der Schlachtruf der Götter hallte darein: die Trojaner ermunterte Ares, der Gott des Krieges, die Reihen der Griechen feuerte Pallas Athene an.

Die Schlacht. Diomedes

Bald begegneten sich die Heere in einem Raum; Schild traf auf Schild; Speer kreuzte sich mit Speer, und lautes Getöse, hier Wehklagen, dort Frohlocken, erhob sich ringsum. Wie sich im Spätling zwei geschwollene Bergströme im Hinabsturz vermischen, so vermählte sich das Geschrei der kämpfenden Heere. Der erste Held, welcher fiel, war der Trojaner Echepolos, der sich zu weit in den Vorkampf gewagt hatte. Diesem durchbohrte Nestors Sohn Antilochos mit der Lanzenspitze die Stirn, dass er umsank wie ein Turm. Schnell ergriff Elephenor, der griechische Fürst, den Fuß des Gefallenen, um ihn den Geschossen zu entziehen und der Rüstung zu berauben. Aber wie er sich bückte, ihn zu schleifen, entblößte er sich die Seite unter dem Schild; dies sah Agenor, der Trojaner, und durchbohrte ihm die Seite mit dem zückenden Speer, dass der Grieche tot in den Staub sank. Über ihm tobte der Kampf beider Heere fort, und wie die Wölfe erwürgten sie einander.
Ajax traf den blühenden Simoesius im Vorwärtsdringen rechts über der Brust, dass ihm der Speer zur Schulter herausfuhr und er in den Staub hintaumelte; dann stürzte er sich auf ihn und beraubte ihn der Rüstung; gegen ihn warf der Trojaner Antiphos die Lanze; dieser verfehlte ihn zwar, traf aber Leukos, den tapferen Freund des Odysseus, wie er eben

den Toten hinwegschleifte. Das schmerzte den Odysseus, und vorsichtig umschauend, schleuderte er seinen Wurfspieß ab, vor dem die Trojaner zurückprallten, und traf einen Sohn des Königs Priamos, den Bastard Demokoon, so dass die Spitze von einer Schläfe zur andern durchdrang. Als dieser in dumpfem Falle hinstürzte, wichen die vordersten Kämpfer der Trojaner rückwärts und selbst Hektor mit ihnen. Die Griechen aber jauchzten laut auf, schoben die Leichname beiseite und drangen tiefer in die Schlachtreihen der Trojaner ein.

Darüber erzürnte Apollon und ermunterte die Trojaner von der Stadt aus, indem er ihnen zurief: »Räumet doch den Argivern das Feld nicht! Ist doch ihr Leib weder von Stein noch von Eisen, und ihr bester Held Achilleus kämpft nicht einmal, sondern grollt bei den Schiffen.« Auf der andern Seite trieb Athene die Danaer in den Kampf, und so fielen von beiden Teilen noch viele Helden.

Da rüstete Pallas Athene den Sohn des Tydeus, Diomedes, mit besonderer Kraft und Kühnheit aus, dass er vor allem Danaervolk hervorstrahlte und sich unsterblichen Ruhm gewann. Helm und Schild machte sie ihm glänzend wie das Gestirn des Sirius in der Herbstnacht und trieb ihn hinein ins wildeste Getümmel der Feinde. Nun befand sich unter den Trojanern ein Priester des Hephästos, mit Namen Dares, ein mächtiger, reicher Mann, der zwei Söhne, Phegeus und Idäos, mutige Männer, in die Schlacht gesandt hatte. Diese sprengten aus den Reihen der Ihrigen auf Diomedes hervor mit ihren Streitwagen, während der griechische Held zu Fuß kämpfte. Zuerst sandte Phegeus seine Lanze ab; sie fuhr aber links an der Schulter des Tydiden vorbei, ohne ihn zu verwunden. Des Diomedes Wurfspieß dagegen traf den Phegeus in die Brust und stürzte ihn vom Wagen. Als sein Bruder Idäos dieses sah, wagte er es nicht, den Leichnam seines Bruders zu schirmen, sondern sprang vom Wagen und entfloh, indem der Beschirmer seines Vaters, Hephästos, Finsternis um ihn her verbreitete; denn dieser wollte nicht, dass sein Priester beide Söhne verlöre.

Jetzt nahm Athene ihren Bruder, den Kriegsgott Ares, bei der Hand und sprach zu ihm: »Bruder, wollen wir nicht Troer und Griechen jetzt sich selbst überlassen und eine Weile zusehen, welchem Volke die Fürsehung unsers Vaters den Sieg zuwende?« Ares ließ sich von der Schwester aus der Stadt hinausführen, und so waren die Sterblichen sich selbst überlassen; doch wusste Athene wohl, dass ihr Liebling Diomedes mit ihrer Kraft ausgerüstet streite. Nun fingen die Argiver an, den Feind erst recht hart zu bedrängen, und vor jedem griechischen Führer sank ein Trojaner dahin. Agamemnon jagte dem Hodios den Speer ins Schulterblatt; Idomeneus durchstach den Phästos aus Tarne, dass er dem Wagen entstürzte; der kundige Jäger Skamandrios wurde von der spitzen Lanze des Menelaos durchbohrt; den kunstvollen Phereklos, der dem Paris die räuberischen Schiffe gezimmert hatte, traf Meriones; und andere fielen von anderer Hand. Der Tydide aber durchtobte das Feld wie ein angeschwollener Herbststrom, und man wusste nicht, gehörte er den Griechen oder den Trojanern an, denn bald war er da, bald dort. Wie nun der Kampf ihn so hin und her trieb, fasste Lykaons Sohn, Pandaros, sich ihn ins Auge, richtete seinen Bogen auf ihn und schoss ihm mit dem Pfeil gerade in die Schulter hinein, so dass sein Blut über den Panzer herabströmte. Pandaros, solches sehend, jauchzte und rief hinterwärts zu seinen Genossen: »Drängt euch heran, ihr Trojaner, spornt eure Rosse! Ich habe den tapfersten Danaer getroffen! Bald wird er umsinken und ausgewütet haben, wenn anders mich Apollon aus Lykien zum Kampfe selbst herbeigerufen hat!« Doch den Diomedes hatte das Geschoss nicht tödlich verwundet; er stellte sich vor seinen Streitwagen und rief seinen Freund und Wagenlenker Sthenelos zu: »Steige doch vom Wagen, mein Geliebter, und ziehe mir den Pfeil aus der Schulter!« Sthenelos sprang eilig herab und tat also: das helle Blut spritzte dabei aus den Panzerringen. Da betete Diomedes zu Athene: »Blauäugige Tochter des Zeus! Wenn du je schon meinen Vater beschirmt hast, so sei auch mir jetzt gnädig! Lenke meinen Speer auf den Mann, der mich verwundet hat und jetzt frohlockt, auf dass er nicht lange mehr das Licht der Sonne schaue!« Athene hörte sein Flehen und beseelte ihm Arme und Füße, dass sie leicht wurden wie der Leib eines Vogels und er, unbeschwert von seiner Wunde, in die Schlacht zurückeilen konnte. »Geh«, sprach sie zu ihm, »ich habe auch die Finsternis von deinen Augen genommen, dass du Sterbliche und Götter in der Schlacht unterscheiden kannst; hüte dich darum, wenn ein Unsterblicher auf dich zugewandelt kommt, dich mit solchem in einen Kampf einzulassen! Nur Aphrodite, wenn sie dir naht, magst du mit deinem Speere verwunden!«

Nun flog Diomedes in das vorderste Treffen zurück, mit dreifachem

Mut und Kraft ausgerüstet wie ein Berglöwe. Hier hieb er den Astynoos durch einen Streich ins Schultergelenk nieder; dort durchbohrte er den Hyperion mit der Lanze; dann erlegte er zwei Söhne des Eurydamas; dann zwei spät geborene Söhne des Phänops, dass dem Vater nur der Gram zurückblieb; dann warf er zwei Söhne des Priamos, Chromios und Echemmon, mit Gewalt zugleich aus dem Wagen und beraubte sie der Rüstung, indes die Seinigen den erbeuteten Streitwagen nach den Schiffen abführten.

Äneas, der tapfere Eidam des Königs Priamos, sah, wie dünn die Reihen der Trojaner unter den Streichen und Stößen des Tydiden wurden. Deswegen eilte er durch die stürmenden Geschosse hin, bis er den Pandaros traf, den er so anredete: »Sohn Lykaons, wo bleibt dein Bogen und Pfeil, wo dein Ruhm, den bisher kein Lykier, kein Trojaner dir streitig machte? Sende doch dem Manne, der den Troern so viel Böses tut, noch ein Geschoss zu; wenn er nicht anders ein unsterblicher Gott in menschlicher Gestalt ist!« Ihm antwortete Pandaros: »Wenn es nicht ein Gott ist, so ist's der Tydide Diomedes, den ich erschossen zu haben glaubte. Ist er es aber, so hat sich ein Unsterblicher seiner erbarmt und steht ihm auch jetzt noch zur Seite! Dann bin ich wohl ein unglücklicher Kämpfer! Schon gegen zwei griechische Heerfürsten sandte ich den Pfeil ab, verwundete beide, ohne sie zu töten, und habe sie nur wütender gemacht. Wahrhaftig, zur Unglücksstunde habe ich Köcher und Bogen genommen und bin damit vor Troja gezogen! Kehre ich je wieder heim, so soll mir ein Fremdling das Haupt abschlagen, wenn ich nicht Bogen und Pfeile mit den Händen zerknicke und diesen nichtigen Tand, der mich begleitet hat, ins lodernde Feuer werfe!«

»Nicht also!«, sprach, ihn beruhigend, Äneas. »Besteige vielmehr meinen Streitwagen und lerne die Gewandtheit der trojanischen Pferde im Verfolgen und Entfliehen kennen. Verleiht Zeus dem Diomedes durchaus die Siegesehre, so werden sie uns sicher nach Troja hineintragen! Ich selbst will indessen zu Fuße des Kampfes warten.« Aber Pandaros bat ihn, die Rosse selbst lenken zu wollen, da er dieses Werkes nicht kundig sei, schwang sich zu ihm auf den Wagen, und so sprengten sie mit den hurtigen Tieren auf den Tydiden zu. Sein Freund Sthenelos sah sie herankommen, rief den Genossen an und sprach: »Sieh da, zwei tapfere Männer, die auf dich losstürmen, Pandaros und der Halbgott Äneas,

Aphroditens Sohn! Diesmal lass uns zu Wagen entfliehen; dein Wüten dürfte dir nichts nützen gegen diese!«

Aber Diomedes blickte finster und erwiderte ihm: »Sage mir nichts von Furcht! Es liegt nicht in meiner Art, vor einem Kampfe zurückzubeben oder mich feige zurückzuziehen. Meine Kraft ist noch nicht erschöpft; es verdrösse mich, untätig im Wagen stehen zu müssen. Nein, wie ich hier zu Fuße bin, will ich ihnen entgegenwandeln. Gelingt es mir, sie beide zu töten, so hemme du unsre Pferde, den Zaum am Sesselrand befestigend, und führe mir die Rosse des Äneas als Beute zu den Schiffen.« Indem flog die Lanze des Pandaros dem Tydiden entgegen, durchfuhr den Schild und prallte vom Panzer ab. »Nicht getroffen, gefehlt!«, rief Diomedes dem jauchzenden Trojaner entgegen, und sein die Luft im Bogen durchsausender Speer fuhr dem Gegner unter dem Auge in den Kiefer, durch die Zähne und Zunge hindurch, dass die Spitze am Unterkinn wieder herauskam. Pandaros stürzte rasselnd vom Wagen und zuckte sterbend in der glänzenden Rüstung auf dem Boden. Seine Rosse rannten flüchtig auf die Seite; Äneas aber sprang herab und umwandelte den Leichnam wie ein trotziger Löwe, Schild und Speer vorstreckend und jeden zu erschlagen bereit, der ihn antasten würde. Jetzt ergriff Diomedes einen Feldstein, wie ihn zwei gewöhnliche Männer nicht aufheben konnten. Mit diesem traf er den Sohn des Anchises am Hüftgelenk, zermalmte dieses und zerriss ihm die Sehnen, dass der Held, die Rechte gegen den Boden stemmend, ins Knie sank und ihm die Sinne vergingen; und er wäre gestorben, wenn nicht Aphrodite ihren trauten Sohn mit den Lilienarmen umschlungen, ihn mit den Falten ihres silberhellen Gewandes umhüllt und aus der Schlacht getragen hätte. Sthenelos hatte inzwischen Wagen und Rosse des Äneas, dem Befehle seines Freundes folgsam, zu den Schiffen geführt und war auf dem eigenen Wagen bald wieder an der Seite des Tydiden angekommen. Dieser hatte mit seinen von Athene geöffneten Augen die Göttin Aphrodite erkannt, durch das Schlachtgetümmel verfolgt und mit ihrer Beute erreicht. Der Held stieß mit der Lanze nach ihr, und sein Speer drang durch die ambrosische Haut in die Handwurzel, dass ihr unsterbliches Blut zu rinnen begann. Die verwundete Göttin schrie laut auf und warf den Sohn zur Erde hin. Dann eilte sie ihrem Bruder Ares zu, den sie zur Linken der Schlacht, Wagen und Rosse in Nacht gehüllt, sitzend fand. »O Bruder«, rief sie flehend, »schaff mich

weg, gib mir die Rosse, dass ich zum Olymp entkomme; mich schmerzt meine Wunde; Diomedes, der Sterbliche, hat mich verwundet: er wäre im Stande, selbst mit unserm Vater Zeus zu kämpfen.« Ares überließ ihr den Wagen, und Aphrodite, auf der Höhe des Olymps angekommen, warf sich weinend in die Arme ihrer Mutter Dione und wurde von ihr unter schmeichelnden Trostworten vor den Göttervater geleitet, der sie lächelnd empfing und ihr entgegenrief: »Drum wurden dir nicht die Werke des Krieges verliehen, mein liebes Töchterchen, ordne du Hochzeiten und lass die Schlachten den Kriegsgott besorgen!« Ihre Schwester Pallas und Hera aber sahen sie spöttisch von der Seite an und sprachen stichelnd: »Was wird es sein? Wahrscheinlich hat die schöne falsche Griechin unsere Schwester nach Troja gelockt, da wird sie Helenas Gewand gestreichelt und sich mit einer Spange geritzt haben!«
Drunten auf dem Schlachtfeld hatte sich Diomedes auf den liegenden Äneas geworfen und holte dreimal aus, ihm den Todesstreich zu versetzen; aber dreimal hielt der zornige Gott Apollon, der nach der Schwester Verwundung herbeigeeilt war, ihm den Schild vor; und als jener das vierte Mal anstürmte, drohte er ihm mit schrecklicher Stimme: »Sterblicher, wage nicht, mit den Göttern dich zu messen!« Scheu und mit zauderndem Schritt entwich Diomedes. Apollon aber trug den Äneas aus dem Schlachtgewühl in seinen Tempel nach Troja, wo Leto, seine Mutter, und Artemis, seine Schwester, ihn in ihre Pflege nahmen. Auf dem Boden, wo der Held gelegen, schuf er sein Scheinbild, um das sich nun Trojaner und Griechen mit wilden Schlägen und Stößen zankten. Nun ermahnte Apollon den Ares, dass er den frechen Tydiden, der die Götter selbst bekämpfe, aus der Schlacht zu entfernen strebe. Und der Kriegsgott, in der Gestalt des Thrakiers Akamas, mischte sich im Getümmel unter die Söhne des Priamos und schalt sie: »Wie lange gönnet ihr den Griechen das Morden, ihr Fürsten? Wollt ihr warten, bis um die Tore eurer Stadt selbst gekämpft wird? Wisst ihr nicht, dass Äneas auf dem Boden liegt? Auf, und retten wir den edlen Genossen aus der Hand der Feinde!« So erregte Ares die Herzen der Trojaner. Sarpedon, der Fürst der Lykier, näherte sich dem Hektor und sprach zu ihm: »Hektor, wohin ist dir dein Mut geschwunden? Rühmtest du dich doch jüngst selbst ohne Verbündete, ohne Heeresmacht mit deinen leiblichen Brüdern und Schwägern allein wolltest du Troja schirmen; nun aber sehe ich ihrer

keinen in der Schlacht, sie ducken sich alle wie die Hunde vor dem Löwen, und wir Bundesgenossen allein müssen den Kampf aufrechterhalten!« Hektor fühlte den Vorwurf tief im Herzen; er sprang vom Wagen, schwenkte die Lanze, durchwandelte ermahnend alle Heldengeschwader und erweckte den tobenden Streit aufs Neue. Seine Brüder und alle Trojaner kehrten die Stirne dem Feinde wieder zu. Auch den Äneas, mit Gesundheit und Kraft erfüllt, sandte Apollon wieder in den Kampf, dass er sich plötzlich unverletzt den Seinigen wieder zugesellte. Alle freuten sich, aber keiner nahm sich Zeit, ihn zu fragen, sie stürzten nur miteinander in die Schlacht.

Aber die Danaer, Diomedes, die beiden Ajax und Odysseus an der Spitze, erwarteten ruhig die Heranstürmenden wie ein unbewegliches Gewölk; und Agamemnon durcheilte die Heerschar und rief: »Jetzt seid Männer, o ihr Freunde, und ehret euch selbst in der Schlacht, denn wo ein Volk sich selbst ehrt, da stehen mehr Männer als fallen: aber für den Fliehenden gibt es keinen Ruhm und keine Rettung!« So rief er, schickte zuerst den Speer gegen die heranrückenden Trojaner ab und streckte den Freund des Äneas, den hoch geehrten Deikoon, der immer im Vorderkampfe stritt, nieder. Aber auch die gewaltige Hand des Äneas tötete zwei der tapfersten Danaer, Krethon und Orsilochos, Söhne des Diokles, die zu Pherä im Peloponnes wie zwei Berglöwen freudig zusammen aufgewachsen waren. Um die Gefallenen trauerte Menelaos, schwenkte den Speer und warf sich rasch in das vorderste Gewühl. Ares selbst spornte sein Herz, denn er hoffte, dass ihn Äneas fällen werde. Aber Antilochos, Nestors Söhne, um den Völkerhirten besorgt, stürzte gleichfalls hervor an seine Seite, während jene beiden schon voll Kampfgier ihre Lanzen gegeneinander gezückt hatten. Als Äneas zwei Helden sich gegenübersah, wich er zurück; Menelaos und Antilochos retteten die beiden Leichen aus den Händen der Feinde und übergaben sie den Freunden; sie selbst wandten sich dem Vorkampfe wieder zu. Menelaos durchstach den Pylämenes, Antilochos hieb seinem Wagenlenker Mydon das Schwert in die Schläfe, dass er auf den Scheitel gestellt in den Staub stürzte, bis ihn seine eigenen Rosse umwarfen, die Antilochos mit der Geißel den Griechen zutrieb.

Jetzt aber jagte Hektor mit den tapfersten Heerscharen der Trojaner voran, und der Kriegsgott selbst wandelte bald vor, bald hinter ihm her.

Als Diomedes den Gott kommen sah, stutzte der Held, wie ein Wanderer vor einem brausenden Wasserfalle staunt, und rief dem Volke zu: »Staunt nicht über die Unerschrockenheit Hektors, ihr Freunde, denn immer geht ein Gott neben ihm her und wehrt das Verderben von ihm ab. Darum, wenn wir weichen, so weichen wir den Göttern!« Indessen stürmten die Schlachtreihen der Trojaner immer näher heran, und Hektor erschlug zwei tapfere Griechen auf einem Streitwagen, den Anchialos und Menesthes. Ajax, der Telamonier, eilte herbei, sie zu rächen; er traf mit der Lanze den Amphios, einen Verbündeten der Trojaner, unter dem Gurte, dass er in dumpfem Falle zu Boden stürzte; dann stemmte er den Fuß auf den Leichnam und zog die Lanze heraus; ein Hagel von Speeren hinderte ihn, den Gefallenen der Rüstung zu berauben.
Auf einer andern Seite trieb ein böses Verhängnis den Herakliden Tlepolemos auf den Lykier Sarpedon zu, dem er schon von weitem zurief: »Was nötigt dich, hier in Angst zu vergehen, weibischer Asiate, der du dich fälschlich rühmst, ein Zeussohn zu sein wie mein Vater Herakles! Du bist feige, und selbst wenn du ein Tapferer wärest, so solltest du jetzt dem Hades nicht entgehen!« – »Habe ich mir noch keinen Ruhm erworben«, entgegnete ihm Sarpedon, »so soll dein Tod mir ihn verschaffen!« Und nun kreuzten sich die Lanzen beider Helden; der Wurfspieß des Sarpedon traf den prahlerischen Gegner gerade in den Hals, bis die Spitze hinten hervordrang und er entseelt zur Erde stürzte. Aber auch des Tlepolemos Speer hatte den linken Schenkel Sarpedons bis auf den Knochen durchbohrt, und nur sein Vater Zeus hemmte den Tod. Die Freunde führten den Bebenden aus dem Kampfe, so hastig, dass keiner bemerkte, wie er die aus dem Schenkel hervorragende Lanze noch nachschleppte. Auch die Leiche des Tlepolemos trugen die Griechen aus dem Kampfe zurück.
Während Odysseus in der führerlosen Schar der Lykier wütete und schon ganz nahe an dem flüchtenden Sarpedon war, erfreute diesen der Anblick des herannahenden Hektors. und er rief ihm mit schwacher Stimme zu: »Priamos' Sohn, lass mich nicht den Argivern zum Raube daliegen; verteidige mich, dass ich mein Leben ruhig in dieser Stadt aushauchen mag, wenn ich doch das Land der Väter, mein Weib und mein Söhnlein nicht mehr sehen soll!« Ohne ein Wort zu erwidern, drängte Hektor die verfolgenden Griechen zurück, so dass selbst Odysseus nicht

wagte, weiter vorzudringen. Nun legten den Sarpedon seine Freunde unweit vom skäischen Tore unter der hohen Buche nieder, die seinem Vater Zeus heilig war, und sein Jugendgenosse Pelagon zog ihm den Speer aus dem Schenkel. Einen Augenblick verließ den Verwundeten die Besinnung, doch atmete er bald wieder auf, und ein kühler Nordwind wehte seinen matten Lebensgeistern Erfrischung zu.

Ares und Hektor bedrängten jetzt die Griechen, dass sie allmählich rückwärts wichen zu ihren Schiffen. Sechs herrliche Helden fielen allein von Hektors Hand. Mit Schrecken überblickte vom Olymp herab Hera, die Göttermutter, das Gemetzel, das die Trojaner unter dem Beistande des Ares anrichteten. Auf ihren Antrieb ward Athenes Wagen mit den ehernen, goldumfassten Rädern, der silbernen Deichsel und dem goldenen Joche gerüstet, in welches Hera selbst ihr schnellfüßiges Rossegespann fügte; Athene aber hüllte sich in ihres Vaters Panzer, bedeckte das Haupt mit dem goldenen Helm, ergriff den Schild mit dem Gorgonenhaupte, fasste den Speer und schwang sich auf den silbernen Sessel, der in goldenen Riemen hing. Neben ihr sitzend, schwenkte Hera die Geißel und beflügelte die Rosse. Des Himmels Tor, das die Horen hüteten, krachte von selbst auf, und die riesigen Göttinnen fuhren an den Zacken des Olymp vorüber. Auf der höchsten Kuppe saß Zeus, und ihr Gespann einen Augenblick zügelnd, rief ihm Hera, seine Gemahlin, zu: »Zürnst du denn gar nicht, Vater, dass dein Sohn Ares das herrliche Volk der Griechen wider das Geschick verdirbt? Siehst du, wie sich Aphrodite und Apollon freuen, die den Wüterich gereizt haben? Nun wirst du mir doch erlauben, dass ich dem Frechen einen Streich versetze, der ihn aus dem Kampfe hinausstößt!« – »Immerhin soll es dir gestattet sein«, rief ihr Zeus von seinem Sitze zu, »sende nur frisch meine Tochter Athene gegen ihn, die am bittersten zu kämpfen versteht.« Nun flog der Wagen zwischen dem Sternengewölbe und der Erde dahin, bis er sich am Zusammenflusse des Simois und Skamander mitsamt den Rossen auf den Boden niederließ.

Die Göttinnen eilten sofort in die Männerschlacht, wo die Krieger wie Löwen und Eber um den Tydiden gedrängt standen. Zu diesen gesellte sich Hera in Stentors Gestalt und rief mit der ehernen Stimme dieses Helden: »Schämt euch, ihr Argiver, seid ihr nur furchtbar, solang Achilleus an eurer Seite ficht? Der sitzt nun bei den Schiffen, und ihr vermöget nichts!« Mit diesem Ruf erregte sie den wankenden Mut der Danaer. Athene aber bahnte sich den Weg zu Diomedes selbst. Sie fand diesen an seinem Wagen stehend und die Wunde abkühlend, die ihm der Pfeil des Pandaros gebohrt hatte. Der Druck des breiten Schildgehenkes und der Schweiß peinigten ihn, und seine Hand fühlte sich kraftlos; mit Mühe lüftete er den Riemen und trocknete sich das Blut. Nun fasste die Göttin Athene das Joch der Rosse, stützte ihren Arm darauf und sprach, zu dem Helden gekehrt: »In Wahrheit, der Sohn des mutigen Tydeus gleicht seinem Vater nicht sonderlich; dieser zwar war nur klein von Gestalt, aber doch ein immer rüstiger Kämpfer; schlug er sich doch vor Theben einmal ganz wider meinen Willen, und doch konnte ich ihm meinen Beistand nicht versagen. Auch du hättest dich meiner Obhut und meiner Hilfe zu erfreuen; aber ich weiß nicht, was es ist – starren dir deine Glieder von der Arbeit, oder lähmt dich die sinnberaubende Furcht: genug, du scheinst mir nicht der Sohn des feurigen Tydeus zu sein!« Diomedes blickte bei diesen Reden der Göttin auf, staunte ihr ins Gesicht und sprach: »Wohl erkenne ich dich, Zeus' Tochter, und will dir die Wahrheit unverhohlen sagen. Weder Furcht noch Trägheit lähmen mich, sondern der gewaltigsten Götter einer. Du selbst hast mir das Auge aufgetan, dass ich ihn erkenne. Es ist Ares, der Gott des Krieges, den ich im Treffen der Trojaner walten sah; sieh hier die Ursache, warum ich selbst zurückwich und auch dem übrigen Griechenvolke gebot, sich hier um mich zu sammeln!« Darauf antwortete ihm Athene: »Diomedes, mein auserwählter Freund! Hinfort sollst du weder den Ares noch einen andern der Unsterblichen fürchten; ich selbst will deine Helferin sein. Lenke nur mutig deine Rosse dem rasenden Kriegsgott selber zu!« So sprach sie, gab seinem Wagenlenker Sthenelos einen leichten Stoß, dass er willig vom Streitwagen sprang, und setzte sich selbst in den Sessel zu dem herrlichen Helden. Die Achse stöhnte unter der Last der Göttin und des Stärksten unter den Griechen. Sofort ergriff Pallas Athene Zügel und Peitsche und lenkte den Huftritt der Rosse Ares, dem Kriegsgotte, zu. Dieser raubte gerade dem tapfersten Ätolier, Periphas, den er erschlagen hatte, die Rüstung. Als er aber den Diomedes im Streitwagen auf sich zukommen sah (die Göttin hatte sich in undurchdringliche Nacht gehüllt), ließ er den Periphas liegen und eilte auf den Tydiden zu, über Joch und Zügel seiner Rosse herausgelehnt und mit der Lanze nach der Brust des

Helden zielend. Aber Athene, unsichtbar, ergriff sie mit der Hand und gab ihr eine andere Richtung, dass sie ohne Ziel in die Luft hinausflog. Nun erhub sich Diomedes in seinem Wagensitze, und Athene selbst lenkte den Stoß seines Speeres, dass er dem Ares unter dem ehernen Leibgurt in die Weiche fuhr. Der Kriegsgott brüllte, wie zehntausend Sterbliche in der Schlacht schreien, Trojaner und Griechen zitterten, denn sie glaubten bei heiterer Luft den Donner des Zeus zu hören. Diomedes aber sah den Ares, in Wolken gehüllt, wie in einem Orkane zum Himmel emporfahren. Dort setzte sich der Kriegsgott neben den Donnerer, seinen Vater, und zeigte ihm das aus der Wunde herabtriefende Blut. Aber Zeus schaute finster und sprach: »Sohn, winsle mir hier nicht an meiner Seite! Von allen Olympiern bist du mir der Verhassteste; immer hast du nur Zank und Fehde geliebt, mehr als alle anderen gleichest du an Trotz und Starrsinn deiner Mutter. Gewiss hat dir dieses Weh auch ihr Rat bereitet! Dennoch kann ich nicht länger mit ansehen, wie du leidest, und der Arzt der Götter wird dich heilen.« So übergab er ihn dem Päon, welcher sich der Wunde annahm, dass sie sich auf der Stelle schloss.

Inzwischen waren auch die andern Götter in den Olymp zurückgekehrt, um die Feldschlacht der Troer und Danaer wieder sich selbst zu überlassen. Zuerst brach jetzt Ajax, der Sohn Telamons, in das Gedränge der Trojaner und machte den Seinigen wieder Luft, indem er Akamas, dem gewaltigsten Thrakier, die Stirne unter dem Helm durchbohrte. Darauf erschlug Diomedes den Axylos und seinen Wagenlenker; vor Euryalos erlagen drei andere edle Trojaner, vor Odysseus Pidytes, vor Teucer Aretaon, vor Antilochos Ableros, vor Agamemnon Elatos, vor andern andere. Den Adrastos erhaschte Menelaos, als ihn die Rosse strauchelnd auf den Boden geworfen und mit dem Wagen unter andern herrenlosen Pferden zur Stadt enteilten. Der liegende Feind umschlang die Knie des Fürsten und flehte jämmerlich: »Fange mich lebendig, Atride, nimm volle Lösung von Erz und Gold aus dem Schatze meines Vaters, der sie dir willig gibt, wenn er mich wieder lebendig umarmen darf!« Menelaos fühlte sein Herz im Busen bewegt, da lief Agamemnon heran und strafte ihn mit den Worten: »Sorgst du für deine Feinde, Menelaos? Fürwahr, sie haben es um dich im Heimatlande verdient! Keiner soll unserm Arm entfliehen, auch der Knabe im Mutterschoße nicht! Alles, was Troja großgezogen hat, soll ohne Erbarmen sterben!« Da stieß Mene-la-

os den Flehenden mit der Hand von sich, und Agamemnon durchbohrte ihm den Leib mit der Lanze. Unter den stürmenden Argivern hörte man Nestors hallenden Ruf: »Freunde, dass ja keiner, zu Raub und Beute gewendet, dahinten bleibe! Jetzt gilt es nur, Männer zu töten; nachher könnt ihr gemächlich den Leichnamen die Rüstung abziehen!«
Bald wären jetzt die Trojaner überwunden ihrer Stadt zugeflohen, wenn nicht Helenos, der Sohn des Priamos, der kundigste Vogelschauer, sich zu Hektor und Äneas gewendet und so zu ihnen gesprochen hätte: »Alles beruht jetzt auf euch, ihr Freunde; nur wenn ihr das flüchtige Volk vor den Toren hemmet, vermögen wir selbst noch die Scharen der Danaer zu bekämpfen. Dir, Äneas, übertragen die Götter zunächst dieses Geschäft. Du aber, Bruder Hektor, eile gen Troja und sage unserer Mutter ein Wort. Sie soll die edelsten Weiber auf der Burg im Tempel Athenes versammeln, ihr köstlichstes Gewand auf die Knie der Göttin legen und ihr zwölf untadelige Kühe geloben, wenn sie sich der trojanischen Frauen und Kinder und ihrer Stadt erbarmt und den schrecklichen Tydiden abwehrt.« Unverdrossen sprang Hektor vom Wagen, durchwandelte ermahnend die Geschwader und enteilte nach der Stadt.

Glaukos und Diomedes

Auf dem Schlachtfelde rannten jetzt der Lykier Glaukos, der Enkel des Bellerophontes, und der Tydide Diomedes aus den Heeren hervor und begegneten voll Kampfgier einander. Als Diomedes den Gegner in der Nähe sah, maß er ihn mit seinen Blicken und sprach: »Wer bist du, edler Kämpfer? Noch nie bist du mir in der Feldschlacht begegnet, doch jetzt sehe ich dich vor andern weit hervorragen, da du es wagst, dich meiner Lanze entgegenzustellen; denn mir kommen nur Kinder in den Weg, die zum Unglücke geboren sind. Bist du aber ein Gott, der sterbliche Gestalt angenommen hat, so begebe ich mich des Kampfes. Ich fürchte den Zorn der Himmlischen und verlange nicht ferner nach dem Streite mit unsterblichen Göttern. Doch wenn du ein Sterblicher bist, so komm immer heran, du sollst dem Tode nicht entgehen!« Darauf antwortete der Sohn des Hippolochos: »Diomedes, was fragst du nach meinem Geschlecht? Wir Menschen sind wie Blätter im Walde, die der Wind verweht und der Frühling wieder treibt! Willst du es aber wissen, so höre: mein Urahn ist Aolos, der Sohn des Hellen, der zeugte den schlauen Sisyphos, Sisyphos zeugte den Glaukos, Glaukos den Bellerophontes, Bellerophontes den Hippolochos, und des Hippolochos Sohn bin ich. Dieser schickte mich her gen Troja, dass ich andern vorstreben und der Väter Geschlecht nicht schänden sollte.« Als der Gegner geendigt, stieß Diomedes seinen Schaft in die Erde und rief ihm mit freundlichen Worten zu: »Wahrlich, edler Fürst, so bist du ja mein Gastfreund von Väterzeiten her, Öneus, mein Großvater, hat deinen Großvater Bellerophontes zwanzig Tage lang gastlich in seinem Hause beherbergt, und unsere Ahnen haben sich schöne Ehrengeschenke gereicht: der meine dem deinen einen purpurnen Leibgurt, der deinige dem meinen einen goldenen Henkelbecher, den ich noch in meiner Behausung verwahre. So bin ich denn dein Wirt in Argos und du der meine in Lykien, wenn ich je dorthin mit meinem Gefolge komme. Darum wollen wir uns im Schlachtgetümmel beide mit unsern Lanzen vermeiden. Gibt es doch für mich noch Trojaner genug zu töten und für dich der Griechen genug! Uns aber lass die Waffen miteinander vertauschen, damit auch die andern sehen, wie wir uns von Väterzeiten her rühmen, Gastfreunde zu sein!«

So redeten jene, schwangen sich von den Streitwagen herab, fassten sich liebreich die Hände und gelobten einander gegenseitige Freundschaft. Zeus aber, der alles, was geschah, zu Gunsten der Griechen lenkte, verblendete den Sinn des Glaukos, dass er seine goldene Rüstung mit der ehernen des Diomedes wechselte; es war, wie wenn ein Mann gegen neun Stiere hundert hergäbe.

Hektor in Troja

Hektor hatte unterdessen die Buche des Zeus und das skäische Tor erreicht. Hier umringten ihn die Weiber und Töchter der Trojaner und forschten ängstlich nach Gemahlen, Söhnen, Brüdern und Verwandten. Nicht allen wusste er Bescheid zu geben, er ermahnte nur alle, die Götter anzuflehen. Doch viele hatten seine Nachrichten in Weh und Jammer versenkt. Jetzt war er am Palaste seines Vaters angekommen. Dies war ein herrliches Gebäude, ringsum mit weithin sich dehnenden Säulenhallen geschmückt, im Innern waren fünfzig Gemächer aus glattem Marmor, eins ans andere nachbarlich angebaut. Hier wohnten die Söhne des Königs mit ihren Gemahlinnen. Auf der andern Seite des inneren Hofes reihten sich zwölf Marmorsäle aneinander, wo die Eidame des Königs mit seinen Töchtern hausten. Das Ganze war von einer hohen Mauer umschlossen und bildete für sich allein eine stattliche Burg. Hier begegnete Hektor seiner guten Mutter Hekabe, die eben zu ihrer liebsten und anmutigsten Tochter Laodike zu gehen im Begriffe war. Die greise Königin eilte auf Hektor zu, fasste ihm die Hand und sprach voll Sorgen und Liebe: »Sohn, wie kommst du zu uns aus der wütenden Schlacht? Die entsetzlichen Männer müssen uns wohl hart bedrängen, und du kommst gewiss, die Hände zu Zeus zu erheben. So verweile denn, bis ich dir vom lieblichen Wein bringe, dass du dem Vater Zeus und den andern Göttern ein Trankopfer darbringen kannst und darauf dich selbst mit einem Labetrank erquicken; denn der Wein ist doch die kräftigste Stärkung für einen müden Kämpfer!« Aber Hektor erwiderte der Königin: »Lass mir keinen Wein reichen, geliebte Mutter, dass du mich nicht entnervest und ich meiner Kraft vergesse: auch dem Göttervater scheue ich mich mit ungewaschener Hand zu spenden; du hingegen geh, von den edelsten Frauen Trojas umringt, mit Räucherwerk zu Athenes Tempel, lege der Göttin dein köstliches Gewand auf die Knie und gelobe ihr zwölf untadelige Kühe, wenn sie sich unser erbarmt. Ich aber will hingehen, meinen Bruder Paris in die Schlacht zu berufen. Schlänge ihn doch die Erde lebendig hinab, denn er ist zu unserm Verderben geboren!«

Die Mutter tat, wie der Sohn sie angewiesen. Sie stieg in die duftende Kammer hinunter, wo die schönsten Seidengewande verwahrt lagen, die Paris selbst aus Sidon mitgebracht hatte, als er auf Umwegen mit Helena nach der Heimat schiffte. Eines davon, das größte, schönste, mit den herrlichsten Bildern durchwirkt, das zuunterst von allen lag, suchte sie hervor und wandelte nun, von der Schar der edelsten Weiber begleitet, nach der Burg zu Athenes Tempel. Hier öffnete ihnen Antenors Gattin Theano, die trojanische Priesterin der Pallas, das Haus der Göttin. Die Frauen reihten sich um das Bild Athenes und huben mit Klagetönen die Hände zu der Göttin empor. Dann nahm Theano das Gewand aus den Händen der Königin, legte es auf die Knie des Bildes und flehte zu der Tochter des Zeus: »Pallas Athene, Beschirmerin der Städte, erhabene, machtvolle Göttin, brich du dem Diomedes den Speer, lass ihn selbst, auf sein Angesicht gestürzt, vor unsern Toren sich wälzen; erbarme dich der Stadt, der Frauen, der stammelnden Kinder! In dieser Hoffnung weihen wir dir zwölf untadelige Kühe.«

Aber Pallas Athene verweigerte ihnen im Herzen ihre Bitte. Hektor war inzwischen im Palaste des Paris angekommen, der hoch auf der Burg in der Nähe vom Königspalast und von Hektors Wohnung stand; denn beide Fürsten hatten von der Königswohnung abgesonderte Häuser. Er trug in der Rechten seinen Speer, der elf Ellen lang und dessen eherne Spitze am Schaft mit einem goldenen Ring umlegt war. Er fand den Bruder, wie er in seinem Gemache die Waffen musterte und das Horn des Bogens glättete, seine Gemahlin Helena saß emsig unter den Weibern und leitete ihr Tagewerk. Als Hektor jenen sah, schalt er ihn und rief: »Du tust nicht recht, so im Unmute hier zu sitzen, Bruder; um deinetwillen schlägt sich das Volk vor der Stadt im Feldgetümmel! Du selbst aber würdest mit jedem andern zanken, den du so saumselig zum Treffen sähest. Auf denn, ehe die Stadt unter den Feuerbränden unseres Feindes auflodert, hilf sie verteidigen mit uns!« Paris antwortete ihm: »Du tadelst mich nicht mit Unrecht, Bruder, doch bin ich nicht aus Unmut, sondern nur aus Gram hier in der Untätigkeit gesessen. Nun aber hat mir meine Gattin freundlich zugeredet, in die Schlacht hinauszugehen; so verweile denn, bis ich meine Rüstung angezogen habe, oder geh: ich hoffe dir bald nachzufolgen.« Hektor schwieg darauf, aber Helena redete ihn mit Worten der Beschämung an: »O Schwager, ich bin ein schnödes, Unheil stiftendes Weib! Hätte mich doch die Meereswoge verschlungen, ehe ich mit Paris hier ans Land stieg! Nun das Übel aber einmal verhängt worden: wäre ich doch wenigstens nur die Genossin eines besseren Mannes, der die Schmach und die vielen Vorwürfe, die er sich zuzieht, auch empfände; so aber hat er kein Herz im Leibe und wird keines haben, und die Frucht seiner Feigheit wird nicht ausbleiben. Aber du, Hektor, komm doch herein und ruhe von der Arbeit, die wegen meiner, des schändlichen Weibes, die wegen der Freveltat meines Gatten doch zumeist auf deinen Schultern lastet!« – »Nein, Helena«, sprach Hektor, »heiß mich nicht so freundlich sitzen, ich darf wahrlich nicht: mein Herz drängt mich, den Trojanern zu helfen. Muntere du nur diesen Menschen da auf, und er selbst spute sich, dass er mich bald innerhalb der Stadtmauern erreicht. Ich will zuvor noch in meine eigene Wohnung gehen und nach Weib, Söhnlein und Gesinde schauen.« So sprach Hektor und enteilte. Aber er fand die Gattin nicht zu Hause. »Als sie hörte«, sprach zu ihm die Schaffnerin, »dass die Trojaner Not leiden und der Sieg sich zu den Griechen neige, verließ sie die Wohnung wie außer sich, um einen der Stadttürme zu besteigen, und die Wärterin musste ihr das Kind nachtragen.«

Schnell legte Hektor den Weg durch die Straßen Trojas jetzt wieder zurück. Als er das skäische Tor erreicht, kam seine Gemahlin Andromache, die blühende Tochter des Königs Eëtion von Theben, eilenden Laufes gegen ihn her; die Dienerin, ihr folgend, trug das unmündige Knäblein Astyanax, schön wie der Stern, an der Brust. Mit stillem Lächeln betrachtete der Vater den Knaben, Andromache aber trat ihm unter Tränen zur Seite, drückte ihm zärtlich die Hand und sprach: »Entsetzlicher Mann! Gewiss tötet dich noch dein Mut, und du erbarmest dich weder deines stammelnden Kindes noch deines unglückseligen Weibes, das du bald zur Witwe machen wirst. Werde ich deiner beraubt, so wäre es das Beste, ich sänke in den Boden hinab. Den Vater hat mir Achilleus getötet, meine Mutter hat der Bogen der Artemis erlegt, meine sieben Brüder hat auch der Pelide umgebracht, ohne dich habe ich keinen Trost, Hektor, du bist mir Vater und Mutter und Bruder. Darum erbarme dich, bleib hier auf dem Turm; mach dein Kind nicht zur Waise, dein Weib nicht zur Witwe! Das Heer stelle dort an den Feigenhügel: dort steht die Mauer dem Angriffe frei und ist am leichtesten zu ersteigen, dorthin haben die tapfersten Krieger, die Ajax beide, Idomeneus, die Atriden und Diomedes schon dreimal den Sturm hingelenkt, sei es, dass ein Seher es ihnen offenbarte, sei's, dass das eigene Herz sie von selbst trieb!«

Liebreich antwortete Hektor seiner Gemahlin: »Auch mich härmt alles dieses, Geliebteste; aber ich müsste mich vor Trojas Männern und Frauen schämen, wenn ich, erschlafft wie ein Feiger, hier aus der Ferne zuschaute. Auch mein eigner Mut erlaubt es mir nicht, er hat mich immer gelehrt, im Vorderkampfe zu streiten; zwar das Herz weissagt es mir: der Tag wird kommen, wo die heilige Troja hinsinkt und Priamos und all sein Volk; aber weder der Trojaner Leid noch der eigenen Eltern und der leiblichen Brüder, wenn sie dann unter dem Schwert der Griechen fallen, geht mir so zu Herzen wie das deine, wenn dich, die Weinende, ein Danaer in die Knechtschaft führen wird und du dann zu Argos am Webestuhl sitzest oder Wasser trägst, von hartem Zwang belastet, und dann wohl ein Mann, dich in Tränen schauend, spricht: das war Hektors Weib! Decke mich der Grabhügel, ehe ich von deinem Geschrei und deiner Entführung hören muss!« So sprach er und streckte die Arme nach seinem Knäbchen aus; aber das Kind schmiegte sich schreiend an den Busen der Amme, von der Zärtlichkeit des Vaters erschreckt und vor dem ehernen Helm und dem fürchterlich flatternden Rossschweif erbangend. Der Vater schaute das Kind und die Mutter lächelnd an, nahm sich schnell den schimmernden Helm vom Haupte, legte ihn zu Boden, küsste sein geliebtes Söhnchen und wiegte es auf dem Arm. Dann flehte er zum Himmel empor: »Zeus und ihr Götter! Lasst dies mein Knäblein werden wie mich selbst, voranstrebend dem Volk der Trojaner; lasst es mächtig werden in Troja und die Stadt beherrschen, und dereinst sage man, wenn es beutebeladen aus dem Streite heimkehrt: der ist noch weit tapferer als sein Vater, und darüber soll sich seine Mutter herzlich freuen!« Mit diesen Worten gab er den Sohn der Gattin in den Arm, die unter Tränen lächelnd ihn an den Busen drückte. Hektor aber streichelte sie, inniger Wehmut voll, mit der Hand und sagte: »Armes Weib, traure mir nicht zu sehr im Herzen, gegen das Geschick wird mich niemand töten, dem Verhängnis aber ist noch kein Sterblicher entronnen. Auf, geh du zur Spindel und zum Webestuhl und befiehl deinen Weibern! Den Männern Trojas liegt die Sorge für den Krieg ob, am meisten aber mir!« Als er dies gesagt, setzte sich Hektor den Helm auf und ging davon. Andromache schritt dem Hause zu, indem sie wiederholt rückwärts blickte und herzliche Tränen weinte. Als die Mägde in der Kammer sie erblickten, teilte sich ihnen allen ihr Gram und ihre Betrübnis mit, und Hektor wurde bei lebendigem Leib in seinem Palast betrauert.

Auch Paris hatte nicht gezaudert; in strahlenden Erzwaffen eilte er durch die Stadt, wie ein stattliches Ross die Halfter zerreißt und nach dem Strombade rennt. Er erreichte den Bruder, als dieser sich eben von seiner Gattin Andromache gewendet hatte. »Nicht wahr«, rief ihm Paris von weitem zu, »ich habe dich, mein älterer Bruder, durch mein Zaudern aufgehalten und bin nicht da zur rechten Zeit?« Aber Hektor antwortete ihm freundlich: »Mein Guter, billig zu reden bist du ein tapferer Streiter, nur säumst du oft gern und willst nicht, und sieh, da kränkt es mich dann innig, wenn ich unter dem Trojanervolke, das so viel für dich erduldet, schmähliche Reden über dich hören muss. Doch das wollen wir ein andermal ausmachen, wenn wir die Griechen aus Troas verjagt haben und um den Krug der Freiheit im Palaste sitzen!«

Hektor und Ajax im Zweikampf

Als die Göttin Athene vom Olymp herab die beiden Brüder so zum Kampfe hineilen sah, flog sie stürmisch hinunter zur Stadt Troja. An Zeus' Buche begegnete sie Apollon, der von der Zinne der Burg, von wo er die Schlacht der Trojaner lenkte, daherkam und seine Schwester anredete: »Welch ein heftiger Eifer treibt dich vom Olymp herunter, Pallas? Bist du noch immer auf den Fall der Trojaner bedacht, Erbarmungslose? Wolltest du mir doch gehorchen und für heute den Entscheidungskampf ruhen lassen. Ein andermal mögen sie die Feldschlacht erneuern, weil ihr, du und Hera, doch nicht ruht, bis ihr die hohe Stadt Troja verwüstet habt!« Ihm antwortete Athene: »Es sei, Fernhintreffer, wie du sagst; und in derselben Absicht bin ich auch vom Olymp herabgekommen. Aber sage mir, wie gedenkst du den Männerkampf zu stillen?« – »Wir wollen«, sprach Apollon, »dem gewaltigen Hektor seinen Mut noch steigern, dass er einen der Danaer zum entscheidenden Zweikampf herausfordert, lass uns dann sehen, was diese tun.« Athene war es zufrieden.

Das Gespräch der Unsterblichen hatte der Seher Helenos in seiner Seele vernommen; eilig trat er zu Hektor und sprach: »Weiser Sohn des Priamos, wolltest du diesmal meinem Rate gehorchen, der ich dein liebender Bruder bin? Heiß die andern alle, Trojaner und Griechen, vom Streite ruhen; du selbst aber fordere den Tapfersten aller Argiver zur Entscheidung heraus. Du kannst es ohne Gefahr, denn glaube meinem Seherworte, der Tod ist noch nicht über dich verhängt.«

Hektor freute sich dieses Wortes. Er hemmte die trojanischen Heerhaufen und trat, den Speer in der Mitte haltend, zwischen die kämpfenden

Heere, und auf dieses Zeichen ruhte alsbald der Streit auf beiden Seiten, denn auch Agamemnon hieß seine Griechen sich lagern. Athene und Apollon aber setzten sich beide in Gestalt zweier Geier auf die Buche des Zeus und freuten sich des Männergewühls, bis beide Ordnungen, von Schilden, Helmen und hervorragenden Lanzen dicht umstarrt, gedrängt dasaßen, nur so viel sich regend wie das Meer, wenn das Gekräusel des Westes darüber hinschauert. In der Mitte beider Völker begann jetzt Hektor: »Trojaner und ihr Griechen, höret, was mir mein Herz gebietet! Den Bundesvertrag, den wir jüngst geschlossen, hat Zeus nicht genehmigt, vielmehr beiden Völkern böse Entschlüsse eingegeben, bis entweder ihr selbst Troja erobert oder vor uns erliegt bei euren Schiffen. Nun sind die tapfersten Helden Griechenlands in eurem Heere. Welchem von ihnen sein Herz es gebeut, mit mir, dem göttergleichen Hektor, den Vorkampf zu wagen, der trete heraus! Die Bedingung, die ich stelle, ist diese, und Zeus sei mein Zeuge: wenn mein Gegner mich mit dem Speer erlegt, mag er meinen Waffenraub zu den Schiffen hinabtragen, doch meinen Leib nach Troja senden, dass er der Ehre des Scheiterhaufens in der Heimat teilhaftig werde; wenn aber mir Apollon Ruhm gewährt und ich meinen Gegner erlege, so hänge ich seine Rüstung im Tempel des Phöbos zu Troja auf, und den Erschlagenen mögt ihr bei euren Schiffen mit Pracht bestatten und ihm am Hellespont ein Mal auftürmen, von dem einst in späten Zeiten der Schiffer noch sage: Sehet, hier ragt der Grabhügel des längst verstorbenen Mannes, der einst im Streit mit dem göttergleichen Hektor erlag!«

Also sprach jener, die Danaer schwiegen, denn es war schimpflich, den Kampf zu verweigern, und gefahrvoll, ihn anzunehmen. Endlich stand Menelaos auf und strafte seine Landsleute mit den Worten: »Wehe mir, ihr Prahler, Griechinnen und Nicht-Griechen! Wäre es doch eine unvertilgbare Schande, wenn kein Danaer dem Hektor zu begegnen wagte! Möchtet ihr euch alle in Kot und Wasser verwandeln, wie ihr miteinander dasitzet, jeder ohne Herz und ohne Ruhm! So will ich denn mich selbst zum Kampfe gürten und den Göttern den Ausgang anempfehlen!« So sprach er und warf sich in die Rüstung; und sein Tod wäre beschlossen gewesen, wenn nicht die Fürsten der Griechen aufgefahren wären und ihn zurückgehalten hätten. Ja selbst Agamemnon ergriff seine Rechte und sprach: »Bruder, bedenke dich, was fällt dir ein, den stärksten Mann bekämpfen zu wollen, vor dem selbst andern, als du bist, graut, mit dem Achilleus selber in der Feldschlacht sich zu messen gestutzt hat! Wir bitten dich alle, tritt zurück und setze dich nieder!« So wandte Agamemnon seinem Bruder das Herz. Und nun hielt Nestor eine strafende Rede an das Volk und erzählte seinen eigenen Zweikampf mit Ereuthalion, dem Arkadier. »Wäre ich noch jugendlich«, endete er, »noch so ungeschwächter Kraft wie damals, so sollte Hektor seinen Kämpfer bald gefunden haben!« Auf seine Strafrede erhoben sich neun Fürsten in dem Heere: vor allen Agamemnon, ihm zunächst Diomedes, darauf die beiden Ajax zugleich; dann Idomeneus, sein Genosse Meriones, Eurypylos, Thoas und Odysseus. Sie alle erboten sich zu dem gefürchteten Kampf. »Das Los soll entscheiden«, begann von neuem Nestor; »wen es auch trifft, freuen werden sich die Griechen und der Erkorene mit, wenn er aus dem erbitterten Streit als Sieger hervorgeht.« Nun bezeichnete sich jeder selbst sein Los; alle zusammen wurden in den Helm Agamemnons geworfen; das Volk betete; Nestor schüttelte den Helm, und heraus sprang das Los des Telamonsohnes Ajax. Ein Herold zeigte dasselbe herumwandelnd den acht Helden vor Ajax, aber keiner erkannte es, bis die Reihe an den kam, der es sich selbst bezeichnet hatte. Freudig warf Ajax das Los vor die Füße und rief: »Freunde, wahrlich, es ist meines, und mein Herz ist froh, denn ich hoffe, über Hektor zu siegen. Ihr alle betet in der Stille oder laut, während ich mich rüste.«

Das Volk gehorchte ihm, und bald stürmte Ajax, den riesigen Leib in blinkende Erzwaffen gehüllt, zum Kampfe vor, dem ungeheuren Kriegsgott selber ähnlich. Ein Lächeln flog über sein finsterernstes Antlitz, wie er mächtigen Schrittes, die gewaltige Lanze schwingend, einherwandelte. Alle Danaer freuten sich ringsum seines Anblicks, und Schrecken durchschauerte die Schlachtreihen der Trojaner. Ja dem gewaltigen Hektor selbst fing das Herz im Busen an zu schlagen, aber er konnte nicht mehr ins Gewühl seiner Scharen zurückfliehen, hatte er doch selbst den Zweikampf gefordert.

Ajax näherte sich ihm, den ehernen siebenhäutigen Schild vortragend, den der berühmte Künstler Tychios ihm einst gefertigt. Als er ganz nahe vor Hektor stand, sprach er drohend: »Hektor, nun erkennst du, dass es im Danaervolk auch außer dem löwenherzigen Peliden noch Helden gibt, und zwar ihrer genug. Wohlan denn, beginne den blutigen Kampf!« Ihm antwortete Hektor: »Göttergleicher Sohn des Telamon, versuche mich nicht wie ein schwaches Kind oder ein unkriegerisches Weib. Sind mir doch die Männerschlachten wohl bekannt, ich weiß den Stierschild rechts und links hinzuwenden, weiß den Tanz des schrecklichen Kriegsgottes zu Fuße zu tanzen und die Rosse im Gewühl zu lenken! Wohlan, nicht mit heimlicher List sende ich den Speer nach dir, tapferer Held, nein, öffentlich, lass sehen, ob er dich treffe!« Mit diesen Worten entsandte er in hohem Schwung die Lanze, und sie fuhr dem Ajax in den Schild, durchdrang sechs Schichten und ermattete erst in der siebenten Haut. Jetzt flog die Lanze des Telamoniers durch die Luft: diese durchschmetterte dem Hektor den ganzen Schild, durchschnitt seinen Leibrock und würde ihm in die Weiche gedrungen sein, wenn nicht Hektor ihrem Fluge ausgebogen wäre. Beide zogen die Speere aus den Waffen und rannten wie unverwüstliche Waldeber aufs Neue gegeneinander an. Hektor zielte, mit dem Speere stoßend, dem Ajax auf die Mitte des Schildes, aber seine Lanzenspitze bog sich und durchbrach das Erz nicht; Ajax hingegen durchbohrte mit dem Speere den Schild seines Gegners und streifte ihm selbst den Hals, dass ihm schwarzes Blut entspritzte. Nun wich Hektor zwar ein wenig rückwärts, seine nervige Rechte ergriff jedoch einen Feldstein und traf damit die Schildbuckel des Feindes, dass das Erz erdröhnte. Ajax aber hub einen noch viel größeren Stein vom Boden auf und sandte ihn mit solchem Schwunge dem Hektor zu, dass er den Schild einwärts brach und den Gegner am Knie verletzte, so dass derselbe rücklings hinsank; doch verlor er den Schild nicht aus den Händen, und Apollon, der ihm unsichtbar zur Seite stand, richtete ihn schnell vom Boden wieder auf. Beide wären jetzt mit dem Schwert aufeinander losgegangen, um den Streit endlich zu entscheiden: da eilten die Herolde der beiden Völker, Idäos, der Troer, Talthybios, der Grieche, herbei und streckten die Stäbe zwischen die Kämpfenden. »Nicht weiter gekämpft, ihr Kinder«, rief Idäos, »ihr seid ja beide tapfer, beide von Zeus geliebt; wir alle haben das gesehen! Jetzt aber kommt die Nacht herbei, gehorchet der Nacht.« – »Ermahne du deinen eignen Volksgenossen«, entgegnete dem Herold Ajax, »er ist es ja, der den Tapfersten der Griechen zum Kampfe hervorgerufen hat! Will er es so, so mag ich dir gehorchen!« Und nun sprach Hektor selbst zu seinem

Gegner: »Ajax, ein Gott hat dir den gewaltigen Leib, die Kraft und die Speerkunde verliehen: darum lass uns heute vom Entscheidungskampfe ausruhen; ein andermal wollen wir ihn erneuern und so lange fechten, bis ein Gott einem von beiden Völkern Sieg und Kriegsruhm verleiht! Nun lass uns aber auch noch einander rühmliche Gaben schenken, damit es einst bei Trojanern und Griechen heiße: sehet, sie kämpften miteinander den Kampf der Zwietracht, aber in Freundschaft sind sie voneinander geschieden!« So sprach Hektor und reichte dem Gegner sein Schwert mit dem silbernen Griff samt Scheide und zierlichem Wehrgehenk. Ajax aber löste seinen purpurnen Gurt vom Leibe und bot ihn dem Hektor dar. Dann schieden beide voneinander. Ajax zog sich in die Schar der Griechen zurück, Hektor ins Gewühl der Trojaner. Diese waren froh, ihren Helden unverletzt aus den Händen des furchtbaren Ajax zurückzuerhalten.

Waffenstillstand

Die Fürsten der Danaer versammelten sich jetzt in dem Gezelte ihres Oberfeldherrn Agamemnon, wohin sie auch den seines Sieges sich hoch erfreuenden Ajax jubelnd geführt hatten. Hier wurde dem Zeus ein fünfjähriger Stier geopfert und beim Schmause der Sieger mit dem besten Rückenstücke geehrt. Als sie sich an Speise und Trank gesättiget, eröffnete Nestor den Rat der Fürsten mit dem Vorschlage, am anderen Morgen den Krieg ruhen zu lassen und nach Abschluss eines Waffenstillstandes die Leichname der gefallenen Danaer auf Wagen, mit Rindern und Maultieren bespannt, abzuholen und abseits von den Schiffen zu verbrennen, damit, wenn sie wieder zum Vaterlande heimzögen, ein jeder den Kindern seiner Verwandten den Staub der Ihrigen mitbringen könnte. Die Könige riefen ihm ringsumher Beifall.

Auf der andern Seite kamen auch die Trojaner auf ihrer Burg, vor dem Palaste des Königs, nicht ohne Schmerz und Verwirrung über den Ausgang des Zweikampfes zur Versammlung, und hier stand der weise Antenor auf und sprach: »Hört mein Wort, ihr Trojaner und Bundesgenossen. Solange wir treulos gegen den heiligen Vertrag, den Pandaros gebrochen hat, kämpfen, kann unserm Volke keine Wohlfahrt blühen; deswegen berge ich meines Herzens Meinung und meinen Rat nicht,

dass wir die Argiverin Helena mitsamt ihren Schätzen dem Atriden ausliefern sollten.« Dagegen erhub sich Paris und erwiderte: »Wenn du im Ernste so geredet hast, Antenor, so haben dir wahrhaftig die Götter deinen Verstand geraubt; ich aber bekenne geradeheraus, dass ich das Weib nie wieder hergeben werde. Die Schätze, die ich aus Argos mitgeführt, mögen sie meinethalben wiederhaben, und ich will freiwillig von dem Meinigen noch hinzutun, was sie als Buße verlangen können.« Nach seinem Sohne sprach der greise Priamos mit wohlmeinender Gesinnung: »Lasst uns heute nichts Weiteres mehr beginnen, ihr Freunde! Verteilet den Nachtimbiss unter das Heer, stellet die Wachen aus und überlasset euch, behutsam wie immer, dem Schlafe. Am nächsten Morgen aber soll Idäos, unser Herold, zu den Schiffen der Griechen gehen und denselben das friedsame Wort meines Sohnes Paris verkündigen, zugleich sie erforschen, ob sie geneigt seien, uns Waffenruhe zu gewähren, bis wir unsere Toten verbrannt haben. Können wir uns nicht einigen, so mag nachher die Feldschlacht wieder beginnen.«
So geschah es. Am andern Morgen erschien Idäos als Herold vor den Griechen und meldete das Anerbieten des Paris und den Vorschlag des Königs. Als die Helden der Danaer solches hörten, blieben alle lange stumm. Endlich begann Diomedes: »Lasst euch doch nicht einfallen, ihr Griechen, die Schätze anzunehmen, auch nicht, wenn ihr Helena dazu bekämet. Der Einfältigste wird ja wohl hieraus erkennen, dass die Trojaner bereits mit dem Untergang bedroht sind!« Diesem Worte jauchzten die Fürsten alle Beifall zu, und Agamemnon sprach jetzt zu dem Herold: »Du hast selbst den Bescheid der Griechen, was den Vorschlag des Paris betrifft, vernommen; die Verbrennung der Toten aber soll euch keineswegs verweigert sein; der Donnerer selbst soll diese unsere Zusage hören.« Mit diesen Worten hub er das Zepter gen Himmel. Idäos kehrte nach Troja zurück und traf den Rat der Trojaner wieder versammelt. Auf die willkommene Botschaft wurde es schnell in der Stadt lebendig; die einen holten die Leichname, die andern Holz aus der Waldung. Und ganz dasselbe geschah im Schiffslager der Griechen. Friedlich begegneten im Strahl der Morgensonne Feinde den Feinden und suchten ihre Toten, einer an der Seite des andern. Schwer war der Gegner vom Freunde zu erkennen, wie die Leichname blutig und der Rüstungen beraubt dalagen. Unter heißen Tränen wuschen die Trojaner

den Ihrigen, deren viel mehr waren, das Blut von den Gliedern, aber alle laute Wehklage verbot Priamos. So huben sie sie stumm auf die Wagen und türmten unter großer Herzensbetrübnis die Scheiterhaufen auf. Dasselbe taten die Griechen, gleichfalls mit traurigem Herzen, und als die Glut ausgelodert, kehrten sie zu ihren Schiffen zurück. Der Tag war über dieser Arbeit zu Ende gegangen, und das Abendmahl begann. Gerade zur rechten Zeit waren aus Lemnos von Euneos, dem Sohne Jasons und Hypsipyles, Lastschiffe mit einer Ladung edlen Weines angekommen, den der Gastfreund den verwandten Griechen zum Geschenke sandte, viele tausend Krüge. Da ward ein lieblicher Festschmaus gerüstet, und als die Griechen ihre Beute bei den Schiffen untergebracht, setzten sie sich zum Mahle.

Auch die Trojaner wollten sich beim Schmause von der Schlacht erholen. Aber Zeus ließ ihnen keine Ruhe und schreckte sie die ganze Nacht hindurch mit Donnerschlägen, die sich von Zeit zu Zeit wiederholten und ihnen neues Unglück zu verkündigen schienen. Entsetzen fasste sie, und sie wagten den Becher nicht an den Mund zu führen, ohne dem zürnenden Göttervater ein Trankopfer auszugießen.

Sieg der Trojaner

Für den Augenblick jedoch hatte es Zeus anders in seinem Rate beschlossen. »Höret mein Wort«, sprach er zu den versammelten Göttern und Göttinnen am andern Morgen, »wer mir heute hingeht, den Trojanern oder den Griechen beizustehen, den fasse ich und schleudere ihn in den Abgrund des Tartaros unter das Erdreich so tief hinab, als tief unter dem Himmel die Erde liegt; dann verschließe ich die eiserne Pforte, welche die eherne Schwelle der Unterwelt verwahrt, und der Missetäter kommt mir nicht mehr herauf. Und zweifelt ihr an meiner Allmacht, so versucht es: befestiget eine goldene Kette am Himmel, hängt euch alle daran und sehet zu, ob ihr mich auf den Erdboden herabzuziehen vermögend seid. Vielleicht würde ich euch selbst mitsamt Erd' und Meer emporziehen, die Kette an der Felsenkuppe des Olymp festbinden und so das Weltall in der Schwebe tragen.« Die Götter demütigten sich unter dieses zornige Wort; Zeus selbst bestieg seinen Donnerwagen und fuhr nach dem Ida, wo er einen Hain und Altar hatte. Dort setzte er sich auf die Höhe und überschaute mit freudigem Trotze die Stadt der Trojaner und das griechische Schiffslager. An beiden Orten warfen sich die Männer in die Rüstung. Der Trojaner waren zwar wenigere, doch waren auch sie nach der Schlacht begierig, galt es ja den Kampf für ihre Weiber und Kinder. Bald öffneten sich bei ihnen die Tore, und ihr Kriegsheer stürzte zu Fuß und zu Wagen unter Getümmel heraus. Den Morgen über wurde mit gleichem Glücke gekämpft, und auf beiden Seiten strömte viel Blut auf den Boden. Als aber die Sonne hoch am Mittagshimmel stand, legte Zeus zwei Todeslose in seine goldene Waage, fasste sie in der Mitte und wog in der Luft. Da sank das Verhängnis der Griechen, dass ihr Gewicht sich bis zur Erde niedersenkte und das der Trojaner zum Himmel emporstieg.

Mit einem Donnerschlag kündigte er die verwandelte Schickung dem Heere der Griechen an, indem ein Blitzstrahl mitten unter sie grell herabfuhr. Bei diesem Anblicke durchschauerte ein ahnungsvoller Schrecken die Reihen der Griechen, und die größten Helden fingen an zu wanken. Idomeneus, Agamemnon, die beiden Ajax selbst hielten nicht mehr stand. Bald war nur noch der greise Nestor im Vorderkampfe zu schauen, aber auch dieser nur gezwungen, denn Paris hatte sein Ross vorn am Mähnenbusch mit einem Pfeile tödlich getroffen. Das Pferd bäumte sich angstvoll und wälzte sich bald mit seiner Wunde; während nun Nestor dem Nebenross die Stränge mit seinem Schwert abzuhauen bemüht war, kam Hektor mit seinem Wagen, in der Verfolgung der Griechen begriffen, auf ihn zugefahren, und jetzt war es um das Leben des edlen Greises geschehen, wenn nicht Diomedes herbeigeeilt wäre. Dieser schalt den mit umgewandtem Rücken den Schiffen zufliehenden Odysseus und ermunterte ihn vergebens zur Abwehr; dann stellte er sich selbst vor die Rosse Nestors, überantwortete sie dem Sthenelos und Eurymedon und nahm den Greis auf seinen eigenen Wagen. Hierauf ging er mit ihm gerade dem Hektor entgegen, schickte seinen Speer ab und verfehlte zwar den Helden selbst, durchschoss jedoch seinem Wagenlenker Eniopeus die Brust, dass ihm die Zügel entsanken. So tief ihn der Tod des Freundes schmerzte, ließ ihn Hektor doch liegen, rief einen andern Helden herbei, die Rosse zu lenken, und flog dem Diomedes entgegen. Hektor wäre verloren gewesen, wenn er sich mit dem Tydiden gemessen hätte, und Zeus wusste wohl, dass mit seinem Sturze sich die Schlacht gewendet und die Griechen noch an diesem Tage Ilion erobert hätten. Dies wollte Zeus nicht und schleuderte dicht vor dem Wagen des Diomedes einen Blitzstrahl in den Boden. Nestor ließ vor Schrecken die Zügel aus den Händen fahren und sprach: »Auf, Diomedes, wende deine Rosse zur Flucht; erkennst du nicht, dass Zeus dir heute den Sieg verweigert?« – »Du hast Recht, o Greis«, erwiderte dieser, »aber es empört mir das Herz, wenn Hektor einst in der Versammlung der Trojaner sagen darf: der Sohn des Tydeus hat sich vor mir in banger Flucht den Schiffen zugewendet!« Aber Nestor sprach: »Was denkst du, wenn dich Hektor auch feige schilt, werden ihm die Troer und Troerinnen glauben, deren Freunde und Gatten du in den Staub gestreckt hast?« Mit diesen Worten wandte er die Rosse zur Flucht, und Hektor, mit seinen Trojanern nachstürmend, rief: »Tydide, dich ehrten die Griechen in der Versammlung und beim Festmahl; künftig verachten sie dich wie ein zagendes Weib! Du bist es nicht, der Troja erobern und unsere Frauen zu Schiffe wegführen wird!« Da besann sich Diomedes dreimal, ob er die Rosse umlenken und dem Höhnenden entgegenfahren sollte, aber dreimal donnerte Zeus fürchterlich vom Ida her, und so setzte er die Flucht und Hektor die Verfolgung fort.

Vergebens wollte Hera, die dies mit Kummer sah, Poseidon, den besondern Schutzgott der Griechen, bewegen, seinem Volke beizustehen; er wagte es nicht, gegen das zornige Wort seines mächtigen Bruders zu handeln. jetzt waren die Fliehenden mit Ross und Mann am Wall und Graben vor den Schiffen angekommen, und gewiss wäre Hektor eingedrungen und hätte die Brandfackel ins Schiffslager der Griechen geworfen, wenn nicht Agamemnon, von Hera ermutigt, die verstörten Griechen um sich gesammelt hätte. Er betrat das gewaltige Meerschiff des Odysseus, das in der Mitte stand und hoch über die andern hervorragte. Hier stand er auf dem Verdeck, den schimmernden Purpurmantel mit der nervigen Rechten sich über die Schulter schlagend, und rief auf der einen Seite zu den Gezelten des salaminischen Ajax, auf der andern zu denen des Peliden hinab, wo auf beiden Seiten das flüchtende Heer sich zusammendrängte. »Schämet euch, Verworfene«, rief er, »wo ist euer Heldenmut jetzt, ihr Prahler bei den Krügen? Vor dem einen Hektor sind wir jetzt zunichte geworden, bald wird er unsere Schiffe in Brand stecken. O Zeus, mit welchem Fluch hast du mich beladen! Wenn ich dich je mit Gebeten und Opfern geehrt, so lass mich jetzt wenigstens entfliehen und entkommen und nicht hier bei den Schiffen vor der Macht der Trojaner erdrückt werden!« So rief er unter Tränen, dass es den Göttervater selbst erbarmte und er den Griechen ein heilvolles Zeichen vom Himmel sandte, einen Adler, der ein junges Reh in den Klauen trug und vor Zeus' Altar selbst niederwarf.

Dieses Zeichen stärkte die Danaer, und aufs Neue flogen sie vorwärts, dem Gewühl der eindringenden Feinde entgegen. Vor allen andern sprengte Diomedes mit seinen Rossen über den Graben hervor und stieß den Trojaner Agelaos, der vor ihm seinen Streitwagen zur Flucht wandte, mit dem Speer durch den Rücken. Nächst ihm drangen Agamemnon und Menelaos vor, ihnen zunächst die beiden Ajax; dann Idomeneus und Meriones; dann Eurypylos. Jetzt kam Teukros als der neunte; dieser, hinter dem Schilde seines Halbbruders Ajax aufgestellt, schoss einen Trojaner um den andern mit seinen Pfeilen in den Staub. Schon hatte er ihrer achte zu Boden gestreckt, als Agamemnon einen freudigen Blick auf ihn warf und ihm zurief: »Triff so fort, edler Freund, und werde ein Licht der Danaer! Gewähren uns Zeus und Athene, Troja zu vertilgen, so sollst du der Erste sein, dem ich ein Ehrengeschenk verleihe!« – »Du brauchst mich nicht lange zu ermahnen, König«, antwortete ihm Teukros, »zaudre ich doch selbst nicht mit aller meiner Kraft! Nur den wütenden Hund zu treffen ist mir noch nicht gelungen!« Damit sandte er einen Pfeil gerade auf Hektor ab; dennoch fehlte das Geschoss und traf nur einen Bastard des Priamos, den Gorgythion, der sein helmbeschwertes Haupt zur Seite neigte, wie ein Mohnhaupt unter dem Regenschauer des Frühlings sich beugt. Einen zweiten Pfeil des Teukros lenkte Apollon ab, doch durchschoss er die Brust seines Wagenlenkers Archeptolemos. Auch diesen Freund ließ Hektor mit bitterem Schmerze liegen und rief einen dritten auf den Wagen. Dann drang er in heißer Begier auf Teukros los und traf ihn, als er eben den Bogen wieder spannte, mit einem langen kantigen Stein am Schlüsselbeine, dass die Sehne ihm zerriss, die Hand am Knöchel erstarrte und er ins Knie sank. Aber Ajax vergaß des Bruders nicht, er umging ihn und deckte ihn so lange mit dem Schild, bis zwei Freunde den schwer Aufstöhnenden nach den Schiffen getragen hatten.

Nun aber stärkte Zeus den Trojanern den Mut wieder. Wütend und mit funkelnden Augen drang Hektor mit den Ersten voran und verfolgte die Griechen, wie ein Hund den gehetzten Eber im Bergwald verfolgt, indem er immer jeden Äußersten, der ihm in den Wurf kam, niederstreckte. Die Griechen wurden wieder zu den Schiffen zusammengedrängt und beteten geängstet zu ihren Göttern. Das erbarmte Hera, und zu Athene gewendet, sprach sie: »Wollen wir das sterbende Volk der Danaer noch immer nicht retten? Siehst du nicht, wie unerträglich Hektor dort unten wütet, welches Blutbad er schon angerichtet hat?« – »Ja, mein Vater ist grausam«, antwortete Athene, »er hat ganz vergessen, wie getreulich ich seinem Sohne Herakles auf allen Abenteuern zur Seite gestanden bin. Aber die Schmeichlerin Thetis hat ihn mit ihren Liebkosungen bestochen, und nun bin ich ihm verhasst geworden. Doch, denke ich, nennt er mich einmal wieder sein blauäugiges Töchterlein. Hilf mir den Wagen anschirren, Hera, ich selbst will zum Vater nach dem Ida hinabeilen!«

Aber Zeus ergrimmte, als er dies innewurde, und seine windschnelle Botin Iris musste den Wagen aufhalten, als er mit den beiden Göttinnen eben durch das vorderste Tor des Olympos hindurchfuhr. Auf seine zornige Botschaft lenkten diese um, und bald erschien Zeus auf dem Donnerwagen selbst wieder, dass die Höhen des Götterberges vor seinem Nahen erbebten. Fortdauernd blieb er taub gegen die Bitten der Gemahlin und der Tochter. »Noch größeren Sieg der Trojaner sollst du morgen schauen«, sprach er zu Hera. »Nicht eher soll der gewaltige Hektor vom Streite ruhen, bis die Griechen in schrecklicher Bedrängnis, um die Steuerruder ihrer Schiffe zusammengedrängt, kämpfen und der zürnende Achilleus sich wieder in seinem Zelte erhebt. So ist es der Wille des Verhängnisses.« Hera ward traurig und verstummte.

Bei den Schiffen hatte die Nacht dem Kampf ein Ziel gesetzt. Hektor berief seine Krieger seitwärts von den Schiffen bei den Wirbeln des Skamander zu einer Ratsversammlung und sprach: »Hätte uns die Nacht nicht ereilt, so wären die Feinde jetzt vertilgt. Aber auch so lasset uns nicht in die Stadt zurückkehren, sondern führet eilig aus derselben Hornvieh und Schafe herbei, auch Wein und Brot werde uns reichlich aus den Häusern herbeigeschafft; Wachtfeuer sollen uns rings vor einem Überfall der Feinde schützen, während wir des Mahles oder der Wunden pflegen. Mit Anbruch des Morgens erneuern wir den Angriff auf die Schiffe; dann will ich sehen, ob Diomedes mich zur Mauer hinwegdrängt oder ich ihm selbst die Rüstung vom Leichnam abziehe!« Die Trojaner rauschten ihm Beifall zu; es geschah nach seinem Rate, die ganze Nacht über rasteten sie im Schutze von tausend Wachtfeuern, je fünfzig und fünfzig, bei Schmaus und Wein; ihre Rosse standen beim Geschirr und labten sich an Spelt und Gerste.

Botschaft der Griechen an Achilleus

Im griechischen Lager hatte sich der Schrecken von der Flucht noch nicht gelegt, als Agamemnon die Fürsten Mann für Mann, doch nicht laut, zu einer Ratsversammlung rufen ließ. Tief bekümmert saßen sie bald beisammen, und unter schweren Seufzern sprach der Völkerfürst: »Freunde und Pfleger des Volkes, in schwere Schuld hat mich Zeus verstrickt. Er, dessen gnädiger Wink mir verheißen hatte, dass ich als Sieger nach Vertilgung Trojas heimgehen sollte, hat mich betrogen und befiehlt mir jetzt, so viele tapfere Männer auf der Walstatt zurücklassend, ruhmlos nach Argos heimzukehren. Vergebens widersetzen wir uns dem Willen dessen, der schon so vielen Städten das Haupt zerschmettert hat und noch zerschmettern wird. Aber Troja sollen wir nicht erobern. So gehorchet mir denn und lasst uns auf den schnellen Schiffen zum Lande der Väter fliehen!«
Lang blieben die bekümmerten Helden Griechenlands stumm, als sie das traurige Wort vernommen hatten, bis endlich Diomedes zu reden begann: »Zwar schmähtest du jüngst«, sprach er, »meinen Mut und meine Tapferkeit vor den Griechen, o König! Jetzt aber will mich bedünken, dass dir selbst Zeus mit dem Zepter der Macht die Tapferkeit nicht verliehen hat. Glaubst du denn im Ernste, die Männer Griechenlands seien so unkriegerisch, wie du geredet? Wohl, wenn dich das Herz so sehr nach der Heimat drängt, so wandere! Der Weg ist frei, und dein Schiff steht bereit! Wir andern Argiver wollen bleiben, bis wir die Burg des Priamos zerstört haben. Ja, wenn sie alle davongingen, so blieben doch wir, ich und mein Freund Sthenelos, und kämpften fort, im Glauben, dass eine Gottheit uns hierher geführt!« Die Helden jubelten bei

diesem Wort, und Nestor sprach: »Du könntest mein jüngster Sohn sein, o Jüngling, und doch hast du lauter Verständiges gesprochen. Auf daher, Agamemnon, gib den Führern ein Mahl, du hast ja Weins genug in den Zelten; die Scharenhüter sollen sich am Graben draußen vor der Mauer lagern, du aber horche beim Becher auf den Rat der Besten unter dem Volke.«

So geschah es. Die Fürsten schmausten bei Agamemnon getrösteteren Muts, und nach dem Mahle sprach Nestor wieder in der Versammlung: »Agamemnon, du weißt, was seit dem Tage geschehen ist, an welchem du dem zürnenden Peliden die schöne Tochter des Brises aus den Zelten raubtest, wider unsern Sinn: denn ich habe dich mit großem Ernst abgemahnt. Jetzt ist es Zeit, darauf zu sinnen, wie wir das Herz des Gekränkten zur Versöhnung bewegen mögen.« – »Du hast Recht, o Greis«, antwortete Agamemnon, »ich habe gefehlt und leugne es nicht. Auch will ich es gerne gutmachen und dem Beleidigten unendliche Sühnung bieten: zehn Talente Goldes, sieben Dreifüße, zwanzig Becken, zwölf Rosse, sieben blühende lesbische Weiber, die ich selbst erobert, endlich die liebliche Jungfrau Briseïs selbst, die ich, obgleich ich sie dem Achilleus entrissen, doch immer in Ehren gehalten habe, wie ich mit heiligem Eide beschwören kann. Erobern wir dann Troja und teilen den Siegesraub, so will ich ihm selbst sein Schiff mit Erz und Gold voll füllen, und er mag sich zwanzig Trojanerinnen, die schönsten nach Helena, zur Beute heraussuchen. Kommen wir nach Argos heim, so soll er sich eine von meinen Töchtern zur Gattin erwählen; er wird mir ein lieber Eidam sein, und meinen eigenen einzigen Sohn Orestes will ich nicht höher halten. Sieben Städte werde ich ihm zum Brautschatz geben. Solches alles will ich tun, sobald er von seinem Zorn ablässt.«

»Fürwahr«, antwortete ihm Nestor, »du bietest dem Fürsten Achilleus keine verächtlichen Gaben. Senden wir denn auf der Stelle auserlesene Männer, Phönix als Führer, dann den großen Ajax und den edlen Odysseus und mit ihnen die Herolde Hodios und Eurybates zu den Zelten des zürnenden Helden.«

Nach einem feierlichen Trankopfer verließen wirklich die von Nestor ausgewählten Fürsten die Versammlung und gelangten in kurzem zu den Schiffen der Myrmidonen. Hier fanden sie den Achilleus, wie er auf der schönen gewölbten Leier mit silbernem Stege, einer Beute aus Eëtions Stadt, sein Herz erlabend spielte und Siegestaten der Helden dazu sang. Ihm gegenüber saß sein Freund Patroklos und harrte schweigend, bis jener den Gesang beendigt hätte. Als der Pelide die Abgesandten, Odysseus an der Spitze, kommen sah, erhob er sich bestürzt von seinem Sitze, die Leier in der Hand behaltend. Auch Patroklos stand auf, sobald er ihrer ansichtig wurde; beide gingen ihnen entgegen, und Achilleus fasste den Phönix und den Odysseus bei den Händen und rief: »Freude sei mit euch, ihr Teuren! Zwar führt euch gewiss irgendeine Not zu mir her, doch ich liebe euch so sehr vor allen Griechen, dass ihr auch dem Zürnenden willkommen seid.« Schnell brachte jetzt Patroklos einen großen Krug Weines herbei. Achilleus selbst steckte den Rücken einer Ziege und eines Schafes und das Schulterblatt eines Mastschweins an den Spieß und briet alles mit Hilfe seines Gefährten Automedon. Nachdem sie sich nun, um das Mahl gelagert, an Speise und Trank gelabt hatten, winkte Ajax dem Phönix; Odysseus aber kam diesem zuvor, füllte den Becher mit Wein und trank dem Peliden mit einem Handschlage zu; dann begann er: »Heil dir, Pelide, deinem Schmaus gebricht es nicht an der Fülle; aber nicht das liebliche Mahl ist's, wonach uns verlangt, sondern unser großes Unglück führt uns zu dir. Denn jetzt gilt es unsere Rettung oder unsern Untergang, je nachdem du mit uns gehst oder nicht. Die Trojaner bedrohen den Steinwall und unsere Schiffe; Hektor, die Augen voll Mordlust, wütet, auf Zeus vertrauend. Erhebe dich denn, die Griechen, wenn auch spät, zu befreien; bändige den Stolz deines Herzens; glaube mir, freundlicher Sinn ist besser als verderblicher Zank. Hat dir doch dein Vater Peleus selbst solche Ermahnungen mit auf den Zug gegeben!« Dann zählte ihm Odysseus alle die herrlichen Gaben auf, die Agamemnon ihm zur Sühne anbieten ließ und noch weiter versprach.

Aber Achilleus erwiderte: »Edler Sohn des Laertes, ich muss deine schöne Rede von der Brust weg mit Nein beantworten. Agamemnon ist mir verhasst wie die Pforte des Hades, und weder er noch die Griechen werden mich bereden, wieder in ihren Reihen zu kämpfen, denn wann habe ich einen Dank für meine Heldenarbeit davongetragen? Wie eine Mutter den nackten Vögelchen den gefundenen Bissen darbringt, auch wenn sie selbst hungert, so habe ich unruhige Nächte und blutige Tage genug zugebracht, um jenem Undankbaren ein Weib zu erobern, und was ich erbeutet hatte, brachte ich dem Atriden zur Gabe dar; er aber nahm die Schätze, behielt das meiste und verteilte davon nur weniges; mir selbst hat er auch die lieblichste Beute entrissen. Darum will ich morgen schon Zeus und den Göttern opfern; noch im Morgenrote sollen meine Schiffe im Hellespont schwimmen, und in drei Tagen hoffe ich in Phthia zu Hause zu sein. Einmal hat er mich betrogen, zum zweiten Male wird er mich nicht täuschen; er begnüge sich! Gehet und meldet den Fürsten diese Botschaft, Phönix aber bleibe, wenn es ihm gefällt, und schiffe heim mit mir ins Land der Väter!«

Vergebens suchte Phönix, sein alter Freund und Führer, den jungen Helden auf andere Gedanken zu bringen. Dieser winkte dem Patroklos, dem alten Helden ein warmes Bett zurechtzumachen; da stand Ajax auf und sprach: »Odysseus, lass uns gehen, in der Brust des Grausamen wohnt keine Milde; den Unbarmherzigen bewegt nicht die Freundschaft der Genossen, er trägt ein unversöhnliches Herz im Busen!« Auch Odysseus erhob sich nun vom Mahle, und nachdem sie den Göttern das Trankopfer dargebracht, verließen sie mit den Herolden das Zelt des Achilleus, bei dem nur Phönix zurückblieb.

Dolon und Rhesos

Als Odysseus die unwillkommene Botschaft aus dem Zelte des Peliden mitbrachte, verstummten Agamemnon und die Fürsten. Kein Schlaf legte sich die ganze Nacht über auf die Augenlider der Atriden; in banger Angst erhoben sich beide noch vor Tagesanbruch und teilten sich in ihr Geschäft. Menelaos ging, die Helden Mann für Mann in den Zelten zu bearbeiten; Agamemnon aber wandelte nach der Lagerhütte Nestors. Er fand den Greis noch im weichen Bette ruhend; Rüstung, Schild, Helm, Gurt und zwei Lanzen lagen an der Seite des Lagers. Der Greis, aus dem Schlaf erweckt, stützte sich auf den Ellenbogen und rief dem Atriden zu: »Wer bist du, der in finsterer Nacht, wo andere Sterbliche schlummern, so einsam durch die Schiffe wandelt, als suchtest du einen Freund oder ein verlaufenes Maultier? So rede doch, du Schweigender, was suchst du?« – »Erkenne mich, Nestor«, sprach jener leise, »ich bin Agamemnon, den Zeus in so unergründliches Leid versenkt hat; kein

Schlaf kommt in meine Augen, mein Herz klopft; meine Glieder zittern aus Angst um die Danaer. Lass uns zu den Hütten hinabgehen, ob sie nicht schlummern. Weiß doch keiner von uns, ob die Feinde nicht noch in der Nacht einen Angriff machen werden!« Nestor zog eilig seinen wollenen Leibrock an, warf den Purpurmantel um, ergriff die Lanze und durchwandelte mit dem Könige die Schiffsgassen. Zuerst weckten sie Odysseus, der auf ihren Ruf sogleich den Schild um die Schulter warf und ihnen folgte; dann nahte sich Nestor dem Zelt und der Lagerstatt des Tydiden, berührte ihm den Fuß mit der Ferse und weckte ihn scheltend. »Unmüßiger Greis«, antwortete der Held im halben Schlafe, »du kannst doch nimmer von der Arbeit ruhen! Gäbe es nicht Jüngere genug, die das Heer bei Nacht durchwandern und die Helden aus dem Schlafe wecken könnten? Aber du bist unbändig, Alter!« – »Du hast wohlziemend geredet«, erwiderte ihm Nestor, »habe ich doch selbst Völker genug, dazu treffliche Söhne, die dies Amt verrichten könnten. Aber die Bedrängnis der Argiver ist viel zu groß, als dass ich nicht selbst tun sollte, was das Herz mir gebietet. Auf der Schwertspitze steht bei ihnen Untergang und Leben, deswegen erhebe dich und hilf du selbst uns den Ajax und Meges, den Sohn des Phyleus, wecken!« Diomedes warf sogleich sein Löwenfell um die Schulter und holte die verlangten Helden. Nun musterten sie zusammen die Schar der Hüter, aber keinen fanden sie schlafend, alle saßen munter und wach in ihren Rüstungen da. Allmählich waren jetzt alle Fürsten vom Schlaf aufgeweckt worden, und bald saß die Ratsversammlung vollständig beisammen. Nestor aber begann das Gespräch: »Wie wär es, ihr Freunde«, sagte er, »wenn jetzt ein Mann die Kühnheit hätte, hinzugehen zu den Trojanern, ob er nicht etwa einen der Äußersten erhaschen könnte oder ihren Rat erlauschen und erfahren, ob sie hier auf dem Schlachtfelde zu bleiben gedenken oder mit dem Siege sich in ihre Stadt zurückzuziehen? Edle Gaben sollten den kühnen Mann belohnen, der solches wagte!« Als Nestor ausgeredet, stand Diomedes auf und erbot sich zu dem Wagnis, falls ein Begleiter sich zu ihm gesellen wollte. Da fanden sich viele bereit: die Ajax beide, Merioner, Antilochos, Menelaos und Odysseus; und Diomedes sprach: »Wenn ihr mir anheim stellt, den Genossen selbst zu wählen, wie sollte ich des Odysseus vergessen, der in jeder Gefahr ein so entschlossenes Herz zeigt und den Pallas Athene liebt. Wenn er mich be-

gleitet, glaube ich, wir würden aus einem Flammenofen zurückkehren; denn er weiß Rat wie keiner!« – »Schilt und rühme mich nicht zu sehr«, antwortete Odysseus, »du redest beides vor kundigen Männern! Aber gehen wir, denn die Sterne sind schon weit vorgerückt, und wir haben nur noch ein Drittel von der Nacht übrig.«
Darauf hüllten sich beide in furchtbare Rüstung und machten sich unkenntlich, Diomedes ließ Schwert und Schild bei den Schiffen und entlehnte das zweischneidige Schwert des Helden Thrasymedes sowie dessen Sturmhaube und Stierhaut ohne Federbusch und Rossschweif. Dem Odysseus gab Meriones Bogen, Köcher und Schwert und einen Helm von Leder und Filz mit Schweinshauern. So verließen sie das griechische Lager und wandelten in der Nacht dahin. Da hörten sie einen Reiher von der rechten Seite schreiend vorüberflattern, wurden des Glückszeichens froh, das ihnen Pallas Athene sendete, und flehten zu ihr um Begünstigung ihres Unternehmens. So gingen sie durch Waffen, Blut und Leichen im Dunkel dahin, an Mut zwei wilden Löwen gleich.
Während diese Auskundschaftung im griechischen Lager verabredet wurde, hatte in der Versammlung seiner Trojaner Hektor denselben Vorschlag gemacht und aus der griechischen Beute, die er erhoffte, einen Wagen und zwei der edelsten Rosse dem Manne versprochen, der es auf sich nehmen würde, den Zustand des griechischen Lagers zu erforschen. Nun befand sich unter dem trojanischen Volke der Sohn des Eumedes, eines edlen Herolds, namens Dolon, ein an Geld und Erz wohlbegüterter Mann von unansehnlicher Gestalt, aber ein gar hurtiger Läufer, neben fünf Schwestern der einzige Sohn. Diesen reizte die Kühnheit seines Herzens, dass er gegen das Versprechen, den Wagen und die Rosse des Achilleus zu erhalten, es über sich nahm, das feindliche Kriegsheer zu durchwandern, bis er an Agamemnons Feldherrnschiff käme, um dort den Fürstenrat der Danaer zu belauschen. Er hängte eilend seinen Bogen um die Schulter, hüllte sich in ein graues, zottiges Wolfsfell, setzte einen Otterhelm auf das Haupt, fasste den Wurfspieß und ging mit Begier seinen Weg. Dieser aber führte ihn ganz nahe an den auf gleichem Gange begriffenen Griechenhelden vorüber. Odysseus merkte den Tritt des Herannahenden und flüsterte seinem Gesellen zu: »Diomedes, dort kommt ein Mann aus dem trojanischen Lager herangewandelt; entweder ist es ein Kundschafter, oder er will die Leichname auf dem

Schlachtfelde berauben; lassen wir ihn ein wenig vorübergehen, dann wollen wir ihm nachjagen und ihn entweder erhaschen oder nach den Schiffen treiben.« Nun schmiegten sich beide abseits von dem Wege unter die Toten, und Dolon lief sorglos vorüber. Als er einen Bogenschuss entfernt war, hörte er das Geräusch der Helden und stand stille, denn er vermutete, dass Hektor ihn durch befreundete Boten zurückrufen lasse; bald aber waren die Helden nur noch einen Speerwurf entfernt, und jetzt erkannte er sie als Feinde. Nun regte er seine schnellen Knie und flog dahin wie ein Hund, der einen Hasen verfolgt. »Steh, oder ich werfe meine Lanze nach dir«, donnerte Diomedes und entsandte seinen Speer, jedoch mit Vorsatz fehlend, so dass das Erz über die Schulter des Laufenden hin in den Boden fuhr. Dolon stand starr und bleich vor Schrecken, sein Kinn bebte und die Zähne klapperten ihm. »Fahet mich lebendig«, rief er unter Tränen, als die herankeuchenden Helden ihn mit beiden Händen festhielten, »ich bin reich und will euch als Lösegeld Eisenerz und Gold geben, so viel ihr nur wollt!« – »Sei getrost«, sprach Odysseus zu ihm, »und mache dir keine Todesgedanken, aber sag uns die Wahrheit, was dich diesen Weg führte.« Als Dolon zitternd und bebend alles gestanden, sprach Odysseus lächelnd: »Fürwahr, du hast keinen schlechten Geschmack, Bursche, dass deine Seele nach dem Gespann des Peliden gelüstet! Jetzt aber sage mir auf der Stelle: wo verließest du den Hektor, wo stehen seine Rosse, wo ist das Kriegsgeräte, wo sind die andern Trojaner, wo die Bundesgenossen?« Dolon antwortete: »Hektor berät sich mit den Fürsten am Grabmale des Ilos; das Kriegsheer ist ohne besondere Waffen um Feuer gelagert, die fern herbeigerufenen Bundesgenossen aber, die für keine Weiber und Kinder zu sorgen haben, schlafen getrennt von dem Heere und unbewacht. Wenn ihr in das trojanische Lager wandeln wolltet, so stoßet ihr zuerst auf die eben angekommenen Thrakier, die um ihren Fürsten Rhesos, den Sohn des Eïoneus, hingestreckt ruhen. Seine blendend weißen Rosse sind die schönsten, größten und schnellfüßigsten, die ich je gesehen habe; sein Wagen ist mit Silber und Gold köstlich geschmückt, er selbst trägt eine wundervolle goldene Rüstung, wie ein Unsterblicher und nicht wie ein Mensch. Nun wisst ihr alles, führet mich nun nach den Schiffen oder lasst mich gebunden hier und überzeuget euch, dass ich die Wahrheit gesagt habe.« Aber Diomedes schaute den Gefangenen finster an und sprach: »Ich merke wohl, Betrüger, du sinnest auf Flucht; aber meine Hand wird dafür sorgen, dass du den Argivern nicht mehr verderblich sein kannst!« Zitternd erhob Dolon seine Rechte, das Kinn des Helden flehentlich zu berühren, als schon das Schwert des Tydiden ihm durch den Nacken fuhr, dass das Haupt des Redenden in den Staub hinrollte. Hierauf nahmen ihm die Helden den Otterhelm vom Scheitel, zogen dem Rumpfe das Wolfsfell ab, lösten den Bogen, nahmen den Speer des Getöteten zur Hand und legten die ganze Rüstung zum Merkmale für den Heimweg auf einige Rohrbüschel; dann gingen sie vorwärts und stießen endlich auf die harmlos schlafenden Thrakier. Bei jedem stand ein Doppelgespann von stampfenden Rossen, die Rüstungen lagen in schöner Ordnung und in dreifachen Reihen blinkend auf dem Boden. In der Mitte schlief Rhesos, und seine Rosse standen am hintersten Wagenringe, mit Riemen angebunden. »Hier sind unsere Leute«, sprach Odysseus ins Ohr des Tydiden; »jetzt gilt es Tätigkeit, löse du die Rosse ab, oder besser, töte du die Männer und lass mir die Rosse.« Diomedes antwortete ihm nicht, sondern wie ein Löwe unter Ziegen oder Schafe fährt, hieb er wild um sich her, dass sich ein Röcheln unter seinem Schwert erhub und der Boden rot vom Blute ward. Bald hatte er zwölf Thrakier gemordet; der kluge Odysseus aber zog jeden Getöteten am Fuß zurück, um den Rossen eine Bahn zu machen. Nun hieb Diomedes auch den dreizehnten nieder, und dies war der König Rhesos, der eben in einem schweren Traume stöhnte, den ihm die Götter gesendet hatten. Inzwischen hatte Odysseus die Rosse vom Wagen abgelöst, mit Riemen verbunden und, indem er sich seines Bogens anstatt der Geißel bediente, sie aus dem Haufen hinweggetrieben. Dann gab er seinem Genossen ein Zeichen durch leises Pfeifen; dieser besann sich, ob er den köstlichen Wagen an der Deichsel wegziehen oder auf den Schultern hinaustragen sollte; da nahte ihm warnend Pallas, die Göttin, und trieb ihn zur Flucht. Eilend bestieg Diomedes das eine Ross. Odysseus trieb nebenher laufend beide mit dem Bogen an, und nun flogen sie dem Schiffslager wieder zu.

Der Schutzgott der Trojaner, Apollon, hatte bemerkt, wie sich Athene zu Diomedes gesellte. Dies verdross ihn; er machte sich ins Getümmel des trojanischen Heeres und weckte den tapfern Freund des Rhesos, den Thrakier Hippokoon, aus dem Schlaf. Als dieser die Stelle, wo die Rosse des Fürsten gestanden, leer und ermordete Männer am Boden zappelnd fand, rief er laut wehklagend den Namen seines Freundes. Die Trojaner stürzten im Aufruhr heran und erstarrten vor Schrecken, als sie die entsetzliche Tat sahen.

Unterdessen hatten die beiden Griechenhelden den Ort wieder erreicht, wo sie den Dolon getötet hatten; Diomedes sprang vom Rosse, schwang sich aber wieder hinauf, nachdem er die Rüstung den Händen des Freundes überreicht, Odysseus bestieg das andere Tier, und bald waren sie mit den rasch dahinfliegenden Pferden bei den Schiffen angekommen. Nestor hörte zuerst das Stampfen der Hufe und machte die Fürsten der Griechen aufmerksam; aber ehe er sich recht besinnen konnte, ob er geirrt oder Wirkliches vernommen, waren die Helden mit den Rossen da, schwangen sich vom Pferde, reichten den Freunden die Hände ringsumher zum Gruße und erzählten unter dem Jubel des Heeres den glücklichen Erfolg ihres Unternehmens. Dann trieb Odysseus die Rosse durch den Graben, und die andern Argiver folgten ihm jauchzend zur Lagerhütte des Tydiden. Dort wurden die Pferde zu den andern Rossen des Fürsten an die mit Weizen wohlgefüllte Krippe gebunden. Die blutige Rüstung Dolons aber legte Odysseus hinten im Schiffe nieder, bis sie bei einem Dankfest Athenes prangen könnte. Nun spülten sich beide Helden mit der Meerflut Schweiß und Blut von den Gliedern, setzten sich zum warmen Bad in Wannen, salbten sich mit Öl und genossen das Frühmahl beim vollen Kruge; und Pallas Athene ward mit dem Trankopfer nicht vergessen.

Zweite Niederlage der Griechen

Es war Morgen. Agamemnon befahl dem Volke, sich zu gürten, und legte selbst die Rüstung an, den herrlichen Harnisch, an dem zehn bläuliche Stahlreifen mit zwölf aus funkelndem Gold und zwanzig aus Zinn wechselten; die Halsbrünne bildeten drei Drachen, glänzend wie Regenbogen, der Panzer war ein Geschenk des Kinyras, Fürsten von Zypern; dann warf er sich das Schwert mit goldenen Buckeln am Griff, in silberner Scheide, am strahlenden Goldgehenke befestigt, um die Schulter; darauf hob er den kunstreich gewölbten Schild, um den zehn Erzkreise herliefen und zwanzig weiße zinnerne Buckeln blinkten; auf dem mittleren dunkelblauen Felde war das grässliche Gorgonenhaupt abgebildet, das Schildgehenk hatte die Gestalt eines bläulichen Drachen mit drei gekrümmten Häuptern. Dann setzte er sich den viergipfligen, von Rosshaaren umwallten Helm mit fürchterlich nickendem Helmbusch aufs Haupt, ergriff zwei mächtige Lanzen mit strahlenden Erzspitzen und schritt in die Schlacht. Hera und Athene begrüßten vom Himmel herab den herrlich gerüsteten König der Völker mit einem freudigen Donner. Zuerst drangen die Fußgänger mit den ehernen Waffenrüstungen über den Graben, ihnen folgten die Reisigen auf den Streitwagen, und mit lautem Getümmel eilte das ganze Heer vorwärts.

Auf der andern Seite hielten die Trojaner einen Hügel des Feldes mit ihren Scharen besetzt; ihre Führer waren Hektor, Polydamas und Äneas: nächst ihnen Polybos, Agenor und Akamas, die drei tapfern Söhne Antenors. Wie ein Stern durch Nachtgewölk wandelte Hektor bald durch den vordersten, bald durch den äußersten Zug und ordnete die Schlachtreihen; in seiner Erzrüstung leuchtete er wie ein Blitzstrahl des Donners. Bald stürmten nun Trojaner und Danaer mordend gegeneinander, wie Schnitter mähend in die Schwaden fahren; Haupt an Haupt drängte sich alles zur Schlacht, in beiden Heeren tobten die Streiter wie Wölfe. Endlich durchbrachen die Griechen mit ihrer Kraft die Schlachtreihen der Feinde, und Agamemnon stieß voranstürmend den Fürsten Bianor und seinen Wagenlenker nieder. Dann warf er sich auf zwei Söhne des Königs Priamos, den Antiphos und seinen Wagenlenker, den Bastard Isos; jenem durchschoss er die Brust mit der Lanze, diesen stürzte er mit einem Schwerthiebe vom Wagen, und den Getöteten entzog er eilig die Rüstung. Jetzt begegnete er zwei Söhnen des Antimachos, des Trojanerfürsten, der einst, von Paris' Golde betört, die Helena auszuliefern verboten hatte. Vergebens flehten ihn die Knaben, in den Wagen hineingeschmiegt, um Schonung an. Ihres Vaters gedenkend, durchbohrte er den einen und hieb dem andern die Hände vom Leib und das Haupt von der Schulter. Immer tiefer drang die Verfolgung der Griechen ein, auf Fußvolk und auf Wagen, wie ein Feuerbrand unter Sturm durch unausgehauene Waldung sich verbreitet.

Aus den Blutströmen und dem Getümmel entzog den Fürsten Hektor Zeus selbst den Geschossen, dass er zum Denkmale des alten Königs

Ilos an dem Felsenhügel vorüber mitten durch das Gefilde sehnsüchtig nach der Stadt hinfloh; aber Agamemnon, seine Hände mit Trojanerblut besudelt, folgte ihm laut schreiend. Endlich an der Buche des Zeus, nicht fern vom skäischen Tore, stand Hektor und zugleich die ganze Flucht der Seinigen, ihm nachgedrungen, stille. Da sandte Zeus die Götterbotin Iris und befahl ihm, solange Agamemnon im Vordergewühl tobte, selbst zurückzustehen und dem andern Volke die Feldschlacht zu überlassen, bis der Atride verwundet würde. Dann wollte der Göttervater ihn selbst wieder zum Siege führen. Hektor gehorchte. Von der Hinterhut aus mahnte er die Seinigen zu neuem Kampfe. Aufs Neue begann das Gefecht; Agamemnon stürmte voraus und fing wieder an, in den Scharen der Trojaner und ihrer Bundesgenossen zu wüten. Ihm begegnete zuerst Antenors Sohn Iphidamas, ein großer, gewaltiger Held, der in Thrakien bei seinem Ahn aufgewachsen war und neu vermählt zum Kampfe in die alte Heimat gezogen kam. Agamemnons Lanze fehlte; der Speer des Iphidamas verbog sich die Spitze am Leibgurt seines Feindes. Schleunigst ergriff jetzt Agamemnon die Lanze des Gegners, riss sie ihm aus der Hand und durchhieb ihm den Nacken mit dem Schwert. So sank der Arme, von der Gattin getrennt, im Kampfe für die Seinigen bemitleidenswert in den ehernen Todesschlummer. Agamemnon entwaffnete ihn und prahlte mit der herrlichen Rüstung durch die Reihen der Argiver. Als ihn so der ältere Sohn des Antenor, Koon, einer der gepriesensten trojanischen Kämpfer, einherschreiten sah, fasste ihn unaussprechlicher Gram um den gefallenen Bruder; doch raubte ihm der Schmerz die Besinnung nicht, sondern unbemerkt vom Atriden, stach er diesen seitwärts mit seinem Speere mitten in den Arm, dicht unter der Beugung. Agamemnon fühlte sich von einem plötzlichen Schauer durchdrungen; dennoch gönnte er sich keine Rast vom Kampfe, und während Koon seinen Bruder am Fuß aus dem Gewühl zu ziehen bestrebt war, durchstach ihn der Schaft des Atriden unter dem Schilde, so dass er entseelt auf den Leichnam des Bruders hinsank.

Solange das Blut noch warm aus seiner offenen Wunde hervordrang, fuhr Agamemnon fort, mit Lanze, Schwert und Steinen in den Reihen der Trojaner zu morden; als aber das Blut in der Wunde zu erharschen anfing, da mahnte ihn ein scharfer zuckender Schmerz, das Gewühl der Schlacht zu verlassen. Schnell sprang er in den Sitz des Streitwagens,

dem Rosselenker gebietend, nach den Schiffen umzukehren, und bald trug der Wagen, mit Staub umwölkt, den von der Wunde hart gequälten König dem Schiffslager zu.
Als Hektor sah, wie der Atride sich entfernte, dachte er an den Befehl des Zeus, eilte in die Vorderschar der Trojaner und Lykier und rief laut aus: »Jetzt, ihr Freunde, seid Männer und sinnet auf Abwehr! Der tapferste Mann Griechenlands ist ferne, und Zeus verleiht mir Siegesruhm. Auf, mitten unter die Helden der Danaer hinein mit den Rossen, damit wir umso höheren Ruhm gewinnen!« So rief Hektor und stürzte sich wie ein Strumwind zuerst in die Schlacht. Und in kurzer Zeit waren neun Fürsten der Griechen, dazu viel gemeines Volk unter seinen Händen erlegen. Schon war er nahe daran, das fliehende Heer der Griechen in die Schiffe zu drängen; da ermahnte Odysseus den Tydiden: »Ist es möglich, dass wir der Abwehr so ganz vergessen? Tritt doch näher, Freund, und stelle dich neben mich, lass uns die Schande nicht erleben, dass Hektor unser Schiffslager erobere!« Diomedes nickte ihm zu und durchschmetterte die Brust des Trojaners Thymbräos mit dem Wurfspieß auf der linken Seite, dass er vom Wagen auf die Erde herabfiel; unter Odysseus' Waffen sank Molion zu Boden, der Wagengenosse des Helden. Weiter noch durchtobten die vorwärts Gewendeten den Feind, und die Griechen fingen an, wieder aufzuatmen. Zeus, der noch immer vom Ida herabschaute, ließ den Kampf im Gleichgewichte schweben. Endlich erkannte Hektor durch die Schlachtreihen hindurch die zwei rasenden Helden und stürmte mit seinen Heerscharen auf sie daher. Noch zur rechten Zeit sah sich Diomedes vor und schleuderte ihm die Lanze an die Helmkuppel. Zwar prallte sie ab, doch flog Hektor zurück in die Scharen aufs Knie, seine Rechte stemmte sich gegen die Erde, und vor seinen Blicken ward es Nacht. Bis jedoch der Tydide dem Schwung seines Speeres selbst nachgeeilt kam, hatte sich der Trojaner in den Wagensitz geschwungen und rettete sich vor dem Tod ins Gedränge der Seinigen. Unmutig wandte sich Diomedes einem andern Trojaner zu, den er niederstreckte und der Rüstung zu berauben sich anschickte.
Diesen Augenblick ersah Paris, schmiegte sich hinter die Denksäule des Ilos und schoss den knienden Helden in die Ferse, dass der Pfeil, durch die Sohle gedrungen, im Fleische festsaß. Dann sprang er lachend aus

dem Hinterhalte und spottete jauchzend des Getroffenen. Diomedes schaute sich um, und als er den Schützen erblickte, rief er ihm zu: »Bist du es, Weiberheld? Du vermöchtest mit offener Gewalt nichts gegen mich und prahlest jetzt, dass du mir den Fuß von hinten geritzt hast? Das macht mir so wenig, als hätte mich ein Mädchen oder ein Knabe getroffen!« Inzwischen war Odysseus herbeigeeilt und stellte sich vor den Verwundeten, der sich mit Schmerzen, doch in Sicherheit, den Pfeil aus dem Fuße zog. Dann schwang er sich in den Wagensitz zu seinem Freunde Sthenelos und ließ sich heimgeleiten zu seinen Schiffen.

Nun blieb Odysseus allein zurück im tiefsten Gedränge der Feinde, und kein Argiver wagte sich in die Nähe. Der Held besprach sich mit seinem Herzen, ob er weichen sollte oder ausharren. Doch sah er wohl ein, dass es demjenigen, der in der Feldschlacht edel erscheinen will, durchaus Not tut, standzuhalten, mag er nun treffen oder getroffen werden. Während er dies erwog, umschlossen ihn die Trojaner mit ihren Schlachtreihen, wie Jäger und Jagdhunde einen stürzenden Eber umringen, der den Zahn im zurückgebogenen Rüssel wetzt. Er aber empfing entschlossen die auf ihn Einstürmenden, und es dauerte wenige Augenblicke, so waren fünf Trojaner vor seinen Waffen in den Staub gesunken. Da kam ein sechster heran, Sokos, dem er eben den Bruder erstochen, und rief: »Odysseus, heute trägst du entweder den Ruhm davon, dass du beide Söhne des Hippasos, herrliche Männer, zu Boden gestreckt und ihre Waffen erbeutet hast, oder aber du verhauchst unter meiner Lanze das Leben!« Und nun durchschmetterte er ihm den Schild und riss ihm die Haut von den Rippen; tiefer ließ Athene den Stoß nicht eindringen. Odysseus, der sich nicht zum Tode getroffen fühlte, wich nur ein weniges zurück, stürzte dann auf den Gegner los, der sich zur Flucht wendete, und burchbohrte ihm den Rücken zwischen den Schultern, dass der Speer aus dem Busen vordrang und er in dumpfem Falle hinkrachte. Dann erst zog sich Odysseus die Lanze des Feindes aus der Wunde. Als nun die Trojaner sein Blut springen sahen, drängten sie sich erst recht alle auf ihn zu, dass er zurückwich und dreimal einen lauten Hilferuf ausstieß.

Menelaos vernahm das Geschrei zuerst und rief seinem Nebenmanne Ajax zu: »Lass uns dies Getümmel schnell durchdringen, ich habe den Schrei des Odysseus gehört!« Beide hatten in kurzem den duldenden

Kämpfer erreicht und trafen ihn, gegen unzählige Feinde seine Lanze schwingend. Als aber der Schild des Ajax wie eine getürmte Mauer dem Streitenden vorgehalten ward, erzitterten die Trojaner. Da benützte Menelaos den Augenblick, ergriff den Sohn des Laerters bei der Hand und half ihm auf seinen eigenen Streitwagen. Ajax aber sprang auf die Trojaner hinein und wälzte Leichen vor sich her, wie ein Bergstrom im Herbste dorrende Kiefern und Eichen. Davon hatte Hektor keine Ahnung; er kämpfte auf der linken Seite des Treffens am Gestade des Skamander und richtete dort in den Reihen der Jünglinge, die den Helden Idomeneus umgaben, breite Verwüstung an. Dennoch wären die Helden nicht vor ihm gewichen, hätte nicht ein dreikantiger Pfeil des Paris dem großen Arzt des Danaerheeres, Machaon, die rechte Schulter verwundet. Da rief erschrocken Idomeneus: »Nestor! Hurtig dem Freund auf den Wagen geholfen! Ein Mann, der Pfeile ausschneidet und lindernden Balsam auflegt, ist hundert andere Helden wert!« Schnell schwang sich Nestor auf seinen Wagen, der verwundete Machaon mit ihm, und beide flogen den Schiffen zu.

Aber der Wagenlenker Hektors machte jetzt diesen auf die Verwirrung aufmerksam, in welcher sich der andere Flügel der Trojaner befand, wo Ajax das Gewühl der Feinde durchtobte. In einem Augenblicke waren sie mit ihrem Wagen dort, und Hektor fing an, unter den Reihen der Griechen zu rasen. Nur den Ajax vermied er, denn Zeus hatte ihn gewarnt, sich mit dem stärkeren Manne nicht messen zu wollen. Zugleich aber sandte der Göttervater in die Seele des Ajax Furcht, dass dieser beim Anblicke Hektors den Schild auf die Schulter warf und, angstvoll um die Schiffe der Danaer besorgt, die Reihen der Trojaner, sich zur Flucht kehrend, verließ. Als die Feinde dies gewahr wurden, schleuderten sie ihm die Lanzen auf den vom Rücken herabhängenden Schild. Doch Ajax durfte sein Angesicht nur umwenden, so flohen sie wieder. Wo der Weg zu den Schiffen ging, stellte er sich jetzt auf, hielt den Schild vor und wehrte die vordringenden Trojaner ab, dass ihre Speere teils in seinem siebenhäutigen Stierschilde hafteten, teils, ohne den Leib zu berühren, in die Erde fuhren. Als der tapfere Held Eurypylos ihn so von Geschossen bedrängt sah, eilte er dem Telamonier zu Hilfe und durchbohrte dem Trojaner Apisaon die Brust. Doch während Eurypylos dem getöteten Feinde die Rüstung abzog, sandte ihm Paris einen Pfeil in den

Schenkel, dass er sich schnell in das Gedränge der Freunde zurückzog, die ihn mit erhöhten Lanzen und vorgehaltenen Schilden deckten. Inzwischen trugen seine Stuten den Nestor mit dem wunden Machaon aus der Schlacht, vorbei an dem grollenden Achilleus, der auf dem Hinterdecke seines Schiffes saß und geruhig zusah, wie seine Landsleute von den Trojanern verfolgt wurden. Da rief er dem Patroklos, ohne zu ahnen, dass er das Unglück seines Freundes selbst vorbereite, und sprach: »Geh doch, Patroklos, und erforsche mir von Nestor, welchen Verwundeten er dort aus der Schlacht zurückführt: denn ich weiß nicht, welch Mitleid für die Griechen sich in meiner Seele regt!« Patroklos gehorchte und lief zu den Schiffen. Er kam am Zelte Nestors an, als dieser eben aus dem Wagen stieg, seinem Diener Eurymedon die Rosse übergab und ins Zelt hineintrat, um mit Machaon die erquickende Mahlzeit zu genießen, die ihnen seine erbeutete Sklavin Hekamede vorsetzte. Als der Greis den Helden Patroklos an der Pforte gewahr ward, sprang er vom Sessel, ergriff ihn bei der Hand und wollte ihn freundlich zum Sitzen nötigen. Doch Patroklos sprach: »Es bedarf dessen nicht, ehrwürdiger Greis! Achilleus hat mich nur ausgesandt, zu schauen, welchen Verwundeten du zurückführst. Nun habe ich selbst in ihm den heilungskundigen Helden Machaon erkannt und eile, ihm dieses zu melden. Du kennst ja den heftigen Sinn meines Freundes, der auch Unschuldige selber leicht beschuldigt.« Aber Nestor antwortete ihm mit tiefer Gemütsbewegung: »Was kümmert sich doch das Herz des Achilleus so sehr um die Argiver, die bereits zum Tode wund sind? Alle Tapferen liegen bei den Schiffen umher: Diomedes ist pfeilwund, Odysseus und Agamemnon sind lanzenwund; und diesen unschätzbaren Mann entführte ich soeben, vom Geschoss des Bogens verwundet, aus der Feldschlacht! Aber Achilleus kennt kein Erbarmen! Will er vielleicht warten, bis unsere Schiffe am Gestade in Flammen lodern und wir Griechen einer um den andern der Reihe nach hinbluten? Oh, wär' ich noch kräftig wie in meiner Jugend und in meinen besten Mannesjahren, damals, wo ich als Sieger im Hause des Peleus einkehrte! Da sah ich auch deinen Vater Menötios und dich und den kleinen Achilleus. Diesen ermahnte der graue Held Peleus, stets der Erste zu sein und allen andern vorzustreben, dich aber dein Vater, des Peliden Lenker und Freund zu sein, weil er an Stärke zwar der Größere, am Alter aber hinter dir sei. Erzähle davon dem Achilleus; viel-

leicht rührt ihn auch jetzt deine Zurede.« So sprach der Alte und mischte liebliche Erinnerungen aus seiner eigenen Heldenjugend in die Rede, so dass dem Patroklos das Herz im Busen bewegt wurde.
Als er auf der Rückkehr an den Schiffen des Odysseus vorübereilte, fand er hier den Eurypylos, der, vom Pfeil in den Schenkel verwundet, mühsam aus der Schlacht einhergehinkt kam. Es erbarmte den Sohn des Menötios, wie der wunde Held ihn so kläglich anrief, seiner mit den Künsten Chirons, des Kentauren, die er gewiss durch Achilleus gelernt habe, zu pflegen; so dass Patroklos endlich den Verwundeten unter der Brust fasste, ins Zelt führte, ihn dort auf eine Stierhaut legte und ihm mit dem Messer den scharfen Pfeil aus dem Schenkel schnitt; dann spülte er das schwarze Blut sogleich mit lauem Wasser ab, zerrieb eine bittere Heilwurzel zwischen den Fingern und streute sie auf die Wunde, bis das Blut ins Stocken geriet. So pflegte der gute Patroklos des wunden Helden.

Kampf um die Mauer

Der Graben und die Mauer, welche die Griechen um ihre Schiffe her breit aufgetürmt hatten, war ohne ein Festopfer den Göttern zum Trotze von ihnen gebaut worden. Deswegen sollte sie ihnen auch nicht zum Schutze dienen und nicht lange unerschüttert bestehen. Schon jetzt, wo Troja im zehnten Jahre seiner Belagerung schmachtete, beschlossen Poseidon und Apollon, den Bau dereinst zu vertilgen, die Bergströme auf sie hereinzuleiten und das Meer gegen sie zu empören. Doch sollte dies erst nach der Zerstörung Trojas ins Werk gesetzt werden.
Jetzt aber war Getümmel und Schlacht rings um den gewaltigen Bau entbrannt, und die Argiver drängten sich, bange vor Hektors Wut, bei den Schiffen zusammen. Dieser rannte wie ein Löwe im Gewühl umher und munterte die Seinigen auf, den Graben zu durchrennen. Das aber wollte kein Rossegespann ihm wagen. Am äußersten Rande des Grabens angekommen, bäumten sich alle unter lautem Gewieher zurück, denn dieser war zu breit zum Sprunge und zu abschüssig von beiden Seiten zum Durchgang, dazu mit dicht gereihten spitzen Pfählen bepflanzt. Nur die Fußvölker versuchten daher den Übergang. Als dies Polydamas sah, ging er mit Hektor zu Rate und sprach: »Wir wären alle verloren,

wenn wir es mit den Rossen wagen wollten, und kämen ruhmlos in der Tiefe des Grabens um. Lasset deswegen die Wagenlenker die Rosse hier am Graben hemmen, uns selbst aber in den ehernen Waffen eine Fußschar bilden, unter deiner Führung über den Graben setzen und den Wall durchbrechen.«

Hektor billigte den Rat. Auf seinen Befehl stürmten alle Helden von den Wagen mit Ausnahme der Lenker; sie scharten sich in fünf Ordnungen, die erste unter Hektor und Polydamas, die andere unter Paris, die dritte führten Helenos und Deiphobos, der vierten gebot Äneas; an der Spitze der Bundesgenossen schritten Sarpedon und Glaukos. Diese Fürsten alle aber hatten andere bewährte Helden zur Seite. Von sämtlichen Streitern war es allein Asios, der seinen Wagen nicht verlassen wollte. Er wandte sich mit demselben zur Linken, wo die Achajer selbst beim Bau einen Durchgang für ihre eigenen Rosse und Streitwagen gelassen hatten. Hier sah er die Flügel des Tores offen, denn die Griechen harrten, ob nicht noch ein verspäteter Genosse käme, der, dem Treffen entflohen, Rettung im Lager suchte. So lenkte Asios die Rosse gerade auf den Durchgang los, und andere Trojaner folgten ihm zu Fuße mit lautem Geschrei nach. Aber am Eingang waren zwei tapfere Männer aufgestellt, Polypötes, der Sohn des Peirithoos, und Leonteus. Diese standen am Tore, hohen Bergeichen gleich, die, mit langen und breiten Wurzeln in den Boden eingesenkt, in Sturm und Regenschauer unverrückt aushalten. Plötzlich stürzten diese beiden auf die hereinstürmenden Trojaner vor, und zugleich flog ein Schwall von Steinen von den festen Türmen der Mauer herab.

Während Asios und die ihn Umringenden verdrießlich den unvermuteten Kampf bestanden und viele erlagen, kämpften andere, zu Fuß über den Graben stürmend, um andere Tore des griechischen Lagers. Die Argiver waren jetzt auf die Beschirmung ihrer Schiffe beschränkt, und die Götter, so viele ihnen dabei halfen, trauerten herzlich, vom Olymp herabschauend. Nur die zahlreichste und tapferste Schar der Trojaner unter Hektor und Polydamas verweilte noch unschlüssig am jenseitigen Rande des Grabens, den sie eben erstiegen; denn vor ihren Augen hatte sich ein bedenkliches Zeichen ereignet. Ein Adler streifte links über das Kriegsheer hin; er trug ein rote zappelnde Schlange in den Klauen, die sich unter seinen Krallen wehrte und, den Kopf rückwärts drehend, den

Vogel in den Hals stach, der, von Schmerzen gequält, sie fahren ließ und davonflog; die Schlange aber fiel mitten im Haufen der Trojaner nieder, die sie mit Schrecken im Staube liegen sahen und in diesem Ereignis ein Zeichen des Zeus erkannten. »Lass uns nicht weitergehen«, rief Polydamas, der Sohn des Panthoos, seinem Busenfreunde Hektor erschrocken zu, »es könnte uns ergehen wie dem Adler, der seinen Raub nicht heimbrachte.« Aber Hektor erwiderte finster: »Was kümmern mich die Vögel, ob sie rechts oder links daherfliegen, ich verlasse mich auf Zeus' Ratschluss! Ich kenne nur ein Wahrzeichen, es heißt Rettung des Vaterlandes! Warum zitterst denn du vor dem Kampfe? Sänken wir auch alle an den Schiffen darnieder, dir drohte kein Todesschrecken, denn du hast kein Herz, in der Feldschlacht auszuhalten; doch wisse, wo du dich dem Kampf entziehst, so fällst du von meiner eigenen Lanze durchbohrt!« So sprach Hektor und ging voran, und alle andern folgten ihm unter grässlichem Geschrei. Zeus aber schickte einen ungeheuren Sturmwind vom Idagebirge herab, der den Staub zu den Schiffen hinüberwirbelte, dass den Griechen der Mut entsank, die Trojaner aber, dem Winke des Donnergottes und der eigenen Kraft vertrauend, die große Verschanzung der Danaer zu durchbrechen sich anschickten, indem sie die Zinnen der Türme herabrissen, an der Brustwehr rüttelten und die hervorragenden Pfeiler des Walles mit Hebeln umzuwühlen begannen.

Aber die Danaer wichen nicht von der Stelle; wie ein Zaun standen sie mit ihren Schilden auf der Brustwehr und begrüßten die Mauerstürmer mit Steinen und Geschossen. Die beiden Ajax machten die Runde auf der Mauer und ermahnten das Streitvolk auf den Türmen, die Tapferen freundlich, die Nachlässigen mit strengen Drohworten. Inzwischen flogen die Steine hin und her wie Schneeflocken; doch hätte Hektor mit seinen Trojanern den mächtigen Riegel an der Wallpforte noch immer nicht durchbrochen, wenn nicht Zeus seinen Sohn Sarpedon, den Lykier mit dem goldgeränderten Schilde, wie einen heißhungrigen Berglöwen gegen die Feinde gereizt hätte, dass er schnell zu seinem Genossen Glaukos sprach: »Was ist es, Freund, dass man uns im Lykiervolk mit Ehrensitz und gefüllten Bechern beim Gastmahle wie die Götter ehrt, wenn wir in der brennenden Schlacht nicht auch uns im Vorkampfe zeigen? Auf! Entweder wollen wir den eigenen Ruhm oder durch unsern Tod den Ruhm anderer verherrlichen!« Glaukos vernahm es nicht träge, und beide stürmten mit ihren Lykiern in gerader Richtung voran. Menestheus, von seinem Turme herab, stutzte, als er sie so wütend herannahen und sich und die Seinigen dem Verderben ausgesetzt sah. Ängstlich schaute er sich nach der Unterstützung anderer Helden um: wohl sah er in der Ferne die beiden Ajax, unersättlich im Kampfe, dastehen und noch näher den Teukros, der eben von den Zelten zurückkam; doch hallte sein Hilferuf nicht so weit, er prallte an Helmen und Schilden ab, und das Getöse der Schlacht verschlang ihn. Deswegen schickte er den Herold Thootes zu den beiden Ajax hinüber und bat den Telamonier durch ihn, samt seinem Bruder Teukros, wenn sie beide dies könnten, ihm aus der Bedrängnis zu helfen. Der große Ajax war nicht säumig, er eilte mit Teukros und Pandion, der seines Bruders Bogen trug, der Mauer entlang von innen dem Turme zu. Sie kamen bei Menestheus an, als eben die Lykier an der Brustwehr emporzuklimmen anfingen. Ajax brach sogleich einen scharfgezackten Marmorstein zuoberst aus der Brustwehr und zerknirschte damit dem Epikles, einem Freunde des Sarpedon, Helm und Haupt, dass er wie ein Taucher von dem Turme herabschoss. Teukros aber verwundete den Glaukos am entblößten Arme, während er eben den Wall hinanstieg. Dieser sprang ganz geheim von der Mauer, um nicht von den Griechen erblickt und mit seiner Wunde gehöhnt zu werden. Mit Schmerzen sah Sarpedon seinen Bruder aus der Schlacht scheiden, er selbst aber klomm aufwärts, durchstach Alkmaon, Thestors Sohn, mit der Lanze, dass dieser taumelnd stürzte, als jener die Lanze wieder herauszog, fasste dann mit aller Gewalt die Brustwehr, dass sie von seinem Stoß zusammenstürzte und die Mauer, entblößt, für viele einen Zugang gewährte. Doch Ajax und Teukros begegneten dem Stürmenden; der Letztere traf ihn mit einem Pfeil in den Schildriemen; Ajax durchbohrte den Schild des Anlaufenden; die Lanze durchdrang ihn schmetternd, und einen Augenblick zuckte Sarpedon von der Brustwehr hinweg. Doch ermannte er sich bald wieder, und zu der Schar seiner Lykier sich umdrehend, rief er laut: »Lykier, vergesst ihr des Sturmes? Mir allein, und wäre ich der Tapferste, ist es unmöglich, durchzubrechen! Nur wenn wir zusammenhalten, können wir uns die Bahn zu den Schiffen öffnen! »Die Lykier drängten sich um ihren scheltenden König und stürmten rascher empor; aber auch die Danaer von innen verdoppelten ihren Widerstand, und so standen sie, nur durch die Brustwehr getrennt und über sie hin wild aufeinander loshauend, wie zwei Bauern auf der Grenzscheide stehen und miteinander darum hadern. Rechts und links von den Türmen der Brustwehr rieselte das Blut hinab. Lange stand die Waage der Schlacht schwebend, bis endlich Zeus dem Hektor die Oberhand gab, dass er zuerst an das Tor der Mauer vordrang und die Genossen teils ihm folgten, teils zu seinen beiden Seiten über die Zinnen kletterten. Am verschlossenen Tore, dessen Doppelflügel zwei sich begegnende Riegel von innen zusammenhielten, stand ein dicker, oben zugespitzter Feldstein. Diesen riss Hektor mit übermenschlicher Gewalt aus dem Boden und zerschmetterte damit die Angeln und die Bohlen, dass die mächtigen Riegel nicht mehr standhielten, das Tor dumpf aufkrachte und der Stein schwer hineinfiel. Furchtbar anzuschauen wie die Wetternacht, im schrecklichen Glanze seiner Erzrüstung, mit funkelndem Auge, sprang Hektor, zwei blinkende Lanzen schüttelnd, in das Tor. Ihm nach strömten seine Streitgenossen durch die aufgerissene Pforte, andere hatten zu Hunderten die Mauer überklettert; Aufruhr tobte allenthalben im Vorlager, und die Griechen flüchteten zu den Schiffen.

Kampf um die Schiffe

Als Zeus die Trojaner so weit gebracht hatte, überließ er die Griechen ferner ihrem Elende, wandte, auf dem Gipfel des Ida sitzend, seine Augen von dem Schiffslager ab und schaute gleichgültig ins Land der Thrakier hinüber. Inzwischen blieb der Meergott Poseidon nicht untätig. Dieser saß auf einem der obersten Gipfel der waldigen Insel Samothrake, wo der Ida mit allen seinen Höhen samt Troja und den Schiffen der Danaer unter ihm lagen. Mit Gram sah er die Griechen vor Trojas Volk in den Staub sinken; er verließ das zackige Felsengebirge, und mit vier Götterschritten, unter denen Höhen und Wälder bebten, stand er am Meeresufer bei Ägä, wo ihm in den Tiefen der Flut ein von unvergänglichem Golde schimmernder Palast erbaut stand. Hier hüllte er sich in die goldne Rüstung, schirrte seine goldmähnigen Rosse ins Joch, ergriff die goldene Geißel, schwang sich in seinen Wagensitz und lenkte die Pferde über die Flut; die Meerungeheuer erkannten ihren Herrscher und hüpften aus den Klüften umher, die Woge trennte sich freudig, und ohne die eherne Wagenachse zu benutzen, kam Poseidon bei den Schiffen der Danaer, zwischen Tenedos und Imbros, in einer tiefen Grotte an, wo er die Rosse aus dem Geschirr spannte, ihnen die Füße mit goldenen Fesseln umschlang und Ambrosia zur Kost reichte. Er selbst eilte mitten ins Gewühl der Schlacht, wo sich die Trojaner wie ein Orkan um Hektor mit brausendem Geschrei drängten und jetzt eben die Schiffe der Griechen zu bemeistern hofften. Da gesellte sich Poseidon zu den Reihen der Griechen, dem Seher Kalchas an Wuchs und Stimme gleich. Zuerst rief er den beiden Ajax zu, die für sich selbst schon von Kampflust glühten: »Ihr Helden beide vermöchtet wohl das Volk der Griechen zu retten, wenn ihr eurer Stärke gedenken wolltet. An andern Orten ängstet mich der Kampf der Trojaner nicht, so herzhaft sich ihre Heeresmacht über die Mauer hereinstürzt; die vereinigten Argiver werden sie schon abzuwehren wissen. Hier nur, wo der rasende Hektor wie ein Feuerbrand vorherrscht, hier nur bin ich um unsre Rettung bange. Möchte doch ein Gott euch den Gedanken in die Seele geben, hierhin euren Widerstand zu kehren und auch andere dazu anzureizen.« Zu diesen Worten gab ihnen der Ländererschütterer einen Schlag mit einem Stabe, davon ihr Mut erhöht und ihre Glieder leicht geschaffen wurden; der Gott aber entschwang sich ihren Blicken wie ein Habicht, und Ajax, der Sohn des Oileus, erkannte ihn zuerst. »Ajax«, sprach er zu seinem Namensbruder, »es war nicht Kalchas, es war Poseidon, ich habe ihn von hinten an Gang und Schenkeln erkannt, denn die Götter sind leicht zu erkennen. Jetzt verlangt mich im innersten Herzen nach dem Entscheidungskampfe, Füße und Hände streben mir nach oben!« Ihm erwiderte der Telamonier: »Auch mir zücken die Hände ungestüm um den Speer, die Seele hebt sich mir, die Füße wollen fliegen, Sehnsucht ergreift mich, den Einzelkampf mit Hektor zu bestehen!«

Während die beiden Führer dies Gespräch wechselten, ermunterte Poseidon hinter ihnen die Helden, die vor Gram und Müdigkeit bei den Schiffen ausruhten, und schalt sie, bis alle Tapfern sich um die beiden Ajax scharten und gefasst den Hektor mit seinen Trojanern erwarteten. Lanze drängte sich an Lanze, Schild an Schild, Helm an Helm. Tartsche war an Tartsche gelehnt, Krieger an Krieger, die Helme berührten sich mit den

nickenden Büschen, so dicht stand die Heerschar; ihre Speere aber zitterten dem Feind entgegen. Doch auch die Trojaner drangen mit aller Kraft herein, Hektor voran, wie ein Felsstein, von der Krone des Bergs durch den herbstlichen Strom abgerissen, im Sprunge herniederstürzt, dass die Waldung zerschmettert zusammenkracht. »Haltet euch, Trojaner und Lykier«, rief er hinterwärts, »jene wohlgeordnete Heerschar wird nicht lange bestehen, sie werden vor meinem Speere weichen, so gewiss der Donnerer mich leitet!« So rief er, den Mut der Seinigen anspornend. In seiner Schar ging trotzig, doch mit leisem Schritt unter dem Schilde Deiphobos, das andere Heldenkind des Priamos, einher. Ihn wählte sich Meriones zum Ziele und schoss die Lanze nach ihm ab; aber Deiphobos hielt den mächtigen Schild weit vom Leibe vor, dass der Wurfspieß brach. Erbittert über den verfehlten Sieg, wandte sich Meriones zu den Schiffen hinab, sich einen mächtigeren Speer aus dem Zelte zu holen.
Die andern kämpften indessen fort, und der Schlachtruf brüllte. Teukros traf den Imbrios, den Sohn des Mentors, unter dem Ohre mit dem Speer, dass er wie eine Esche auf luftigem Gebirgsgipfel hintaumelte. Den Leichnam machte ihm Hektor streitig; doch traf er statt des Teukros nur den Amphimachos; als er diesem den Helm von den Schläfen ziehen wollte, traf ihn die Lanze des großen Ajax auf den Schildschnabel, dass er von dem Erschlagenen zurückprallte und Menestheus samt Stichios den Leichnam des Amphimachos, den Imbrios aber die beiden Ajax wie zwei Löwen die Ziege, die sie den Hunden abgejagt, hinab ins Heer der Griechen trugen.
Amphimachos war ein Enkel des Poseidon, und sein Fall empörte diesen. Er eilte zu den Zelten hinunter, die Griechen noch mehr zu entflammen. Da begegnete ihm Idomeneus, der einen verwundeten Freund zu den Ärzten geschafft hatte und jetzt seinen Speer im Zelte suchte. In den Thoas verwandelt, den Sohn des Andämon, näherte sich ihm der Gott und sprach mit tönender Stimme zu ihm: »Kreterkönig, wo sind eure Drohungen? Nimmer kehre der Mann von Troja heim, der an diesem Tage den Kampf freiwillig meidet; die Hunde sollen ihn zerfleischen!« – »So geschehe es, Thoas«, rief Idomeneus dem enteilenden Gotte nach, suchte sich zwei Lanzen aus dem Zelte hervor, hüllte sich in schönere Waffen und flog, herrlich wie der Blitz des Zeus, aus dem Zelte hervor. Da begegnete er dem Meriones, dessen Speer an Deiphobos' Schilde zer-

brochen war und der dahineilte, sich im fernen Zelt einen andern zu holen. »Tapferer Mann«, rief ihm Idomeneus zu, »ich sehe, in welcher Not du bist; in meinem Zelte lehnen wohl zwanzig erbeutete Speere an der Wand, hole dir den besten davon.« Und als Meriones sich eine stattliche Lanze erkoren hatte, eilten sie beide in die Schlacht zurück und gesellten sich zu den Freunden, die den eindringenden Hektor bekämpften. Obgleich Idomeneus schon halb ergraut war, ermunterte er die Griechen doch, sobald sie ihn in ihren Reihen wieder begrüßt hatten, wie ein Jüngling. Der Erste, dem er den Wurfspieß mitten in den Leib sandte, war Othryoneus, der als Freier der Kassandra, der Tochter des Königs Priamos, in den Reihen der Trojaner kämpfte. Frohlockend rief Idomeneus, während er den Gefallenen am Fuße aus dem Schlachtgewühl zog: »Hole dir jetzt die Tochter des Priamos, beglückter Sterblicher! Auch wir hätten dir die schönste Tochter des Atriden versprochen, wenn du uns hättest helfen wollen, Troja zu vertilgen! Folge mir nun zu den Schiffen, dort wollen wir uns über die Ehe verabreden, du sollst eine stattliche Mitgift erhalten!« Er spottete noch, als Asios mit seinem Gespanne, das der Wagenführer lenkte, herangeflogen kam, den Getöteten zu rächen. Schon holte er den Arm zum Wurfe aus: da traf ihn der Speer des Idomeneus unter dem Kinn in die Gurgel, dass das Erz aus dem Nacken hervorragte und er vor seinem Streitwagen der Länge nach darniederfiel. Der Wagenlenker erstarrte, als er dieses sah, er vermochte das Gespann nicht mehr rückwärts zu lenken, und ein Lanzenstoß von Antilochos, dem Sohne Nestors, warf auch ihn vom Wagen herab.

Nun aber kam Deiphobos auf Idomeneus heran, und entschlossen, den Fall seines Freundes Asios zu rächen, schleuderte er die Lanze gegen den Kreter. Dieser aber schmiegte sich so ganz unter den Schild, dass der Wurfspieß über ihn hinwegflog und den Schild nur klirrend streifte, dafür aber dem Fürsten Hypsenor in die Leber fuhr, der auch alsbald in die Knie sank. »So liegst du doch nicht ungerächt, lieber Freund Asios«, so frohlockte der Troer, »denn ich habe dir einen Begleiter gegeben, gleichviel welchen!« Der schwer aufstöhnende Hypsenor wurde indessen von zwei Genossen aus dem Getümmel getragen. Doch war Idomeneus dadurch nicht mutlos gemacht, er erschlug den Alkathoos, den edlen Eidam des Anchises, und rief jauchzend: »Ist unsere Rechnung billig, Deiphobos? Ich gebe dir drei für einen! Wohlan, erprobe du selbst auch, ob ich wirklich von Zeus' Geschlecht bin!« Es war aber Idomeneus ein Enkel des Königs Minos und ein Urenkel des Zeus. Deiphobos besann sich einen Augenblick, ob er den Zweikampf allein bestehen oder sich einen heldenmütigen Trojaner beigesellen sollte. Der letzte Gedanke schien ihm der beste; und bald führte er seinen Schwager Äneas dem Idomeneus entgegen. Dieser aber, als er die beiden gewaltigen Kämpfer auf sich zukommen sah, zagte nicht etwa vor Furcht wie ein Knabe, sondern erwartete sie, wie ein Gebirgseber die Hetzhunde. Doch rief auch er seine Genossen herbei, die er in der Nähe kämpfen sah, und sprach: »Heran, ihr Freunde, und helfet mir Einzelnem, denn mir graut vor Äneas, der ein Gewaltiger in der Feldschlacht ist und noch in üppiger Jugend strotzt!« Auf diesen Ruf versammelten sich um ihn, die Schilde an die Schultern gelehnt, Aphareus, Iskalaphos, Deipyros, Meriones, Antilochos. Indes rief auch Äneas seine Genossen Paris und Agenor herbei, und die Trojaner folgten ihnen nach wie Schafe dem Widder. Bald rasselte das Erz der Speere ans Erz, und aus dem Zweikampfe wurde ein vielfältiger Männerkampf. Äneas schoss zuerst seinen Speer auf Idomeneus ab; aber er fuhr an dem Helden vorüber in den Boden. Idomeneus dagegen traf den Unomaos mitten in den Leib, dass er stürzend und sterbend mit der Hand den Boden fasste; der Sieger hatte eben nur Zeit, den Speer aus dem Leichnam herauszuziehen, denn die Geschosse bedrängten ihn so, dass er sich zum Weichen entschließen musste. Aber seine greisen Füße trugen ihn nur langsam aus dem Treffen, und Deiphobos schickte ihm voll Groll die Lanze nach, die zwar ihn selbst verfehlte, aber den Askalaphos, den Sohn des Ares, dafür in den Staub warf. Der Kriegsgott, der durch den Ratschluss des Zeus mit andern Göttern in die goldenen Wolken des Olymp gebannt war, ahnte nicht, dass ihm ein Sohn gefallen sei. Diesem aber riss Deiphobos den blanken Helm vom Haupte: da fuhr ihm der Speer des Meriones in den Arm, dass der Helm auf den Boden rollte. Meriones sprang herzu, zog den Wurfspieß aus dem Arme des Verwundeten und flog ins Gedränge seiner Freunde zurück. Nun fasste Polites seinen verwundeten Bruder Deiphobos um den Leib und trug ihn aus der stürmenden Schlacht über den Graben hinüber zu den harrenden Wagen, auf dem der Blutende, matt vor Schmerz, alsbald nach der Stadt geführt wurde.

Die andern kämpften fort. Äneas durchstach den Aphareus; Antilochos den Thoon; der Trojaner Adamas verfehlte diesen und verblutete bald am Speere des Meriones. Dafür rollte Deipyros, der Grieche, von Helenos mit dem Schwert über die Schläfe getroffen, die Reihen der Danaer entlang. Schmerzergriffen zückte Menelaos seinen Speer gegen Helenos, der zu gleicher Zeit den Pfeil vom Bogen auf den Atriden abschnellte. Menelaos traf den Sohn des Priamos auf das Panzergewölbe, doch prallte der Wurfspieß ab; aber auch der Pfeil des Helenos war vergebens entflogen, und nun bohrte ihm Menelaos seine Lanze in die Hand, die den Bogen noch hielt, und Helenos schleppte den Speer, ins Gedränge seiner Freunde flüchtend, nach. Sein Kampfgenosse Agenor zog ihm die Waffe aus der Hand, nahm einem Begleiter die wollene Schleuder ab und verband damit die Wunde des Sehers.

Jetzt führte ein böses Geschick den Trojaner Pisander dem Helden Menelaos entgegen. Der Atride schoss fehl mit der Lanze, sein Gegner stieß kräftig den Speer dem Menelaos in den Schild; aber der Schaft zerbrach am Öhre. Nun holte Menelaos mit dem Schwert aus; Pisander hob die lange Streitaxt unter dem Schilde, und beide rannten aufeinander los, aber der Trojaner traf dem Gegner nur die Spitze des Helmbusches, indes dieser ihm den Knochen über der Nase zerspaltete, dass die Augen blutig ihm vor die Füße hinabrollten und er sich sterbend auf dem Boden wand. Menelaos stemmte ihm die Ferse auf die Brust und sprach frohlockend: »Ihr Hunde, die ihr mein junges Weib und Schätze genug freventlich von dannen geführt, nachdem sie euch freundlich bewirtet hatte; die ihr nun auch noch den Feuerbrand in unsere Schiffe werfen und alle Griechen ermorden möchtet; wird man euch endlich zur Ruhe bringen, ihr nimmersatten Fechter?« So sprach er und zog dem Leichnam die blutige Rüstung ab, die er den Freunden übergab. Dann drang er wieder in den Vorderkampf und fing die geschwungene Lanze des Harpalion mit dem Schilde auf; den, der sie abgeschossen, traf Meriones rechts in die Weiche, dass er sterbend von seinem Vater Pylämenes auf den Wagen gerettet werden musste. Das erbitterte den Paris, und er schoss dem Korinther Euchenor, der ihm eben in den Weg kam, den Pfeil durch Ohr und Backen, dass er entseelt zu Boden sank.

So kämpften sie dort; Hektor ahnte indessen nicht, dass zur Linken der Schiffe der Sieg sich auf die Seite der Griechen hinneigte, sondern wo er zuerst durchs Tor hineingesprungen und die Mauer am niedrigsten gebaut war, fuhr er fort, siegreich in die Schlachtreihen der Argiver einzubrechen. Vergebens wehrten ihn anfangs die Böotier, Thessalier, Lokrer, Athener ab: sie vermochten nicht, ihn hinwegzudrängen. Wie zwei Stiere am Pflug wandelten die beiden Ajax aneinander: vom Telamonier wichen die Seinigen nicht, lauter entschlossene Männer; aber die Lokrer, den stehenden Kampf nicht aushaltend, waren ihrem Ajax nicht auf den Fersen gefolgt, denn voll Zuversicht waren sie ohne Helme, Schilde und Lanzen, mit Bogen und wollenen Schleudern allein bewaffnet, gen Troja gezogen und hatten früher mit ihren Geschossen manche trojanische Schar gesprengt. Auch jetzt bedrängten sie die Troer, sich verbergend und von ferne her schießend, mit ihren Pfeilen und richteten selbst so keine geringe Verwirrung unter ihnen an.

Und wirklich wären die Trojaner jetzt, von Schiffen und Zelten zurückgetrieben, mit Schmach in ihre Stadt geworfen worden, hätte nicht Polydamas dem trotzigen Hektor so zugeredet: »Verschmähest du denn allen Rat, Freund, weil du im Kampf der Kühnere bist? Siehest du nicht, wie die Flamme des Krieges über dir zusammenschlägt, die Trojaner sich teils mit den erbeuteten Rüstungen aus dem Gefechte entfernen, teils, und dies die wenigeren, durch die Schiffe hin und her zerstreut kämpfen? Weiche darum, berufe einen Rat unserer Edeln und lass uns dann entscheiden, ob wir uns ins Labyrinth der Schiffe hineinstürzen oder unbeschädigt von dannen ziehen wollen; denn fürwahr, ich bin besorgt, die Griechen möchten uns die gestrige Schuld mit Wucher heimbezahlen, solange ihr unersättlichster Krieger noch bei den Schiffen auf uns harrt!« Hektor war es zufrieden und beauftragte seinen Freund, die Edelsten des Volkes zu versammeln. Er selbst eilte in die Schlacht zurück, und wo er einen der Führer traf, befahl er ihm, sich bei Polydamas einzufinden. Seine Brüder Deiphobos und Helenos, den Asios und seinen Sohn Adamas suchte er im Vorderkampfe und fand die Ersteren verwundet, die andern tot. Als er seinen Bruder Paris erblickte, rief er ihn zornig an: »Wo sind unsere Helden, du Weiberverführer? Bald ist es aus mit unserer Stadt, dann nahet auch dir das grause Verhängnis; jetzt aber komm in den Kampf, während die andern sich zum Rat versammeln!« – »Ich begleite dich mit freudiger Seele«, erwiderte Paris dem Bruder, ihn beschwichtigend, »du sollst meinen Mut nicht vermissen!« So eilten sie miteinander in das heftigste Gefecht, wo die tapfersten Trojaner wie ein Sturmwind im rollenden Wetter daherrauschten; und bald war Hektor wieder an ihrer Spitze. Doch erschreckte er die Griechen nicht mehr wie früher, und der mächtige Ajax rief ihn trotzig zum Kampfe heraus. Der Trojaner achtete sein Schelten nicht und stürmte vorwärts ins Getümmel der Schlacht.

Die Griechen von Poseidon gestärkt

Während so draußen das Treffen tobte, saß der greise Nestor geruhig in seinem Zelte beim Trunk, den verwundeten Helden und Arzt Machaon bewirtend. Als nun aber der Streitruf immer lauter hallte und näher in ihre Ohren drang, überantwortete er seinen Gast der Dienerin Hekamede, ihm ein warmes Bad zu bereiten, ergriff Schild und Lanze und trat hinaus vor das Zelt. Hier sah er die unerfreuliche Wendung, die der Kampf genommen hatte, und während er in Zweifel stand, ob er in die Schlacht eilen oder den Völkerfürsten Agamemnon aufsuchen sollte, mit ihm zu beraten, begegnete ihm, von den Schiffen am Meeresgestade zurückkommend, dieser selbst mit Odysseus und Diomedes, alle drei auf ihre Lanzen gestützt und an Wunden krank. Sie kamen auch nur, der Schlacht wieder zuzuschauen, ohne Hoffnung, selbst an dem Kampfe teilnehmen zu können. Sorgenvoll traten sie mit Nestor zusammen und berieten das Geschick der Ihrigen. Endlich sprach Agamemnon: »Freunde, ich hege keine Hoffnung mehr. Da der Graben, der uns so viele Mühe gekostet, da die Mauer, die unzerbrechlich schien, den Schiffen nicht zur Abwehr gereicht haben und der Kampf längst mitten unter diesen wütet, so gefällt es wohl Zeus, uns Griechen alle, wenn wir nicht freiwillig abziehen, ferne von Argos, hier in der Fremde ruhmlos dem Verderben preiszugeben. Lasst uns deswegen mit den Schiffen, die wir zunächst am Meeresgestade aufgestellt haben, auf der hohen See uns vor Anker legen und die Nacht dort erwarten. Wendet sich alsdann Trojas Volk zurück, so wollen wir auch die übrigen Schiffe in die Wogen ziehen und noch bei Nacht der Gefahr entrinnen.« Mit Unwillen hörte Odysseus diesen Vorschlag. »Atride«, sprach er, »du verdienst ein feigeres Kriegsvolk anzuführen als das unsrige. Mitten im Treffen ermahnest du, die Schiffe ins Meer hinabzuziehen, dass die armen Griechen in Angst umschauen, der Streitlust vergessen und verlassen auf der Schlachtbank zurückbleiben?« – »Ferne sei das von mir«, erwiderte Agamemnon, »dass ich, wider Willen der Argiver und ohne sie zu hören, solches tun wollte! Auch gebe ich meinen Rat gerne auf, wenn einer besseren vorzubringen weiß.« – »Der beste Rat ist«, rief der Tydide, »dass wir sogleich in die Schlacht zurückkehren, und wenn wir auch nicht selbst zu kämpfen vermögen, doch als ehrliche Volksführer die andern zur Tapferkeit ermahnen.«

Dieses Wort hörte mit Wohlgefallen der Beschirmer der Griechen, der Meergott, der schon lange das Gespräch der Helden belauscht hatte. Er trat in Gestalt eines greisen Kriegers zu ihnen, drückte dem Agamemnon die Hand und sprach: »Schande dem Achilleus, der sich jetzt der Griechenflucht erfreuet! Aber seid getrost; noch hassen euch die Götter nicht so, dass ihr nicht bald den Staub von der Trojanerflucht aufwirbeln sehen solltet!« So sprach der Gott und stürmte von ihnen weg durchs Gefilde, indem er seinen Schlachtruf in das Heer der Griechen hineinschallen ließ, der wie zehntausend Männerstimmen brüllte und jedes Helden Herz mit Mut durchdrang.

Auch die Himmelskönigin Hera, die vom Olymp herab den Kampf überschaute, blieb jetzt nicht untätig, als sie Poseidon, ihren Bruder und Schwager, zu Gunsten ihrer Freunde sich in die Schlacht mischen sah. Und wie sie ihren Gemahl Zeus so feindselig auf dem Gipfel des Ida sitzend erblickte, zürnte sie ihm in der tiefsten Seele und sann hin und her, wie sie ihn täuschen und von der Sorge für den Kampf abziehen möchte. Ein glücklicher Gedanke stieg ihr plötzlich im Herzen auf. Sie eilte in das verborgenste Gemach, das ihr Sohn Hephästos im Götterpalast kunstreich für sie gezimmert und dessen Pforte er mit unlösbaren Riegeln befestigt hatte. Dieses betrat sie und schloss die Türflügel hinter sich. Hier badete und salbte sie mit ambrosischem Öl ihre schöne Gestalt, flocht ihr Haupthaar in glänzende Locken um den unsterblichen Scheitel, hüllte sich in das köstliche Gewand, das ihr Athene zart und künstlich gewirkt hatte, heftete es über der Brust mit goldenen Spangen fest, umschlang sich mit dem schimmernden Gürtel, fügte sich die funkelnden Juwelengehänge in die Ohren, umhüllte das Haupt mit einem durchsichtigen Schleier und band sich zierliche Sohlen unter ihre glänzenden Füße. So von Anmut leuchtend verließ sie das Gemach und suchte Aphrodite, die Liebesgöttin, auf. »Grolle mir nicht, Töchterchen«, sprach sie liebkosend, »weil ich die Griechen und du die Trojaner beschützest, und versage mir nicht, um was mein Herz dich bittet. Leihe mir den Zaubergürtel der Liebe, der Menschen und Götter bezähmt, denn ich will an die Grenze der Erde gehen, den Okeanos und die Tethys, meine Pflegeeltern, aufzusuchen, die in Zwistigkeiten leben. Ich möchte ihr Herz durch freundliche Worte zur Versöhnung bewegen, und dazu brauche ich deinen Gürtel.« Aphrodite, die den Trug nicht durchschaute, erwiderte arglos: »Mutter, du bist die Gemahlin des Götterkönigs, nicht recht wäre es, dir eine solche Bitte zu verweigern.« Damit löste sie sich den wunderköstlichen buntgestickten Gürtel, in dem alle Zauberreize vereinigt waren. »Birg ihn«, sprach sie, »immerhin in dem Busen, gewiss kehrst du nicht ohne Erfolg von dannen.«

Weiter ging nun die Götterkönigin nach dem fernen Thrakien in die Behausung des Schlafes und beschwor diesen, in der folgenden Nacht dem Göttervater die leuchtenden Augen unter seinen Wimpern tief einzuschläfern. Aber der Schlaf erschrak. Er hatte schon einmal auf Heras Befehl den Sinn des Gottes betäubt, als Herakles von dem verwüsteten Troja heimfuhr und Hera, seine Feindin, ihn auf die Insel Kos verschlagen wollte. Damals hatte Zeus, als er erwachend den Betrug innewurde, die Götter im Saale herumgeschleudert, und den Schlaf selbst hätte er vertilgt, wenn er nicht in die Arme der Nacht geflüchtet wäre, die Götter und Menschen bändigt. Daran erinnerte jetzt der Schlafgott erschrocken die Gemahlin des Zeus, doch diese beruhigte ihn und sprach: »Was denkst du, Schlaf! Meinst du, Zeus verteidige die Trojaner so eifrig, als er seinen Sohn Herakles liebte? Sei klug und willfahre mir: tust du es, so will ich dir die jüngste und schönste der Grazien zur Gemahlin geben.« Der Gott des Schlummers ließ sie mit einem Schwure beim Styx dies Versprechen bekräftigen, und dann versprach er, ihr zu gehorchen.

Nun bestieg Hera im Glanze ihrer Schönheit den Gipfel des Ida, und Inbrunst erfüllte das Herz ihres Gemahls, als er sie erblickte, so dass er auf der Stelle des Trojanerkampfes vergaß. »Wie kommst du hierher vom Olympus«, sprach er, »wo hast du Rosse und Wagen gelassen, liebes Weib?« Mit listigem Sinn erwiderte ihm Hera: »Väterchen, ich will ans Ende der Erde gehen, den Okeanos und die Tethys, meine Pflegeeltern, versöhnen.« – »Hegst du denn ewige Feindschaft gegen mich?«, antwortete Zeus. »Diese Ausfahrt kannst du auch später betreiben. Lass uns hier sanft gelagert und einmütig an dem Kampfe der Völker uns ergötzen.« Als Hera dies Wort hörte, erschrak sie, denn sie sah, dass selbst ihre Schönheit und der Zaubergürtel Aphroditens dem Gemahl die Sorge für den Kampf und den Groll gegen die Griechen nicht ganz aus dem Herzen zu scheuchen vermochten. Doch verhehlte sie ihren Schrecken, umschlang ihn freundlich und sprach, seine Wange streichelnd: »Väterchen, ich will ja deinen Willen tun.« Zugleich aber winkte sie dem Schlaf, der ihr unsichtbar gefolgt war und, ihres Befehls gewärtig, hinter des Gottes Rücken stand. Dieser senkte sich auf seine Augenlider, dass er, ohne zu antworten, sein nickendes Haupt in den Schoß der Gemahlin legte und in tiefen Schlummer versank. Eilig schickte jetzt die Himmlische den Gott des Schlafs als Boten nach den Schiffen zu Poseidon und ließ dem Bruder sagen: »Jetzt lass dir's ernst sein und verleih den Griechen Ruhm, denn Zeus liegt auf dem Gipfel des Ida durch meine Betörung in tiefen Schlaf gesunken.«

Schnell stürzte sich Poseidon jetzt ins vorderste Getümmel und rief in eines Helden Gestalt dem Danaervolke zu: »Wollen wir dem Hektor auch jetzt noch den Sieg lassen, ihr Männer, dass er die Schiffe erobere und Ruhm einernte? Zwar weiß ich, er verlässt sich auf den Zorn des Achilleus, aber es wäre eine Schmach für uns, wenn wir ohne diesen nicht zu siegen vermöchten! Ergreift eure gewaltigsten Schilde, hüllt euch in die strahlendsten Helme, schwinget die mächtigsten Lanzen, wir wollen gehen und ich selbst voraus vor euch allen; wir wollen sehen, ob Hektor vor uns besteht!« Die Griechen gehorchten der gewaltigen Stimme des mächtigen Streiters, die verwundeten Fürsten selbst ordneten die Schlacht, vertauschten den Männern die Waffen, gaben den Starken starke, den Schwächeren schwache. Dann drang alles vor; der Erderschütterer selbst, ein entsetzliches Schwert wie einen flammenden Blitz in der Rechten schwingend, war ihr Führer. Ihm wich alles aus, und niemand wagte, ihm im Kampfe zu begegnen. Zugleich empörte er das Meer, dass es wogend an die Schiffe und Zelte der Danaer anschlug.

Doch ließ sich Hektor durch dieses alles nicht schrecken. Er stürzte mit seinen Trojanern in die Schlacht, wie ein Waldbrand mit sausenden Flammen durch ein gekrümmtes Bergtal prasselt, und ein erneuter Kampf entspann sich zwischen beiden Heeren. Zuerst zielte Hektor auf

den großen Ajax mit der Lanze und traf gut; aber Schild- und Schwertriemen, die sich ihm über dem Busen kreuzten, beschirmten den Leib, und Hektor, des Speeres verlustig, wich unwillig in die Reihen der Seinigen zurück. Ajax schickte dem Weichenden einen Stein nach, dass er in den Staub stürzte, Lanze, Schild und Helm ihm entflogen und das Erz der Rüstung klirrte. Die Griechen jauchzten, ein Hagel von Speeren folgte, und sie hofften den Liegenden wegzuziehen. Aber die ersten Helden der Trojaner versäumten ihn nicht: Äneas, Polydamas, der edle Agenor, der Lykier Sarpedon und sein Genosse Glaukos, alle hielten die Schilde zur Abwehr vor, erhoben den Betäubten und brachten ihn ungefährdet auf den Streitwagen, der ihn zur Stadt zurückführte.
Als sie den Hektor fliehen sahen, rannten die Griechen noch viel heftiger auf den Feind ein. Um Ajax erhub sich ein Getümmel, denn nach allen Seiten hin trafen sein Wurfspieß und seine Lanze. Doch schmerzte auch die Griechen hier und dort ein in ihrer Mitte fallender Held. Den Sturz des Danaers Prothoenor, den Polydamas erlegt hatte, musste dem Ajax der Sohn des Antenor, Archilochos, büßen; den Böotier Promachos, den der Bruder des Archilochos, Akamas, mit dem Speere niedergestochen, rächte der Grieche Penelaos am Ilioneus; Ajax stieß den Hyrtios nieder; Antilochos den Mermeros und Phalkes; Meriones den Hippotion und Morys; Teukros' Pfeil brachte den Prothoon und Periphetes zu Falle; Agamemnon durchstach dem Hyperenor die Weiche, am allermeisten aber wütete unter den Trojanern, die schon draußen vor der Mauer über den Graben und durch die Pfähle zu fliehen begannen, der kleine Ajax, der hurtige Lokrer, dessen Augenblick jetzt gekommen war.

Hektor von Apollon gekräftigt

Erst bei ihren Wagen machten die Trojaner wieder Halt, erschrocken und bleich vor Angst. Jetzt aber erwachte Zeus auf dem Gipfel des Ida und erhob sein Haupt aus Heras Schoße. Schnell sprang er empor und überschaute mit einem Blicke Griechen und Trojaner, diese in die Flucht getrieben, jene stürmisch verfolgend; mitten in ihren Reihen seinen Bruder Poseidon; er sah Hektor auf dem Wege zur Stadt mitten im Felde, aus dem Wagen gehoben, am Boden liegen, die Genossen um ihn her:

schwer atmete der Bewusstlose und spie Blut; denn kein Schwächerer hatte ihn getroffen. Voll Mitleid ruhte der Blick des Vaters der Götter und Menschen auf ihm, dann wandte er sich drohend zu Hera, sein Angesicht verfinsterte sich, und er sprach: »Arglistige Betrügerin, was hast du getan? Fürchtest du nicht, die erste Frucht deines Frevels selbst zu genießen? Denkst du nicht mehr daran, wie du, an die Füße zwei Ambosse gehängt, die Hände mit goldener Fessel geschürzt, zur Strafe in der Luft schwebtest und kein Olympischer dir zu nahen wagte, ohne von mir auf die Erde geschleudert zu werden, damals als du die Götter des Orkus gegen meinen Sohn Herakles aufgewiegelt? Verlangt dich darnach zum zweiten Male?«

Hera stutzte eine Weile schweigend, dann sprach sie: »Himmel und Erde und die Flut des Styx sollen meine Zeugen sein, dass nicht mein Geheiß den Erderschütterer gegen die Trojaner aufgehetzt hat, ihn wird die eigene Regung getrieben haben. Ja, eher möchte ich ihm selbst freundlich zureden, dass er deinem Befehle, du wolkig Blickender, sich füge.« Zeus' Stirne wurde heiterer, denn noch immer wirkte der Gürtel Aphrodites, den Hera bei sich trug. Endlich sprach er besänftigt: »Hegtest du im Rate der Unsterblichen gleiche Gesinnung mit mir, Gemahlin, so würde freilich Poseidon seinen Sinn bald nach unser beider Herzen umlenken. Wenn es dir aber ernst ist, so geh und rufe mir Iris und Apollon herbei, dass jene meinem Bruder befehle, aus dem Kampfe zum Palaste heimzukehren, und Phöbos Apollon den Hektor heile, zur Schlacht aufmuntere und mit neuer Kraft beseele!« Mit erschrockenem Antlitze gehorchte Hera, schritt von den Höhen des Ida und trat in den olympischen Saal ein, wo die Unsterblichen zechten. Diese sprangen ehrerbietig von den Sitzen empor und streckten ihr die Becher entgegen. Sie aber ergriff den Becher der Themis, schlürfte vom Nektar und meldete Zeus' Machtgebot. Windschnell fuhr Iris hinab auf das Schlachtfeld. Als Poseidon den Befehl seines Bruders aus ihrem Munde vernahm, sprach er zuerst unmutsvoll: »Traun, das ist nicht brüderlich gesprochen! Auch soll er nicht mit Gewalt meinen Willen hemmen, denn ich bin, was er ist, hat gleich das Los um die Herrschaft mir nur das graue Meer zugeteilt, dem Hades die Hölle und ihm den Himmel. Die Erde wie der Olymp ist uns allen gemein!« – »Soll ich diese trotzige Rede, so wie du sie gesprochen, dem Göttervater überbringen?«, fragte Iris zögernd. Da besann

sich der Gott, und das Heer der Danaer verlassend, rief er: »Nun wohl, ich gehe! Das aber wisse Zeus: trennt er sich von mir und den andern olympischen Freunden der Griechen und beschließt Trojas Vertilgung nicht, so entflammt uns unheilbarer Zorn!« So sprach er, in die Fluten tauchend; und augenblicks vermissten die Danaer seine Gegenwart.
Seinen Sohn Phöbos Apollon sandte dagegen Zeus zu Hektor vom Olymp hinab. Dieser fand ihn nicht mehr liegend auf dem Boden, sondern schon wieder aufgerichtet und von Zeus gestärkt. Der Angstschweiß hatte nachgelassen, der Atem war leichter, ihn erfrischte wiederkehrendes Leben. Als Apollon sich ihm mitleidig näherte, blickte er traurig auf und sprach: »Wer bist du, Bester der Himmlischen, der nach mir fragt? Hast du es schon gehört, dass der gewaltige Ajax mich bei den Schiffen mit einem Stein an die Brust getroffen und mitten im Siege gehemmt hat? Glaubte ich doch noch an diesem Tage den schwarzen Hades schauen zu müssen!« – »Sei getrost«, antwortete ihm Apollon, »siehe, mich selbst, seinen Sohn Phöbos, sendet dir Zeus, dich ferner, wie ich wohl auch von selbst früher getan habe, von nun an auf sein Geheiß zu schirmen, und ich werde das goldene Schwert, das du in meinen Händen siehest, für dich schwingen. Besteige deinen Wagen wieder, ich selbst eile voran, ebne euren Rossen den Weg und helfe dir die Griechen in die Flucht jagen!«
Kaum hatte Hektor die Stimme des Gottes vernommen, so sprang er, wie ein mutiges Ross das Halfter an der Krippe zerreißt, vom Boden auf und schwang sich in seinen Wagen. Die Griechen aber, als sie den Helden herbeifliegen sahen, standen starr und ließen plötzlich von der Verfolgung ab, wie Jäger und Hunde, die einem Hirsch ins Waldesdickicht nachfolgen, vor einem zottigen Löwen erschrecken, der ihnen plötzlich drohend in den Weg kommt. Der Erste, der Hektors ansichtig geworden, war der Ätolier Thoas, ein beredter Mann, der sogleich die Fürsten der Griechen, in deren Mitte er kämpfte, aufmerksam machte und ausrief: »Wehe mir, welch Wunder erblicke ich mit meinen Augen dort! Hektor, den wir alle unter dem Steinwurfe des Telamoniers stürzen sahen, kommt aufrecht auf dem Wagen heran, freudigen Mutes dem Vorkampf zueilend; gewiss, ihm steht Zeus, der Donnerer, zur Seite! So gehorchet denn meinem Rate: heißt die Masse des Heeres sich auf die Schiffe zurückziehen; wir aber, die Tapfersten im Heere, wollen ihm mit

Abwehr begegnen; und unsere Schar zu durchbrechen wird er sich scheuen, wenn er auch noch so mörderisch herantobt.«
Die Helden gehorchten dem vernünftigen Rat; sie beriefen die edelsten Fürsten und Kämpfer, und diese reihten sich schnell um die beiden Ajax, um Idomeneus, Meriones und Teukros her; hinter ihnen aber zog sich alles Volk auf die Schiffe zurück. Die Trojaner ihrerseits drangen mit Heereskraft vor; sie führte Hektor, hoch auf seinem Streitwagen stehend; diesen lenkte, in Gewölk eingehüllt, Apollon, der Gott, den grauenvollen Agisschild in der Hand. Die griechischen Helden harrten der Feinde in gedrängtem Häuflein; lautes Geschrei stieg aus beiden Heeren: bald sprangen die Pfeile und sausten die Speere; aber die Geschosse der Trojaner hafteten alle in Feindesleibern, weil Phöbos Apollon mit ihnen war, und sobald dieser die grässliche Ägide gegen das Antlitz der Danaer schüttelte, laut und fürchterlich aus seiner dunklen Wolke dazu aufschreiend, bebte den Griechen das Herz im Busen, und sie vergaßen der Abwehr. So erschlug denn Hektor zuerst den Führer der Böotier, Stichios, dann Arkesilaos, den edlen Genossen des Menestheus; Äneas raubte dem Athener Jasos und dem Medon, dem Halbbruder des lokrischen Ajax, Leben und Waffen; vor Polydamas sank Mekisteus, vor Polites Echios, und Klonios vor Agenor: den Dëiochos aber, der aus dem Vorderkampfe floh, schoß Paris durch den Rücken, dass die Lanzenspitze zur Brust herausdrang. Während die Trojaner diese alle der Rüstungen entblößten, flohen die Griechen in Verwirrung, dem Graben und den Pfählen zustürmend, bebten da- und dorthin, und manche retteten sich in der Not auch schon über die Mauer. Hektor rief unter seine Trojaner hinein, dass es hallte: »Lasst die Leichname in ihren blutigen Rüstungen liegen und sprengt geradenwegs auf die Schiffe zu! Wen ich nicht auf dem Wege dorthin treffe, der ist des Todes!« So schrie er, geißelte seine Rosse über die Schultern und lenkte dem Graben zu, und ihm folgten alle Helden Trojas mit ihren Streitwagen. Apollon stampfte mit seinen Götterfüßen die emporragenden Ränder des Grabens in der Mitte hinab und schuf ihnen so die Brücke eines Pfades, so lang und breit, als der Schwung eines Wurfspießes reicht. Auf diesem Wege überschritt der Gott selbst zuerst den Graben, und mit einem Stoße seiner Ägide warf er die Mauer der Griechen über den Haufen, wie ein am Meeresufer spielendes Kind den Sandhaufen, den es aufgebaut hat, auseinander

stört. Die Griechen waren jetzt wieder in den Schiffsgassen zusammengedrängt und hoben ihre Hände flehend zu den Göttern empor. Auf Nestors Gebet aber donnerte Zeus mit gnädigem Halle. Die Trojaner deuteten das Zeichen vom Himmel zu ihren eigenen Gunsten, stürzten sich mit Wutausruf durch die Mauerbrücke mit Ross, Wagen und Mann und kämpften von ihren Streitwagen herab, während die Griechen sich auf die Verdecke ihrer Schiffe flüchteten und von ihren Borden herab sich wehrten.

Während Griechen und Trojaner noch um den Wall kämpften, saß Patroklos immer noch in dem schönen Zelt des Helden Eurypylos und pflegte dessen Wunde, lindernde Säfte darein träufelnd. Als er aber hörte, wie die Trojaner mit Macht an die Mauer rannten und das Getümmel und Angstgeschrei der flüchtenden Danaer vor seine Ohren kam, schlug er sich die Hüfte mit der flachen Hand und rief laut aufjammernd: »Nein, Eurypylos, so gerne ich dich noch weiter pflegen möchte, länger darf ich nicht bei dir verweilen, denn draußen wird es zu laut! So behilf dich denn mit deinem Waffengenossen. Ich selbst aber eile zu meinem Freunde, dem Peliden, und versuche es, ob ich mit Hilfe der Götter und mit meinem Zuspruch ihn nicht zu bewegen vermag, an der Feldschlacht endlich wieder Anteil zu nehmen!« Kaum hatte er das Wort geendet, als seine behänden Füße ihn auch schon aus dem Zelte trugen.

Inzwischen tobte der Kampf bei den Schiffen, ohne dass der Vorteil sich auf eine Seite geneigt hätte. Um eines der Schiffe stritten sich Hektor und Ajax; aber jener vermochte diesen nicht vom Borde zu vertreiben und den Feuerbrand in das Fahrzeug zu werfen; dieser nicht, jenen zu verdrängen. Der Speer des Telamoniers streckte Kaletor, den Verwandten Hektors, an dessen Seite nieder; die Lanze Hektors traf Lykophron, den Streitgenossen des Ajax. Auf seinen Fall eilte Teukros dem Bruder zu Hilfe und schoss dem Wagenlenker des Polydamas, Klitos, einen Pfeil in den Nacken. Polydamas, der zu Fuße focht, hemmte die leer davoneilenden Rosse. Ein zweiter Pfeil des Teukros flog auf Hektor, aber Zeus ließ die Sehne zerreißen und das Geschoss seitwärts abirren; der Bogenschütze empfand schmerzlich die feindselige Gewalt des Gottes. Ajax ermahnte den Bruder, Bogen und Pfeil zu lassen und zu Schild und Speer zu greifen; dies tat der Held und bedeckte sich mit einem stattlichen Helme. Hektor dagegen rief seinen Kämpfern zu: »Mutig fortgestritten, ihr Männer! Eben sah ich, wie der Donnerer der tapfersten Griechen einem das Geschoss zerbrochen hat! Darum auf mit Heereskraft zum Schiffskampfe. Mit uns sind die Götter!« – »Schande über euch, Argiver«, rief auf der andern Seite Ajax, »nun gilt's zu sterben oder den Schiffen Rettung zu schaffen! Wenn der gewaltige Hektor diese mit Feuer zerstört, gedenket ihr zu Fuß über die Meerflut heimzukehren? Oder meint ihr, Hektor lade euch zum Reigentanze und nicht zum Kampfe? Viel besser ist's, die Wahl über Tod oder Leben zu beschleunigen, als in schmählicher Unentschiedenheit hinzuschmachten, von schlechteren Männern, die hinter dem Schirme der Götter fechten, vertilgt!« So rief Ajax und streckte einen Trojanerhelden nieder, aber für jeden Fallenden vergalt ihm Hektor mit dem Fall eines andern. Endlich entspann sich ein mörderischer Kampf um die Leiche und Rüstung des Dolops, den Menelaos gefällt hatte. Hektor bot alle Brüder und Verwandte auf; Ajax und seine Freunde dagegen umzäunten die Schiffe mit einem Gehege von Schilden und Lanzen. Da munterte Menelaos den schmucken Sohn des Nestor, Antilochos, auf und rief ihm zu: »Es ist doch keiner jünger und schneller im ganzen Heer als du und auch nicht tapferer, o Jüngling! Es wäre schön, wenn du hervorsprängest und einen der Trojaner erlegtest!« So reizte er den Antilochos, der sofort aus dem Gewühle herauseilte, sich umschaute und den blinkenden Wurfspeer absandte. Als er zielte, flogen die Trojaner auseinander, dennoch traf sein Geschoss den Melanippos, den Sohn Hiketaons, unter der Brustwarze, dass er zusammenstürzte und die Waffen um ihn prasselten. Herzu sprang Antilochos wie der Hund auf das Hirschkalb, das der Jäger auf der Lauer durchschossen; als ihm aber Hektor entgegenlief, entfloh er wie ein Wild, das Hund oder Hirten der Herde zerrissen und, seiner bösen Tat sich bewusst, davonflieht, wenn es eine Männerschar herannahen sieht. Die Geschosse der Trojaner folgten ihm, und Antilochos wandte sich erst wieder um, als er bei den Seinigen in Sicherheit war.

Nun stürzte Trojas Volk wie eine Schar blutgieriger Löwen unter die Schiffe: Zeus schien entschlossen, den unbarmherzigen Wunsch der gleich ihrem Sohne Achilleus zürnenden Thetis ganz zu gewähren. Doch wartete er nur darauf, bis er die aufsteigende Lohe eines einzigen in Flammen gesetzten Schiffes erblickte, um alsdann wieder Flucht und

Verfolgung über die Trojaner zu verhängen und den Griechen aufs Neue Siegesruhm zu gewähren. Hektor wütete unterdessen voll Grimm: der Schaum stand ihm um die Lippen, die Augen funkelten ihm unter den düsteren Brauen, und fürchterlich wehte der Busch von seinem Helme. Weil ihm nur noch wenige Lebenstage gewährt waren, so rüstete ihn Zeus vor allen Männern noch einmal mit Kraft und Herrlichkeit aus: denn schon lenkte ihm Pallas Athene das grause Todesverhängnis entgegen. Jetzt aber durchbrach er die Reihen der Feinde, wo er die dichtesten Haufen und die besten Rüstungen sah. Doch versuchte er lang umsonst einzubrechen; die dicht geschlossene Schar der Danaer stand wie ein getürmter Meerfels, an dem die Brandung umsonst in die Höhe schäumt; dennoch warf er sich auf die Heerscharen, wie im Sturm eine Woge sich in ein Schiff hineinstürzt, dass endlich ein Grauen sich der Griechen bemächtigte und sie miteinander die Flucht ergriffen. Einem jedoch, der, als er zur Flucht sich umdrehte, unten am Schilde sich stieß und rückwärts fiel – es war der Sohn des berüchtigten Kopreus, Periphetes aus Mykene, ein besserer Mann als sein hässlicher Vater –, bohrte, dicht bei seinen fliehenden Genossen, Hektor die Lanze in die Brust.

Schon wichen die Griechen von den vorderen Schiffen zurück, doch zerstreuten sie sich nicht durch die Gassen des Lagers, sondern Scham und zugleich Furcht hielt sie bei den Zelten in Scharen aufgestellt zusammen, und sie ermahnten einander gegenseitig, vor allen der greise Nestor, der mit seinem Schlachtruf die Herzen der Männer ermutigte. Ajax, der Telamonier, aber umwandelte die Schiffsverdecke, ein zweiundzwanzig Ellen langes Ruder, mit Eisenringen gefügt, in seiner Rechten, und wie ein geschickter Rossespringer von einem Pferde aufs andere zum Staunen der Zuschauer hüpft, so sprang er von einem Schiffsgetäfel aufs andere und schrie mit schrecklicher Stimme zu den Griechen hinab. Aber auch Hektor weilte nicht untätig im Haufen der Seinigen, sondern wie ein funkelnder Adler auf die Scharen von Kranichen oder Schwänen stürzt, die sich am Ufer eines Stromes gelagert haben, so drang er geradenwegs auf eines der Meerschiffe stürmend los, Zeus selbst gab ihm im Rücken einen Stoß, dass er voranflog und seine ganze Schar ihm nachstürmte.

Da erhob sich von neuem um die Schiffe ein erbitterter Kampf: die Griechen wollten lieber sterben als entfliehen, von den Trojanern hoffte ein jeder, den ersten Fackelbrand in die Schiffe zu schleudern. Und nun fasste Hektor das Steuerende des schönen Schiffes, das den Protesilaos gen Troja geführt hatte, aber nicht wieder heimbringen sollte, weil er der Erste war, der nach der Landung im Gefechte gegen die Trojaner gefallen war. Um dieses Schiff kämpften und mordeten jetzt Danaer und Troer; da war keine Rede mehr von Bogenschuss oder auch nur von Speerwurf: zusammengedrängt schwangen alle nur scharfe Beile, Äxte und Schwerter gegeneinander und führten Lanzen zum Stich. Manches gute Schwert stürzte dort aus der Hand in den Staub oder von den Schultern der Streitenden herab, und der Boden schwamm in Blut. Hektor aber, nachdem er einmal das Schiff gefasst, umklammerte es fest und rief: »Jetzt Feuer her und den Schlachtruf erhoben! Jetzt schickt uns Zeus den Tag, der uns für alle andern schadlos hält! Jetzt die Schiffe erobert, welche uns so viel Jammer gebracht haben; jetzt wird kein Ältester uns hindern, den Sieg zu benützen, Zeus selbst ermahnt und befiehlt uns jetzt!«

Auch Ajax vermochte Hektors Andrang nun nicht mehr zu widerstehen, die Geschosse bedrängten ihn zu sehr; er wich ein wenig vom Verdeck des Schiffs und schwang sich auf die Bank des Steuermanns. Aber auch von hier aus spähte er umher, wo abzuwehren sei, und richtete seine Lanze gegen die mit Feuerbränden eindringenden Trojaner; zugleich donnerte er seine Volksgenossen an: »Freunde, jetzt seid Männer! Oder wähnet ihr, hinter den Schiffen stehen euch noch andere Helfer, noch ein stärkerer Wall, der euch schirmen könnte? Ihr habt keine Stadt, hinter deren Mauern ihr euch flüchten könnt, wie die Trojaner; auf Feindesboden, fern von dem Lande der Väter, an den Meeresrand sind wir hingedrängt! Unser ganzes Heil beruht nur auf unserem Arme!« So rief er und empfing jeden Feind, der mit einer Fackel sich dem Schiffe näherte, mit einem Lanzenstich, dass bald zwölf Leichen vor ihm den Boden deckten.

Tod des Patroklos

Indes um das Schiff, auf welchem Ajax stand, auf Tod und Leben gekämpft wurde, war Patroklos, als er das Zelt des wunden Eurypylos verlassen, zu seinem Freund Achilleus geeilt, und als er in dessen Lagerhütte eintrat, stürzten ihm die Tränen aus den Augen wie eine finstere Quelle, die ihr dunkles Wasser aus steilen Klippen gießt. Mitleidig sah ihn der Pelide an und sprach zu ihm: »Du weinst ja wie ein kleines Mädchen, Freund Patroklos, das der Mutter nachläuft und ›nimm mich mit‹ schreit und sich so lang an ihr Kleid anklammert, bis die Mutter es aufhebt! Bringst du meinen Myrmidonen, mir oder dir selbst schlimme Botschaft aus Phthia? Ich weiß doch, dein Vater Menötios lebt, mein Vater Peleus lebt! Oder beklagst du vielleicht das Volk von Argos, dass es so jämmerlich zu Grunde geht zum Lohn seines eignen Frevels? Rede nur immer ehrlich heraus und lass mich alles wissen!«
Schwer seufzte bei dieser Frage Patroklos auf und sprach endlich: »Zürne mir nicht, erhabenster Held! Allerdings lastet der Gram der Griechen schwer auf meiner Seele! Alle Tapfersten liegen von Wurf oder Stoß getroffen bei den Schiffen umher; wund ist Diomedes; lanzenwund Odysseus und Agamemnon; den Eurypylos traf ein Pfeil in den Schenkel; sie sind alle den Ärzten zur Heilung übergeben, statt dass sie in unsern Reihen kämpfen sollten. Du aber bleibst unerbittlich; nicht Peleus und Thetis, der Mensch und die Göttin, können deine Eltern sein; dich muss das finstere Meer oder ein starrer Fels geboren haben, so unfreundlich ist dein Herz! Nun denn, wenn die Worte deiner Mutter und ein Bescheid der Götter dich zurückhalten: so sende wenigstens mich und deine Krieger ab, ob wir den Griechen nicht vielleicht Trost bringen. Lass mich deine eigene Rüstung anlegen: leicht mag es sein, wenn die Trojaner mich sehen und dich zu erblicken glauben, dass sie vom Kampf abstehen und den Danaern Zeit lassen, sich zu erholen!«
Aber Achilleus erwiderte unmutig: »Wehe mir, Freund! Nicht das Wort meiner Mutter, auch kein Götterausspruch hindert mich; nur der bittere Schmerz, dass ein Grieche es gewagt hat, mich, den Ebenbürtigen, des Ehrengeschenks zu berauben, frisst mir an der Seele. Dennoch habe ich mir nicht vorgesetzt, ewig zu grollen, und war von jeher entschlossen, wenn das Schlachtgetümmel bis zu den Schiffen gelangen sollte, meinem

Groll Abschied zu sagen. Selber Anteil am Kampf zu nehmen kann ich mich zwar noch nicht entschließen; du aber hülle immerhin deine Schultern in meine Rüstung und führe auch unser streitbares Volk zum Kampf. Stürze mit aller Macht auf die Trojaner und treibe sie aus den Schiffen fort. Nur an einen lege die Hände nicht, und dies ist Hektor; auch hüte dich, dass du nicht einem Gott in die Hände fallest: denn Apollon liebt unsere Feinde! Wenn du die Schiffe gerettet hast, kehre wieder um. Die andern mögen sich dann auf dem offenen Felde gegenseitig morden; denn eigentlich wäre es doch am besten, wenn gar kein Danaer davonkäme und wir zwei allein der Vertilgung entgingen und Trojas Mauern niederreißen könnten!«

Bei den Schiffen atmete inzwischen Ajax immer schwerer: sein Helm rasselte von feindlichen Geschossen, die Schulter, vom aufliegenden Schilde beschwert, fing an, ihm zu erstarren: der Angstschweiß floss ihm von den Gliedern herab, und keine Erholung durfte er sich gönnen. Als nun vollends Hektors Schwert ihm die Lanze dicht am Öhre durchschmetterte, dass der verstümmelte Teil in seiner Hand blieb und die eherne Spitze klirrend auf den Boden fiel, da erkannte Ajax, dass die Gewalt eines Gottes den Griechen entgegen sei, und entwich dem Geschoss. Und nun warf Hektor mit den Seinigen einen mächtigen Feuerbrand in das Schiff, und bald schlug die Flamme lodernd um das Steuerruder zusammen.

Als Achilleus in seinem Zelt Feuer von dem Schiffe auflodern sah, da durchzuckte auch den unbeugsamen Helden der Schmerz. »Auf, edler Patroklos«, rief er, »erhebe dich, dass sie die Schiffe nicht nehmen und den Unsrigen jeden Ausweg versperren! Ich selbst will hingehen, mein Volk zu versammeln.« Patroklos war des Wortes froh, das er aus dem Munde seines Freundes vernommen hatte: eilig legte er die Beinschienen an, schnallte den kunstvoll gearbeiteten Harnisch um die Brust, hing sich das Schwert um die Schulter, setzte den von Rosshaaren umwallten Helm aufs Haupt, griff mit der Linken zum Schild, mit der Rechten fasste er zwei mächtige Lanzen. Gern hätte er den mörderischen Speer seines Freundes Achilleus selbst genommen, der aus einer Esche des thessalischen Berges Pelion gezimmert war und den sein Erzieher, der Kentaure Chiron, dem Vater Peleus geschenkt hatte; dieser aber war so groß und schwer, dass ihn außer dem Peliden kein anderer Held schwingen konnte. Nun ließ Patroklos seinen Freund und Wagenlenker Automedon die Rosse Xanthos und Balios anschirren, die unsterblichen Kinder der Harpyie Podarge und des Zephyros, die Achilleus einst aus der Stadt Theben als Beute fortgeführt hatte: Achilleus aber rief sein Myrmidonenvolk, das hungrigen Wölfen glich, herbei, je fünfzig Männer aus den fünfzig Schiffen; ihre Schlachtreihen führten fünf Kriegsobersten: Menesthios, der Sohn des Hermes und der Polymele; Pisandros, der Sohn des Mämalos, nach Patroklos der beste Kämpfer in der Schar; endlich der ergraute Phönix und Alkimedon, der Sohn des Laerkes.

Den Abziehenden rief der Pelide zu: »Vergesse mir keiner, ihr Myrmidonen, wie oft ihr während meines Zornes den Trojanern gedroht und unmutig meine Galle gescholten habt, welche die Streitgenossen mit Zwang vom Kampfe zurückhalte. Endlich ist die Stunde, nach der ihr geschmachtet, erschienen: kämpfe nun, wem es das mutige Herz befiehlt!« Als er so gesprochen, zog er sich in sein Zelt zurück und holte aus dem Kasten, den ihm seine Mutter Thetis voll von Leibröcken, Decken und Mänteln, auch andern kostbaren Dingen, mit aufs Schiff gegeben hatte, einen kunstreichen Becher hervor, aus dem kein anderer Mann je den funkelnden Wein getrunken hatte und kein anderer Gott Dankopfer empfangen hatte als der Donnerer. Aus diesem spendete er auch jetzt, in die Mitte seines Hofes tretend, unter Gebet dem Vater Zeus und bat ihn, den Griechen Sieg zu verleihen, seinen Waffengenossen Patroklos aber unverletzt zu den Schiffen zurückzugeleiten. Zu der ersten Bitte winkte Zeus Gewährung, zur zweiten schüttelte er sein Haupt, beides von dem Helden ungesehen. Achilleus ging in sein Zelt zurück, den Becher wieder aufzubewahren; dann stellte er sich vor sein Zelt, um dem blutigen Kampf zwischen Griechen und Trojanern zuzusehen.

Die Myrmidonen zogen indessen, den Führer Patroklos an der Spitze, wie ein Wespenschwarm am Heerweg. Als die Trojaner ihn kommen sahen, schlug ihnen das Herz vor Schrecken, und ihre Geschwader gerieten in Verwirrung, denn sie glaubten, Achilleus selbst habe sich, den Groll aus der Seele verbannend, von den Zelten aufgemacht, und schon fingen sie an umherzublicken, wie sie dem Verderben entrinnen könnten. Patroklos benutzte ihre Furcht und schwang seine blinkende Lanze gerade in ihre Mitte hinein, wo am Schiffe des Protesilaos das Getümmel am stärksten war. Sie traf den Päonier Pyrächmes, dass er, an der rechten Schulter durchbohrt, wehklagend rücklings auf den Boden taumelte und die Päonier um ihn her, alle betäubt, vor dem gewaltigen Patroklos flüchteten. Das Schiff blieb halb verbrannt stehen; angstvoll flohen alle Trojaner, die Danaerhaufen stürzten sich in die Schiffsgassen zur Verfolgung; allenthalben tobte der Aufruhr. Doch fassten sich die Trojaner bald wieder, und die Griechen sahen sich genötigt, Mann für Mann zu Fuß zu kämpfen. Patroklos durchschoss dem Areilykos den Schenkel; Menelaos bohrte dem Thoas die Lanze in die Brust; Meges, der Neffe des Odysseus, durchstach dem Amphiklos die Wade; Antilochos, Nestors Sohn, durchstieß dem Atymnios die Weiche; da flog Maris, voll Zorn über den Fall des Bruders, auf Antilochos zu, stellte sich vor den Erschlagenen und drohte mit der Lanze; doch ihm durchbohrte Thrasimedes, Nestors anderer Sohn, Schulter und Armende mit dem Speer, dass er sterbend zusammensank. Als so Brüder die Brüder zu Boden gestreckt hatten, sprang auch der schnelle kleine Ajax hervor und hieb dem vom Gedränge gehinderten Kleobulos auf der Flucht das Schwert in den Nacken. Peneleos und Lykon rannten, beide sich verfehlend, mit den Lanzen gegeneinander; aber im Schwertkampf siegte der Danaer; Meriones traf den Akamas, als er eben den Wagen bestieg, und durchbohrte ihm unter dem Hirn das Gebein des Kopfes, dass ihm die Zähne einstürzten und er Blut zu Mund und Nase herausröchelte.

Der große Ajax sann auf nichts anderes, als wie er Hektor mit dem Speere treffen könnte: dieser aber, voll Kriegserfahrung, deckte sich mit dem stierledernen Schilde, dass Pfeile und Wurfspieße daran abprallten. Zwar hatte der Feldherr bereits erkannt, dass der Sieg sich von ihm und den Seinen abgewendet habe, dennoch verweilte er unerschüttert in der Schlacht und dachte wenigstens darauf, seine teuren Genossen zu beschützen und zu retten. Erst als der Andrang unwiderstehlich wurde, kehrte er mit seinem Wagen um und flog mit seinen vortrefflichen Rossen über den Graben. Die andern Trojaner waren nicht so glücklich; viele Rosse ließen hier und dort im Graben die Wagen ihrer Herren zerschmettert an der Deichsel zurück; doch was glücklich hinüberkam, stäubte in der eiligsten Flucht nach der Stadt zurück; und Patroklos sprengte mit tönendem Rufe den noch diesseits des Grabens Dahinfliegenden nach; viele stürzten kopfüber unter die Räder ihrer Wagen, und geborstene Sitze krachten. Endlich sprang das unsterbliche Rossegespann des Peliden auch über den Graben, und Patroklos trieb es an, den auf seinem Wagen dahinfliegenden Hektor zu erreichen. Dabei mordete er zwischen Schiffen, Mauer und Strom, was er antraf. Pronoos, Thestor, Eryalos und neun andere Troer waren auf seinem stürmenden Weg teils dem Speerschwunge, teils dem Lanzenstiche, teils dem Steinwurfe des Siegers erlegen. Mit Schmerz und Ingrimm sah dies der Lykier Sarpedon, ermahnte scheltend seine Heerschar und sprang gerüstet von seinem Wagen zur Erde. Patroklos tat ein Gleiches, und nun stürzten sie schreiend gegeneinander wie zwei scharfklauige, krummschnäblige Habichte. Mit Erbarmen sah Zeus auf seinen Sohn Sarpedon hernieder vom Olymp; aber Hera schalt ihn und sprach: »Was denkst du, Gemahl! Einen Sterblichen willst du schonen, der dem Tode doch schon längst verfallen ist? Bedenke, wenn alle Götter ihre Söhne aus der Schlacht entführen wollten, was aus den Geschicken, die du selber zu vollführen beschlossen hast, alsdann würde. Glaube mir, es ist besser, du lässest ihn in der Feldschlacht umkommen, übergibst ihn dem Schlaf und dem Tode und gestattest seinem Volke, ihn aus dem Getümmel zu tragen und dereinst in Lykien unter Grabhügel und Säule zu bestatten!« Zeus ließ die Göttin gewähren, und nur eine Träne fiel aus seinem Götterauge herab auf die Erde, dem fallenden Sohne geweiht.

Die beiden Kämpfer hatten sich jetzt einander auf Schussweite genähert. Patroklos aber traf zuerst den tapfern Genossen Sarpedons, Thrasydemos; Sarpedons Speer verfehlte zwar den Helden, stieß aber dafür dem Beirosse Pedasos, das sterblich war, den Speer in die rechte Schulter; bei dem Stürzen des Röchelnden waren auch die zwei unsterblichen Rosse scheu geworden: das Joch knarrte schon, die Zügel verwirrten sich, und sie wären zerrissen, wenn nicht der Wagenlenker Automedon schnell sein Schwert von der Hüfte gerissen und den Strang des getöteten Rosses zerhauen hätte.

Ein zweiter Lanzenwurf Sarpedons verfehlte den Gegner wieder, der Speer des Patroklos traf aber diesmal den Lykier ins Zwerchfell, und er fiel zu Boden wie eine Bergtanne unter der Axt, knirschte mit den Zähnen und griff mit der Hand in den blutigen Staub. Sterbend rief er seinen Freund Glaukos auf, mit den Lykierscharen um seinen Leichnam zu kämpfen, und verschied. Da betete Glaukos zu Phöbos Apollon, ihm die

Armwunde zu heilen, die Teukros ihm bei Erstürmung der Mauer mit dem Pfeile beigebracht hatte und die ihn noch immer quälte und zum Kampfe untüchtig machte. Der Gott erbarmte sich seiner und stillte auf der Stelle den Schmerz. Nun durcheilte er die Reihen der Trojaner und rief die Helden Polydamas, Agenor und Äneas auf, Sarpedons Leichnam zu schützen. Die Fürsten trauerten, als sie den Tod des Mannes vernahmen, der, obwohl aus fremdem Geschlechte, doch ihre Stadt wie eine Säule stützte; aber ihre Trauer war nicht feige. Wild drangen sie auf die Danaer ein, und ihnen allen flog Hektor voran. Die Griechen dagegen entflammte Patroklos, und so rannten sie gegeneinander, mit grauenvollem Geschrei um die Leiche des gefallenen Sarpedon kämpfend. Als einer ihrer tapfersten Krieger, Epigeus, der Sohn des Agakles, von einem Steinwurf Hektors gefallen war, begannen zuerst die Myrmidonen zu weichen. Patroklos aber, den der Tod des Freundes bitter schmerzte, stürzte sich ins vorderste Gewühl, zerschmetterte dem Troer Sthenelaos den Rücken und brachte die Trojaner wieder zum Weichen. Endlich kehrte sich unter diesen Glaukos zuerst wieder um und durchstach den Myrmidonen Bathykles mit der Lanze; dagegen traf Meriones den Laogones, dessen Vater Onetor Priester des idäischen Zeus war; den Meriones aber verfehlte der Speer des gewaltigen Äneas. Während diese Hohnworte miteinander wechselten, rief Patroklos ihnen zu: »Was schwatzet ihr, Helden? Im Arme sucht der Krieg die Entscheidung.« Und damit drang er an der Spitze der Seinigen auf den Leichnam ein, und die Troer wehrten sich seiner, dass die Leiche bald vom Haupte bis an die Sohlen von Geschossen, Staub und Blut zugedeckt war.

Zeus, der dem Kampfe aufmerksam zuschaute, bedachte sich eine Weile über den Tod des Patroklos, aber es deuchte ihm besser, diesem vorerst noch Sieg zu verleihen, und so drängte denn der Freund des Peliden die Trojaner samt den Lykiern zurück und der Stadt zu. Die Griechen beraubten den gefallenen König der Rüstung, und eben wollte ihn Patroklos seinen Myrmidonen übergeben, als Apollon auf Zeus' Geheiß vom Gebirge in die Schlacht herunterfuhr, den Leichnam auf seine göttlichen Schultern nahm und ihn fern an den Strom des Skamander trug. Hier spülte er ihn im Gewässer rein, salbte ihn mit Ambrosia und gab ihn den Zwillingen Schlaf und Tod hinwegzutragen. Diese flogen mit ihm davon und brachten ihn in sein lykisches Heimatland.

Aber Patroklos, vom bösen Geschick getrieben, munterte seinen Wagenlenker und seine Rosse auf und rannte den Trojanern und Lykiern nach ins eigene Unheil. Neun Troern zog er ihre Rüstungen vom erlegten Leichnam ab und tobte so unaufhörlich im Lanzenkampf voran, dass er die getürmte Stadt Troja selbst erobert hätte, wäre nicht auf dem festesten Turme der Gott Apollon gestanden und hätte auf das Verderben des Helden und auf die Beschirmung der Trojaner gesonnen. Dreimal stieg der Sohn des Menötios zur hervorragenden Mauerecke heran, und dreimal verdrängte ihn Apollon mit unsterblicher Hand, den leuchtenden Schild ihm entgegenhaltend und sein »Weiche!« rufend. Da entwich Patroklos mit eilendem Schritte vor dem Befehl des Gottes.

Am skäischen Tor hielt der fliehende Hektor mit seinen Rossen inne und besann sich einen Augenblick, ob er sie ins Schlachtgetümmel zurücktreiben oder seinem Volke gebieten sollte, sich in die Mauern der Stadt einzuschließen. Während er so unentschlossen die Zügel anzog, nahte sich ihm Phöbos in der Gestalt von Hekabes Bruder Asios, der ein Oheim des Fürsten war, und sprach zu ihm: »Hektor, was entziehst du dich dem Kampfe? Wär' ich so viel stärker denn du, als ich schwächer bin, ich wollte dich für deine Untätigkeit zum Hades senden. Aber wohlan, wenn du nicht gerne solche Worte hörst, lenke deine Rosse dem Patroklos zu; wer weiß, ob dir Apollon nicht den Sieg schenkt.« So raunte ihm der vermummte Gott ins Ohr und verlor sich im Gewühl der Schlacht. Da ermunterte Hektor seinen Wagenlenker Kebriones, einen Bastard seines Vaters, die Rosse wieder in die Schlacht zu treiben, und Apollon drang vor ihm her in die Reihen der Griechen ein und richtete Verwirrung unter ihnen an. Hektor aber rührte keinen andern Argiver an, sondern ging geraden Laufes auf Patroklos allein los.

Als dieser ihn herannahen sah, sprang er aus dem Wagen, in der Linken den Speer, mit der Rechten einen zackigen Marmorstein vom Boden auflesend, mit dem er sofort den Kebriones zum Tod an die Stirne traf, dass der Wagenlenker auf den Boden hinabstürzte. Patroklos sandte dem Fallenden beißenden Spott nach und rief: »Bei den Göttern, ein behänder Mann! Wie leicht er sich in den Staub taucht! Hat er das Taucherhandwerk etwa auf dem Meere gelernt und einen Austernhandel getrieben?« Mit diesen Worten sprang er wie ein Löwe auf die Leiche des zu Boden Gesunkenen ein, und Hektor wehrte sich um seinen Halb-

bruder; dieser fasste das Haupt des Erschlagenen, Patroklos den Fuß, und von beiden Seiten schlugen Troer und Danaer drein, wie wenn Ost- und Südwind miteinander kämpfen. Gegen Abend entschied sich das Gefecht zu Gunsten der Argiver: sie entrissen die Leiche des Kebriones den Geschossen und beraubten ihn seiner Rüstung. Und nun warf sich Patroklos mit verdoppelter Wut auf die Trojaner und erschlug dreimal neun Helden. Aber als er das vierte Mal angestürmt kam, lauerte der Tod auf ihn, denn Phöbos Apollon selbst begegnete ihm in der Schlacht. Patroklos bemerkte den Herannahenden nicht, denn er war in dichtes Nebelgewölk eingehüllt. Apollon aber stellte sich hinter ihn und versetzte dem Helden mit der flachen Hand einen Schlag auf Rücken und Schulter: da schwindelte es ihm vor den Augen; der Gott schlug ihm den Helm vom Haupte, dass er weithin klingend in den Sand unter die Pferdehufe entlangrollte und der Helmbusch mit Staub und Blut besudelt ward. Nun zerbrach er ihm die Lanze in der Hand, löste ihm die Schildriemen von der Schulter und den Harnisch vom Leibe und betäubte ihm sein Herz, dass er vor sich hin starrend dastand. Da durchbohrte ihn Euphorbos, der Sohn des Panthoos, ein tapferer Krieger, der schon zwanzig Griechen gefällt hatte, von hinten mit der Lanze und eilte in die Heerschar zurück. Hektor aber rannte jetzt wieder aus der Schlachtreihe hervor und stieß dem schon Verwundeten von vorne den Speer in die Weiche des Bauches, dass die Erzspitze hinten wieder hervordrang. So bezwang er ihn, wie ein Löwe den Eber am Gebirgsquell bezwingt, wohin die beiden zu trinken gekommen sind. Er entriss ihm mit dem Speere zugleich das Leben und rief frohlockend: »Ha, Patroklos! Du hattest im Sinn, unsere Stadt in einen Schutthaufen zu verwandeln und unsere Weiber als Mägde auf den Schiffen in eure Heimat zu führen! Nun habe ich ihnen den Tag der Knechtschaft wenigstens aufgeschoben, und dich werden die Geier fressen! Was hat dir nun dein Achilleus geholfen?«
Mit schwacher Stimme antwortete ihm der sterbende Patroklos: »Frohlocke du immerhin nach Herzenslust, Hektor! Zeus und Apollon haben dir Siegesruhm gewährt ohne Mühe, denn sie sind es, die mich entwaffnet haben; sonst hätte meine Lanze dich und zwanzig deinesgleichen gebändigt! Vor den Göttern hat mich Phöbos, vor den Menschen Euphorbos bezwungen. Du nimmst mir nur die Rüstung ab! Aber eines verkünde ich dir: du wirst nicht lange mehr so einhergehen: das Verhängnis

steht dir schon zur Seite, und ich weiß, durch wen du sinkest!« Er brachte mit Mühe diese Worte hervor, und die Seele verließ die Glieder des Leibes und entflog hinunter zum Hades. Hektor aber rief dem Gestorbenen noch zu: »Was willst du mir da für Verderben weissagen, Patroklos? Wer weiß, ob nicht Achilleus selbst, von meiner Lanze durchbohrt, sein Leben aushauchen wird?« Unter solchen Worten zog er ihm, die Ferse anstemmend, den ehernen Speer aus der Wunde und stieß so den Toten rücklings auf den Boden. Dann kehrte er die noch vom Blute des Patroklos triefende Lanze gegen seinen Wagenlenker Automedon. Doch diesen retteten die unsterblichen Rosse vor dem nachsprengenden Verfolger.

Um die Leiche des Patroklos zankten sich derweil mit den Waffen Euphorbos, der Trojaner, und Menelaos, der Atride. »Du sollst es mir büßen«, rief jener, »dass du mir den Bruder Hyperenor erschlagen und sein Weib zur Witwe gemacht!« Und damit rannte er mit der Lanze gegen den Schild des Atriden an, aber die Eisenspitze bog sich. Nun erhob auch Menelaos die Lanze und bohrte sie dem Feinde mitten in den Schlund, dass die Spitze zum Genick herausdrang und sein zierlich gelocktes, mit Gold und Silber durchringeltes Haar vom Blute troff. So sank er in den Staub unter dem Klirren seiner Waffen, deren ihn sofort Menelaos beraubte; und er hätte die Rüstung fortgetragen, wenn ihn nicht Apollon darum beneidet hätte. Dieser aber spornte den Hektor, in Gestalt des Mentes, des Fürsten der Kikonen, an, von den unsterblichen Rossen des Peliden, die Automedon entführte, als einer unerreichbaren Beute abzulassen und sich wieder der Leiche des Euphorbos zuzuwenden. Er kehrte um, und plötzlich ward er des Fürsten Menelaos gewahr, wie er sich die herrliche Wehr des Euphorbos, über seinen blutenden Leichnam gebückt, zueignete. Dieser vernahm den schmetternden Wehruf des trojanischen Helden und musste sich errötend gestehen, dass er dem mit seinen Troerscharen heranstürmenden Hektor nicht standhalten könne. So wich denn Menelaos, Leichnam und Rüstung lassend, doch nur unwillig, schaute sich, zurückeilend, von Zeit zu Zeit um, stand still und suchte den großen Ajax in der Schlacht. Als er ihn endlich zur Linken im Gemenge des Treffens erkannte, eilte er auf ihn zu und forderte ihn auf, mit ihm selbst dem Kampf um die Leiche des Patroklos zuzueilen. Es war die höchste Zeit, als beide sich wieder dem Platze näherten, wo der Sohn des Menötios gefallen war. Denn Hektor beschäftigte sich eben damit, nachdem er dem Leichnam des Patroklos die Rüstung abgezogen, diesen an sich zu ziehen, um ihm mit dem Schwerte den Kopf von der Schulter zu hauen und den geschleiften Leib den Hunden zum Fraß vorzuwerfen. Wie er aber den Ajax unter seinem siebenhäutigen Stierschild herannahen sah, ließ er von dem blutigen Vorhaben ab und flüchtete sich schnell in die Schar seiner Streitgenossen zurück. Dort sprang er empor in seinen Wagen und übergab die Rüstung des Patroklos den Freunden, damit sie ihm dieselbe zur Stadt trügen, wo sie als Denkmal seines Ruhmes aufbewahrt werden sollte. Vor die Leiche selbst warf sich Ajax wie ein Löwe vor seine Jungen hin, und neben ihm stellte sich Menelaos auf.

Glaukos, der Lykier, aber heftete einen finsteren Blick auf Hektor und sprach zu ihm die strafenden Worte: »Umsonst erhebt dich der Ruf, Hektor, wenn du dich so zagend vor dem Helden flüchtest! Denke nur darauf, wie du allein die Stadt verteidigst! Wenigstens ficht hinfort kein Lykier mehr an deiner Seite. Denn welchen geringeren Mann im Heere wirst du verteidigen, nachdem du unsern Fürsten Sarpedon, deinem Gastfreund und Kampfgenossen, den Danaern und den Hunden preisgegeben, hast liegen lassen? Wären die Trojaner an Kühnheit uns gleich, so würden wir bald die Leiche des Patroklos in die Mauern Trojas hereinziehen; dann würden die Argiver auch bald den Leichnam Sarpedons abliefern, um nur wieder seine Rüstung zu erhalten!« Es wusste nämlich Glaukos nicht, dass Apollon die Leiche Sarpedons den Griechen entführt hatte.

»Du bist nicht klug, Freund Glaukos«, erwiderte Hektor, »wenn du meinst, ich fürchte mich vor der Übermacht des Ajax. Noch kein Kampf hat je mir Grauen gemacht. Aber Zeus' Ratschluss ist mächtiger als unsere Tapferkeit. Jetzt aber tritt näher, mein Freund, schau mein Tun an und urteile, ob ich so verzagt sei, wie du soeben gesprochen!« Mit diesen Worten flog er seinen Freunden nach, welche die Waffen des Peliden, die Patroklos angetan hatte, als Beute der Stadt zutrugen. Er vertauschte, bei ihnen angekommen, seine eigene Rüstung mit der Rüstung des Achilleus und zog die unsterbliche Wehr an, welche die Götter des Himmels selbst dem Helden Peleus bei seiner Hochzeit mit der Meeresgöttin Thetis geschenkt hatten und die der Vater dem Sohn übergeben, als er zu altern anfing. Aber der Sohn sollte nicht alt werden in den Waffen des Vaters.

Als der Herr der Götter und Menschen aus der Höhe zuschaute, wie Hektor die Waffen des göttergleichen Helden Achilleus anlegte, schüttelte er mit trübem Ernste sein Haupt und sprach in seines Herzens Tiefe: »Du Armer, du ahnest auch noch gar nichts von dem Todesgeschick, das schon an deiner Seite geht. Du hast dem erhabenen Helden, vor dem auch andere zittern, seinen geliebten Freund erschlagen, hast ihm von Haupt und Schultern die Rüstung abgezogen und schmückest dich jetzt mit der unsterblichen Wehr des Sohnes der Göttin. Dennoch, weil dich keine Wiederkehr aus der Schlacht erwartet und dir deine Gattin Andromache diese schönen Waffen nicht ablösen und dich nie mehr begrüßen wird, so will ich dir zur Entschädigung noch einmal Siegesruhm verleihen.« Als Zeus so sprach, schloss sich die Rüstung enger an Hektors Leib, der kriegerische Geist des Ares durchdrang ihn, seine Glieder strotzten ihm innerlich von Kraft und Stärke. Mit lautem Zuruf sprengte er zu den Bundesgenossen und führte sie ermunternd mit erhöhten Lanzen gegen den Feind. Da entbrannte der Kampf aufs Neue um des Patroklos Leiche, und Hektor wütete so mit Morden, dass Ajax selbst zu Menelaos sprach: »Trauter Held, ich bin nicht mehr so sehr um unsern toten Patroklos besorgt, der nun einmal die Speise trojanischer Vögel und Hunde werden muss, als um mein eigenes Haupt und um das deine. Denn Hektor umringt uns mit seinen Kriegerscharen wie eine Wolke. Versuch es daher, ob die Helden der Danaer unsern Hilferuf nicht hören!« Menelaos erhub seine Stimme, so laut er vermochte, und der Erste, der den Ruf hörte, war Ajax der Lokrer, des Oïleus schneller Sohn; dieser flog zuerst herbei, dann kam Idomeneus mit seinem Streitgenossen Meriones und bald unzählige andere, so dass die Griechen nun wieder den Leichnam mit ihren Erzschilden umzäunt hielten. Doch wurden sie von den Trojanern so bedrängt, dass diese schon die Leiche hinwegzuziehen anfingen; endlich aber gelang es dem herrlichen Ajax, der Not zu steuern, und während Hippothoos der Pelasger, ein troischer Bundesgenosse, die Sehnen des Leichnams unten am Knöchel mit Riemen umband, um ihn so fortzuschleppen, schlug ihm der Speer des Telamoniers durch die Kuppel des Helms, dass dieser zerbarst und das Gehirn aus der Wunde blutig am Speer emporspritzte. Hektor zielte jetzt auf Ajax, aber er traf nur den Phokäer Schedios; Ajax durchstieß dafür Phorkys, dem Sohne des Phänops, der um den Leichnam des Hippothoos kämpfte, den Panzer, dass die Spitze ihm schmetternd ins Eingeweide fuhr. Nun wichen die Trojaner und Hektor selbst, und gegen Zeus' Beschluss hätten die Griechen gesiegt, wenn nicht Apollon in der Gewalt des Helden Periphas, des greisen Herolds, den gewaltigen Äneas zum Kampf angetrieben hätte. Dieser erkannte den Gott, feuerte die Seinigen mit mächtigen Zurufen an und focht selbst, weit voranspringend, bald der Vorderste im Streite. Jetzt wandten die Trojaner die Stirne wieder dem Feinde zu. Äneas durchstach den Leokritos, den Genossen des Lykomedes; dieser rächte den Tod des Freundes an Apisaon, dem Phäonier: und jetzt streckten die Griechen ihre Lanzen alle wieder vor den Leichnam.

So wetteiferten sie hier, während die Schlacht auch auf andern Punkten nicht feierte, den ganzen Tag in immer wütender Mordlust, und über Schenkel und Knie bis zu den Füßen hinab troff den Streitern der Schweiß. »Schlinge uns«, riefen die Danaer, »lieber der Boden hinab, als dass wir diesen Leichnam den Trojanern überlassen und ohne Ruhm zu den Schiffen kehren!« – »Und müssten wir«, schrien dagegen die Trojaner, »alle miteinander bei diesem Manne sterben, so säumte doch keiner im Kampf!«

Während sie so stritten, standen die unsterblichen Rosse des Achilleus abwärts vom Schlachtfeld. Als sie vernommen, dass ihr Wagenlenker Patroklos von der Hand des Hektor ermordet im Staube liege, fingen sie an zu weinen, wie Menschen tun. Vergebens bemühte sich Automedon, sie bald mit der Geißel zu beflügeln, bald mit Schmeichelworten, bald mit Drohungen anzutreiben. Nicht heim zu den Schiffen wollten sie gehen, nicht zu den Griechen in die Feldschlacht, sondern wie eine Säule, die unbeweglich über dem Grabhügel eines Verstorbenen steht, standen sie beide vor dem Wagensitze fest, ihre Häupter auf den Boden gesenkt; ihre Mähne quoll wallend und mit Staub besudelt aus dem Ringe des Jochs hervor, und aus den Wimpern tropften ihnen heiße Tränen. Nicht ohne Mitleid konnte sie Zeus von seiner Höhe herab erblicken. »Ihr armen Tiere«, sprach er bei sich selbst, »warum haben wir euch Ewigjunge, Unsterbliche, dem sterblichen Peleus geschenkt! Etwa dass ihr mit den unseligen Menschen Gram ertragen solltet? Denn es gibt doch nichts Jammervolleres auf Erden von allem, was atmet und sich regt, als den Menschen. Aber umsonst hofft Hektor euch zu bändigen und an seinen Wagen zu spannen. Nimmermehr gestatte ich dieses; ist es nicht genug, dass er in seiner Eitelkeit sich rühmt, des Peliden Waffen zu besitzen?« Da beseelte Zeus die Rosse mit Mut und edler Stärke. Plötzlich schüttelten beide den Staub von den Mähnen und sprengten mit dem Wagen rascher unter Trojaner und Griechen hinein. Automedon musste sie gewähren lassen und wehrte sich, so gut er konnte. Aber allein auf dem hohen Wagensitze, war es ihm unmöglich, zugleich die Rosse zu lenken und die Lanze gegen den Feind zu schwingen. Endlich erspähte ihn sein Genosse Alkimedon, der Sohn des Laërkes, und verwunderte sich, dass der Einsame mit dem leeren Wagen sich dem Schlachtgetümmel aussetze. »Du bist nächst meinem erschlagenen Freunde Patroklos der beste Rossebändiger, Alkimedon«, rief ihm jener zur Antwort zu; »wolltest du Peitsche und Zügel nehmen, so überlasse ich dir die Rosse und warte des Kampfes.«

Wie sich Automedon aus dem Sitze schwang, bemerkte es Hektor und sprach zu seinem Nebenkämpfer Äneas: »Schau, dort sprengen die Rosse des Achilleus mit sehr unkriegerischen Lenkern in die Schlacht vor, ist es dir recht, so bestürmen wir sie: die Beute kann uns nicht fehlen!« Äneas winkte, und beide sprengten unter ihren Schilden heran, Chromios und Aretos ihnen nach. Aber Automedon betete zu Zeus, und dieser erfüllte ihm sein Herz mit ungewohnter Kraft. »Halt mir die schnaubenden Rosse dicht am Rücken, Alkimedon!«, rief er, und: »Ajax herbei, Menelaos herbei, überlasst den Gestorbenen andern Tapferen und wehrt von uns Lebendigen das Verderben! Uns bedrängen Hektor und Äneas, die tapfersten Helden Trojas!« Mit diesen Worten schwang er die Lanze gegen Aretos, und diese durchstürmte den Schild und drang dem Helden ins Gedärm, dass der Vorspringende in den Staub zurücksank. Dann warf Hektor seinen Speer auf Automedon, aber dieser fuhr über das Haupt des Gegners zitternd in die Erde. Und jetzt wären sie sich im Schwertkampfe begegnet, hätte nicht die Ankunft der beiden Ajax die Streitenden getrennt und die Trojaner zur Rückkehr hinter die Leiche des Patroklos gezwungen.

Dort flammte der Entscheidungskampf wieder heftig auf. Dem Zeus hatte sich das Herz gewandt; in dunkler Wolke senkte sich seine Botin

Athene hernieder und stellte sich, in des alten Phönix Gestalt sichtbar geworden, neben Menelaos. Dieser sprach, den Helden erblickend: »Vater Phönix, möchte mir Athene heute Kraft verleihen, so wollte ich dem toten Freunde wohl helfen, denn ich verstehe den Vorwurf deines Blickes.« Da freute sich die Göttin, dass er unwissend zu ihr selber vor allen Göttern gefleht, stärkte ihm Schultern und Knie mit Kraft und gab ihm ausdauernden Trotz ins Herz. Schnell eilte er, die Lanze schwingend, auf die Leiche zu, und als Hektors geehrtester Tischfreund, Podes, der Sohn des Eëtion, sich vor ihm zur Flucht wandte, traf ihn der Speer des Atriden durchbohrend am Gurt, dass er in dumpfem Falle zu Boden krachte. Jetzt trat Apollon in Phänops' Gestalt zu Hektor und ermahnte diesen: »Ei, Hektor, wer im ganzen Danaervolke wird dich künftig noch fürchten, wenn ein Menelaos dich zurückzuschrecken vermag? Er hat dir deinen besten Freund erschlagen, und jetzt wird er, der Weichlichste unter allen Griechen, dir auch die Leiche des Patroklos entführen!« Diese Worte versenkten das Herz Hektors in Schwermut, und er eilte im Glanze seiner Erzrüstung voran. Zeus aber schüttelte die Ägide, hüllte den Ida in Wolken und gab durch Blitz und Donner den Trojanern das Zeichen des Sieges.

Der Böotier Peneleos, dem der Speer des Polydamas die Schultern gestreift, war der Erste, der zur Flucht umwendete. Den Leïtos machte Hektor kampfunfähig, indem er ihm die Hand am Knöchel durchstach; ihn selbst verfehlte der Speer des Idomeneus; und statt diesen, der eben erst zu Fuße von den Schiffen angekommen war, mit dem Gegenwurfe zu treffen, durchschmetterte Hektors Speer Ohr und Wange des Köranos, der mit Meriones und seinem Wagen dem Idomeneus zum Heile vorangefahren war. Der Speer stieß ihm die Zähne aus und durchschnitt die Zunge, und der Held entsank dem Wagen; Meriones hob die Zügel aus dem Staub auf und gab sie seinem Freunde Idomeneus, der sich schnell in den Wagensitz schwang und das Gespann fliehend den Schiffen zutrieb. Als der herrliche Ajax dies sah, brach er gegen seinen Nebenstreiter Menelaos in so lauten Jammer aus, dass Zeus selbst Mitleid mit ihm fühlte, das Nebelgewölk zerstreute und die Schlacht wieder von der Sonne beleuchten ließ. »Sieh doch zu, Menelaos«, sprach jetzt Ajax, »ob du nicht den Antilochos, den Sohn des Nestor, irgendwo noch lebend erblickst. Der wär' uns ein tauglicher Bote zu Achilleus, ihm zu melden, dass sein Freund Patroklos tot im Staube liege.« Menelaos ging mit spähendem Blicke, wie ein Adler nach dem flüchtigen Hasen späht, der im Laubgebüsch hingeduckt sitzt, und bald erkannte er ihn links im Gewühl des Treffens. »Weißt du noch nicht, Antilochos«, rief er ihm zu, »dass ein Gott den Danaern Unheil und den Trojanern Sieg zugeschleudert? Patroklos ist gesunken, und alle Griechen vermissen ihren tapfersten Helden; nur ein Kühnerer lebt noch: Achilleus. Eile du zu diesem ins Zelt und bring ihm die Trauerbotschaft; ob er nicht kommen wird, den nackten Leichnam zu retten, dem Hektor die Rüstung ausgezogen hat.« Ein Schauer durchfuhr den Jüngling, sein Auge füllte sich mit Tränen bei der Nachricht, und lange blieb er stumm und ohne Sprache. Endlich gab er seinem Wagengenossen Laodokos die Rüstung und eilte fliegenden Laufes den Schiffen zu. Als Menelaos wieder bei der Leiche angekommen war, beredete er sich mit Ajax, wie sie beide den erschlagenen Freund hinwegziehen wollten, denn sie hofften selbst von Achilleus' Ankunft wenig, da dieser seiner unsterblichen Wehre beraubt war. Sie huben den Leichnam mit großer Mühe von der Erde empor, und obgleich die Trojaner von hinten ein grauenvolles Geschrei hören ließen und mit gezückten Schwertern und Lanzen folgten, so brauchte sich Ajax doch nur umzuwenden, dass sie erblassten und ihnen die Bürde nicht streitig zu machen wagten. So trugen sie mit großer Anstrengung den Leichnam aus der Schlacht zu den Schiffen, und mit ihnen flüchteten auch die andern Griechen aus dem Treffen. Hektor und Äneas waren ihnen auf den Fersen, und hier und dort entsank den Fliehenden ein Waffenstück, indem sie in wilder Unordnung über den Graben zurückwichen.

Jammer des Achilleus

Antilochos fand den Helden vorn an den Schiffen nachdenklich sitzend, im Geiste das Geschick übersinnend, dessen Vollendung er noch nicht kannte. Als er die Griechen aus der Ferne flüchtig herannahen sah, sprach er unmutig zu sich selbst: »Wehe mir, was schwärmen doch die Argiver voll Angst durchs Gefilde den Schiffen wieder zu? Werden doch die Götter nicht, mir zum Grame, das Unglück verwirklichen, das meine Mutter mir einst verkündigt hat, dass der Tapferste der Myrmidonen, solange ich noch lebte, das Leben durch die Hand der Trojaner lassen müsse!«

Während er noch solches erwog, kam Antilochos weinend mit der Schreckensbotschaft und rief ihm schon von ferne zu: »Wehe mir, Pelide, möchte es doch nie geschehen sein, was du jetzt vernehmen musst. Unser Patroklos ist gefallen, sie kämpfen um seinen nackten Leichnam, die Waffen hat ihm Hektor abgezogen.« Nacht wurde es vor den Augen des Achilleus, als er dieses hörte; mit beiden Händen griff er nach dem schwarzen Staube und bestreute Haupt, Antlitz und Gewand. Dann warf er sich selbst, so riesig er war, zu Boden, und raufte sich das Haupthaar aus. Jetzt stürzten auch die Sklavinnen, die Achilleus und Patroklos erbeutet hatten, aus dem Zelte hervor; mit wankenden Knien rannten sie herbei, als sie ihren Herrn zu Boden gestreckt sahen, und da sie innewurden, was geschehen war, schlugen sie wehklagend an ihre Brust. Auch Antilochos schwamm in Tränen, jammernd und die Hände des Helden festhaltend, denn er fürchtete, dieser möchte sich mit dem Schwerte die Kehle abschneiden.

Achilleus heulte so fürchterlich in die Lüfte hinaus, dass seine Mutter im Abgrunde des Meeres, neben ihrem grauen Gatten sitzend, die Stimme des Weinenden vernahm und selber so laut zu schluchzen begann, dass ihre silberne Grotte sich bald mit den Nereiden füllte, die alle zugleich an die Brust schlugen und die Wehklage mit der Schwester begannen. »Wehe mir Armen«, rief diese ihren Geschwistern zu, »wehe mir unglücklichen Heldenmutter, dass ich einen so edlen, so tapfern, so herrlichen Sohn gebar! Er wuchs empor, wie eine Pflanze von Gärtners Hand gepflegt, dann sandt' ich ihn zu den Schiffen gen Troja; aber nie sehe ich ihn wieder; nie kehrt er in den Palast des Peleus zurück; und solange er das Sonnenlicht noch sieht, muss er solche Qual dulden, und ich kann ihm nicht helfen! Dennoch will ich mein geliebtes Kind zu schauen gehen, will hören, welcher Kummer ihn betraf, während er ungefährdet vom Kampfe bei den Schiffen sitzt!« So sprach die Göttin und stieg mit den Schwestern durch die gespaltenen Wogen hinan zum Gestade, tauchte bei den Schiffen ans Land und eilte dem schluchzenden Sohne zu. »Kind, was weinest du«, rief sie, indem sie unter Wehklagen sein Haupt umschlang, »wer betrübt dir dein Herz? Rede, verhehle mir nichts! Ist es doch alles geschehen, wie du gewollt hast, die Männer

Griechenlands sind um die Schiffe zusammengedrängt und schmachten trostlos nach deiner Hilfe!« Endlich begann Achilleus unter schweren Seufzern: »Mutter, was hilft mir das, seit mein Patroklos, der mir lieb war wie mein Haupt, in den Staub gesunken ist! Meine eigenen köstlichen Waffen, das Ehrengeschenk, das dem Peleus die Götter bei deiner Hochzeit dargebracht, hat ihm sein Mörder Hektor vom Leibe gezogen. Oh, wohntest du doch lieber immer im Meer und hätte Peleus ein sterbliches Weib, so müsstest du nicht unsterbliches Leid tragen um deinen gestorbenen Sohn; denn nie kehrt er zur Heimat wieder! Ja, das Herz selbst verbietet mir, lebend umherzuwandeln, wenn mir nicht Hektor, von meiner Lanze durchbohrt und sein Leben aushauchend, den Raub meines Patroklos büßt!« Weinend antwortete Thetis: »Ach, nur allzu bald verblüht dir das Leben, mein Sohn, denn gleich nach Hektor ist dir dein eigenes Ende bestimmt.« Aber Achilleus rief voll Unmut: »Möchte ich doch auf der Stelle sterben, da das Schicksal mir nicht vergönnt hat, meinen gemordeten Freund zu verteidigen. Ohne meine Hilfe, fern von der Heimat musste er sterben; was hilft den Griechen nun mein kurzes Leben? Kein Heil habe ich dem Patroklos, kein Heil unzähligen erschlagenen Freunden gebracht. Bei den Schiffen sitz ich, eine unnütze Last der Erde, so schlecht im Gefecht wie kein anderer Argiver, im Rate besiegen mich ohnedem andere Helden. Verflucht sei der Zorn bei Göttern und Menschen, der zuerst dem Herzen süß eingeht wie Honig und bald wie eine Feuerflamme in der Mannesbrust emporwächst!« Und plötzlich fuhr er, sich ermannend, fort: »Doch Vergangenes sei vergangen, ich gehe, den Mörder des geliebten Hauptes zu haschen, den Hektor. Mag mein Los mir werden, wann Zeus und die Götter es wollen, wird doch manche Trojanerin über mir mit beiden Händen sich die Tränen des Jammers von der Rosenwange trocknen, und zitternde. Seufzer werden ihrer Brust entsteigen. Die Trojaner sollen merken, dass ich lange genug vom Kriege gerastet habe! Verwehre mir den Kampf nicht, liebe Mutter!«

»Du hast Recht, mein Kind«, antwortete ihm Thetis, »nur schade, dass deine strahlende Rüstung in der Gewalt der Trojaner ist und Hektor selbst in ihr sich brüstet. Doch soll er nicht lange darin frohlocken; denn in aller Frühe, sobald die Sonne aufgeht, bringe ich dir neue Waffen, die Hephästos selbst geschmiedet. Nur geh mir nicht früher in die Schlacht, als bis du mich mit eigenen Augen zurückkommen sahest.« So sprach die Göttin und hieß ihre Schwestern in den Schoß des Meeres wieder hinabtauchen. Sie selbst eilte hinauf zum Olymp, den Gott der Feuerarbeit, Hephästos, aufzusuchen.

In dieser Zeit ereilte der Kampf der Trojaner noch einmal den Leichnam des Patroklos, den die Freunde davontrugen, und Hektor kam ihm, gleich daherstürmendem Feuer, so nahe, dass er ihn dreimal am Fuße fasste, um ihn wegzuziehen, und dreimal die beiden Ajax ihn von dem Toten hinwegstoßen mussten. Nun wütete er seitwärts durchs Schlachtengewühl, stand dann wieder von neuem und schrie laut auf; zurückweichen wollte er nimmermehr. Vergebens bestrebten sich die beiden gleichnamigen Helden, ihn von dem Leichnam abzuschrecken, wie Hirten bei Nacht umsonst einen hungrigen Berglöwen vom Leibe des zerrissenen Rindes zu verscheuchen bemüht sind. Und wirklich hätte Hektor zuletzt die Leiche geraubt, wäre nicht Iris auf Heras Befehl mit der Botschaft zu dem Peliden geflogen, sich, von Zeus und den andern Göttern ungesehen, heimlich zu bewaffnen. »Aber wie soll ich denn zur Schlacht gehen«, fragte erwidernd Achilleus die Götterbotin, »da die Feinde meine Rüstung haben? Auch hat mir meine Mutter alle Bewaffnung verboten, bis ich sie selbst mit einer neuen Rüstung von Hephästos zurückkehren sehen würde. Ich weiß niemand, dessen Waffen mir gerecht wären, es müsste denn der Riesenschild des Ajax sein; aber der hat und braucht ihn selber zum Schutze meines erschlagenen Freundes!« – »Wohl wissen wir«, antwortete ihm Iris, »dass du deiner herrlichen Waffen beraubt bist, aber nahe dich einstweilen nur so dem Graben, wie du bist, und erscheine den Trojanern, vielleicht stehen sie vom Kampfe ab, wenn sie dich von fern erblicken; und den Griechen ist Erholung gegönnt.«

Als Iris wieder entflogen war, erhob sich der göttliche Achilleus. Athene selbst hängte ihm ihren Ägisschild um die Schulter und umgab sein Gesicht mit überirdischem Glanz. So trat er schnell durch Wall und Mauer zum Graben; doch mischte er sich, der mütterlichen Warnung eingedenk, nicht in den Kampf, sondern blieb von ferne stehen und schrie, und in seinen Ausruf mischte sich der Ruf Athenes, dass er wie eine Kriegsposaune ins Ohr der Trojaner tönte. Als sie die eherne Stimme des Peliden vernahmen, füllte sich ihr Herz mit unheilvoller Ahnung, und

Wagen und Rosse wandten sich rückwärts; mit Grauen sahen die Lenker um das Haupt des Peliden die Flamme brennen, und vor seinem dreifachen Schrei vom Graben her zerstob dreimal das Schlachtgewühl der Troer, und zwölf ihrer tapfersten Männer fielen in dem Gewühl unter den Wagen und Lanzen ihrer eigenen Freunde. Jetzt war Patroklos den Geschossen entrissen, die Helden legten ihn nieder, und voller Wehmut umringten den Leichnam die Freunde. Als Achilleus seinen treuen Genossen, von den Speeren zerfleischt, auf der Bahre liegen sah, mischte er sich zum ersten Male wieder unter die Griechen und warf sich mit heißen Tränen über den Leichnam. Die untergehende Sonne beleuchtete das jammervolle Schauspiel.

Achilleus neu bewaffnet

Beide Heere ruhten jetzt vom hartnäckigen Kampfe. Die Trojaner lösten ihre Rosse von den Streitwagen, aber noch ehe sie des Mahles gedachten, eilten sie zur Versammlung. Da standen alle aufrecht im Kreise umher. Keiner wagte sich zu setzen, denn noch bebten sie vor Achilleus und fürchteten sein Wiedererscheinen. Endlich sprach der Sohn des Panthoos, der verständige Polydamas, der allein vorwärts wie rückwärts zu schauen verstand, und riet, nicht auf die Frühe zu warten, sondern sogleich in die Stadt heimzukehren. »Findet Achilleus der Gewappnete«, sprach er, »uns morgen noch hier, dann werden diejenigen froh sein, die ihm in die Stadt entrinnen, viele aber werden den Hunden und Geiern zum Fraße dienen. Möge mein Ohr nie von solchem hören! Drum ist mein Rat, die Nacht auf dem Markte der Stadt mit aller Kriegsmacht zu halten, wo hohe Mauern und feste Tore uns ringsum beschützen. In aller Frühe sodann stehen wir wieder auf der Mauer; und wehe ihm, wenn er alsdann, von den Schiffen angestürmt, mit uns um jene zu kämpfen begehrt.«

Nun stand auch Hektor auf und begann mit finsterm Blick: »Mir gefällt keineswegs, was du da gesprochen hast, Polydamas. In dem Augenblick, wo mir Zeus den Sieg verliehen, dass ich die Argiver bis ans Meer zurückgedrängt habe, muss dein Rat dem Volke töricht erscheinen, und kein einziger Trojaner wird dir gehorchen. Vielmehr befehle ich, Haufen um Haufen, die Nachtkost unter das Heer zu verteilen und der Wachen nicht zu vergessen. Härmt sich einer um sein Gut und Vermögen, der lasse es beim gemeinsamen Gastmahl aufgehen; besser dass die Unsrigen sich daran belustigen, als dass die Griechen es tun. Am Morgen wiederholen wir sodann den Sturm auf die Schiffe; wenn wirklich Achilleus wieder auferstanden ist, so hat er sich das schlimmere Los erkoren, denn ich werde diesen grässlichen Kampf nicht verlassen, ehe mich oder ihn die Siegesehre krönt!« Die Trojaner überhörten die heilsamen Worte des Polydamas, rauschten dem Unheilsworte Hektors Beifall zu und warfen sich hungrig auf ihr Mahl.

Die Griechen aber jammerten die ganze Nacht über der Leiche des Patroklos, und vor allem erhub Achilleus die Klage, während seine mörderischen Hände auf dem Busen des Freundes ruhten. »O eitles Wort«, sprach er, »das mir damals entfallen ist, als ich, den alten Helden Menötios im Palaste tröstend, ihm versprach, seinen Sohn nach Trojas Zerstörung, reich an Ruhm und Beute, nach Opus in seine Heimat ihm zurückzubringen. Nun ward uns beiden bestimmt, dieselbe fremde Erde mit unserem Blute rot zu färben, denn auch mich werden mein grauer Vater Peleus und meine Mutter Thetis nimmermehr im Palast empfangen, sondern hier vor Troja wird mich das Erdreich bedecken. Aber weil ich doch nach dir in den Boden sinken soll, Patroklos, so will ich dir nicht eher dein Leichenfest feiern, als bis ich dir die Waffen und das Haupt deines Mörders Hektor gebracht habe; auch will ich dir zwölf der edelsten Söhne Trojas an deinem Scheiterhaufen opfern. Bis dies geschieht, ruhe du hier bei meinen Schiffen, geliebter Freund!« Hierauf befahl Achilleus seinen Freunden, einen großen Dreifuß voll Wasser an das Feuer zu stellen und den Leichnam des gefallenen Helden zu waschen und zu salben. Alsdann wurde er auf schöne Betten gelegt und köstliche Leinwand vom Haupte bis zu den Füßen über ihn gebreitet, auch ein schimmernder Teppich über den Toten geworfen.

Derweil gelangte Thetis an den unvergänglichen, sternenhellen Palast des Hephästos, den der hinkende Künstler sich selbst aus Erz gebaut. Sie fand ihn dort schwitzend und in voller Arbeit um seine Blasebälge beschäftigt: er bereitete an zwanzig Dreifüße und befestigte unter dem Boden eines jeden goldene Räder, mit welchem sie, ohne von fremder Hand getrieben zu werden, in den olympischen Sälen vor die Götter hinrollten und dann wieder zu ihrem Gemache heimkehrten, wahre Wunderwerke anzuschauen. Sie waren bis auf die Henkel fertig, und diese fügte er jetzt eben an, indem er mit dem Hammer die Nägel am gehörigen Ort einschlug. Seine Gattin, die holde Charis, eine der Huldgöttinnen, ergriff die Hand der hereintretenden Göttin, führte sie auf einen silbernen Sessel, rückte ihr einen Schemel unter die Füße und holte dann den Gemahl herbei. Dieser rief, als er die Meeresgöttin erblickte, freudig aus: »Wohl mir, ist doch einmal die Edelste der Unsterblichen bei mir im Hause, die mich, den Neugeborenen, vom Verderben gerettet hat; denn weil ich lahm auf die Welt kam, warf mich die Mutter aus dem Schoße, und ich wäre elendiglich verkommen, wenn nicht Eurynome und Thetis mich im Schoße aufgefangen hätten und dann in der Meeresgrotte großgezogen bis ins neunte Jahr. Dort schmiedete ich allerlei Kunstwerke, Spangen, Ringe, Ohrengehenke, Haarnadeln, Kettchen aller Art, in der gewölbten Grotte; und rings um uns her schäumte brausend der Strom des Ozeans. Diese meine Retterin besucht jetzt mein Haus! Bewirte sie, holdselige Gattin, mich aber lass diesen Wust hier aus dem Wege schaffen.« So sprach der rußige Gott, erhob sich hinkend vom Amboss, und mühsam hin und her wankend, legte er die Blasebälge vom Feuer hinweg, verschloss alle die vielartigen Gerätschaften in einen silbernen Kasten, wusch sich dann mit einem Schwamme Hände, Angesicht, Hals und Brust und hinkte, in einen Leibrock eingehüllt und von geschäftigen Mägden gestützt, wieder aus der Kammer: diese Dienerinnen aber waren keine geschaffenen Wesen, doch lebenden gleich; voll Jugendreiz, alle von ihm aus Gold geschmiedet, mit Kraft, Verstand, Stimme und Kunsttrieb begabt. Sie eilten mit hurtigen Füßen von ihrem Herrn weg, er aber, nachwackelnd, nahm sich einen schmucken Sessel, setzte sich neben Thetis, fasste ihre Hand und sprach: »Ehrenwerte geliebte Göttin, was führt dich zu meiner Wohnung, die du sonst nur wenig besuchest? Sage mir, was du verlangst: Alles wird dir mein Herz gewähren, was ich nur gewähren kann und was an sich gewährbar ist.«

Da erzählte ihm Thetis ihren ganzen Jammer und bat ihn, seine Knie umfassend, ihrem früh verwelkenden Sohne Achilleus, solange er den Griechen zum Schirm noch lebe, Helm, Schild, Harnisch, Beinschienen und Knöchelbedeckung neu gefertigt zu verleihen: denn die Rüstung der

Unsterblichen, die er früher besessen, habe der gefallene Genoss ihm vor Troja verloren. »Mutig, edle Göttin«, antwortete ihr Hephästos, »dein Herz kümmere sich darüber nicht; möchte ich deinen Sohn doch so gewiss aus der Gewalt des Todes retten können, wenn ihm dereinst sein Geschick herannaht, als ich ihm jetzt eine herrliche Rüstung fertigen will, die ihn erfreuen soll und die noch mancher Sterbliche, der sie erblickt, anstaunen wird!« So sprach er, verließ die Göttin, und an seine Feueresse hinkend, kehrte er die Blasebälge zum Feuer und ließ sie mit Macht arbeiten. Ihrer zwanzig schickten den glühenden Wind zugleich in die Öfen hinein, während in mächtigen Tiegeln Erz, Zinn, Silber und Gold auf der Glut stand. Alsdann richtete er den Amboss auf dem Blocke zurecht, griff mit der Rechten nach seinem gewaltigen Hammer und fasste mit der Linken die Zange. Und nun fing er an zu schmieden und formte zuerst den riesenmäßigen starken Schild aus fünf Schichten mit einem Silbergehenk und dreifachem blankem Rande. Auf der Wölbung des Schilds bildete er die Erde, das wogende Meer, den Himmel mit Sonne, Mond und allen Gestirnen ab; ferner zwei blühende Städte, die eine voll von Hochzeitsfesten und Gelagen, mit Volksversammlung, Markt, hadernden Bürgern, Herolden und Obrigkeiten; die andere von zwei Heeren zugleich belagert: in den Mauern Weiber, unmündige Kinder, wankende Greise; die Männer der Stadt vor dieser draußen in einem Hinterhalt gelagert und den Hirten in die Herden fallend. Auf einer andern Seite Schlachtgetümmel; Verwundete, Kampf und Leichname und Rüstungen. Weiter schuf er ein lockeres Blachfeld mit Bauern und Ochsen am Pflug, ein wallendes Ährenfeld voll Schnitter, seitwärts unter einer Eiche die Mahlzeit bereit; weiter einen Rebgarten voll schwarzer schwellender Trauben an Pfählen von lauterem Silber, ringsum ein Graben von blauem Stahl und ein Gehege von Zinn; eine einzige Furche führte durch den Weingarten, und eben war Lese: Jünglinge jauchzten, und rosige Jungfrauen trugen die süße Frucht in schönen Körben davon; mitten in der Schar ging ein Leierknabe, den andere umtanzten. Weiter schuf er eine Rinderherde aus Gold und Zinn längs einem wallenden Fluss mit vier goldenen Hirten und neun Hunden; vorn in die Herde waren zwei Löwen gefallen und hatten einen Farren gefasst, die Hirten hetzten ihre Hunde, die bellend auf Sprungweite von den Löwen standen. Wiederum schuf er eine anmutige Taltrift, von silbernen Schafen durchschwärmt, mit Hirtengehegen, Hütten und Ställen; endlich einen Reigen von blühenden Jünglingen und Jungfrauen in glänzenden Gewanden; jede Tänzerin schmückte ein Kranz, die Tänzer hatten goldene Dolche an silbernen Riemen hangen; zwei Gaukler drehten sich im Kreise zur Harfe eines Sängers, Zuschauergedränge umgab den Reigen. Um den äußersten Rand des Schildes schlang sich der Strom des Ozeans wie eine Schlange.

Als er den Schild vollendet, schmiedete er auch den Harnisch und gab ihm helleren Glanz, als das Feuer hat; dann den schweren prangenden Helm, den Schläfen ganz gerecht mit goldenem Haarbusch, und zuletzt Beinschienen aus dem feinsten Zinn. Dieses ganze Geräte legte er gehäuft vor die Mutter des Peliden hin. Sie aber warf sich auf die Rüstung wie ein Habicht auf die Beute, dankte und trug das schimmernde Waffengeschmeide mit ihren Götterhänden von dannen.

Mit dem ersten Morgenlichte war sie wieder bei ihrem Sohne, der noch immer weinend und von jammernden Genossen umgeben über seinen Freund Patroklos gestreckt lag. Sie legte die Waffen vor Achilleus nieder, dass alle die Wunder zusammenrasselten. Die Myrmidonen zitterten bei dem Anblicke, und keiner wagte, der Göttin gerade ins Gesicht zu schauen. Dem Peliden aber funkelten die Augen unter den Wimpern wie Feuerflammen von Zorn und Freude; er hielt die herrlichen Gaben des Gottes, eine um die andere, in die Höhe und weidete lange sein Herz an der Betrachtung. Dann brach er auf, sich damit zu bewaffnen. »Sorget mir dafür«, sprach er im Weggehen zu seinen Freunden, »dass nicht Fliegen in die Wunden meines erschlagenen Streitgenossen schlüpfen und den schönen Leichnam entstellen!« – »Lass dies meine Sorge sein«, sprach Thetis; und nun flößte sie dem Patroklos Ambrosia und Nektar in die halb geöffneten Lippen, und dieser Götterbalsam durchdrang seinen Leib, dass er blieb wie ein Lebender.

Achilleus aber ging an den Meerstrand, und seine Donnerstimme rief die Danaer herbei. Da lief zusammen, was gehen konnte; selbst die Steuermänner, die die Schiffe noch nie verlassen hatten, kamen herbei; herbei hinkten, auf ihre Lanzen gestützt, Diomedes und Odysseus, die Verwundeten; alle Helden kamen, am spätesten erschien der Völkerfürst Agamemnon, auch er noch krank an der Wunde, die ihm Koon, der Sohn des Antenor, mit dem Speere gebohrt hatte.

Achilleus und Agamemnon versöhnt

Als die Versammlung vollzählig war, stand Achilleus auf und sprach: »Sohn des Atreus, hätte lieber der Pfeil der Artemis an jenem Tage die Tochter des Brises bei den Schiffen getötet, an dem ich sie mir aus dem zerstörten Lyrnessos zur Beute erlesen, ehe so viele Argiver, dieweil ich zürnte, von den Feinden gebändigt, den Staub mit den Zähnen knirschen mussten! Vergessen sei das Vergangene, wenn es uns auch in der Seele kränkt: mein Zorn wenigstens ist besänftigt. Auf nun, zum Gefecht! Ich will versuchen, ob die Trojaner noch Lust haben, bei den Schiffen zu ruhen!«

Unermesslicher Jubel der Griechen erfüllte bei diesen Worten die Luft. Und jetzt erhub sich Agamemnon, der Völkerfürst, und sprach, aufgestanden von seinem Sitze, doch ohne, wie andere Redner, in den Kreis vorzutreten: »Bändigt eure Zungen! Wer vermag bei solchem Getümmel zu reden oder zu hören? Ich will mich dem Sohne des Peleus erklären, ihr andern merkt's und beherziget meine Worte. Oft schon haben mich die Söhne Griechenlands über mein Betragen an jenem Unglückstage gestraft. Doch war die Schuld nicht mein: Zeus, die Parze und die Erynnis schickten mir damals in der Volksversammlung die verderbliche Verblendung zu. So musste ich fehlen. Aber solange Hektor um die Schiffe her die Scharen der Argiver vertilgte, ward ich unaufhörlich an meine Schuld gemahnt, und ich wurde es inne, dass Zeus mir die Besinnung hinweggenommen hatte. Nun will ich gerne büßen, was ich gefehlt, und biete dir Sühnung, Achilleus, so viel du begehrst. Zieh in den Kampf, und ich bin erbötig, dir alle die Geschenke reichen zu lassen, die dir Odysseus, von mir in dein Zelt abgesandt, jüngst noch verheißen hat. Oder wenn du lieber willst, so bleib noch so lange, bis meine Diener aus dem Schiffe sie hergebracht haben, damit du mit eignen Augen sehest, wie ich mein Versprechen erfülle.«

»Ruhmvoller Völkerfürst Agamemnon«, antwortete der Held, »mag es dir gut dünken, mir die Geschenke, wie es ziemlich ist, zu reichen oder sie zu behalten: es gilt mir gleich. Jetzt aber lass uns ohne Verzug der Schlacht gedenken, denn noch ist vieles ungetan, und mich verlangt darnach, dass man den Achilleus wieder im Vordertreffen gewahr werde!«

Aber der kluge Odysseus tat Einrede und sprach: »Göttergleicher Pelide, treibe doch die Argiver nicht so ungespeist vor Troja hin! Lass sie sich vorher bei den Schiffen mit Speise und Wein erquicken, denn nur das gibt Kraft und Stärke! Inzwischen mag Agamemnon das Geschenk in unsern Kreis bringen, dass alle Danaer es mit Augen schauen und dein Herz sich dran erfreue. Und darauf soll er selbst dich in seinem Gezelte feierlich mit einem köstlichen Mahle bewirten.« – »Freudig habe ich dein Wort vernommen, Odysseus«, antwortete der Atride, »du aber, Achilleus, wähle dir selbst die edelsten Jünglinge aus dem ganzen Heere, dass sie dir alle Geschenke aus meinem Schiffe herbeibringen; und Talthybios, der Herold, schaffe uns einen Eber herbei, dass wir Zeus und dem Sonnengott opfern und ohne Gefahr den Bund der Eintracht beschwören.« – »Tut ihr, wie ihr wollt«, sprach Achilleus, »mir soll weder Trank noch Speise durch die Kehle gleiten, solange mir der Freund zerfleischt im Zelte daliegt. Mich verlangt nur nach Mord und Blut und Geröchel der Sterbenden!« Aber Odysseus sprach besänftigend zu ihm: »Erhabenster Held aller Griechen, du bist viel stärker als ich und viel tapferer im Speerkampf; im Rate jedoch möchte ich es dir vielleicht zuvortun, denn ich habe länger gelebt und mehr erfahren. So füge sich denn diesmal dein Herz meiner Ermahnung. Die Danaer müssen ja ihre Toten nicht mit dem Bauch betrauern; wie einer gestorben, beerdigt man ihn und beweint ihn einen Tag: wer aber entronnen ist, der stärke sich mit Trank und Speise, damit wir umso rastloser kämpfen mögen!«

So sprach er und wandelte, Nestors Söhne, dann auch den Meges, Meriones, Thoas, Melanippos und Lykomedes sich beigesellend, mit diesen der Lagerstätte Agamemnons zu. Dort nahmen sie die versprochenen Geschenke: sieben Dreifüße, zwölf Rosse, zwanzig Becken, sieben unadelige Weiber, und die rosige Briseïs als achte. Odysseus wog die zehn Talente Goldes dar und schritt mit ihnen voran, die Jünglinge mit den andern Geschenken folgten. So stellten sie sich in den Volkskreis; Agamemnon erhub sich von seinem Sitze, der Herold Talthybios aber fasste den Eber, richtete ihn zum Opfer zu, betete und zerschnitt ihm die Kehle. Dann warf er den Geschlachteten wirbelnd in die Meerflut, den Fischen zum Fraß. Nun stand Achilleus auf und sprach vor den Argivern: »Vater Zeus, wie große Verblendung sendest du doch oft den Männern zu! Gewiss hätte mir der Sohn des Atreus nicht den Zorn so fürchterlich im Herzen aufgeweckt oder nicht so unbeugsam mit Gewalt das Mädchen mir entführt, wenn du nicht den Tod vielen Danaern hättest bereiten wollen! Doch nun lasst uns zum Mahle gehen und uns dann zum Angriffe rüsten.«

Nachdem der Held so gesprochen, trennte sich die Versammlung. Als die Tochter des Brises, holdselig wie Aphrodite, in das Zelt ihres früheren Gebieters trat und den Helden Patroklos mit seinen tiefen Speerwunden auf den Teppichen ausgestreckt daliegen sah, zerschlug sie sich Brust und Wangen und warf sich weinend über ihn. »Ach, mein treuer Patroklos«, rief sie, »der du mein liebreichster Freund im Elende warst, blühend verließ ich dich im Zelte, tot finde ich dich wieder! So verfolgt mich immer Unheil auf Unheil. Meinen Bräutigam sah ich vor unserer Stadt vom Speer getötet, drei leibliche, herzlich geliebte Brüder riss mir derselbe Unglückstag von der Seite weg. Dennoch, als Achilleus meinen Freund erschlagen und meine Heimat verheert hatte, wolltest du mich nie weinen sehen; du versprachst, mich dem Peliden zu vermählen, sobald du mich auf den Schiffen nach Phthia gebracht hättest, und dort unter den Myrmidonen meine Hochzeit zu feiern. Nie werd ich aufhören, dich zu beweinen, du Freundlicher.« So sprach sie weinend, und ringsum seufzten mit ihr die gefangenen Weiber zum Schein um den Patroklos, im Herzensgrund aber jede über ihr eigenes Elend.

Die edelsten Danaerfürsten umringten indessen den Peliden, indem sie ihn flehentlich baten, sich doch des Mahles zu erfreuen. Doch er weigerte sich dessen unter Seufzen. »Wenn ihr wirklich Liebe zu mir heget«, sprach er, »so verlanget nicht, mir das Herz zu erfrischen, ihr Freunde, mein Kummer duldet es nicht. Lasst mich bleiben, wie ich bin, bis die Sonne ins Meer sinkt.« Mit diesen Worten entließ er die andern Fürsten, und nur die beiden Atriden, Odysseus, Nestor, Idomeneus und Phönix blieben zurück. Sie alle waren bestrebt, den Trauernden aufzuheitern, doch vergebens; dieser blieb regungslos, und wenn er einmal sprach, so flog sein Atem schneller, und seine Rede galt dem toten Freunde. »Ach, wie oft hast du mir«, sprach er, »vordem selber, wenn das Heer der Griechen zur Schlacht hinausdrang, in geschäftiger Hast das labende Frühstück nach dem Zelte gebracht! Jetzt liegst du erschlagen hier, und mich vermag von all dem reichlichen Vorrat nichts zu erquicken; Herberes hätte mich nicht treffen können, selbst nicht die Botschaft von dem Tode meines Vaters Peleus oder meines lieben Sohnes Neoptolemos, der mir in Skyros erzogen wird, wenn er anders noch lebt. Früher tröstete mich immer noch die Hoffnung, ich würde allein hier sterben dürfen, du aber werdest nach Phthia heimkehren und meinen Sohn von Skyros abholen, ihn in alle meine Habe einsetzen; denn dass mein Vater Peleus, immer den schrecklichen Boten erwartend, der ihm meinen frühen Tod zu verkündigen käme, längst von Alter und Traurigkeit niedergebeugt, gestorben sei, das ahnt mir ja im Geiste.« So sprach er weinend, und die Fürsten im Kreise seufzten mit, denn jeder dachte daran, was er im eigenen Hause von Geliebten zurückgelassen. Mitleidig sah Zeus von seiner Höhe auf die Trauernden herab, wandte sich schnell zu seiner Tochter Pallas und sagte: »Kümmert sich denn dein Herz gar nicht mehr um den edlen Helden, trautes Töchterchen, der dort, während die andern zum Frühmahle hingingen, um seinen Freund wehklagend dasitzt, ohne Speise und Trank zu berühren? Auf, labe ihm sogleich die Brust mit Nektar und Ambrosia, dass ihm in der Schlacht kein Hunger nahe!«

Wie ein Adler mit breiten Flügeln schwang sich die Göttin, die längst darnach verlangt hatte, ihrem Freunde zu helfen, durch den Äther, und während das Heer sich eifrig zur Schlacht rüstete, flößte sie Nektar und Ambrosia sanft und unvermerkt in die Brust des Peliden, dass seine Knie ihm nicht im Treffen von Hunger erlahmten. Dann kehrte sie zum Palaste ihres allmächtigen Vaters heim. Inzwischen drangen, Helm an Helm, Schild an Schild, Harnisch an Harnisch und Lanzen an Lanzen, die Danaer aus den Schiffen hervor; das ganze Erdreich leuchtete von Erz und dröhnte von Erz unter ihren Fußtritten. Mitten unter den Dahineilenden bewaffnete sich Achilleus, mit den Zähnen knirschend und Glut in den Augen wie feurige Lohe. Er ergriff das Göttergeschenk, legte zuerst Schienen und Knöchelbekleidung an, dann bekleidete er die Brust mit dem Harnisch, warf das Schwert um die Schulter und ergriff den Schild, der, dem Vollmond ähnlich, durch den Äther glänzte. Hierauf setzte er den schweren Helm mit dem hohen goldenen Busch, strahlend wie ein Gestirn, aufs Haupt, und die Mähne flatterte aus gesponnenem Golde von ihm herab. Nun versuchte er sich selbst in der Rüstung, ob sie ihm auch genug anpasste und sich die Glieder ungehemmt bewegten: und siehe, seine Waffen deuchten ihm wie Flügel und schienen ihn vom Boden emporheben zu wollen. Jetzt zog er den schweren gediegenen

Speer seines Vaters Peleus, den kein anderer Danaer schwingen konnte, aus dem schönen Gehäuse; Automedon und Alkimos schirrten die Rosse ein, legten jedem den Zaum ins Maul und spannten die Zügel über den Wagensitz. In diesen sprang Automedon, die blanke Geißel fassend, und in Waffen strahlend, schwang sich hinter ihm Achilleus auf. »Ihr unsterblichen Rosse«, rief dieser dem Gespanne seines Vaters zu, »ich sag es euch, bringt mir die Helden nach der Schlacht, die uns die Kampfeslust sättigen soll, wieder ins Heer zurück und lasst sie nicht tot im Gefilde liegen, wie es mit Patroklos geschah.« Wie der Held so sprach, ward ihm ein grauenhaftes Wunderzeichen zuteil: sein Ross Xanthos neigte das Haupt tief zur Erde, dass die wallende Mähne ganz aus dem Ringe des Joches hervordrang und bis auf den Boden hinuntersank; und von der Göttin Hera plötzlich mit Sprache begabt, erteilte es ihm unter dem Joch die traurige Antwort: »Wohl, starker Achilleus, führen wir jetzt dich, den Lebenden, rüstig dahin; aber der Tag des Verderbens ist dir nahe. Nicht unsere Säumnis oder Fahrlässigkeit, sondern das Verhängnis und die Allmacht der Götter hatten dem Patroklos das Leben geraubt und dem Hektor Siegesruhm gegeben. Wir können mit Zephyros, dem schnellsten der Winde, um die Wette laufen und ermüden nicht. Dir aber ist vom Geschicke bestimmt, unter der Hand eines Gottes zu erliegen.« So sprach das Ross und wollte noch weitersprechen, aber die Macht der Rachegöttinnen hemmte seinen Laut, und Achilleus antwortete voll Unmut: »Xanthos, was redest du mir da vom Tode? Es bedarf deiner Weissagung nicht, weiß ich doch selbst, dass mich, ferne von Vater und Mutter, das Schicksal hier wegraffen wird. Doch auch so raste ich nicht, bis Trojaner genug im Kampfe erlegen sind!« So sprach er und lenkte mit lautem Ruf die stampfenden Rosse vorwärts.

Schlacht der Götter und Menschen

Im Olymp hatte Zeus eine Götterversammlung berufen, in welcher er den Olympischen erlaubte, beiden Teilen, Trojanern und Griechen, zu helfen, wie einen jeden die Gesinnung treibe, denn wenn Achilleus, ohne dass die Götter Anteil an der Schlacht nähmen, die Trojaner jetzt bekämpfte, so würde er selbst gegen das Schicksal Troja auf der Stelle erobern. Auf dies Zugeständnis gingen die Götter sogleich zweierlei Wege: Hera, die Göttermutter, Pallas Athene, Poseidon, Hermes und Hephästos eilten zu den Schiffen der Griechen; Ares ging unter die Trojaner und mit ihm Phöbos und Artemis, beider Mutter Leto, der Flussgott Skamander, bei den Göttern Xanthos genannt, und Aphrodite.

Solange die Götter sich noch nicht unter die heranrückenden Heere gemischt hatten, trugen die Griechen das Haupt hoch, weil der schreckliche Achilleus wieder in ihrer Mitte war. Den Trojanern zitterten die Glieder vor Angst, als sie von ferne den Peliden in seinen blinkenden Waffen erblickten, dem furchtbaren Kriegsgott ähnlich. Plötzlich aber erschienen die Götter in beiden Heeren und drohten den Kampf wieder unentschieden zu machen. Da stand Athene bald außerhalb der Mauer am Graben, bald am Meeresstrand und ließ ihren mächtigen Ausruf hören. Auf der andern Seite ermahnte Ares bald von der obersten Höhe der Stadt die Trojaner brüllend wie ein Sturm, bald durchflog er die Reihen am Simoisfluss. Durch beide Scharen tobte Eris, die Göttin der Zwietracht; dazu donnerte grässlich vom Olymp herab Zeus, der Beherrscher der Schlachten; Poseidon erschütterte die Erde von unten, dass die Häupter aller Berge und die Wurzeln des Ida wankten und Pluton selbst, der Fürst der Nacht, erschrak und bebend vom Throne sprang, weil er fürchtete, ein Erdriss möchte sein geheimnisvolles Reich Sterblichen und Göttern offenbaren. Nun stellten sich die Götter einander unmittelbar im Kampf entgegen: dem Meergotte Poseidon begegnete Phöbos Apollon mit seinen Pfeilen, dem Kriegsgotte Pallas Athene, der Göttermutter Hera Artemis mit dem Bogen, Hermes der Leto, dem Hephästos Skamander.

Während so Götter auf Götter zurückten, suchte Achilleus im Gewühle nur den Hektor auf, Apollon aber, in den Sohn des Priamos, Lykaon, verkleidet, schickte ihm den Helden Äneas entgegen, dass dieser, von Mut beseelt, im schimmernden Erzpanzer schnell in die vordersten Reihen vordrang. Doch blieb der Held im Getümmel der Heranziehenden nicht unbemerkt von Hera; schnell sammelte sie die ihr befreundeten Götter um sich und sprach: »Überlegt ihr beide, du, Poseidon, und Athene du, wohin unsere Sache sich jetzt wende. Dort kommt, von Phöbos gereizt, Äneas gegen den Peliden angestürmt: diesen müssen wir entweder verdrängen, oder einer von uns muss die Kraft des Achilleus erhöhen, dass er spüre, die mächtigsten der Götter seien mit ihm. Heute nur soll ihm nichts vom Trojanervolke geschehen, nur deswegen sind wir alle ja vom Olymp herabgekommen. Künftig mag er erdulden, was die Parze ihm bei seiner Geburt gesponnen hat.« – »Sei besonnen, Hera«, erwiderte Poseidon, »ungern möcht ich, dass wir, ich und ihr anderen, vereinigt gegen die Götter anrennen, es wäre nicht ziemlich, denn wir sind die weit Überlegenen: lasst vielmehr abseits vom Wege dort auf die Warte uns niedersetzen. Wenn aber Ares oder Apollon zuerst den Kampf anheben, wenn sie den Achilleus hindern und ihn sich nicht frei im Streite bewegen lassen, alsdann haben auch wir ein Recht, am Gefechte teilzunehmen, und gewiss kehren unsere Gegner, von unserer Kraft gebändigt, eilig in den Olymp zur Schar der andern Götter zurück!« Der Meergott wartete nicht auf die Antwort, sondern schüttelte seine finstern Locken und ging voran auf den Wall des Herakles, den vorzeiten Pallas und die Trojaner diesem zum Schutze gegen die Meerungeheuer aufgetürmt hatten. Dorthin eilte Poseidon, die andern Götter folgten ihm, und hier saßen sie nun, die Schultern in undurchdringlichen Nebel gehüllt. Gegenüber auf den Hügel Kallikolone setzten sich Ares und Apollon, und so lagerten die Unsterblichen säumend und sinnend, getrennt, aber kampfbereit und nicht ferne voneinander.

Unterdessen füllte sich ringsum das Gefilde und strahlte vom Erz der Streiter und der Wagen, und der Boden dröhnte vom Fußtritte der Herankommenden. Doch bald erschienen zwei Männer, einer aus jedem Heere, kampfbegierig hervorgerannt: Äneas, der Sohn des Anchises, und Achilleus, der Pelide. Zuerst schritt Äneas heraus; vom schweren Helme nickte sein Federbusch, den riesigen Stierschild hielt er vor die Brust und schwenkte seinen Wurfspieß drohend.

Als der Pelide dies sah, drang auch er wie ein grimmiger Löwe mit Ungestüm vor. Wie sie ganz nahe aneinander waren, rief er: »Was wagst du dich so weit aus der Menge hervor, Äneas? Hoffst du etwa, das Volk der Trojaner zu beherrschen, wenn du mich erlegst? Törichter, diese Ehre wird dir Priamos nie einräumen, hat er doch Söhne die Fülle, und er selbst, der Alte, gedenkt noch nicht vom Throne zu steigen. Oder versprachen dir vielleicht die Trojaner ein köstliches Landgut, wenn du mich erschlügest? Hab ich dich doch, wie ich glaube, im Beginne dieses Kampfes schon einmal mit meiner Lanze verfolgt! Denkst du nicht mehr daran, wie ich dich, den Vereinzelten, dort von den Rinderherden weg die Höhen des Ida hinabjagte? Da schautest du dich im Fliehen nicht einmal um, und bis nach der Stadt Lyrnessos trugen dich deine Füße. Ich aber warf sie mit Pallas und Zeus in Trümmer, und nur die Barmherzigkeit des Letzteren rettete dich, während ich Weiber und Beute genug davonführte. Doch heute werden dich die Götter nicht zum zweiten Male retten, ich rate dir, begib du dich schleunigst wieder unter die Menge zurück und hüte dich, mir zu begegnen, dass dir kein Leid geschehe!« Dagegen rief Äneas: »Hoffe mich nicht mit Worten wie einen Knaben abzuschrecken, Pelide; herzzerschneidende Worte könnte auch ich dir zurufen. Kennt doch einer des andern Geschlecht wohl vom Hören: dass dich die Meeresgöttin Thetis gebar, weiß ich; ich aber rühme mich, Aphroditens Sohn und Zeus' Enkel zu sein. Auch werden wir nicht mit kindischen Worten voneinander aus dem Schlachtfelde scheiden: lass uns deswegen nicht länger hier, gleich albernen Kindern schwatzend, in der Mitte des Getümmels stehen! Die ehernen Kriegslanzen sind es, die wir einander zu kosten geben wollen.« So sprach er und schwang den Speer zum Wurfe, von dem der entsetzliche Schild des Achilleus ringsum nachhallte; doch durchstürmte das Geschoss nur die zwei äußern Schichten von Erz; die beiden inneren waren von Zinn, und von der mittleren goldenen wurde die Lanze gehemmt. Jetzt schwang auch der Pelide seinen Speer; dieser traf den Schild des Äneas am äußersten Rand, wo das Erz und die Stierhaut am dünnsten war; Äneas duckte sich und streckte in der Angst den Schild in die Höhe: so sauste ihm die Lanze, die beiden Schildränder durchfahrend, über die Schulter hin und bohrte sich aufrecht dicht neben ihm in den Boden ein, dass den Sohn Aphroditens vor der Todesgefahr schwindelte. Und schon rannte Achilleus mit gezücktem Schwerte laut schreiend herbei. Da ergriff Äneas einen ungeheuren Feldstein, wie ihn zwei jetzige Sterbliche nicht aufheben könnten; er aber schwang ihn ganz behände. Hätte er nun mit dem Steine nur des Gegners Helm oder Schild getroffen, so wäre er unfehlbar dem Schwerte des Peliden erlegen.

Das erbarmte selbst die Götter, die, den Trojanern abhold, auf dem Herakleswalle saßen. »Es wäre doch schade«, sprach Poseidon, »wenn Äneas, weil er Apollons Wort gehorcht hat, zum Hades hinabfahren sollte; auch fürchte ich, Zeus könnte zürnen, denn hasst er gleich den

Stamm des Priamos, so will er ihn doch nicht ganz vertilgen, und durch Äneas soll das Herrschergeschlecht in Kindern und Kindeskindern fortdauern.« – »Tue, was du willst«, erwiderte Hera, »ich und Pallas, wir haben es mit einem Eidschwure beteuert, dass wir kein Unglück, welches es auch sei, von den Trojanern abhalten wollen.«

Diese Unterredung war das Werk eines Augenblicks; Poseidon flog in den Kampf, zog unsichtbar den Speer aus dem Schilde des Äneas und legte diesen dem Achilleus quer vor die Füße, nachdem er die Augen des Helden mit einem dichten Nebel umgossen hatte. Den Trojaner selbst schleuderte er, ihn hoch von der Erde aufhebend, über Wagen und Streiter hinweg an die Grenzen der Schlachtordnung, wo das Volk der kaukonischen Bundesgenossen kampfgerüstet einherzog. »Welcher Gott«, so schalt Poseidon hier den geretteten Helden, »verblendete dich, Äneas, gegen den Liebling der Götter, den weit mächtigeren Peliden, kämpfen zu wollen? Weich in Zukunft zurück, sooft du ihm begegnest; hat ihn einmal das Schicksal erreicht, dann magst du dich getrost in den vordersten Reihen schlagen!« So verließ ihn der Gott und zog vor Achilleus' Augen den Nebel hinweg, der verwundert seine Lanze an der Erde liegen und den Mann verschwunden sah. »Troll er sich immerhin mit eines Gottes Hilfe«, sprach er verdrießlich, »ich bin sein Fliehen schon gewohnt.« Dann sprang er in die Reihen der Seinigen zurück und ermunterte sie zur Schlacht. Drüben aber feuerte Hektor die Gefährten an, und es folgte ein wilder gegenseitiger Angriff. Als Phöbos Apollon sah, wie gierig Hektor dem Peliden entgegenstrebte, flüsterte er ihm ein Warnungswort ins Ohr, vor welchem Hektor erschrocken in den Haufen seiner Streiter zurückwich. Achilleus aber drang stürmend unter die Feinde ein, und sein erster Speerwurf spaltete dem tapfern Iphition das Haupt, dass er zu Boden fiel und, von den Wagenrädern der Danaer zermalmt, im vordersten Gewühle dalag. Dann stieß er dem Sohn Antenors, Demoleon, den Speer in die Schläfe; dem Hippodamas stach er, als er eben vorn Wagen herabsprang, die Lanze in den Rücken; dem Pammon, einem Sohne des Priamos, bohrte er sie, wie er gerade an ihm vorüberflog, in das Rückgrat an der Spange des Gurtes, dass sie vorn herausdrang und der Jüngling heulend ins Knie sank.

Als Hektor seinen Bruder auf der Erde gekrümmt sah, das eigene Gedärm in den Händen, wurde es Nacht vor seinen Augen; er konnte nicht länger entfernt vom Kampfe bleiben und stürmte trotz der Warnung des Gottes gerade auf Achilleus los, seinen Speer wie einen Blitzstrahl zückend. Achilleus frohlockte, als er ihn sah. »Dies ist der Mann«, sprach er, »der meinem Herzen in der tiefsten Tiefe wehe getan hat. Wollen wir länger voreinander fliehen, Hektor? Näher heran, dass du auf der Stelle das Todesziel erreichst!« – »Wohl weiß ich, wie tapfer du bist«, antwortete Hektor unerschrocken, »und wie weit ich dir nachstehe; doch wer weiß, ob die Götter mein Geschoss nicht begünstigen, dass es dir, obwohl vom schwächeren Manne abgesendet, dennoch dein grausames Leben raubt.« Seinen Worten schickte er die Lanze nach. Aber Athene stand hinter dem Peliden und trieb sie mit einem leisen Anhauche gegen Hektor zurück, dass sie ihm kraftlos zu Füßen sank. Nun stürzte Achilleus heran, den Gegner mit einem Speerstoße zu durchbohren: doch Apollon schlug einen Nebel um Hektor, entrückte ihn, und dreimal stach der heranstürmende Pelide in die leere Luft. Als er das vierte Mal vergebens anrannte, rief er mit drohender Stimme: »So entrannst du abermals dem Tode, du Hund, und hast gewiss zu deinem Phöbos gebetet; aber wenn anders ein Gott auch mich begleitet, entrinnst du künftig dem Verderben von meiner Hand nicht! Für jetzt gehe ich, andere zu erschlagen.« So sprach er und stach dem Dryops die Lanze in den Hals, dass er ihm vor die Füße taumelte; durchbohrte dem Demuchos das Knie mit einem Speerwurf, stürzte den Laogonos und Dardanos, die Söhne des Bias, jenen mit einem Lanzenwurfe, diesen mit einem Schwerthiebe, vom Wagen; dem Tros, dem Sohne Alastors, spaltete er die Leber, obgleich der Held ihm die Knie flehend umfasste; dem Mulios fuhr seine Lanze durch ein Ohr bis zum andern; dem Sohne Agenors, Echeklos, hieb er das Schwert tief in den Schädel; den Deukalion traf seine Lanzenspitze unter dem Armbug, und sein Haupt flog vor seinem Schwerte mitsamt dem Helm in den Staub; Rhigmos, dem Thrakier, schoss er die Lanze in den Bauch, und seinen Wagenlenker Areïthoos warf er mit einem Speerstoße vom Sitz. So wütete der göttergleiche Held wie ein Wind im entsetzlichen Waldbrande; seine Rosse trabten stampfend über Schilde und Leichname dahin, die Achse seiner Wagenräder troff von Blut, und bis zu den schmucken Rändern des Sitzes spritzten die Tropfen empor.

Kampf des Achilleus mit dem Stromgotte Skamander

Als die Fliehenden und ihr Verfolger an die Flut des wirbeldrehenden Skamander gekommen waren, teilte sich die Flucht. Ein Teil warf sich stadtwärts auf das Blachfeld, wo am vorigen Tage Hektor als Sieger die Griechen getummelt hatte. Über sie breitete Hera ein dichtes Gewölk aus und hinderte sie so, weiterzufliehen. Die andern aber, hart an das Gewässer des Stromes gedrängt, stürzten sich in seine tosenden Wirbel hinab, dass die Gestade ringsumher widerhallten. Dort schwammen sie durcheinander wie Heuschrecken, die man mit Feuer ins Wasser gescheucht hat; so füllte sich mit einem Gewirre von Rossen und Männern der ganze Fluss. Da lehnte der Pelide seine Lanze an einen Tamariskenbaum des Ufers und stürzte sich, das Schwert allein in der Hand, wie ein Gott ihnen nach. Bald rötete sich das Wasser von Blut, und unter seinen Streichen erhub sich hier und dort ein Röcheln aus den Wellen; er wütete wie in einer Hafenbucht ein ungeheurer Delfin, der von den andern Fischen verschlingt, welchen er erhascht. Als ihm allmählich vom Morden die Hände starr wurden, ergriff er doch noch zwölf lebende Jünglinge im Strom; er zog die der Sinne schon halb Beraubten heraus und übergab sie den Seinigen; sie sollten als Sühneopfer für den Tod seines Freundes Patroklos sterben.

Als der Held nun wieder in den Strom stürzte, nach neuem Würgen sich sehnend, begegnete ihm, eben aus den Fluten aufstrebend, Lykaon, der Sohn des Priamos, und Achilleus stutzte bei dem Anblick. Ihn hatte einst bei einem früheren nächtlichen Überfall der Pelide im Obsthaine seines Vaters Priamos überrascht, wo er gerade wilde Feigensprossen zu einem Sesselrand seines Wagens schnitt. Damals entführte ihn Achilleus mit Gewalt und sandte ihn zu Schiffe nach der Insel Lemnos, wo der Sohn des Jason, Euneos, ihn als Sklaven an sich kaufte. Als nun ein anderer Sohn des Jason, Eëtion, Fürst von lmbros, seinen Halbbruder zu Lemnos besuchte, kaufte er den feinen Jüngling diesem um teures Geld ab und sandte ihn nach seiner Stadt Arisbe. Nachdem Lykaon hier einige Zeit gelebt, schlich er sich heimlich von dannen und rettete sich nach Troja. Es war der zwölfte Tag, dass er aus der Gefangenschaft zurückgekehrt war und jetzt zum zweiten Male dem Achilleus in die Hände fiel. Wie dieser ihn mit wankenden Knien kraftlos aus dem Strome hervortauchen sah, sprach er staunend zu sich selber: »Wehe mir, welch Wunder muss ich erblicken! Gewiss werden jetzt auch die andern Trojaner, die ich erschlagen habe, aufs Neue aus der Nacht hervorkriechen, da dieser wiederkommt, den ich vor langer Zeit nach Lemnos verkauft habe! Nun, wohlan, mag er die Spitze unserer Lanzen kosten und es dann versuchen, ob er auch aus dem Boden zurückkehren kann!« Doch ehe Achilleus recht mit dem Speere zielen konnte, hatte sich Lykaon heraufgeschwungen, umschlang ihm mit der einen Hand die Knie und fasste mit der andern seine Lanze. »Erbarme dich meiner, Achilleus«, rief er, »war ich doch einst deinem Schutze anvertraut! Damals trug ich dir hundert Stiere ein, jetzt will ich mich dreimal so hoch lösen! Erst seit zwölf Tagen bin ich in der Heimat, nach langer Qual der Gefangenschaft, aber Zeus muss mich wohl hassen, dass er mich von neuem in deine Hand gegeben. Doch töte mich nicht; ich bin ein Kind Laothoes und kein leiblicher Bruder des Hektor, der dir deinen Freund gemordet hat.« Aber Achilleus faltete die Stirn, und mit unbarmherziger Stimme sprach er: »Schwatze mir nicht von Lösung, du Tor; ehe Patroklos starb, war mein Herz zu schonen willig, jetzt aber entflieht keiner dem Tod. So stirb denn auch du, mein Guter; sieh mich nicht so kläglich an! Ist doch auch Patroklos gestorben, der viel herrlicher war als du. Und betrachte mich selbst, wie schön und groß ich von Gestalt bin; dennoch, ich weiß es gewiss, wird auch mich das Verhängnis von Feindeshand ereilen, sei's am Morgen, am Mittag oder am Abend!« Lykaon ließ zitternd den Speer fahren, als er ihn so reden hörte, saß mit ausgebreiteten Händen und empfing den Stoß des Schwertes in den Hals. Achilleus fasste den Gemordeten am Fuße, schleuderte ihn in den Strudel des Flusses und rief ihm höhnend nach: »Lass sehen, ob der Strom dich rette, dem ihr vergebens so viele Sühneopfer gebracht habt!«

Über diese Worte ergrimmte der Stromgott Skamander, der ohnedem auf Seite der Trojaner war, und erwog bei sich im Geiste, wie er den grässlichen Helden in seiner Arbeit hemmen und die Plage von seinen Schützlingen abwenden könnte. Achilleus sprang indessen mit seiner Lanze auf Asteropäos den Päonier, den Sohn des Pelegon, ein, der, zwei Speere in den Händen, eben aus dem Strom stieg. Diesem hauchte der Flussgott Mut in die Seele, dass er mit Ingrimm das erbarmungslose Gemetzel des Peliden überblickte und kühn auf den Mordenden zueilte.

»Wer bist du, der es wagt, mir entgegenzugehen«, rief Achilleus ihm zu, »nur die Kinder unglückseliger Eltern begegnen meiner Kraft.« Ihm antwortete Asteropäos: »Was frägst du nach meinem Geschlecht? Der Enkel des Stromgottes Axios bin ich, Pelegon hat mich gezeugt; vor elf Tagen bin ich mit meinen Päonen als Bundesgenosse Trojas erschienen. Jetzt aber kämpfe mit mir, hoher Achilleus.« Da erhub der Pelide seine Lanze; der Päonier aber warf zwei Speere zugleich, einen mit jeder Hand, denn er konnte die linke wie die rechte brauchen: der eine brach das Schildgewölbe des Peliden, ohne den Schild selbst zu brechen, der andere streifte ihm den rechten Arm am Ellbogen, dass das Blut hervorrieselte. Jetzt erst schwang Achilleus seine Lanze, aber sie verfehlte den Gegner und fuhr bis zur Hälfte ins Ufer. Dreimal zog Asteropäos mit seiner nervigen Hand an ihr, ohne sie aus dem Boden herausreißen zu können. Als er das vierte Mal ansetzte, überfiel ihn Achilleus mit dem Schwert und hieb ihm in den Leib, dass alles Gedärm hervordrang und er röchelnd auf die Erde sank. Der Pelide zog ihm jauchzend die Rüstung ab und ließ den Leichnam den Aalen zur Uferbeute liegen; dann stürzte er sich unter die Päonier, die noch voll Angst an dem Flusse umherflogen. Ihrer sieben hatte sein Schwert erschlagen, noch wollte er unter ihnen fortwüten, als plötzlich Skamander, der zürnende Beherrscher des Stromes, in Menschengestalt aus dem tiefen Strudel emportauchte und dem Helden zurief: »Pelide, du wütest mit entsetzlichen Taten, mehr als ein Mensch! Meine Gewässer sind voll von Toten, mit Mühe ergießen sich meine Ströme ins Meer, lass ab!« – »Ich gehorche dir, denn du bist ein Gott«, antwortete Achilleus, »aber darum wird mein Arm nicht vom Morde der Trojaner rasten, bis ich sie in die Stadt zurückgejagt und meine eigene Kraft mit der Kraft Hektors gemessen habe.« So sprach er und stürzte sich auf die flüchtigen Reihen der Trojaner, drängte sie aufs Neue dem Ufer zu, und als sie sich ins Wasser retteten, sprang auch er, den Befehl des Gottes vergessend, wieder in den Strudel. Nun fing der Strom an, wütend zu schwellen, regte seine trüben Fluten auf, warf die Getöteten mit lautem Gebrüll ans Gestade; seine Brandung schlug schmetternd an den Schild des Peliden. Dieser, mit den Füßen wankend, fasste eine Ulme mit den Händen, riss sie aus den Wurzeln und klomm über ihre Äste ans Ufer. Nun flog er über das Gefilde hin, aber der Flussgott rauschte ihm mit der tosenden Welle nach und

erreichte ihn, so rasch er war. Und sooft er ihm widerstehen wollte, bespülten die Wogen ihm die Schultern und raubten ihm den Boden unter den Füßen. Da klagte der Held gen Himmel: »Vater Zeus, erbarmt sich denn keiner der Ewigen meiner, mich aus der Gewalt des Stromes zu retten? Betrogen hat mich meine Mutter, als sie weissagte, dass mir der Tod durch Apollons edles Geschoss bereitet sei. Hätte mich doch Hektor getötet, der Starke den Starken! So aber soll ich des schmählichen Todes in den Fluten sterben wie der Knabe eines Sauhirten, der im Winter durch den Sturzbach watet und fortgerissen wird!«
Wie er so jammerte, gesellten sich Poseidon und Athene in Menschengestalt zu ihm, fassten ihn bei der Hand und trösteten ihn, denn nicht sei ihm vom Schicksal bestimmt, in den Strom zu sinken. Die Götter schieden wieder, aber Athene füllte ihn mit Kraft, dass er mit den Knien hoch aus der Flut sprang und das Gefilde wieder gewann. Aber noch immer ließ Skamander von seinem Zorne nicht ab; vielmehr bäumte er sich mit immer höherer Brandung und rief laut seinem Bruder Simois zu: »Komm, Bruder, lass uns beide zusammen die Gewalt dieses Mannes da bändigen, sonst wirft er uns heute noch die Feste des Priamos in den Staub! Auf, hilf mir, nimm die Quellen des Gebirges zu dir, ermuntere jeden Gießbach, hebe deine Flut hoch, rolle Steinblöcke daher! Nicht seine Kraft, nicht seine Rüstung soll ihn verteidigen; tief im Sumpfe soll diese liegen, mit Schlamm bedeckt. Ihn selbst verschütte ich mit Muscheln, Kies und Sand, dass die Argiver selbst seine Gebeine in dem Wust nicht mehr finden können. So türme ich ihm selbst sein Denkmal auf, und die Danaer brauchen ihm für kein Rasengrab zu sorgen!« Unter diesem Zurufe rauschte er mit Schaum, Blut und Leichen auf den Helden daher, dass bald seine Welle sich über ihm bäumte, indes auch der Strom Simois aus der Ferne herannahte.
Hera selbst, voll inniger Angst um ihren Liebling, schrie laut, als sie dieses sah. Dann sprach sie schnell zu Hephästos: »Lieber hinkender Sohn, nur deine Flammen sind dem gewaltigen Strome gewachsen: bringe dem Peliden deine Hilfe; ich selbst will den West- und Südwind vom Meergestade erregen, dass sie die schreckliche Glut bis ins Heer der Trojaner hineintragen. Du aber zünde die Bäume am Gestade des Flusses an und durchlodere ihn selbst; lass dich durch keine Schmeichelei und durch keine Drohung zurückschrecken, Glut muss die Vertilgung im Zaume

halten!« Auf ihr Wort durchflog die Flamme des Hephästos das Gefilde, und zuerst verbrannte sie die Leichname der Troer, die von Achilleus' Hand gefallen waren. Dann wurde das Feld ganz trocken und das Wasser gehemmt. Am Ufer fingen die Ulmen, die Weiden, die Tamarisken und alles Gras zu brennen an; schon schnappten die Aale und andere Fische, angstvoll und matt von dem Glutanhauche, nach frischem Wasser. Endlich wogte der Strom selbst in lichten Flammen, und Skamander, der Gott, rief wimmernd aus seinen Fluten hervor: »Glut atmender Gott, ich begehre nicht mit dir zu kämpfen, lass uns vom Streite ruhen; was geht mich die Fehde der Trojaner und des Achilleus an!« So klagte er, während seine Gewässer sprudelten, wie Fett im Kessel über der Flamme brodelt. Endlich wandte er sich laut wehklagend an die Göttermutter und rief: »Hera, warum quält denn dein Sohn Hephästos meinen Strom so entsetzlich? Hab ich doch nicht mehr verschuldet als die andern Götter alle, so viel ihrer den Trojanern beistehen; jetzt aber will ich ja gerne ruhig sein, wenn du es befiehlst, nur sollte auch er mich in Ruhe lassen!« Da begann Hera zu ihrem Sohne: »Halt ein, Hephästos, martere mir den unsterblichen Gott nicht länger um der Sterblichen willen!« Jetzt löschte der Feuergott seine Flamme, der Strom rollte in seine Ufer zurück, und auch der ferne Simois gab sich zufrieden.

Schlacht der Götter

Den andern Göttern tobte dafür das Herz in ungestümer Feindschaft, und im Sturme prallten sie aneinander, dass der Erdkreis dröhnte und die Luft rings wie von Posaunen erscholl. Zeus, auf der Spitze des Olymp gelagert, vernahm es, und sein Herz erbebte vor Wonne, als er die Unsterblichen zum riesenhaften Kampf aufeinander losrennen sah. Zuerst drang Ares, der Kriegsgott, vor und stürmte mit seinem ehernen Speer auf Pallas Athene ein, indem er ihr schmähende Worte entgegenrief: »Du schamloseste Fliege, was treibst du voll stürmischer Dreistigkeit die Götter zum Kampfe? Weißt du noch, wie du den Tydiden gereizt, dass er mich mit der Lanze verwundete, ja wie du selbst mit dem strahlenden Speere mir den unsterblichen Leib verletzt? Jetzt wollen wir die Rechnung miteinander abschließen, du Unbändige!« So sprach er, schlug an seinen schrecklichen Agisschild und stieß mit dem Speer nach der Göttin. Diese wich aus, griff nach einem großen rauen Markstein, der dort im Gefilde lag, und traf damit den Wüterich an den Hals, dass er klirrend in seinen ehernen Waffen zu Boden sank, sieben Hufen Landes im Fall bedeckend, und sein göttliches Haar vom Staub besudelt war. Da lächelte Athene und sprach jubelnd: »Törichter, du hast wohl nie bedacht, um wie viel ich dich an Kraft übertreffe, da du es gewagt hast, dich mit mir zu messen! Büße jetzt ganz deiner Mutter Hera Verwünschungen, die voll Zornes über dich ist, dass du dich den Griechen entzogen hast und die übermütigen Trojaner verteidigen magst.« So redete sie und wandte ihre strahlenden Götteraugen ab. Den schwer aufstöhnenden Kriegsgott, dem erst allmählich der Atem wiederkehrte, führte Zeus' Tochter, Aphrodite, aus der Schlacht; als aber Hera die beiden gewahr wurde, begann sie zu Athene: »Weh mir, Pallas, siehst du nicht, wie dreist dort die weichliche Liebesgöttin den wilden Mörder mitten aus dem entscheidenden Kampf durchs Getümmel hinwegführt? Wirst du sie nicht schnell verfolgen?« Nun stürmte Pallas Athene nach und versetzte der zarten Göttin mit mächtiger Hand einen Schlag auf die Brust, dass sie zu Boden sank und der verwundete Kriegsgott mit ihr. »Mögen alle so stürzen«, rief Athene, »die es wagen, den Trojanern beizustehen! Wäre es jedem der Unsern gelungen wie mir, so hätten wir längst Ruhe, und Troja wäre zum Schutthaufen unter unsern Händen geworden.« Ein Lächeln flog über Heras Gesicht, als sie dieses sah und hörte. Darauf sprach der Erderschütterer Poseidon zu Apollon gewendet: »Phöbos, warum stehen wir so entfernt, da doch andere den Kampf schon begonnen haben? Welch eine Schmach wäre es für uns, wenn wir beide zum Olymp zurückkehren wollten, ohne unsere Kraft aneinander versucht zu haben. So hebe denn du an, bist du doch der Jüngere! Was säumst du? Hat dein Herz ganz vergessen, wie viel wir beide vor allen Göttern bereits Böses um Troja geduldet haben, seit wir dem stolzen Laomedon bei dem Bau der Stadtmauer frönten und er unsere Dienste so schnöde vergalt? Du denkst wohl nicht mehr daran, sonst würdest du mit uns andern auf die Vernichtung der Trojaner bedacht sein und nicht dem Volke des trügerischen Laomedon willfahren!« – »Beherrscher des Meeres«, antwortete ihm Phöbos, »ich selbst würde dir nicht bei Besinnung dünken, wenn ich der Sterblichen wegen, die hinfällig sind wie das

Laub im Walde, mit dir, dem Ehrfurcht gebietenden Gotte, kämpfen wollte.« So sprach Apollon und wandte sich voll Scheu, wider den Bruder seines Vaters gewaltsam den Arm aufzuheben. Da spottete seiner die Schwester Artemis und rief höhnend: »Fliehest du schon vor der Schlacht, du Fernhintreffer, und räumst dem prahlerischen Poseidon den Sieg ein? Du Tor, was trägst du alsdann auf der Schulter den Bogen, das nichtige Kinderspiel?« Aber Hera verdross die Spottrede: »Gedenkst du etwa, weil du dein Geschoss auf dem Rücken trägst, dich mit mir an Stärke zu messen, du Schamlose?«, sprach sie. »Wahrlich, dir wäre besser, du gingst in die Wälder, einen Eber oder Hirsch zu erlegen, als frech gegen höhere Götter anzukämpfen! Und doch, weil du so trotzig bist, so magst du meine Hand fühlen.« So schalt sie, ergriff mit der Linken beide Hände der Göttin am Knöchel, mit der Rechten zog sie ihr den Köcher samt den Pfeilen von der Schulter und versetzte damit der Zurückgewendeten schimpfliche Streiche um die Ohren, dass die Pfeile klirrend aus dem Köcher sanken. Wie eine schüchterne Taube, vom Habicht verfolgt, ließ Artemis Köcher und Pfeile liegen und floh unter Tränen davon. Ihre Mutter Leto wäre ihr zu Hilfe geeilt, wenn nicht Hermes in der Nähe auf der Lauer gestanden wäre. Als dieser des Geschehenen inneward, sprach er zu ihr: »Ferne sei von mir, dass ich mit dir streiten wollte, Leto; gefahrvoll ist der Kampf mit den Frauen, die der Donnerer seiner Liebe gewürdigt hat. Deswegen magst du dich immerhin im Kreise der Unsterblichen rühmen, mich besiegt zu haben.« So sprach er freundlich: da eilte Leto herbei, hob den Bogen, den Köcher und die Pfeile, welche wirbelnd da- und dorthin in den Staub gefallen waren, auf und eilte der Tochter nach zum Olymp hinan. Dort hatte sich Artemis weinend auf die Knie des Vaters gesetzt, und ihr feines, von Ambrosia duftendes Gewand bebte ihr noch vom Zittern der Glieder. Zeus schloss sie liebkosend in die Arme und sprach unter freundlichem Lächeln zu ihr: »Welcher von den Göttern hat es gewagt, dich zu misshandeln, mein zartes Töchterehen?« – »Vater«, antwortete sie, »dein Weib hat mir ein Leids getan, die zornige Hera, die alle Götter zu Streit und Hader empört.« Da lachte Zeus, streichelte sie und sprach ihr Trost zu.

Drunten aber ging Phöbos Apollon hinein in die Stadt der Trojaner, denn ihm war ernstlich bange, die Danaer möchten, dem Schicksal zum

Trotz, noch heute die Mauer der schönen Feste niederreißen. Die übrigen Götter eilten, die einen voll Siegeslust, die andern voll Zorn und Gram, in den Olymp zurück und setzten sich um den Vater, den Donnergott, im Kreise nieder.

Achilleus und Hektor vor den Toren

Auf einem hohen Turme der Stadt stand der greise König Priamos und schaute nieder auf den gewaltigen Peliden, wie er die fliehenden Trojaner vor sich hertrieb, ohne dass ein Gott oder ein Sterblicher erschien, ihn abzuwehren. Wehklagend stieg der König vom Türme hernieder und ermahnte die Hüter der Mauer: »Öffnet die Torflügel und haltet sie, bis alle die fliehenden Völker sich in die Stadt hereingedrängt haben, denn Achilleus tobt ganz nahe dem Schwarm, und mir ahnet schlimmer Ausgang. Sind sie innerhalb der Mauer, so füget mir die Flügel wohl ineinander, sonst stürmt der Verderbliche hinter ihnen durch das Tor zu uns herein!« Die Wächter schoben die Riegel zurück, die Torflügel taten sich auseinander, und eine Rettungspforte stand offen.

Während aber die Trojaner, ausgedörrt vom Durst, bedeckt mit Staub, durch das Blachfeld flohen und Achilleus mit seiner Lanze sie wie wahnsinnig verfolgte, verließ Apollon Trojas offenes Tor, die Not seiner Schutzbefohlenen zu wenden. Er erweckte den Helden Agenor, den tapfern Sohn Antenors, und stand ihm, in dunkeln Nebel eingehüllt, an die Buche des Zeus gedrängt, selbst zur Seite. So geschah es, dass Agenor zuerst von allen Trojanern im Fliehen innehielt, sich besann und schämte und zu sich selbst sagte: »Wer ist es, der dich verfolgt, ist nicht auch ihm der Leib mit spitzem Eisen verwundbar, ist er nicht auch sterblich wie andere Menschen?« So fasste er sich in Gedanken und erwartete den heranstürmenden Achilleus, streckte den Schild vor und rief ihm, die Lanze schwingend, entgegen: »Hoffe nicht, so schnell die Stadt der Trojaner zu verheeren, Törichter; noch gibt es Männer unter uns, die für Eltern, Weiber und Kinder ihre Feste beschirmen!« Damit entschwang er den Speer und traf die neugegossene zinnerne Knieschiene des Helden, von der die Lanze jedoch, ohne zu verwunden, abprallte. Achilleus stürzte sich auf den Gegner, aber Apollon entführte diesen im

Nebel und wusste den Peliden selbst durch eine List von der Verfolgung abzulenken. Er selbst verwandelte sich nämlich in die Gestalt Agenors und nahm seinen Weg durch das Weizenfeld, dem Skamanderflusse zu. Achilleus eilte ihm fliegend nach und hoffte beständig, ihn im Laufe zu erreichen. Indessen flüchteten die Trojaner glücklich durchs offene Tor in die Stadt, die sich bald mit gedrängten Scharen füllte. Keiner wartete auf den andern, keiner schaute sich um, zu sehen, wer gerettet, wer gefallen sei; alle waren nur froh für sich selbst, sich sicher hinter den Mauern zu wissen. Da kühlten sie den Schweiß, löschten den Durst und streckten sich längs der Mauer an der Brustwehr nieder.
Doch die Griechen, Schild an Schulter, wandelten in dichten Scharen auf die Mauer zu. Von allen Trojanern war nur Hektor außerhalb des skäischen Tores geblieben, denn sein Schicksal hatte es so geordnet. Achilleus aber war noch immer auf der Verfolgung Apollons begriffen, den er für Agenor hielt. Da stand plötzlich der Gott stille, wandte sich um und sprach mit seiner Götterstimme: »Was verfolgst du mich so hartnäckig, Pelide, und vergissest über mir die Verfolgung der Trojaner? Du meinest einen Sterblichen zu jagen und ranntest einem Gott nach, den du nicht töten kannst.« Da fiel es wie Schuppen von den Augen des Helden, und er rief voll Ärger aus: »Grausamer, trügerischer Gott! Dass du mich so von der Mauer hinweglocken konntest! Fürwahr, noch viele hätten mir im Staube knirschen müssen, ehe sie in Ilion eingezogen! Du aber hast mir den Siegesruhm geraubt und sie gefahrlos gerettet, denn du hast als ein Gott keine Rache zu fürchten, wie gern ich mich auch an dir rächen möchte!«
Achilleus wandte sich und flog trotzigen Sinnes auf die Stadt zu wie ein ungestümes, sieggewohntes Ross am Wagen. Ihn erblickte zuerst der greise Priamos von der Warte des Turmes herab, auf welcher der König wieder Platz genommen hatte, und er erschien ihm leuchtend, wie der ausdörrende Hundsstern am Nachthimmel dem Landmann Verderben bringend entgegenfunkelt. Der Greis schlug sich die Brust mit den Händen und rief wehklagend zu seinem Sohne herab, der außerhalb des skäischen Tores stand und voll heißer Kampfgier auf den Peliden wartete: »Hektor, teurer Sohn! Was weilest du draußen einsam und von allen andern getrennt? Willst du dich denn mutwillig dem Verderber in die Hände geben, ihm, der mir schon so viele tapfere Söhne geraubt hat!

Komm herein in die Stadt, beschirme hier Trojas Männer und Frauen, verherrliche nicht den Ruhm des Peliden durch deinen Tod! Erbarme dich auch meiner, deines elenden Vaters, solange er noch atmet, meiner, den Zeus verdammt hat, an der äußersten Schwelle des Alters in Gram hinzuschwinden und so unendliches Leid mit anzuschauen! Meine Söhne werde ich erwürgt sehen müssen, meine Töchter hinweggerissen, ausgeplündert die Kammern meiner Burg, die stammelnden Kinder zu Boden geschmettert, die Schwiegertöchter fortgeschleppt. Zuletzt liege ich wohl selbst, von einem Speerwurf oder Lanzenstich ermordet, am Tore des Palastes, und die Haushunde, die ich aufgezogen, zerfleischen mich und lecken mein Blut!«

So rief der Greis vom Turme herab und zerraufte sein weißes Haar. Auch Hekabe, die Mutter, erschien an seiner Seite, zerriss ihr Gewand und rief weinend hinunter: »Hektor, gedenke, dass meine Brust dich gestillt hat; erbarme dich meiner! Wehre dem schrecklichen Manne hinter der Mauer, aber miss dich nicht mit ihm im Vorkampfe, du Rasender!«

Das laute Weinen und Rufen seiner Eltern vermochte den Sinn Hektors nicht umzustimmen; er blieb unbeweglich auf dem Platze und erwartete den heranstürmenden Achilleus. »Damals hätte ich weichen müssen«, sprach er in seinem Herzen, »als mein Freund Polydamas mir den Rat gab, das Heer der Trojaner in die Stadt zurückzuführen. Jetzt, nachdem ich das Volk durch meine Betörung verderbt habe, fürchte ich mich vor den Männern und Weibern Trojas, dass nicht einer der Schlechteren mir dereinst sage: im Vertrauen auf seine eigene Stärke hat Hektor das Volk preisgegeben. Viel besser, ich siege oder falle im Kampfe mit dem Gefürchteten! – Oder wie? Wenn ich Schild und Helm jetzt zur Erde legte, meinen Speer an die Mauer lehnte, ihm entgegenginge, ihm Helena, alle Schätze, die Paris geraubt, zudem anderes Gut die Fülle anböte; wenn ich alsdann den Fürsten Trojas einen Eidschwur abnähme, nichts insgeheim zu entziehen; all unsere Schätze und Vorräte in zwei Teile zu teilen ... Doch wehe mir, was für Gedanken kommen mir ins Herz? Ich mich ihm flehend nahen? Ohne Erbarmen würde er mich, den Entblößten, niederhauen wie ein Weib! Fürwahr, es würde sich schön ausnehmen, wenn ich mich zu einem traulichen Gespräche ihm beigesellen wollte, wie ein Jüngling wohl mit der Jungfrau plaudert! Besser, wir rennen aufeinander an zum Kampfe, dass es sich bald entscheiden muss, welchem von uns beiden die Olympischen den Sieg verleihen!« Solche Gedanken wog Hektor im Geiste ab und blieb.

Der Tod Hektors

Immer näher kam Achilleus geschritten, dem Kriegsgott an furchtbarer Herrlichkeit gleich; auf der rechten Schulter bebte entsetzlich seine Lanze aus Pelions Eschenholz, seine Erzwaffen schimmerten um ihn wie eine Feuersbrunst oder wie die aufgehende Sonne. Als Hektor ihn sah, musste er unwillkürlich zittern; er vermochte nicht mehr stillezustehen: er wandte sich um, dem Tore zu, und hinter ihm her flog der Pelide, wie ein Falk der Taube nachstürzt, die oft seitwärts schlüpft, während der Raubvogel grad andringt in seinem Fluge. So flüchtete Hektor längs der Mauer von Troja über den Fahrweg hinüber an den beiden sprudelnden Quellen des Skamander vorbei, der warmen und der kalten, immer weiter um die Mauer: ein Starker floh, aber ein Stärkerer folgte. Also kreisten sie dreimal um die Stadt des Priamos, und vom Olymp sahen alle ewigen Götter dem Schauspiele mit gespannter Aufmerksamkeit zu. »Erwägt es wohl, ihr Götter«, sprach Zeus, »die Stunde der Entscheidung ist gekommen; jetzt fragt es sich: soll Hektor dem Tode noch einmal entfliehen, oder soll er, wie tapfer er auch sein mag, fallen?« Da nahm Pallas Athene das Wort und sprach: »Vater, wo denkst du hin? Einen Sterblichen, der längst dem Verhängnis anheim gefallen ist, willst du vom Tod erlösen? Tu, was dir gut dünkt, aber hoffe nicht, dass die Götter deinen Rat billigen werden!« Zeus nickte seiner Tochter Gewährung zu, und sie schwang sich wie ein Vogel von den Felsenhöhlen des Olymp aufs Schlachtfeld hinab.

Hier floh Hektor noch immer vor seinem Verfolger, der ihn, wie ein Jagdhund den aus dem Lager aufgejagten Hirsch, bedrängte und ihm, wie dieser seinem Wild, keinen Schlupfwinkel und keine Rast gönnte. Auch winkte Achilleus seinem Volke zu, dass keiner sein Geschoss auf Hektor werfen und ihm den Ruhm rauben sollte, der Erste und Einzige gewesen zu sein, der den furchtbarsten Feind der Griechen erlegte.

Als sie nun zum vierten Mal auf ihrer Runde um die Mauer an die Quellen des Skamander gelangt waren, da erhob sich Zeus auf dem Olymp, streckte die goldene Waage vor und legte zwei Todeslose hinein, das eine für den Peliden, das andere für Hektor. Dann fasste er die Waage in der Mitte und wog: da sank Hektors Waagschale tief nach dem Hades zu, und augenblicklich verließ Phöbos Apollon seine Seite. Zu Achilleus aber trat Athene, die Göttin, und flüsterte ihm ins Ohr: »Steh und erhole dich, während ich jenem zurede, dich kühn zu bekämpfen.« Achilleus lehnte sich, der Göttin gehorchend, auf seinen eschenen Speer, sie aber, in Gestalt des Deïphobos, trat ganz nahe zu Hektor und sprach zu ihm: »Ach, mein älterer Bruder, wie bedrängt dich der Pelide! Wohlan, lass uns standhalten und ihn abwehren.« Freudig aufblickend, erwiderte Hektor: »Du warst immer mein trautester Bruder, Deïphobos, jetzt aber muss dich mein Innerstes nur umso mehr hoch achten, dass du dich, sobald mich dein Auge wahrnahm, aus der Stadt gewagt hast, während die andern alle hinter den Mauern sitzen!« Athene winkte dem Helden zu und schritt ihm voran, die Lanze gehoben, dem ausruhenden Achilleus entgegen. Diesem rief Hektor zuerst zu: »Nicht länger entfliehe ich dir, Pelide: mein Herz treibt mich, dir fest entgegenzustehen, dass ich dich töte oder falle! Lass uns aber die Götter zu Zeugen eines Eidschwures nehmen: wenn mir Zeus den Sieg verleiht, werde ich dich nimmermehr misshandeln, sondern, nachdem ich dir deine Rüstung abgezogen, die Leiche deinen Volksgenossen zurückgeben. Ein Gleiches sollst du mir tun!«

»Nichts von Verträgen geplaudert!«, erwiderte finster Achilleus. »Sowenig ein Hund zwischen Löwen und Menschen Freundschaft stiftet, sowenig zwischen Wölfen und Lämmern Eintracht besteht, so wenig wirst du dich mit mir befreunden. Einer von uns muss blutig zu Boden stürzen, Nimm deine Kunst zusammen, du musst Lanzenschwinger und Fechter zugleich sein. Doch du wirst mir nicht entrinnen, all das Leid, das du den Meinigen mit der Lanze angetan hast, das büßest du mir jetzt auf einmal!« So schalt Achilleus und schleuderte die Lanze: doch Hektor sank ins Knie, und das Geschoss flog über ihn weg in die Erde; hier fasste es Athene und gab es dem Peliden, unbemerkt von Hektor, sogleich zurück. Mit zornigem Schwung entsandte nun Hektor auch seinen Speer, und dieser fehlte nicht, er traf mitten auf den Schild des Achilleus, aber prallte auch davon ab; bestürzt sah sich Hektor nach seinem Bruder Deïphobos um, denn er hatte keine zweite Lanze zu versenden. Doch dieser war verschwunden. Da wurde Hektor inne, dass es Athene war, die ihn getäuscht hatte. Wohl sah er ein, dass das Schicksal ihn jetzt fassen würde, er dachte daher nur daran, wie er nicht ruhmlos in den Staub sinken wollte, zog sein gewaltiges Schwert von der Hüfte und stürmte, das geschwungene in der Rechten, wie ein Adler einher, der auf einen geduckten Hasen oder ein Lämmlein aus der Luft herabschießt. Der Pelide wartete den Streich nicht ab, auch er drang unter dem Schilde vor; sein Helm nickte, die Mähne flatterte, und sternhell strahlte sein Speer, den er grimmig in seiner Rechten schwenkte. Sein Auge suchte an Hektor eine Stelle zu erspähen, an der eine Wunde haften könne. Da fand er alles blank von der geraubten Rüstung umhüllt; nur wo Achsel und Hals das Schlüsselbein verbindet, erschien die Kehle, die gefährlichste Stelle des Lebens am Leib, ein wenig entblößt. Dorthin lenkte Achilleus schnell besonnen seinen Stoß und durchstach ihm den Hals so mächtig, dass die Lanzenspitze zum Genick herausdrang. Doch durchschnitt ihm der Speer die Gurgel nicht, so dass der Verwundete noch reden konnte, obgleich er in den Staub sank, während Achilleus laut frohlockte und den Leichnam Hunden und Vögeln preiszugeben drohte. Da begann der liegende Hektor, schon schwächer atmend, zu flehen: »Ich beschwöre dich bei deinem Leben, Achilleus, bei deinen Knien, bei deinen Eltern, lass mich bei den Schiffen der Danaer nicht die Hunde zerreißen! Nimm Erz und Gold, so viel du willst, zum Geschenk und entsende dafür meinen Leib nach Troja, dass Männer und Frauen dort ihm die Ehre des Scheiterhaufens zuteil werden lassen.«

Aber Achilleus schüttelte sein fürchterliches Haupt und sprach: »Beschwöre mich nicht bei meinen Knien und meinen Eltern, du Mörder meines Freundes! Niemand sei, der dir die Hunde verscheucht von deinem Haupt, und wenn mir deine Landsleute zwanzigfältige Sühnung darwögen und noch mehr verheißen. Ja, wenn dich Priamos mir selbst mit Gold aufwägen wollte!« – »Ich kenne dich«, stöhnte Hektor sterbend, »ich ahnte, dass du nicht zu erweichen sein würdest; dein Herz ist eisern! Aber denk an mich, wenn die Götter mich rächen und du am hohen skäischen Tore vom Geschosse Phöbos Apollons getroffen im Staube endest, wie jetzt ich!« Mit dieser Weissagung verließ Hektors Seele den Leib und flog zum Hades hinunter. Achilleus aber rief der Fliehenden nach: »Stirb du; mein Los empfang ich, wann Zeus und die Götter wollen!« So sprach er und zog den Speer aus dem Leichnam, legte ihn beiseite und zog die eigene, blutige Rüstung von den Schultern des Gemordeten.

Nun kamen aus dem griechischen Heere viele Streiter herbeigelaufen und betrachteten bewundernd den Wuchs und die hohe Bildung des Toten, und mancher sprach, ihn anrührend: »Wunderbar, wie viel sanfter ist doch der Mann nun zu betasten, als da er den Feuerbrand in unsere Schiffe schleuderte!« Jetzt stellte sich Achilleus mitten unter das Volk und sprach: »Freunde und Helden! Nachdem die Götter mir verliehen haben, diesen Mann hier zu bändigen, der uns mehr Böses getan hat als alle andern zusammen, so lasst uns in unserer Rüstung die Stadt ein wenig auskundschaften, um zu erforschen, ob sie uns wohl die Burg räumen werden oder ob sie es wagen, uns auch ohne Hektor Widerstand zu leisten. Aber was rede ich? Liegt nicht mein Freund Patroklos noch unbestattet bei den Schiffen? Darum stimmt den Siegesgesang an, ihr Männer, und lasst uns vor allen Dingen meinem Freund das Sühneopfer bringen, das ich ihm geschlachtet habe!«

Mit solchen Worten wandte sich der Grausame dem Leichnam aufs Neue zu, durchbohrte ihm an beiden Füßen die Sehnen zwischen Knöchel und Fersen, durchzog sie mit Riemen von Stierhaut, band sie am Wagensitze fest, schwang sich in den Wagen und trieb seine Rosse mit der Geißel den Schiffen zu, den Leichnam nachschleppend. Staubgewölk umwallte den Geschleiften, sein jüngst noch so liebliches Haupt zog mit zerrüttetem Haar eine breite Furche durch den Sand. Von der Mauer herab erblickte seine Mutter Hekabe das grauenvolle Schauspiel, warf den Schleier ihres Hauptes weit von sich und sah jammernd ihrem Sohne nach. Auch der König Priamos weinte und jammerte. Geheul und Angstruf der Trojaner und der fremden Völker hallte durch die ganze Stadt. Kaum ließ sich der alte König abhalten, selbst in seinem zornigen Schmerz zum skäischen Tor hinauszustürmen und dem Mörder seines Sohnes nachzueilen. Er warf sich zu Boden und rief: »Hektor, Hektor! Alle andern Söhne, die mir mein Feind erschlug, vergesse ich über dir: o wärst du doch nur in meinen Armen gestorben!«

Andromache, Hektors Gemahlin, hatte von dem ganzen Jammer noch nichts vernommen, ja ihr war nicht einmal ein Bote gekommen, der gemeldet hätte, dass ihr Gatte sich noch draußen vor den Toren befinde. Ruhig saß sie in einem der Gemächer des Palastes und durchwirkte ein schönes Purpurgewand mit bunter Stickerei. Und eben rief sie einer der Dienerinnen, einen großen Dreifuß ans Feuer zu stellen, um ihrem Gemahl ein wärmendes Bad vorzubereiten, wenn er aus der Feldschlacht käme. Da vernahm sie vom Turme her Geheul und Jammergeschrei. Finstere Ahnung im Herzen, rief sie: »Wehe mir, ihr Mägde, ich fürchte, Achilleus habe meinen mutigen Gatten allein von der Stadt abgeschnitten und bedrohe seine Kühnheit, die ihn niemals im Haufen weilen lässt! Folget eurer zwei mir, dass wir schauen, was es gibt!« Mit pochendem Herzen durchstürmte sie den Palast, eilte auf den Turm und sah herab über die Mauer, wie die Rosse des Peliden den Leichnam ihres Gatten, erbarmungslos an den Wagen des Siegers gebunden, durchs Gefilde schleppten. Andromache sank rückwärts in die Arme ihrer Schwägerund Schwägerinnen in tiefe Ohnmacht, und der köstliche Haarschmuck, das Band, die Haube, die schöne Binde, das Hochzeitsgeschenk Aphrodites, flogen weg von ihrem Haupt. Als sie endlich wieder aufzuatmen anfing, begann sie mit gebrochener Klage schluchzend vor Trojas Frauen: »Hektor! Wehe mir Armen! Du, elend wie ich, zu Elend geboren, wie ich! In Schmerz und Jammer verlassen, sitze ich nun im Hause, eine Witwe mit unserem unmündigen Kinde, das, des Vaters beraubt, die Augen gesenkt, mit immer betränten Wimpern aufwächst! Betteln wird es müssen bei den Freunden des Vaters und bald den am Rock, bald den am Ärmel zupfen, dass er ihm das Schälchen reiche und zu nippen gebe! Manchmal auch wird ein Kind blühender Eltern es vom Schmause fortstoßen und sagen: Trolle dich, dein Vater ist ja nicht beim Gastmahl! Dann flüchtet es sich weinend zur Mutter, die keinen Gatten hat. Der aber wird die Hunde sättigen, und die Würmer werden den Überrest verzehren! Was helfen mir nun die schmucken, zierlichen Gewande in den Kästen? Der Flamme will ich sie alle übergeben: was frommen sie mir? Hektor wird nicht mehr auf ihnen ruhen, nicht mehr in ihnen prangen?« So sprach sie weinend und wehklagend, und ringsumher seufzten die Trojanerinnen.

Leichenfeier des Patroklos

Sobald Achilleus mit der Leiche seines Feindes bei den Schiffen angekommen war, ließ er diese am Bett des Patroklos aufs Antlitz in den Staub strecken. Derweil legten die Danaer ihre Rüstungen ab und setzten sich zu Tausenden am Schiffe des Peliden zum festlichen Leichenschmause nieder. Stiere, Schafe und Schweine wurden geschlachtet, und der Pelide ließ den Streitern eine köstliche Mahlzeit zurichten. Den Helden selbst führten die Genossen widerstrebend von der Leiche seines Freundes weg in das Zelt des Königs Agamemnon. Hier ward ein großes Geschirr voll Wasser an die Glut gestellt: ob sie nicht etwa den Peliden vermögen könnten, sich den blutigen Schlachtstaub von den Gliedern zu waschen. Er weigerte sich hartnäckig und schwur einen großen Eid: »Nein, so wahr Zeus lebt, kein Bad soll meinen Scheitel netzen, ehe Patroklos von mir auf den Scheiterhaufen gelegt ist, ehe ich mein Haar geschoren und ihm ein Denkmal aufgetürmt habe! Meinetwegen mögen wir jetzt das traurige Festmahl abhalten. Morgen aber lass Holz im Walde fällen, Fürst Agamemnon, und beut alles auf, was zur Leichenbestattung meinem Freunde gehört, dass das Feuer den Jammeranblick schnell von uns nehme und das Volk sich wieder zur Kriegsarbeit wende!« Die Fürsten ließen ihn gewähren, setzten sich ans Mahl und schmausten. Dann ging ein jeder zur Nachtruhe. Der Sohn des Peleus aber, weil die Toten in seinem Zelte waren, legte sich, von seinen Myrmidonen umringt, am Meergestade nieder, wo der kiesige Strand von den Wellen reingespült war.

Lange seufzte er hier noch auf dem harten Lager um den erschlagenen Freund. Als ihn aber endlich der Schlummer umfangen hatte, da kam die Seele des jammervollen Patroklos im Traumbilde zu ihm, an Größe, Gewalt, Stimme und Augen jenem ganz ähnlich, den Leib eingehüllt im Gewande. So trat der Schatten zu seinen Häupten und sprach: »Schläfst du, meiner so ganz vergessend, Achilleus? Des Lebenden zwar hast du immerdar gedacht, aber nicht also des Toten! Gib mir ein Grab, denn mich verlangt sehr, durch das Tor des Hades einzugehen! Bis jetzt hab ich es nur irrend umwandelt, und es sitzen als Wächter Seelen da, die mich zurückscheuchen! Ehe der Scheiterhaufen mir gewährt worden ist, kann ich nicht zur Ruhe kommen. Du musst aber wissen, Freund, dass auch dir vom Schicksal bestimmt ist, nicht ferne von der Mauer Trojas zu fallen. Richte deswegen mein Grab so ein, dass unser beider Gebein nebeneinander ruhen kann, wie wir zusammen in deines Vaters Wohnung aufgewachsen sind.«

»Ich gelobe dir alles, Bruder!«, rief Achilleus und streckte die Hände nach dem Schattenbilde aus: da sank die Seele schwirrend zur Erde hinab wie ein Rauch. Der Held sprang bestürzt vom Lager auf, schlug die Hände zusammen und sprach jammernd: »So leben denn die Seelen wirklich noch in der Behausung des Hades, aber ach, ein besinnungsloses Leben! Diese Nacht stand ja leibhaftig vor mir des Patroklos Seele, traurig und klagend, aber in allem ihm gleich!« Dadurch erregte Achilleus allen Helden die Sehnsucht nach dem Toten aufs Neue.

Als aber die Morgenröte anbrach, da verließen auf Agamemnons Befehl Männer und Maultiere die Lagerzelte, Meriones an ihrer Spitze: die Tiere voran, die Männer mit Äxten und Seilen ihnen folgend. Da wurden von ihnen auf den Waldhöhen des Ida die hochstämmigsten Bäume gefällt, das Holz zerschlagen und den Maultieren aufgeladen. Diese trabten damit hinab nach den Schiffen; auch die Männer schleppten Holzklötze auf den Schultern, und am Meeresstrande wurde alles in Reihen niedergelegt. Nun befahl Achilleus seinen Myrmidonen, ihre Erzrüstung anzulegen, und den Reisigen, die Wagen anzuspannen. Bald setzte sich der Leichenzug in Bewegung: die Fürsten, Kämpfer und Wagenlenker von den Rossen gezogen voran; ein dichtes Gewölk von Fußvolk zu Tausenden hintendrein. In der Mitte trugen den Patroklos seine Streitgenossen und Freunde; der Leichnam war ganz mit geschorenen Locken bedeckt, sein Haupt hielt Achilleus, der Leiche folgend, selbst in den Händen, in tiefe Trauer versenkt.

Als sie den von diesem für das Grab seines Freundes bezeichneten Ort erreicht hatten, setzten sie die Totenbahre nieder, und ein ganzer Wald von Bäumen wurde zum Scheiterhaufen herbeigebracht. Der Pelide stellte sich abgewandt vom Gerüste und schor sein braun gelocktes Haar, dann schaute er in die dunkle Meeresflut und sprach: »O Spercheios, thessalischer Heimatfluss, vergebens gelobte mein Vater Peleus, ich sollte, heimgekehrt, dir mein Haar scheren und an deinen Quellen, wo du Hain und Altar hast, dir fünfzig Widder opfern! Du hast sein Flehen nicht gehört, Stromgott! Du lässt mich nicht heimkehren. So zürne mir auch nicht, wenn ich mein Lockenhaar dem Freunde Patroklos mit in den Hades zu tragen gebe!« Mit diesen Worten legte er sein Haupthaar in die Hände des Freundes, trat zu Agamemnon und sprach: »Heiß die Völker sich einmal sättigen am Gram, o Fürst! Gebeut ihnen, sich zu zerstreuen und das Mahl einzunehmen, und lass das Werk der Bestattung vollenden!«

Auf Agamemnons Befehl zerstreute sich das Kriegsvolk zu den Schiffen, und nur die bestattenden Fürsten blieben auf der Stelle. Da fingen sie an, ein ungeheures Gerüst aus den gefällten und behauenen Baumstämmen aufzuführen, je hundert Fuß ins Geviert. Obenauf legten sie mit betrübten Herzen den Leichnam. Dann zogen sie eine Menge Schafe und Hornvieh vor dem Scheiterhaufen ab; die abgezogenen Leiber wurden umhergehäuft, mit dem Fette der Leichnam bedeckt, gegen die Bahre Honig- und Ölkrüge gelehnt, auch vier lebendige Rosse ächzend auf das Gerüst geworfen; sodann zwei der neun Haushunde geschlachtet; endlich mit dem Schwert erwürgt zwölf tapfere trojanische Jünglinge, aus der Zahl der Gefangenen erlesen. Denn entsetzlich rächte Achilleus den Tod seines Freundes.

Und nun hieß er die Flamme wüten und rief, während der Holzstoß angezündet wurde, dem Toten zu: »Möge dich noch in der Unterwelt Freude begleiten, Patroklos! Was ich gelobt habe, ist vollbracht. Zwölf Opfer verzehrt die Glut. Nur den Hektor soll sie nicht verzehren; nicht der Flammen, der Hunde Raub soll er sein!« So sprach er drohend; doch die Götter fügten dieses nicht so: Tag und Nacht wehrte Aphrodite die heißhungrigen Hunde von Hektors Leichnam ab und salbte ihn mit ambrosischem Balsam voll Rosenduft, dass auch keine Spur von der Schleifung übrig blieb. Apollon zog eine dunkle Wolke über die Stelle, wo er lag, dass die Sonne sein Fleisch nicht ausdörren konnte.

Der Scheiterhaufen des Patroklos war nun zwar angezündet, aber die Glut wollte nicht lodern. Da wandte sich Achilleus abermals vom Gerüst, gelobte den Winden Boreas und Zephyros Opfer, spendete ihnen Wein aus goldenem Becher und flehte sie, das Holz mit raschem Hauche zum Brand anzufachen. Iris brachte den Winden die Botschaft; diese kamen mit grauenvollem Getöse über das Meer gestürmt und stürzten sich in den Scheiterhaufen. Die ganze Nacht sausten sie um das Gerüst und durchwühlten es mit Flammen, während Achilleus unaufhörlich aus goldenem Krug und Becher der Seele seines toten Freundes Opferspenden darbrachte. Mit der Morgenröte ruhten Winde und Flammen, und der Holzstoß fiel in Asche. In der Mitte der Kohlen lag abgesondert das Gebein des Patroklos; am äußersten Rande lagen vermischt untereinander die Gebeine der Tiere und Männer. Auf den Befehl des Peliden löschten die Helden den glühenden Schutt mit rotem Wein, sammelten unter Tränen das weiße Gebein ihres Freundes, bargen es, mit einer doppelten Lage von Fett umgeben, in eine goldene Urne und stellten diese im Zelte auf. Alsdann nahmen sie im Umkreise das Maß zu seinem Denkmal, legten rings um den abgebrannten Scheiterhaufen einen Grund von Steinen und türmten dann aufgeschüttete Erde zum Grabhügel.

Auf die Bestattung folgten die Leichenspiele zu Ehren des gefallenen Helden. Achilleus berief alles Griechenvolk zusammen, hieß es in weitem Kreise sich setzen und stellte Dreifüße, Becken, Rosse, Maultiere, mächtige Stiere, kunstfertige Weiber aus den Gefangenen in köstlichen Gewanden, dazu lauteres Gold als verschiedene Preise auf. Zuerst kam das Wagenrennen an die Reihe. Er selbst nahm keinen Teil an diesem Kampfe; lag doch sein geliebter Wagenlenker im Grabe! Dagegen erhub sich Eumelos, der Sohn Admets, der wagenkundigste Held; Diomedes, der die dem Äneas geraubten Rosse anschirrte; Menelaos mit seinem Hengste Podargos und Agamemnons Stute Äthe; dann als vierter Antilochos, der junge Sohn Nestors, dem sein Vater allerlei weise Ermahnungen für das Wettrennen erteilte; als fünfter endlich schirrte Meriones seine glänzenden Rosse an den Wagen. Alle fünf Helden bestiegen den Wagensitz, und Achilleus schüttelte die Lose, in welcher Ordnung sie aus den Schranken fahren sollten. Da sprang zuerst das Los des Antilochos aus dem Helm, dann kamen Eumelos, Menelaos, Meriones, zuletzt der Tydide. Zum Kampfrichter ward der graue Phönix, der Kampfgenosse seines Vaters, von dem Peliden bestellt. Jetzt erhoben die fünf Fürsten zumal ihre Geißel, schlugen mit den Zügeln, feuerten die Rosse an und durchstürmten das Blachfeld; dicker Staub erhob sich, wild flatterten die Mähnen der Pferde, die Wagen rollten bald tief an der Erde, bald flogen sie in schwebendem Sprunge durch die Luft. Hoch standen die Lenker in den Sitzen, und jedem klopfte das Herz nach dem Sieg. Als sich die Rosse dem Ende der Laufbahn, die ans Meer grenzte, nahten, da schien jedes ganz Schnelligkeit zu sein, und alle rannten in gestrecktem Lauf. Zuvorderst sprangen die Stuten des Eumelos, über Rücken und Schultern atmete ihm schon das Hengstgespann des Tydiden, als diesem Apollon zürnend die Geißel aus den Händen stieß und so die Schnelligkeit seiner Rosse hemmte. Athene bemerkte die List, gab dem Helden die Geißel zurück und zerbrach dem Eumelos das Joch, dass die Stuten auseinander sprangen und der Lenker sich neben dem Rade verwundet auf dem Boden wälzte. Der Tydide flog vorüber; ihm zunächst Menelaos, nächst ihm trieb Antilochos seine Rosse mit scheltendem Zuruf. An einem durchwühlten Hohlwege strauchelte Menelaos, Antilochos aber fuhr kühn durch den engen Pass an ihm vorüber. Während die zuschauenden Helden Rosse und Wagen durch den Staub zu erkennen strebten und sich darüber stritten, war Diomedes, die andern immer hinter sich lassend, mit seinem von Zinn und Gold schimmernden Wagen am Ziel angekommen. Den dampfenden Rossen strömte der Schweiß vom Nacken; der Held selbst sprang vom Sitz und lehnte die Geißel ans Joch. Sein Freund Sthenelos empfing den Kampfpreis, ein schönes Weib und einen gehenkelten Kessel, gab sie den Freunden, sie wegzubringen, und schirrte die Rosse aus. Nächst ihm kam Antilochos an und fast zu gleicher Zeit Menelaos. Speerwurfsweite davon fuhr etwas träger Meriones einher, und ganz zuletzt schleppte den versehrten Wagen mit verrenkten Gliedern Eumelos hin. Dennoch wollte diesem Achilleus, weil ihn unverschuldetes Unglück getroffen und er der beste Wagenlenker war, den zweiten Preis erteilen, aber Antilochos fuhr zornig auf: »Mir gehört der zweite Preis«, sprach er, »die herrliche, ungezähmte sechsjährige Stute; bedauerst du jenen, so hast du Gold, Erz, Vieh, Rosse und Mägde genug im Zelte, gib ihm davon, was du willst!« Achilleus lächelte, sprach seinem lieben Altersgenossen das Ross zu und schenkte dem Eumelos einen herrlichen Harnisch. Aber Menelaos beschuldigte nun seinerseits den Antilochos, ihm die Rosse mit List gehindert zu haben, und sann ihm einen Eid beim Schöpfer des Rosses, Poseidon, an. Der Beschämte gestand sein Vergehen und führte die gewonnene Stute dem Atriden zu. Dies besänftigte den Zorn des Menelaos; er überließ dem Jüngling das Ross und nahm sich den dritten Preis, das Becken. Zwei Talente Goldes als vierten Kampfpreis erhob Meriones; den übrigen fünften, einen vom Feuer noch unberührten Mischbecher mit Henkeln, überließ Achilleus dem Nestor als Geschenk.

Nun wurde zum Faustkampf geschritten und dem Sieger ein Maultier, dem Besiegten ein Henkelbecher bestimmt. Sogleich erhub sich ein kraftvoller, gewaltiger Mann, Epëos, der Sohn des Panopeus, fasste das Tier und rief: »Dieses ist mein, den Becher nehme, wer will! Das aber verkündige ich: der Leib wird ihm von meiner Faust zerschmettert, und die Gebeine zermalm ich ihm!« Auf diesen Gruß verstummten alle Helden, bis sich Euryalos, des Mekisteus Sohn, ihm gegürtet und kampfbereit entgegenstellte. Bald kreuzten sich die Arme, die Fäuste klatschten auf den Kiefern, der Angstschweiß floss ihnen von den Gliedern. Endlich versetzte Epëos seinem Gegner einen Streich auf den Backen, dass er zu Boden fiel wie ein Fisch, der aus der Welle aufs Ufergras gesprungen ist. Epëos hob ihn an den Händen empor, und seine Freunde führten ihn Blut speiend und mit hängendem Haupt aus der Versammlung.

Hierauf stellte Achilleus die Preise für den Ringkampf aus: dem Sieger einen großen Dreifuß, zwölf Rinder an Wert, dem Besiegten ein blühendes, kunstfertiges Weib. Da umfassten sich bald mit schmiegsamen Armen Odysseus und der große Ajax, ineinander gefügt, wie ein Zimmermann Sparren zusammenfügt; ihr Schweiß floss, ihr Rücken knirschte, an Seiten und Schultern wurden Blutstriemen sichtbar; schon murrten die Argiver, da hub Ajax den Odysseus in die Höhe, doch dieser gab dem Gegner mit gebeugtem Knie von hinten einen Stoß, warf ihn rücklings nieder und sank ihm von oben auf die Brust; doch vermochte er ihn nur ein weniges zu bewegen, und beide rollten miteinander in den Staub. »Ihr seid beide Sieger«, rief Achilleus, »und ich belohne euch mit gleichem Preise.«

Für den Wettlauf war dem Sieger ein silberner, sechs Maß fassender Krug voll Kunstwerk bestimmt; dem nächsten Läufer ein Stier, dem dritten ein halbes Talent Goldes. Hier erhoben sich der schnelle Lokrer Ajax, Odysseus und Antilochos. Achilleus gab das Zeichen; voran stürmte Ajax, ihm zunächst Odysseus, wie ein Webschiff an der Brust des Weibes dahinfliegt; schon wehte sein Hauch dem Ajax im Nacken, und alle Danaer ermunterten den Eilenden. Als sie dem Ziel ganz nahe waren, flehte Odysseus im Herzen zu seiner Schützerin Athene; die schuf ihm die Glieder leicht und ließ den Lokrer über den Unrat der dem Patroklos geschlachteten Rinder straucheln, dass ihm Mund und Nase besudelt ward. Ein lautes Gelächter erschallte, als Odysseus den Mischkrug und bald darauf Ajax, Kot ausspeiend, den Stier fasste. Den letzten Preis ergriff Antilochos lächelnd und sprach: »Ehre verleihen die Götter älteren Menschen, zwar ist Ajax nur weniges älter denn ich, aber er ist früheren Stammes.« – »Du sollst nicht umsonst so neidlos geredet haben«, sprach Achilleus zu dem holden Jüngling, »ich füge deinem Preis noch ein halbes Talent Goldes hinzu.«

Und nun trug der Pelide die herrliche Lanze des Sarpedon, die Patroklos jüngst erbeutet hatte, in den Kreis und legte sie mit Schild und Helm nieder. Um sie sollten zwei der tapfersten Helden in Waffen kämpfen, die Rüstung sollten beide gemeinschaftlich erhalten und beide köstlich im Zelte des Achilleus bewirtet werden, der Sieger aber das thrakische Schwert des Asteropäos voll Silberbuckeln davontragen. Mit drohendem Blick rannten der Telamonier Ajax und Diomedes gegeneinander, in Waffen dreimal aufeinander losstürmend. Ajax durchstieß den Schild des Tydiden, Diomedes aber zielte nach dem Hals. Die Argiver, um Ajax besorgt, trennten die Streitenden, doch das Schwert erhielt der Tydide.

Noch wurde mit der eisernen Kugel um die Wette gestritten, die vordem Eëtion, der König von Theben, welchen Achilleus erschlug, oft geworfen. Epëos schwang sie im Wirbel und warf doch so, dass die Danaer lachten; dann Leonteus, dann der gewaltige Ajax, dass sie über das Zeichen wegflog; aber weit über alle hinaus, wie ein Hirt Stecken über seine weidenden Rinder, schleuderte sie Polypötes und trug sie als Preis davon.

Zehn Äxte und zehn Beile von bläulich schimmerndem Eisen stellte Achilleus den Schützen aus. An den Mast eines Schiffes wurde an dünnen Fäden eine Taube gebunden; wer die traf, sollte die Äxte haben, der Besiegte sich mit den kleineren Beilen begnügen. Um den ersten Schuss losten Teukros und Meriones. Teukros' Los sprang aus dem Helm, aber durch Apollons Missgunst verfehlte er den Vogel und durchschoss den Faden, dass die Taube sich in die Lüfte schwang. Dem verdrossen nachblickenden Teukros entriss Meriones den Bogen, legte seinen Pfeil drauf und durchschoss der Taube in der Luft den Flügel, denn er hatte in Eile dem Phöbos eine Dankhekatombe gelobt. Die Taube setzte sich verwundet auf den Mast, senkte den Hals und die Flügel, und bald fiel sie tot zur Erde nieder. Staunend jubelten die Völker; Meriones fasste die Äxte, Teukros schlich mit den Beilen davon.

Ein Speer und ein mit Blumen geziertes reines Becken ward als Preis des Speerwurfs zuletzt in den Kreis gebracht. Da stand zuerst der Völkerfürst Agamemnon auf und Meriones nach ihm. Aber Achilleus sprach: »Atride, wir wissen alle aus der Schlacht, wie weit du die Helden im Speerwurf besiegest, lass darum dem Helden Meriones den Speer und nimm ohne Kampf das Becken.« Agamemnon gehorchte dem Wunsch, reichte dem Kreter die Lanze und griff nach dem Becken. Und damit hatten die Spiele ein Ende.

Priamos bei Achilleus

Als sich die versammelten Völker getrennt hatten, sättigte sich jeder mit Speise und Schlaf. Nur Achilleus brachte eine Nacht ohne Schlummer im Andenken an seinen bestatteten Freund hin; er legte sich bald auf die Seite, bald auf den Rücken, bald aufs Angesicht; dann stand er plötzlich auf und schweifte am Meeresufer umher. Am frühen Morgen spannte er seine Rosse ins Joch, befestigte den Leichnam Hektors am Wagensitz und schleifte ihn dreimal um das Denkmal des Patroklos; aber Apollon deckte diesen mit dem goldenen Schirm seiner Ägide und sicherte den Leib vor allen Entstellungen. Achilleus verließ den in den Staub auf das Antlitz gestreckten Leichnam. Das erbarmte die seligen Götter im Olymp, mit Ausnahme Heras, und Zeus schickte um die Mutter des Peliden, Thetis; er befahl ihr, schleunig zum Heere zu gehen und dem Sohne zu verkündigen, dass den Göttern insgesamt und Zeus selbst das Herz vor Zorn glühe, weil er Hektors Leib ohne Lösung bei den Schiffen zurückhalte. Thetis gehorchte, ging in das Zelt des Sohnes, setzte sich nahe zu ihm, und sanft mit der Hand ihn streichelnd, sagte sie: »Lieber Sohn, wie lange willst du mit Gram und Seufzern dir das Herz abzehren, des Schlafs und der Nahrung vergessen? Es wäre gut, wenn du dich der Freude des Lebens wieder zuwendetest, denn du wirst mir ja doch nicht lange mehr auf Erden einhergehen, und das grausame Verhängnis lauert schon an deiner Seite. Höre denn die Worte des Zeus, die ich dir melde. Er und alle Götter zürnen dir, dass du Hektors Leiche misshandelst und bei den Schiffen zurückhältst. Wohlan, entlass ihn, mein Sohn, gegen reiche Lösung.« Achilleus schaute auf, sah der Mutter ins Gesicht und sprach: »So sei es; was Zeus und der Rat der Himmlischen gebiete-, muss geschehen. Wer mir die Lösung bringt, soll den Leichnam empfangen.«

Zur selben Zeit schickte Zeus die schnelle Götterbotin Iris in die Stadt des Priamos mit seinen Aufträgen. Diese, dort angekommen, fand nichts als Geheul und Wehklage. Im Vorhofe saßen um den Vater im Kreise die Söhne, sich die Gewande feucht weinend; in der Mitte der Greis, straff in den Mantel gehüllt, Staub auf Nacken und Haupt gestreut. In den Wohnungen lagen Töchter und Schwiegertöchter auf den Knien und jammerten um die gemordeten Helden. Da trat plötzlich die Botin des Zeus vor den König und begann mit leiser Stimme, dass ihm ein Schauer durch die Glieder fuhr: »Fasse dich, Sohn des Dardanos, verzage nicht, ich habe dir kein übles Wort zu verkündigen. Zeus erbarmt sich deiner: er gebietet dir, zu Achilleus zu gehen und ihm Geschenke darzubringen, womit du den Leichnam deines Sohnes lösen sollst. Du allein sollst gehen, von keinem andern Trojaner begleitet als von einem der älteren Herolde, der dir den Wagen mit den Maultieren lenken und dich mit dem Toten wieder zur Stadt zurückführen kann. Fürchte weder Tod noch einen andern Schrecken; Zeus gesellt dir den mächtigen Argoswürger Hermes zum Schutze zu, dass er dich geleite, zum Peliden führe und auch dort beschirme. Doch ist Achilleus selbst ja nicht vernunftlos und kein blinder Frevler; er wird von selbst des Flehenden schonen und alles Leid von dir abwehren.«

Priamos vertraute den Worten der Göttin, befahl seinen Söhnen, den Wagen mit dem Maultiergespanne zu rüsten, und stieg dann in die duftige, mit Zedernholz getäfelte Kammer hinab, in welcher viele Kostbarkeiten aufbewahrt lagen. Dorthin berief er seine Gemahlin Hekabe und sprach zu ihr: »Armes Weib, wisse, dass mir Botschaft von Zeus kam: ich soll zu Achilleus nach den Schiffen wandeln, sein Gemüt mit Geschenken versöhnen und den Leichnam unseres lieben Sohnes Hektor einlösen. Wie deucht dir solches in deinem Herzen? Mich selbst, ich berge dir es nicht, drängt ein heftiger Trieb, zu den Schiffen zu gehen.« So sprach der Greis; aber seine Gemahlin erwiderte ihm schluchzend: »Wehe mir, Priamos, wohin ist dir dein einst so gepriesener Verstand entflohen? Welch ein Gedanke: du, der Greis, allein zu den Schiffen der Danaer zu wandeln und dem Manne vor Augen zu treten, der dir so vele tapfere Söhne erschlagen hat! Meinst du, der Falsche, Blutgierige werde Mitleid mit dir haben, wenn er dich erblickt? Viel besser, wir beweinen ihn fern, zu Hause, ihn, dem das Geschick schon bei der Geburt bestimmt hat, von den Hunden verzehrt zu werden!« – »Halte mich nicht«, antwortete Priamos entschlossen, »werde mir nicht selbst im Hause zum drohenden Unglücksvogel; und erwartete mich auch der Tod bei den Schiffen: der Wüterich mag mich ermorden, wenn ich nur, mein Herz mit Tränen sättigend, den geliebtesten Sohn in den Armen halten darf.« Unter diesen Worten schlug er den Deckel von den Kisten und wählte zwölf köstliche Feiergewande, zwölf Teppiche, ebenso viele Schlafröcke und prächtige Mäntel aus. Dann wog er zehn Talente Goldes dar, erlas weiter vier schimmernde Becken, zwei Dreifüße; ja selbst einen köstlichen Becher, den ihm die Thrakier geschenkt hatten, als er zu ihnen auf Gesandtschaft kam, sparte der Greis nicht. So begierig war er, seinen trautesten Sohn zu lösen! Dann scheuchte er sämtliche Trojaner, die ihn aufhalten wollten, aus der Halle und bedrohte sie: »Ihr Nichtswürdigen, habt ihr nicht Gram im Hause genug, dass ihr herkommet, um auch mich zu bekümmern? Achtet ihr es für etwas Kleines, dass Zeus den Jammer über mich verhängte, meinen tapfersten Sohn zu verlieren? Doch ihr werdet's schon erfahren. Möchte nur ich in den Hades hinuntergehen, eh ich die Trümmerhaufen eurer Stadt schaue!« So scheuchte er sie mit dem Stabe hinaus; dann rief er scheltend seine Söhne: »Ihr Schändlichen, Untüchtigen, läget ihr mir doch alle an Hektors statt getötet bei den Schiffen! Alle Guten sind tot, nur die Schandflecke sind übrig, Lügner, Gaukler, Reigentänzer, die im Fette des Volkes schwelgen! Werdet ihr mir nicht sogleich den Wagen ausrüsten und alles dieses in den Korb hineinlegen, damit ich meinen Weg vollenden kann?« Erschrocken gehorchten die Söhne dem murrenden Vater, führten die Maultiere vor den Lastwagen und luden die Lösegeschenke auf. Alsdann spannten sie auch die sorglich gepflegten Rosse an den Wagen des Priamos, und der greise Herold, der ihn begleiten sollte, war zur Stelle. Mit bekümmertem Herzen reichte Hekabe dem König den goldenen Becher zum Opfertrank; die Schaffnerin nahte ihm mit Waschgefäß und Kanne, und als Priamos sich die Hände mit lauterem Wasser besprengt, empfing er den Becher, stellte sich in die Mitte des Hofes, spendete vom Weine und betete mit erhobener Stimme: »Vater Zeus, Herrscher vom Ida, lass mich Barmherzigkeit und Gnade vor Peleus' Sohne finden! Gib mir auch ein Zeichen, dass ich getrost zu den Schiffen der Danaer gehen kann!« Kaum hatte er ausgesprochen, so stürmte mit ausgebreiteten Fittichen ein schwarz geflügelter Adler rechts her über die Stadt. Alle Trojaner sahen es mit Wonne, und der Greis schwang sich voll Zuversicht in den Wagensitz. Vor ihm her zogen die Maultiere den schwer bepackten vierrädrigen Wagen, den der Herold Idäos lenkte. Hinter diesem trieb der Greis mit der Geißel sein Rossegespann an; die Seinigen aber folgten ihm alle wehklagend, als ob es zum Tode ginge. Als die Wagen draußen vor der Stadt waren und Priamos und der Herold am Denkmale des alten Königs Ilos vorbeieilten, hielten sie mit beiden Wagen ein wenig, um die Rosse und Maultiere unten am Strome zu tränken. Der Abend war eingebrochen, und das Gefilde lag rings in Dämmerung. Da bemerkte Idäos ganz in der Nähe die Gestalt eines Mannes, und erschrocken sprach er zu Priamos: »Merk auf, Herr, hier gilt's Besonnenheit! Sieh den Mann dort; ich fürchte, er steht auf der Lauer und sinnt auf unsern Tod. Wir sind unbewaffnet, dazu Greise; lass uns entweder umkehren und schnell in die Stadt zurückfliehen oder seine Knie umfassen und ihn um Erbarmung flehen.« Den Greis durchfuhr ein banger Schauer, und seine Haare sträubten sich. Jetzt näherte sich die Gestalt; es war aber kein Feind, sondern der Abgesandte des Zeus, Hermes, der Bringer des Heils, welcher auserwählte Sterbliche auf ihren Wegen zu begleiten hat. Dieser fasste die Hand des Königs, ohne dass er ihn erkannte, und sprach: »Vater, wohin lenkst du in tiefer Nacht, wo andere Sterbliche schlafen, deine Rosse und Maultiere? Fürchtest du dich denn gar nicht vor den erbitterten Argivern? Wenn dich einer von ihnen so viele köstliche Habe durchs Dunkel führen sähe, wie würde dir wohl zu Mute werden? Sorge jedoch nicht, dass ich dir etwas zu Leide tue, vielmehr möchte ich dich auch vor andern beschirmen; gleichst du doch meinem lieben Vater an Gestalt! Aber sage mir, führst du so viel auserlesene Güter flüchtend nach einem fremden Lande, oder verlasset ihr alle bereits Troja, nachdem ihr den tapfersten Mann verloren habt, der keinem Griechen an Mute wich?« Priamos schöpfte leichter Atem und antwortete: »Wahrlich, jetzt sehe ich, dass die Hand eines Gottes mich beschirmt, da mir ein so liebreicher und verständiger Gefährte auf meinem Wege begegnet, der so schön vom Tode meines Sohnes redet. Aber wer bist du, mein Guter, und welcher Eltern Kind?« – »Mein Vater heißt Polyktor« antwortete Hermes, »ich bin von sieben Söhnen der letzte, ein Myrmidone und Genosse Achilleus'; daher ich denn oft mit meinen Augen deinen Sohn kämpfen und die Argiver zu den Schiffen treiben sah, während wir bei unserm zürnenden Herrn standen und jenen aus der Ferne bewunderten.« – »Wenn du ein Genosse des schrecklichen Peliden bist«, fragte Priamos jetzt voll Ungeduld, »oh, so verkündige mir, ob mein Sohn noch bei den Schiffen ist oder ob Achilleus ihn schon, in Stücke zerhauen, den Hunden vorgeworfen hat?« – »Nein«, antwortete Hermes, »er liegt noch im Zelte des Achilleus, von Moder unberührt, obgleich schon der zwölfte Morgen verflossen ist und der Held ihn mit jedem Sonnenaufgang ohne Mitleid um das Grab seines Freundes schleift. Du würdest dich selbst verwundern, wenn du sähest, wie frisch und tauig er daliegt, vom Blute gereinigt, alle Wunden geschlossen. Selbst im Tode pflegen die Götter noch seiner.« Voll Freude langte Priamos den herrlichen Becher hervor, den er bei sich im Wagen liegen hatte. »Nimm ihn«, sprach er, »verleih mir deinen Schutz dafür und geleite mich zum Zelte deines Herrn.« Hermes, als scheute er sich, ohne Achilleus' Wissen Geschenke zu nehmen, wies die Gabe ab, schwang sich jedoch zu dem Helden in den Wagen, ergriff Zaum und Geißel, und bald hatten sie Graben und Mauer erreicht. Hier fanden sie die Hüter eben mit ihrem Abendmahle beschäftigt. Doch ein Wink des Gottes versenkte sie in tiefen Schlaf, und ein Druck seiner Hand schob den Riegel vom Tore. So gelangte Priamos mit seinem Lastwagen glücklich vor die Lagerhütte des Peliden, die hoch aus Balken gebaut und mit Schilf bedeckt, auch mit einem geräumigen Hofe umgeben war, den eine dichte Reihe von Pfählen umschloss. Nur ein einziger tannener Riegel verschloss die Pforte, aber so schwer, dass nur drei starke Griechen ihn vor- oder zurückschieben konnten; nur Achilleus selbst brauchte keine Beihilfe dazu. Jetzt aber öffnete Hermes das Tor ohne Mühe, stieg vom Wagen, gab sich als Gott zu erkennen und verschwand, nachdem er dem Greis geraten, des Helden Knie zu umfassen und ihn bei Vater und Mutter zu beschwören.

Priamos sprang jetzt auch vom Wagen und übergab dem Idäos Rosse und Maultiere. Er selbst ging geradewegs auf die Wohnung zu, wo Achilleus saß. Er traf ihn zu Hause, getrennt von den Seinigen, nur von den Helden Automedon und Alkimos bedient, eben von der Mahlzeit ruhend, und die Tafel stand noch vor ihm. Unbemerkt trat der erhabene Greis ein, eilte auf den Peliden zu, umschlang seine Knie, küsste ihm die Hände, die entsetzlichen, die ihm so viele Söhne gemordet hatten, und sah ihm ins Antlitz. Staunend betrachteten ihn Achilleus und seine Freunde, da fing der Greis an zu flehen: »Göttergleicher Achilleus, gedenke deines Vaters, der alt ist wie ich, vielleicht auch bedrängt von feindlichen Nachbarn, in Angst und ohne Hilfe wie ich. Doch bleibt ihm von Tag zu Tag die Hoffnung, seinen geliebten Sohn von Troja heimkehren zu sehen. Ich aber, der ich fünfzig Söhne hatte, als die Argiver herangezogen kamen, und davon neunzehn von einer Gattin, bin der meisten in diesem Kriege beraubt worden und zuletzt durch dich des Einzigen, der die Stadt und uns alle zu beschirmen vermochte. Darum komme ich nun zu den Schiffen, ihn, meinen Hektor, von dir zu erkaufen, und bringe unermessliches Lösegeld. Scheue die Götter, Pelide, erbarme dich mein, gedenke deines eigenen Vaters. Ich verdiene weit mehr Mitleid: dulde ich doch, was noch kein Sterblicher geduldet hat, und drücke die Hand an die Lippe, die meine Kinder mir getötet.« So sprach er und erweckte dem Helden sehnsüchtigen Gram um seinen Vater, dass er den Alten sanft bei der Hand fasste und ihn zurückdrängte. Da gedachte der Greis seines Sohnes Hektor, wand sich zu den Füßen des Peliden und fing laut an zu weinen; Achilleus aber weinte bald über seinen Vater, bald über seinen Freund, und das ganze Zelt erscholl von Jammertönen. Endlich sprang der edle Held vom Sessel empor, hub den Greis, voll Mitleid mit seinem grauen Haupt und Bart, an der Hand auf und sprach: »Armer, fürwahr, viel Weh hast du erduldet, und jetzt, welch ein Mut, so allein zu den Schiffen der Danaer zu wandeln und einem Manne vor die Augen zu treten, der dir so viel und so tapfere Söhne erschlagen hat! Du musst ja ein eisernes Herz im Busen tragen! Aber wohlan, setz dich auf den Sessel, lass uns den Kummer ein wenig beruhigen, sosehr er uns von Herzen kommt, wir schaffen ja doch nichts mit unserer Schwermut. Das ist nun einmal das Schicksal, das die Götter den elenden Sterblichen bestimmt haben, Gram zu erdulden, während sie selbst ohne Sorge sind. Denn zwei Fässer stehen an der Schwelle von Zeus' Behausung, das eine voll Gaben des Unglücks, das andere voll Gaben des Heils. Wem der Gott vermischt austeilt, den trifft abwechselnd bald ein böses, bald ein gutes Los; wem er nur Weh austeilt, den stößt er in Schande, der wird von herzzerfressender Not über die Erde hin verfolgt. So schenkten die Götter dem Peleus zwar herrliche Gaben, Habe, Macht, ja selbst eine Unsterbliche zur Gattin; doch hat ihm ein Himmlischer auch Böses gegeben, denn ihm ward ein einziger Sohn, der frühe hinwelken wird, der des Alternden so gar nicht pflegen kann, denn hier in weiter Ferne sitze ich vor Troja und betrübe dich und die Deinigen. Auch dich, o Greis, priesen die Völker vormals glückselig, jetzt aber haben die Olympischen dir dieses Leid gesandt, und seitdem tobt nur Schlacht und Mord um deine Mauern. So duld es denn und jammere nicht unablässig, du kannst deinen edlen Sohn doch nicht wieder erwecken!«

Da antwortete Priamos: »Heiß mich nicht sitzen, Liebling des Zeus, solange Hektor noch urbeerdigt in deinem Zelte liegt. Erlass ihn mir eilig, denn mich verlangt ihn zu schauen. Freue dich der reichlichen Lösung, schone meiner und kehre heim in dein Vaterland!«

Achilleus runzelte die Stirn bei diesen Worten und sprach: »Reize mich nicht mehr, o Greis! Ich selbst ja beabsichtigte, dir Hektor zu überlassen, denn meine Mutter brachte mir die Botschaft des Zeus; auch erkenne ich wohl im Geiste, dass dich selbst, o Priamos, zu unsern Schiffen ein Gott geführt hat. Denn wie sollte dies ein Sterblicher, und wäre es der kühnste Jüngling, wagen, wie unsern Wächtern entschlüpfen, wie die Riegel der Tore zurückschieben? Darum errege mir mein trauriges Herz nicht noch mehr, ich möchte sonst den Befehl des Zeus vergessen und deiner nicht schonen, o Greis, so demütig du flehst!«

Zagend gehorchte Priamos. Achilleus aber sprang wie ein Löwe aus der Pforte und ihm nach seine Genossen. Vor dem Zelte spannten sie die Tiere aus dem Joch und führten den Herold herein. Dann huben sie die Lösegeschenke vom Wagen und ließen nur zwei Mäntel und einen Leibrock zurück, um damit die Leiche Hektors anständig zu verhüllen. Dann ließ Achilleus, fern und ungesehen vom Vater, den Leichnam waschen, salben und bekleiden. Achilleus selbst legte ihn auf ein unterbreitetes Lager; rief, während die Freunde den Toten auf den mit Maultieren bespannten Wagen hoben, den Namen seines Freundes an und sprach: »Zürn und eifere mir nicht, Patroklos, wenn du etwa in der Nacht der Unterwelt vernimmst, dass ich Hektors Leiche seinem Vater zurückgebe! Er hat kein unwürdiges Lösegeld gebracht, und auch dir soll dein Anteil davon werden!«

Nun kehrte er zurück ins Zelt, setzte sich dem Könige wieder gegenüber und sprach: »Siehe, dein Sohn ist jetzt gelöst, o Greis, wie du es gewünscht hast; er liegt in ehrbare Gewande eingehüllt. Sobald der Morgen sich rötet, magst du ihn schauen und davonführen. Jetzt aber lass uns der Nachtkost gedenken; du hast noch Zeit genug, deinen lieben Sohn zu beweinen, wenn du ihn zur Stadt gebracht hast, denn wohl verdient er viele Tränen.« So sprach der Held, erhub sich wieder vom Sitz, eilte hinaus und schlachtete ein Schaf. Seine Freunde zogen die Haut ab, schnitten das Fleisch in Stücke und brieten es sorgfältig am Spieße. Dann setzten sie sich zu Tische: Automedon verteilte in zierlichen Körben das Brot, Achilleus das Fleisch, und alle sättigten sich nun mit Speise und Trank. Staunend betrachtete Priamos Wuchs und Gestalt seines edlen Wirtes, denn er glich den Unsterblichen. Aber auch Achilleus staunte vor Priamos, wenn er ihm in das Angesicht voll Würde schaute und die weise Rede des Greisen vernahm. Als nun das Mahl vorüber war, sprach Priamos: »Bette mich jetzt, edler Held, dass wir uns am erquickenden Schlafe sättigen, denn seit mein Sohn gestorben ist, haben sich meine Augenlider nicht mehr geschlossen, und das erste Mal habe ich Fleisch und Wein gekostet.«

Sofort befahl Achilleus seinen Genossen und den Mägden, ein Bett unter die Halle zu stellen, mit Purpurpolstern zu belegen, Teppiche darüber zu breiten und zottige Mäntel als Decke darauf. So wurde jedem der Fremdlinge ein gesondertes Lager bereitet; und nun sprach Achilleus freundlich: »Lagere dich jetzt draußen, lieber Greis, es möchte dich einer der Danaerfürsten, die sich beständig in meinem Zelte zum Rat versammeln, durchs Dunkel hinschleichen sehen und es dem Völkerhirten Agamemnon melden. Der aber könnte dir den Leichnam streitig machen. Jetzt sage mir aber auch noch, wie viel Tage du auf die Bestattung deines edlen Sohnes zu verwenden gedenkst, damit ich so lange ruhe und auch das Volk von jedem Angriffe abhalte.« – »Wenn du mir es vergönnst«, antwortete Priamos, »meinem Sohne eine Leichenfeier zu halten, so gestatte mir deine Güte elf Tage. Du weißt, wir sind in die Stadt eingeschlossen und müssen das Holz fern im Gebirge holen. So brauchen wir neun Tage zur Vorbereitung, am zehnten möchten wir ihn bestatten und das Totenmahl feiern, am elften ihm einen Ehrenhügel auftürmen: am zwölften Tage, wenn es so sein muss, wollen wir wieder kämpfen.« – »Auch dieses geschehe, wie du begehrst«, erwiderte Achilleus; »ich werde das Heer so lange zurückhalten, als du gefordert.« So sprechend, fasste er die Rechte des Greises am Knöchel, um seinem Herzen alle Furcht zu benehmen. Dann entließ er ihn zum Schlafe und legte sich selbst im innersten Raume seines Zeltes nieder.

Während so alles schlief, blieb nur Hermes, der Gott, schlummerlos und erwog im Geiste, wie er den König Trojas, von den Wächtern ungesehen, aus den Schiffen zurückführen möchte. Deswegen trat er zu dem Haupte des schlummernden Greises und sprach zu ihm: »Alter, du schläfst fürwahr sehr unbesorgt bei feindlichen Männern, nachdem dich alles verschont hat. Es ist wahr, du hast den Sohn teuer gelöst; aber wenn Agamemnon und die Griechen es wüssten, so müssten deine Söhne daheim dich, den Lebenden, mit dreimal größerem Lösegeld auskaufen!« Der Greis erschrak und weckte den Herold; Hermes selbst spannte ihnen Rosse und Maultiere ein und schwang sich zu dem König in den Wagen; Idäos lenkte die Maultiere mit dem Leichnam. So fuhren sie unbemerkt durch das Heer und hatten bald das griechische Lager hinter sich.

Hektors Leichnam in Troja

Hermes begleitete den König bis an die Furt des Skamander. Dort schied er aus dem Wagen und entflog zum hohen Olymp. Priamos und der Herold aber trieben seufzend und wehklagend die Rosse mit dem Wagen des Königs und die Maultiere mit dem Leichnam in die Stadt. Es war früher Morgen, alles lag noch im Schlummer, und niemand sah sie herankommen; nur Kassandra hatte die Burg von Pergamos erstiegen und erschaute von ferne ihren Vater im Wagensitze stehend, den Herold mit dem Maultierwagen und in diesem auf Gewanden ausgestreckt den Leichnam. Da begann sie laut zu wehklagen und rief, dass es in der stillen Stadt widerhallte: »Schaut doch hin, ihr Troer und ihr Troerinnen, dort kommt ja Hektor, ach, nur der tote Hektor! Habt ihr euch jemals des Lebenden erfreut, wenn er siegreich aus der Feldschlacht zurückkehrte, so begrüßet jetzt auch den Gestorbenen!« Auf ihren Ruf blieb kein Mann und kein Weib in der Feste, denn aller Herzen durchdrang eine grenzenlose Trauer. Am Tore begegneten Männer und Frauen, voran die Mutter und die Gattin Hektors, dem Führer des Leichenwagens; die beiden rauften ihr Haar aus, stürzten sich auf den Wagen und legten ihre Hände auf das Haupt des Erschlagenen; die Menge umringte sie in Tränen, und sie hätten den Wagen mit ihrem Wehklagen bis zum Abend aufgehalten, wenn nicht Priamos von seinem Wagensitz zu dem Volke geredet hätte: »Macht Platz und lasst die Maultiere hindurchgehen; wenn ich ihn ins Haus geführt, mögt ihr euch satt weinen!« Auf seinen Ruf wichen die Volkshaufen ehrfurchtsvoll dem Wagen.

Sobald die Leiche am Palaste des Königs angekommen war, wurde sie auf ein schönes Gestell gelegt und Sänger zugeordnet, welche mit kläglichen Lauten den Trauergesang unter dem Nachseufzen der Weiber anstimmten. Vor allen klagte die Fürstin Andromache, die noch in der Blüte ihres Lebens vor dem Leichname stand und sein Haupt in ihren Händen hielt. »Herrlicher Gatte«, rief sie, »so verlorst du dein Leben und lässest mich als Witwe hier im Palaste und mit mir unser unmündiges Kind. Ach, schwerlich blüht dieses wohl zum Jünglinge heran! Denn vorher noch wird Troja zerstört, da du, der Stadt Verteidiger, starbest, du Schutz der züchtigen Frauen und der stammelnden Kinder! Bald werden diese nun gefangen zu den Schiffen hinweggeführt, und ich mitten unter ihnen. Du aber, mein trauter Astyanax, wirst Schmach und Arbeit unter einem grausamen Fronherrn mit deiner Mutter teilen. Oder es fasst dich ein Grieche am Arm und schmettert dich vom Turme herab, weil ihm dein Vater Hektor Bruder, Vater oder Sohn getötet; denn freilich schonte dein Vater auch nicht, wo es die Entscheidung galt; deswegen wehklagen auch jetzt die Völker um ihn ringsumher in der Burg. Unaussprechlichen Gram hast du deinen Eltern bereitet, Hektor, endlose Verzweiflung mir selbst. Nicht von dem Sterbelager hast du die Hand mir gereicht, nicht ein Abschiedswort voll Weisheit mir zugerufen, dessen ich Tag und Nacht unter Tränen der Wehmut gedenken könnte!«

Nach Andromache erhub Hekabe, die Mutter, klagend ihre Stimme. »Hektor, o du mein Herzenskind, wie lieb warst du selbst den Göttern, die deiner auch beim bittersten Tode nicht vergessen haben. Mit dem Schwert getötet und geschleift, ruhest du doch so frisch in unserm Hause, als hätte dich das linde Geschoss Apollons vom silbernen Bogen unversehens hingestreckt.« So sprach sie, sich selber tröstend, und vergoss eine Flut von Tränen. Jetzt nahm auch Helena das Wort. »Hektor«, klagte sie, »du, mir lieber als alle Gebrüder meines Mannes; zwanzig Lebensjahre sind mir entflohen, seit mich Unglückselige Paris gen Troja geführt hat, und nie in dieser langen Zeit hörte ich auch nur ein Wörtlein im Bösen von dir. Zwar war auch König Priamos immer milde gegen mich wie ein Vater, aber wenn ein anderer im Hause, Bruder oder Schwester des Gatten, Schwägerin oder Schwiegermutter, mich hart anließ, die besänftigtest du immer, und dein freundliches Herz redete mir zugut. In dir ist mein Tröster und Freund gestorben; mit Abscheu werden sich jetzt alle von mir abwenden!«

So sprach sie unter Tränen, und das zahllos versammelte Volk seufzte. Da rief Priamos über das Gedränge hin: »Jetzt, ihr Trojaner, bringet Holz für den Scheiterhaufen zur Stadt her, und sorget nicht, dass etwa ein Hinterhalt der Danaer auf euch laure. Der Sohn des Peleus, als er mich von den Schiffen entließ, hat mir verheißen, uns keinen Schaden zu tun, bis der zwölfte Morgen gekommen wäre.«

Die Völker gehorchten; schnell wurden Lastwagen mit Stieren und Maultieren bespannt, und alles versammelte sich vor der Stadt. Neun Tage lang führten sie Holz, eine ganze Waldung, herbei; am zehnten Morgen wurde die Leiche Hektors unter lautem Wehklagen hinausgetragen, auf das hohe Scheitergerüst niedergelegt und dieses in Flammen gesetzt. Das ganze Volk stand um den brennenden Holzstoß versammelt; als er niedergebrannt war, löschten sie den glimmenden Schutt mit Wein, und die Brüder und Streitgenossen des Verstorbenen lasen das weiße Gebein unter Tränen aus der Asche zusammen. Mit weichen Purpurgewanden umhüllt, ward es in ein goldenes Kästchen gelegt und in die hohle Gruft gesenkt. Dichte Quadern erschlossen diese, dann wurde der Grabhügel aufgeschüttet, und ringsum saßen Späher, damit nicht ein plötzlicher Überfall der Griechen sie störte. Als die Erde aufgeschüttet war, zog alles Volk in die Stadt zurück, und im Königshause des Priamos wurde das feierliche Totenmahl begangen.

Penthesilea

Nach Hektors Bestattung hielten sich die Trojaner wieder hinter den Mauern ihrer Stadt, denn sie fürchteten sich vor der Kraft des unbändigen Peleussohnes und scheuten sich, in seine Nähe zu kommen, wie sich die Stiere sträuben, dem Lager eines entsetzlichen Waldlöwen zu nahen. In der Stadt herrschte Trauer und Klage über den Verlust ihres edelsten Bürgers und mächtigsten Beschützers, und der Jammer war so groß, als wenn Troja schon von den Flammen der Eroberer verzehrt würde.

In dieser trostlosen Lage erschien den Belagerten eine Hilfe, die sie niemals erwartet hätten. Vom Thermodonstrome, in der kleinasiatischen Landschaft Pontus nämlich, kam mit einem kleinen Haufen von Heldinnen die Amazonenkönigin Penthesilea herangezogen, die Trojaner zu unterstützen. Es trieb sie zu dieser Unternehmung teils die männliche Lust an Kriegsgefahren, die diesem Weibervolke eigen ist, teils eine unfreiwillige Blutschuld, die ihr auf dem Herzen lastete und wegen der sie in ihrem Vaterlande übel angesehen war. Sie hatte nämlich auf einer Jagd, als sie nach einem Hirsch mit ihrem Speere zielte, ihre eigene geliebte Schwester Hippolyta mit dem Wurfgeschosse getötet. Nun begleiteten sie die Rachegöttinnen auf allen Pfaden, und kein Sühneopfer hatte sie bis auf diese Stunde versöhnen können. Diesen Qualen hoffte sie am ehesten durch einen den Göttern wohlgefälligen Kriegszug zu entgehen, und so brach sie mit zwölf auserlesenen Genossinnen gen Troja auf, die alle, gleich ihr, nach Krieg und Männerkämpfen dürsteten. Doch gegenüber ihrer Königin Penthesilea erschienen selbst diese herrlichen Jungfrauen nur wie Sklavinnen. Wie unter den Sternen der Mond am Himmel hervorstrahlt, so überragte an Glanz und Schönheit die Fürstin alle ihre Dienerinnen. Sie war herrlich wie die Göttin der Morgenröte, wenn sie, von den Horen umgeben, aus den Höhen des Olympos zum Rande der Erde herniederfährt.

Als die Trojaner von den Mauern herab an der Spitze ihrer Jungfrauen die zarte und doch gewaltige Königin, in Panzer und Schienen von Erz gehüllt, einer Göttin ähnlich, einherschreiten sahen, strömten sie von allen Seiten voll Bewunderung herbei und konnten sich, als die Jungfrauenschar näher heranzog, an der Schönheit ihrer Fürstin mit Blicken nicht genug ersättigen, denn in ihren Zügen war das Schreckliche wunderbar mit dem Lieblichen verbunden: ein holdseliges Lächeln schwebte auf ihren Lippen, und wie Sonnenstrahlen leuchteten unter langen Wimpern ihre lebensvollen Augen; ihre Wangen bedeckte eine sittsame Röte, und über das ganze Antlitz verbreitete sich mädchenhafte Anmut, beseelt von kriegerischem Feuer. So betrübt das Volk Trojas vorher gewesen war, so fröhlich jauchzte es jetzt bei diesem Anblicke. Selbst das trauernde Herz des Königs Priamos wurde wieder etwas freudiger gestimmt, und als er die herrliche Penthesilea ansah, so wurde ihm zu Mute wie einem Halbgeblendeten, dem ein wohltätiger Lichtstrahl ins kranke Auge dringt. Aber seine Freude war nur mäßig und gedämpft durch die Erinnerung an den Verlust so viel trefflicher, nicht minder schöner Söhne. Doch führte er die Königin in seine Wohnung ein, ehrte sie wie eine eigene Tochter und bewirtete sie aufs Köstlichste. Die auserlesensten Geschenke wurden für sie auf sein Geheiß herbeigebracht, und noch mehrere versprach er ihr für die Zukunft, wenn es ihr glücken sollte, die Trojaner der Gefahr zu entreißen. Die Amazonenkönigin aber erhub sich von dem Ehrenstuhl, auf dem sie Platz genommen, und vermaß sich eines Schwures, der noch keinem Sterblichen in den Sinn gekommen war; sie verhieß dem König den Tod des göttergleichen Achilleus: ihn und alle Scharen der Argiver wollte sie vertilgen, und ihr Feuer sollte alle feindlichen Schiffe fressen! So schwur die Törin, welche den Lanzen schwingenden Helden und seinen furchtbaren Arm noch nicht kannte. Als Andromache, Hektors trauernde Witwe, dieses Versprechen mit anhörte, da dachte sie bei sich selber: »O du Arme, du weißt nicht, was du gesprochen hast und wessen du dich im Stolze vermissest! Wie sollte dir die Kraft zu Gebote stehen, die zum Kampfe mit dem männermordenden Helden erforderlich ist? Bist du von Sinnen, Verlorene, und siehest das Ziel des Todes nicht, vor dem du jetzt schon stehest? Schauten doch auf meinen Gatten Hektor, wie auf einen Gott, alle Trojaner hin, und doch hat der Speer des Peliden seinen Hals durchbohrt! O möchte mich die Erde verschlingen!«

So dachte Andromache bei sich. Indessen war der Tag zu Ende gegangen, und nachdem die Heldinnen sich vom Zuge erholt und mit Speise und Trank gelabt hatten, wurde der Fürstin und ihren Begleiterinnen von den Dienstmägden des Palastes ein behagliches Lager bereitet, auf welchem Penthesilea bald in einen tiefen Schlummer sank. Da nahte ihr

auf Athenes Befehl ein verderbliches Traumbild. Ihr eigener Vater erschien ihr im Schlafe und drang in sie, den Kampf mit dem schnellen Achilleus zu beginnen. Der Jungfrau, wie sie das täuschende Gesicht erblickte, schlug das Herz im Busen, und sie hoffte noch am heutigen Tage das Ungeheure zu vollführen. Erwacht sprang sie vom Lager und legte sich die schimmernde Rüstung, die ihr Ares selbst geschenkt hatte, um die Schultern, passte sich die goldenen Schienen an, umhüllte sich mit dem strahlenden Panzer und warf das Wehrgehäng, an welchem in einer Scheide von Silber und Elfenbein das mächtige Schwert hing, über die Achsel. Dann nahm sie ihren Schild, welcher schimmerte wie der Mond, wenn er aus dem Spiegel des Meeres aufsteigt, und setzte den Helm aufs Haupt, von dem eine goldgelbe Mähne herabfloss. In die Linke nahm sie zwei Speere und in die Rechte eine zweischneidige Axt, welche ihr einst die verderbliche Göttin der Zwietracht als Kriegswaffe geschenkt hatte. Als sie so in der blinkenden Rüstung zum Palaste hinausstürmte, glich sie einem Blitzstrahle, den die Hand des Zeus vom Olymp auf die Erde herabschleudert.
Jauchzend vor Lust eilte sie zu den Mauern der Stadt hinaus und ermunterte die Trojaner zum rühmlichen Kampfe. Auf ihren Ruf versammelten sich auch sogleich die tapfersten Männer, die vorher dem Achilleus nicht mehr entgegenzugehen gewagt hätten. Penthesilea selbst aber schwang sich im Drange der Kriegslust auf ein schönes, schnellfüßiges Pferd, ein Geschenk der Gemahlin des thrakischen Königs Boreas, das so rasch flog wie die Harpyien. Auf dem Rosse jagte sie hinaus aufs Schlachtfeld und alle ihre Jungfrauen, auch sie zu Pferde, ihr nach. Ganze Scharen troischen Volkes begleiteten sie. König Priamos, der im Palaste zurückblieb, hob seine Hände gen Himmel und betete zu Zeus: »Höre, o Vater, und lass Achajas Scharen am heutigen Tage vor der Tochter des Ares in den Staub sinken, sie selbst aber glücklich in meinen Palast zurückkehren. Tue es deinem gewaltigen Sohne Ares zu Ehren, tu es ihr selbst zuliebe, die einem Gotte entstammt und euch unsterblichen Göttern so ähnlich ist; tu es auch um meinetwillen, der ich so vielfach gelitten, so viele schöne Söhne unter den Händen der Griechen habe dahinsinken sehen! Tu es, solange noch vom edeln Blute des Dardanos etwas übrig bleibt und die alte Stadt Troja noch unzerstört ist!« Kaum hatte er ausgebetet, so stürmte ihm zur Linken ein kreischender Adler

durch die Luft, der eine zerrissene Taube in den Krallen hielt. Ein Schauer der Furcht durchbebte das Gebein des Königs bei diesem Vorzeichen, und die Hoffnung entsank seiner Brust.

Inzwischen sahen die Griechen in ihrem Schiffslager die Trojaner, an deren Mutlosigkeit sie sich seit einigen Tagen gewöhnt hatten, zu ihrem Staunen heranziehen wie reißende Tiere, die sich vom Gebirge herunter auf Schafherden stürzen. Einer sprach voll Bewunderung zum andern: »Wer hat doch wohl die Troer wieder vereinigt, die seit Hektors Tode alle Lust verloren zu haben schienen, uns je wieder zu bekämpfen? Das muss wohl ein Gott sein, der sich ihrer annimmt. Wohl! Sind wir doch auch nicht ohne Götter; und haben wir sie bisher bezwungen, so wird es uns auch heute gelingen!« So warfen sie sich in die Waffen und strömten kampflustig von den Schiffen heraus. Bald begann die blutige Schlacht, Speer streckte sich gegen Speer, Harnisch stieß auf Harnisch, Schild prallte an Schild und Helm an Helm, der Boden Trojas färbte sich wieder einmal rot vom Blute; Penthesilea wütete unter den griechischen Helden, und ihre Kriegerinnen weiteiferten mit ihr in Tapferkeit. Sie selbst erlegte den Molon und sieben andere Helden; als aber die Amazone Klonia den Menippos, den Freund des gewaltigen Podarkes, niederschlug, ergrimmte dieser und durchbohrte die Hüfte der Männin mit seiner Lanze; zu spät hieb ihm Penthesilea die zum Stoß ausholende Hand ab; ihre Kriegerin war in den Tod gesunken, und jenen retteten die entführenden Freunde. Jetzt wandte sich das Glück zu den Griechen, Idomeneus traf die Amazone Bremusa rechts in die Brust mit dem Speere, Meriones erschlug Euandra und Thermodessa; unter Ajax, des Oïleus Sohn, sank Derione; der Tydide hieb Alkibia und Derimacheia nieder, indem sein Schwert beiden die Häupter mitsamt dem Genicke von den Schultern trennte. Darauf kehrte sich der Kampf gegen die Trojaner. Sthenelos tötete den Kabeiros aus Sestos, und vergebens schnellte Paris seinen Pfeil auf den Mörder ab. Er flog vorüber und traf, von den grausamen Parzen abgelenkt, einen andern Griechen, den Helden Euenor von Dulichion, zum Tode. Sein Schicksal regte den Anführer der Dulichier, Meges, den mutigen Sohn des Königs Phyleus, auf; rasch wie ein Löwe sprang er heran, dass die Troer bestürzt vor ihm flohen. Er erschlug zwei ihrer besten Bundesgenossen, den Itymoneus und Agelaos von Milet, und auch Trojaner, so viel sein Speer erreichen konnte. Andre erlegten andre, denn ein furchtbares Schlachtgetümmel durchtobte die Reihen, und von beiden Seiten sanken an diesem Tage viele Helden in den Staub.

Penthesilea aber stürmte noch immer unbezwungen unter die Griechen, wie eine Löwin unter einer Rinderherde wütet, und diese wichen, von Schrecken ergriffen, zurück, wo sie nahte. Trunkenen Mutes rief ihnen die Siegerin entgegen: »Heute noch, ihr Hunde, sollt ihr die Schmach des Priamos mir büßen. Raubtieren und Vögeln sollt ihr zum Fraße modern, und keiner von euch soll Weib und Kind zu Hause wieder schauen, kein Erdhügel je über euren Gebeinen sich erheben! Wo ist Diomedes, wo Ajax, Telamons Sohn, wo der Pelide Achilleus, die Besten unter eurem Heere? Warum kommen sie nicht und messen sich mit mir? Aber freilich, sie wissen, dass sie von mir zerschmettert und zu Leichen werden müssten!« So rief sie und drang voll Verachtung auf die Argiver ein; bald wütete sie mit der Axt, bald mit dem Wurfspieß, und den Köcher voll Geschossen trug ihr, falls sie sein bedürftig wäre, ihr gelenkiges Ross. Ihr nach drängten sich die Söhne des Priamos und die Ersten der Trojaner. Diesem Andrange vermochten die Griechen nicht zu widerstehen; wie Blätter im Winde oder wie Regentropfen fielen sie gedrängt nacheinander, bald war das Gefilde mit argivischen Leichen bedeckt, und die Rosse der troischen Streitwagen zertraten verfolgend Gefallene und Tote wie gedroschenes Korn. Den Trojanern war nicht anders zu Sinne, denn als ob eine der Unsterblichen sichtbar vom Himmel herabgestiegen wäre, um ihnen die Scharen der Feinde bekämpfen zu helfen, und in der törichten Freude ihres Herzens glaubten sie schon an deren gänzliche Vernichtung.

Aber noch war das Getöse des Kampfes weder zu dem gewaltigen Ajax noch zu dem Göttersohn Achilleus gedrungen. Beide lagen fern am Grabe des Patroklos und gedachten hier ihres erschlagenen Freundes; so war es vom Geschicke verordnet, welches der Amazonenfürstin ein paar Stunden der Ernte gönnen wollte und sie mit Ruhm bekränzt zum Tode trieb. Auf den Mauern der Stadt standen die trojanischen Frauen und bewunderten jubelnd die Heldentaten ihrer Mitschwester. Eine von ihnen, Hippodameia, die Gattin des tapfern Trojaners Tisiphonos, fühlte sich plötzlich von Kampflust ergriffen: »Freundinnen« sprach sie, »warum kämpfen nicht auch wir unsern Männern gleich fürs Vaterland, für uns und für unsere Kinder? Stehen wir doch nicht so ferne von dem kräftigen Geschlecht unserer Jünglinge: dieselbe Kraft wie ihnen ward auch uns verliehen; unsere Augen spähen nicht weniger scharf; unsere Knie wanken so wenig wie die ihrigen; Licht, Luft und Nahrung gehört uns wie ihnen; warum sollte nicht auch die Feldschlacht uns verliehen sein? Seht ihr denn nicht dort das Weib, das hoch hervorragt vor allen Männern? Und doch ist sie nicht einmal von unserem Stamme! Sie kämpft für einen fremden König, für eine Stadt, die nicht ihre Heimat ist, und tut es unbekümmert um die Männer, fasst sich einen Mut im Herzen und sinnt auf Unheil gegen die Feinde. Wir aber hätten für unser eigenes Glück zu fechten, und eigenes Unglück hätten wir zu rächen. Wo ist eine von uns, die in diesem unseligen Kriege nicht ein Kind oder einen Gatten oder einen Vater verloren hätte oder um Brüder oder andre nahe Verwandte trauerte? Und wenn unsere Männer unterliegen, was steht uns allen Besseres bevor als die Knechtschaft? Darum lasset uns den Kampf nicht länger aufschieben; lieber wollen wir sterben, denn als Beute von den Feinden hinweggeführt werden mit unsern unmündigen Kindern, wenn die Gatten tot sind und die Stadt hinter uns in Flammen steht!«

So sprach Hippodameia und erregte die Begierde nach Kampf in ihnen allen. Sie legten Wolle und Webekorb zur Seite, zerstreuten sich wie ein Bienenschwarm in ihre Häuser und griffen nach den Waffen. Unfehlbar wären alle ein Opfer ihres unsinnigen Eifers geworden, wenn nicht die Schwester der Königin Hekabe, Theano, die Gemahlin Antenors, welche weiser war als alle anderen, sich ihrem unsinnigen Beginnen widersetzt hätte. Diese suchte sie mit verständigen Worten zu beschwichtigen. »Was wollt ihr anfangen, ihr Unvernünftigen«, rief sie den schon Ausziehenden entgegen; »gegen die Danaer wollt ihr ziehen, die in Waffen und im Kampfe geübten Männer? Wie mögt ihr hoffen, euch mit ihnen messen zu können? Habt ihr denn je Kriegswerk getrieben wie die Amazonen, habt Rosse tummeln gelernt und anderes Tun der Männer? Dazu ist jenes Wunderweib noch eine Tochter des Kriegsgottes, ihr aber seid alle Kinder von Sterblichen. Deswegen sollt ihr Weiber bleiben, euch ferne vom Schlachtgetümmel halten und im innern Hausraume der Spindel pflegen; den Krieg aber mögt ihr den Männern lassen. Noch sind ja diese aufrecht und umringen schirmend eure Stadt; noch ist es nicht so weit gekommen, dass sie die Hilfe ihrer Weiber bedürfen und diese zur Verteidigung der Stadt anrufen müssten!«

Den klugen Worten der bejahrten Troerin schenkten die aufgeregten Frauen allmählich Gehör, kehrten auf die Mauer zurück und sahen bald wieder, wie zuvor, von ferne der Schlacht zu. Indessen mordete Penthesilea fort, und die Scharen der Argiver erbebten vor ihr; die Helden begannen zu fliehen und zerstreuten sich da- und dorthin, die einen, nachdem sie die Wehre von den Schultern auf den Boden geworfen, die andern in voller Waffenrüstung: Rosse und Wagen flogen hier- und dorthin ohne Führer; überall hörte man Gewinsel der Sterbenden, denn alles sank zusammen vor dem Schlachtspeer der Amazone.

Immer vorwärts drangen die Trojaner: schon waren sie ganz nahe an die Schiffe der Griechen gekommen und machten eben Anstalt, diese zu verbrennen. Da hörte endlich Ajax, der gewaltige Sohn des Telamon, das Kriegsgeschrei, hob sein Haupt vom Grabhügel des Patroklos empor und sprach zu Achilleus: »Kampfbruder, mir drang ein unendliches Getöse zu den Ohren, gleich als hätte sich irgendwo ein gefährlicher Kampf erhoben! Lass uns gehen, dass die Trojaner uns nicht zuvorkommen und doch einmal die Schiffe verbrennen!« Diese Worte regten den Peliden auf, und jetzt wurde auch sein Ohr von dem Jammergeschrei erreicht. Eilig warfen sich beide in ihre schimmernde Rüstung und gingen, in Waffen leuchtend und von Streitlust brennend, der Gegend zu, von welcher der Hall des Kampfes ihnen entgegenlärmte.

Durch die gebrochenen Reihen der Argiver zuckte eine Freude, als sie die beiden tapfersten Männer heraneilen sahen. Diese aber stürzten sich sogleich mit brennendem Eifer in den Kampf und fingen an, unter dem trojanischen Heere zu würgen. Ajax warf sich auf die Männer und seinen ersten Speerstößen erlagen vier Trojaner. Achilleus aber kehrte sich gegen die Amazonen, und vier der Jungfrauen erlagen unter seinen Streichen: dann stürzten sich beide miteinander auf die Masse des feindlichen Heeres, und mit geringer Mühe waren die noch jüngst so dicht stehenden Reihen der Feinde gelichtet.

Als Penthesilea dies inneward, stürzte sie unmutig ihren beiden Feinden entgegen, wie ein Pantertier den Jägern entgegeneilt. Jene aber reckten sich, dass ihre ehernen Panzer klirrten, und hielten ihre Lanzen empor. Die Amazone warf ihren Speer zuerst auf Achilleus. Der Schild des Helden fing ihn auf, dass er zersplitternd abprallte, als wäre er auf einen Felsen gestoßen. Mit der zweiten Lanze zielte sie jetzt auf Ajax, und zugleich rief sie beiden Helden zu: »Wenn auch mein erster Wurf misslang, dieser zweite soll euch Prahlern Kraft und Leben rauben, die ihr euch rühmt, die Stärksten im Heere der Danaer zu sein, aber jetzt nur hergekommen seid, um zu erfahren, dass ein Weib mehr vermag als ihr beide zusammen!« So rief sie und brachte durch ihre Rede die Helden zum Lachen. Ihre Lanze aber erreichte die silberne Beinschiene des Ajax, und so gern sie in seinem Blute geschwelgt hätte, vermochte sie doch nicht einmal seine Haut zu ritzen, denn die Waffe prallte von der ehernen Fußbekleidung ab. Ajax, ohne sich viel um die Amazone zu bekümmern, stürzte sich auf die Schlachtreihen der Trojaner und überließ dem Achilleus die Feindin, denn er zweifelte in seinem Geiste keinen Augenblick, dass dieser allein mit ihr fertig werden würde, so bald wie ein Habicht mit einer Taube.

Penthesilea, als sie sah, dass auch ihr zweiter Wurf ohne Erfolg geblieben, stieß einen lauten Seufzer aus; Achilleus aber maß sie mit seinen Blicken und rief ihr zu: »Sage mir, Weib, wie hast du dich erdreisten können, dich so übermütig uns entgegenzuwerfen und uns, die gewaltigsten Helden der ganzen Erde, zu bekämpfen, uns, die wir vom Blute des Donnerers selbst entsprossen sind und vor welchen Hektor bebte und erlegen ist? Der Wahnsinn muss aus dir gesprochen haben, als dein Mund uns heute mit dem Tode bedrohte; denn siehe, dein eigenes letztes Stündlein ist gekommen.« Mit diesen Worten drang er auf sie ein, die unbezwingliche Lanze, das Werk des Kentauren Chiron, seines Erziehers, schwingend. Ihr Wurf traf die Kriegerin oberhalb der rechten Brust so tief, dass alsbald das schwarze Blut aus der Wunde strömte und alle Kraft ihre Glieder verließ. Die Axt fiel ihr aus der Hand, und ihr Auge hüllte sich in Finsternis. Doch erholte sie sich noch einmal und sah ihrem Feinde, der eben heranstürmte, sie vom flüchtigen Rosse zu ziehen, fest ins Antlitz. Sie besann sich einen Augenblick, ob sie ihr Schwert aus der Scheide ziehen und sich wehren oder vom Rosse steigen und zu dem Sieger flehend ihm Gold und Erz genug für ihr Leben versprechen sollte. Aber Achilleus ließ ihr keine Zeit, sich zu besinnen. Im Zorn über ihren Stolz durchbohrte er Ross und Reiterin mit einem Stoße. Alsbald glitt diese herab und sank in den Staub und ins Verderben,

am Speere zuckend und mit dem Rücken an das flüchtige Streitross angelehnt, das sterbend auf den Knien lag; sie selbst einer schlanken Tanne gleich, die der Nordwind geknickt hat.
Als die Trojaner den Fall ihrer Heldin gewahr wurden, stürzten sie voll Betäubung zurück nach den Toren der Stadt, wehklagend über den Tod der Amazone und ihrer eigenen vielen Stammesverwandten. Der Sohn des Peleus aber rief mit Frohlocken: »So liege du denn, du armes Geschöpf, den Raubvögeln und Hunden zur Weide! Wer hat dich auch geheißen, mit mir zu kämpfen? Du hofftest wohl unermessliche Gaben aus der Hand des Königs Priamos als Kampfpreis zu empfangen, dafür, dass du so viele Griechen erschlagen hast? Aber ein anderer Lohn wurde dir zuteil!« So sprach er und zog ihr und dem Pferde den Speer aus dem Leibe, und noch zuckten beide. Dann nahm er ihr den Helm vom Haupte und betrachtete das Antlitz der Verschiedenen. Obgleich von Blut und Staub bedeckt, waren doch ihre edeln Züge auch im Tode noch voll Anmut, und die Griechen, die den Leichnam umringten, mussten alle über die überirdische Schönheit der Jungfrau staunen, die, ähnlich der nach heißer Gebirgsjagd schlummernden Artemis, in voller Waffenrüstung dalag. Achilleus selbst, als er sie länger betrachtete, fühlte sich von überschleichendem Schmerze bestrickt und musste sich gestehen, dass die Fürstin, anstatt von ihm getötet zu werden, viel eher verdient hätte, als herrliche Gattin mit ihm in Phthia einzuziehen.
In den tiefsten Schmerz aber versank der Vater der Amazone, der Kriegsgott, über ihren Tod. Wie ein Blitz mit rollendem Donner stürzte er sich bewaffnet vom Olymp herunter auf die Erde und schritt über die Gipfel und Schluchten des Berges Ida hin, dass Gebirg und Tal unter seinem Schritte erbebten. Und sicherlich hätte er den Griechen das Verderben gebracht, wenn ihn nicht Zeus, der Freund der Danaer, durch ein furchtbares Gewitter gewarnt hätte, das sich Schlag auf Schlag über seinem Haupte entlud und in welchem er die Stimme seines allmächtigen Vaters vernahm, so dass Ares, sosehr er sich nach dem Kampf sehnte, es doch nicht sogleich wagte, dem Willen des Donnerers entgegenzuhandeln, und mitten auf dem Wege nach dem Schlachtfeld stillestand. Er war unschlüssig, ob er zum Olymp zurückkehren sollte oder, dem Vater trotzend, hingehen und seine Hände in das Blut des Achilleus tauchen. Zuletzt gedachte er jedoch der vielen Söhne des Zeus selbst, die nach

dem Ratschluss des Vaters sterben mussten und die er selbst nicht im Stande gewesen, vor dem Tode zu schützen. So besann er sich denn des Besseren; kannte er ja doch seinen allgewaltigen Vater und wusste, dass, wer sich ihm widersetzt, vom Blitz gebändigt und zu den Titanen in die Unterwelt hingeschleudert wird.

Um den Leichnam Penthesileas drängten sich inzwischen die Danaer und fingen an, die Tote ihrer Waffen zu berauben. Achilleus aber stand mit ganz verwandeltem Gemüte daneben, er, der noch soeben ihren Leib den Hunden und Vögeln zum Fraß hatte preisgeben wollen. Mit tiefer Wehmut blickte er auf die Jungfrau hernieder, und es nagte ihm keine geringere Qual am Herzen als einst, da er um seinen liebsten Freund, den erschlagenen Patroklos, jammerte.

Unter den herbeiströmenden Griechen näherte sich auch der hässliche Thersites und fiel den Helden mit schmähenden Reden an: »Bist du nicht ein Tor«, rief er ihm zu, »dass du dich um die Jungfrau abhärmen magst, die uns allen doch so vielfaches Unheil bereitet hat? Du zeigst dich fürwahr als einen weibischen Lüstling, dass dich eine Sehnsucht nach der Schönheit dieser Erschlagenen beschleicht! Hätte dich doch ihre Lanze in der Schlacht getötet, du Unersättlicher, der du meinst, dass alle Weiber deine Beute werden müssten!« Wütender Zorn bemächtigte sich des Helden, als er aus dem Munde eines Elenden solche Schmähworte hören musste. Er versetzte dem hässlichen Schelter mit der bloßen Faust einen solchen Streich auf die Wange, dass ihm die Zähne aus dem Munde fielen, ein Blutstrom hervorschoss und Thersites, sich auf dem Boden krümmend, seine feige Seele aushauchte. Da war unter den Umstehenden keiner, der ihn bedauert hätte, denn sein einziges Geschäft war gewesen, andere zu schmähen, indes er selbst im Felde und im Rate sich immer nur als einen armseligen Wicht bewies. Achilleus aber sprach voll Unmut: »Hier magst du denn im Staube liegen und deine Torheit vergessen lernen! Denn Torheit ist es, wenn der Schlechtere sich dem Besseren gleichstellen will! Wie mich, hast du schon früher den Odysseus gereizt, aber er war zu großmütig, dich zu bestrafen. Jetzt erfuhrest du, dass der Sohn des Peleus sich nicht ungestraft schelten lässt. Geh jetzt und schmähe bei den Schatten!«

Nur einer war unter dem ganzen griechischen Heere, dem der Tod des Thersites die Galle aufregte: Diomedes, des Tydeus Sohn, und zwar deswegen, weil der Erschlagene aus einem Blute mit ihm entsprungen war, denn sein Großvater Öneus und des Thersites Vater waren Brüder gewesen. Darum zürnte jetzt Diomedes, und er hätte die Waffen gegen Achilleus erhoben, wenn nicht die edelsten Danaer ins Mittel getreten wären, denn auch der Pelide war bereit, ihm für das Blut seines Vetters mit dem Schwerte Genugtuung zu geben. So aber ließen sich beide beschwichtigen.

Die Atriden selbst erlaubten nun, voll Mitleiden und Bewunderung für die getötete Jungfrau, dass dem König Priamos, der durch eine feierliche Botschaft sich die Leiche erbeten hatte, um sie in der Gruft des Königs Laomedon zu bestatten, ihr Leichnam ausgeliefert werde. Priamos aber errichtete ihr vor der Stadt einen mächtigen Scheiterhaufen und legte den Leib der Jungfrau samt vielen herrlichen Gaben darauf. Dann entzündete er den Holzstoß, dass er hoch emporloderte, und als der Leichnam verzehrt war, löschten die umstehenden Trojaner den Brand mit süß duftendem Weine. Dann sammelten sie die Gebeine Penthesileas, legten dieselben in ein Kästchen und trugen sie wehklagend und in feierlichem Aufzuge in die Gruft des Königs Laomedon, die sich an einem hervorragenden Turm der Stadt befand. Neben ihr wurden ihre zwölf Begleiterinnen, die alle ebenfalls in der Männerschlacht geblieben waren, beigesetzt, denn auch ihnen hatten die Söhne des Atreus diese Ehre gegönnt. Auf der andern Seite begruben auch die Griechen ihre Toten und bejammerten vor allen den Podarkes, der seinem Bruder Protesilaos, welchen Hektor erschlagen hatte, nun im Schlachtentode gefolgt war. Abgesondert von den andern wurde ihm ein eigener Grabhügel erhöht, der ein weithin sichtbares Denkmal bildete. Zuletzt scharrten sie auch den hässlichen Thersites ein und kehrten wieder zu ihren Schiffen zurück, alle voll Dank im Herzen gegen den gewaltigen Achilleus, der auch diesmal der Retter der Griechen gewesen war.

Als die Nacht einbrach, lagerten sich im geräumigen Zelt der Atriden die vornehmsten Helden zum Schmaus, und auch die andern Griechen erfreuten sich, da und dort hingestreckt, des erquickenden Mahles, bis der Morgen wieder anbrach.

Memnon

Die aufsteigende Sonne leuchtete in Troja über lauter Kümmernis. Auf den Mauern umher saßen spähend die Trojaner, denn sie fürchteten jeden Augenblick, der gewaltige Sieger möchte nun auf Leitern über die Stadtmauer setzen und ihren alten Wohnsitz einäschern. Da erhub sich im Rate der Bangenden ein Greis mit Namen Thymötes, der sprach: »Freunde! Vergebens sinnt mein Geist auf ein Mittel, das drohende Verderben von uns abzuwenden. Seit Hektor unter den Händen des unbezwinglichen Achilleus erlegen ist, müsste, glaube ich, selbst ein Gott, wenn er sich unser annehmen wollte, im Kampfe erliegen. Hat er doch auch die Amazone, vor der alle andern Danaer erbebten, bezwungen! Und doch war sie so furchtbar, dass wir alle in ihr eine Göttin zu sehen glaubten und Freude unser Herz bei ihrem Anblick durchströmte. Aber ach, leider war sie nicht unsterblich! So fragt es sich denn nun, ob es nicht besser für uns wäre, wenn wir diese unglückselige Stadt, die doch zum Untergang bestimmt ist, verließen und anderswo sichere Wohnungen aufsuchten, zu welchen die verderblichen Griechen nicht dringen könnten!«

So redete Thymötes. Da stand Priamos in der Versammlung auf, ihm zu entgegnen: »Lieber Freund«, sprach er, »und ihr alle Trojaner und gute Bundesgenossen! Lasst uns doch die geliebte Heimat nicht feige verlassen und uns größerer Gefahr preisgeben, wenn wir uns in offener Feldschlacht durch die umringenden Feinde durchschlagen sollten. Vielmehr wollen wir warten, bis Memnon da ist, der Äthiopier, aus dem Lande der schwarzen Männer, der wohl mit seinem unzähligen Volke schon unterwegs ist, uns Hilfe zu bringen! Es ist schon viel Zeit verflossen, seit meine Boten zu ihm gegangen sind. Deswegen haltet nur noch ein Kleines aus; und müsstet ihr selbst im Kampfe alle umkommen, so ist es doch besser, als bei Fremdlingen, von Schande gebeugt, sein Leben fristen zu müssen!«

Zwischen diese entgegengesetzten Meinungen trat ein bedächtiger Mann unter den Trojanern, der Held Polydamas, und gab seinen Rat mit folgenden Worten: »Wenn Memnon wirklich kommt, so habe ich nichts dagegen, König und Herr! Aber ich befürchte, der Mann wird mitsamt seinen Gefährten den Tod bei uns finden und den Unsrigen nur noch mehr Unheil bereiten. Doch bin auch ich keineswegs der Meinung, dass wir das Land unserer Väter verlassen sollten. Vielmehr wäre, wenn es auch jetzt spät ist, doch immer noch das Beste, wenn wir die Ursache dieses ganzen Krieges, die Fürstin Helena mit allem dem, was sie uns aus Sparta zugebracht hat, den Griechen wieder auslieferten, ehe sich die Feinde in unsere Habe geteilt und die Stadt mit Feuer verzehrt haben!«

Dieser Rede gaben die Trojaner zwar im Herzen stillen Beifall, doch wagten sie nicht, ihrem König laut zu widersprechen. Auf der andern Seite erhob sich Paris, Helenas Gemahl, und beschuldigte den Schutzredner der Griechen, wie er Polydamas nannte, der äußersten Feigheit. »Ein Mann, der dazu raten kann, würde im Felde der Erste sein, der die Flucht ergriffe«, sprach er. »Besinnet euch wohl, Trojaner, ob es klug gehandelt ist, dem Rate eines solchen zu folgen.«

Polydamas wusste wohl, dass Paris von Helena nicht lassen würde und eher einen Aufruhr im Heere erregen, ja selber sterben würde, ehe er auf sie verzichtete; darum schwieg er, und die ganze Versammlung mit ihm. Als sie noch sinnend im Rate saßen, kam die frohe Botschaft, dass Memnon im Anzug sei. Den Trojanern ward zu Mute wie Schiffern, die, dem Tode schon im Rachen, nach dem furchtbarsten Sturm die Sterne wieder am Himmel schimmern sehen; vor allem aber freute sich der König Priamos, denn er zweifelte nicht, dass es der Überzahl der Äthiopier gelingen musste, die feindlichen Schiffe zu verbrennen.

Als daher Memnon, der hohe Sohn der Eos, angekommen war, ehrte der König ihn und die Seinen durch die herrlichsten Gaben und Festmahle. Das Gespräch wurde heiter, und sie gedachten in Ehren der gefallenen Trojanerhelden. Memnon aber erzählte von seinem unsterblichen Elternpaar, Thitonos und Eos; ein andermal vom endlosen Weltmeere und wiederum von den Grenzen der Erde, vom Aufgang der Sonne und von dem ganzen weiten Weg, den er von den Ufern des Ozeans bis zu den Höhen des Berges Ida und der Stadt des Königs Priamos zurückgelegt, und was für Heldentaten er unterwegs verrichtet habe. Ihm lauschte der Trojanerkönig mit Wohlgefallen; voll Wärme ergriff er seine Hand und sprach: »Memnon, wie danke ich den Göttern, dass sie mir, dem Greise, gegönnt haben, dich und dein Heer noch zu erblicken und dich selbst in meinem Palast zu bewirten! Fürwahr, du gleichst mehr als irgendein Sterblicher den Göttern, und deswegen hege ich die

Zuversicht zu dir, dass du unter unsern Feinden mit furchtbarem Gemetzel wüten werdest!« Mit diesen Worten erhob der König einen Pokal aus gediegenem Gold und trank ihn dem neuen Bundesgenossen zu. Memnon betrachtete staunend ringsum den herrlichen Becher, der ein Werk des Hephästos und ein Erbstück der trojanischen Königsfamilie war; dann erwiderte er: »Nicht beim Schmause ziemt es sich zu prahlen und zuversichtliche Verheißungen zu tun; ich antworte dir daher nicht, o König, sondern freue mich jetzt in Ruhe des Mahles und will im Geiste das Nötige vorbereiten. In der Schlacht muss es sich zeigen, ob ein Mann ein Held sei. Nun aber lass uns bald zur Ruhe gehen: denn dem, der die Entscheidung des Kampfes erwartet, schadet ein übermäßiger Genuss des Weines und eine durchschwärmte Nacht!«

Damit erhob sich der besonnene Memnon vom Mahl, und Priamos hütete sich, seinen Gast zu längerem Bleiben zu nötigen. Auch die übrigen Gäste gingen zur Ruhe, und alles überließ sich dem wohltuenden Schlaf. Während nun die Sterblichen auf der Erde schlummerten, saßen die Götter im olympischen Palast des Zeus noch beim Schmaus und besprachen sich über den Kampf um Troja. Zeus, der Sohn des Kronos, dem die Zukunft deutlich war wie die Gegenwart, nahm zuletzt das Wort und sprach: »Es ist vergebens, dass ihr sorget, der eine für die Griechen, der andere für die Troer. Noch unzählige Männer und Rosse werdet ihr auf beiden Seiten im Kampfe dahinsinken sehen. Sosehr euch nun mancher, der des einen oder des andern Freund ist, am Herzen liegen mag, so lasse sich doch keiner von euch einfallen, sich mir deshalb mit Bitten zu nahen und für einen Sohn oder einen Freund zu flehen, denn die Schicksalsgöttinnen sind unerbittlich, für mich wie für euch!«

Keiner der Unsterblichen wagte es, dem Göttervater zu widersprechen, schweigend verließen sie das Mahl, und jeder in seinem Hause warf sich traurig auf das Lager, bis auch der Götter sich der Schlaf erbarmte.

Am andern Morgen stieg Eos nur widerstrebend am Himmel auf, denn auch sie hatte das Wort des Zeus vernommen, und ihr Herz sagte ihr voraus, welch ein Schicksal ihrem geliebten Sohn Memnon bevorstand. Dieser aber war schon in aller Frühe erwacht, als kaum die Gestirne bleichten; er schüttelte sich den Schlaf, den letzten auf Erden, von den Wimpern und sprang vom Lager voll Sehnen, den entscheidenden Kampf für seine Freunde mit den Griechen zu beginnen. Auch die Trojaner warfen sich in ihre Rüstungen und mit ihnen die zahllosen Gäste aus Äthiopien. Ohne sich lange zu verweilen, strömten die Scharen, Sturmgewölke gleich, das vom Winde getrieben wird, zu den Toren hinaus aufs Blachfeld; die ganze Stadt wogte von dichtem Gedränge, und der Staub erhob sich unter ihren Füßen.

Als die Griechen sie aus der Ferne heranziehen sahen, staunten sie, waffneten sich in Eile und zogen aus: Achilleus, auf welchen sie vertrauten, in ihrer Mitte, stolz auf seinem Wagen stehend wie ein Titane und gleich einem Donnergeschoss in der Hand des Zeus. Aber in der Mitte des trojanischen Heeres zog, nicht minder herrlich, Memnon einher, dem Kriegsgott selber zu vergleichen, und sein unendliches Volk, gehorsam und kampflustig, hatte sich rings um ihn her geschart. Nun begann der Kampf: wie zwei Meere wogten die Heere sich entgegen und schlugen aneinander Well' an Welle. Schwerter zischten, und Speere sausten, lautes Getöse hallte durch die Schlachtreihen, und bald erhob sich in beiden Heeren Klagelaut um die Fallenden. Bald stürzte ein Troer um den andern vor den Stößen des Achilleus nieder, wie vor einem Sturm, der Bäume aus den Wurzeln reißt und Häuser umwirft. Andererseits warf auch Memnon die griechischen Scharen darnieder wie ein böses Verhängnis, das den Sterblichen viel Jammer und Unheil bringt. Zwei edle Genossen Nestors fielen von seiner Hand, und jetzt nahte er dem Greise von Pylos selber, und es fehlte wenig, dass Nestor von der Lanze des Äthiopiers gefallen wäre. Denn eines seiner Wagenpferde war eben von einem Pfeil des Paris verwundet worden und hemmte den Wagen seines Herrn, als Memnon mit seinem Speer auf den Greis zugerannt kam. Erschrocken rief dieser seinen Sohn Antilochos zu Hilfe, und sein Wort verhallte nicht in den Lüften. Der fromme Jüngling eilte heran, stellte sich vor die Brust des Vaters und warf seinen Speer nach dem Äthiopier. Dieser wich dem Geschoss aus, aber es traf seinen Freund Äthops, den Sohn des Pyrrhasus. Darüber ergrimmte Memnon, und wie der Löwe auf den Eber losstürzt, warf er sich nun auf Antilochos. Dieser schleuderte einen Stein gegen den Tobenden, der jedoch an seinem festen Helm abprallte. Nun stieß ihm Memnon die Lanze durchs Herz, und Antilochos erkaufte so die Rettung seines Vaters mit dem Tode. Als die Achajer ihn sinken sahen, bemächtigte sich ihrer aller der Schmerz; den bittersten aber empfand der Vater, weil um seinetwillen und ihm vor den Augen der Sohn erschlagen wurde. Doch behielt er Besinnung genug, einen andern seiner Söhne, Thrasymedes, herbeizurufen, damit er den Mörder von dem Leichnam seines Bruders hinwegscheuchte. Dieser vernahm den Ruf im Getümmel der Schlacht, und zugleich mit ihm machte sich Pheres auf, den tobenden Sohn der Eos zu bekämpfen. Memnon ließ sie voll Zuversicht nahen, und alle ihre Speere flogen an seiner Rüstung vorüber, die ihm die göttliche Mutter gefeit hatte. Doch erreichten sie immer ein Ziel, nur ein anderes, als wofür sie bestimmt waren, und beide trafen mit ihren Geschossen feindliche Helden. Währenddessen fing Memnon an, den getöteten Antilochos seiner Rüstung zu berauben, und die griechischen Streiter umkreisten den Gefallenen vergebens wie heulende Schakale einen Hirsch, den der Löwe zerreißt. Nestor, als er dies erblickte, jammerte laut auf, rief seinen übrigen Freunden, ja sprang selbst vom Wagen herab und wollte mit schwindenden Leibeskräften für den Leichnam des Sohnes kämpfen. Doch Memnon, als er ihn kommen sah, wandte sich freiwillig von ihm ab, ehrfurchtsvoll, als sähe er seinen Vater nahen. »Greis«, sprach er, »mir ziemt nicht, den Kampf mit dir zu versuchen! Von ferne hielt ich dich für einen jungen kriegerischen Mann, darum zielte meine Lanze nach dir; nun aber sehe ich, dass du weit älter bist. Meide den Kampf, weiche, dass ich dich nicht mit widerstrebendem Herzen fälle und du zu deinem Sohn in den Staub sinkest! Würde man dich doch einen Toren schelten, wenn du in so ungleichen Kampf dich gewagt hättest!« Nestor aber antwortete: »Das sind nichtige Worte, die du da geredet, Memnon! Kein Mensch heißt den Mann töricht, der, über den Tod seines Sohnes ergrimmt, zu kämpfen kommt und den grausamen Mörder von seinem Leichnam vertreiben will! Oh, hättest du mich als jung gekannt! Jetzt gleiche ich freilich nur einem alten Löwen, den jeder Hund von der Schafhürde abhalten kann! Doch nein, noch besiege ich viele Streiter, und nur wenigen weicht mein Alter!« So sprach Nestor und wich ein wenig rückwärts, indem er den Sohn im Staube liegen ließ. Zugleich zogen sich auch Thrasymedes und Pheres zurück; und nun wütete Memnon mit seinen Äthiopiern ungehindert in der Schlacht fort, und die Argiver, voll Schreckens, mieden seinen Speer.

Da wandte sich Nestor an Achilleus. »Du Beschirmer der Griechen«, sprach er, »siehe, dort liegt mein Sohn tot; Memnon hat ihm die Waffen geraubt; bald wird er eine Speise der Hunde sein! Eile zu Hilfe, denn nur der ist ein wahrer Freund, der des erschlagenen Freundes sich annimmt!« Achilleus horchte auf, und tiefer Kummer bemächtigte sich seiner, als er sah, wie der Äthiopier die Danaer scharenweise in den Staub streckte. Bisher hatte sich nämlich der Pelide unter den Trojanern herumgetummelt und hier viele getötet. jetzt aber ließ er von ihnen ab und wandte sich plötzlich Memnon entgegen. Als dieser ihn kommen sah, raffte er einen Markstein vom Boden auf und schleuderte ihn nach dem Schilde des Feindes. Aber der Stein prallte ab, und Achilleus, der seinen Streitwagen hinter der Schlachtreihe gelassen hatte, drang zu Fuß auf Memnon ein und traf ihn mit dem Speer rechts an der Schulter. Der Äthiopier achtete dieses Stoßes nicht, eilte vorwärts und stieß dem Achilleus seine mächtige Lanze in den Arm, dass das Blut des Helden zur Erde floss. Nun brüstete sich Memnon in eitler Freude und rief: »Elender, der du so mitleidlos die Trojaner erschlugst, jetzt steht dir ein Göttersohn entgegen, dem du nicht gewachsen bist, denn Eos, meine Mutter, die Olympierin, ist mehr denn deine Mutter Thetis, die sich allein unter den Scheusalen des Meeres gefällt!« Aber Achilleus lächelte nur und sprach: »Der Erfolg wird lehren, welcher von uns von edleren Eltern abstammt! Ich fordere von dir jetzt Rache für den jungen Helden Antilochos, wie ich einst an Hektor Rache genommen für meinen Freund Patroklos.«

Damit fasste er seinen riesigen Speer mit beiden Händen, und dasselbe tat Memnon. So stürzten sie aufeinander los. Zeus selbst machte sie in diesem Augenblick größer, stärker und unermüdlicher, als Menschen sind, so dass kein Stoß des einen den andern fällte und sie so nah aneinander kamen, dass Helmbusch an Helmbusch streifte. Vergebens suchten sie einander bald über dem Schienbein, bald unter dem Panzer zu verwunden; ihre Rüstungen klirrten; das Kampfgeschrei der Äthiopier, Trojaner und Argiver stieg empor zum Himmel, der Staub wirbelte unter ihren Füßen auf, und während die Führer kämpften, feierte unter ihren Kriegern das Gemetzel nicht. Die Olympier, die von der Höhe herab zuschauten, hatten ihre Freude an dem unentschiedenen Kampf, die einen an der Kraft des Peliden, die andern an Memnons unbesiegtem Widerstand, je nachdem sie dem einen oder dem andern verwandt oder befreundet waren. Und bald wären die Götter untereinander darüber in Zwietracht geraten, wenn nicht Zeus zwei der Parzen aufgerufen und befohlen, dass die finstere sich zu Memnon, die lichte zu Achilleus gesellen solle. Laut schrien die Bewohner des Olymps bei diesem Befehl auf, die einen vor Freude, die andern vor Leid.

Die beiden Helden aber stritten fort, ohne die Schicksalsgöttinnen zu erblicken. Sie kämpften gegeneinander bald mit der Lanze, bald mit den Schwertern, bald mit Steinen; keiner erzitterte; fest standen sie wie die Felsen. Und ebenso unentschieden zog sich rechts und links von ihnen der Kampf ihrer Genossen hin, Blut und Schweiß floss auf den Boden, und die Erde deckte sich mit Leichen. Endlich aber siegte das Geschick. Achilleus stieß seinem Gegner die Lanze so tief in die Brust, dass sie zum Rücken herausfuhr und er mit dumpfem Dröhnen in sein Blut auf dem Kampfplatz niedersank.

Jetzt flohen die Trojaner, von dem verfolgenden Achilleus wie von einem Orkan gejagt, während er Memnons Leichnam seinen Freunden zum Berauben überließ. Eos stieß am Himmel einen Seufzer aus und hüllte sich in Gewölk ein, dass die Erde Finsternis bedeckte; ihre Kinder, die Winde, flogen auf ihr Geheiß herunter auf die Ebene, ergriffen den Leib des Erschlagenen und entführten ihn durch die Lüfte aus den Händen seiner Feinde. Nichts blieb von ihm auf der Erde übrig als die Blutstropfen, die herabträufelten, während er von den Winden emporgetragen ward. Daraus wurde ein blutiger, unversieglicher Strom, der in späten Tagen noch am Fuße des Ida jedes Mal am Todestage des Memnon flüssig wurde und mit Modergeruch dahinfloss. Die Winde hielten sich mit dem Leichnam nicht allzu hoch über der Erde und flogen mit ihm in der Quere dahin; die Äthiopier aber, die sich von dem erschlagenen Beherrscher nicht trennen wollten, folgten unten mit einem tiefen Stöhnen, bis jene den staunenden Troern und Argivern mit der Leiche aus den Augen schwanden. Die Winde setzten den Leichnam am Fuße des Flusses Äsopos nieder, dessen Töchter, anmutige Jungfrauen, ihm in einem lieblichen Haine ein Grabmal errichteten, wo ihn seine vom Himmel herabgestiegene Mutter Eos mit vielen andern Nymphen unter heißen Tränen bestatten half. Auch die Troer, in ihre Stadt zurückgekehrt, beklagten den hohen Memnon herzlich. Die Argiver selbst empfanden keine ungetrübte Freude; sie priesen zwar den Sieger Achilleus, den Stolz des Heeres, aber sie weinten auch mit Nestor um seinen lieben Sohn Antilochos; und so durchwachten sie unter Schmerz und Lust die Nacht auf dem Schlachtfeld.

Der Tod des Achilleus

Am andern Morgen trugen seine Volksgenossen, die Pylier, den Leichnam ihres Königssohnes Antilochos unter Wehklagen hinweg zu den Schiffen und bestatteten ihn dort an den Ufern des Hellespontes. Der greise Nestor aber blieb fest in seinem Gemüt und bewältigte den Schmerz durch Besonnenheit. Achilleus jedoch rastete nicht. Sein Grimm über den Tod des Freundes jagte ihn mit Tagesanbruch unter die Trojaner, die auch schon kampflustig ihre Mauern verlassen hatten, obgleich sie vor dem Speer des göttergleichen Achilleus bebten. Bald wurde der Kampf wieder allgemein, der Held erschlug eine Unzahl von Feinden und verfolgte die Trojaner bis vor die Stadt. Hier, seiner übermenschlichen Kraft sich bewusst, schickte er sich an, die Torflügel aus den Angeln zu heben, die Riegel zu öffnen und den Griechen die Stadt des Priamos aufzutun.

Aber Phöbos Apollon, der vom Olymp herab den unermesslichen Haufen Erschlagener überschaute, fing an, ihm unerbittlich zu zürnen. Wie ein reißendes Tier stieg er vom Göttersitz hernieder, den Köcher mit den unheilbar tötenden Pfeilen auf dem Rücken. So trat er dem Peliden entgegen; Köcher und Pfeile klirrten, sein Auge flammte, unter dem Wandelnden erbebte der Boden. Und nun, dem Helden im Rücken, ließ er seine furchtbare Stimme erschallen: »Lass von den Trojanern ab, o Pelide, wüte nicht so rasend! Hüte dich, dass nicht einer der Unsterblichen dich verderbe!« Achilleus kannte die Stimme des Gottes wohl; aber er ließ sich nicht einschüchtern, und ohne die Warnung zu beachten, rief er ihm laut entgegen: »Was willst du mich reizen, mit Göttern zu kämpfen, indem du immerdar die Frevler, die Trojaner, begünstigst? Schon einmal hast du mich in Zorn gebracht, als du mir zum ersten Mal Hektor entrissest. Nun rate ich dir, entweiche fern zu den andern Göttern, dass dich mein Speer nicht treffe, obwohl du unsterblich bist!«

Mit solchen Worten wandte er sich von Apollon ab, den Feinden wieder

zu. Der zürnende Phöbos aber verhüllte sich in ein schwarzes Gewölk, legte einen Pfeil auf seinen Bogen und schoss aus dem Nebel dem Peliden in die verwundbare Ferse. Ein stechender Schmerz durchfuhr auf der Stelle den Achilleus bis ans Herz hinan, und wie ein unterhöhlter Turm stürzte er plötzlich zu Boden. Liegend spähte er rings um sich her und schrie mit schneidendem, furchtbarem Tone: »Wer hat mir aus der Ferne den tückischen Pfeil zugeschickt? Oh, dass er mir im offenen Kampfe entgegenträte; wie wollte ich ihm sein Gedärm aus dem Leibe zerren und all sein Blut vergießen, bis seine verfluchte Seele in den Hades führe! Aber aus dem Verborgenen stellen die Feiglinge dem Tapfern immer nach! Wisse er dies, und wenn es ein Gott wäre, der mir zürnt. Denn wehe, mir ahnet, dass es Apollon sei. Auch hat mir Thetis, meine Mutter, einst geweissagt, dass ich am skäischen Tor dem verderblichen Pfeil des Phöbos erliegen werde, und wohl hat sie die Wahrheit gesprochen!«
So stöhnte der Held und zog den Pfeil aus der unheilbaren Wunde. Zornig schleuderte er ihn weg, als er das schwarze Blut nachquellen sah, und Apollon hob den Pfeil auf und kehrte, in die Wolke verhüllt, zum Olympus zurück. Hier trat er aus dem Nebel hervor und mischte sich wieder unter die andern Olympier. Ihn bemerkte Hera, die Freundin der Griechen, und mit bitterem Unmut fing sie an, ihn zu schelten: »Du hast eine verderbliche Tat getan, Phöbos! Hast du doch an der Hochzeit des Peleus mitgeschmaust und mitgesungen wie die andern Götter und, dem Peleus zutrinkend, ihm Nachkommen gewünscht. Und dennoch hast du die Trojaner begünstigt und ihm endlich den einzigen Sohn getötet! Das hast du aus Neid getan. Törichter, mit welchem Blick willst du künftig die Tochter des Nereus ansehen?«
Apollon schwieg und setzte sich seitwärts von den Göttern, den Blick zu Boden gesenkt. Die einen von den Olympiern zürnten, die andern dankten ihm im Herzen. Dem Achilleus aber kochte das dunkle Blut in den unbändigen Gliedern noch immer von Kampflust, und kein Trojaner wagte es, dem Verwundeten zu nahen. Noch einmal erhob er sich mit einem Sprunge vom Boden, stürzte, den Speer schwingend, unter die Feinde und traf damit den Freund seines alten Gegners Hektor, Orythaon, an die Schläfe, dass ihm die Spitze ins Gehirn drang. Dann stieß er dem Hipponoos den Speer ins Auge, durchbohrte dem Alkithoos die Wange und raubte noch vielen Fliehenden das Leben. Jetzt aber wurden seine

Glieder kalt; er musste stillhalten und sich auf die Lanze stützen. Die Trojaner flohen noch immer vor ihm und seiner Stimme, denn er donnerte den Fliehenden nach: »Laufet nur davon; auch nach meinem Tode werdet ihr meinem Speer nicht entgehen, sondern meine Rachegötter werden Strafe an euch nehmen!« Sie flohen zitternd, denn sie glaubten, er sei noch unverwundet. Ihm aber erstarrten die Glieder, und er sank hin unter die andern Toten, dass die Erde dröhnte und seine Waffenrüstung einen dumpfen Klang von sich gab.
Zuerst wurde seinen Fall Paris gewahr, sein Todfeind. Mit einem lauten Freudengeschrei ermahnte er die Trojaner, sich der Leiche zu bemächtigen; und nun versammelten sich eine Menge Streiter um den Toten, die früher seine Lanze gemieden oder erfahren hatten. Aber der Held Ajax umkreiste die Leiche und verscheuchte mit hoch emporgehaltenem Speer alle Feinde, die sich nahten, und wenn sich einer zum Kampf mit ihm herbeiwagte, so empfing er den Todesstoß. Endlich beschränkte sich Ajax nicht mehr auf den Verteidigungskampf, sondern brach los gegen die Trojaner und richtete ein grässliches Blutbad unter ihnen an. Hier fiel auch der Lykier Glaukos, und der edle Trojanerheld Äneas ward verwundet. An des Ajax Seite kämpften Odysseus und andere Danaer: doch leisteten die Trojaner immer noch hartnäckigen Widerstand: ja, Paris wagte es, mit dem Speere plötzlich auf Ajax zu zielen. Dieser aber nahm den Augenblick wahr, ergriff einen Feldstein und zerschmetterte ihm damit den Helm, dass er in den Staub sank und die Pfeile aus seinem Köcher sich hier- und dorthin zerstreuten. Kaum hatten seine Freunde Zeit, den schwach Atmenden auf den Wagen zu heben und mit Hektors Rossen nach Troja zurückzuführen. Als nun Ajax die Trojaner alle in die Stadt zurückgescheucht hatte, eilte er über Leichen, Blut und Rüstungen zurück zum Hellespont.
Derweil hatten die Könige den Leichnam des Achilleus vom Schlachtfelde zu den Schiffen getragen und umringten ihn in grenzenlosem Schmerz. Und am lautesten tönte jetzt die Klage des herzugekommenen Ajax, welcher in dem hinweggerafften Helden den teuren Sohn eines Oheims bejammerte. Auch der greise Fürst Phönix ergoss sich in die bittersten Klagen, indem er den riesigen Leib des gewaltigen Peliden umschlungen hielt. Er gedachte des Tages, da Peleus, der Vater des gefallenen Helden, ihm das Kind ans Herz legte und ihm seine Erziehung über-

trug; auch des Tages, da sein Zögling sich mit ihm aufmachte, gen Troja zu ziehen. Und nun mussten Vater und Erzieher das Kind überleben! Auch die Atriden beweinten ihn und alle Griechen; unaufhörlich stieg Klagegeschrei zum Himmel auf und tönte dumpf von den Schiffen wider.

Endlich machte der greise Nestor, seines eigenen Sohnes gedenkend, den Klagen ein Ende, indem er sie daran erinnerte, den Leichnam des Helden zu waschen, aufs Lager zu legen und ihm dann die letzte Ehre der Toten zu erweisen. Dies geschah; der Leib des Peliden wurde mit warmem Wasser abgewaschen und mit schönen Gewändern umhüllt, die ihm seine Mutter Thetis mit auf den Zug gegeben hatte. Als er nun so im Zelte niedergelassen dalag, warf Athene vom Olymp herab einen mitleidigen Blick auf ihren Liebling und träufelte ihm aufs Haupt einige Tropfen Ambrosia, den Götterbalsam, von dem es heißt, dass er die Toten vor Entstellung und Verwesung bewahre. Dadurch machte sie ihn frisch und einem Lebendigen ähnlich. Auf die Stirne legte sie ihm den schrecklichen Ausdruck, von dem sein Antlitz beseelt war, als er über den Tod seines geliebten Patroklos zürnte, und dem ganzen Leibe verlieh sie ein schönes und lebensvolles Ansehen. Alle Argiver, welche ihn zu sehen kamen, ergriff Staunen, wie der Held in riesiger Größe, schön und herrlich auf dem Lager ruhte, als läge er da in friedlichem Schlummer und würde nun bald wieder erwachen.

Die laute Wehklage der Griechen um ihren größten Helden drang auch in die tiefe See zu seiner Mutter Thetis und den übrigen Töchtern des Nereus, die dort wohnten. Ungeheurer Schmerz durchdrang ihre Gemüter, und sie stöhnten so jammervoll, dass der Hellespont widerhallte. Voll Begierde eilten sie nächtlicherweile in Scharen durch die sich vor ihnen teilende Meerflut herauf an den Strand, wo die Schiffe der Griechen standen. Alle Ungeheuer des Meeres stöhnten mit ihnen; sie aber nahten wehklagend dem Leichnam, und Thetis umschlang ihr Kind mit den Armen, küsste es auf den Mund und weinte, dass der Boden nass wurde von ihren Tränen. Die Danaer aber wichen mit ehrfurchtsvollem Grausen zurück von den meerentstiegenen Göttinnen und nahten sich dem Leichnam erst wieder, als jene sich entfernt hatten und der Morgen anbrach. Da trugen sie unzählige Bäume vom Berge Ida herab, türmten sie hoch auf, legten auf den Scheiterhaufen die Rüstungen vieler Erschlagenen, geschlachtetes Opfervieh, Gold und edle Metalle; die Helden der Griechen schnitten ihr Haar ab, und auch Briseïs, die geliebte Sklavin des Toten, brachte die Locken als letztes Geschenk ihrem Gebieter dar. Dann gossen sie viele Krüge Öl über das hoch aufgeschichtete Holz als Trankopfer, stellten Schalen mit Honig und lieblichem Wein, welcher wie Nektar duftete, auch mit edlen Gewürzen gefüllt, in das Gerüst; zuoberst auf den Holzstoß wurde der Leichnam gelegt. Darauf machten sie in voller Waffenrüstung zu Ross und zu Fuß die Runde um den düsteren Scheiterhaufen. Nun wurde dieser angezündet, und die verzehrenden Flammen schlugen unter dem Wehklagen der Krieger empor. Äolos aber sandte auf Befehl des Zeus seine schnellsten Winde, die mit Sturmhauch in die aufgeschichteten knisternden Bäume fuhren, dass die Glut in wenigen Stunden den Holzstoß mitsamt dem Leichnam in Asche verwandelte. Die letzten Flammen löschten sie mit Wein. Da lagen die Gebeine des Helden wie die Knochen eines Giganten, getrennt von allem, was zugleich mit ihnen verbrannt worden war. Seine Genossen sammelten sie wehklagend und legten sie in einen geräumigen, aus Silber und Gold gehämmerten Kasten, der auf der erhabensten Stelle des Gestades neben seines Freundes Patroklos Gebein in die Erde gesenkt und mit einem hohen Grabhügel überdeckt wurde.

Auch die unsterblichen Rosse des Helden ahnten seinen Fall; sie rissen die Stränge los, mit welchen sie angebunden waren, und wollten nicht länger die Mühseligkeiten der Menschen teilen. Nur mit Mühe wurden sie von den Freunden des Gefallenen eingeholt und ihr Kummer beschwichtigt.

Leichenspiele des Achilleus

Auch zu Troja wurde in diesen Tagen eine Totenfeier begangen: der Lykier Glaukos, der treue Bundesgenosse der Trojaner, der im letzten Kampf gegen die Griechen gefallen war und dessen Leichnam seine Freunde aus den Händen der Feinde gerettet hatten, wurde verbrannt und bestattet.

Am folgenden Tage erhob sich Diomedes, der Sohn des Tydeus, in der Versammlung der griechischen Helden mit dem Rate, jetzt im Augenblicke, ehe die Feinde Mut aus Achilleus' Tode schöpften, mit Wagen,

Ross und Mann gegen die Stadt anzurücken und sie gleich zu erstürmen. Aber gegen ihn stand Ajax, der Sohn Telamons, auf: »Wäre es auch recht«, sprach er, »die erhabene Meeresgöttin, die um den Tod ihres Sohnes trauert, ungeehrt zu lassen und nicht vor allen Dingen herrliche Spiele um das Grabmal ihres Sohnes zu feiern? Sie selbst, als sie gestern an mir vorüber ins Meer zurückrauschte, gab mir einen Wink, den Sohn nicht ungeehrt zu lassen, indem sie persönlich bei seiner Leichenfeier erscheinen werde. Was die Trojaner betrifft, so werden sie sich schwerlich mehr ermutigen, obgleich der Pelide dahin ist, solange nur du und ich und der Atride Agamemnon noch am Leben sind!« – »Ich will mich in deine Meinung fügen«, erwiderte der Tydide, »wenn Thetis wirklich selbst heute erscheint. Ihr Wunsch soll auch dem dringendsten Kampf vorangehen.«

Kaum hatte Diomedes diese Worte gesprochen, als die Meereswellen am Strande sich teilten und die Gemahlin des Peleus, dem leichten Hauche des Morgens vergleichbar, aus den Fluten heraufauchte und in der Danaer Mitte hineintrat. Mit ihr kamen Nymphen als Dienerinnen, die aus den Umhüllungen ihrer Schleier herrliche Kampfpreise hervorzogen und vor den Augen der Achäer auf dem Felde ausbreiteten. Thetis selbst ermunterte die Helden, mit den Kampfspielen den Anfang zu machen. Da erhob sich der Sohn des Neleus, Nestor, doch nicht um zu kämpfen, denn das hohe Alter hatte ihm die Glieder steif gemacht, sondern zur lieblichen Rede, und pries die holde Tochter des Nereus. Er erzählte von ihrer Hochzeit mit Peleus, bei der die Unsterblichen selbst als Gäste schmausten und die Horen göttliche Speisen in goldenen Körben herbeibrachten und mit ambrosischen Händen sie aufschichteten. Die Nymphen mischten den Göttertrank in goldene Becher, die Charitinnen führten ihren Reigen, und die Musen sangen. Der Äther und die Erde, Sterbliche und Unsterbliche, alles nahm damals an der seligen Freude teil.

So erzählte Nestor und pries dann die ewigen Taten des Peliden, der diesem Ehebund entsprossen war. Seine Rede goss sanften Trost in die Seele der betrübten Mutter, und die Argiver, obwohl voll Kampflust, hörten doch mit Wonne zu und stimmten in sein Lob des Helden jubelnd ein. Thetis übergab dem Nestor als Vermächtnis zwei der herrlichsten Rosse ihres Sohnes; dann schied sie aus den mitgebrachten Gaben als

Preis für den Sieg im Wettlauf zwölf stattliche Kühe, jede mit einem saugenden Milchkalb: sie waren eine Beute ihres Sohnes, der sie einst kämpfend von den Berghöhen des Ida hinweggetrieben. Nun erhoben sich unter den griechischen Helden Teukros, der Sohn des Telamon, und der Lokrer Ajax, des Oileus schneller Sohn, und entkleideten sich zum Lauf bis an den Gürtel. Agamemnon steckte das Ziel des Wettlaufs; wie Habichte stürmten sie dahin, und rechts und links jauchzten ihnen die zuschauenden Griechen Beifall zu. Schon waren beide dem Ziel nahe, als dem Teukros ein Tamariskengesträuch den Weg versperrte, dass er strauchelte und fiel. Laut schrien die Danaer, der Lokrer aber stürmte an ihm vorbei, ergriff das Ziel und führte die Kühe triumphierend weg zu den Schiffen; den Teukros führten hinkend die Seinigen davon. Ärzte wuschen ihm das Blut vom Fuße und wickelten ihn sorgfältig in ölgetränkte Binden ein.

Zum Ringkampf standen jetzt zwei andere Helden auf, Diomedes und der mächtige Ajax, der Telamonssohn. Beide rangen vor den neugierigen Blicken ihrer Genossen mit gleicher Kraft und Erbitterung, endlich aber umstrickte Ajax den Tydiden mit den nervigen Händen und schien ihn erdrücken zu wollen. Dieser aber, ebenso gewandt und stark, beugte zur Seite aus, stemmte die Schultermuskeln an, hob den gewaltigen Gegner in die Höhe, dass seine Arme abglitten, und warf ihn mit einem Stoß des linken Fußes auf den Boden. Die Zuschauer jauchzten laut auf. Ajax aber raffte sich empor und begann den Kampf aufs Neue, und so wüteten sie, wie zwei Stiere im Gebirge ihre eisernen Köpfe gegeneinander stoßen; diesmal fasste Ajax den Diomedes an den Schultern und warf ihn wie einen Felsen mit unwiderstehlicher Kraft auf den Boden, dass er dahinrollte und die Helden umher Beifall jubelten. Doch auch Diomedes raffte sich empor und bereitete sich zum dritten Gang. Da stellte sich Nestor zwischen beide hinein und sprach: »Macht diesem Ringen doch ein Ende, Kinder; wir alle wissen auch ohnedem, dass ihr, seit wir den großen Achilleus verloren haben, die Tapfersten unter allen Argivern seid!« Ein Ruf der Zustimmung hallte durch die Luft aus dem zuschauenden Heere, die Ringer wischten sich den Schweiß von der Stirn, fielen einander in die Arme und küssten sich. Thetis beschenkte sie mit vier gefangenen Sklavinnen, die sich durch Fleiß und Herzensgüte auszeichneten und die Achilleus einst auf Lesbos erbeutet hatte. Die eine von ihnen verstand das Essen in der Küche zu besorgen, die andere kredenzte den Wein beim Mahl, die dritte reichte das Wasser am Schluss desselben, die Letzte trug die Speisen von der Tafel ab; und alle vier wurden nur von der schöngelockten Brisëis an Reiz übertroffen. In diese vier teilten sich die beiden Kämpfer und sandten das liebliche Geschenk zu den Schiffen. Hierauf begann der Faustkampf, zu dem sich Idomeneus erhob, der geübteste Kämpfer in allen seinen Arten. Darum, und auch weil er einer der älteren Helden war, traten die andern alle ehrfurchtsvoll vor ihm zurück, und es fand sich keiner, der den Wettstreit mit ihm versuchen wollte. Theos gab ihm daher den Wagen des Patroklos zum Geschenk. Phönix und Nestor aber munterten die jüngeren Männer zu dieser Kampfesart auf. Da trat denn Epeos, der Sohn des Panopeus, und bald nach ihm Akamas, der Sohn des Theseus, hervor. Beide umwickelten ihre Hände schnell mit trockenen Riemen und prüften sie, ob sie gelenkig seien: dann erhoben sie dieselben gegeneinander, und indem sie sich mit lauerndem Blicke umschauten, näherten sie sich einander ganz leise auf den Zehen, Schritt für Schritt, bis sie plötzlich wie vom Winde getriebene Wolken, aus denen es blitzt und donnert, aufeinander losstürzten, und nun hallten vom Schlage der Riemen die Wangen, und unter dem Schweiß floss das Blut. Theseus' Sohn wehrte den rastlos eindringenden Gegner listig ausweichend ab und schlug ihn plötzlich mit der Faust über den Wimpern bis auf die Knochen, dass das Blut hervordrang; dafür traf ihn jener an die Schläfe, dass Akamas taumelnd zu Boden sank. Doch erholte er sich wieder, und der Kampf begann aufs Neue, bis die Freunde sich dazwischen warfen und den Erbitterten begreiflich machten, dass hier ja nicht Grieche und Trojaner sich entgegenstehen. Thetis schenkte ihnen zwei herrliche Mischkrüge von Silber, die ihr Sohn als Ehrengeschenk von Lemnos gebracht hatte. Die Helden griffen freudig darnach, noch ehe sie an die Heilung ihrer Wunden dachten.

Nun warben Ajax und Teukros, die sich schon im Wettlauf gemessen hatten, auch um den Preis des Bogenschießens. Als fernes Ziel stellte Agamemnon einen Helm mit flatternder Mähne auf: Sieger sollte der sein, dessen Pfeil das Rosshaar des Schweifes durchschnitte. Ajax schnellte zuerst seinen Pfeil von der Sehne: der traf den Helm, dass das Erz getroffen erklang. Eilig sandte Teukros auch seinen Pfeil ab; und siehe, seine Pfeilspitze durchschnitt den Helmschweif, dass die zuschauenden Helden laut aufjauchzten, denn obwohl sein Fuß noch vom vorigen Kampf halb gelähmt war, hatte er doch so trefflich und sicher zu zielen gewusst. Thetis beschenkte ihn mit der Rüstung des Troilos, des königlichen Jünglings aus Troja, den Achilleus in den früheren Jahren des Kampfes erlegt hatte.

Auf diesen Wettkampf folgte das Scheibenwerfen; hierin versuchten sich viele der Helden, aber keiner vermochte die schwere Scheibe so kräftig zu werfen wie Ajax, der Telamonier, der sie hinausschleuderte, als wäre sie ein verdorrter Ast. Ihn beschenkte Thetis mit der Rüstung des Göttersohnes Memnon, die der Held auch sogleich anlegte. Mit Staunen sahen die Danaer, wie Stück für Stück des riesigen Panzers sich um seine Glieder schloss, als wäre er ihnen angegossen.

Die Reihe kam jetzt an den Wettstreit im Sprunge, in welchem Agapenor, der Speerschwinger, siegte und dafür die Waffen des von Achilleus besiegten Kyknos erhielt. Im Jagdspeerwurf siegte Euryalos und empfing die silberne Schale, die Achilleus einst zu Lyrnessos erbeutet hatte.

Nun folgte der Wettstreit im Wagenrennen. Da schirrten fünf Helden zugleich ihre Rosse: der Atride Menelaos, Euryalos, Polypoetes, Thoas und Eumelos. Dann stellte sich jeder mit seinem Wagen vor den Schranken auf, schwang die Geißel, und auf ein gegebenes Zeichen flogen alle fünf zugleich über das Blachfeld hin, und der Staub vom Sand wirbelte gen Himmel. Bald rannten weit vor den Übrigen die Rosse des Eumelos, nach ihm kam Thoas, dann Menelaos; die beiden andern blieben allmählich weit und immer weiter zurück; aber auch Thoas ermüdete, die Pferde des Eumelos strauchelten im allzu raschen Lauf, und als ihr Wagenlenker sie mit Gewalt zurechtbringen wollte, bäumten sie sich und warfen den Wagen um, dass Eumelos in den Sand rollte. Ein Geschrei erhub sich aus dem Umkreis der Zuschauer, und nun flogen die ausdauernden Rosse des Atriden weit vor allen andern dahin und hielten am Ziele. Der Sohn des Atreus freute sich im Herzen seines Sieges, ohne sich über die andern Helden zu überheben, und Thetis schenkte ihm den goldenen Becher, den ihr Sohn einst in Eëtions Palast erbeutet hatte.

Der Tod des großen Ajax

So endigten die Leichenspiele zu Ehren des göttlichen Achilleus. Von allen Fürsten des griechischen Heeres hatte nur Odysseus daran keinen Anteil nehmen können, denn im Kampf um den Leichnam des Peliden hatte er von dem Trojaner Alkon eine schmerzliche Wunde erhalten, an der er, obgleich wieder unter die Helden gemischt, doch noch immer krankte.

Zuletzt stellte nun Thetis die unsterblichen Waffen ihres hochherzigen Sohnes vor den Griechen als Kampfpreis aus. Weithin schimmerte der Schild des Helden, auf welchem von Hephästos' eigner Hand die kunstvollsten Gebilde in getriebener Arbeit glänzten. Neben ihm lag auf dem Boden der gewichtige Helm, dessen Wölbung das Bild des Zeus trug, wie er voll Zorn auf dem Himmelsgewölbe stand und mit den Titanen kämpfte. Weiter lag auf der Erde der schöne gewölbte Harnisch, der schwarz und undurchdringlich die Brust des Peliden umschloss, dann die schweren und doch so bequemen Beinschienen, die er trug, als wären sie federleicht; nahe dabei glänzte sein unbezwingliches Schwert in silberner Scheide mit goldener Kuppel und elfenbeinernem Griff; ihm zur Seite lag der gewichtvolle Speer am Boden, einer gefällten Tanne ähnlich und noch rot von Hektors Blut.

Hinter den Waffen stand Thetis, ihr Haupt mit einem dunkeln Trauerschleier bedeckt, und sprach tief betrübt zu den Danaern: »Die Siegespreise zur Leichenfeier meines Sohnes sind nun alle gewonnen. Jetzt aber trete der Beste der Griechen auf, der den Leichnam rettete, dass ich ihm die herrlichen Waffen meines Sohnes verleihe, lauter Göttergeschenke, an denen die Unsterblichen selbst ihre Freude hatten.«

Da sprangen in plötzlichem Wortwechsel zwei Helden zugleich auf, Odysseus, der große Sohn des Laertes, und der riesige Ajax, Telamons Sohn. Strahlend wie der Abendstern schwang sich der Letztere die Waffen an die Seite und rief Idomeneus, Nestor und Agamemnon zu Zeugen seiner Taten auf. Aber an dieselben Helden wandte sich auch Odysseus, denn es waren die Verständigsten und Untadeligsten des ganzen Heeres. Nestor nahm die beiden andern Helden beiseite und sprach mit bekümmerter Miene: »Ein großes Unglück steht uns allen dadurch bevor, dass die beiden besten Helden des Heeres um unseres Erschlagenen Waffenschmuck buhlen! Welcher auch von beiden zurückgesetzt werden mag, der wird beleidigt und grimmig sich vom Kampf zurückziehen, und wir alle werden seine Untätigkeit schmerzlich zu empfinden haben. Deswegen folget mir, dem erfahrenen Greis. Wir haben ja hier im Lager viele erst vor kurzem gefangene Trojaner: lassen wir diese den Streit zwischen Ajax und Odysseus entscheiden, sie sind unparteiisch und werden von beiden Helden keinen begünstigen!« Einträchtigen Sinnes mit Nestor begaben sich nun auch die beiden andern Schiedsrichter ihres Amtes, und so setzten sich die Edelsten der Trojaner, obwohl sie nur Kriegsgefangene waren, zu Gericht, und zuerst trat Ajax vor ihnen auf. »Welcher Dämon blendete dich, Odysseus«, rief er voll Unmuts, »dass du dich mit mir messen willst? Du stehst mir wahrhaftig nach, wie ein Hund dem Löwen, oder hast du schon vergessen, wie gerne du dich dem Zuge der Griechen gegen Troja entzogen hättest? Oh, wärest du doch zurückgeblieben! Bist doch du es gewesen, der uns beredet hat, den ruhmvollen Sohn des Pöas, den Philoktetes, in seinem schrecklichen Jammer auf Lemnos zurückzulassen; hast doch du den Tod des Palamedes verschuldet, obgleich er dich an Stärke sowohl als an Klugheit übertraf! Und jetzt vergissest du auch alle die Dienste, die ich den Griechen geleistet, vergissest, dass ich dir selbst das Leben gerettet, als du, von allen andern verlassen, dich allein im Schlachtgetümmel fandest und vergebens dich nach der Flucht umsahest. Damals, als um Achilleus' Leiche sich der Kampf erhob, bin nicht ich es gewesen, der den Leib samt den Waffen hinwegtrug? Du selbst aber hättest nicht einmal die Kraft gehabt, die Waffen des Helden davonzutragen, geschweige denn ihn selber! Darum weiche mir, der ich überdies nicht bloß stärker bin als du, sondern auch edlern Stammes und mit dem Helden selbst verwandt, um dessen Waffen wir hier streiten!«

So ereiferte sich Ajax. Odysseus aber erwiderte mit einem Lächeln des Spottes. »Wozu verlierst du so viel unnütze Worte, Ajax? Du schiltst mich feige und kraftlos und bedenkst nicht, dass nur die Klugheit es ist, die wahre Stärke verleiht. Diese ist es, welche den Schiffer die Fahrt durch das empörte Meer lehrt, welche wilde Tiere, Panter und Löwen zähmt, welche die Stiere in des Menschen Dienst zwingt. Und deswegen ist in der Not wie im Rate ein Mann mit Verstand mehr wert als der Törichte, der nur Körperkräfte besitzt. Dies war auch der Grund, warum

Diomedes mich als den Listigsten zum Gefährten auslas, um in das Lager des Rhesos zu gehen; ja, meiner Klugheit hatten es die Griechen zu verdanken, dass der Sohn des Peleus, um dessen Waffen wir hier streiten, für den Feldzug gegen Troja gewonnen wurde. Und wenn je den Danaern irgendein neuer Held vonnöten wäre, glaube mir's, Ajax, nicht dein plumper Arm, auch nicht der Witz eines andern im Heere wird denselben ihnen verschaffen, sondern ich allein werde es sein, dessen Schmeichelworten er folgt. Zudem haben mir die Götter nicht nur Klugheit, sondern auch die nötige Körperstärke verliehen, und es ist nicht wahr, dass du mich als Flüchtigen aus der Hand der Feinde errettet hast; vielmehr stellte ich mich dem Drange der Feinde entgegen und tötete, die mich angriffen; du aber standest dort aufgepflanzt zu deiner eigenen Sicherheit!«

So stritten sie noch lange miteinander: zuletzt überwogen bei den Trojanern, die zu Kampfrichtern gesetzt waren, die Gründe des Odysseus, und sie erkannten ihm einstimmig die herrliche Rüstung des Peliden zu.

Im Innersten erbebte Ajax, als er diesen Spruch vernahm, das Blut in seinen Adern kochte vor Wut, und Galle vermischte sich damit: ein stechender Schmerz durchzuckte sein Gehirn, und jede Faser an ihm zitterte. Lange stand er wie eine Bildsäule da, mit zu Boden gehefteten Blicken. Endlich führten ihn seine traurigen Freunde begütigend und nur zögernden Schrittes zu den Schiffen.

Inzwischen stieg die dunkle Nacht aus dem Meere. Ajax aber saß in seinem Zelt, rührte kein Mahl an und dachte nicht an den Schlummer, vielmehr warf er sich in seine volle Rüstung, fasste sein schneidendes Schwert und besann sich, ob er den Odysseus in Stücke zerhauen oder lieber die Schiffe verbrennen oder mit der Schärfe des Schwertes unter alle Griechen fahren solle.

Und gewiss hätte er eins von den dreien ausgeführt, wenn nicht Athene, die Göttin, um ihren Freund Odysseus besorgt und dem Trotz des Ajax und dem Übermaß seines Leibes abhold, den Schlimmes brütenden Helden mit Wahnsinn geschlagen hätte. Den Stachel der Qual im Herzen, stürmte er aus seinem Zelt hervor und unter die Schafherden der Danaer, die er, von der Göttin geblendet, für die Heerscharen der Griechen hielt. Die Schafhirten, die den Rasenden kommen sahen, versteckten sich, dem Tod zu entrinnen, in das Ufergebüsch des Skamander. Er aber fuhr unter die Schafe und richtete rechts und links unter ihnen ein Gemetzel an. Zwei großen Widdern, auf die er stieß, rannte er nacheinander den Speer durch den Leib und rief dazu mit bitterem Hohnlachen: »Liegt ihr im Staub, den Raubvögeln zur Beute, ihr Hunde, ihr werdet keinen ungerechten Schiedsrichterspruch mehr bestätigen, schändliche Atriden! Und du«, fuhr er fort, »der du dich dort in der Ecke verbirgst und aus bösem Gewissen deinen Kopf ins Gesträuch steckst, jetzt sollen dir die Waffen des Achilleus, die du mir gestohlen und in denen du prangest, nichts helfen, denn was nützt die Rüstung eines Helden, wenn ein feiger Mann sie trägt?« Mit diesen Worten ergriff er einen andern großen Hammel, schleppte ihn mit sich fort in sein Zelt, band ihn hier an den Türpfosten, zog eine Geißel aus dem Busen und fing an, mit allen seinen Kräften auf das Tier loszuschlagen. In diesem Augenblick trat Athene von hinten zu ihm, berührte sein Haupt und befahl dem Wahnsinn, von ihm zu weichen. So fand sich der unglückliche Held wieder, die Geißel in der Hand, vor sich den angebundenen Widder mit zerfleischtem Rücken; dieser Anblick sagte ihm genug. Das schmähliche Werkzeug entfiel seiner Hand, die Heldenkraft entschwand ihm, er sank zu Boden, von der Ahnung getroffen, dass der Zorn der Götter ihn heimgesucht habe. Unaussprechliche Schmerzen bestürmten sein Herz. Als er sich wieder vom Staube erhoben, vermochte er vor Unmut den Fuß weder vorwärts noch rückwärts zu setzen, sondern stand lange unbeweglich da wie ein Wartturm, der in Felsen wurzelt; endlich stieß er einen tiefen Seufzer aus und sprach: »Wehe mir, warum hassen mich die Unsterblichen, warum haben sie mich in so tiefe Schmach gestürzt dem arglistigen Odysseus zuliebe? Hier steh ich, der Mann, dem kein Männertreffen je Unehre gebracht hat, die Hände mit unschuldigem Lämmerblut besudelt, ein Gelächter dem ganzen Heer, ein Spott meiner Feinde!«

Während er so jammerte, suchte ihn im ganzen Lager und bei den Schiffen, seinen kleinen Sohn Eurysakes auf dem Arm, die phrygische Königstochter Tekmessa, die Ajax, da er ihr Vaterland überfallen, als Beute fortgeführt hatte, die er einer Gattin gleich hielt und die ihn zärtlich liebte. Sie hatte seinen finsteren Unmut im Zelte beobachtet, ohne dessen Grund erforschen zu können, da ihr Ajax auf keine Frage Antwort gegeben hatte. Bald nachdem er das Zelt verlassen hatte, stieg ihr eine finstere Ahnung im Herzen auf, und sie fand endlich bei den Schafhürden das traurige Schlachtfeld, das Ajax sich dort geschaffen. In Verzweiflung eilte sie zu dem Zelt zurück und fand ihn hier beschämt und verzweifelnd, bald nach seinem Bruder Teukros und nach seinem Kinde Eurysakes rufend, bald einen edlen Untergang herbeiwünschend. Tekmessa nahte sich ihm unter Tränen, umfasste seine Knie und flehte ihn an, sie, seine Lebensgenossin nicht allein zu lassen als eine Gefangene unter Feinden; sie hieß ihn auch des greisen Vaters und der Mutter in Salamis gedenken, streckte ihm seinen Knaben entgegen und erinnerte ihn daran, welches Los das Kind treffen würde, wenn es, von harter Vormundschaft gedrückt, der Jugendaufsicht beraubt, ohne Vater heranwachsen müsste. Der Held griff mit einer heftigen Bewegung nach seinem Sohn, herzte ihn und sprach: »O Kind, übertriff an Glück deinen Vater, in allem andern gleiche ihm, so wirst du wahrlich kein schlechter Mann. An meinem Halbbruder Teukros hast du gewiss einen guten Pfleger, jetzt aber sollen dich meine Schildträger zu meinen Eltern Telamon und Eriböa nach Salamis bringen, wo du die Lust ihres Alters magst sein, bis auch sie zur Unterwelt hinabgehen.« Damit reichte er das Kind den Dienern, empfahl durch sie auch seine geliebte Tekmessa dem Halbbruder, riss sich aus ihren Umarmungen los, zog das Schwert, das ihm einst sein Feind Hektor als Gastgenosse geschenkt hatte, und pflanzte es in den Boden seines Zeltes. Dann hob er die Hände gen Himmel und betete: »Um eine bescheidene Wohltat flehe ich zu dir, Vater Zeus: sende mir meinen Bruder Teukros her, sobald ich gefallen bin, dass nicht mein Feind mich zuvor aufspüre und mich den Hunden und Vögeln zum Fraß vorwerfe. Euch aber, ihr Erinnyen, rufe ich an: wie ihr mich hier als Selbstmörder enden sehet, so lasset die Atriden meuchelmörderisch, durch ihr eigenes, liebstes Blut dahingewürgt, fallen: kommt, schonet nichts, sättiget euch in die Runde am ganzen Heer! Du aber, o Sonnengott, der du leuchtend am hohen Himmel dahinfährst, wenn du mit deinem Wagen über meinem Vaterlande Salamis kreisest, so hemme die Zügel und verkünde meinem greisen Vater und meiner armen Mutter mein herbes Schicksal. Leb wohl, du heiliger Strahl, leb wohl, Salamis, Heimatgefilde; leb wohl, mein Stammsitz Athen mit deinen Flüssen und Quellen; lebt auch ihr wohl, ihr trojanischen Gefilde, die ihr mich so lange gepflegt habt! Erscheine du jetzt, o Tod, und wirf einen Blick des Mitleids auf mich!« Mit solchen Worten stürzte er sich in das Schwert und lag im Staube da, als hätte ihn der Blitz zerschmettert.

Auf die Nachricht von seinem Tode eilten die Danaer in Scharen herbei, warfen sich zu Boden und streuten jammernd Staub auf ihre Häupter. Teukros, sein Halbbruder, dem der Vater Telamon befohlen hatte, nicht ohne den Bruder von Troja heimzukehren, wollte sich an seiner Seite auch den Tod geben und hätte es getan, wenn die Griechen ihm das Schwert nicht genommen hätten. Da warf er sich über die Leiche und weinte heftiger, als ein vaterloses Kind an dem Tage weint, der ihm seine Mutter geraubt hat. Doch fasste sich seine Heldenseele, dass er sich von dem Leichnam emporraffte und sich an Tekmessa wandte, die in starrer Verzweiflung bei dem Toten saß, den Sohn, den ihr die Diener zurückgegeben hatten, auf den Armen. Er versprach der Gefangenen seinen Schutz und dem Knaben, als zweiter Vater für ihn zu sorgen, wenngleich er selbst, den Zorn seines Vaters Telamon fürchtend, sie beide nicht nach Salamis begleiten könne.

Darauf schickte er sich an, den Leichnam seines geliebten Halbbruders zu bestatten. Aber hier trat ihm der Atride Menelaos wehrend in den Weg: »Untersteh dich nicht, diesen Mann zu bestatten«, sprach er, »den wir schlimmer befunden haben als unsere Feinde, die Trojaner. Um seines bösen Mordanschlags willen verdient er kein ehrliches Grab.« Während Menelaos so mit Teukros um den Leichnam des Ajax haderte, kam auch Agamemnon herbei, trat auf die Seite seines Bruders und schalt in der Hitze des Streites den Teukros einen Sklavensohn. Umsonst erinnerte sie dieser an alle Wohltaten, welche die Griechen dem gefallenen Helden zu danken hatten, an seine Rettung des Heeres, als die Flamme der Trojaner schon um die Schiffe der Danaer emporschlug und Hektor über den Graben in die Schiffsverdecke herniedersprang. »Und was scheltet ihr mich einen Sklaven«, rief er, »ist doch mein Vater Telamon der herrliche Griechenheld, meine Mutter Laomedons königliche Tochter! Soll ich, edel, von den Edelsten abstammend, mich meiner Blutsgenossenschaft schämen? Wisset, dass ihr mit dem gefallenen Helden auch sein geliebtes Weib hier und seinen Sohn und mich, seinen Bruder, aus dem Lager hinauswerft. Bedenkt ihr auch, welchen Ruhm bei den Menschen und welchen Segen von den Göttern euch dieses bringen wird?«

So haderten sie, als Odysseus, der kluge Held, mitten unter sie eintrat und, gegen Agamemnon gewendet, hastig fragte: »Darf euch ein treuer Freund die Wahrheit sagen, ohne übel darum angesehen zu werden?« – »So rede doch«, erwiderte Agamemnon, indem er ihn mit Verwunderung anblickte, »wohl halte ich dich für meinen besten Freund im ganzen Argiverheere!« – »Nun, so höre mich auch«, sprach Odysseus. »Wirf bei den Göttern diesen Mann nicht ohne Erbarmen und ohne Bestattung hinaus! Lass dich durch deine Macht nicht zum ungerechten Hasse verleiten! Bedenke, wenn du einen solchen Helden schändetest, so würde nicht er dadurch herabgewürdigt, sondern das Recht und der Wille der Götter würden verachtet!« Als die Atriden solches hörten, blieben sie lange vor Staunen sprachlos. Endlich rief Agamemnon: »Und du, Odysseus, vermagst es über dich, zu Gunsten dieses Mannes mich zu bekriegen? Bedenkst du denn gar nicht, dass es dein Todfeind ist, dem du eine so hohe Gunst verschaffen willst?« – »Wohl war er mein Feind«, antwortete Odysseus, »und ich hasste ihn, solange der Hass noch ziemlich war. Jetzt, da er gefallen ist und wir über den Verlust eines so edlen Helden trauern müssen, kann und darf ich ihn nicht mehr anfeinden. Ich selbst bin bereit, ihn zu bestatten und seinem Bruder bei dieser heiligen Pflicht an die Hand zu gehen.«

Als Teukros, der bei Odysseus' Ankunft mit Abscheu auf die Seite getreten war, solches hörte, trat er auf den Helden zu, seinen Arm zum Handschlag ausgestreckt:

»Edler Mann«, rief er, »du, sein größter Feind, bist die einzige Stütze des Toten! Dennoch wage ich es nicht, dich zur Berührung dieses Leichnams zuzulassen, dessen unversöhnt dahingeschiedenem Geiste solches unwillkommen sein dürfte. In allem andern sei mein Helfer: gibt es doch für deinen Edelmut noch genug zu tun!« Mit diesen Worten deutete Teukros auf Tekmessa, die noch immer sprachlos dasaß. Odysseus kehrte sich ihr wohlwollenden Sinnes zu: »Niemals, o Weib«, sprach er zu ihr, »soll ein anderer dich als Sklavin schauen. Solange Teukros und ich leben, sollst du mit deinem Kinde gepflegt und geborgen sein, als stünde euch Ajax selbst noch zur Seite, er, die Schutzwehr der Achäer.«

Die Atriden schämten sich, gegen die edlen Vorstellungen des Odysseus Einwendungen zu machen. Der riesige Leib wurde mit der vereinten Kraft der Helden vom Boden gehoben, nach den Schiffen getragen, dort von dem Blute gereinigt, das ihn zugleich mit der Rüstung und dem Staube umgab, und endlich auf einem nicht minder stattlichen Scheiterhaufen verbrannt als Achilleus selbst, der in seinem Tod noch die Ursache eines zweiten, unersetzlichen Verlustes für die Griechen geworden war.

Machaon und Podalirios

Am andern Tage strömten die Danaer in die Volksversammlung, welche der Völkerhirt Menelaos berufen hatte. Als alle beisammen waren, stand er selbst auf und hob also an zu reden: »Höret mich an, ihr Fürsten des Volkes! Mir blutet das Herz, wenn ich unsre Scharen so vor uns hinsinken sehe. Für mich ist das Volk in den Kampf gezogen, und nun soll am Ende keiner mehr Heimat und Verwandte begrüßen! Ehe solches geschieht, lasst uns diesen unheilvollen Strand verlassen, und was noch übrig ist, mag mit den Schiffen, jeder in sein Vaterland, zurücksegeln. Seit Achilleus und Ajax dahingesunken sind, ist kein Erfolg unsrer Unternehmung mehr zu hoffen. Was mich betrifft, so bekümmert mich jetzt Helena, meine unwürdige Gemahlin, weniger als euch; mag sie mit dem weibischen Paris dahinfahren!«

So redete Menelaos; doch tat er es nur, um die Griechen zu versuchen, denn im Herzen wünschte er nichts sehnlicher als die Vertilgung der Trojaner. Der Sohn des Tydeus aber, Diomedes, der gerade Lanzenschwinger, der seine List nicht merkte, fuhr unwillig von seinem Sitz empor und fing an zu schelten: »Unbegreiflicher! Welch schmähliche Furcht hat sich deiner Heldenbrust bemächtigt, dass du so zu sprechen wagst? Doch bin ich ruhig. Nimmermehr folgen dir die mutigen Söhne Griechenlands, bevor sie Trojas Zinnen zu Boden gestürzt haben! Entschlösse sich aber ein Einziger, dir zu folgen, so soll dieser blaue Stahl ihm das Haupt vom Rumpfe trennen!«

Kaum hatte sich Diomedes wieder auf seinen Sitz niedergelassen, als sich der Seher Kalchas erhob und mit einem weisen Vorschlage den scheinbaren Zwist vermittelte. »Ihr wisset alle noch«, sprach er, »wie wir vor mehr als neun Jahren, als wir zur Eroberung dieser verfluchten Stadt ausschifften, den herrlichen Helden Philoktetes, den Freund des Herakles, an einer giftigen und fressenden Wunde krank auf der wüsten

Insel Lemnos aussetzen und dort zurücklassen mussten. Zwar war der Geruch der eiternden Wunde und das Jammergeschrei des Unglücklichen unerträglich. Dennoch war es Unrecht und erbarmungslos von uns gehandelt, den Armen auf diese Weise preiszugeben. Nun aber hat mir ein gefangener Seher geoffenbart, dass nur mit Hilfe der heiligen und stets treffenden Pfeile, welche Philoktetes von seinem Freunde Herakles geerbt hat, sowie durch seine und des Pyrrhos, dieses jungen Achilleussprösslings, Gegenwart Troja erobert werden könne. Der Trojaner hat mir diese Weissagung wohl nur deshalb mitgeteilt, weil er ihre Erfüllung für unmöglich hielt, denn, so dachte er: wie sollte der Hass des Philoktetes gegen die Griechen, die ihn so schändlich verlassen haben, ihm erlauben, die Pfeile auszuliefern und selbst vor Troja zu erscheinen? Mein Rat ist daher, ohne Verzug den stärksten unserer Helden, Diomedes, und den beredtesten, Odysseus, nach dem Eilande Skyros zu senden, wo der Sohn des Achilleus bei dem Vater seiner Mutter erzogen wird. Mit seiner Hilfe wollen wir dann auch den Philoktetes zu Lemnos bereden, sich mit uns wieder zu vereinigen und die unsterblichen Waffen des Herakles, durch welche Troja bezwungen werden soll, uns mitzubringen.«
Die Scharen der Griechen jubelten diesem Vorschlage Beifall, und die beiden Helden gingen zu Schiffe ab. Unterdes rüsteten sich die Heere wieder zum Kampfe. Den Trojanern war der Sohn des Telephos, Eurypylos, von Mysien mit einem Heere zu Hilfe gekommen, und so fühlten sich diese von neuem gestärkt und ermutigt. Den Griechen dagegen fehlten ihre zwei besten Helden. So kam es, dass die wieder begonnene Schlacht sich ihnen zum Verderben wendete. Da wurde auch Nireus, der Schönste unter den Danaern, von der Lanze des Eurypylos erreicht und lag mit andern Erschlagenen im Staube wie ein blühendes Stämmchen vom zerbrechlichen Olivenbaume, das, vom Flusse aufgewühlt, mit der Wurzel entführt und wieder ans Gestade getrieben wird, wo er nun mit Blüten bedeckt daliegt. Eurypylos aber spottete seiner und wollte den Leichnam des schönen Harnischs berauben. Da stellte sich ihm Machaon, der Bruder des Podalirios, entgegen, der schon den Tod des Nireus voll Zorn mit angesehen hatte. Er stieß dem Räuber seinen Speer in die mächtige Schulter, dass das Blut herausströmte. Eurypylos aber drang wie ein verwundeter Eber auf Machaon ein; dieser suchte ihn mit einem Steinwurfe abzuwehren, aber der Helm schützte jenen,

und nun stieß der Sohn des Telephos dem Griechen schnell wie der Blitz den Speer mitten in die Brust, dass die blutige Spitze bis zum Rückgrat durchdrang und Machaon klirrend auf den Boden fiel. Eurypylos zog die Lanze aus dem Leibe des Erschlagenen und wandte sich höhnend wieder in die Schlacht.

Teukros, der die beiden hatte fallen sehen, rief die Griechen auf, um ihre Leichname zu kämpfen. Zuletzt aber erlagen sie den Trojanern. Nachdem der Lokrer Ajax von Äneas mit einem Steine hart verwundet und zu Boden gestreckt war, mussten die Achajer den schwach atmenden Helden aus der Schlacht tragen und zogen sich alle nach den Schiffen zurück; die Trojaner richteten unter den Fliehenden eine große Niederlage an. Ja, sie hätten die Schiffe selbst durch Feuer vernichtet, wenn die Nacht nicht dazwischengekommen wäre. So aber zog sich der siegreiche Mysier mit den Seinigen vor dem einbrechenden Dunkel zurück zu den Mündungen des Simois, wo er freudig sein Nachtlager aufschlug. Die Danaer dagegen, auf dem sandigen Ufer bei ihren Schiffen gelagert, seufzten die ganze Nacht durch vor Schmerz und beklagten das Los der unzähligen Brüder, die sie im Kampfe verloren hatten.

Aber kaum glühte die Morgenröte am Himmel, als auch die Griechen schon wieder aufbrachen, voll Begierde, sich an Eurypylos zu rächen. Andre von ihnen legten bei den Schiffen den schönen Nireus und den hoch begabten Arzt und mächtigen Kämpfer Machaon ins Grab. Während nun in der Ferne die Schlacht wieder tobte, lag Podalirios, der Bruder Machaons und wie dieser berühmt als der trefflichste Arzt im Heere, Trank und Speise verschmähend, unter lautem Stöhnen im Staub. Er wich nicht vom Grabe seines geliebten Bruders; brütend sann er in seinem Geiste auf Selbstmord und legte bald die Hand ans Schwert, bald suchte er ein schnell wirkendes Gift zu verschlingen, das er selbst gebraut hatte und immer bei sich trug. Seine Freunde aber wehrten ihm und sprachen ihm Trost ein; doch hätte er sich endlich am frischen Grabhügel seines Bruders getötet, wenn nicht der greise Nestor dem Verzweifelnden genaht wäre. Dieser traf ihn, wie er sich bald jammernd auf das Grab warf, bald wieder Staub auf sein Haupt streute, sich die Brust mit den nervigen Händen zerschlug und zugleich den Namen des getöteten Bruders ausrief. Schwer lag sein Kummer auf allen Dienern und Gefährten, die ihn umgaben. Da fing Nestor an, mit schmeichelnden Worten den Betrübten zu trösten: »Liebes Kind, mach doch deinem bittern Kummer ein Ende. Es ziemt einem verständigen Manne nicht, wie ein Weib an dem Grabe eines Toten zu jammern. Deine Klage ruft ihn doch nicht mehr ans Licht; das Feuer hat seinen Leib verzehrt, und seine Gebeine ruhen in der Erde. Er schwand, wie er gekommen ist. Du aber trage deinen großen Schmerz, wie ich den meinigen getragen habe, als der Sohn der Eos mir den Knaben erschlug, der mein liebster war und der seinen Vater liebte wie keiner meiner Söhne. Als er für mich gestorben war, nahm ich doch Nahrung zu mir wie vorher; ich ertrug es, das verhasste Tageslicht auch ferner noch zu schauen; denn ich dachte daran, dass wir ja alle denselben Weg zum Hades wandeln müssen.«

Podalirios hörte den Greis an, während ihm die Tränen noch über die Wangen liefen, und sprach: »Vater, wie sollte der Gram um den erschlagenen Bruder mein Herz nicht beugen, der, der ältere, mich, als unser Vater Asklepios zum Olymp entrückt wurde, wie das eigene Kind auf den Armen trug, mit mir an demselben Tische aß, sein Lager, seine Habe mit mir teilte, in seiner herrlichen Kunst mich unterrichtete? Nachdem er mir gestorben, mag ich das liebliche Tageslicht nicht mehr schauen!«

Doch der Greis ließ nicht ab mit seinem Troste: »Bedenke«, sprach er zu dem Bekümmerten, »dass die Götter es sind, welche uns die Geschicke senden, gute wie schlimme, und dass über allen die dunkle Parze waltet, welche sie blindlings auf die Erde hinabwirft: darum stürzt oft großes Unheil auf redliche Männer, und keiner geht ganz sicher einher. Das Leben gestaltet sich stets wechselnd; bald führt es zu großem Jammer, bald wieder zu Besserem. Dazu geht ja auch die Sage unter den Menschen, dass der Gute zum seligen Himmel emporsteige und der Frevler in die Schrecken des Dunkels hinab. Dein Bruder aber war ein menschenfreundlicher Mann, dazu ein Göttersohn; darum hoffe, dass er zum Geschlechte der Götter emporgestiegen ist.« Mit solchen Trostworten hub Nestor den lange Widerstrebenden vom Boden auf und führte ihn von dem traurigen Orte hinweg; dieser aber sah sich noch oft nach dem Grabhügel um.

Unterdessen nahte Eurypylos, der Mysier, auf dem Schlachtfelde, und die Danaer flohen aufs Neue zu den Schiffen und fochten hier bald vor diesen, bald vor der weithin reichenden Mauer.

Neoptolemos

Während dies vor Troja geschah, kamen die Gesandten der Griechen, Diomedes und Odysseus, glücklich auf der Insel Skyros an. Hier fanden sie den jungen Sohn des Achilleus, Pyrrhos, der später von den Griechen Neoptolemos, das heißt Jungkrieger, genannt wurde, vor dem Hause des Großvaters, wie er sich abwechselnd im Pfeilschießen und Speerschleudern übte, dann auch wieder zu Wagen schnelle Rosse tummelte. Sie sahen ihm eine Weile mit Wohlgefallen zu und lasen mit inniger Teilnahme auf seinem Antlitze zugleich die Spuren der Trauer: denn der Tod des Vaters war dem Jüngling schon bekannt. Als sie näher traten, mussten sie staunen, denn der Jüngling war an schöner und hoher Gestalt ganz und gar seinem Vater ähnlich. Pyrrhos kam ihnen mit seinem Gruße zuvor: »Seid mir von Herzen willkommen, Fremdlinge«, sprach er. »Wer seid ihr und woher kommt ihr? Was wollt ihr von mir?« Darauf erwiderte ihm Odysseus: »Wir sind Freunde deines Vaters Achilleus und zweifeln nicht, dass wir zu seinem Sohne sprechen; so ganz ähnlich bist du ihm von Gestalt und Antlitz. Ich selbst bin Odysseus aus Ithaka, der Sohn des Laertes, mein Genosse aber ist Diomedes, der Sohn des unsterblichen Tydeus. Wir kommen, der Weissagung unsers Sehers Kalchas gehorsam, dich auf den Kampfplatz vor Troja abzuholen, damit wir den Krieg glücklich beendigen können. Die Söhne der Griechen werden dir herrliche Gaben verleihen, ich selbst will dir die unsterblichen Waffen deines Vaters, die mir zugesprochen worden sind, abtreten.«

Freudig antwortete ihm Pyrrhos: »Wenn die Achäer mich rufen, der Stimme eines Gottes gehorsam, so lasst uns nur gleich morgen in die See stechen. Jetzt aber kommt mit mir in den Palast meines Großvaters und zu seinem gastlichen Tische!« In dem Königshause angelangt, fanden sie die Witwe des Achilleus, Dëidameia, noch in tiefer Herzensbetrübnis dahinschmelzend in Tränen. Der Sohn trat zu ihr und meldete die Fremden, verbarg ihr aber bis zum andern Morgen den Grund der Ankunft, um sie nicht noch mehr zu bekümmern. Die Helden wurden satt und ergaben sich getrost dem Schlummer. Aber Dëidameia schloss ihre Augen nicht zum Schlafe. Ihr kam nicht aus dem Sinne, wie dieselben Helden, die sie jetzt unter ihrem Dache beherbergen musste, es verschuldet hatten, dass sie jetzt ihren Gemahl als Witwe beweinte, indem sie sein kampflustiges Herz beredeten, hinauszuziehen in den Krieg. Und nun ahnte ihr, dass auch ihr Sohn in denselben Sturm würde hinausgerissen werden. Deswegen erhob sie sich mit dem frühesten Morgenlichte, warf sich dem Sohn an die mächtig gewölbte Brust und erfüllte die Luft mit Wehklage. »O mein Kind«, rief sie, »ich weiß es, auch ohne dass du es mir gestehest: du willst mit den Fremden nach Troja, dem Sitze der Tränen, ziehen, wo so viele Helden und auch dein Vater untergegangen sind! Nun bist du aber so jung und aller Kriegswerke noch so unkundig! Darum höre auf mich, deine Mutter, und bleibe zu Hause bei mir, damit nicht auch noch die Unheilskunde an mein Ohr schlage, dass mein Sohn in der Feldschlacht gefallen sei wie sein Vater!« Aber Pyrrhos erwiderte: »Mutter, lass doch die Unglücksworte sein! Kein Mann im Kriege fällt wider des Schicksals Willen. Soll mein Los der Tod sein – nun, was könnte ich Besseres tun, als, wert meiner Abstammung, für die Griechen zu sterben?«

Da stand auch Lykomedes, sein Großvater, aus dem Ruhesessel auf, in welchem er zu schlummern schien, trat vor den Enkel und sprach: »Starkmütiges Kind, wohl sehe ich, dass du deinem Vater ganz gleich bist. Aber wenn du auch glücklich von Troja heimkehrst, wer weiß, ob nicht auf dem Heimwege das Verderben noch auf dich lauert; denn die Seefahrt ist ein gefährlich Ding!« So sagte er und küsste den Enkel, doch ohne ihn von dem Wege abzuhalten. Jener aber, dem ein holdes Lächeln sein junges Heldenangesicht verklärte, riss sich aus den Umarmungen der weinenden Mutter los und ließ Vaterpalast und Heimat hinter sich. Wie ihn die rüstigen Glieder so hintrugen, glänzte er hell wie ein Gestirn des Himmels. Ihm folgten die beiden Griechenhelden und zwanzig entschlossene Männer, lauter vertraute Diener Dëidameias, und alle schifften sich am Strande der Insel ein.

Poseidon gab ihnen günstige Fahrt, und nicht lange, so lagen vor ihnen im Morgenlichte die Höhen des Idagebirges, Chrysa, die Stadt, das Vorgebirge Sigeon, dann das Grab des Achilleus. Odysseus sagte jedoch seinem Sohne nicht, wessen der Grabhügel sei, sondern schweigend fuhren sie an dem Eilande Tenedos vorüber und weiter bis in die Nähe von Troja. Sie kamen an den Strand, als gerade der Kampf gegen Eurypylos bei der Mauer, welche das Bollwerk der Schiffe bildete, am heftigsten war,

und jetzt hätte sie der Mysier niedergerissen, wäre nicht der eben landende Diomedes über das Fahrzeug an den Strand gesprungen und hätte die Schar aus dem Schiffe mit mutigem Rufe nach sich gezogen.
Ohne Verzug eilten sie nach dem Zelte des Odysseus, das dem Strande zunächst stand und wo sich teils dessen eigene Waffen, teils viele erbeutete Rüstungen befanden. Von diesen wählte sich der eine die, der andere jene aus. Neoptolemos aber – so dürfen wir ihn von jetzt an heißen – hüllte sich in die Waffen seines Vaters Achilleus, welche allen andern zu groß waren; ihn selbst aber drückte weder der Panzer noch der Helm; Speer, Schwert und Schild schwang er mit Leichtigkeit, und in allem ähnlich seinem Vater, stürzte er in den hitzigsten Kampf hinaus und alle mit ihm gelandeten Helden ihm nach. Jetzt erst begannen die Trojaner wieder von der Mauer zu weichen und drängten sich, von allen Seiten bestürmt und beschossen, um den Sohn des Telephos zusammen, wie furchtsame Kinder bei dem Rollen des Donners zu ihrem Vater fliehen. Aber jedes Geschoss, das aus der Hand des Neoptolemos flog, sandte den Tod auf die Häupter der Feinde, und die verzweifelnden Trojaner glaubten den riesigen Achilleus selbst in seiner Rüstung vor sich zu sehen. Sein Geist ruhte auf ihm; auch focht er unter dem Schirm der Göttin Athene, der Freundin seines Vaters, und wie Schneeflocken den Felsen umfliegen, so flatterten die Geschosse um ihn her, ohne ihm die Haut zu ritzen. Ein Schlachtopfer um das andere brachte er dem gefallenen Vater dar. Zwei Söhne des reichen Meges, Zwillingsbrüder, raffte, wie eine Stunde sie geboren, so jetzt eine Stunde dahin, denn den einen traf Neoptolemos mit dem Speer in das Herz, den andern an das Haupt mit einem mächtigen Steine, so dass der schwere Helm zertrümmert wurde und im Schädel das Gehirn sich mischte. Noch unzählige andere Feinde fielen rings um sie her, bis endlich gegen Abend Eurypylos und das feindliche Heer den Rückzug vor dem Sohn des Achilleus antraten.
Als Neoptolemos nun vom Kampfe ruhte, kam auch der greise Held Phönix, der Freund seines Großvaters Peleus und der Erzieher seines Vaters Achilleus, auf den jungen Helden zu und betrachtete voll Verwunderung die Ähnlichkeit mit dem Peliden. Schmerz und Freude bestürmten ihn zugleich, Schmerz bei der Erinnerung an den Tod seines Pflegesohnes, Freude, weil er dessen kräftigen Sprössling vor sich sah. Ein Tränenstrom quoll aus den Augen des Greises, er umarmte den

herrlichen Jüngling, küsste ihm Haupt und Brust und rief: »O Sohn, mir ist, als wandle dein Vater, um den ich mich täglich abhärme, wieder lebendig unter uns! Doch stille! Es darf der Gram um den Vater dir jetzt den Mut nicht schwächen; vielmehr sollst du, das Herz voll Zorn, den Griechen zu Hilfe kommen und den grimmigen Sohn des Telephos töten, der uns so viel Schaden getan. Übertriffst du ihn doch an Kraft so weit als dein Vater seinen Vater übertraf!« Bescheiden erwiderte darauf der Jüngling: »Wer der Tapferste sei, werden erst Feldschlacht und Schicksal entscheiden, o Greis!« Mit diesen Worten wandte er sich nach den Schiffen und dem Lager zurück, denn die Nacht war angebrochen, und die Helden kehrten vom Streite in ihre Zelte zurück.

Bei Tagesanbruch begann der Kampf aufs Neue. Lanze mit Lanze, Schwert mit Schwert kreuzten sich, und ein Mann drang auf den andern ein. Lange war das Gefecht unentschieden, und auf beiden Seiten mordeten und fielen die Helden. Dem Eurypylos ward ein Freund erschlagen; darüber verdoppelte sich seine Wut, und er warf die Achäer nieder, wie man Bäume in dichten Waldungen zu Haufen fällt, so dass die Stämme zerrissene Schluchten anfüllen. Endlich aber trat ihm Neoptolemos entgegen, und beide schüttelten ihre mächtigen Lanzen in der Rechten. »Wer bist du, Jüngling, woher bist du gekommen, mich zu bekämpfen?«, rief zuerst Eurypylos seinem Gegner zu. »Fürwahr, dich reißt dein Geschick zur Unterwelt hinab!« Neoptolemos erwiderte: »Warum willst du meine Abstammung wissen wie ein Freund, da du doch ein Feind bist? So wisse denn, ich bin der Sohn des Achilleus, der einst deinen Vater verwundet; die Rosse meines Wagens sind die windschnellen Kinder der Harpyien und des Zephyros, die selbst über das Meer dahinrennen, die Lanze, vom Scheitel des hohen Berges Pelion stammend, ist die Lanze meines Vaters; die sollst du jetzt erproben!« So sprach der Held, sprang vom Wagen und schüttelte den Speer. Von der andern Seite hob Eurypylos einen gewaltigen Stein vom Boden auf und warf ihn nach den goldenen Schilde seines Feindes; doch der Schild erzitterte nicht einmal. Wie zwei Raubtiere drangen beide jetzt aufeinander ein, und rechts und links von ihnen wogte die Feldschlacht in langen Reihen. Jene aber zerstießen einander die Schilde und trafen bald die Schienen, bald die Helme; ihre Kraft wuchs mit dem Kampfe, denn beide stammten von Unsterblichen ab. Endlich gelang es der Lanze des Neoptolemos, den Weg in die Kehle des Gegners zu finden: ein purpurner Blutstrom drang aus der Wunde, und einem entwurzelten Baume gleich stürzte Eurypylos entseelt zu Boden.

Nach seinem Falle hätten sich die Trojaner vor Neoptolemos, wie Kälber vor dem Löwen, hinter ihre Mauer geflüchtet, wenn nicht Ares, der schreckliche Kriegsgott selber, der den Trojanern Beistand verleihen wollte, unbemerkt von den andern Göttern den Olymp verlassen und mit seinen Feuer schnaubenden Rossen den Kriegswagen mitten ins Schlachtgetümmel hineingetrieben hätte. Hier schwang er seinen mächtigen Speer und ermahnte die Troer mit lautem Zurufe, den Feind zu bestehen. Diese staunten, als sie die göttliche Stimme hörten, denn den Gott selbst, den ein Nebel unsichtbar machte, sahen sie nicht. Der Sohn des Priamos, der gepriesene Seher Helenos, war der Erste, dessen Scharfsinn den Gott erkannte und der seinen Leuten zurief: »Bebet nicht! Euer Freund, der mächtige Kriegsgott, ist selbst mitten unter euch: habt ihr den Ruf des Ares nicht vernommen?« Jetzt hielten die Trojaner wieder stand, und das Gemetzel begann auf beiden Seiten von neuem. Ares hauchte den Trojanern gewaltigen Mut ein, und zuletzt wankten die Reihen der Griechen. Nur den Neoptolemos vermochte er nicht zu schrecken; dieser kämpfte mutig fort und erschlug jetzt diesen, jetzt jenen im Streite. Der Gott zürnte über seine Kühnheit, und schon war er im Begriffe, die Wolke, die ihn umgab, zerreißend, dem jungen Helden sichtbar im Kampfe entgegenzutreten, als Athene, die Freundin der Griechen, vom Olymp herunter auf das Schlachtfeld eilte. Die Erde und die Wellen des Skamander erbebten vor ihrer Ankunft, leuchtende Blitze flogen um ihre Waffen, die Schlangen auf ihrem Gorgonenschilde hauchten Feuer. Und während die Sohlen der Göttin auf dem Boden standen, berührte ihr Helm die Wolken; sterblichen Blicken jedoch blieb sie verborgen. Und jetzt hätte sich ein Zweikampf zwischen den Göttern erhoben, wenn nicht Zeus mit einem warnenden Donnerschlage sie geschreckt hätte. Beide erkannten den Willen des Vaters; Ares zog sich nach Thrakien zurück, Pallas wandte sich nach Athen; das Schlachtfeld war den Sterblichen wieder überlassen, und jetzt wich die Stärke von den Trojanern: sie flohen in ihre Stadt zurück, und die Griechen drängten ihnen nach. Von den Mauern herab verteidigten jene tapfer ihre Stadt; dennoch hätten die Danaer die Tore erbrochen, wenn

nicht Zeus, der den Willen des Schicksals kannte, die Stadt in Gewölk eingehüllt hätte. Da riet der weise Nestor den Griechen, sich zurückzuziehen, um ihre Toten zu bestatten und vom Kampf auszuruhen.
Am folgenden Tage sahen die Danaer mit Staunen die Burg von Troja wieder unumwölkt in den blauen Morgenhimmel steigen und erkannten in dem Nebel des gestrigen Abends das Wunder des Göttervaters. An diesem Tage herrschte Waffenruhe. Die Trojaner benützten diese, um den Mysier Eurypylos feierlich zu bestatten. Neoptolemos aber besuchte das hohe Grab seines Vaters, küsste die zierliche Säule, die sich darüber erhob, und sprach unter Seufzern und Tränen der Wehmut: »Auch unter den Toten sei mir gegrüßt, mein Vater, denn nie werde ich dein vergessen! O dass ich dich lebend bei den Griechen gefunden hätte! So aber hast du dein Kind nie gesehen und ich den Vater nicht, sosehr ich mich im Herzen nach dir gesehnt habe! Doch noch lebest du in mir und lebst in deinem Speere; beide jagen in der Feldschlacht den Feinden Schrecken ein, und die Danaer sehen mich mit freudigen Blicken an und sagen, ich gleiche dir, Vater, an Gestalt und Taten!«
So sprach er weinend und kehrte zu den Schiffen zurück. Den ganzen nächstfolgenden Tag wütete der Kampf wieder um die Mauern von Troja; doch gelang es den Griechen nicht, in die Stadt einzudringen, und an den Ufern des Skamander, wo Neoptolemos nicht war, fielen die Danaer sogar in Scharen. Dort nämlich hatte der mutige Sohn des Priamos, Deiphobos, einen glücklichen Ausfall gewagt und bedrängte die Belagerer. Auf die Nachricht davon ließ Neoptolemos seinen Wagenlenker Automedon die unsterblichen Rosse dorthin treiben. Staunend sah ihn der trojanische Königssohn nahen. Sein Herz schwankte, und er erwog, ob er fliehen oder dem entsetzlichen Helden entgegentreten solle. Neoptolemos aber rief ihm schon von weitem zu: »Sohn des Priamos, wie wütest du gegen die zitternden Danaer! Kein Wunder, wenn du dich für den tapfersten Helden der Erde hältst. Wohlan denn, so versuch es auch mit mir!« So rief er und stürmte auf ihn zu wie ein Löwe, und gewiss hätte er ihn mitsamt dem Wagenlenker darniedergestreckt, wenn nicht Apollon, in dunkles Gewölk gehüllt, aus dem Olymp herniedergeeilt wäre und den Gefährdeten zur Stadt entrückt hätte, wohin auch die übrigen Trojaner ihm nachflohen. Als Neoptolemos in die leere Luft mit dem Speere stieß, schrie er voll Unmut: »Hund, du bist mir entgangen,

doch nicht deine Tapferkeit half dir, sondern ein Gott hat dich mir gestohlen!« Dann warf er sich wieder in den Kampf. Aber Apollon, der in den Mauern Trojas war, schirmte die Stadt. Da ermahnte der Seher Kalchas die Danaer, zu den Schiffen zurückzuweichen und sich für eine Weile dem mühseligen Kampfe zu entziehen. Dort sprach er: »Es ist vergeblich, ihr Freunde, dass wir uns im Streite gegen diese Stadt abmühen, wenn nicht auch der andere Teil der Weissagung, welche ich euch mitgeteilt habe, in Erfüllung geht und Philoktetes mit seinen unwiderstehlichen Pfeilen von Lemnos herbeigeschafft wird.«

Sofort wurde beschlossen, den klugen Odysseus und den tapfern Jüngling Neoptolemos nach Lemnos abzusenden, und diese gingen ohne Säumen zu Schiffe.

Philoktetes auf Lemnos

Die Helden landeten auf der unbetretenen, unbewohnten Küste der wüsten Insel Lemnos. Hier hatte vor mehr als neun Jahren, nach dem Ausspruche der Heerführer, Odysseus den Sohn des Pöas, Philoktetes, dessen unheilbares Übel den Griechen seine Gegenwart unerträglich machte, in einer Höhle mit zwei Mündungen ausgesetzt, wo er des Winters im Sonnenstrahle Schutz vor der Kälte und des Sommers an einer andern Stelle Schatten und Kühlung finden konnte; in der Nähe rieselte eine lebendige Quelle. Die beiden Helden hatten diese Stelle bald wieder gefunden, und Odysseus traf noch alles wie das erste Mal. Aber die Löhnung war leer, nur eine breite Streu aus Laub, wie von einem Ruhenden zusammengedrückt, ein kunstlos geschnitzter Becher aus Holz und etwas Feuergeräte deuteten auf einen Bewohner; und in der Sonne lagen Lumpen voll Eiters ausgebreitet, die nicht zweifeln ließen, dass der kranke Philoktetes noch der Bewohner sei. Das Erste, was sie taten, war, dass ein Diener auf die Lauer ausgesandt wurde, damit der Kranke sie nicht überraschen könnte. »Benützen wir«, sprach Odysseus zu dem jungen Sohne des Achilleus, »die Abwesenheit des Mannes, um unsern Plan mit ihm zu verabreden, denn nur durch Täuschung können wir uns seiner bemächtigen. Bei eurer ersten Zusammenkunft darf ich nicht zugegen sein; hasst er mich doch tödlich, und mit Recht! Sobald er dich nun fragt, wer du seiest und von wannen du kommst, so sagst du ehrlich, du seiest der Sohn des Achilleus. Dann aber dichtest du noch weiter hinzu, du habest dich zürnend von den Griechen abgewandt und seiest auf der Fahrt nach der Heimat begriffen. Denn diese, die dich von Syrakos nach Troja flehend herbeigeholt, um ihnen die Stadt erobern zu helfen, haben dir die Waffen deines Vaters verweigert und sie mir, dem Odysseus, gegeben. Häufe nur so viel Schimpf auf mich, als dir einfällt; mich kränkt es nicht, und ohne diese List bekommen wir den Mann und die Pfeile nicht. Darum musst du darauf sinnen, wie du ihm dies unbesiegbare Geschoss entwenden magst.« Hier fiel ihm Neoptolemos ins Wort: »Sohn des Laertes«, sprach er, »eine Tat, die ich ohne Abscheu nicht hören kann, vermag ich auch nicht zu tun; weder ich noch mein Vater sind zu böser Kunst geboren worden. Gerne bin ich bereit, den Mann mit Gewalt zu fangen; nur erlass mir die Arglist! Wie sollte auch der einzelne Mann, der dazu nur auf einem Fuße stehen kann, uns, die vielen, überwältigen?« – »Mit seinen unentfliehbaren Pfeilen«, erwiderte Odysseus ruhig. »Ich weiß wohl, mein Sohn, dass dir die Gabe der Täuschung nicht eingepflanzt ist, und auch ich selbst, der ich von einem redlichen Vater stamme, war in der Jugend mit der Zunge langsam und rasch mit der Hand. Erst die Erfahrung musste mich belehren, dass die Welt weniger durch die Taten als durch Worte gelenkt wird. Wenn du nun bedenkst, dass der Bogen des Herakles allein Troja zu bezwingen vermag und du durch diese Tat den Ruhm der Klugheit wie der Tapferkeit davontragen, auch durch den Erfolg vollkommen gerechtfertigt erscheinen wirst, so weigerst du dich gewiss nicht länger der kurzen Trugworte!«

Neoptolemos gab den Gründen seines älteren Freundes nach, und dieser entfernte sich nun, wie verabredet war. Auch dauerte es nicht lange, bis von weitem der Schmerzensruf des leidenden Philoktetes sich hören ließ. Dieser hatte nämlich von ferne das Schiff am hafenlosen Strande erblickt und kam auf Neoptolemos und seine Begleiter herzugeeilt. »Wehe mir«, rief er ihnen zu, »wer seid ihr, die ihr an dieser unwirtlichen Insel gelandet? Zwar erkenne ich an euch die geliebte Griechentracht; doch möchte ich auch den Laut eurer Sprache vernehmen. Bebet vor meinem verwilderten Aussehen nicht zurück, bedauert vielmehr mich unglücklichen, von allen Freunden verlassenen, gepeinigten Mann

und antwortet, wenn ihr anders nicht mit feindlichen Absichten erschienen seid!«
Neoptolemos antwortete, wie Odysseus ihn gelehrt hatte; da brach Philoktetes in ein Freudengeschrei aus: »O teuerwerte griechische Laute, wie nach so langer Zeit tönt ihr in mein Ohr! O Sohn des geliebten Vaters! Geliebter Skyros! Guter Lykomedes! Und du Pflegekind des Alten, was sprichst du da? So haben dich die Danaer denn auch nicht anders behandelt als mich! Wisse, ich bin Philoktetes, der Sohn des Pöas, derselbe, den die Atriden und Odysseus einst, ganz verlassen, von entsetzlicher Krankheit gequält, auf unserem Zuge nach Troja hier aussetzten. Sorglos schlief ich am Strande der See unter diesem hohen Felsendache; da entflohen sie treulos, hinterließen mir nur kümmerliche Lumpen wie einem Bettler und die notdürftigste Kost, wie sie einst ihnen aufgespart sein möge! Wie meinst du, liebes Kind, dass ich aus meinem Schlaf erwacht sei, mit welchen Tränen, welchem Angstgeschrei, als ich von dem ganzen Schiffszuge, der mich hierher geführt, keine Seele mehr erblickte, keinen Arzt, keine Hilfe für mein Übel; gar nichts mehr ringsum, außer meinem Jammer, aber diesen freilich im Überfluss! Seitdem sind mir Armen Tage um Tage und Jahre um Jahre verlaufen, und unter diesem engen Dache bin ich mein einziger Pfleger gewesen. Mein Bogen hier verschaffte mir die nötigste Nahrung; aber wie jammervoll musste ich mich, wenn mir eine Beute aus den Lüften zufiel, nach der Stelle hinschleppen, den kranken Fuß nachziehend. Und sooft ich einen Trunk aus der Quelle suchen, sooft ich von Winter zu Winter zur Feuerung meiner Höhle mir Holz im Walde fällen wollte, das alles musste ich, mit Mühe aus meiner Höhle hervorkriechend, selbst besorgen. Wiederum fehlte es mir an Feuer; wie lange währte es, bis ich den rechten Stein fand, der, an Eisen geschlagen, den Funken sprühte, welcher mich bis diese Stunde erhalten hat. Denn als ich einmal dies notwendigste Gut hatte, fehlte mir nichts mehr, mein Leben zu fristen, als Gesundheit. Jetzt höre aber auch von der Insel etwas, lieber Sohn! Wisse, es ist der armseligste Fleck auf der Erde: niemals nahet sich ihr freiwillig ein Schiffer; es fehlt an Landungsplätzen, fehlt an Gelegenheit, Waren umzutauschen, fehlt an allem Umgange mit Sterblichen. Wen die Fahrt hierher treibt, der landet nur gezwungen. Solcherlei Schiffer beklagen mich dann zwar wohl, reichen mir auch wohl Speise oder ein Kleid, aber

heimgeleiten will mich keiner, und so schmachte ich denn hier in Not und Hunger schon ins zehnte Jahr: und das alles haben Odysseus und die Atriden mir zu Leide getan, denen die Götter mit Gleichem vergelten mögen!«

Neoptolemos geriet bei dieser Erzählung in seinem Innern in wilde Bewegung; doch drängte er sie zurück, der Ermahnung des Odysseus eingedenk. Er berichtete dem jammernden Helden den Tod seines Vaters und was er sonst über Landsleute und Freunde zu hören wünschte und knüpfte daran mit aller Wahrscheinlichkeit die Lüge, die Odysseus ihn gelehrt. Philoktetes hörte unter lauten Bezeugungen der Teilnahme und Überraschung zu; dann fasste er den Sohn des Achilleus bei der Hand, weinte bitterlich und sprach: »Nun, liebes Kind, beschwöre ich dich bei Vater und Mutter, lass mich nicht in meinen Qualen zurück. Ich weiß wohl, dass ich eine lästige Ladung bin! Dennoch entschließ dich, nimm mich mit, wirf mich, wohin du willst: ans Steuerruder, an den Schnabel, in den untersten Raum, wo ich deine Schiffsgenossenschaft am wenigsten quäle! Lass mich nur nicht in dieser schrecklichen Einsamkeit; führe mich als Retter nach deiner Heimat: von dort bis zum Öta und dem Lande, wo mein Vater wohnte, ist die Fahrt nicht mehr weit. Zwar habe ich oft schon Gelandeten manche herzliche Bitten an ihn mitgegeben, aber niemand brachte mir Kunde von ihm, und er ist wohl schon lange tot; nun, ich wäre froh, wenn ich nur an seinem Grabe ruhen dürfte.«

Neoptolemos gab dem kranken Manne, der sich zu seinen Füßen warf, mit schwerem Herzen die unredliche Zusage und rief: »Sobald du willst, lass uns zu Schiffe gehen; möge nur ein Gott uns schnelle Fahrt aus diesem Lande verleihen nach dem Ziele, das uns angewiesen ist!« Philoktetes sprang auf, so schnell als das Übel seines Fußes es ihm zuließ, und ergriff mit einem Freudenrufe den Jüngling bei der Hand. In diesem Augenblicke erschien der Späher der Helden, als ein griechischer Schiffsherr verkleidet, mit einem anderen Schiffer von ihrem Gefolge. Er erzählte, an Neoptolemos gewendet, die erheuchelte Kunde, dass Diomedes und Odysseus auf der Fahrt nach einem gewissen Philoktetes begriffen seien, den sie, einer Weissagung des Sehers Kalchas zufolge, fangen und vor Troja bringen müssten, wenn die Stadt erobert werden sollte. Diese Schreckensnachricht warf den Sohn des Pöas ganz dem Neoptolemos in die Arme. Er raffte die heiligen Geschosse des Herakles zusammen, übergab sie dem jungen Helden, der sich zum Träger erbot, und schritt mit ihm unter das Tor der Höhle. Da vermochte sich Neoptolemos nicht länger zu halten, die Wahrheit siegte in dem reinen Herzen des jungen Helden über die Lüge, und ehe sie am Ufer angekommen waren, sprach er: »Philoktetes, ich kann es dir nicht länger verbergen: du musst mit mir nach Troja zu den Atriden und Griechen schiffen!« Philoktetes bebte zurück, flehte, fluchte. Ehe aber das Mitleid ganz die Oberhand über die Seele des Jünglings gewann, sprang Odysseus aus dem Gebüsche, das ihn verborgen hielt, hervor und befahl den Dienern, den unglücklichen alten Helden, der doch schon ihr Gefangener sei, zu fesseln. Philoktetes hatte ihn auf den ersten Laut erkannt. »O weh mir«, rief er, »ich bin verkauft, ermordet! Dieser ist's, der mich ausgesetzt hat, der mich jetzt dahinschleppt, durch dessen Trug mir meine Pfeile gestohlen sind! – Gutes Kind«, sprach er dann schmeichelnd zu Neoptolemos, »gib du mir Bogen und Pfeile wieder!« Aber Odysseus fiel ihm in die Rede: »Nie geschieht solches«, rief er, »und wollte es der Jüngling auch; sondern du musst mit uns gehen, du musst; es gilt der Griechen Heil und Trojas Untergang!« Damit überließ ihn Odysseus den ihn fesselnden Dienern und zog den verstummten Neoptolemos mit sich fort. Philoktetes blieb mit den Dienern am Eingange der Höhle stehen, klagte über den schamlosen Betrug und schien umsonst die Rache der Götter anzurufen, als er plötzlich die beiden Helden im Wortwechsel miteinander zurückkehren sah und aus der Ferne hörbar die Worte des Jüngern vernahm, welcher zürnend ausrief: »Nein, ich habe gefehlt, ich habe durch schnöde List einen edlen Mann verstrickt! Ich will sie ungeschehen machen, die schändliche Tat, und eh' du mich getötet hast, führest du diesen Mann nicht gen Troja!« Beide zogen die Schwerter, Philoktetes aber warf sich dem Sohne des Achilleus zu Füßen. »Versprich mir, mich zu retten, wie du willst: so sollen die Pfeile meines Freundes Herakles jeden Einfall von deinem Lande abwehren!« – »Folge mir«, sprach Neoptolemos und hob den alten Helden vom Boden auf, »wir schiffen noch heute nach Phthia, in mein Heimatland.«

Da verfinsterte sich die blaue Luft über den Häuptern der rechtenden Helden: ihre Blicke kehrten sich nach oben, und Philoktetes war der Erste, der seinen Freund, den vergötterten Herakles, in einer dunklen Wolke schweben sah.

»Nicht weiter!«, rief dieser mit einer hallenden Götterstimme vom Himmel herab. »Höre, Freund Philoktetes, aus meinem Munde den Ratschluss des Zeus und gehorche! Du weißt, durch welche Mühsal ich Unsterblichkeit gewann, auch dir ist vom Geschicke bestimmt, aus deinem Jammer verherrlicht hervorzugehen. Mit diesem Jüngling vor Troja erscheinend, wirst du vor allen Dingen von der Krankheit erlöst; dann haben dich die Götter erwählt, den Paris, den Urheber allen Leids, zu vertilgen; dann stürzest du Troja; das Herrlichste der ganzen Beute wird dein Anteil; beladen mit Schätzen fährst du zurück zu deinem Vater Pöas, der noch lebt. Hast du etwas übrig von der Beute, so opfere es auf dem Scheiterhaufen bei meinem Denkmal. Leb wohl!« Philoktetes streckte dem verschwindenden Freunde die Arme nach zum Himmel. »Wohlan«, rief er, »zu Schiff, ihr Helden; gib mir die Hand, edler Sohn des Achilleus; und du, Odysseus, schreite immerhin an meiner Seite: du hast gewollt, was die Götter wollen!«

Der Tod des Paris

Als die Griechen das ersehnte Schiff, das den Philoktetes mit den beiden Helden an Bord hatte, in den Hafen des Hellespontes einlaufen sahen, eilten sie scharenweise unter lautem Jubel an den Strand. Philoktetes streckte die schwächlichen Hände hinaus und wurde von seinen beiden Begleitern ans Ufer gehoben, mühselig führten sie den Hinkenden in die Arme der harrenden Danaer. Diese jammerte seines Anblickes. Da sprang einer der Helden aus dem Haufen heraus, heftete einen forschenden Blick auf die Wunde, rief mit lauter Rührung seinen Vater Pöas bei Namen und versprach, ihn mit der Götter Hilfe schnell zu heilen. Laut jauchzten die Griechen auf, als sie seine Verheißung hörten. Es war Podalirios, der Arzt, ein alter Freund des Pöas. Schnell schaffte dieser die nötigen Heilmittel herbei, die Argiver aber wuschen und salbten den Körper des alten Helden. Die Unsterblichen gaben ihren Segen: das verzehrende Übel schwand ihm aus den Gliedern und aller Jammer aus der Seele. Der sieche Leib des Helden Philoktetes blühte auf wie ein Ährenfeld, das, am Regen dahinwelkend, von sommerlichen Winden erquickt wird. Die Atriden selbst, die Häupter des Volkes, staunten, als sie ihn so gleichsam vom Tode auferstehen sahen, und nachdem er sich an Trank und Speise gelabt, trat Agamemnon zu ihm, ergriff ihn bei der Hand und sprach mit sichtbarer Beschämung: »Lieber Freund! Es ist in der Betörung unseres Geistes, aber auch nach göttlicher Fügung geschehen, dass wir dich vorzeiten auf Lemnos zurückgelassen haben; hege nicht länger Groll darüber im Herzen, die Götter haben uns genug dafür gestraft und diese Versuchung über uns verhängt, um uns ihren Zorn fühlen zu lassen. Für jetzt nimm die Geschenke freundlich auf, die wir dir bereitet haben: sieben trojanische Jungfrauen, zwanzig Rosse und zwölf Dreifüße. Daran labe dein Herz und nimm in meinem eigenen Zelte Platz. Beim Mahle und allenthalben soll dir königliche Ehre erwiesen werden.«

»Liebe Freunde«, erwiderte Philoktetes gütig, »ich zürne nicht mehr, weder dir, Agamemnon, noch irgendeinem andern Danaer, sollte sich auch einer an mir vergangen haben. Weiß ich doch, dass der Sinn edler Männer beugsam ist und sich bald streng, bald nachgiebig zeigen muss. Doch jetzt lasst uns schlafen gehen, denn wer sich nach dem Kampfe sehnt, tut besser daran, sich des Schlummers zu freuen als des Schmauses!« So sprach er und eilte ins Gezelt seiner Freunde, wo er bis an den Morgen behaglich der Ruhe pflegte.

Am andern Tage waren die Trojaner außerhalb der Mauer mit der Beerdigung ihrer Toten beschäftigt, als sie die Griechen schon wieder zum Streite heranrücken sahen. Polydamas, der weise Freund des gefallenen Hektor, riet ihnen, im Gefühl ihrer Schwäche sich hinter die Mauern zurückzuziehen und sich dort getrost zu verteidigen. »Troja«, sprach er, »ist das Werk der Götter, und ihre Werke sind nicht leicht zu zerstören, auch fehlt es uns weder an Speise noch an Getränk, und in den Hallen unseres reichen Königs Priamos liegen noch Vorräte genug, um dreimal so viel Volk zu sättigen, als wir sind.« Aber die Trojaner gehorchten seinem Rate nicht und jauchzten vielmehr dem Äneas Beifall, der sie zu rühmlichem Sieg oder Tod auf dem Schlachtfelde aufforderte. Bald stürmte der Kampf wieder in beider Heere Reihen, Neoptolemos erschlug zwölf Trojaner hintereinander mit dem Speere seines Vaters, aber Eurymenes, der Gefährte des kühnen Äneas, und Äneas selbst rissen blutige Lücken ins griechische Heer, und Paris tötete den Begleiter des Menelaos, den Demoleon aus Sparta. Dagegen raste Philoktetes unter den Trojanern wie der unbezwingliche Ares selber oder wie ein tosender Strom, der breite Fluren überschwemmt. Wenn ein Feind ihn nur von ferne erblickte, so war er verloren; schon des Herakles herrliche Rüstung, die er trug, schien die Troer zu verderben, als stünde das Medusenhaupt auf seinem Panzer. Zuletzt aber wagte Paris es doch und drang auf ihn ein, Bogen und Pfeile mutig in der Luft schwenkend. Auch schnellte er bald einen Pfeil ab, doch der schwirrte an Philoktetes vorüber und verwundete seinem Nebenmann Kleodoros die Schulter. Dieser wich, mit der Lanze fortkämpfend, zurück, aber ein zweiter Pfeil des Paris traf ihn zu Tode. Jetzt griff Philoktetes zu seinem Bogen, und mit donnernder Stimme rief er: »Du trojanischer Dieb, Urheber all unseres Unheils, du sollst es büßen, dass dich gelüstet hat, in der Nähe dich mit mir zu messen. Wenn du einmal tot bist, so wird deinem Haus und deiner Stadt das Verderben mit schnellen Schritten nahen!« So sprach er und zog die gedrehte Sehne des Bogens bis nahe an die Brust, so dass das Horn sich bog, und legte den Pfeil so auf, dass er nur ein weniges über den Bogen hervorragte. Mit einem Schwirren der Sehne flog das zischende Geschoss dahin und verfehlte aus der Hand des göttlichen Helden sein Ziel nicht, doch ritzte er dem Paris nur die schöne Haut, und auch dieser spannte seinen Bogen wieder; da traf ihn ein zweiter Pfeil des Philoktetes in die Weiche, dass er nicht länger im Kampf auszuharren vermochte, sondern entfloh wie ein Hund vor dem Löwen, am ganzen Leibe zitternd.

Der blutige Kampf dauerte noch eine Weile fort, während die Ärzte sich um die schmerzliche Wunde des Paris bemühten. Aber das Dunkel der Nacht war eingebrochen, und die Trojaner kehrten in ihre Mauern, die Danaer zu ihren Schiffen zurück. Paris durchstöhnte die Nacht ohne Schlaf auf seinem Schmerzenslager. Der Pfeil war bis ins Mark des Gebeines eingedrungen und die Wunde durch die Wirkung des scheußlichen Giftes, in das die Pfeile des Herakles getaucht waren, ganz schwarz vor Fäulnis. Kein Arzt vermochte zu helfen, obgleich sie Mittel aller Art anwandten. Da erinnerte sich der Verwundete eines Orakelspruches, dass ihm einst in der größten Not nur seine verstoßene Gattin Önone helfen könne, mit welcher er, als er noch Hirte auf dem Ida war, glückliche Tage verlebt hatte. Aus dem eigenen Munde der Gattin hatte er damals, als er nach Griechenland zog, diese Wahrsagung vernommen. So ließ er sich denn jetzt ungerne, aber von der harten Qual gezwungen, dem Berge Ida zutragen, wo seine erste Gemahlin noch immer wohnte. Von dem Gipfel herab krächzten Unglücksvögel, als die Diener mit ihm hinanstiegen. Ihre Stimme erfüllte ihn bald mit Entsetzen, bald trieb ihn wieder die Lebenshoffnung, sie zu verachten. So kam er in der Wohnung seiner Gattin an. Die Dienerinnen und Önone selbst erfüllte der unerwartete Anblick mit Staunen; er aber stürzte sich zu den Füßen seines verschmähten Weibes und rief: »Ehrwürdige Frau, oh, hasse mich jetzt nicht in meiner Bedrängnis, weil ich dich einst unfreiwillig als Witwe zurückließ. Denn sieh, es waren die unerbittlichen Parzen, die mich Helena entgegengeführt. O wäre ich doch gestorben, ehe ich sie in den Palast meines Vaters gebracht! Doch jetzt beschwöre ich dich bei den Göttern und unserer früheren Liebe, habe Mitleid mit mir und befreie mich von dem quälenden Schmerz, indem du auf meine Wunde die Heilmittel auflegst, die nach deiner eigenen Weissagung mich allein zu retten vermögen!«

Aber seine Worte erweichten den harten Sinn der Verstoßenen nicht. »Was kommst du zu der«, sprach sie scheltend, »die du verlassen und dem bittern Jammer preisgegeben hast, weil du an Helenas ewiger Jugend dich zu erfreuen hofftest? So geh nun und wirf dich ihr zu Füßen, ob sie dir helfen möge; meine Seele aber hoffe nicht mit deinen Tränen und Klagen zum Mitleid zu stimmen!« So schickte sie ihn wieder aus ihrer Behausung fort, ohne zu ahnen, dass ihr eigenes Schicksal an das ihres Gatten gebunden sei. Paris schleppte sich, von den Dienern gestützt und getragen, kummervoll über die Höhen des waldigen Ida hin, und Hera vom Olymp herab labte sich an dem Anblicke. Noch war er nicht an den Abhang des Berges gelangt, als er der giftigen Wunde erlag und seinen Geist noch auf den Gipfeln des Ida selbst aushauchte, so dass seine Buhlin Helena ihn nicht wieder erblickte.

Ein Hirte brachte seiner Mutter Hekabe die erste Kunde von seinem traurigen Tode. Ihr wankten die Knie bei der Nachricht, und sie sank bewusstlos nieder. Priamos aber wusste noch nichts davon, er saß klagend am Grabe seines Sohnes Hektor und erfuhr nicht, was draußen vorging. Helena dagegen ließ ihren strömenden Klagen bei der Botschaft freien Lauf, wiewohl ihr Gemüt wenig davon empfand, denn sie war nicht sowohl über den Tod des Mannes betrübt als über ihre eigene Schuld, an welche sie sich jetzt mit Zagen erinnerte.

Unerwartete Reue bemächtigte sich der Seele Önones, die ferne von allen trojanischen Frauen auf der Höhe des Ida im einsamen Hause lag und der jetzt erst die Erinnerung an ihre mit Paris in Liebe verlebte Jugend zurückkehrte. Wie das Eis, das auf dem hohen Gebirge sich in den Wäldern angesetzt und die Klüfte umher deckt, unter dem lauen Hauche des Westwindes wieder schmilzt und in strömenden Quellen zerfließt, so schmolz die Härtigkeit des Herzens dahin vor dem Kummer; das Herz ging ihr auf, und Ströme von Tränen quollen aus ihren lang vertrockneten Augen. Endlich raffte sie sich auf, öffnete mit Heftigkeit die Pforte ihres Hauses und stürzte wie ein Sturmwind hinaus. Von Fels zu Fels, über Schluchten und Bergströme trugen sie die flüchtigen Füße durch die Nacht hin. Mitleidsvoll blickte Selene vom blauen Nachthimmel auf sie herunter. Endlich gelangte sie an die Stelle des Gebirges, wo der Leichnam ihres Gatten auf einem Holzstoß flammte und von den Schafhirten des Berges umringt war, die dem Freund und dem Königssohn die letzte Ehre erwiesen. Als ihn Önone erblickte, machte sie der heftige Schmerz ganz sprachlos; sie verhüllte ihr schönes Antlitz in die Gewänder, sprang rasch auf den Scheiterhaufen, und ehe die Umstehenden sie retten, ja nur beklagen konnten, war sie mit der Leiche des Gatten ein Opfer der Flammen.

Sturm auf Troja

Während sich dieses auf dem Berg Ida ereignete, wurde der Kampf von Seiten beider Heere mit Erbitterung und wechselndem Erfolge fortgesetzt. Apollon hauchte dem Äneas, dem Sohne des Anchises, und dem Eurymachos, dem Sohne Antenors, Mut und Stärke ein, dass sie die Achäer mit großem Verluste zurückdrängten und Neoptolemos nur mit Mühe das Treffen wiederherstellen konnte. Doch wichen die Trojaner nicht eher, bis Pallas Athene selbst den Griechen zu Hilfe eilte. Nun mischte sich auch die Göttin Aphrodite in den Kampf ein, und um das Leben ihres Sohnes Äneas besorgt, hüllte sie diesen in eine Wolke und entrückte ihn aus der Schlacht.

Aus diesem unbarmherzigen Kampfe entrannen nur wenige Trojaner müde und verwundet in die Stadt. Weiber und Kinder lösten ihnen wehklagend die blutigen Waffen vom Leibe, und die Ärzte hatten vollauf zu tun. Auch die Danaer waren vom Kampfe geschwächt und ermüdet, denn erst nach langem Schwanken hatte sich der Sieg ihnen zugewendet. Doch waren sie am andern Morgen wieder munter, und nachdem sie eine gehörige Wache bei den Verwundeten zurückgelassen, zogen sie lustig und kriegerisch von den Schiffen den Mauern Trojas wieder zu, und diesmal ging es zum Sturme. Die Griechen hatten ihre Scharen verteilt, und eine jede hatte den Angriff auf eines der Tore übernommen. Die Trojaner aber kämpften auf allen Seiten von Mauern und Türmen herab, und überall erhob sich ein gewaltiges Getümmel. An das skäische Tor wagte sich zuerst Sthenelos, der Sohn des Kapaneus, mit dem göttergleichen Helden Diomedes. Über dem Tore aber wehrten der ausdauernde Deïphobos und der starke Polites samt vielen Genossen die Stürmenden mit Pfeilen und Steinen ab, dass Helme und Schilde von dem Wurfe klangen. Am idäischen Tore focht Neoptolemos mit allen seinen Myrmidonen, die in den Künsten der Bestürmung wohlerfahren waren. In der Stadt munterten hier die Trojaner Helenos und Agenor auf und kämpften unermüdlich für die teure Heimat. An denjenigen Pforten, die zu der Ebene und zu dem Schiffslager der Griechen führten, waren Eurypylos und Odysseus in unaufhörlichem Kampfe; von der hoch emporragenden Mauer aber hielt sie durch Steinwürfe der tapfere Äneas entfernt. An dem Gewässer des Simois kämpfte unter mannigfachen Drangsalen Teukros, und so andere anderswo. Endlich kam Odysseus auf seinem Posten auf den glücklichen Gedanken, seine Streiter die Schilde über ihre Häupter gedrängt aneinander emporheben zu lassen, so dass das Ganze wie das wohlgewölbte Dach eines Hauses erschien. Unter diesem Schilddache zogen die Scharen der Danaer eng geschlossen und wie zu einem einzigen Körper vereinigt daher, und furchtlos hörten sie das Getöse der zahllosen Steine, Pfeile und Lanzen, die von der Mauer herab aus den Händen der Trojaner auf die Schilde herabprasselten, ohne einen einzigen Mann zu verwunden. So nahten sie sich, keiner von dem anderen getrennt, wie ein dunkles Wintersturmgewölk den Mauern, der Grund dröhnte unter ihren Tritten, der Staub wallte über ihren Häuptern, und unter dem Schilddache tönte vermischtes Gespräch durcheinander wie Bienengesumse in den Körben. Freude erfüllte das Herz der Atriden, als sie das unerschütterliche Bollwerk einherziehen sahen: sie drängten ihre Krieger alle den Toren der Feste entgegen zum Sturmangriff und rüsteten sich, die Türen aus den Angeln zu heben, die Torflügel mit zweischneidigen Beilen zu durchbrechen und niederzuwerfen, und bei der neuen Erfindung des Odysseus schien der Sieg unzweifelhaft zu sein.

Da stärkten die Götter, die auf Seiten der Trojaner waren, die Arme des Helden Äneas, dass er einen ungeheuren Stein mit beiden Händen herbeibrachte und voll Wut auf das Schilderdach hinunterschleuderte. Dieser Wurf richtete eine klägliche Niederlage unter den Stürmenden an, und sie sanken wie Ziegen des Berges, auf die ein losgerissener Fels herabrollt, zerschmettert unter ihren Schilden zu Boden. Äneas aber stand auf der Mauer mit strotzenden Gliedern, und seine Rüstung funkelte wie der Blitz; neben ihm stand unsichtbar in einer dunklen Wolke der gewaltige Ares, der den Geschossen, die der Held dem Steine nachsendete, die rechte Richtung gab, dass Tod und Entsetzen unter die Reihen der Griechen fuhr. Laut ertönte von den Mauern herab der Ruf des Äneas, der die Seinigen anfeuerte, laut von unten herauf der Ruf des Neoptolemos, der die Myrmidonen ermahnte, standzuhalten, und so dauerte hier der Kampf den ganzen Tag fort ohne Erholung und Rast.

An einer entfernteren Seite der Mauer waren die Griechen glücklicher. Dort säuberte der kühne Lokrer Ajax die Zinnen allmählich von Verteidigern, indem er bald mit dem Pfeil einen wegschoss, bald mit dem Speer einen niederstieß. Und jetzt ersah sich sein tapferer Waffengefährte und Landsmann Alkimedon eine ganz leer gewordene Stelle der Mauer, legte eine Sturmleiter an und stieg, auf sein mutiges Herz und seine Jugend vertrauend, voll Kriegslust mit bebendem Fuße die Stufen empor, den Schild über dem Haupte haltend. So gedachte er den Seinigen den Weg in die Stadt zu bahnen. Aber Äneas hatte aus der Ferne sein Beginnen beobachtet, und als jener nun eben über die Mauer hinwegsah und zum ersten und letzten Mal einen Blick in das Innere der Stadt warf, traf ihn ein Stein, aus der gewaltigen Hand des trojanischen Helden geschleudert, ans Haupt; die Leiter ward zertrümmert unter der Wucht des Stürzenden: wie ein Pfeil, von der Sehne geschnellt, wirbelte er durch die Luft und hauchte die Seele aus, noch ehe er unten am Boden ankam. Die Lokrer seufzten laut auf, als sie den Zermalmten auf der Erde liegen sahen. Jetzt fasste Philoktetes den Sohn des Anchises, der wie ein reißendes Tier die Mauern entlangtobte, sich ins Auge und richtete sein gepriesenes Geschoss auf ihn. Auch verfehlte er sein Ziel nicht, ritzte jedoch nur ein wenig das Leder des Schildes und traf dann den Trojaner Menon, der von der Mauer herabfiel wie ein Wild, das des Jägers Pfeil erreicht hat. Äneas zertrümmerte dafür dem Toxächmes, einem wackern Gefährten des Philoktetes, Haupt und Knochen mit einem Steinwurfe. Grimmig blickte Philoktetes zu dem feindlichen Helden empor und rief: »Äneas! Du glaubst der Tapferste zu sein, wenn du wie schwache Weiber von der Mauer herab deine Feinde mit Steinen bekämpfst? Wohlan, wenn du ein Mann bist, so komm in der Rüstung vor die Tore heraus und erprobe deinen Bogen und deine Lanze im Kampfe mit dem mutigen Sohne des Pöas!« Der Trojaner hatte nicht Zeit, ihm zu antworten, denn die Verteidigung der Stadt rief ihn nach einer andern Stelle der Mauer, und auch Philoktetes wurde zu neuem rastlosem Kampf hinweggerissen.

Das hölzerne Pferd

Nachdem nun die Griechen lange erfolglos um Tore und Mauern von Troja gekämpft und der versuchte Sturm auf allen Seiten abgeschlagen worden war, rief der Seher Kalchas eine Versammlung der vornehmsten Helden zusammen und redete so vor ihnen: »Unterzieht euch nicht ferner den Mühseligkeiten eines gewaltsamen Kampfes, denn auf diesem Wege kommt ihr nicht zum Ziele: besinnt euch vielmehr auf irgendeinen Anschlag, der euren Schiffen und euch selber zum Heile gereichen mag. Denn vernehmet, was für ein Zeichen ich gestern geschaut habe. Ein Habicht jagte einem Täubchen nach; dieses aber schlüpfte in die Spalten eines Felsen hinein, um seinem Verfolger zu entgehen. Lange verweilte dieser grimmig vor dem Felsenspalt, aber das Tierchen ging nicht heraus; da verbarg sich der Raubvogel mit unterdrücktem Unmut ins nahe Gebüsch, und siehe da, jetzt schlüpfte das Täublein in seiner Torheit wieder heraus, der Habicht aber schießt auf das arme Tier nieder und erwürgt es ohne Erbarmen. Lasst uns diesen Vogel zum Muster nehmen und Troja nicht förder mit Gewalt zu erobern bestrebt sein, sondern es einmal mit der List versuchen.«

So sprach der Seher, aber keinem der Helden, obgleich sie hin und her sannen, wollte ein Mittel einfallen, wie wohl dem grausamen Kriege ein Ziel gesetzt werden könnte; einzig Odysseus kam endlich durch die Verschmitztheit seines Geistes auf ein solches. »Wisst ihr was, Freunde«, rief er, freudig bewegt durch den glücklichen Einfall, »lasst uns ein riesengroßes Pferd aus Holz zimmern, in dessen Versteck sich die edelsten Griechenhelden, so viele unserer sind, einschließen sollen. Die übrigen Scharen mögen sich inzwischen mit den Schiffen nach der Insel Tenedos zurückziehen, hier im Lager aber alles Zurückgelassene verbrennen, damit die Trojaner, wenn sie dies von ihren Mauern aus gewahr werden, sich sorglos wieder über das Feld verbreiten. Von uns Helden aber soll ein mutiger Mann, der keinem der Troer bekannt ist, außerhalb des Rosses bleiben, sich als Flüchtling zu ihnen begeben und ihnen das Märchen vortragen, dass er sich der frevelhaften Gewalt der Achäer entzogen habe, welche ihn um ihrer Rückkehr willen den Göttern als Opfer schlachten wollten. Er habe sich nämlich unter dem künstlichen Rosse, welches der Feindin der Trojaner, der Göttin Pallas Athene, geweiht sei, versteckt und sei jetzt nach der Abfahrt seiner Feinde eben erst hervorgekrochen. Dies muss er den ihn Befragenden so lange zuversichtlich wiederholen, bis sie ihr Misstrauen überwunden haben und ihm zu glauben anfangen. Dann werden sie ihn als einen bemitleidenswerten Fremdling in ihre Stadt führen. Hier soll er darauf hinarbeiten, dass die Trojaner das hölzerne Pferd in die Mauern hineinziehen. Überlassen sich dann unsre Feinde sorglos dem Schlummer, so soll er uns ein zu verabredendes Zeichen geben, auf welches wir unsern Schlupfwinkel verlassen, den Freunden bei Tenedos mit einem lodernden Fackelbrande ein Signal geben und die Stadt mit Feuer und Schwert zerstören wollen.« Als Odysseus ausgeredet, priesen alle seinen erfinderischen Verstand, und zumeist lobte ihn Kalchas, der Seher, dessen Sinn der schlaue Held vollkommen getroffen hatte. Er machte auf günstige Vogelzeichen und zustimmende Donnerschläge des Zeus, die sich vom Himmel herab hören ließen, aufmerksam und drängte die Griechen, sogleich zum Werke zu schreiten. Aber da erhob sich der Sohn des Achilleus unwillig in der Versammlung: »Kalchas«, sprach er, »tapfere Männer pflegen ihre Feinde in offener Feldschlacht zu bekämpfen; mögen die Trojaner, das Treffen vermeidend, von ihren Türmen herab als Feige streiten: uns aber lasset nicht auf eine List sinnen oder auf irgendein anderes Mittel außer offenem Kampfe! In diesem müssen wir beweisen, dass wir die besseren Männer sind!«

So rief er, und Odysseus selbst musste den hochsinnigen Jüngling bewundern; doch erwiderte er ihm: »O du edles Kind deines ebenso furchtlosen Vaters, du hast gesprochen wie ein Held und wackerer Mann. Aber doch konnte dein Vater selbst, der Halbgott an Mut und Stärke, diese herrliche Feste nicht zerstören. Du siehst also wohl, dass Tapferkeit in der Welt nicht alles ausrichtet. Deswegen beschwöre ich euch, ihr Helden, dass ihr den Rat des Kelchas befolget und meinen Vorschlag ohne Säumen ins Werk setzt!«

Alle andern Helden gaben dem Sohne des Laertes Beifall; nur Philoktetes stellte sich auf die Seite des Neoptolemos, denn er lechzte noch immer nach Kampf und Schlachtgetümmel, und sein Heldenherz war noch nicht gesättigt. Am Ende hätten die beiden auch den Rat der Danaer zu sich herübergezogen. Aber Zeus bewegte den ganzen Luftkreis, schleuderte Blitz auf Blitz unter krachendem Donner zu den Füßen der widerstrebenden Helden herab und gab so hinlänglich zu verstehen, dass sein Wille sich mit den Vorschlägen des Sehers und des Laertiaden vereinige. So verloren die beiden Helden den Mut, sich länger zu widersetzen, und gehorchten, obgleich mit innerlichem Widerwillen.

Nun kehrten alle miteinander zu den Schiffen zurück, und ehe ans Werk gegangen wurde, überließen sich die Helden dem wohltätigen Schlaf. Da stellte sich um Mitternacht im Traum Athene an das Haupt des griechischen Helden Epeios und trug ihm als einem kunstreichen Manne auf, das mächtige Ross aus Balken zu zimmern, indem sie selbst ihm ihren Beistand zu schnellerer Vollendung des Werkes versprach. Der Held hatte die Göttin erkannt und sprang freudig vom Schlafe auf: alle Gedanken wichen in seinem Geist dem einen Auftrag, und der Geist seiner Kunst bewegte ihm die Seele. Mit Tagesanbruch erzählte er die Göttererscheinung in der Mitte alles Volkes, und nun schickten die Atriden in aller Eile in die waldreichen Täler des Idagebirges und ließen dort die hochstämmigen Tannen fällen. Diese wurden eilig zum Hellespont hinabgetragen, und viele Jünglinge gingen ans Werk und halfen dem Epeios: die einen zersägten die Balken, die andern hieben die Äste von den noch unzersägten Stämmen, wieder andere taten anderes. Epeios aber zimmerte zuerst die Füße des Pferdes, dann den Bauch: über diesen fügte er den gewölbten Rücken, hinten die Weichen, vorn den Hals; über ihn formte er zierlich die Mähne, die sich flatternd zu bewegen schien; Kopf und Schweif wurden reichlich mit Haaren versehen, aufgerichtete Ohren an den Pferdekopf gesetzt und gläserne leuchtende Augen unter der Stirne angebracht; kurz, es fehlte nichts, was an einem lebendigen Pferde sich regt und bewegt. So vollendete er mit Athenes Hilfe das Werk in drei Tagen, und das ganze Heer bewunderte die Schöpfung des Künstlers, so ausdrucksvoll hatte er Leben und Bewegung nachzubilden gewusst; man meinte jeden Augenblick, jetzt werde das Riesenpferd zu wiehern anfangen. Epeios aber hob die Hände gen Himmel und betete vor allem Heer: »Mächtige Pallas, erhöre mich, rette dein Pferd und mich selbst, hohe Göttin!« Und alle Griechen stimmten in dieses Gebet ein.

Die Trojaner waren in der Zwischenzeit vom letzten Kampfe an scheu hinter ihren Mauern geblieben. Umso lauter tobte der Zwiespalt unter den Göttern selbst jetzt, wo Trojas Verhängnis erfüllt werden sollte. Sie fuhren in zwei getrennten Haufen, der eine den Griechen günstig, der andere ihnen abhold, auf die Erde herunter und stellten sich am Flusse Skamander, den Sterblichen unsichtbar, in zwei Schlachtordnungen gegeneinander auf. Auch die Meergottheiten schlossen sich der einen oder andern Seite an. Die Nereiden hielten es als Verwandte des Achilleus mit den Griechen; andere Meergötter waren auf der Seite Trojas, und diese empörten die Flut gegen die Schiffe und trieben sie ans Land gegen das tückische Ross. Sie hätten beide zerstört, wenn das Schicksal es gestattet hätte. Unter den oberen Göttern begann indessen der Kampf, und Ares stürzte der Athene zum Kampf entgegen. Damit war das Zeichen des allgemeinen Streites gegeben, und die Götter warfen sich gegenseitig aufeinander: bei jeder Bewegung klirrten die goldenen Rüstungen, und das Meer rauschte mit seinen Wogen darein: unter den Füßen der Unsterblichen bebte die Erde, und alle schrien laut zusammen, so dass der Schlachtruf der Götter bis zur Unterwelt hinabdrang und die Titanen im Tartaros davor erbebten. Es hatten aber die Himmlischen sich zum Kampf eine Zeit ersehen, wo Zeus, der Vater der Götter und Menschen, fern auf einer Reise an den Ozean begriffen war, wohin die Regierung der Erde ihn gerufen. Doch seinem scharfsichtigen Geist entging auch aus der Ferne nichts von dem, was auf der Oberfläche des Erdbodens sich ereignete. Und so wurde er kaum den Götterkampf inne, als er schnell von der Flut des Ozeans mit seinen geflügelten Windrossen auf dem Donnerwagen, den Iris leitete, in den Olymp zurückkehrte und von dort aus seine Blitze unter die kämpfenden Götter warf. Da erbebten die Unsterblichen und hielten inne mit Kämpfen. Themis, die Göttin des Rechts, die allein dem Streit ferngeblieben war, trat jetzt unter die Götter und schied sie voneinander, indem sie ihnen verkündigte, dass Zeus die gänzliche Vernichtung der Himmlischen beschlossen hätte, wofern sie nicht gehorchten. Jetzt ward den Göttern bange für ihre Unsterblichkeit, sie unterdrückten die Erbitterung ihrer Herzen und kehrten zurück aus dem Kampf, die einen zum Olymp, die andern in die Tiefe des Meeres.

Das Pferd im griechischen Lager war indessen in vollkommene Bereitschaft gesetzt, und Odysseus erhob sich in der Versammlung der Helden. »Jetzt gilt es«, sprach er, »ihr Führer des Danaervolks! Jetzt beweise es, wer wirklich durch Kraft und Mut hervorragt. Denn jetzt ist's Zeit, in dem Bauche des Rosses, der uns beherbergen wird, der dunkeln Zukunft entgegenzusehen! Glaubt mir, es gehört mehr Mut dazu, in diesen Schlupfwinkel zu kriechen, als dem Tod in offener Feldschlacht zu trotzen! Darum, wer sich am tapfersten fühlt, der entschließe sich zu diesem Wagestück. Die andern mögen vorerst nach Tenedos schiffen! Ein wackerer Jüngling aber bleibe in der Nähe des Pferdes und tue, wie ich geraten habe. Wer will sich diesem Auftrag unterziehen?«

Die Helden zögerten. Da trat ein tapferer Grieche namens Sinon auf und sprach: »Sehet mich bereit, das verlangte Werk zu tun! Mögen mich die Trojaner misshandeln, mögen sie mich lebendig ins Feuer werfen: mein Entschluss steht fest!« Die Völker jubelten ihm Beifall zu, und mancher alte Held sprach bei sich im Herzen: »Wer ist doch dieser junge Mensch? Wir haben seinen Namen nie gehört; noch keine tapfere Tat hat ihn ausgezeichnet. Ihn treibt gewiss ein Dämon, entweder den Trojanern oder uns selbst Verderben zu bringen!« Nestor aber erhob sich und sprach ermunternd zu den Danaern: »Jetzt, liebe Kinder, bedarf es wackeren Mutes, denn jetzt legen die Götter das Ziel zehnjähriger Mühseligkeiten in unsere Hände: darum rasch hinein in den Bauch des Pferdes. Ich selbst fühle noch die jugendliche Kraft in meinen Greisengliedern, von der ich beseelt war, als ich mit Jason das Argonautenschiff besteigen wollte und es auch bestiegen hätte, wenn ich nicht von dem König Pelias abgehalten worden wäre!«

So rief der Greis und wollte sich vor allen andern durch die geöffnete Seitentüre in den Bauch des hölzernen Rosses schwingen; aber Neoptolemos, der Sohn des Achilleus, beschwor ihn, diese Ehre ihm, dem Jüngling, abzutreten und seines Greisenalters eingedenk die Führung der übrigen Griechen nach der Insel Tenedos zu übernehmen. Mit Mühe ließ sich Nestor überreden, und nun stieg der Jüngling in voller Rüstung zuerst in die geräumige Höhle. An ihn schlossen sich Menelaos, Diomedes, Sthenelos und Odysseus, dann Philoktetes, Ajax, Idomeneus, Meriones, Podalirios, Eurymachos, Antimachos, Agapenor und so viele sonst noch der Bauch des Rosses fassen mochte. Zuletzt stieg der Verfertiger des Rosses, Epeios, selbst hinein. Dann zog er die Leitern zu sich herauf in die Höhlung, verschloss diese von innen fest und setzte sich vor den Riegel; die übrigen harrten im Bauche des Rosses in tiefem Schweigen und saßen in dunkler Nacht zwischen Tod und Sieg.

Die andern Griechen aber, nachdem sie die Zelte und alles Lagergerät in Brand gesteckt hatten, brachen, von Agamemnon, dem Völkerfürsten, und dem König Nestor befehligt, mit den Schiffen auf und segelten der Insel Tenedos zu. So war es von den Danaern bestimmt worden, welche den beiden Helden nicht gestattet hatten, sich dem Pferde anzuvertrauen, dem ersten um seiner Würde, dem andern um seines Alters willen. Vor Tenedos warfen sie die Anker aus, stiegen ans Land und sahen mit sehnendem Herzen dem Feuerzeichen entgegen.

Die Trojaner bemerkten es bald, wie am Hellespont der Rauch in die Lüfte emporwirbelte, und als sie von den Mauern aufmerksamer nach dem Gestade hinabspähten, waren auch die Schiffe der Griechen verschwunden. Voll Freuden strömten sie in Scharen dem Ufer zu; doch vergaßen sie nicht, sich in ihre Rüstung zu hüllen, denn sie waren die Furcht noch nicht ganz los. Als sie nun auf der Stelle des alten feindlichen Lagers das glatte hölzerne Pferd gewahr wurden, stellten sie sich staunend rings um das Holztier, denn es war ein gar gewaltiges Werk. Während sie noch darüber stritten, was mit dem seltsamen Wunderding anzufangen sei, und die einen der Meinung waren, es in die Stadt zu schaffen und als Siegesdenkmal für alle Zukunft auf der Burg aufzustellen, die andern das unheimliche Gastgeschenk der Griechen in die See zu werfen oder zu verbrennen rieten, einen Rat, welche die im Bauche des Pferdes eingeschlossenen griechischen Helden zu ihrer Qual anhören mussten: da trat mit eiligen Schritten Laokoon, der trojanische Priester des Apollon, in die Mitte des gaffenden Volkes und rief schon von weitem: »Unselige Mitbürger, welcher Wahnsinn treibt euch? Meinet ihr, die Griechen seien wirklich davongeschifft, oder eine Gabe der Danaer verberge keinen Betrug? Kennt ihr den Odysseus so? Entweder ist irgendeine Gefahr in dem Rosse verborgen, oder es ist eine Kriegsmaschine, die von den in der Nähe lauernden Feinden gegen unsere Stadt angetrieben werden wird! Was es aber auch sein mag, trauet dem Tier nicht!« Mit diesen Worten stieß er eine mächtige eiserne Lanze, die er einem neben ihm stehenden Krieger entriss, in den Bauch der Maschine. Der Speer zitterte im Holz, und aus der Tiefe tönte ein Widerhall wie aus einer Kellerhöhle. Aber der Geist der Trojaner blieb verblendet. Während dies vorging, zogen einige Hirten, welche die Neugierde dicht an das hölzerne Pferd herangelockt hatte, unter dem Bauche den verborgenen schlauen Sinon hervor und schleppten ihn als einen gefangenen Griechen vor den König Priamos, und bald sammelte sich das trojanische Kriegsvolk, das bisher um das Pferd herumgestanden hatte, um dieses neue Schauspiel. Er aber, waffenlos und zagend, spielte die Rolle, die ihm von Odysseus aufgegeben war. Flehend streckte er die Arme gen Himmel und dann wieder nach den Umstehenden aus und rief unter Schluchzen: »Wehe mir, welchem Lande, welchem Meere soll ich mich anvertrauen, mich, den die Griechen ausgestoßen haben und die Trojaner niedermetzeln werden!« Diese Seufzer rührten die Jünglinge selbst, die ihn anfangs als einen Feind gepackt und roh behandelt hatten. Alle Krieger traten teilnehmend herzu und hießen ihn sagen, wer und woher er sei, auch guten Mutes sein, wenn er nichts Feindliches im Schilde führe. Jener ließ die erheuchelte Furcht endlich fahren und sprach: »Ich bin ein Argiver, das will ich ja nicht leugnen; wenn Sinon auch unglücklich ist, so soll er doch nicht zum Lügner werden. Vielleicht habt ihr etwas von dem euböischen Fürsten Palamedes gehört, der von den Griechen auf Odysseus' Anstiften abscheulicherweise gesteinigt wurde, weil er den Feldzug gegen eure Stadt missriet: als sein Verwandter zog ich in diesen Krieg, arm und nach seinem Tod ohne Stütze. Und weil ich es wagte, mit Rache für die Ermordung meines Vetters zu drohen, zog ich den Hass des falschen Laertiaden auf mich und wurde diesen ganzen Krieg über von ihm geplagt. Auch ruhte er nicht, bis er mit dem lügnerischen Seher Kalchas meinen Untergang verabredet hatte. Als nämlich meine Landsleute die oft beschlossene und wieder aufgeschobene Flucht endlich ins Werk setzten und dieses hölzerne Pferd hier schon aufgezimmert stand, schickten sie den Eurypylos zu einem Orakel des Apollon, weil sie am Himmel bedenkliche Wunderzeichen beobachtet hatten. Dieser brachte aus dem Heiligtum des Gottes den traurigen Spruch mit: ›Ihr habt bei eurem Anzug die empörten Winde mit dem Blut einer Jungfrau versöhnt: mit Blut müsst ihr auch den Rückweg erkaufen und eine Griechenseele opfern.‹ Dem Kriegsvolk lief ein kalter Schauder durch die Gebeine, als es dies hörte. Da zog Odysseus den Propheten Kalchas mit großem Lärm in die Volksversammlung und bat ihn, den Willen der Götter zu offenbaren. Fünf Tage lang schwieg der Betrüger und weigerte sich heuchlerisch, einen Griechen für den Tod zu bezeichnen. Endlich, wie gezwungen durch das Geschrei des Odysseus, nennt er meinen Namen. Alle stimmten bei, denn jeder war froh, das Verderben von seinem eigenen Haupte abgewendet zu sehen. Und schon war der Schreckenstag erschienen, ich wurde zum Opfer ausgeschmückt, mein Haupt mit den heiligen Binden umwunden, der Altar und das geschrotene Korn in Bereitschaft gehalten. Da zerriss ich meine Bande, entfloh und versteckte mich, bis sie abgesegelt waren, im Schilfrohr eines nahen Sumpfes. Dann kroch ich hervor und suchte ein Obdach unter dem Bauch ihres heiligen Rosses. In mein Vaterland und zu meinen Landsleuten kann ich nicht zurückkehren. Ich bin in eurer Hand, und von euch hängt es ab, ob ihr mir großmütig das Leben schenken oder mir den Tod geben wollt, der mich von der Hand meiner eigenen Volksgenossen bedroht hat.«

Die Trojaner waren gerührt, Priamos sprach gütige Worte zu dem Heuchler, hieß ihn die argen Griechen vergessen und versprach ihm eine Zufluchtsstätte in seiner Stadt, wenn er ihnen nur offenbaren wolle, was für eine Beschaffenheit es mit dem hölzernen Rosse habe, dem er soeben den Beinamen eines heiligen gegeben. Sinon hob seine der Fesseln entledigten Hände gen Himmel und betete mit trügerischer Andacht: »Ihr Götter, denen ich schon geweiht war, du Altar und du verfluchtes

Schwert, das mich bedrohte, ihr seid mir Zeugen, dass die Bande, die mich bisher an mein Volk knüpften, zerrissen sind und dass ich nicht frevle, wenn ich ihre Geheimnisse aufdecke! Von jeher war alle Hoffnung der Danaer in diesem Krieg auf die Hilfe der Göttin Pallas Athene gebaut. Seitdem aber aus dem Tempel, den sie bei euch zu Troja hat, ihr Bild, das Palladion, entwendet worden – und zwar, was ihr Trojaner wohl zum ersten Mal erfahrt, durch die Hände schlauer Griechen –, ging alles rückwärts, die Göttin war erzürnt, und das Glück hatte die Waffen der Danaer verlassen. Da erklärte Kalchas, der Seher, auf der Stelle müsse man mit den Schiffen umkehren, um im Vaterland neue Befehle der Götter einzuholen. Ehe nicht das Palladion an seine Stelle zurückgebracht sei, dürften sie auf keinen glücklichen Ausgang des Feldzuges hoffen. Dies bewog die Danaer, die Flucht zu beschließen, die sie nun auch wirklich ausgeführt haben. Zuvor aber erbauten sie noch auf Rat ihres Propheten dieses hölzerne Riesenpferd, das sie als Weihgeschenk für die beleidigte Göttin zurückließen, um ihren Zorn zu versöhnen. Diese Maschine ließ Kalchas so unermesslich in die Höhe bauen, wie ihr seht, damit ihr Trojaner sie nicht durch eure Tore führen und in eure Stadt bringen könntet, weil auf diese Weise der Schutz der Athene euch zuteil werden würde. Wenn hingegen eure Hand sich an dem geheiligten Pferde als einem Überbleibsel eurer Feinde vergriffe – dies war es, was sie zu hoffen wagten –, dann wäre euer und eurer Stadt Verderben gewiss. Und in dieser Zuversicht gedenken sie in kurzer Frist, sobald sie zu Argos die Götterbefehle vernommen, zurückzukehren und hoffen, das Palladion der Göttin eurer eroberten Stadt zurückgeben zu können.«

Das Lügengewebe war so wahrscheinlich ersonnen, dass Priamos und alle Trojaner dem Betrüger Glauben schenkten; Athene aber wachte über das Geschick ihrer Freunde, die in dem Rosse noch immer in banger Erwartung eingeschlossen saßen und seit der Warnung des Laokoon in beständiger Todesangst schwebten. Die Helden wurden aus dieser Gefahr durch ein entsetzliches Wunder befreit. Eben jener Laokoon, der Priester des Apollon, hatte nach dem Tode des Poseidonpriesters auch diese Würde durchs Los erhalten und opferte jetzt gerade am Meeresgestade dem Gott einen stattlichen Stier am Altar. Siehe, da kamen von der Insel Tenedos aus durch die spiegelglatte Meerflut zwei ungeheure

Schlangen gerudert und nahmen ihren Weg nach dem Ufer: ihre Brust und die blutrote Mähne ragten aus dem Wasser hervor, der übrige Teil ihrer Leiber ringelte sich unter den Fluten fort. Die See plätscherte unter ihrer Spur, und jetzt waren sie am Lande, züngelten und zischten und sahen sich mit feurigen Augen um. Die Trojaner, die noch immer in großer Zahl das Ross umstanden, wurden totenblass und ergriffen die Flucht, die Tiere aber nahmen ihre Richtung nach dem Uferaltar des Meergottes, wo Laokoon mit seinen zwei jungen Söhnen beim Opfer beschäftigt war. Zuerst wanden sie sich um die Leiber der beiden Knaben und bohrten ihren giftigen Zahn in ihr zartes Fleisch. Als die Verwundeten laut aufschrien und der Vater selbst ihnen mit gezogenem Schwerte zu Hilfe kommen wollte, schlangen sie sich mit mächtigen Windungen auch diesem zwiefach um den Leib und überragten ihn bald mit ihren aufgerichteten Hälsen und zischenden Häuptern. Seine Priesterbinde troff von Eiter und Gift. Vergebens bestrebte er sich, die Schlingen mit seinen Händen loszumachen, und inzwischen entfloh der schon getroffene Stier blutig und brüllend vom Altar und schüttelte das Beil aus dem Nacken. Laokoon aber erlag mit seinen beiden Söhnen den Schlangenbissen, und nun schlüpften die Tiere in langen Krümmungen dem hochragenden Tempel der Athene zu und bargen sich dort unter den Füßen und dem Schilde der Göttin.

Das Trojanervolk sah in diesem grässlichen Ereignis eine Bestrafung der frevelhaften Zweifel seines Priesters. Ein Teil eilte der Stadt zu und riss die Mauern nieder, um dem unheilvollen Gast den Weg zu bahnen, ein anderer fügte Räder an die Füße des Rosses, wieder andere drehten gewaltige Seile aus Werg und warfen sie dem hölzernen Riesentier um den Hals. Dann zogen sie es im Triumph nach der Stadt; Knaben und Mädchen, die Hand an die Seite gelegt, sangen in Chören feierliche Hymnen dazu. Als die Maschine über die erhöhten Torschwellen rollte, stockte viermal ihr Lauf, und viermal dröhnte ihr Bauch wie von Erz. Aber die Trojaner waren fortan mit Blindheit geschlagen und führten das Ungeheuer jubelnd auf ihre heilige Burg. Mitten unter der Raserei der öffentlichen Freude blieben nur das Gemüt und der Geistesblick der Seherin Kassandra, der gottbegabten Königstochter des trojanischen Hauses, ungetrübt. Nie sprach sie ein Wort aus, das nicht erfüllt worden wäre. Aber sie hatte das Unglück, niemals Glauben zu finden. So hatte sie

auch jetzt unheilvolle Zeichen am Himmel und in der Natur beobachtet und stürzte mit flatternden Haaren, vom Geiste der Weissagung getrieben, aus dem Königspalast hervor: ihre Augen starrten in fieberischer Glut, ihr Nacken wiegte sich hin und her wie ein Zweig im Windhauch, sie seufzte tief und rief mit schauerlich klingender Stimme durch die Gassen der Stadt: »Ihr Elenden, seht ihr nicht, dass wir die Straße zum Hades hinunterwandeln, dass wir am Rande des Verderbens stehen? Ich schaue die Stadt mit Feuer und Blut erfüllt, ich sehe es aus dem Bauch des Rosses hervorwallen, das ihr mit Jauchzen auf unsere Burg hinaufgeführt habt. Doch ihr glaubt mir nicht, und wenn ich unzählige Worte spräche. Ihr seid den Erinnyen geweiht, die Rache an euch nehmen wegen Helenas frevelhafter Ehe.«
Wirklich wurde die weissagende Jungfrau nur verlacht oder geschmäht, und hier und da sprach einer der Begegnenden zu ihr: »Hat dich denn die jungfräuliche Scham ganz verlassen, Kassandra, bist du ganz irregeworden in deinem Geist, dass du dich öffentlich auf den Straßen herumtreiben magst und nicht siehest, wie die Menschen dich verachten, törichte Schwätzerin? Kehre zurück in dein Haus, dass dich nichts Schlimmes treffe!«

Die Zerstörung Trojas

Die Trojaner überließen sich die halbe Nacht hindurch der Freude bei Schmaus und Gelage; Syringen und Flöten ertönten, Tanz und Gesang lärmten ringsumher und dazwischen die bunt durcheinander schallenden Stimmen der Schmausenden. Die Becher wurden ein über das andere Mal bis zum Rande mit Wein gefüllt, mit beiden Händen erfasst und leer getrunken, bis die Trinkenden zu stammeln begannen und ihr Geist in dumpfe Betäubung versank. Endlich lagen sie alle in tiefem Schlaf begraben, und die Mitternacht war herangekommen. Jetzt erhob sich Sinon, der mit andern Trojanern im Freien geschmaust und sich zuletzt schlafend gestellt hatte, von seinem Polster, schlich hinaus zu den Toren, zündete eine Fackel an und ließ, dem Strand und der Insel Tenedos zugekehrt, den Schiffen der Griechen zum verabredeten Zeichen ihren lodernden Brand in die Lüfte wehen. Dann löschte er sie wieder, schlich sich zu dem Pferde hin und pochte leise an den hohlen Bauch, wie ihn

Odysseus geheißen hatte. Die Helden vernahmen den Laut; alle aber kehrten ihre Häupter lauschend dem Odysseus zu: dieser ermahnte sie, leise und mit aller möglichen Vorsicht auszusteigen; er hielt die Ungeduldigsten zurück, öffnete ganz leise nach dem Rate des Epeios den Riegel der Türe, streckte den Kopf ein wenig hinaus und sandte seine spähenden Blicke allenthalben umher, ob nicht einer der Trojaner erwacht sei. Dann, wie ein heißhungriger Wolf sachte zwischen Hirten und Hunden hindurch in den Pferch schleicht, stieg er die Sprossen der Leiter hinab, die Epeios zugleich mit dem Pferde verfertigt und jetzt hinuntergelassen hatte, und ein Held um den andern folgte ihm mit klopfendem Herzen. Als alle aus dem hölzernen Pferd gekrochen waren, schüttelten sie ihre Lanzen, zogen ihre Schwerter und verbreiteten sich durch die Straßen und in die Häuser der Stadt. Ein grässliches Gemetzel entstand unter den schlaftrunkenen und berauschten Trojanern; Feuerbrände wurden in ihre Wohnungen geschleudert, und bald loderten die Dächer über ihren Häuptern. Zu gleicher Zeit trieb ein günstiger Fahrwind die Flotte der Griechen, die auf Sinons Fackelzeichen von Tenedos aufgebrochen war, in den Hafen des Hellespontes, und bald stürzte sich das ganze Heer der Danaer durch die breite Mauerlücke, durch welche tags zuvor das Ross hineingezogen worden war, in die Stadt, von Kampfbegierde schnaubend. Jetzt erst füllte sich die eroberte Stadt recht mit Trümmern und Leichnamen. Halb Tote und Verstümmelte krochen zwischen den Leichen umher, nur hier und dort ward noch einem aufrecht Fliehenden die Lanze in den Rücken gestoßen. Das winselnde Heulen geängstigter Tiere scholl in den Straßen und mischte sich ins Stöhnen der Verwundeten und in die Wehklage der jammernden Frauen und unmündigen Kinder.

Doch war der Kampf für die Griechen selbst auch nicht unblutig, denn obgleich die meisten Feinde waffenlos waren, so wehrten sie sich doch, so gut sie konnten. Die einen schleuderten Becher, die andern Tische, noch andere frisch von dem Herde genommene Feuerbrände auf die eingedrungenen Danaer; andere waffneten sich mit Bratspießen, Beilen und Streitäxten, was ihnen gerade unter die Hände kam; und so stießen die Griechen selbst, während sie mit Feuer und Schwert in der Stadt wüteten, auf genug Tote und Sterbende der Ihrigen, manche zerschmetterte auch ein Steinwurf von den Dächern, andere wurden von den Flammen der brennenden Häuser ergriffen oder von zusammenstürzenden Gebäuden zermalmt. Und als sie endlich die Burg des Priamos selbst stürmten, in welche sich viele Trojaner geflüchtet oder wo sich diese mit Rüstungen, Lanzen und Schwertern versehen hatten, kamen ihrer viele im ordentlichen Kampfe durch die Hand der Feinde, die sich verzweifelt verteidigten, ums Leben.

Während des Kampfes wurde es in der Stadt mitten in der Nacht immer heller, denn der wachsende Brand der Häuser und Paläste und die vielen Fackeln, die hier und dort von den Achajern geschwungen wurden, leuchteten dem Kampfe; dadurch wurde aber auch dieser immer sicherer und erbitterter; denn die Sieger fürchteten sich nicht mehr, den befreundeten Mann mit dem Feinde zu verwechseln, und nun traf ihr Racheschwert erst recht mit Auswahl die edelsten Helden der Trojaner. Diomedes schlug zum Tode den Koröbos, den Sohn des gewaltigen Mygdon, indem er ihm die Lanze in den Schlund stieß; dann den Eidam des greisen Trojaners Antenor, den gewaltigen Speerschwinger Eurydamas. Hierauf kam ihm Ilioneus, einer der ältesten Troer, entgegen; dieser sank vor dem gezückten Schwert des griechischen Helden in die Knie, und mit der einen Hand sein eigenes Schwert emporhebend, mit der andern das Knie des Siegers umfassend, rief er mit bebender Stimme: »Wer du auch seiest von den Argivern: lass von deinem Zorn! Kann ja dem Manne nur der Sieg über den Jüngeren, Kräftigeren Ruhm bringen! Darum, so gewiss du selbst dereinst ein Greis werden willst, schone des Greisen!« Einen Augenblick hielt Diomedes sein Schwert zurück und besann sich, dann aber stieß er es dem Gegner in die Kehle mit den Worten: »Freilich hoffe auch ich mich des Alters zu freuen; jetzt aber brauche ich meine Kraft und sende alle meine Feinde zum Hades!« So ging er hin und erschlug noch einen nach dem andern. Auf gleiche Weise wüteten Ajax der Lokrer und Idomeneus. Neoptolemos aber suchte sich die Söhne des Priamos aus und tötete ihrer drei, dazu den Agenor, der einst mit seinem Vater Achilleus den Kampf gewagt hatte. Endlich stieß er auf den König Priamos selbst, der an einem unter freiem Himmel errichteten Altar des Zeus in Gebeten lag. Gierig zückte Neoptolemos sein Schwert, und Priamos blickte ihm furchtlos ins Auge: »Töte mich«, rief er, »Kind des tapferen Achilleus: nachdem ich so vieles ertragen und fast alle meine Kinder sterben sah, wie möchte ich länger das Licht der Sonne schauen? Oh, hätte mich schon dein Vater getötet! So labe denn du dein mutiges Herz an mir und entrücke mich allem Kummer!« – »Greis«, erwiderte Neoptolemos, »du ermahnest mich zu dem, wozu mich mein eigenes Herz antreibt!« Und damit trennte er leicht das Haupt des ergrauten Greises vom Rumpfe, wie ein Schnitter in der Sommerhitze die Ähre auf dem trockenen Saatfelde abmäht: es rollte zu Boden weithin, und der Rumpf lag mit andern trojanischen Leichen vermischt. Grausamer noch verfuhren die gemeinen Krieger des griechischen Heeres; sie hatten im Palast des Königs den Astyanax aufgefunden, Hektors zarten Sohn, rissen ihn aus den Armen der Mutter und schleuderten ihn, aus Hass gegen Hektor und sein Geschlecht, von der Zinne eines Turmes hinab. Als er der Mutter entrissen wurde, rief diese den Räubern entgegen: »Warum stürzet ihr nicht auch mich von der schrecklichen Mauer herab oder in die lodernden Flammen? Seit mir Achilleus den Gatten getötet, lebe ich nur noch in unserem Kinde; befreit auch mich von der Qual eines längeren Lebens!« Aber die Mörder erhörten sie nicht und gingen davon.

So fand sich der Tod bald in diesem Hause ein, bald in jenem, und nur ein einziges verschonte er. Dies war die Wohnung des greisen Trojaners Antenor, der einst den Menelaos und Odysseus, als sie nach Troja gekommen waren, am Leben erhalten und gastfreundlich bewirtet hatte. Dafür schenkten ihm jetzt die Danaer dankbar Leben und Besitztum.

Äneas, der herrliche Held, der jüngst noch mit unverwüstlicher Kraft beim Sturme der Stadt von den Mauern herab gekämpft hatte, als er Troja brennen sah und nach langer, vergeblicher Gegenwehr dem Feinde, den er auch jetzt seinen Sieg teuer bezahlen ließ, weichen musste, handelte wie ein mutiger Schiffer im Sturm, der das Schiff lange gelenkt, endlich aber das hoffnungslos verlorene den Wellen überlässt und sich in ein Boot rettet. Er nahm den Vater Anchises auf die breiten Schultern, seinen Sohn Askanios an die Hand und eilte davon. Der Knabe drängte sich dicht an den Vater und streifte mit den Füßen kaum die Erde: Äneas aber sprang mit schnellem Fuß über unzählige Leichen hinweg, indem er den Sohn auf dem besseren Wege leitete; und Aphrodite, seine Mutter, war mit ihm: denn wohin er seinen Fuß setzte, wichen ihm die Flammen aus, die Rauchwolken zerteilten sich, Pfeile und Wurfspieße, wel-

che die Danaer gegen ihn schleuderten, fielen ohne zu treffen auf die Erde nieder.
An andern Stellen raste der Mord. Menelaos fand vor den Gemächern seiner treulosen Gemahlin Helena den Deïphobos, den Sohn des Priamos, der seit Hektors Tod die Stütze des Hauses und Volkes war und welchem nach dem Tod des Paris Helena als Gemahlin zuteil geworden war, noch in die Betäubung des nächtlichen Freudengelages versenkt. Bei seiner Annäherung taumelte dieser vom Boden auf und flüchtete in die Gänge des Palastes. Menelaos aber ereilte ihn und stieß ihm den Speer in den Nacken. »Stirb du vor der Tür meiner Gattin«, rief er mit donnernder Stimme, »hätte doch meine Lanze den Unheilstifter, den Paris, also getroffen! Nun ist dieser schon längst geschlachtet; und du solltest dich meiner Gattin erfreuen, du Frevler? Wisse, dass kein Verbrecher dem Arme der Themis, der Göttin der Gerechtigkeit, entgeht!« So sprechend, stieß Menelaos den Leichnam auf die Seite und ging hin, den Palast zu durchforschen, denn sein Herz, von widerstreitenden Empfindungen bewegt, begehrte nach Helena, seiner Gemahlin. Diese hielt sich, vor dem Zorn ihres rechtmäßigen Gatten zitternd, in einem dunkeln Winkel des Hauses verborgen, und erst spät gelang es ihm, sie zu entdecken. Bei ihrem ersten Anblick trieb ihn die Eifersucht, sie zu ermorden: aber Aphrodite, die sie mit holdem Liebreiz geschmückt, stieß ihm das Schwert aus der Hand, verscheuchte den Grimm aus seiner Brust und erweckte in seinem Herzen die alte Liebe. Es war ihm unmöglich, bei dem Anblick ihrer überirdischen Schönheit das Schwert aufs Neue zu erheben; die Stärke brach ihm zusammen, und einen Augenblick vergaß er alles, was sie verschuldet hatte. Da hörte er die den Palast durchtobenden Argiver hinter sich, und ein Gefühl der Scham ergriff ihn, indem er bedachte, dass er vor seinem treulosen Weib nicht wie ein Rächer, sondern wie ein Sklave dastehe. Wider Willen raffte er das Schwert, das er auf die Erde geworfen, wieder auf, bezwang seine Neigung und drang von neuem auf die Gattin ein. Doch im Herzen war es ihm nicht ernst, und willkommen erschien ihm daher sein Bruder Agamemnon, der, plötzlich hinter ihm stehend, die Hand auf seine Schulter legte und ihm zurief: »Lass ab, lieber Bruder Menelaos! Es ziemt sich nicht, dass du dein eheliches Weib, um welches wir so viele Leiden erduldet haben, erschlägst! Lastet doch die Schuld weniger auf

Helena, wie mich dünkt, als auf Paris, welcher so schnöde das Gastrecht gebrochen hat. Dieser aber, sein ganzes Geschlecht, sein ganzes Volk sind ja jetzt bestraft und vernichtet!« So sprach Agamemnon, und Menelaos gehorchte ihm zögernd, aber mit Freuden.

Während dies auf Erden vorging, beklagten die Unsterblichen, in dunkle Wolken eingehüllt, den Fall Trojas. Nur Hera, die Todfeindin der Trojaner, und Thetis, die Mutter des frühe dahingesunkenen Achilleus, jauchzten im Herzen vor Lust auf. Pallas Athene selbst, der doch durch Trojas Untergang ihr Wille geschehen war, konnte sich der Tränen nicht enthalten, als sie sah, wie Ajax, der wilde Sohn des Oileus, in ihrem Heiligtum es wagte, die fromme Kassandra, ihre Priesterin, die sich in Athenes Tempel geflüchtet hatte und ihre Bildsäule schutzflehend umarmt hielt, mit rohen Händen anzutasten und sie an den Haaren zerrend herauszuschleppen. Zwar durfte die Göttin die Tochter ihrer Feinde nicht unterstützen; aber die Wangen glühten ihr vor Scham und Zorn; ihr Bildnis gab einen Ton, der Boden ihres Heiligtums dröhnte, und den Blick vom Frevel abgekehrt, schwur sie in ihrem Herzen, die Missetat zu rächen.

Lange noch dauerte der Brand und das Gemetzel. Die Flammensäule Trojas stieg hoch in den Äther hinauf und verkündete den Untergang der Stadt den Bewohnern der Inseln und den Schiffen, die hin und her das Meer befuhren.

Menelaos und Helena. Polyxena

Bis zum Morgen waren sämtliche Bewohner der Stadt niedergemacht oder gefangen. Die Danaer fanden nirgends mehr Widerstand, konnten sich der unermesslichen Schätze der Stadt nach Behagen bemächtigen und brachten ihre Beute, aus Gold, Silber, Edelgesteinen, mannigfaltigem Hausrat, gefangenen Weibern, Mädchen und Kindern bestehend, an den Strand zu ihren Schiffen. Mitten unter dieser Schar führte Menelaos seine Gemahlin Helena, nicht ohne Scham und doch im Herzen zufrieden über ihren wiedererlangten Besitz, aus dem brennenden Troja hinweg. Ihm zur Seite ging Agamemnon, sein Bruder, mit der hohen Kassandra, die er den wilden Armen des Ajax entrissen hatte; Hektors

Gattin, Andromache, wurde vom Sohn des Achilleus, Neoptolemos, fortgeführt, Hekabe, die Königin, die mühsam wandelte und unter lautem Jammer ihr graues, mit Asche bestreutes Haar ausraufte, schleppte Odysseus in die Gefangenschaft. Unzählige Frauen der Trojaner folgten, junge und alte, hinter ihnen Mädchen und Kinder, und vermischt gingen die Mägde mit den Fürstentöchtern; den ganzen Weg entlang hallte Jammer und Schluchzen. Nur Helena stimmte nicht mit ein in die Klage, denn tiefes Schamgefühl hielt sie ab; sie heftete die dunkeln Augen auf den Boden, und ihre Wangen färbte ein flammendes Rot. Im Innersten ihres Busens aber bebte ihr Herz, und eine entsetzliche Furcht ergriff sie, wenn sie an das Schicksal dachte, das ihrer bei den Schiffen wartete; Todesblässe überzog ihre eben noch purpurroten Wangen, schnell zog sie den dichten Schleier über das Haupt und wandelte zitternd an der Hand des Gatten.

Aber als sie bei den Schiffen angelangt waren, staunten alle Danaer über die liebliche Schönheit der untadelhaften Gestalt und sagten bei sich selbst, dass es wohl der Mühe wert gewesen sei, dem Völkerhirten Menelaos um eines solchen Kampfpreises willen vor Troja zu folgen und dort zehnjährige Mühseligkeiten und Gefahren auszuhalten. Und keinem kam in den Sinn, Hand an das schöne Weib zu legen: sie ließen ihrem Führer den friedlichen Besitz der Gattin, und das Herz des Fürsten Menelaos selbst hatte Aphrodite längst zur Verzeihung gestimmt.

Bei den Schiffen herrschte jauchzende Lust; alle Helden lagerten beim fröhlichen Mahle umher, in der Mitte saß ein des Zitherspiels kundiger Sänger und rief dem Heer die Taten seines größten Helden, des Achilleus, in das Gedächtnis zurück. So dauerte die Fröhlichkeit bis in die Nacht; dann brachen sie auf, ein jeglicher in sein Zelt.

Als nun Helena mit ihrem Gemahl Menelaos allein in seinem Feldherrnzelte war, warf sie sich ihm zu Füßen, umfasste seine Knie und sprach: »Ich weiß wohl, dass du ein Recht hättest, deine treulose Gattin mit dem Tode zu bestrafen! Aber bedenke, edler Gemahl, dass ich deinen Palast zu Sparta nicht freiwillig verlassen habe; gewaltsam entführte mich der trügerische Paris, als du eben abwesend vom Hause warest und mir deinen männlichen Schutz nicht angedeihen lassen konntest. Und als ich selbst Hand an mich zu legen gedachte und den Strick um meinen Hals zu winden oder mir das Schwert in den Busen zu stoßen, da hielten mich die Dienerinnen des Hauses zurück und beschworen mich, deiner selbst und unseres blühenden kleinen Töchterleins eingedenk zu sein! Tue nun nach deinem Willen mit mir; ich liege als Reumütige und Schutzflehende zugleich zu deinen Füßen!«

Menelaos hob sie liebreich vom Boden auf und antwortete mit verständiger Mäßigung: »Denke nicht länger an das Vergangene, Helena, und ängstige dich nicht mit überflüssiger Furcht: was geschehen ist, sei in die Nacht der Vergangenheit versenkt und keines früheren Fehlers hinfort von mir gedacht.« Damit schloss er sie in seine Arme und drückte ihren Lippen den Kuss der Versöhnung auf. Aus beider Wimpern rollte die Träne süßer und wehmütiger Rührung.

Neoptolemos, der Sohn des Achilleus, lag um diese Stunde schon in tiefem Schlaf. Da trat zu ihm im Traum au sein Zeltlager der Geist seines hohen Vaters, ganz wie er einst im Leben war, der Schrecken der Trojaner und die Freude der Griechen, küsste dem Sohne Brust, Mund und Augen und sprach: »Gräme dich nicht im Gemüte, lieber Sohn, dass ich gestorben bin, denn ich lebe jetzt in der Gemeinschaft mit den seligen Göttern; sondern nimm dir fröhlich deinen Vater zum Beispiel im Kampf wie im Rat: im Kampf sei immer der Erste; in der Ratsversammlung aber schäme dich nicht, den weisen Worten älterer Männer dich nachgiebig zu zeigen. Im Übrigen strebe dem Ruhme nach, wie dein Vater getan, freue dich des Glückes und betrübe dich nicht zu sehr im Unglück; an meinem frühen Fall aber erkenne, wie nahe die Pforten des Todes dem Sterblichen sind; denn das ganze Menschengeschlecht gleicht den Frühlingsblumen: die einen wachsen, die andern vergehen. Nun aber sage dem Völkerfürsten Agamemnon, sie sollten das Beste und Edelste von der ganzen Beute mir opfern, damit mein Herz sich auch am Untergange Trojas laben könne und zu meiner Zufriedenheit im Olymp nichts fehle!«

Nachdem er seinem Sohn diesen Befehl erteilt hatte, verschwand der selige Geist aus dem Traum des Neoptolemos wie ein flüchtiger Hauch des Windes. Dieser erwachte und seinem freudig bewegten Gemüt war, als hätte er mit dem lebendigen Vater fröhlichen Umgang gepflogen. Am andern Morgen sprangen die Danaer ungeduldig von ihrem Lager auf, denn die Sehnsucht nach der Heimkehr bemächtigte sich ihres Sinnes, und gerne hätten sie augenblicks die Schiffe ins Meer gezogen, wenn der Sohn des Peliden nicht unter das versammelte Volk getreten wäre und ihren Eifer durch seine Anrede gehemmt hätte.

»Höre, Volk der Danaer«, rief er mit seiner jugendlichen Kraftstimme, »was in dieser Nacht der Geist meines unsterblichen Vaters, der mich im Traum besucht hat, mir aufgetragen, euch zu verkündigen: Ihr sollet das Edelste und Beste der trojanischen Beute ihm opfern, damit sich sein Herz am Untergang der verhassten Stadt auch sättigen könne und er des Siegerpreises nicht verlustig gehe. Eher sollt ihr diesen Strand nicht verlassen, bis ihr die heilige Pflicht gegen den Toten erfüllt habt, dem ihr doch eigentlich die Eroberung Trojas verdanket. Denn ohne dass Hektor besiegt worden, wäret ihr nimmermehr so weit gekommen!«

Ehrerbietig beschlossen die Danaer, den Willen ihres verstorbenen Helden zu befolgen, und Poseidon, aus Liebe zu dem Peliden, regte die Flut zum mächtigen Sturm auf, so dass das Meer in turmhohen Wellen aufbrauste und die Griechen, auch wenn sie es gewollt hätten, nicht im Stande gewesen wären, den Strand zu verlassen. Als die Völker aber die empörte See erblickten und stürmen hörten, da flüsterten sie sich gegenseitig zu: »Ja, wahrhaftig stammte Achilleus vom höchsten Zeus ab: denn sehet ihr, wie sich die Elemente mit seinen Befehlen verbünden!« Und so zeigten sie sich nur noch williger, dem Gebote des Hingeschiedenen zu gehorchen, und strömten zu Haufen dem Grabmal des Helden, das den Meeresstrand hoch überragte, zu.

Nun entstand aber die Frage: was soll geopfert werden, und was ist das Beste und Edelste der ganzen Beute Trojas? Jeder Grieche brachte unweigerlich seine Beute an Schätzen und Gefangenen herbei. Als man jedoch alles musterte, da erbleichte Gold, Silber, Edelstein samt allen Schätzen vor der himmlischen Schönheit der Jungfrau Polyxena, der gefangenen Tochter des Königs Priamos, und nur ein Ruf ging durch das ganze Heer der Griechen, dass sie das Beste und Edelste von der ganzen trojanischen Beute sei. Die Jungfrau, als aller Blicke sich auf sie richteten, erbleichte nicht, obgleich ihr der laute Jammerschrei ihrer Mutter Hekabe, der sich jetzt aus dem Haufen der Gefangenen erhob, durch das Tochterherz schnitt. Polyxena hatte den herrlichen Helden Achilleus manches Mal von den Mauern herab im Kampf erblickt, und obgleich er ein Feind ihres Volkes war, so hatten seine göttliche Gestalt und seine herrliche Heldenkraft ihr doch das Innerste bewegt. Ja, auch

Achilleus, so ging die Sage, habe, als er einst im Kampf bis dicht vor die Tore der belagerten Stadt gedrungen, die holdselige Jungfrau auf den Zinnen der Mauer erblickt, und ihm sei das Herz in Neigung zu ihr entbrannt, dass er ausrief: »Priamos' Tochter, würdest du mir zuteil, wer weiß, ob ich nicht den Frieden mit den Danaern zu Wege zu bringen mich anheischig machen wollte!« Zwar reute den Helden das Wort, sowie es der Zunge entflohen war: denn ihm fiel ein, was er Griechenland schuldig sei. Aber Polyxena, so erzählte das Gerücht, habe sich die Worte tief zu Herzen genommen und sei seitdem in geheimer Liebe zu dem Feind ihres Volkes entbrannt.

Sei dem, wie ihm sei: die Jungfrau erblasste nicht, als aller Blicke auf sie gerichtet, nur sie als das Opfer bezeichneten, das als der edelste Teil der trojanischen Beute dem größten Helden dargebracht zu werden würdig wäre. Der Altar vor dem Denkmal des Peliden stand aufgerichtet, und es fehlte nicht an Opfergeräten aller Art. Da sprang die Königstochter aus der Schar der gefangenen Frauen hervor, ergriff einen scharf geschliffenen Stahl, der unter den andern Gerätschaften bereitlag, und wie ein Opfer vor dem Altar stehend, stieß sie sich den Dolch, ohne ein Wort zu sprechen, ins Herz und sank, ohne einen Seufzer von sich zu geben, zu Boden.

Ein Schrei der Wehklage ließ sich aus dem ganzen Argiverheer vernehmen. Hekabe, die greise Königin, warf sich laut weinend auf die Leiche der Tochter, und von neuem hallte das laute Schluchzen unter der Schar der gefangenen Trojanerinnen.

In dem Augenblick, wo Polyxena zusammensank und der purpurne Blutstrahl ihr aus der durchbohrten Brust drang, wurde das Meer ruhig, und seine Wellen ebneten sich in spiegelnder Fläche. Neoptolemos eilte voll Mitleid herbei, half die geopferte Jungfrau vom Altar wegbringen und sorgte dafür, dass sie mit königlichen Ehren bestattet wurde. In der Versammlung der Argiver aber erhob sich Nestor und sprach herzerfreuende Worte: »Endlich«, rief der Greis, »ihr lieben Landsleute, ist die erlaubte Stunde der Heimkehr genaht; der Beherrscher des Meeres hat die Wogen gebändigt, nirgendher erhebt sich die Flut; Achilleus ist zufrieden gestellt; er nimmt das Opfer Polyxenas an. Auf denn, lasset uns ernstlich an den Aufbruch denken und zieht die Schiffe ins Meer!«

Abfahrt von Troja. Ajax des Lokrers Tod

Unter Jubelruf geschah, wie Nestor geraten hatte; die Schiffe wurden fertig gemacht, sämtliche Güter an Bord gebracht, die Gefangenen zuerst, weinend und wehklagend, eingeschifft, alsdann folgten die Danaer selbst. Nur der Seher Kalchas schloss sich ihnen nicht an, ermahnte sie vielmehr, die Fahrt noch nicht zu beginnen, denn sein wahrsagender Geist ließ ihn ein kleines Unglück ahnen, das die Griechen an den kapharischen Felsen bedrohe, welche ein Vorgebirge der Insel Euböa umgaben, an dem die Flotte auf ihrer Heimkehr nach Griechenland vorübersegeln musste. Aber ihm folgte keiner: das Verlangen nach der süßen Heimat hatte alle Herzen betört; endlich zog Amphilochos, der Sohn des berühmten Sehers Amphiaraos, den der Boden vor Theben verschlungen hatte, den Fuß, den er schon ins Schiff gesetzt hatte, zurück. In seinem Geiste dämmerte die Sehergabe seines Vaters auf, und er wurde sich gleicher Ahnung bewusst wie Kalchas. So blieb er bei diesem zurück. Ihnen beiden war vom Schicksal bestimmt, das griechische Heimatland nicht wieder zu erblicken; sie sollten in den kilikischen und pamphilischen Städten Kleinasiens sich ihre Wohnsitze gründen.

Alle andern Achäer lösten indessen die Taue, mit welchen die Schiffe ans Land gebunden waren, und hoben eilig die Anker empor. Bald umspülte das freie Meer die Dahinsegelnden. Auf dem Vorderteil der Schiffe lagen überall Waffen erschlagener Feinde; unzählige Siegeszeichen hingen von den Masten herab; die Schiffe selbst waren bekränzt; Blumenkronen hatten sich die Sieger um Schilde, Lanzen und Helme geflochten: so standen sie auf den Vorderdecken und gossen Trankopfer goldenen Weines ins Meer, indem sie voll Inbrunst zu den Göttern um eine Zurückkunft flehten, mit der ihnen kein Unheil verbunden wäre. Aber ihr Gebet war nichtig: Luft und Winde trugen es fort von den Schiffen und zerstreuten es in die Lüfte, bevor es sich in den Olymp emporschwingen konnte.

Wie die Helden nun voll Hoffnung und Sehnsucht vorwärts blickten, so schauten die gefangenen trojanischen Frauen und Jungfrauen mit bekümmertem Herzen rückwärts nach dem rauchenden Troja, und verstohlenerweise seufzten und weinten sie den verhaltenen Schmerz aus. Die Mädchen hatten die Hände in den Schoß gefaltet, die jungen Frauen hielten Kinder in den Armen. Diese aber dachten nur an die Mutterbrust und fühlten ihr Unglück noch nicht. In der Mitte anderer Gefangener stand Kassandra, und ihr edler Wuchs ragte hoch über die andern hervor. Aber ihr Auge war tränenlos, und sie spottete der Klage, die rings um sie her ertönte: denn jetzt war geschehen, was sie geweissagt hatte und worüber sie von den Jammernden verlacht worden war. Nun höhnte wohl ihr Mund die Mitgefangenen, aber ihr Herz blutete heimlich über dem Unglück der zerstörten Vaterstadt.

Unter den Trümmern Trojas irrten wenig übrig gebliebene Einwohner, schwache Greise oder verwundete Männer, Antenor an ihrer Spitze, einher. Dieser führte sie zu dem schmerzlichen Werk der Leichenbestattung an, das nur langsam vor sich ging, denn der Toten waren so viele und der Lebenden so wenige. Die wenigen bauten an einem unermesslichen Holzstoß, und als er fertig war, legten sie alle Leichen der Ihrigen miteinander darauf und zündeten den Scheiterhaufen unter Tränen und Wehklagen an. Die Danaer hatten indessen bald das Grabmal des Achilleus und die trojanische Küste im Rücken. Obwohl sie aber immer fröhlicheren Mutes wurden, mischte sich doch auch die Wehmut in ihre Freude, wenn sie an die vielen gefallenen Freunde dachten. Eine Küste und eine Insel um die andere flog an ihrem Blick vorüber: Tenedos, Chrysa, das Orakel des Phöbos, die heilige Killa, Lesbos das Eiland, das Vorgebirge Lekton, endlich der äußerste Vorsprung des Gebirges. Die Winde blähten die Segel, die Flut rauschte, schwarz rollten die Wellen daher, und wenn sie an den Schiffen sich gebrochen hatten, dehnte sich ihr schäumender Pfad weiß über das Meer hin.

Die Sieger hätten auch wirklich die Küste Griechenlands glücklich erreicht, wenn nicht Pallas Athene über der Untat des Lokrers Ajax ihnen gegrollt hätte. Als sie nun an die stürmische Küste von Euböa gelangt waren, sann die Göttin darauf, dem Sohn des Oileus ein trauriges, unbarmherziges Los zu bereiten. Sie hatte dem Göttervater im Olymp den Frevel geklagt, den er in ihrem eigenen Tempel an ihrer Priesterin Kassandra begangen hatte, und begehrte Rache an dem Verbrecher zu nehmen. Und Zeus, der Verwalter der Gerechtigkeit auf Erden, setzte sich ihren Wünschen nicht entgegen; er legte vielmehr neben die Jungfrau die frischesten Donnerkeile der Zyklopen, die eben aus der Esse gekommen waren, und erlaubte seiner Tochter, den Griechen einen verderblichen Sturm zu erregen. Alsbald waffnete sich Athene, legte den schimmernden Agispanzer an, in dessen Mitte das Gorgonenhaupt mit den feurigen Schlangenhaaren starrte, und fasste eines der Geschosse des Vaters, die zu ihren Füßen lagen, wie es außer dem großen Zeus sonst kein Gott aufzuheben vermochte. Dann ließ sie den Olymp von Donnerschlägen erbeben, goss Wolken rings um die Berge und hüllte Meer und Land in Finsternis. Hierauf schickte sie ihre Botin Iris zu Äolos, dem Gott der Winde, hinab, wo in tiefen Abgründen der Erde die Höhle der Winde sich befindet, an welche die Wohnung des Äolos stößt. Die Botschafterin Athenes traf den Fürsten der Stürme bei seiner Gemahlin und seinen zwölf Kindern daheim; er vernahm den Befehl und gehorchte auf der Stelle. Mit rüstigen Händen stieß er den großen Dreizack in den Berg ein, wo die Behausung der tosenden Winde ist, und riss den Hügel mit Gewalt auf. Die Stürme stürzten wie Jagdhunde sogleich aus der Öffnung hervor; er aber befahl ihnen, sich sofort zu einem einzigen finstern Orkan zu vereinen und nach der Brandung der kapharischen Felsen zu fliegen, welche die Küste von Euböa umlagern. Noch ehe sie vollständig das Wort ihres Königs vernommen, machten sich die Winde auf den Weg; die Meerflut stöhnte unter ihnen; wie Berge wälzten sich die Wogen einher, und den Argivern brach der Mut im Herzen zusammen, als sie den Meerschwall turmhoch gegen sie anrücken sahen. Bald war nicht mehr an das Rudern zu denken; die Segel hatte der Sturm zerrissen, dass Fetzen herunterhingen; zuletzt erlahmte auch die Kraft der Steuermänner; die finstere Nacht brach ein, und mit ihr verschwand jede Hoffnung der Rettung. Auch Poseidon half seiner Bruderstochter Pallas, und diese raste ohne Erbarmen vom Olymp mit Blitzen daher, die vom krachendsten Donner begleitet waren. Wehklagen und Stöhnen scholl von den Schiffen; hier und dort barst das Gebälk eines Fahrzeuges, wenn es vom Sturm gewaltsam an ein stärkeres geschleudert worden war, und diejenigen, die dem Stoß herstürzender Schiffe durch Rudern zu entgehen versuchten, wurden vom Wind in die Tiefe gerissen. Endlich schleuderte Athene den schärfsten Donnerkeil, den sie für diese Stunde besonders aufgespart hatte, in das Schiff des Ajax, dass es auseinander brach und in viele Teile zersplitterte. Erde und Luft hallten von dem Knall, und die Wogen umkreisten das berstende Schiff. Scharenweise stürzten aus diesem die Menschen in die Flut und wurden von den

Wellen verschlungen. Ajax selbst jedoch schwamm bald auf einem der Balken des Schiffes, die auf den Wellen hier und dort zerstreut daherfuhren, bald zerteilte sein nerviger Arm die Woge, die sich vor dem kräftigen Schwimmer spaltete; bald trug ihn eine mächtige Welle wie zum Gipfel eines himmelhoch ragenden Berges, bald schleuderte sie ihn wieder hinab in den tiefsten Abgrund. Von allen Seiten fuhr der Blitz neben ihm einschlagend und zischend in die Fluten, aber noch war es Athenes Wille nicht, dass der Tod sich über ihn erbarme. Auch war sein Mut noch nicht erschöpft; er ergriff ein aus den Wellen hervorragendes Felsstück und vermaß sich, wenn auch alle olympischen Götter herangezogen kämen und die Fluten gegen ihn aufreizten, so sollte ihm doch die Rettung nicht misslingen.

Diese Prahlerei hörte der Erderschütterer Poseidon, dessen Gottheit dem Ringenden am nächsten war, mit Unwillen. Im heftigsten Zorn erschütterte er Meer und Erde zugleich; die Felsabhänge des Vorgebirges Kaphareos erbebten, und die Gestade donnerten ringsumher unter der Peitsche des Herrschers. Da wurde zuletzt der mächtige Felsblock, an welchen sich Ajax mit den Händen angeklammert hielt, vom Grunde losgerüttelt und mit ihm der Lokrer wieder ins Meer hinausgestoßen, dass der anspülende Schaum ihm Haupt- und Barthaar weiß färbte. Auf den Versinkenden stürzte Poseidon noch einen losgerissenen Vorsprung des Vorgebirges, dass dessen Erdmasse den Lokrerfürsten, wie einst der Ätna den Enkelados, deckte. So unterlag er, von der Erde und vom Meere zugleich bezwungen.

Die Schiffe der Danaer irrten indessen schwankend und leck auf der stürmenden See umher; viele waren geborsten, viele von den Wogen verschlungen; die Meerflut tobte fort, und der Regen strömte herab, als drohte dem nahen Lande eine zweite deukalionische Flut. Jetzt wurde auch noch die Steinigung des Palamedes an den unglücklichen Griechen gerächt. Auf Euböa herrschte nämlich noch immer der Vater dieses Helden, Nauplios. Als dieser an seiner Küste die griechische Flotte erblickte, die mit dem fürchterlichen Sturme rang, gedachte er der hinterlistigen Ermordung seines geliebten Sohnes, um welchen er nun so viele Jahre trauerte. Die Rachelust war in seinem Herzen nie eingeschlummert, und jetzt hoffte er sie stillen zu können. Er eilte an den Strand, ließ längs des kapharischen Vorgebirges, den gefährlichsten Klippen gegenüber, brennende Fackeln aufstecken und machte dadurch in den Griechen den Glauben rege, dass es Rettungszeichen seien, welche mitleidige Uferbewohner für sie aufgepflanzt hätten. In dieser Hoffnung steuerten die Danaer mit Begierde auf die Klippen zu, und viele ihrer Schiffe fanden hier den Untergang.

Zugleich ergoss sich das Meer vor Troja auf des grollenden Poseidon Befehl über seine Gestade und zerstörte alle Bollwerke und Mauern, welche die Griechen bei ihren Schiffen und vor der belagerten Stadt aufgeführt hatten. Und so war bald von der ungeheuren Unternehmung nichts mehr übrig als der Schutthaufen Trojas und einige Schiffe voll zurückkehrender Helden und gefangener Trojanerinnen, die, vom Sturm da- und dorthin zerstreut, mit Mühe und nach langen und mannigfaltigen Drangsalen die Küsten Griechenlands wieder erreichten, wo nur weniger Sieger ungetrübte Glückseligkeit wartete.

DRITTER BAND

DIE LETZTEN TANTALIDEN

Agamemnons Geschlecht und Haus

Troja war gefallen. Die heimsegelnde Flotte der Hellenen, vom Sturme halb vernichtet, hatte sich in ihren Überbleibseln wieder zusammengefunden, und auf der beruhigten See fuhren die Abteilungen der Griechen jede ihrer Heimat zu. Agamemnon, dessen Schiffe, von der Herrscherin Hera beschützt, keinen Schaden genommen hatten, steuerte rüstig auf die Küste des Peloponnes los. Schon nahte er dem spitzigen Felsenhaupte des Vorgebirges Malea in Lakonien, als ihn plötzlich aufs Neue das Ungestüm eines Orkans ergriff und ihn mit allen Fahrzeugen in die offene Flut des Meeres zurückwarf. Seufzend, mit aufgehobenen Händen flehte der Völkerfürst empor zum Himmel und bat die Götter, ihn nicht nach so vielem Ungemach und nach mühselig vollbrachtem Willen der Himmlischen im Angesicht seiner Heimat mit so vielen tapferen Männern verderben zu lassen. Er wusste nicht, dass diesmal der Sturm sein Freund und von warnenden Gottheiten ihm zugesendet war, denn ihm wäre besser gewesen, an die fernste Barbarenküste verschlagen, in der Verbannung sein Leben zu beschließen, als seinen Fuß in den heimischen Königspalast Mykenes zu setzen.
Auf Agamemnons Geschlecht ruhte ein Fluch; von seinem Urahn Tantalos her war es unter Gräueln erwachsen; ruchlose Gewalt hatte die einen seiner Glieder gestürzt, die anderen erhoben; durch einen ungeheueren Frevel im eigenen Hause sollte auch Agamemnon das Ziel seines Lebens finden. Der Urgroßvater Tantalos hatte den zum Mahle geladenen Göttern seinen Sohn Pelops gekocht zum Schmause vorgesetzt, und nur ein Wunder hatte diesen Stammhalter des Geschlechts ins Leben zurückgerufen. Pelops, sonst unsträflich, ermordete seinen Wohltäter Myrtilos, den Sohn des Hermes, und half durch diesen Mord den Fluch des Hauses weiterspinnen. Myrtilos nämlich, der Stallmeister des Königs Önomaos, dessen Tochter Hippodameia Pelops durch den Sieg im Wagen-

rennen gewinnen sollte, ließ sich überreden, die Nägel aus dem Wagen seines Herrn zu ziehen und wächserne statt der eisernen einzustecken. Dadurch ging der Wagen des Önomaos auseinander, und Pelops gewann den Sieg und die Jungfrau. Als aber Myrtilos die versprochene Belohnung forderte, stürzte ihn Pelops, um keinen Zeugen seines Betruges zu haben, ins Meer. Vergebens suchte er den über diesen Frevel zürnenden Gott Hermes zu versöhnen, baute dem Sohn ein Grabmal und dem Vater einen Tempel; er und sein Geschlecht waren der Rache des Gottes verfallen.

In den Söhnen des Pelops, Atreus und Thyestes, wirkte der Fluch kräftig fort. Atreus war König zu Mykene, Thyestes neben ihm König in südlichen Teile des argolischen Landes. Der ältere Bruder besaß einen Widder, der goldene Wolle trug; nach diesem gelüstete Thyestes, den jüngeren; er verführte die Gemahlin des Bruders, Aërope, zur Untreue und erhielt von ihr das goldene Lamm. Als Atreus das doppelte Verbrechen seines Bruders inneward, hielt ihn keine Überlegung ab; er handelte wie der Großvater, heimlich ergriff er die beiden kleinen Söhne des Thyestes, Tantalos und Plisthenes, setzte sie geschlachtet beim grässlichen Gastmahle dem Bruder vor und gab ihr Blut, zum Weine gemischt, dem unseligen Vater zu trinken. Dem zuschauenden Sonnengott kam über diese Unmenschlichkeit ein solches Entsetzen an, dass er seinen Wagen rückwärts lenkte, Thyestes aber floh vor dem entsetzlichen Bruder nach Epirus zu dem König Thesprotos. Das Land des Atreus ward von Dürre und Hungersnot heimgesucht, und der befragende König erhielt vom Orakel die Antwort, die Landplage werde aufhören, wenn der vertriebene Bruder zurückberufen sei. So machte sich Atreus selbst auf den Weg, den Thyestes in seiner Zufluchtsstätte aufzusuchen, und führte ihn mit einem Sohne namens Ägisthos in die alte Heimat zurück. Auch dieser Ägisthos war das Kind eines Gräuels und in seinem Asyl von Thyestes erzeugt. Aber er hatte geschworen, seinen Vater an dem Atreus und dessen Kindern zu rächen. Das Erste vollführte er bald, nachdem die Brüder zusammen nach Mykene zurückgekehrt waren. Ihre Freundschaft war dort von kurzer Dauer gewesen, und Atreus hatte den Bruder in den Kerker geworfen. Da erbot sich Ägisthos trügerischerweise dem Oheim, indem er sich über den Gräuel seiner Geburt entrüstet stellte, den eigenen Vater umzubringen. In den Kerker eingelassen, verabredete er mit seinem Vater die Rache, zeigte dem Atreus ein blutiges Schwert, und als dieser, über den geglaubten Tod des Bruders fröhlich, am Meeresufer ein Dankopfer anstellte, stieß ihm Ägisthos dasselbe Schwert in den Leib. Thyestes kam aus seiner Haft hervor und bemächtigte sich auf kurze Zeit des brüderlichen Reiches, aber der älteste Sohn des Atreus, Agamemnon, stellte ihm nach und rächte mit dem Schwert an ihm des Vaters Mord. Ägisthos blieb verschont, er ward von den Göttern zum Fluche des Geschlechts aufgehoben und regierte als König in dem alten Anteil seines Vaters im südlichen Lande.

Wie nun Agamemnon in den Krieg vor Troja gezogen war und seine Gemahlin Klytämnestra, über die Opferung ihrer Tochter Iphigenia grollend, im tiefen Mutterschmerze zu Hause saß, da deuchte dem Ägisthos die rechte Zeit gekommen, auch dem Atriden mit seiner Rache zu nahen. Er erschien im Königspalast zu Mykene, und der Wunsch, am unmenschlichen Gatten sich zu rächen, gab sie nach langem Widerstreben der Verführung des Bösewichts preis, dass sie als mit einem zweiten Gemahl Palast und Reich Agamemnons mit ihm teilte. Von ihrem rechtmäßigen Gatten lebten in dessen Hause damals drei Geschwister der entrückten lphigenia, ihr zunächst am Alter die kluge Jungfrau Elektra, eine jüngere Schwester Chrysothemis und ein kleiner Knabe, Orestes. Vor ihren Augen nahm Ägisthos von dem Ehebund und Palast des Vaters Besitz. Das frevelnde Paar, als sich der Kampf von Troja zu seinem Ende neigte, war jetzt nur darauf bedacht, dass der heimkehrende Agamemnon mit seiner furchtbaren Kriegerschar sie nicht unvorbereitet überraschen möchte. Seit Jahren war auf den Zinnen des Palastes ein Wächter aufgestellt, dem ein nächtliches Fackelzeichen von der Meergrenze des Landes her die Nachricht von der Eroberung Trojas und der Ankunft des Königs geben sollte. War die Kunde einmal gekommen, so sollte es an Zurüstungen nicht fehlen, dem König Agamemnon einen festlichen Empfang zu bereiten und ihn in die Falle zu locken, noch bevor er den wahren Zustand der Dinge in seiner Heimat erführe.

Endlich erglänzte die Fackel bei Nacht. Der Wächter eilte von der Zinne herab und meldete der Herrin das erblickte Zeichen. Mit Ungeduld erwarteten Klytämnestra und ihr Buhle den Morgen, und die Sonne war noch nicht lange aufgegangen, als schon ein Herold, von dem heimkehrenden König abgesandt, mit Olivenzweigen sein Haupt beschattend, auf den Palast von Mykene zugeschritten kam. Die Königin ging ihm mit verstellter Freundlichkeit entgegen. Doch sorgte sie, dass der Bote sich im Königshause nicht umsehen konnte, und als dieser in einer langen Erzählung seiner Siegesfreude Luft machen wollte, unterbrach sie ihn hastig und sprach: »Bemühe dich nicht, am besten werde ich das alles aus dem Munde meines königlichen Gemahls selbst erfahren. Kehre zurück und beschleunige seinen Weg. Sage ihm, wie erwünscht er mir und der Stadt komme und dass ich selbst mich zum Aufbruch anschicken werde, ihn nicht nur als meinen verehrten und geliebten Gatten, sondern auch als den herrlichen Eroberer einer weltberühmten Stadt nach Würden zu empfangen.«

Agamemnons Ende

Als der König Agamemnon im Sturme von dem Vorgebirge Malea zurückgeworfen worden war, trieb ihn der Wind mit seinem Schiffzuge nach dem südlichen Gestade des Landes, wo einst sein Oheim Thyestes geherrscht hatte und jetzt der Fürstensitz des Ägisthos war. Er warf die Anker aus und wartete günstigen Fahrwind in einer sicheren Hafenbucht ab. Ausgeschickte Kundschafter brachten ihm die Nachricht, dass der König des Landes, Ägisthos, mit seiner Gemahlin Klytämnestra, seit sie von Aulis zurückgekehrt sei, in nachbarlicher Freundschaft gelebt habe, ja dass dieser, schon seit geraumer Zeit nach Mykene berufen, in der Königin Namen das Reich Agamemnons verwalte. Der Völkerfürst erfreute sich dieser Nachricht und suchte nichts Arges darunter. Er dankte den Göttern, dass der alte Rachegeist aus seinem Hause verschwunden sei. Ihm selbst, der so viel Griechen- und Barbarenblut vor Troja notgedrungen vergossen hatte, war der Durst nach Blutrache vergangen, und sein Inneres dachte nicht daran, den Mörder seines Vaters, der doch selbst nur gerechte Rache genommen hatte, zu strafen. Auch das Herz seiner Gemahlin glaubte er durch den langen Zeitraum beschwichtigt. Unter fröhlichen Hoffnungen lichtete er die Anker bei günstigem Wind und lief mit seinen Kriegern wohlbehalten in den Hafen seiner Heimat ein.

Sobald er hier den Göttern ein Dankopfer für Rettung und geglückte

Fahrt am Ufer dargebracht hatte, folgte er mit seiner Kriegerschar dem abgesandten Herold. Vor der Stadt Mykene kam ihm das gesamte Volk, sein Vetter Ägisthos, der im ganzen Lande als königlicher Verwalter des Reiches galt, an der Spitze, entgegen. Alsdann erschien auch, von den Frauen ihres Hauses begleitet und von den streng bewachten Kindern umgeben, die Königin Klytämnestra. Wie man bei erheuchelter Freude pflegt, empfing sie den Gemahl mit allen ersinnlichen Ehrenbezeugungen und mit übertriebener Ehrfurcht, ja, statt ihn zu umfangen, warf sie sich vor ihm auf die Knie nieder und ergoss sich in Glückwünschungen und Lobsprüchen. Agamemnon aber eilte freudig auf sie zu, hob sie vom Boden, umarmte sie und sprach: »Was denkst du, Ledas Tochter, dass du wie eine Sklavin den Barbarenherrn, fußfällig im Staube dich wälzend, mich empfängst? Und was sollen diese herrlichen gestickten Teppiche, die unter meinen Fußtritt gebreitet sind? So empfängt man unsterbliche Götter und nicht sterbliche schwache Menschen. Ehre mich so, dass die Himmlischen mich nicht beneiden!«

Nachdem er die Gattin so begrüßt und die Kinder umarmt und geküsst, wandte er sich um zu Ägisthos, der mit den Häuptlingen der Stadt seitwärts stand, reichte ihm brüderlich die Hand und sagte ihm freundlichen Dank für die sorgfältige Verwaltung des Landes. Dann löste er die Riemen seiner Schuhe und ging barfuß über das kostbare Gewebe der Teppiche durch die ganze Stadt bis zu seinem Palast. In seinem Gefolge befand sich auch Kassandra, die weissagende Tochter des Priamos, die in der Beute dem Völkerfürsten, der sie von den ruchlosen Händen Ajax des Lokrers befreit hatte, zuteil geworden war. Sie saß mit gesenktem Haupt und niedergeschlagenen Augen auf einem hohen, auch mit anderer Beute beladenen Wagen. Als Klytämnestra die edle Gestalt der Jungfrau gewahr wurde, überschlich sie ein Gefühl der Eifersucht, zu welchem sie freilich am wenigsten berechtigt war; gewaltiger aber noch befiel sie ein Schrecken, als sie den Namen der Gefangenen erkundet und erfahren hatte, dass sie die wahrsagende Priesterin der Pallas in ihrem durch Ehebruch entweihten Hause beherbergen sollte. Die höchste Gefahr deuchte ihr deswegen, länger mit ihrem verruchten Vorhaben zu zögern, und schnell war ihr arglistiger Entschluss gefasst, die fremde Jungfrau zur gleichen Stunde mit dem Gatten zu verderben. Doch verbarg sie sorgfältig ihr Inneres vor der Seherin, und als der ganze Zug vor dem Königspalast zu Mykene angekommen war, trat sie freundlich zu dem Wagen und rief ihr zu: »Steige herab, traurige Jungfrau, und gib dem Verdruss Abschied! Musste doch selbst Alkmenes unbezwinglicher Sohn, Herakles, einst in die Knechtschaft wandern und sein Haupt unter das Joch einer fremden Herrin beugen! Wem das Schicksal einen solchen Zwang zugedacht hat, der darf sich glücklich preisen, wenn er unter Herren kommt, bei denen alter Reichtum zu Hause ist, denn wer das Glück erst kurz und unverhofft geerntet hat, pflegt hart und übermütig gegen Knechte zu sein. Sei getrost, du sollst alles bei uns erhalten, was billig ist!«

Kassandra veränderte ihre Miene nicht bei diesen Worten, lange blieb sie ohne Regung auf dem Stuhl ihres Wagens sitzen, die Dienerinnen mussten sie nötigen, ihren Platz zu verlassen. Endlich sprang sie vom Sitze wie ein gescheuchtes Wild, ihr Herz wusste alles, was ihr bevorstand; sie war gewiss, dass der Schluss des Schicksals nicht zu ändern sei; und hätte sie ihn ändern können, sie hätte doch der Rachegöttin den Feind ihres Volkes nicht entziehen wollen, und weil er doch ihr Retter war, so verdross es sie nicht, mit ihm zu sterben.

Im Palast wurden der Fürst Agamemnon und alle mit ihm Angekommenen durch Zurüstungen zu einem prächtigen Gastmahle getäuscht. Bei diesem Mahle hätte er von den gedungenen Knechten des Ägisthos wie ein Stier an der Krippe erschlagen werden sollen. Die Ankunft der Wahrsagerin aber bestimmte die Königin und ihren Ehebrecher, die Entscheidung nicht auf diesen Hinterhalt auszusetzen, sondern rascher und einsamer zu Werke zu gehen.

Agamemnon, von der Fahrt ermüdet und vom Wege durch das Land nach der Stadt bestäubt, verlangte nach einem erquicklichen Bade, und Klytämnestra erklärte ihm mit liebreicher Zuvorkommenheit, dass sie dieses Bedürfnis längst vorhergesehen und dass ein warmes Bad für ihn bereitgehalten sei. Der König betrat ahnungslos das Badegewölbe seines Palastes, legte Panzer, Waffen und alle Gewänder ab und bestieg wehrlos und entkleidet den Badebehälter. Da brachen Ägisthos und Klytämnestra aus ihrem Versteck hervor, warfen ihm ein festgewundenes Netz über den Leib und durchbohrten ihn mit wiederholten Dolchstichen. Sein Hilferuf drang aus dem unterirdischen Gemach, wo die Bäder sich befanden, nicht hinauf in den oberen Palast. Unmittelbar nachher ward

Kassandra, die einsam durch die dunkeln Vorhallen des Königspalastes hin und her irrte, niedergemacht.
Sobald die doppelte Untat geschehen war, gedachten die Mörder, auf ihren Anhang vertrauend, sie nicht länger zu verbergen. Die beiden Leichname wurden im Palast ausgestellt; Klytämnestra berief die Häupter der Stadt und sprach ohne Rücksicht und ohne Scheu: »Verarget mir, Freunde, meine bisherige Verstellung nicht. Ich habe dem Todfeinde meines Hauses, dem Mörder meines geliebtesten Kindes, seine Blutschuld nicht anders bezahlen können; ja, ich habe ihn ins Netz gelockt, wie einen Fisch habe ich ihn gefangen; mit drei Dolchstichen, im Namen des unterirdischen Pluton geführt, habe ich meine Tochter gerächt. Es ist Agamemnon, mein Gatte, von meiner eigenen Hand umgebracht, ich leugne es nicht. Hat er doch, als handelte es sich um den Tod eines Schlachtviehes, sein eigenes Kind, mir das liebste, geopfert, um mit meinem Mutterschmerze die thrakischen Winde zu besänftigen. Verdiente ein solcher Frevler zu leben, verdiente er, ein so schönes, ein so frommes Land zu beherrschen? Ist's nicht gerechter, dass Ägisthos euch befehle, der keinen Kindermord auf dem Gewissen hat, der in Atreus und im Atriden nur Erbfeinde seines Vaters gerächt hat? Ja, es ist billig, dass ich ihm die Hand reiche, dass ich Palast und Thron mit ihm teile, der das Werk der beleidigten Mutterliebe, das Werk der Gerechtigkeit mir vollbringen half. Er ist ein Schild meiner Kühnheit; solange er und sein Anhang mich beschützen, wird niemand es wagen, mich wegen meiner Tat zur Rechenschaft ziehen zu wollen. Was diese Sklavin betrifft« – mit diesen Worten deutete sie auf Kassandras Leichnam –, »so war sie die Buhlerin des Treulosen; sie hat die Strafe des Ehebruchs erlitten und soll den Hunden zum Zerfleischen vorgeworfen werden.«
Die Häupter der Stadt blieben auf diese Rede stumm. An Gegenwehr war nicht zu denken. Die Bewaffneten des Ägisthos umgaben den Palast; Waffengeklirr ertönte, und drohende Laute ließen sich hören. Die Krieger Agamemnons, deren eine weit kleinere Schar aus dem männervertilgenden Kriege von Troja heimgekehrt war, waren in der Stadt zerstreut und hatten sorglos die Waffen von sich gelegt. Der wilde Anhang des Ägisthos durchzog die Stadt in voller Rüstung und metzelte jeden nieder, der gegen den grässlichen Mord seines Fürsten sich auflehnte.
Die Frevler versäumten auch nichts, ihre Herrschaft zu befestigen. Alle

Ehrenstellen, alle Kriegsämter wurden unter ihre treuesten Anhänger verteilt. Die Töchter Agamemnons betrachteten sie als gefahrlose Weiber; aber zu spät fiel ihnen ein, dass in dem jungen Orestes, dem jüngsten Kinde Agamemnons und Klytämnestras, dem Vater ein Rächer nachwachse. Obgleich er kaum zwölfjährig war, hätten sie ihn doch gern getötet, um sich von aller Furcht der Strafe zu befreien. Aber seine kluge Schwester Elektra, besonnener als die Mörder, hatte sogleich nach der Tat Sorge für ihn getragen und ihn heimlich dem Sklaven, dem seine Aufsicht anvertraut war, übergeben. Dieser hatte ihn nach Phanote im Lande Phokis gebracht und ihn dort als ein heiliges Unterpfand dem befreundeten König Strophios übergeben, der sein zweiter Vater wurde und ihn mit seinem eigenen Sohne Pylades sorgfältig erzog.

Agamemnon gerächt

Elektra führte inzwischen im Königspalast ihres ermordeten Vaters das traurigste Leben, und nur die Hoffnung, ihren Bruder einst, zum Manne herangewachsen, als Rächer in den väterlichen Hallen erscheinen zu sehen, tröstete ihr kummervolles Dasein. Von der Mutter wurde ihr die bitterste Feindschaft zuteil; im eigenen Stammhause musste sie mit den Mördern ihres Vaters wohnen und ihnen in allem unterwürfig sein; auf sie kam es an, ob sie darben oder den notdürftigen Unterhalt empfangen sollte. Auf dem Thron Agamemnons sah sie den Ägisthos in königlicher Herrlichkeit sitzen, sah ihn in dessen schönste Gewänder, welche die Vorratskammern des Palastes füllten, gekleidet einhergehen und den Schutzgöttern des Hauses an der gleichen Stelle Trankopfer spenden, wo er seinen Blutsverwandten ermordet hatte. Sie war Zeuge der zärtlichen Vertraulichkeit, mit welcher die freche Mutter den Besudelten behandelte; denn diese, mit Lächeln über das hinschlüpfend, was sie Gräuliches begangen hatte, ordnete alljährlich Festreigen zu dem Tage an, an welchem sie den Gatten trügerisch dahingewürgt, und brachte noch dazu den Rettungsgöttern jeden Monat reichliche Schlachtopfer dar. Die Jungfrau verzehrte sich bei diesem empörenden Anblick in geheimem Gram, denn es war ihr nicht einmal frei zu weinen vergönnt, sosehr ihr Herz danach begehrte. »Was weinst du, Gottverhasste«, rief ihr die Mutter zornig zu, sooft sie diese in Tränen fand, »starb denn dir allein der Vater? Hat denn kein Sterblicher zu trauern als du? Möchtest du doch in deinem törichten Jammer schmählich vergehen!« Zuweilen ward ihr böses Gewissen durch ein eitles Gerücht aufgeschreckt, als sei Orestes aus der Fremde im Anzuge; dann wütete sie am rückhaltlosesten gegen die unglückliche Tochter. »Nun, wäre es nicht deine Schuld«, rief sie ihr zu, »wenn er käme? Bist nicht du es, die ihn aus meiner Hand hinweggestohlen und heimlich davongeschickt hat? Doch wirst du dich deiner Anschläge nicht freuen; der verdiente Lohn ereilt dich, ehe du es denkst!« In solchen Scheltworten stand ihr dann der verworfene Gatte Ägisthos bei, und vor beider Flüchen verbarg sich Elektra in die dunkelste Kammer des Hauses.

Jahre waren so dahingeschwunden, während welcher sie unaufhörlich auf das Erscheinen ihres Bruders Orestes hoffte, denn dieser hatte bei seiner Flucht, so jung er war, doch der Schwester das Versprechen hinterlassen, zur rechten Zeit, wenn er Manneskraft in seinem Arme mitbringen könnte, da zu sein. Jetzt aber zögerte der längst herangereifte Jüngling so lange, und die nahen wie die fernen Hoffnungen erloschen allmählich in dem trostlosen Herzen der trauernden Jungfrau.

Bei ihrer jüngeren Schwester Chrysothemis, die nun auch längst herangewachsen war, aber nicht das männliche Gemüt Elektras besaß, fand die treue Tochter Agamemnons keine Unterstützung ihrer Pläne und wenig Trost in ihrem Schmerz. Doch geschah dies nicht aus Gefühllosigkeit, sondern nur aus Schwäche des weiblichen Herzens. Chrysothemis gehorchte der Mutter und widersetzte sich nicht halsstarrig ihren Befehlen wie Elektra. So kam sie denn auch eines Tages mit Opfergerät und Grabesspende für Verstorbene im Auftrage der Mutter vor das Tor des Palastes gegangen und trat der Schwester hier in den Weg. Elektra schalt sie über diesen Gehorsam und fand es schnöde, dass ein Kind solchen Mannes des Vaters vergessen und der ruchlosen Mutter stets gedenken könne. »Willst du denn«, erwiderte ihr Chrysothemis, »so lange Zeit hindurch niemals lernen, dich nicht fruchtlos leerem Grame hinzugeben? Glaube nur, dass mich auch kränkt, was ich sehe, und nur aus Not ziehe ich mein Segel ein. Dich aber, dies vernahm ich von der Grausamen, wollen sie, wenn du nicht aufhörst zu klagen, fern von dem Elternhause in einen tiefen Kerker werfen, wo du den Strahl der Sonne niemals wieder schauen sollst. Bedenke dies und gib nicht mir die Schuld, wenn jene Not einbricht!« – »Mögen sie es tun«, antwortete Elektra stolz und kalt, »mir ist am wohlsten, wenn ich recht fern von euch allen bin! Aber wem bringst du dieses Opfer da, Schwester?« – »Es ist von der Mutter unserem verstorbenen Vater bestimmt.« – »Wie, für den Ermordeten?«, rief Elektra staunend. »Sprich, was bringt sie auf solche Gedanken?« – »Ein nächtliches Schreckbild«, erwiderte die jüngere Schwester. »Sie hat, so geht die Sage, unseren Vater im Traum geschaut, wie er den Herrscherstab, den er einst trug und jetzt Ägisthos trägt, in unserem Hause ergriff und in die Erde pflanzte. Diesem entspross alsobald ein Baum mit Ästen und üppigen Zweigen, der über ganz Mykene seinen Schatten verbreitete. Durch dieses Traumbild geschreckt und zu banger Furcht aufgeregt, schickt sie mich heute, wo Ägisthos nicht zu Hause ist, des Vaters Geist mit diesem Grabesopfer zu versöhnen.« – »Teure Schwester«, sprach Elektra auf einmal in bittendem Tone, »ferne sei, dass die Spende des feindseligen Weibes das Grab unseres Vaters berühre! Gib das Opfer den Winden, vergrab es tief in den Sand, wo auch kein Teilchen davon die Ruhestätte unseres Vaters erreichen könne. Meinst du, der Tote im Grabe werde das Weihgeschenk seiner Mörderin frohen Mutes empfangen? Wirf du vielmehr alles hin, schneide dir und mir ein paar Locken des Haupthaares ab und bring ihm dieses unser demütiges Haar und meinen Gürtel da, das Einzige, was ich habe, als wohlgefälliges Opfer dar. Wirf dich dazu nieder und flehe zu ihm, dass er aus dem Erdenschoß als Beistand gegen unsere Feinde heraufsteige, dass der stolze Fußtritt seines Sohnes Orestes bald erschalle und seine Mörder niedertrete. Dann wollen wir sein Grab mit reicheren Opfern schmücken!« Chrysothemis, zum ersten Mal von der Rede der Schwester ergriffen, versprach zu gehorchen und eilte mit dem Opfer der Mutter hinaus ins Freie.

Sie hatte sich noch nicht lange entfernt, so kam Klytämnestra aus den inneren Hallen des Palastes und fing in gewohnter Weise auf ihre ältere Tochter zu schmähen an: »Du bist heute wieder ganz ausgelassen, scheint es, Elektra, weil Ägisthos, der dich sonst in Schranken hielt, einmal fort ist. Schämst du dich nicht, anders als es einer sittsamen Jungfrau geziemt, den Deinen zur Schande vor das Tor zu gehen und mich da wohl bei den aus und ein gehenden Mägden zu verklagen? Nimmst du noch immer den Vater zum Vorwande deiner Anklage, dass er durch mich gestorben sei? Nun wohl, ich leugne diese Tat nicht, aber nicht ich allein bin es, die sie verrichtete, die Göttin der Gerechtigkeit stand mir zur Seite, und auf ihre Seite solltest auch du treten, wenn du vernünftig wärest. Erfrechte sich nicht dieser dein Vater, den du unaufhörlich beweinst allein im ganzen Volke, deine Schwester dem Menelaos zum Vorteil hinzuopfern? Ist ein solcher Vater nicht schändlich und sinnlos? Würde der Toten gewährt zu sprechen, gewiss würde sie mir Recht geben! Ob aber du, Törin, mich schiltst, das gilt mir gleich.«

»Höre mich an«, erwiderte Elektra, »du gestehst meines Vaters Mord. Das ist Schande genug, mag dieser Mord nun gerecht gewesen sein oder nicht. Aber nicht um der Gerechtigkeit willen hast du ihn erschlagen! Die Schmeichelei des schnöden Mannes trieb dich dazu, der dich jetzt besitzt. Mein Vater opferte fürs Heer und nicht für sich, nicht für Menelaos. Widerstrebend, gezwungen tat er es, dem Volke zuliebe. Und wenn er es für sich, wenn er es für seinen Bruder getan hätte, musste er deswegen von deiner Hand sterben? Musstest du deinen Mordgenossen zum Gemahl nehmen und die allerschimpflichste Tat auf die allerverruchteste folgen lassen? Oder heißest du das vielleicht auch Vergeltung für den Opfertod deines Kindes?« – »Schnöde Brut!«, rief Klytämnestra zornglühend ihr entgegen. »Bei der Göttin Artemis, du büßest mir diesen Trotz, ist nur erst Ägisthos zurückgekommen. Wirst du dein Geschrei einstellen und mich ruhig opfern lassen?«

Klytämnestra wandte sich von der Tochter ab und trat an den Altar des Apollon, der vor dem Palast wie vor allen Häusern der Griechen aufgestellt war, Haus und Straße zu behüten. Das Opfer, das sie darbrachte, war bestimmt, den Gott der Weissagungen wegen des Traumgesichtes zu versöhnen, das ihr in der letzten Schreckensnacht im Schlafe vorgekommen war.

Und es schien, als wolle der Gott sie anhören. Sie war noch am Opfern, als ein fremder Mann auf die sie begleitenden Dienerinnen zuschritt und nach der Königswohnung des Ägisthos sich erkundigte. Von diesen an die Fürstin des Hauses gewiesen, beugte er die Knie vor ihr und sprach: »Heil dir, o Königin, ich bin gekommen, dir ein willkommenes Wort von deinem und deines Gemahls Freunde zu verkündigen. Mich sendet der König Strophios aus Phanote: es starb Orestes; damit ist mein Auftrag zu Ende.« – »Dies Wort ist mein Tod«, seufzte Elektra und sank an den Stufen des Palastes nieder. »Was sagst du, Freund?«, sprach hastig Klytämnestra, den Altar mit einem Sprunge verlassend. »Kümmere dich nicht um jene Närrin dort! Erzähle mir, erzähle!«

»Dein Sohn Orestes«, hob jener an, »von Ruhmbegier getrieben, war nach Delphi zu den heiligen Spielen gekommen. Als der Herold den Anfang des Wettlaufes verkündigte, so trat er herein in den Kreis, eine glänzende Gestalt, von allen angestaunt. Ehe man ihn recht seinen Anlauf nehmen sah, dem Winde oder dem Blitze gleich, war er am Ziel und trug den Siegespreis davon. Ja, so viel der Kampfrichter Heroldsrufe ergehen ließ, in dem ganzen fünffachen Kampfe der doppelten Rennbahn erschallte jedes Mal als Name des Siegers Orestes, der Sohn Agamemnons, des Völkerfürsten vor Troja. Dies war der Anfang seiner Wettkämpfe. Aber wenn ihn die höhere Gewalt der Götter irremacht, so entgeht auch der Stärkste seinem Lose nicht. Denn als nun am andern Tage wiederum bei Sonnenaufgang das Wettrennen der geflügelten Rosse seinen Anfang nahm, war auch er unter vielen anderen Wagenlenkern zur Stelle. Vor ihm waren auf dem Kampfplatze ein Achäer, ein Spartaner und zwei wohlerfahrene Rosselenker aus Libyen erschienen. Auf sie folgte Orestes als der fünfte, mit thessalischen Rossen; dann, mit einem Viergespann von Braunen, kam ein Ätolier; als siebenter ein Wettrenner aus Magnesia, der achte ein Kämpfer aus Änia mit schönen Schimmeln, beide Thrakier; aus Athen ein neunter, und zuletzt auf dem zehnten Wagen saß ein Böotier. Nun schüttelten die Kampfrichter die Lose, die Wagen wurden in der Ordnung aufgestellt, die Trompete gab das Zeichen, und dahin jagten sie alle, die Zügel schwingend und den Rossen Mut einrufend. Das Erz der Wagen dröhnte, der Staub flog empor, keiner sparte die Geißel. Hinter jedem Wagen schnaubten schon die Rosse eines anderen. Bereits lenkte der Änianer der letzten Säule zu und drängte, sein linkes Ross straff am Zügel haltend, die Nabe dorthin, während er das rechte, das Nebenross, frei laufen ließ. Anfangs flogen auch die Wagen alle aufrecht dahin, bis die hartmäuligen Pferde des Änianers scheu wurden und gegen den Wagen des Libyers anrannten. Durch diesen einen Fehler geriet alles in Verwirrung, Wagen stürzten an Wagen, und bald war das Feld mit Trümmern bedeckt. Nur der kluge Athener wich seitwärts, hemmte seine Rosse und ließ im inneren Kreise den Strudel der Wagen sich ineinander wühlen. Hinter diesen drei kommend, trieb als der letzte Orestes seine Rosse an. Wie dieser nun alles gestürzt und in Unordnung und den Athener allein noch übrig sieht, klatscht er mit der Peitsche seinem Viergespann ins Ohr, und so fährt bald, beide Führer im Sitz aufrecht und vorgelehnt, das kühne Paar miteinander um die Wette. Orestes war auf der langen Bahn auch wirklich glücklich vorwärts gekommen und ließ, auf dies sein Glück vertrauend, allmählich mit dem Zügel nach. Da wandte sich sein linkes Ross, bog um und streifte kaum merklich die letzte Säule der Bahn. Und doch war der Stoß so groß, dass die Nabe mitten durchbrach, der Arme vom Wagensitze glitt und an seinem Zaume dahingeschleift wurde. Als er auf den Boden sank, flogen seine Rosse in wilder Flucht durch die Bahn; das Volk jammerte laut auf, denn der schöne Jüngling wurde bald am Boden dahingeschleift, bald streckte er seine Glieder gen Himmel. Endlich hemmten die Wagenlenker selbst mit Mühe sein Gespann und lösten den Geschleiften ab, der so mit Blut befleckt, so entstellt war, dass selbst seine Freunde den Leib nicht mehr erkannten. Der Leichnam wurde sofort schleunigst auf dem Scheiterhaufen verbrannt, und wir Abgeordnete aus Phokis bringen in einer kleinen Urne von Erz den jämmerlichen Überrest seines stattlichen Leibes, damit sein Vaterland ihm ein Grab gönne!«

Der Bote endete; Klytämnestra aber fühlte sich von widersprechenden Gefühlen bewegt; sie sollte sich eigentlich über den Tod des gefürchteten Sohnes freuen, aber doch regte sich das Mutterblut mächtig in ihr, und ein unwiderstehlicher Schmerz verkümmerte ihr das Gefühl der Sorglosigkeit, dem sie sich mit dieser Nachricht endlich hingeben zu dürfen glaubte. Elektra dagegen war nur von einem Gefühl, dem grenzenlosesten Jammer, besessen und machte diesem in lauten Wehklagen Luft. »Wohin soll ich fliehen«, rief sie, als Klytämnestra mit dem Fremdling aus Phokis in den Palast gegangen war, »jetzt erst bin ich einsam, jetzt erst des Vaters beraubt; nun muss ich wieder die Dienstmagd der abscheulichsten Menschen, der Mörder meines Vaters, sein! Aber nein, unter demselben Dache mit ihnen will ich künftig nicht mehr wohnen, lieber werfe ich mich selbst hinaus vor das Tor dieses Palastes und komme draußen im Elend um. Zürnt einer der Hausbewohner darob? Wohl, er gehe heraus und töte mich! Das Leben kann mich nur kränken, und der Tod muss mich erfreuen!«

Allmählich verstummte ihre Klage, und sie versank in ein dumpfes Brüten. Wohl mochte sie stundenlang so in sich vertieft auf der Marmortreppe am Eingange des Palastes, den Kopf auf den Schoß gelegt, gesessen haben, als auf einmal ihre junge Schwester Chrysothemis voll Freude dahergejagt kam und, nach keinem Anstande fragend, mit einem Jubelruf die Schwester aus ihrem brütenden Kummer weckte. »Orestes ist gekommen!«, rief sie. »Er ist so leibhaftig da, wie du mich selbst hier vor dir siehst!« Elektra richtete ihr Haupt auf, blickte die Schwester mit weit aufgerissenen Augen an und sprach endlich: »Redest du im Wahnsinn, Schwester, und willst meiner und deiner Leiden spotten?« – »Ich melde, was ich gefunden«, sprudelte Chrysothemis heraus, lachend und weinend zugleich. »Höre, wie ich auf die Spur der Wahrheit kam. Als ich an das überwachsene Grab unseres Vaters kam, da sah ich auf der Höhe Spuren einer frischen Opferspende von Milch und zugleich seine Ruhestätte mit mancherlei Blumen bekränzt. Staunend und ängstlich durchspähte ich den Ort, und als ich niemand gewahr wurde, wagte ich es, weiter zu forschen. Da entdeckte ich am Rande des Grabmals eine frisch abgeschnittene Locke. Auf einmal steigt in meiner Seele, ich weiß nicht wie, das Bild unseres fernen Bruders Orestes auf, und mich ergreift eine Ahnung, dass er, nur er es sei, von welchem diese Spur herrühre. Unter heimlichen Freudentränen greife ich nach der Locke, und hier bringe ich sie. Sie muss, sie muss von des Bruders Haupte geschnitten sein!«
Elektra blieb bei dieser unsicheren Kunde ungläubig sitzen und schüttelte das Haupt. »Ich bedaure dich deiner törichten Leichtgläubigkeit wegen«, sprach sie, »du weißt nicht, was ich weiß.« Und nun erzählte sie der Schwester die ganze Botschaft des Phokiers, so dass der armen Chrysothemis, die sich von Wort zu Wort mehr um ihre Hoffnung betrogen fand, nichts übrig blieb, als in den Weheruf Elektras mit einzustimmen. »Ohne Zweifel«, sagte Elektra, »rührt die Locke von irgendeinem teilnehmenden Freunde her, der dem jämmerlich umgekommenen Bruder am Grabe des ermordeten Vaters ein Andenken stiften wollte!« Und doch hatte sich die Heldenjungfrau unter diesen Gesprächen wieder ermannt und machte der Schwester den Vorschlag, da die letzte Hoffnung, den Vater durch die Hand des Sohnes zu rächen, mit Orestes erloschen sei, die große Tat gemeinschaftlich mit ihr selbst zu vollführen und den Missetäter Ägisthos zu töten. »Besinne dich«, sprach sie, »du

hast das Leben und sein Glück lieb, Chrysothemis! Nun hoffe nur nicht, dass Ägisthos je gestatten werde, dass wir uns vermählen und des Agamemnons Geschlecht ihm und den Seinigen zur Rache aus uns erneut hervorsprosse. Willst du aber meinem Ratschlage gehorchen, so verdienst du dir den Ruhm der Treue um Vater und Bruder, wirst in Zukunft frei herangewachsen leben, wirst durch einen würdigen Ehebund beglückt werden. Denn wer sähe sich nicht gern nach einer so edlen Tochter um? Dazu wird alle Welt uns zwei Geschwister preisen, am Festmahl und in der Volksversammlung werden wir für unsere Mannestat nichts als Ehre ernten! Darum folge mir, du Liebe, hilf dem Vater, dem Bruder; rette mich, rette dich selbst aus der Not! Bedenke doch, wie ein schimpfliches Leben Edelgeborene schändet!«

Aber Chrysothemis fand den Vorschlag der plötzlich begeisterten Schwester unvorsichtig, unklug, unausführbar. »Auf was vertrauest du denn?«, fragte sie. »Hast du Männerfaust und bist nicht ein Weib? Stehst du nicht den mächtigsten Feinden, deren Glück von Tag zu Tag sich fester begründet, gegenüber? Wahr ist's, wir leiden Hartes; aber siehe zu, dass wir uns nicht noch Unerträglicheres zuziehen. Einen schönen Ruf können wir freilich gewinnen, aber nur durch einen schmählichen Tod. Und vielleicht ist Sterben nicht das Schlimmste, und es würde uns noch Schnöderes zuteil als der Tod. Darum, ehe wir so rettungslos verderben, lass dich erflehen, Schwester, bezwing deinen Unmut! Was du mir anvertraut hast, will ich als das tiefste Geheimnis bewahren!«

»Deine Rede überrascht mich nicht«, erwiderte mit einem tiefen Seufzer Elektra. »Ich wusste wohl, dass du meinen Vorschlag weit von dir werfen würdest. So muss ich denn ganz allein mit eigenen Händen an das Werk gehen. Wohl, es ist auch so recht!« Weinend umschlang sie Chrysothemis, aber die hohe Jungfrau blieb unerbittlich. »Geh«, sprach sie kalt, »zeige nur alles deiner Mutter an.« Und als die Schwester weinend den Kopf schüttelte und davonging, so rief sie ihr nach: »Geh, geh! Nie werde ich deinem Tritte folgen!«

Sie saß noch immer unbeweglich auf der Schwelle des Palastes, als zwei junge Männer in der Begleitung anderer mit einer Totenurne dahergeschritten kamen. Der Schönste und Blühendste von ihnen wandte sich an Elektra, fragte nach der Wohnung des Königs Ägisthos und gab sich als einen der Abgesandten aus Phokis kund. Da sprang Elektra auf und streckte die Hände nach der Urne aus. »Bei den Göttern, Fremdling«, rief sie, »wenn ihn dies Gefäß verhüllt, so gib es mir, auf dass ich mit seiner Asche den ganzen unglückseligen Stamm bejammere!«

»Wer sie auch sein mag«, sprach der Jüngling, die Jungfrau aufmerksamer betrachtend, »gebt ihr die Urne. Sicherlich hegt sie keine Feindschaft gegen den Toten, ist vielmehr eine Freundin oder gar ein ihm anverwandtes Blut!« Elektra fasste die Urne mit beiden Händen, drückte sie wieder und immer wieder ans Herz und rief dazu in unverhaltenem Jammerton: »O du Überrest des geliebtesten Menschen! Wie mit ganz anderer Hoffnung habe ich dich ausgesandt und begrüße dich jetzt, da du so zurückkehrst! Wäre ich doch lieber gestorben, anstatt dich in die Ferne hinauszusenden; dann wärest du an demselben Tage am Grabe des Vaters als Schlachtopfer gesunken, wärest nicht in der Verbannung umgekommen und von Fremdlingshänden bestattet worden! So war denn all meine Pflege, all meine süße Mühe umsonst! Das alles ist mit dir gestorben, der Vater ist tot, ich selbst bin tot, seitdem du nicht mehr lebst; die Feinde lachen, unsere Rabenmutter tobt in wilder Lust, denn jetzt fürchtet sie keine heimlichen Rachebotschaften, an mich von dir gerichtet, mehr. Ach, nähmest du mich doch mit auf in deine Urne; ich bin vernichtet, lass mich dein Nichts mit dir teilen!«

Als die Jungfrau so jammerte, konnte sich der Jüngling, der an der Spitze der Gesandten stand, nicht länger halten und seine Zunge nicht mehr zwingen. »Ist's möglich«, rief er, »diese Jammergestalt soll Elektras edles Bild sein? O gottlos, o frevelhaft entstellter Leib! Wer hat dich so zugerichtet?« Elektra blickte ihn verwundert an und sprach: »Das macht, ich muss den Mördern meines Vaters dienen, gezwungen von der verruchten Mutter, und mit der Asche in dieser Urne ist alle meine Hoffnung dahin!« – »Stell diesen Aschenkrug weg!«, rief der Jüngling mit tränenerstickter Stimme, und als Elektra sich weigerte und die Urne fester ans Herz drückte, da sprach er weiter: »Weg mit der leeren Urne, es ist ja alles nur Schein!« Da schleuderte die Jungfrau das Gefäß von sich und rief in Verzweiflung: »Wehe mir! Wo ist sein Grab denn?« – »Nirgends«, war die Antwort des Jünglings; »den Lebendigen wird kein Grab gemacht!« – »So lebt er, lebt er?« – »Er lebt, wenn anders ich selbst von Lebenshauch beseelt bin; ich bin Orestes, bin dein Bruder, erkenne mich an diesem Malzeichen, mit dem der Vater mich am Arme gezeichnet! Glaubst du nun, dass ich lebe?« – »O Lichtstrahl in der Nacht!«, rief Elektra und lag in seinen Armen.

In diesem Augenblick kam der Mann aus dem Palast, welcher der Königin die falsche Todesbotschaft aus Phokis überbracht hatte; es war der Pfleger des jungen Orestes, dem einst Elektra selbst den Knaben übergeben und der ihn auf ihren Befehl ins Land der Phokier geleitet hatte. Als er mit kurzen Worten der Jungfrau dieses kundtat, reichte sie ihm erfreut die Hand und sprach: »O du einziger Retter dieses Hauses! Welchen Dienst haben mir diese teuren Hände, diese treu bemühten Füße geleistet! Wie verbargst du dich so lange unentdeckt? Wie habt ihr doch alles angelegt und verabredet?« Aber der Pfleger stand ihren ungestümen Fragen nicht Rede. »Es wird die Zeit kommen, da ich dir alles mit Gemächlichkeit erzählen kann, edle Königstochter! Jetzt aber drängt die Stunde zum Angriff, zur Rache! Noch ist Klytämnestra allein im Hause, noch bewacht sie kein Mann drinnen; denn Ägisthos verweilt noch in der Ferne! Wenn ihr aber noch einen Augenblick zögert, so habt ihr mit vielen und Überlegenen den Kampf zu wagen!« Orestes stimmte ein und eilte mit seinem treuen Freunde Pylades, dem Sohne des Königs Strophios aus Phokis, der an seiner Seite gekommen war, und mit allen anderen Begleitern in den Palast, und Elektra, nachdem sie flehend den Altar Apollons umfasst hatte, folgte ihnen.

Wenige Minuten waren verflossen, als Ägisthos, zurückkehrend, in den Palast trat und hastig nach den Phokiern fragte, die, wie er unterwegs vernommen, die Freudenbotschaft von Orestes' Tode gebracht hätten. Die Erste, die ihm im Innern des Königshauses begegnete, war Elektra, und er richtete mit höhnendem Übermut auch an sie die Frage: »Sprich, du Hochfahrende, wo sind die Fremdlinge, die deine Hoffnung vernichtet haben?« Elektra unterdrückte ihr Gefühl und antwortete ruhig: »Nun, sie sind drinnen, ihrer lieben Wirtin zugeführt!« – »Und melden sie«, fuhr er fort, »auch wahrhaftig seinen Untergang?« – »O ja«, erwiderte Elektra, »nicht nur dies, sondern sie haben ihn selbst bei sich.« – »Das ist das erste erfreuliche Wort, das ich von deinen Lippen höre!«, sprach Hohn lachend Ägisthos. »Doch siehe, da bringen sie ja den Toten schon!«

Frohlockend ging er dem Orestes und seinen Begleitern entgegen, die einen verhüllten Leichnam aus dem Innern des Palastes in die Vorhalle trugen. »O froher Anblick«, rief der König und heftete seine gierigen Augen darauf, »hebet schnell die Decke auf; lasst mich ihn des Anstands halber beklagen, es ist ja doch verwandtes Blut!« So sprach er spottend. Orestes aber entgegnete: »Erhebe du selbst die Decke, Herrscher! Dir allein gebührt es, liebevoll zu sehen und zu begrüßen, was unter dieser Hülle liegt!« – »Wohl«, antwortete Ägisthos, »aber ruf auch Klytämnestra herbei, dass sie schaue, was sie gern sehen wird.« – »Klytämnestra ist nicht fern«, rief Orestes. Indem lüftete der König die Decke und fuhr mit einem Schrei des Entsetzens zurück: nicht die Leiche des Orestes, wie er gehofft hatte – der blutige Leichnam Klytämnestras zeigte sich seinen Blicken. »Weh mir«, schrie er, »in welcher Männer Netze bin ich Unglückseliger geraten?« Orestes aber donnerte ihn mit tiefer Stimme an: »Weißt du denn nicht schon lange, dass du zu Lebendigen, nicht zu Toten sprachst? Siehst du nicht, dass Orestes, der Rächer seines Vaters, vor dir steht?« – »Lass mich reden!«, sprach zusammengesunken Ägisthos. Aber Elektra beschwor den Bruder, ihn nicht anzuhören. Verstummend stießen ihn die Ankömmlinge hinein in den Palast, und an demselben Orte, wo er einst den König Agamemnon im Bade gemordet, fiel Ägisthos wie ein Opfertier unter den Streichen des Rächers.

Orestes und die Eumeniden

Orestes hatte, als er die Rachepflicht für den Vater an der Mutter und ihrem Buhlen übte, nach dem Willen der Götter selbst gehandelt, und ein Orakel des Apollon hatte ihm befohlen zu tun, was er getan. Aber die Frömmigkeit gegen den Vater hatte ihn zum Mörder an der Mutter gemacht. Nach der Tat erwachte die Kindesliebe in seiner Brust und der durch eine andere Naturpflicht gebotene Frevel gegen die Natur, den er im grässlichen Zwiespalte der Pflichten begangen hatte, ließ ihn den Rächerinnen solcher Frevel, den Erinnyen oder Rachegöttinnen, anheim fallen, welche die Griechen aus Furcht auch die Eumeniden, das heißt die Gnädigen oder »die uns gnädig sein mögen«, benannten. Töchter der Nacht und schwarz wie diese, von entsetzlicher Gestalt, übermenschlich groß, mit blutigen Augen, Schlangen in den Haaren, Fackeln in der einen Hand, in der anderen aus Schlangen geflochtene Geißeln, verfolgten sie den Muttermörder auf jeden Schritt und Tritt und sandten ihm ins Herz die nagenden Gewissensbisse und die quälendste Reue.

Sogleich nach der Tat jagten ihn die Eumeniden fort von deren Schauplatz, und als ein wahnsinniger Flüchtling verließ er die wieder gefundenen Schwestern, das Vaterhaus Mykene und sein Vaterland. In dieser Not blieb ihm sein treuer Freund Pylades, den er in einem Augenblick der Besinnung mit seiner Schwester Elektra verlobt hatte, redlich zur Seite, kehrte nicht in seine Heimat Phokis und zu seinem Vater Strophios zurück, sondern teilte alle Wanderungen in der Irre mit seinem wahnsinnig gewordenen Freunde. Außer dieser treuen Seele hatte Orestes keinen menschlichen Beschützer in seinem Elend. Aber der Gott, der ihm die Rache befohlen hatte, Apollon, war bald sichtbar, bald unsichtbar an seiner Seite und wehrte die ungestüm nachdringenden Erinnyen wenigstens vom Leibe des Verfolgten ab. Auch sein Geist wurde ruhiger, wenn der Gott in der Nähe war.

So waren die Flüchtlinge auf ihren langen Irrfahrten endlich ins Gebiet von Delphi gekommen, und Orestes hatte im Tempel des Apollon selbst, dessen Zutritt den Erinnyen verwehrt war, eine Freistätte für den Augenblick gefunden. Der Gott stand mitleidig zu seiner Seite, wie er, auf dem Estrich des Heiligtums ausgestreckt, von Müdigkeit und Gewissensangst abgemattet, gestützt auf seinen Freund Pylades, ausruhte, und sprach ihm Hoffnung und Mut mit den Worten ein: »Unglücklicher Sohn, sei getrost. Ich werde dich nicht verraten; mag ich nah oder fern sein, so bin ich dein Wächter, und nie werde ich deinen Feindinnen feige weichen! Du siehst auch, wie dort draußen die grauenvollen alten Mägde, deren Umgang Götter, Menschen und selbst Tiere scheuen, die sonst tief drunten in den Finsternissen des Tartaros wohnen, vom bleiernen Schlafe durch mich gebändigt, meinem Tempel fern liegen. Dennoch verlass dich nicht auf ihren Schlummer, er wird nicht lange dauern, denn mir ist immer nur kurze Macht über die greisen Göttinnen vom Schicksal verliehen. Deswegen musst du bald wieder auf die Flucht, doch sollst du nicht länger ohne Ziel umherirren. Richte vielmehr deine Schritte nach Athen, der ehrwürdigen alten Stadt meiner Schwester Pallas Athene; dort will ich dir für ein gerechtes Gericht sorgen, vor welchem du deine Stimme erheben und deine Sache verteidigen kannst. Keine Furcht soll dich darum bekümmern; ich selbst scheide jetzt von dir, aber mein Bruder Hermes wird dich bewachen und sorgen, dass mein Schützling nicht verletzt werde.«

So sprach Apollon. Noch bevor er jedoch seinen Tempel und den Orestes verließ, war das Schattenbild Klytämnestras im Traum vor die Seelen der schlummernden Rachegöttinnen getreten und hatte ihnen die zornigen Worte zugehaucht: »Ist's auch recht, dass ihr schlaft? Bin ich so ganz von euch verlassen, dass ich ungerächt in der Nacht der Unterwelt umherirren muss? Das Grässlichste habe ich von meinen nächsten Blutsverwandten erduldet, und kein Gott zürnt darüber, dass ich, von den Händen des eigenen Sohnes ermordet, gefallen bin? Wie viele Trankopfer, von meiner Hand euch ausgegossen, habt ihr geschlürft, wie viele nächtliche Mahle habe ich euch aufgetischt! Das alles tretet ihr jetzt mit Füßen, und eure Beute lasset ihr entrinnen wie ein Reh, das mitten aus den Netzen davonhüpft! Höret mich, ihr Unterirdischen! Ich bin's, Klytämnestra, die ihr zu rächen geschworen und die sich jetzt in euren Traum einmischt, an euren Schwur euch zu erinnern.«

Die schwarzen Göttinnen konnten sich dem Zauberschlafe nicht so bald entwinden, tief von ihm umfangen, lagen sie da, und erst die lauten Worte des Schattens, die in ihren Traum hineintönten: »Orestes, der Muttermörder, entgeht euch!« rüttelten sie endlich aus dem Schlummer empor. Eine erweckte die andere, wie wilde Tiere sprangen sie vom Lager auf, und ohne Scheu stürmten sie in den Tempel Apollons selbst hinein und hatten schon die Schwelle überschritten. »Zeussohn«, schrien sie ihm entgegen, »du bist ein Betrüger! Du junger Gott trittst die alten Göttinnen, die Töchter der Nacht, mit Füßen, du wagst es, uns diesen Götterverächter und Mutterfeind vorzuenthalten, du hast ihn uns gestohlen und willst doch ein Gott sein! Ist das auch vor den Göttern recht?« Apollon dagegen trieb die nächtlichen Göttinnen mit scheltenden Worten aus seinem sonnigen Heiligtum: »Fort von dieser Schwelle«, rief er, »ihr Gräuelhaften! Ihr gehört in die Höhle des Löwen, wo Blut geschlürft wird, ihr Scherginnen des Schicksals, und nicht in den heiligen und reinen Sitz eines Orakels!« Vergebens beriefen sich die Rachegöttinnen auf ihr Recht und ihr Amt. Der Gott erklärte den Verfolgten für seinen Schützling, weil er in seinem Auftrag als der fromme Sohn seines Vaters Agamemnon gehandelt, und vertrieb die Eumeniden von der Schwelle seines Tempels, dass sie, die Macht des Gottes fürchtend, weit rückwärts flohen.

Dann übergab er den Orestes mit seinem Freunde der Obhut des Hermes, des Gottes, in dessen Schutze die Wanderer stehen, und kehrte in den Olymp zurück. Die beiden Freunde aber schlugen, wie der Gott ihnen befohlen hatte, den Weg nach Athen ein, während die Erinnyen ihnen aus Scheu vor der goldenen Rute des Götterboten nur aus der Ferne zu folgen wagten. Allmählich jedoch wurden sie kühner, und als die beiden Freunde glücklich in der Stadt Pallas Athenes angekommen waren, heftete sich ihnen die Schar der Rächerinnen dicht an die Fersen, und kaum hatte Orestes mit seinem Freund den Tempel der Athene erreicht, so stürmte auch schon der grauenvolle Chor durch die offen stehenden Pforten herein.

Orestes hatte sich vor der Bildsäule der Göttin niedergeworfen, streckte seine offenen Arme betend nach ihr aus und rief in der heftigsten Aufregung seines Gemütes: »Königin Athene, auf Apollons Befehl komme ich zu dir. Nimm einen Angeklagten gnädig auf, dessen Hände nicht mit unschuldigem Blut befleckt sind und der doch müde ist von ungerechter Flucht und abgestumpft vom Flehen in fremden Häusern. Über Städte und Einöden komme ich daher, gehorsam dem Orakel deines Bruders, liege hier in deinem Tempel und vor deinem Bilde und erwarte deinen Richterspruch, o Göttin!«

Nun erhob auch der Chor der Furien, die hinter ihm herannahten, seine Stimme und schrie: »Wir sind dir auf der Spur, Verbrecher! Wie der Hund dem verwundeten Rehbock, sind wir deinen Fußstapfen gefolgt, die von Blut triefen! Du sollst kein Asyl finden, Muttermörder! Dein rotes Blut wollen wir dir aus den Gliedern saugen und dann das blasse Schattenbild mit uns hinunter in den Tartaros führen! Nicht Apollons, nicht Athenes Gewalt soll dich vor der ewigen Qual befreien! Mein Wild bist du, mir genährt, für meinen Altar bestimmt! Auf, Schwestern, lasst ihn uns mit unserm Reigen umtanzen und seine beschwichtigte Seele durch unsere Gesänge zu neuem Wahnsinn aufregen!«

Und schon wollten sie ihr furchtbares Lied anstimmen, als plötzlich ein überirdisches Licht den Tempel durchleuchtete, die Bildsäule verschwunden war und an ihrer Stelle die lebendige Göttin Athene stand, mit ernsten blauen Augen auf die Menge herniederblickend, die ihre

Tempelhallen füllte, und den unsterblichen Mund zu der himmlischen Rede erschließend.

»Wer hat sich in mein Heiligtum gedrängt«, sprach die Göttin, »während ich am Skamander, von den Gebeten der abziehenden Griechen gerufen, das Beutelos mir betrachte, das die frommen Söhne des Theseus opfernd mir dort hinterließen? Was für ungewohnte Gäste muss ich in meinem Tempel gewahren? Ein Fremdling hält meinen Altar umfasst, und Weiber, keinem gezeugten Sterblichen ähnlich, haben sich in drohender Stellung hinter ihn geschart. Redet, wer seid ihr alle und was wollt ihr?

Orestes, von Furcht und Zittern sprachlos, lag noch immer auf dem Boden, die Erinnyen aber standen unverzagt hinter ihm und nahmen das Wort. »Tochter des Zeus«, sprachen sie, »ohne Umschweife sollst du alles aus unserem Munde hören. Wir sind die Töchter der schwarzen Nacht, und Fluchtgöttinnen nennt man uns drunten zu Hause!« –

»Wohl kenne ich euer Geschlecht«, sprach Athene, »und euer Ruf ist oft schon zu mir gedrungen. Ihr seid die Rächerinnen des Meineids und des Verwandtenmordes; was kann euch in mein reines Tempelhaus führen?«

»Dieser Mensch, der hier zu deinen Füßen deinen Altar durch seine Gegenwart besudelt«, sprachen sie, »er hat seine eigene Mutter erschlagen. Richte du selbst ihn, wir werden dein Urteil ehren, denn wir wissen, du bist eine strenge und gerechte Göttin!«

»Wenn ihr mir denn den Richterspruch übertragt«, antwortete Pallas Athene, »so sprich du zuerst, Fremdling, was kannst du gegen die Aussagen dieser Unterirdischen vorbringen? Nenne mir zuerst dein Vaterland, dein Geschlecht und dein Schicksal, und alsdann reinige dich von dem Frevel, der dir schuldgegeben wird. Solches gestatte ich dir, weil du vor meinem Altar kniend liegst und ihn als demütiger Schützling umfasst hältst! Auf alles jenes aber antworte mir ohne Gefährde!«

Jetzt erst wagte Orestes den Blick vom Boden zu erheben, richtete sich auf, doch so, dass er immer noch vor der Göttin auf den Knien lag, und sprach: »Königin Athene! Vor allen Dingen sei dir die Besorgnis um dein Heiligtum benommen! Ich habe keinen unsühnbaren Mord begangen; ich umfange deinen Altar nicht mit unsauberen Händen! Ich bin gebürtig aus Argos, und du kennst meinen Vater wohl. Es ist Agamemnon, der Völkerfürst, der Führer der griechischen Flotte vor Troja, mit dem du selbst Ilions herrliche Feste zerstört hast. Dieser, nach Hause zurückgekehrt, ist keines ehrlichen Todes gestorben, sondern meine Mutter, die mit dem fremden Manne buhlte, hat ihn in ein trügerisches Netz gewickelt und umgebracht; das Bad war der Zeuge seines Mordes. Da bin ich nach langer Zeit, die ich seitdem in der Verbannung gelebt, zurückgekommen ins Vaterland und habe den Vater gerächt und, ich leugne es nicht, habe des geliebten Vaters Mord mit Mord an der Mutter gerächt. Und zu dieser Tat hat dein eigener Bruder Apollon mich aufgemuntert, und sein Orakel hat mir mit großer Seelenqual gedroht, wenn ich die Mörder meines Vaters nicht bestrafe. Nun sollst du Schiedsrichterin sein, o Göttin, ob ich mit Recht oder Unrecht gehandelt. Auch ich unterwerfe mich deinem Richterspruch!«

Die Göttin schwieg eine Weile nachdenklich; dann sprach sie: »Die Sache, die entschieden werden soll, ist freilich so dunkel, dass ein menschliches Gericht nicht damit fertig würde; darum, obwohl ich sterbliche Richter für sie wählen will, ist es doch gut, dass ihr euch mit eurem Rechtsstreit an eine Unsterbliche gewendet. Denn ich selbst will das Gericht versammeln, in meinem Tempel den Vorsitz führen und bei schwankendem Urteil den Ausschlag geben. Inzwischen soll dieser Fremdling unter meinem Schirm unangetastet in unserer Stadt leben. Ihr aber, finstere, unerbittliche Göttinnen, beflecket diesen Boden nicht ohne Not mit eurer Gegenwart. Geht hinab in eure unterirdische Behausung und erscheint nicht eher wieder in diesem Tempel, bis der anberaumte Tag des Gerichts herbeigekommen sein wird. Einstweilen sammle jede Partei Zeugen und Beweise; ich selbst aber will die besten Männer dieser Stadt, die meinen Namen führt, auslesen und zur Aburteilung dieses Streites bestellen.«

Nachdem die Göttin sodann den Tag des abzuhaltenden Gerichts festgesetzt hatte, wurden die Parteien aus dem Tempel entlassen. Die Rachegöttinnen gehorchten dem Ausspruche Athenes ohne Murren, ihre Schar verließ den Boden von Athen, und sie stiegen wieder zur Unterwelt hinab; Orestes mit seinem Freunde wurde von den Bürgern Athens gastlich aufgenommen und verpflegt.

Als der Gerichtstag erschienen war, berief ein Herold die auserwählten Bürger der Stadt auf einen weitbekannten Hügel, der dem Ares heilig war und deswegen der Areopag oder Aresberg hieß, wo die Göttin in Person ihrer harrte und Klägerinnen und Angeklagter bereits sich eingefunden hatten. Aber noch ein Dritter war erschienen und stand dem Angeklagten zur Seite. Es war der Gott Apollon. Als die Erinnyen diesen erblickten, erschraken sie und riefen zornig: »König Apollon, kümmere du dich um deine eigenen Angelegenheiten! Sprich, was hast du hier zu schaffen?« – »Dieser Mann«, erwiderte der Gott, »ist mein Schützling, der in meinem Tempel zu Delphi sich in meinen Schirm begeben, und ich habe ihn von dem vergossenen Blut entsündigt. Darum ist es billig, dass ich ihm beistehe; und so bin ich denn erschienen, einesteils für ihn zu zeugen, andernteils als sein Anwalt vor dem ehrwürdigen heimlichen Gericht dieser Stadt, das meine himmlische Schwester Athene in ihrem Tempel versammelt hat, aufzutreten. Denn ich bin es, der ihm den Mord der Mutter als eine fromme, den Göttern wohlgefällige Tat angeraten hat!«

Mit solchen Worten trat der Gott seinem Schützling noch näher. Die Göttin erklärte nun das Gericht für eröffnet und forderte die Erinnyen auf, ihre Klage vorzubringen. »Wir werden kurz sein«, nahm die Älteste unter ihnen als Sprecherin das Wort. »Angeklagter, beantworte uns Frage um Frage: Hast du deine Mutter umgebracht, oder leugnest du's?« – »Ich leugne nicht«, sprach Orestes, doch erblasste er bei der Frage. – »So sprich, wie hast du's vollbracht?« – »Ich habe ihr«, antwortete der Angeklagte, »das Schwert in die Kehle gebohrt.« – »Auf wessen Rat und Anstiften hast du es getan?« – »Der hier neben mir steht«, erwiderte Orestes, »der Gott hat es mir durch einen Orakelspruch befohlen; und er ist da, mir dies zu bezeugen.« Darauf verteidigte sich der Angeklagte kurz gegen die Richter, dass er in Klytämnestra nicht mehr die Mutter, sondern nur die Mörderin des Vaters gesehen, und Apollon als Anwalt ließ eine längere und beredtere Verteidigung folgen. Die Rachegöttinnen blieben auch nicht stumm, und wenn der Gott mit schwarzen Farben den Mord des Gatten den Richtern vor Augen gestellt, so schilderten sie dagegen mit giftig funkelnden Augen den Frevel des Muttermordes. Und als ihre Rede zu Ende war, sagte die Sprecherin: »Jetzt haben wir alle unsere Pfeile aus dem Köcher versendet, wir wollen ruhig erwarten, wie die Richter urteilen werden!«

Athene hieß die Stimmsteine, jedem einen schwarzen für die Schuld, einen weißen für die Unschuld des Beklagten, unter die Richter verteilen. Die Urne, in welche die Steine zu legen waren, wurde in der Mitte des umzäunten Platzes aufgestellt, und ehe die Richter sich zum Abstimmen anschickten, sprach die Göttin noch von der erhöhten Stelle herab, auf der sie dort als Vorsitzerin des Gerichts ihren Thronsessel eingenommen hatte, indem sie sich jetzt daraus erhob und in ihrer ganzen himmlischen Hoheit dastand: »Höret diese Bestimmung der Gründerin eurer Stadt, Bürger von Athen, jetzt, wo ihr den ersten Streit wegen vergossenen Blutes richtet! Für alle Folgezeit soll dieser Gerichtshof in euren Mauern bestehen. Hier auf diesem heiligen Areshügel, wo einst im Amazonenkriege gegen Theseus die feindlichen Heldinnen ihr Lager hatten und dem Gotte des Krieges ihr Opfer darbrachten, soll, nach dem Orte benannt, der Areopag sein Blutgericht halten und durch fromme Scheu die Bürger Tag und Nacht zurückschrecken. Aus den heiligsten Männern der Stadt gebildet, stifte ich ihn, unzugänglich dem Gewinn, ehrwürdig, streng, einen wachsamen Schutz für die Schlafenden im ganzen Lande. Ihr, alle Einwohner, sollt seine Würde scheuen und ihn schirmen als eine heilsame Stütze eurer Stadt, wie kein anderes Volk in Griechenland oder unter den Ausländern sie besitzt. Dies sei für die Zukunft verordnet. Nun aber, ihr Richter, erhebet euch, scheuet euren Eid und leget zur Entscheidung des Streites eure Stimmen in die Urne nieder!«

Schweigend erhoben sich die Richter von den Sitzen und traten einer um den anderen an die Urne, und die Stimmsteine rollten nacheinander hinein. Als alle abgestimmt hatten, traten auserlesene, durch einen Eid verpflichtete Bürger hinzu und zählten die schwarzen und die weißen Steine ab. Da fand es sich, dass die Zahl beider gleich war und die Entscheidung der vorsitzenden Göttin zukam, wie sie es sich bei Beginn des Gerichtes wohl vorbehalten hatte. Athene stand abermals von ihrem Sitze auf und sprach: »Ich bin von keiner Mutter geboren, bin das alleinige Kind meines Vaters Zeus und aus seiner Stirn entsprungen, eine männliche Jungfrau, des Ehebundes unkundig, doch die geborene Beschützerin der Männer. Ich werde nicht auf die Seite des Weibes treten, das seinen Ehegatten freventlich erschlagen hat, dem schnöden Buhlen zu gefallen. Nach meines Herzens Meinung hat Orestes wohl getan, er hat nicht die Mutter umgebracht, sondern die Mörderin des Vaters. Er siege!« Damit verließ sie den Richterstuhl, ergriff einen weißen Stimmstein und fügte

ihn den anderen weißen Steinen hinzu. »Dieser Mann«, sprach sie sodann feierlich, auf ihren Thron zurückgekehrt, »ist durch Stimmenmehrheit von dem Vorwurf ungerechten Mordes freigesprochen!«
Als das Urteil gefällt war, bat Orestes die Göttin um das Wort und sprach in tiefer Bewegung seines Herzens: »O Pallas Athene, die du mein Geschlecht und mich des Vaterlands Beraubten gerettet hast, in ganz Griechenland wird man deine Wohltat preisen und sagen: So wohnet denn jener Argiver wieder in der Väter Palast, erhalten durch die Gerechtigkeit Athenes und Apollons und des Göttervaters, ohne dessen Willen auch das nicht geschehen wäre. Ich aber ziehe heim, diesem Land und Volk schwörend, dass für ewige Zeiten kein Argiver kommen soll, die frommen Athener zu bekriegen! Ja, wenn lange nach meinem Tode einer meiner Landsleute es wagen wollte, diesen meinen Eid zu verletzen, so wird von der Väter Gruft aus noch mein Geist ihn strafen und ihm Unheil auf den Weg senden, dass er seine verfluchten Pläne gegen diese Stadt nicht ausführen kann. Lebe denn wohl, du erhabene Beschützerin des Rechtes, und du, frommes Volk der Athener, möge dir in jedem Kriege und in allen Kämpfen Sieg und Heil zuteil werden!«
Unter solchen Segenswünschen verließ Orestes den heiligen Hügel des Ares, geleitet von seinem Freunde, der während des ganzen Gerichts nicht von seiner Seite gewichen war; die Rachegöttinnen wagten es nicht, gegen den Spruch der Göttin sich an dem Freigesprochenen zu vergreifen, auch scheuten sie die Gegenwart Apollons, der bereit war, den Ausspruch des Gerichts aufrechtzuerhalten. Aber die Sprecherin des Chores stand von dem Sitze der Klägerinnen auf, und in übermenschlicher Größe dem Gott und der Göttin als ebenbürtig entgegenstehend, ließ sie mit der rauen Stimme der Töchter der Nacht ihre trotzige Einsprache gegen das Urteil also vernehmen: »Wehe uns, die uralten Gesetze habt ihr zu Boden getreten, ihr jüngeren Götter, habt sie uns älteren Göttern aus den Händen gerungen! Verachtet, machtlos zürnend stehen wir da. Doch soll euch euer Urteil gereuen, ihr Athener! Alles Gift unseres erzürnten Herzens werden wir über diesen Boden ausschütten, wo die Gerechtigkeit verachtet worden ist. Der Fraß soll über alle Pflanzen, das Verderben über alles Leben kommen; mit Unfruchtbarkeit und Pest wollen wir Land und Stadt heimsuchen, wir, die gekränkten, die beschimpften Göttinnen der Nacht!«

Als Apollon diesen fürchterlichen Fluch vernahm, trat er ins Mittel und sprach besänftigend zu den mächtigen Göttinnen: »Folget mir, ihr Gnädigen, zürnet nicht allzu sehr über das gefällte Urteil! Seid ihr doch nicht besiegt worden; aus der Urne ist die gleiche Zahl schwarzer und weißer Steine hervorgegangen; das Gericht ist nicht zu eurer Schmach ausgefallen, nur die Barmherzigkeit hat gesiegt, nur die Billigkeit hat den Angeklagten, der zwischen zwei heiligen Pflichten wählen und eine von beiden verletzen musste, gerettet! Und das haben wir Götter getan, nicht die Richter dieses Landes; und Zeus hat es gutgeheißen! Darum lasset euren Grimm nicht an dem unschuldigen Volke aus. Verspreche ich euch doch in seinem Namen, dass ihr ein Heiligtum und einen würdigen Sitz in seinem Lande erhalten sollt, dass ihr auf glänzenden Altären der gerechten Stadt euren Sitz nehmen werdet, verehrt als die unerbittlichen Göttinnen gerechter Rache von allen Bürgern dieser Stadt!«

Diese Versicherung bekräftigte auch Athene selbst: »Glaubet mir, ehrwürdige Göttinnen«, setzte sie hinzu, »wenn ihr in einem anderen Land euren Sitz aufschlaget, dass euch das gereuen, dass ihr euch nach dem verschmähten sehnen werdet. Die Bürger dieser Stadt sind bereit, euch in hohen Ehren zu halten: Chöre von Männern und Frauen werden euren Ruhm feiern, neben dem Tempel des vergötterten Königs Erechtheus sollt ihr ein geweihtes Heiligtum erhalten! Kein Haus wird gesegnet sein, das euch nicht verehrt!«

Solche Versprechungen besänftigten allmählich den Zorn der strengen Rachegöttinnen, sie gelobten, ihren gnädigen Sitz in dem Land zu nehmen, fühlten sich hoch geehrt, dass sie gleich Athene und Apollon Altäre und Heiligtum in der berühmtesten Stadt besitzen sollten, und endlich wurde ihr Sinn so milde, dass sie auch ihrerseits das feierliche Versprechen vor den anwesenden Göttern ablegten, die Stadt zu schirmen, böse Wetter, Sonnenstich, giftige Seuchen von ihrem Gebiet abzuhalten, die Herden des Landes zu schirmen, den Bund der Ehen zu segnen und im Einverständnis mit ihren Halbschwestern, den Parzen oder Schicksalsgöttinnen, das Wohl des ganzen Landes auf alle Weise zu befördern. Ja, sie wünschten dem ganzen Volk ewige Eintracht und holden Frieden, und ihr schwarzer Chor brach unter Danksagungen des himmlischen Geschwisterpaares auf und verließ, von der ganzen Einwohnerschaft unter Lobgesängen begleitet, den Areopag und die Stadt.

Iphigenia bei den Tauriern

Von Athen hatten sich die beiden Freunde, Orestes und Pylades, der erste nun wieder von seiner Schwermut genesen, nach Delphi zu dem Orakel Apollons gewendet, und dort fragte Orestes den Gott, was er weiter über ihn beschlossen hätte. Der Spruch der Priesterin lautete dahin, dass der Königssohn von Mykene das Ende seiner Not erreichen sollte, wenn er nach den Grenzen der taurischen Halbinsel in die Nachbarschaft der Skythen sich begeben hätte, wo Apollons Schwester Artemis ein Heiligtum besitze. Dort sollte er das Bildnis der Göttin, das nach der Sage dieses Barbarenvolkes vom Himmel gefallen war und daselbst verehrt wurde, durch List oder andere Mittel rauben und nach bestandenem Wagestück ruhmvoll nach Athen verpflanzen, denn die Göttin sehne sich nach milderem Himmelsstriche und griechischen Anbetern, und ihr gefalle das Barbarenland nicht mehr. Wäre dieses glücklich vollführt, so solle der landesflüchtige Jüngling am Ziel seiner Not stehen.

Pylades verließ seinen Freund auch auf dieser rauen Wanderung nach einem gefahrvollen Ziel nicht. Denn das Volk der Taurier war ein wilder Menschenstamm, der die an seinem Ufer Gestrandeten und andere Fremde der Jungfrau Artemis zu opfern pflegte. Den gefangenen Feinden hieben sie den Kopf ab, steckten ihn an einer Stange über den Rauchfang ihrer Hütten und bestellten ihn so zum Wächter ihres Hauses, der alles von der Höhe herab für sie überschauen sollte.

Die Ursache, warum das Orakel den Orestes in dieses wilde Land unter den grausamen Völkerstamm sandte, war aber diese. Als Iphigenia, Agamemnons und Klytämnestras Tochter, auf Anraten des griechischen Sehers Kalchas im Angesicht der Griechen am Strand von Aulis geopfert werden sollte und der Todesstreich gefallen war, der eine Hindin anstatt der Jungfrau getroffen hatte, da stahl die erbarmungsvolle Göttin Artemis das Mägdlein aus den Blicken der Griechen weg und trug sie durch das Lichtmeer des Himmels auf ihren Armen über Meer und Land nach diesem Taurien und ließ sie hier in ihrem eigenen Tempel nieder. Dort fand sie der König des Barbarenvolkes, Thoas mit Namen, und bestellte sie zur Priesterin des Artemistempels, wo sie im Dienste der Göttin des fürchterlichen Brauches pflegen und, wie die alte Sitte des rohen Landes heischte, jeden Fremdling, dessen Fuß dies Ufer betrat – und meistens waren es Landsleute von ihr, Griechen, die dieses jammervolle Los traf –, der Landesgöttin opfern musste. Indessen hatte sie nur das Todesopfer einzuweihen. Niedrigere Diener der Göttin mussten es sodann in das Heiligtum hinein zur grausen Schlachtbank schleppen.

Jahre schon hatte die Jungfrau, ihres traurigen Amtes wartend, übrigens hochgehalten vom König und um ihrer milden griechischen Sitte und ihrer eigentümlichen Liebenswürdigkeit willen verehrt vom Volk, fern von der Heimat und gänzlich unbekannt mit den Geschicken ihres Hauses, vertrauert, als es ihr einstmals in der Nachtruhe träumte, sie wohne fern von diesem Barbarenstrand im heimatlichen Argos und schlafe, von den Sklavinnen des Elternhauses umringt. Da fing auf einmal der Rücken der Erde zu beben und zu zittern an, und ihr war, als flöhe sie aus dem Palast, stände draußen und müsste sehen und hören, wie das Dach des Hauses zu wanken begann und der ganze Säulenbau, bis auf den Grund erschüttert, zu Boden rasselte. Ein einziger Pfeiler – so dünkte ihr – blieb übrig vom väterlichen Hause. Mit einem Mal bekam dieser Pfeiler Menschengestalt, aus dem Säulenknauf wurde ein Haupt, von blondem Haupthaar umwachsen, und dieses begann in vernehmlichen Lauten zu reden, deren Inhalt jedoch der Jungfrau entfallen war, als sie wieder erwachte. Im Traum aber geschah es noch, dass sie, ihrem Fremdenmord befehlenden Amte getreu, den Menschen, der ein Pfeiler ihres Vaterhauses gewesen war, als zum Tode bestimmt mit dem Weihwasser besprengte und dazu bitterlich weinen musste, bis sie der Traum verließ.

Am Morgen, der auf dieselbe Nacht folgte, war Orestes mit seinem Freund Pylades am taurischen Uferstrand ans Land gestiegen, und beide schritten auf den Tempel der Artemis zu. Bald standen sie vor dem Barbarengebäude, das eher einem Zwinger denn einem Götterhaus glich, und blickten staunend an dem hohen Mauerring empor. Endlich brach Orestes das Schweigen. »Du treuer Freund«, sprach er, »der auch dieses Weges Gefahr mit mir geteilt hat, was fangen wir an? Wollen wir den Treppenkranz, der sich um den Tempel schlingt, erklimmen? Aber, wenn wir droben sind, werden wir nicht in dem unbekannten Gebäude wie in einem Labyrinth umhertappen? Und werden nicht eherne Schlösser uns den Zugang zu den Gemächern verschließen? Würden wir aber, indem wir Einlass suchen, indem wir öffnen, an dem Tor von den Wachen erhascht, die ohne Zweifel bei dem Heiligtum aufgestellt sind, so sind wir des Todes. Denn das wissen wir ja, dass Griechenmord den Altar dieser unerbittlichen Göttin unaufhörlich bespritzt! Darum, wäre es nicht geratener, zu dem Schiff zurückzukehren, dessen Segel uns hierher gebracht hat?«

»Ei«, erwiderte Pylades, »das wäre wahrlich das erste Mal, dass wir miteinander die Flucht ergriffen! Heilig soll uns der Ausspruch Apollons sein! Doch wahr ist's, fort müssen wir von diesem Tempel! Das Klügste ist, wir verbergen uns in den dunkeln Grotten, die das Meer bespült, fern von unserem Fahrzeug, damit keiner, der es erblickt, dem Herrscher dieses Landes von uns melden könne und wir nicht von Waffengewalt, die gegen uns ausgesendet wird, übermannt werden. Wenn aber dann die Nacht anbricht, dann lass uns frisch ans Werk schreiten. Die Lage des Tempels kennen wir nun schon; irgendeine List wird uns ins Innere des Tempelraumes führen, und haben wir das Götterbild einmal auf den Armen, so ist mir vor dem Rückwege nicht mehr bange. Tapfere stürzen sich mutig in die Gefahr! Haben wir rudernd nicht einen unermesslichen Weg zurückgelegt? Nun wäre es doch schmählich, wenn wir am Ziel umkehrten und ohne die Beute, die der Gott uns bezeichnet hat, heimsegelten!«

»Wohl gesprochen«, rief Orestes, »es geschehe, was du rätst! Wir wollen uns verbergen, bis der Tag vorüber ist, die Nacht kröne unser Werk!«

Die Sonne stand schon höher am Himmel, als auf die Priesterin der Artemis, die an der Schwelle ihres Tempels stand, ein Rinderhirt, der mit schnellen Schritten vom Meergestade herbeigeeilt kam, zuschritt. Er brachte die Meldung, dass ein paar Jünglinge, wohlgefällige Schlachtopfer der Göttin Artemis, am Ufer gelandet seien. »Bereite nur, erhabene Priesterin«, sprach er, »je eher, je lieber das heilige Wasserbad und schicke dich zu dem Werke an!« – »Was für Landsleute sind die Fremdlinge?«, fragte lphigenia traurig. »Griechen«, erwiderte der Hirt; »weiter wissen wir nichts, als dass der eine von ihnen Pylades heißt und dass sie unsere Gefangenen sind.« – »Lasst hören«, fragte die Priesterin weiter, »wo geschah's, und wie fingt ihr sie?« – »Wir badeten eben«, erzählte der Hirt, »unsere Rinder im Meere und warfen eins ums andere in das Wasser, das strömend durch die Felsen fällt, welche man die Symplegaden heißt. Es findet sich dort ein hohler, durchbrochener, stets vom Wasser beschäumter Felssturz, eine Grotte für die Schneckenfischer. Hier gewahrte ein Hirt von unserer Schar ein paar Jünglingsgestalten, und sie kamen ihm so schön vor, dass er sie für Götter hielt und vor ihnen niederfallen wollte. Ein anderer aber, der neben ihm stand, ein frecher, ungläubiger Mensch, war nicht so töricht; er lachte, als er seinen Kameraden die Knie beugen sah, und sprach: ›Siehst du denn nicht, dass es schiffbrüchige Seeleute sind, die sich in jene Felsenkluft gelagert haben, um sich zu verbergen, weil sie voll Angst von dem Brauch gehört haben, dass wir hier zu Lande die Fremden, die an unseren Strand geraten, zu opfern pflegen?‹ Diese Rede gefiel der Mehrzahl, und wir schickten uns an, Jagd auf die Opfer zu machen. Da trat der eine der Fremdlinge zu der Felskluft heraus, schüttelte sein Haupt und warf es wild umher, Arme und Hände schlotterten ihm; laut aufstöhnend, vom Wahnsinn gepackt, rief er: ›Pylades, Pylades! Siehst du dort nicht die schwarze Jägerin, den Drachen aus dem Hades, wie sie mich zu morden begehrt, wie sie mit den wilden Schlangen züngelnd auf mich zufährt? Und da die andere, die Feuer Atmende, die hat ja meine eigene Mutter im Arm und drohet, sie auf mich zu schleudern! Wehe nur! Sie erwürgt mich! Wie soll ich ihr entfliehen?‹ Von allen diesen Schreckbildern«, fuhr der Hirt fort, »war weit und breit nichts zu sehen, sondern er hielt wohl das Gebrüll der Rinder und das Hundegebell für Stimmen der Erinnyen. Uns aber fasste alle ein Schrecken, zumal der Fremdling sein Schwert von der Seite zog und sich wie rasend auf die Rinderschar warf und ihnen das Eisen in die Bäuche stieß, dass sich bald die Meeresflut rot färbte. Endlich ermannten wir uns, bliesen mit unseren Muscheln das Landvolk zusammen und nahten uns den bewaffneten Fremdlingen in einem geschlossenen Haufen. Der Rasende, den die Zuckungen des Wahnsinns allmählich verlassen hatten, stürzte nun, am Mund von Schaum triefend, zu Boden. Wir alle wandten uns ihm zu mit Werfen und Schleudern, während sein Genosse ihm den Schaum abwischte und seinen eigenen Mantel ihm gewandt um den Leib schlug. Bald aber sprang der Daniedergeworfene mit vollem Bewusstsein wieder auf und wehrte sich seines Lebens. Zuletzt jedoch mussten sie der Überzahl weichen, wir umschlossen sie in einem Kreise; die wiederholten Steinwürfe machten, dass ihnen die Waffen aus den Händen fielen und ihre Knie ermattet zu Boden sanken. Nun bemächtigten wir uns ihrer und geleiteten sie zu Thoas, dem Beherrscher des Landes. Dieser hatte sie kaum zu Gesicht bekommen, als er auch schon befahl, die Gefangenen dir als Todesopfer zuzusenden. Flehe nur, o Jungfrau, dass du recht viel solche Fremdlinge abzuschlachten bekommst, denn es scheinen recht herrliche Griechen zu sein. Tötest du ihrer viele, so büßt Griechenland deine Todesangst nach Gebühr, und du bist gerächt dafür, dass sie dich in der Bucht von Aulis umbringen wollten!«

Der Hirt schwieg und erwartete die Befehle der Richterin, die ihm auch wirklich auftrug, die Fremdlinge zu holen. Als sich Iphigenia allein sah, sprach sie zu sich selber: »O mein Herz, sonst warst du doch immer barmherzig gegen die Fremdlinge, schenktest gern deinen Stammesgenossen eine Träne, sooft dir griechische Männer in die Hände fielen! Nun aber, seit der Traum dieser Nacht mir die bittere Ahnung eingeflößt hat, dass mein geliebter Bruder Orestes das Licht der Sonne nicht mehr sieht – nun sollt ihr alle, die ihr naht, mich grausam finden! Sind doch die Unglücklichen den Beglückten immer abhold! O ihr Griechen, die ihr mich wie ein Lamm zum Opferherde schlepptet, wo mein eigener Vater der Schlächter war! Oh, nie vergesse ich diese Schreckenszeit! Ja, wenn Zeus mir mit frischen Winden den Mörder Menelaos einmal herbeiführen wollte und die trügerische Helena …«

Sie ward in ihrem Selbstgespräch unterbrochen durch das Herannahen der Gefangenen, die ihr in Fesseln vorgeführt wurden. Als sie die beiden kommen sah, rief sie ihren Fürsten entgegen: »Lasst den Fremden die Hände frei; die heilige Weihe, die sie empfangen sollen, spricht sie von allen Banden los! Dann geht in den Tempel und bestellt alles, was dieser Fall erfordert!« Hierauf wandte sie sich zu den Gefangenen und redete sie an: »Sprecht, wer ist euer Vater, eure Mutter, wer eure Schwester, wenn ihr eine habt, die ietzt, eines so schmucken, stattlichen Bruderpaares beraubt, allein in der Welt stehen soll? Woher kommt ihr, bejammernswürdige Fremdlinge? Ihr hattet wohl eine weite Fahrt bis zu diesen Ufern. Doch bereitet euch zu einer weiteren, denn jetzt geht eure Fahrt hinunter ins Schattenreich!«

Ihr erwiderte Orestes: »Wer du auch immer seist, o Weib, was beklagst du uns? Wer das Henkerbeil schwingt, dem steht es übel an, sein Opfer zu trösten, ehe er den Streich führt; und wem der Tod ohne Hoffnung droht, dem will auch das Jammern nicht geziemen! Keine Tränen, weder von dir noch von uns! Lass das Geschick ergehen!«

»Welcher von euch beiden ist Pylades? Das lasst mich zuerst wissen!«, fragte nun die Priesterin. »Dieser hier!«, sprach Orestes, indem er auf seinen Freund hindeutete. »Seid ihr Brüder?« – »Durch Liebe«, antwortete Orestes, »nicht durch Geburt!« – »Was heißest denn aber du?« – »Nenne mich einen Elenden«, erwiderte er, »am besten ist's, ich sterbe namenlos; dann werde ich doch nicht zum Gespött!« Die Priesterin verdross sein Trotz, und sie drang in ihn, ihr wenigstens seine Vaterstadt zu nennen. Als der Name Argos im Ohr klang, zuckte es ihr durch die Glieder, und sie rief heftig: »Bei den Göttern, Freund, stammst du wirklich dorther?« – »Ja«, sprach Orestes, »von Mykene, wo mein Haus einst beglückt war.« – »Wenn du von Argos kommst, Fremdling«, fuhr Iphigenia mit gespannter Erwartung fort, »so bringst du wohl auch Nachrichten von Troja mit? Ist's wahr, dass es spurlos vertilgt ist? Kam He-lena zurück?« – »Ja, beides ist so, wie du fragst!« – »Wie geht's dem Oberfeldherrn? Agamemnon, dünkt mich, hieß er, der Sohn des Atreus?« Orestes schauderte bei dieser Frage: »Ich weiß nicht«, rief er mit abgewandtem Haupte. »Sprich mir von diesem Gegenstande nicht, o Weib!« Aber Iphigenia bat ihn mit so weicher, flehender Stimme um Nachricht, dass er nicht zu widerstehen vermochte. »Er ist tot«, sprach er, »durch die Gemahlin starb er grauenhaften Todes!« Ein Schrei des Entsetzens entfuhr der Priesterin. Doch fasste sie sich und fragte weiter: »Sprich nur das noch! Lebt des armen Mannes Weib?« – »Nicht mehr«, war die Antwort, »ihr eigener Sohn hat ihr den Tod gegeben, er übernahm das Rächeramt für seinen ermordeten Vater, doch geht es ihm schlimm dafür!« – »Lebt noch ein anderes Kind Agamemnons?« – »Zwei Töchter, Elektra und Chrysothemis.« – »Und was weiß man von der ältesten, die geschlachtet ward?« – »Dass eine Hindin an ihrer statt starb, sie selbst aber spurlos verschwunden ist. Auch sie ist wohl schon lange tot!« – »Lebt der Sohn des Gemordeten noch?«, fragte die Jungfrau ängstlich. »Ja«, sprach Orestes, »doch im Elend, vertrieben, überall und nirgends!« – »O trügerische Träume, weichet!«, seufzte Iphigenia vor sich hin. Dann hieß sie die Diener sich entfernen, und als sie mit den Griechen allein war, sprach sie flüsternd zu ihnen: »Vernehmt etwas, Freunde, das zu eurem und meinem Vorteil dient, wenn wir einig sind. Ich will dich retten, Jüngling, wenn du mir ein Briefblatt in deine und meine Heimat Mykene, an die Meinigen gerichtet, mitnehmen willst!« – »Ich mag mich nicht retten ohne den Freund«, antwortete Orestes; »ich bin ein Unglücklicher, von dem *er* nicht gewichen ist. Wie sollte ich *ihn* in der Todesnot verlassen?« – »Edler, brüderlich gesinnter Freund!«, rief die Jungfrau. »O wäre mein Bruder wie du! Denn wisset, Fremdlinge, auch ich habe einen Bruder, nur dass er fern aus meinen Augen ist. – Aber beide kann ich euch nicht entlassen; das duldet der König nimmermehr. Stirb denn du und lass deinen Pylades ziehen; welcher von euch mir das Blatt besorgt – mir ist es gleich!« – »Wer wird mich opfern?«, fragte Orestes. »Ich selbst, auf Befehl der Göttin«, antwortete Iphigenia. »Wie? Du, das schwache Mädchen, schwingst auf Männer dein Schwert?« – »Nein, ich benetze nur mit dem Weihwasser deine Locken! Die Tempeldiener sind's, die das Schlachtbeil schwingen! Dein verbranntes Gebein empfängt sodann ein Felsenschild.« – »O dass mich meine Schwester bestattete«, seufzte Orestes. »Das ist freilich nicht möglich«, sagte die Jungfrau gerührt, »wenn deine Schwester im fernen Argos weilt. Doch, lieber Landsmann, sorge nicht, ich will deinen Scheiterhaufen mit Öl löschen und mit Honig beträufeln und deine Gruft ausschmücken, als wäre ich deine leibliche Schwester! Jetzt aber lass mich gehen, die Zuschrift an die Meinen zu bestellen!«

Als die Jünglinge allein waren, nur in der Ferne von Dienern bewacht, hielt sich Pylades nicht länger: »Nein«, rief er, »bei deinem Tode leben kann ich nicht! Diese Schmach verlange nicht von mir. Ich muss dir in den Tod folgen, wie ich dir aufs weite Meer gefolgt bin. Phokis und Argos würden mich der Feigheit zeihen. Alle Welt – denn böse ist die Welt – würde sagen, ich hätte dich verraten, um die Heimat mir zu gewinnen, dich getötet, dir nach dem Reich, nach dem Erbe getrachtet, zumal da ich dein künftiger Schwager bin und um deine Schwester Elektra ohne Mitgift gefreit habe. Jedenfalls also will ich, muss ich mit dir sterben!« Orestes wollte nichts von diesem Entschluss hören, und noch stritten sie, als Iphigenia, das beschriebene Blatt in der Hand, zurückkehrte. Als sie den Empfänger Pylades hatte schwören lassen, dass er den Brief gewiss den Ihrigen abliefern wollte, und dagegen schwor, ihn zu retten, besann sich die Jungfrau, und auf den Fall, dass das Schreiben durch irgendeinen Unglücksfall von der See verschlungen würde, während der Überbringer mit dem Leben davonkäme, wollte sie ihm den Inhalt überdies auch noch mündlich mitteilen. »Melde«, sprach sie, »dem

Orestes, dem Sohne des Agamemnon: Iphigenia, die in Aulis vom Opferherde entrückt wurde, lebt und bestellt an dich, was folgt.« – »Was höre ich«, fiel ihr Orestes ins Wort, »wo ist sie? Steht sie von den Toten auf?« – »Hier steht sie«, sagte die Priesterin, »doch störe mich nicht! – ›Lieber Bruder Orestes! Ehe ich sterbe, hole mich aus der fernen Barbarei nach Argos; erlöse mich vom Opferherd, an dem ich im Dienste der Göttin die Fremdlinge morden muss. Tust du es nicht, Orestes, so seien du und dein Haus verflucht!‹«

Die beiden Freunde konnten lange vor Staunen keine Worte finden, bis zuletzt Pylades das Blatt von ihren Händen nahm und gegen den Freund gewendet und ihm den Brief überreichend ausrief: »Ja, ich will den Eid auf der Stelle halten, den ich geleistet. Da nimm, Orestes, ich händige dir das Schreiben ein, welches die Schwester Iphigenia dir überschickt.« Orestes warf es auf den Boden und umschlang die Wiedergefundene mit den Armen. Sie wollte ihm wehren, sie konnte es nicht glauben, bis Erzählungen aus der innersten Geschichte des Atridenhauses ihn ihr als denjenigen beglaubigten, als der er von Pylades bezeichnet ward. »O Geliebtester«, rief die Jungfrau jetzt, »denn das bist du und nichts anderes, du der Meine, der Meine, der Einzige, der Bruder, aus dem geliebten Argos kommend! Wie jugendlich zart warest du, als ich dich verließ, im Arme des Pflegers ruhend, sorglos und glücklich! Ja, glücklich, wie wir beide in diesem Augenblick es sind.« Doch Orestes war schon zur Besinnung gekommen, und sein Antlitz hatte sich umwölkt. »Freilich sind wir jetzt glücklich«, sprach er, »aber wie lange wird es währen? Ist nicht der Jammer, der Untergang uns gewiss?« Auch Iphigenia bedachte sich voll Unruhe: »Was ersinne ich nun«, sagte sie bebend, »wie erlöse ich dich aus dem Reiche des Barbarenfürsten, wie sende ich dich frei vom Tode nach Argos zurück, dass du nicht mitsamt deinem Freunde am Opferherde dem Stahl erliegen musst? Aber schnell, ehe der Herr dieses Reiches, ungeduldig über den verzögerten Tod der Gefangenen, erscheint, erzähle mir, Bruder, und verschweige mir nichts von den entsetzlichen Ereignissen in unserem unglücklichen Hause.«

Orestes meldete ihr mit gedrängten Worten alles, wie es sich begeben, und schloss das Fürchterliche mit einer guten Kunde, mit der Verlobung Elektras und seines Freundes. Während der Erzählung hatte sich die Jungfrau, so ganz sie Ohr war, doch auch mit der Rettung ihres geliebten

Bruders im Geiste beschäftigt, und zuletzt hatte sich ihr ein glücklicher Gedanke dargeboten. »Ich habe«, rief sie, »endlich dünkt mir, den rechten Weg erdacht. Dein Seelenleiden, das sich bei eurer Gefangennahme am Strande noch einmal regte, soll mir zum Vorwand bei dem König dienen. Du kommst, sage ich ihm, wie denn dies die Wahrheit ist, als Muttermörder von Argos. Deswegen seiest du unrein und noch nicht entsündigt, um als angenehmes Opfer der Göttin dargebracht zu werden. Erst müsse ein Wasserbad im Meere die Blutspur abwaschen, welche deinem Leibe noch von dem entsetzlichen Mord anklebe. Und weil du, im Tempel der Göttin dargestellt, ihr Bild als Schutzflehender berührt habest, so sei auch dieses verunreinigt worden und bedürfe einer Reinigung in der Meeresflut. Da nun mir, der Priesterin, allein vergönnt ist, das heilige Bildnis zu berühren, so trage ich dieses selbst auf meinen Armen und in eurer Begleitung – denn auch dich, Pylades, nenne ich als Teilhaber der Blutschuld, wie du es denn auch in der Tat warst – an den Meeresstrand, dort, wo euer Schiff in der Bucht versteckt vor Anker liegt. Dies alles soll durch Überredung des Königs geschehen, denn hintergehen ließe sich der Wachsame nicht. Das weitere Gelingen des Planes, wenn wir einmal am Schiff angekommen sind, ist eure Sache, ihr Lieben!«

Dies alles war zwischen den Geschwistern und ihrem Freunde im Vorhofe des Tempels verhandelt worden, fern von den Dienern und Wachen. Jetzt wurden die Gefangenen den Aufsehern wieder übergeben, und Iphigenia führte sie in das Innere des Tempels. Nicht lange darauf erschien Thoas, der König des Landes, mit einem ansehnlichen Gefolge und fragte nach der Tempelwächterin, denn der Verzug gefiel ihm nicht, und er konnte nicht begreifen, warum die Leiber der Fremdlinge nicht schon lange auf den Hochaltären der Göttin brannten. Wie er nun eben vor dem Tempel angekommen war, trat Iphigenia zu den Pforten heraus auf ihn zu und trug die Bildsäule der Göttin auf den Armen. »Was ist das, Agamemnons Tochter«, rief der König erstaunt, »warum trägst du dieses Götterbild von dem heiligen Gestelle in deinen Armen fort?« – »Es ist Abscheuliches geschehen, o Fürst!«, erwiderte die Priesterin mit bewegter Miene. »Die Opfer, die am Strande erjagt worden, sind nicht rein; das Standbild der Göttin, als sie sich ihm näherten, es schutzflehend zu umfangen, drehte sich freiwillig auf seinem Sitze und schloss die Augenlider. Wisse, dieses Paar hat Grauenhaftes verübt.« Und nun er-

zählte sie dem König, was im Wesentlichen Wahrheit war, und stellte das Verlangen an ihn, die Fremdlinge samt dem Bilde entsündigen zu dürfen. Um ihn recht sicher zu machen, verlangte sie, dass die Fremden wieder gefesselt würden und ihre Häupter als Frevler vor dem Strahl der Sonne verhüllt; auch begehrte sie Sklaven zur Sicherheit, die im Gefolge des Königs erschienen waren. Nach der Stadt – auch dies hatte die Jungfrau schlau in ihrem Sinn ausgedacht – sollte der Fürst einen Boten senden, der den Bürgern befehle, sich, bis die Entsündigung vorüber sei, innerhalb der Mauern zu halten, um von der alles verpestenden Blutschuld nicht angesteckt zu werden. Der König selbst sollte in ihrer Abwesenheit im Tempel bleiben und dort für die Ausräucherung des gesamten Gewölbes besorgt sein, damit die Priesterin es nach ihrer Rückkehr gereinigt wieder finde. Sobald die Fremden aus dem Tore des Tempels träten, sollte der König sein Antlitz ins Gewand hüllen, damit der Gräuel sich ihm nicht mitteilen könnte. »Und wenn es dir«, schloss die Priesterin ihren Antrag, »auch dünken sollte, als säumte ich lange am Meeresstrande, werde darum nicht ungeduldig, o Herrscher; bedenke, welchen großen und befleckenden Frevel es zu entsündigen gilt!«
Der König willigte in alles und verhüllte sich das Haupt, als bald darauf Orestes und Pylades aus dem Tempel geführt wurden, und es währte nicht lange, so war Iphigenia mit den Gefangenen und einigen Trabanten des Königs auf dem Wege zum Meeresufer aus dem Gesichtskreise des Tempels verschwunden. Thoas begab sich in das Innere hinein und ließ dort die von der Priesterin gebotene Räucherung vornehmen, die bei der Größe des Gebäudes eine geraume Zeit erforderte.
Nach mehreren Stunden kam ein Bote vom Meeresufer dahergeeilt. »Treulose Weiberseelen!«, fluchte er vor sich hin, als er erhitzt und keuchend vor der Tempelpforte stand und an das verschlossene Tor pochte. »Hallo, ihr Leute drinnen«, schrie er, »öffnet die Riegel, tut dem Herrn zu wissen, dass ich als Überbringer schlimmer Neuigkeit vor dem Tore stehe!« Die Türflügel öffneten sich, und Thoas selbst trat aus dem Tempel. »Wer ist's«, sprach er, »der mit seinem Lärm den Frieden dieses heiligen Hauses zu stören sich herausnimmt?« – »Vernimm, o König, welche Botschaft ich dir bringe«, hob der Diener an. »Die Priesterin des Tempels, dieses Griechenweib, ist mitsamt den Fremden und dem Standbild unserer erhabenen Schutzgöttin aus dem Lande entronnen!

Das ganze Entsündigungsfest war eine Lüge!« – »Was sagst du?«, rief der König, der Unmögliches zu hören glaubte. »Welcher böse Geist hat dieses Weib ergriffen? Wer ist es, mit dem sie flieht?« – »Ihr Bruder Orestes«, erwiderte der Bote, »derselbe, den sie hier dem Opfertode geweiht zu haben schien. Höre die ganze Geschichte, und dann sinne auf Mittel, wie wir die Flüchtigen verfolgen und fangen, denn ihre Fahrt ist lang, und dein Speer kann sie schon noch erreichen! Als wir ans Gestade des Ozeans gelangt waren, wo das Schiff des Orestes vor Anker lag, winkte Iphigenia uns, die wir die Fremdlinge in Fesseln daherführten, Halt zu machen, damit wir dem heiligen Brandopfer und der beschlossenen Feier fernblieben. Sie selbst nahm den Fremden die Fesseln ab, ließ sie vorangehen und trug sie hinter ihnen her. Zwar schien uns dieses schon etwas verdächtig, indessen glaubten deine Diener, o Herr, es sich doch gefallen lassen zu müssen. Hierauf, damit es schien, als würde mit der Sühnungshandlung wirklich der Anfang gemacht, sang die Priesterin Zauberformeln ab und sprach in fremden Weisen allerlei Gebete. Wir aber hatten uns gelagert und harrten. Endlich kam uns der Gedanke, das entfesselte Paar könnte die wehrlose Frau getötet haben und entsprungen sein. Wir machten uns daher auf und eilten der Felsenbucht zu, die uns den Anblick der Priesterin und der Fremdlinge entzogen hatte. Als wir dicht an den Felsenstrand gelangt waren, sahen wir ein Griechenschiff auf dem Wasserspiegel liegend und an fünfzig Ruderer auf seinen Bänken; am Hinterteile des Schiffes, noch auf dem Ufer, standen die beiden Fremden, der Fesseln entledigt; die einen lichteten die Anker und hängten sie ein, andere schlugen Zugbrücken, wanden an den Tauen, ließen Leitern für die Fremdlinge nieder. Da besannen wir uns denn freilich nicht länger; wir hatten das ganze Truggewebe vor uns und ergriffen das Weib, das auch noch am Strande verweilte. Orestes aber, sein Geschlecht und Vorhaben laut verkündend, wehrte sich mit Pylades für seine Schwester, die wir schleifend zwingen wollten, uns zu folgen. Da weder wir noch die Fremdlinge Schwerter hatten, so setzte es einen hartnäckigen Faustkampf. Indessen zwangen uns die Griechenjünglinge zum Rückzuge, da auch die Schützen vom Hinterteil des Schiffes uns mit Pfeilen aus der Ferne scharf zusetzten. Zu gleicher Zeit warf eine mächtige Meereswoge das Schiff ans Land, und es fehlte wenig, so wäre es gescheitert. Da nahm Orestes Iphigenia auf den Arm, die selbst das Bild auf den Armen trug, sprang ins Wasser und schnell die Leiter des Schiffes hinan. Dort legte er die Schwester mitsamt dem Himmelsbilde der Artemis auf dem Verdeck nieder. Ihm nach war Pylades gesprungen, und als alle glücklich im Schiffe sich befanden, brach das Schiffsvolk in dumpfen Jubel aus und ruderte frisch durch die salzige Flut. Solange das Schiff durch die Hafenbucht fuhr, glitt es in sanftem Laufe dahin; als es aber in die offene See gelangt war, sauste ein mächtiger Windstoß auf dasselbe herein und trieb es, trotz aller Anstrengungen der Ruderer, an das Gestade zurück. Da sprang Agamemnons Tochter flehend empor und rief laut: ›Tochter Letos, jungfräuliche Artemis, du selbst verlangst ja durch das Orakel deines Bruders Apollon nach Griechenland, rette mich mit dir dorthin, mich, deine Priesterin, und vergib mir den kühnen Betrug, den ich mir gegen den Beherrscher dieses Landes erlaubt habe, dem ich gezwungen so lange dienen musste. Du selbst ja hast auch einen Bruder und liebst ihn, du Himmlische, drum siehe auch unsere Geschwisterliebe gnädig an!‹ Zu diesem Gebete der Jungfrau stimmten, die entblößten Arme ums Ruder geschlungen, die Schiffer alle den flehenden Gesang, Päan genannt, an, wie ihnen befohlen ward. Dennoch trieb das Schiff immer mehr an den Strand, und ich bin geradewegs hierher geeilt, um dir zu melden, was sich am Ufer dort begeben. Darum sende du nur auf der Stelle Fangstricke und Fesseln ans Gestade, denn wenn das brausende Meer nicht bald ruhig wird, so ist den Fremdlingen jeder Weg zur Flucht versperrt. Der Meeresgott Poseidon denkt mit Zorn an die Zerstörung seiner Lieblingsstadt Troja zurück; er ist ein Feind aller Griechen und des Atridengeschlechts insbesondere. So wird er denn, wenn mich nicht alles trügt, die Kinder Agamemnons heute in deine Gewalt geben!«

Mit Ungeduld hatte der König Thoas das Ende des langen Berichts abgewartet und ließ nun auf der Stelle an alle Bewohner seines rauen Küstenlandes den Befehl ergehen, die Rosse aufzuzäumen, dem Meeresstrande zuzusprengen, das Griechenschiff, wenn es durch die Wellen ans Land geschleudert wäre, zu fassen und unter dem Beistande der Göttin Artemis die flüchtigen Verbrecher einzufangen. Das Fahrzeug sollte mit allen Ruderern versenkt werden, die beiden Fremdlinge aber mit der treulosen Priesterin wollte er vom schroffsten Felsen ins Meer hinabstürzen oder bei lebendigem Leibe mit dem Pfahle spießen lassen.

Und schon jagte er an der Spitze seines riesigen Volkes dem Meeresufer zu, als plötzlich eine himmlische Erscheinung den Zug hemmte und den König wider Willen stille zu stehen zwang. Pallas Athene, die erhabene Göttin, war es, deren Riesengestalt, von einer lichten Wolke umgeben, über der Erde schwebend, dem Heereszug den Weg vertrat und deren Götterstimme wie Donner über die Häupter der Taurier hinrollte: »Wohin, wohin jagest du, König Thoas, erhitzt und atemlos, mit deinem Volke? Schenke den Worten einer Göttin Gehör! Lass die Haufen deines Heeres ruhen, lass meine Schützlinge frei abziehen! Das Verhängnis selbst hat durch den Ausspruch Apollons den Orestes hierher gerufen, dass er, von den Furien befreit, seine Schwester ins Vaterland zurückgeleite und das heilige Bildnis der Artemis in meine geliebte Stadt Athen bringe, wohin sie selbst begehrt hat! Die Flüchtlinge trägt deswegen Poseidon, der Meeresgott, mir zuliebe auf unbewegter Meeresfläche in ihrem Ruderschiffe dahin, und Orestes wird in Athen der taurischen Artemis' Bild in einem heiligen Hain und neuen, herrlichen Tempel aufstellen, und Iphigenia wird auch dort ihre Priesterin sein, dort sterben, dort ihre fürstliche Gruft finden. Du, o Thoas, und du, Volk der Taurier, gönnt ihnen allen ihr Geschick und zürnet nicht!«
Der König Thoas war ein frommer Verehrer der Götter. Er warf sich vor der Erscheinung nieder und sprach anbetend: »O Pallas Athene! Wer Götterwort vernimmt und sein Ohr nicht ihm zuneigt, der denkt verkehrt. Kampf mit allmächtigen Göttern bringt keine Ehre. Mögen deine Schützlinge mit dem Bildnis der Göttin ziehen, wohin sie sollen, mögen sie das Bild glücklich in deinem Reiche aufstellen. Ich senke meine Lanze vor den Göttern. Lasst uns umwenden und in die Mauern unserer Stadt zurückkehren.«
Es geschah, wie Athene verkündet hatte. Die taurische Artemis erhielt ihren Tempel und behielt ihre Priesterin Iphigenia in Athen. Orestes setzte sich zu Mykene als beglückter König auf den Thron seiner Väter und gewann mit der einzigen, lieblichen Tochter des Menelaos und der Helena, Hermione, die vergebens an Neoptolemos, den Sohn des Achilleus, verlobt worden war und die ihm der Bräutigam mit Verlust seines eigenen Lebens lassen musste, auch das Königreich Sparta. Zuvor aber hatte er noch Argos erobert. So besaß er ein mächtigeres Reich, als je sein Vater besessen. Seine Schwester Elektra setzte ihr Gemahl Pylades

auf den Thron von Phokis. Chrysothemis starb unvermählt; Orestes selbst erreichte ein Alter von neunzig Jahren. Da regte sich der alte, erlöschende Fluch der Tantaliden noch einmal: eine Schlange stach ihn in die Ferse, dass er starb.

ODYSSEUS

Telemachos und die Freier

Die Heimkehr der Griechen von Troja war vollbracht, und so viele der Helden den Schlachten während des Krieges oder dem Sturm auf der Heimfahrt entronnen waren, befanden sich jetzt zu Hause, glücklich oder unglücklich. Nur Odysseus, der Sohn des Laertes, Ithakas Fürst, war noch auf der Irrfahrt und von einem seltsamen Schicksal getroffen. Nach mancherlei Abenteuern saß er in der Ferne auf einer rauen, mit Wäldern bedeckten, einsamen Insel mit Namen Ogygia, wo ihn eine hohe Nymphe, die Göttin Kalypso, die Tochter des Atlas, in ihrer Grotte gefangen hielt, weil sie ihn zum Gemahl begehrte. Er aber blieb der zurückgelassenen Gattin, der edlen Penelope, treu; und endlich jammerten sein auch die Götter im Olymp; nur Poseidon, der Gott des Meeres, der alte Feind der Griechen, zürnte auch diesem Helden unversöhnlich, und wenn er ihn nicht zu vertilgen wagte, so legte er seiner Heimfahrt doch allenthalben Hindernisse in den Weg und trieb ihn in der Irre umher. Und so war er es auch, der ihn an jene unwirtliche Insel geworfen hatte.

Nun aber wurde doch im Rate der Himmlischen beschlossen, dass Odysseus aus den Banden der Inselfürstin Kalypso befreit werden sollte. Auf die Fürbitte Athenes wurde Hermes, der Götterbote, nach dem ogygischen Eilande geschickt, um der schönen Nymphe den unwiderruflichen Ratschluss des Zeus zu verkündigen, dass dem Dulder die Wiederkehr in seine Heimat bestimmt sei. Athene selbst band sich die ambrosischen goldenen Sohlen unter die Füße, womit sie über Wasser und Land dahinschwebt, nahm ihre mächtige Lanze mit der gediegenen scharfen

Spitze von Erz, mit welcher sie so manche Helden in der Schlacht bezwungen hatte, zur Hand, schwang sich stürmend von dem felsigen Gipfel des Olymps herab, und bald stand sie auf der Insel Ithaka, die an der Westküste Griechenlands liegt, am Palast des fernen Odysseus vor der Schwelle des Hofes, dort, wo der Weg zum hohen Tore des Königshauses führte. Ihre Göttergestalt war verwandelt, und die Lanze in der Hand, glich sie dem tapferen Mentes, dem Könige der Taphier.

Im Hause des Odysseus sah es traurig aus. Die schöne Penelope, die Tochter Ikarios', blieb mit ihrem jungen Sohne Telemachos nicht lange Meister in dem verlassenen Palast. Als Odysseus, nachdem sich längst die Nachricht von Trojas Fall und von der Rückkehr der anderen Helden verbreitet hatte, als Einziger nicht heimkehrte, verbreitete sich allmählich mit immer größerer Sicherheit die Sage von seinem Tode. Es fanden sich auf der Insel Ithaka selbst, auf welcher noch andere mächtige und reiche Leute außer dem Fürsten Odysseus wohnten, nicht weniger als zwölf, und von der benachbarten Insel Same vierundzwanzig, von Zakynth zwanzig, ja von Dulichion zweiundfünfzig Freier mit einem Herold, einem Sänger, zwei geübten Köchen und großem Sklavengefolge bei Penelope ein, die, unter dem Vorwand, um die Hand der jungen Witwe zu werben, alle im Hause und vom Gute des abwesenden Fürsten zehrten und den frechsten Übermut trieben; und dieses Unwesen hatte nun schon über drei Jahre gewährt.

Als Athene in der Gestalt des Mentes ankam, fand sie die üppigen Freier eben an der Pforte des Hauses mit Steineschieben beschäftigt, und diejenigen, die nicht gerade den Stein schoben, lagen auf den Häuten von Rindern hingestreckt, die sie selbst dem Odysseus aus den Ställen genommen und geschlachtet hatten. Herolde und aufwartende Diener eilten hin und her; die einen mischten in gewaltigen Krügen den Wein unter das Wasser, andere säuberten die umhergestellten Tische mit Schwämmen und zerlegten das reichlich aufgetragene Fleisch. Der Sohn des Hauses, Telemachos selbst, saß mit einem Herzen voll Betrübnis unter den Freiern und dachte an seinen herrlichen Vater, ob er nicht endlich käme, die Scharen der Frechen zu zerstreuen und sich wieder in den Besitz seiner Habe zu setzen. Wie er die Göttin in der Gestalt des fremden Königs erblickte, eilte er ihr an der Pforte entgegen, fasste die Rechte des vermeintlichen Gastfreundes und hieß ihn willkommen. Als sie beide in den gewölbten Saal des Palastes eingetreten waren und Athene ihre Lanze in den Speerkasten, der sich an der Hauptsäule befand, zu den Lanzen des Odysseus gelehnt hatte, führte Telemachos seinen Gast zu Tische an einen Thronsessel mit schön gewirktem Polster, hieß ihn sitzen und schob ihm einen Schemel unter die Füße; er selbst stellte seinen Sessel neben den seinen; eine Dienerin brachte in goldener Kanne Waschwasser für die Hände des Fremdlings; die ehrbare Schaffnerin trug Brot und Fleisch herbei, ein Diener zerlegte die Speisen, und um die goldenen gefüllten Becher wandelte, Wein einschenkend, der Herold. Bald darauf traten auch, einer um den anderen, die Freier ein und setzten sich alle auf stattliche Lehnsessel; die Herolde besprengten ihnen die Hände, die Mägde reichten ihnen Brot in Körben, die Diener füllten ihnen den Becher bis zum Rande, und sie machten sich, als kämen sie nicht eben vom Schmause, über das leckere Mahl her. Dann gelüstete sie nach Reigentanz und Gesang, der Herold reichte dem Sänger Phemios die zierliche Harfe, und dieser, von den trotzigen Freiern gezwungen, schlug die Saiten an und begann den herzerfreuenden Gesang.

Während nun diese dem Lied horchten, neigte Telemachos sein Haupt nahe an das seines Gastes und flüsterte der verwandelten Göttin ins Ohr: »Wirst du mir, lieber Gastfreund, was ich dir sage, nicht verargen? Siehst du, wie diese Menschen hier fremdes Gut ohne Ersatz verprassen? Das Gut meines Vaters, dessen Gebein vielleicht am Meeresstrande im Regen modert oder auf den Wellen umhergetrieben wird! Er kommt wohl nicht wieder heim, sie zu strafen! – Aber du sage mir, edler Fremdling, wer bist du, wo hausest du, wo deine Eltern? Bist du vielleicht schon vom Vater her unser Gastfreund?« – »Ich bin«, erwiderte Athene, »Mentes, der Sohn des Anchialos, und beherrsche die Insel Taphos; ich kam zu Schiffe hierher, um in Temesa Erz gegen Eisen einzutauschen. Frage deinen Großvater Laertes, den Greis, der, wie man sagt, fern von der Stadt in Kummer auf dem Lande sich abhärmt, er wird dir sagen, dass unsere Häuser seit der Altväter Zeiten in Gastfreundschaft miteinander leben. Ich kam, weil ich glaubte, dein Vater sei wieder daheim. Dem ist nun freilich nicht so, aber doch lebt er gewiss noch; er ist wohl irgendwo an eine wilde Insel verschlagen und wird mit Zwang dort festgehalten. Ja, mir sagt es mein weissagender Sinn, er weilt nicht lange mehr, er macht sich bald los und kehrt heim! Du bist doch deines Vaters leiblicher Sohn, lieber Telemachos. Wie du ihm am Haupte, zumal an den freundlichen Augen gleichest! Denn wisse, ich habe deinen Vater gekannt, ehe er gen Troja fuhr. Seitdem sah ich ihn nicht mehr. Doch sage mir, was ist denn das für ein Gewühl in deinem Hause? Feierst du denn ein Gastmahl oder ein Hochzeitsfest?«

Telemachos antwortete mit einem Seufzer: »Ach, lieber Gastfreund, ehemals mochte wohl unser Haus angesehen und begütert heißen; jetzt ist es anders; alle diese Männer aus der Nachbarschaft, die du hier siehst, umwerben meine Mutter und verzehren unser Gut. Sie selbst kann eine verabscheute Wiedervermählung nicht abschlagen und nicht vollziehen. Indessen verwüsten diese Schlemmer mein Haus und in kurzem werden sie mich selbst umbringen!« Mit zornigem Schmerze antwortete die Göttin: »Wehe, wie sehr bedarfst du des Vaters, Jüngling! Wohl empfehle ich dir zu bedenken, wie du diesen lästigen Schwarm aus dem Palast fortdrängst! Lass mich dir einen Rat geben. Morgen erhebe dich unter ihnen und heiße sie, einen jeglichen in das Seinige zurückzukehren; deiner Mutter aber sage: wenn ihr eigenes Herz nach einer Vermählung begehrt, so soll sie in den Palast ihres königlichen Vaters heimkehren, dort mag die Hochzeit angeordnet, mag die Brautgabe bereitet werden. Du selbst aber rüste das beste Schiff, das du hast, mit zwanzig Ruderern aus und begib dich auf den Weg, den lange abwesenden Vater zu suchen. Zuerst gehe nach Pylos im Lande Messenien, frage dort den ehrwürdigen Greis Nestor; erfährst du da nichts, so wende dich nach Sparta zum Helden Menelaos, denn dieser ist der letzte von den Griechen, der heimgekehrt ist. Hörst du vielleicht dort, dass dein Vater lebe, dass er wiederkehre, nun, dann ertrag es noch ein Jahr. Vernimmst du aber, dass er gestorben sei, alsdann kehre heim, opfere Totenopfer und errichte ihm ein Denkmal. Findest du die Freier noch immer in deinem Hause, so sinne darauf, wie du sie durch List oder öffentlich tötest. Bist du doch nicht mehr unmündig und dem Knabenalter längst entwachsen! Hörst du nicht, welchen Ruhm der Jüngling Orestes unter den Menschen geerntet hat, dass er seines Vaters Mörder, Agisthos, erschlagen? Du bist so groß und stattlich; halte dich wohl, mache, dass auch dich einst spätere Geschlechter loben!« Telemachos dankte dem Gastfreunde für seinen guten Rat und seine väterliche Gesinnung, und da dieser sich zum Aufbruch anschickte, wollte er ihm ein Gastgeschenk

mit auf den Weg geben; der vermeintliche Mentes versprach aber wiederzukommen und es auf dem Rückwege abzuholen.
Dann enteilte die Göttin und verschwand; denn wie ein Vogel durchflog sie den Kamin. Telemachos staunte über das Verschwinden des Fremden tief in der Seele; er ahnte, dass es ein Gott gewesen, und sann in sich gekehrt seinem Rate nach.
Im Saale dauerte indessen Saitenspiel und Gesang fort: der Sänger meldete die traurige Heimfahrt der Griechen von Troja, und alle Freier horchten. Droben im Söller saß inzwischen die einsame Penelope, und der Hall des Liedes drang zu ihr empor. Da stieg auch sie mit zwei Dienerinnen die Stufen ihrer hohen Wohnung herab und trat zu den Freiern in den Saal ein, doch in einen dichten Schleier gehüllt; eine der Mägde stand ihr zur Seite, und weinend begann sie, zu Phemios, dem Sänger, gewendet: »Du weißt ja sonst viele herzerquickende Lieder, guter Sänger! Erfreue sie damit; aber diesen Jammergesang, der mir beständig das Herz im Busen quält, den lass ruhen! Gedenke ich doch auch ohne das beständig des Mannes, dessen Ruhm durch ganz Griechenland reicht und der noch immer nicht heimgekehrt ist!« Aber Telemachos redete freundlich zu der Mutter: »Tadle doch den lieblichen Sänger nicht, dass er uns mit dem erfreut, was ihm gerade das Herz entzündet. Nicht den Sängern Zeus' müssen wir Schuld geben, der ihnen die Lieder eingibt und sie begeistert, wie er will. Lass ihn deswegen immerhin das Leid der Danaer besingen! Odysseus ist es ja nicht allein, der den Tag der Wiederkehr verlor; wie viel andere Griechen sind untergegangen! Du selbst, liebe Mutter, kehr ins Frauengemach zurück, besorge dort deine Geschäfte, die Spindel und den Webstuhl, und leite das Tagwerk deiner Frauen! Das Wort gebührt den Männern und vor allem mir, der ich die Herrschaft im Hause zu führen habe.«
Penelope verwunderte sich über die verständige und bestimmte Rede des Knaben, den sie früher nie so hatte sprechen hören und der auf einmal zum Jüngling gereift schien; sie kehrte nach dem Söller zurück und beweinte dort ihren Gemahl in der Einsamkeit. Den Freiern aber, die zu toben und beim Becher Mutwillen zu treiben anfingen, trat Telemachos auch entgegen und rief in die Versammlung hinein: »Freut euch immerhin beim Mahle, ihr Freier, aber lärmt mir nicht so! Denn das ist eine Lust, dem Sänger in Stille zuzuhorchen! Morgen wollen wir Ratsver-

sammlung halten; da will ich euch frank und frei den Vorschlag machen, nach Hause zu gehen, denn es ist Zeit, dass ihr euch an eurer eigenen Habe wärmet und nicht des fremden Mannes Erbgut vollends aufzehrt!«

Die Freier bissen sich auf die Lippen, als sie solche Reden hörten, und konnten über die entschlossenen Worte des Jünglings nicht genug staunen. Aber von seinem Vorschlage, zum Vater Penelopes, Ikarios, zu wandern, wollten sie nichts hören und zankten sich trotzig mit ihm herum. Endlich brachen sie auf, und auch Telemachos ging zur Ruhe.

Am anderen Morgen sprang er zeitig vom Lager, kleidete sich an und hängte das Schwert um die Schultern. Dann trat er aus der Kammer hervor und gebot den Herolden, die Versammlung der Bürger zu berufen, und lud auch die Freier zu dieser ein. Als das Volk sich gedrängt eingefunden hatte, erschien der Fürstensohn, die Lanze in der Hand; Pallas Athene hatte seiner Gestalt Hoheit und Anmut verliehen, so dass alles Volk den Kommenden anstaunte. Selbst die Greise machten ihm ehrerbietig Platz, und er setzte sich auf den Stuhl seines Vaters Odysseus. Da war der Held Ägyptios, von Alter gebückt und reich an Erfahrung, er, dessen ältester Sohn Antiphos schon mit Odysseus vor Troja gezogen war und erst auf dem Rückwege verunglückte, dessen zweiter Sohn Eurynomos sich mit unter den Freiern befand, während die zwei jüngsten Söhne noch des Vaters Geschäfte zu Hause betrieben; dieser erhob sich in der Volksversammlung und sprach: »Seit Odysseus fort ist, sind wir nicht versammelt gewesen. Wem ist denn auf einmal eingefallen, uns zusammenzuberufen? Ist es ein älterer Mann oder ein jüngerer, und welches Bedürfnis treibt ihn? Hörte er etwa Kunde von einem heranziehenden Kriegsheere? Oder hat er einen Antrag zum Besten des Landes zu machen? Nun, gewiss ist es ein Biedermann, der also handelt; Zeus segne ihn, was er auch im Herzen vorhaben mag!«

Telemachos erfreute sich des glücklichen Vorzeichens, das in diesen Worten lag, erhob sich von seinem Stuhl und sprach, mitten unter die Versammlung eintretend, nachdem der Herold Pisenor ihm das Zepter gereicht, indem er sich zuerst dem greisen Ägyptios zuwandte: »Edler Greis! Der Mann, der euch berufen hat, ist nicht fern: ich bin's, denn der Kummer und die Sorge bedrängen mich. Erst habe ich meinen trefflichen Vater, euren Beherrscher, verloren, und jetzt stürzt mein Haus ins

Verderben, und alle meine Habe geht in Trümmer! Mit unerwünschter Bewerbung sieht sich meine Mutter Penelope von Freiern umdrängt. Diese sträuben sich, meinem Vorschlage sich zu fügen und bei der Mutter Vater, Ikarios, um die Tochter zu werben. Nein, von Tag zu Tag wenden sie sich an unser Haus, opfern Rinder zum Mahle, halten bei unseren Schafen und Ziegen Schmaus und trinken mir den funkelnden Wein ohne Scheu aus dem Keller. Was vermag ich gegen so viele? Erkennt doch selbst, ihr Freier, euer Unrecht, habt auch Scheu vor anderen, vor der Nachbarschaft, bebt endlich vor der Rache der Götter! Wann hat euch mein Vater beleidigt, wann habe ich selbst euch Schaden zugefügt, dessen Ersatz ihr von mir zu nehmen berechtigt wäret? So aber ladet ihr mir unverdienten Schmerz auf die Seele!«

So sprach Telemachos, vergoss Tränen dazu und warf zornig sein Zepter auf die Erde. Die Freier saßen schweigend umher, und keiner, außer Antinoos, dem Sohne des Eupithes, wagte es, ihm ein heftiges Wort auf seine Rede zu erwidern. Dieser aber erhob sich und rief laut: »Trotziger Jüngling, welche Schmähung erlaubst du dir gegen uns? Nicht die Freier haben alles das verschuldet, sondern deine eigene Mutter, die ränkevolle. Drei Jahre und bald das vierte sind dahin, und immer noch spottet sie des Wunsches der Achäer. Allen verheißt sie Gunst, bald diesem, bald jenem Manne sendet sie Botschaft zu; aber im Herzen denkt sie ganz anders. Wohl durchschauen wir ihre List. In ihrer Kammer hat sie ein großes Gewebe angefangen, und zur Versammlung der Freier hat sie gesprochen: ›Ihr Jünglinge, wartet mit der Entscheidung und der Hochzeit nur so lange, bis ich das Leichengewand für meines Gemahls alten Vater Laertes fertig gewirkt habe, dass, wenn er dereinst stirbt, keine Griechin mich tadeln kann, wenn der angesehene Mann als Leiche nicht festlich eingekleidet läge!‹ Mit diesem frommen Vorwand gewann sie unsere Herzen. Nun saß sie auch wirklich den Tag über da und wirkte an ihrem großen Gewebe, in der Nacht aber beim Kerzenlicht, da trennte sie heimlich alles wieder auf, was sie am Tage gewoben hatte. So entging sie unseren Aufforderungen drei Jahre lang und täuschte edle Griechensöhne. Eine der Dienerinnen, welche sie nachts belauschte, hat uns dieses hinterbracht, und so überraschten wir sie selbst, während sie damit beschäftigt war, ihr Gewebe zu zertrennen. Darauf nötigten wir sie, das Werk zu vollenden. So geben wir dir denn zur Antwort, Telemachos,

dass dir allerdings vergönnt sein soll, die Mutter hinweg und zu ihrem Vater zu senden; aber du sollst ihr auch gebieten, sich demjenigen zu vermählen, den ihr Vater auserlesen wird oder den sie sich selbst erwählt. Wenn sie aber die edlen Griechen noch länger verhöhnt und mit ihrem Truggewebe betrügen will, so zehren wir auch noch länger von deinem Gut, und nicht eher weichen wir von deinem Herd und begeben uns an den unserigen, als bis deine Mutter einen Gatten gewählt hat.«
Darauf antwortete Telemachos: »Antinoos, mit Zwang kann ich meine Mutter nicht aus dem Hause verstoßen, sie, die mich geboren und erzogen hat, mag nun mein Vater noch leben oder tot sein. Weder Ikarios, ihr Vater, noch die Götter könnten ein solches Verfahren billigen. Nein, wenn ihr selbst noch Gefühl für Recht und Unrecht habt, so verlasst mein Haus und besorgt euch eure Gastmähler anderswo oder verzehrt wenigstens eure eigene Habe und lasst die Bewirtung im Kreise herumgehen. Wenn es euch aber behaglicher dünkt, das Erbe eines einzelnen Mannes ohne Wiedererstattung zu verschlingen – nun, so tut es! Ich aber werde die Ewigen laut anflehen, dass mir Zeus zur wohlverdienten Bezahlung an euch verhelfe!«
Während Telemachos so sprach, schickte ihm Zeus ein Himmelszeichen. Zwei Adler des Gebirges schwebten mit ausgebreiteten Schwingen herab aus den Lüften und umeinander her: als sie der Versammlung über den Häuptern waren, schauten sie drohend herab und begannen dann, sich selbst mit den Klauen Hals und Kopf zu zerkratzen, dann erhoben sie sich wieder und stürmten rechtshin über Ithakas Stadt. Dies deutete der anwesende greise Vogelschauer Halitherses auf großes Verderben, das den Freiern drohe. Denn noch am Leben sei Odysseus und nahe schon, und der Tod sei allen jenen Männern bereitet. Aber der Freier Eurymachos, des Polybos Sohn, spottete des Zeichens und sagte: »Geh du nach Hause und verkündige deinen eigenen Kindern ihr Geschick, alberner Greis! Uns wirst du nicht betören. Viel Vögel fliegen unter den Strahlen der Sonne herum, aber nicht alle bedeuten etwas! Gewisser ist nichts, als dass Odysseus in der Ferne starb!« Übrigens beharrten die Freier auf ihrem Ansinnen, dass die Mutter Telemachos' selbst das Haus verlassen, zu ihrem Vater Ikarios ziehen und dort wählen solle.
Da drang Telemachos nicht weiter in sie, sondern er begehrte vom Volke nur ein schnell segelndes Schiff und zwanzig Ruderer, um zu Pylos

und zu Sparta nach dem verschollenen Vater zu fragen. Lebe er, so wolle auch Telemachos noch ein Jahr zusehen; sei er tot, so möge ein anderer die Mutter nehmen. Jetzt erhob sich Mentor, der Freund und Altersgenosse des Odysseus, dem dieser, in den Kampf vor Troja ziehend, die Sorge des Hauses anvertraut hatte, dass er unter der Oberaufsicht seines Vaters Laertes alles in Ordnung erhielte. Dieser ereiferte sich zornig gegen die Freier und rief: »Kein Wunder, wenn ein zeptertragender König Recht und Billigkeit vergäße, stets zürnte und grausam frevelte; verdienen es die Menschen doch nicht anders! Wer in diesem Kreise gedenkt jetzt noch des freundlichen und väterlichen Herrschers Odysseus? Prassen doch diese Freier ungestraft von seinem Gute! Und nicht ihnen verdenke ich es, die da im Wahne handeln, als kehre Odysseus nicht wieder! Aber dem anderen Volke verarg ich's, das stumm dasitzt und zuschauen mag und auch nicht mit einem Wörtchen es versucht, die frevelnden Freier im Zaum zu halten, so überlegen es ihnen an Zahl ist!« Aber Leokritos, einer der frechsten Freier, spottete des Scheltenden und sprach: »Lass immerhin den Odysseus kommen, du alter Schadenfroh; wir wollen sehen, ob er mit uns fertig wird, wenn er uns beim Mahle überrascht! Und glaubt mir nur, Penelope selbst, sosehr sie nach ihm zu schmachten scheint, würde seiner Ankunft sich am wenigsten freuen. Möge ihn das böse Verhängnis vertilgen! Nun lasst uns scheiden, ihr Männer! Mögen Mentor und der alte Vogelschauer Halitherses die Reise des Knaben Telemachos beschleunigen. Aber, was wollen wir wetten? Er sitzt noch nach Wochen hier unter uns und erspäht sich hier in Ithaka selbst die Botschaft nach seinem Vater. Nimmermehr vollendet er die Reise!«
Lärmend trennten sich die Freier, und die ganze Volksversammlung tat, ohne einen Beschluss gefasst zu haben, das Gleiche. Jeder ging in seine Wohnung, und die Freier lagerten sich wieder im Palast des Odysseus.

Telemachos bei Nestor

Telemachos ging hinab ans Meergestade, und die Hände in der Flut waschend, rief er zu dem unbekannten Gott, der tags zuvor in Menschengestalt bei ihm in seiner Wohnung erschienen war. Da nahte ihm Pallas

Athene, dem Freunde seines Vaters, Mentor, an Gestalt und Stimme ähnlich, und sprach: »Telemachos, wenn du hinfort nicht zaghaft und besinnungslos sein willst, wenn der Geist deines Vaters, des klugen Odysseus, nicht ganz von dir gewichen ist, so hoffe ich, dass du deinen Entschluss ausführst! Ich bin der alte Freund deines Vaters, ich will dir für ein schnelles Schiff sorgen und dich selber begleiten!« Telemachos, der nicht anders glaubte, als dass Mentor selbst zu ihm geredet, eilte entschlossen nach Hause; auf dem Wege begegnete er dem jungen Freier Antinoos, der ihm lachend die Hand hinbot und sprach: »Unbändiger, trotziger Jüngling, zürne nicht länger! Lustig geschmaust und getrunken mit uns wie bisher! Lass die Bürger für deine Reise sorgen, und wenn sie dir Schiff und Mannschaft gerüstet haben, dann magst du meinethalben nach Pylos fahren!« Aber Telemachos erwiderte: »Nein, Antinoos, es ist mir unmöglich, länger schweigend mit euch ausschweifenden Männern am Mahle zu sitzen! Ich bin kein Knabe mehr; ihr habt es hinfort mit einem mutigen Manne zu tun, mag ich nun gen Pylos fahren oder auf unserem Eilande verbleiben! Aber ich will gehen, und nichts soll mir die beschlossene Fahrt vereiteln!« So sprechend, zog er leicht seine Hand aus der Hand des Freiers und eilte in die Vorratskammer seines Vaters hinab, wo Gold und Erz in Haufen lagen, kostbare Gewänder im Kasten ruhten, Krüge voll duftigen Öles und Fässer mit balsamischem Wein gefüllt an die Mauer gelehnt umherstanden. Hier fand er die wirksame Schaffnerin Eurykleia, schloss hinter sich die Pforte riegelfest und sprach zu ihr: »Mütterchen! Geschwind schöpf und fülle mir zwölf Henkelkrüge mit Wein und spünde sie wohl mit Deckeln, schütte mir auch zwanzig Maß fein gemahlenen Mehls in Schläuche und rüste alles zusammen auf einen Haufen. Denn vor Nacht noch, wenn die Mutter schon im Schlafgemach ist, komme ich und hole alles ab. Erst nach zwölf Tagen oder wenn sie mich selbst vermisst, darfst du ihr sagen, dass ich fort bin, den Vater zu suchen!« Weinend schwur ihm dies die gute Schaffnerin und tat, wie er befohlen.

Indessen hatte Athene selbst Telemachos' Gestalt angenommen, Genossen für die Reise geworben und von einem reichen Bürger, Noëmon, ein Schiff zur Reise geborgt. Dann betäubte sie den Sinn der Freier, dass ihnen die Becher aus den Händen fielen und ein tiefer Schlummer, wie Berauschten zu geschehen pflegt, sich ihrer bemächtigte. Endlich nahm sie

Mentors Gestalt wieder an, gesellte sich zu Telemachos und ermunterte ihn, die Fahrt nicht länger zu verschieben. Bald standen beide am Meer, fanden dort die Genossen, ließen die Zehrung zu Schiffe bringen und bestiegen das Fahrzeug. Als die Woge schon um den Kiel schlug und der Wind die Segel schwellte, brachten sie den Göttern ein Trankopfer dar und fuhren bei günstiger Luft die ganze Nacht pfeilschnell dahin.

Mit Sonnenaufgang lag Nestors Stadt Pylos vor den Augen der Reisenden. Dort brachte gerade das Volk, in neun Rotten geschart, dem Meeresgott neun schwarze Stiere zum Opfer dar, verbrannte sie dem Gott und schmauste von den Überbleibseln. Da landeten die Männer aus Ithaka, und Telemachos, von Athene als Mentor geführt und zu keckem Gruße aufgemuntert, eilte unter die Versammlung des pylischen Volkes. Hier saß Nestor mit seinen Söhnen, Freunde rüsteten das Mahl, Diener steckten das Fleisch an Spieße und brieten es. Als nun die Pylier Fremdlinge ans Ufer steigen und herannahen sahen, eilten sie ihnen sogleich in dichten Haufen entgegen, boten ihnen die Hände zum Gruß und nötigten den Telemachos und seinen Führer zu sitzen. Insbesondere ergriff sie Peisistratos, der Sohn Nestors, beide Hände bei der Hand, nötigte sie freundlich, am Gastmahl teilzunehmen, und wies ihnen am Ufersande des Meeres auf dickwolligen Vliesen zwischen seinem Vater Nestor und seinem Bruder Thrasymedes den Ehrensitz an. Dann legte er ihnen von dem besten Fleisch vor, füllte zwei goldene Becher mit Wein, trank ihnen unter Handschlag zu und sprach zu der verkleideten Athene: »Bring dem Poseidon das Trankopfer mit Gebet, o Fremdling, und lass auch deinen jüngeren Freund also tun! Bedürfen doch alle Sterblichen der Götter!« Athene nahm den Becher, flehte vom Meeresgott Segen auf Nestor, seine Söhne und alle Pylier herab und bat um Vollendung dessen, weswegen Telemachos zu Meere dahergekommen. Dann schüttete sie den Wein zu Boden und hieß ihren jungen Begleiter ein Gleiches tun.

Darauf wandte man sich zu Trank und Speise, und als Hunger und Durst gestillt waren, begann der greise Nestor das freundliche Gespräch und forschte nach dem Geschlecht und der Absicht der Fremden. Telemachos beantwortete ihm beides, und als er auf seinen Vater Odysseus zu reden gekommen war, sprach er mit Seufzen: »Vergebens suchten wir bisher sein Schicksal zu erkunden. Wir wissen nicht, kam er auf dem Festlande von Feinden um oder hat ihn die Brandung des Meeres verschlungen. Darum flehe ich dich an, mir seinen traurigen Tod zu verkündigen, magst du nun Augenzeuge gewesen sein oder ihn nur von einem Wanderer vernommen haben. Schone mich nicht aus Mitleid, sondern erzähle mir nur alles getreulich!«

»Lieber Jüngling«, antwortete Nestor, »weil du jener Zeit der Trübsal gedenkst, so höre alles, wie es ergangen.« Der Alte holte dann nach Greisensitte weit aus, meldete von dem Tode der größten Helden noch unter llions Mauern selbst, von dem Hader der beiden Atriden, endlich von seiner eigenen Rückfahrt; aber von Odysseus wusste er so wenig als der fragende Telemachos selbst. Dagegen erzählte er ihm weitläufig den Tod Agamemnons zu Mykene und die Rache des Orestes. Endlich riet er ihm, nach Sparta zum Fürsten Menelaos zu gehen, der erst neulich von fern entlegenen Menschen, an deren Küste ihn der Sturm verschlagen, zurückgekehrt sei. Da dieser am längsten unter allen Griechenhelden auf der Fahrt gewesen, sei es auch am ehesten glaublich, dass er irgendwo etwas von dem Geschicke des Odysseus vernommen.

Athene billigte als Mentor den Vorschlag und erwiderte hierauf: »Der Abend ist unter unseren Gesprächen eingebrochen; erlaube jetzt, lieber Greis, meinem jungen Freunde, dich in deinen Palast zu begleiten und dort zu ruhen. Ich selbst will nach unserem Schiffe sehen und meine Genossen ermuntern, alles Nötige anzuordnen. Dann will ich mein Nachtlager auch dort nehmen. Am anderen Morgen fahre ich dann zum Volk der Kaukonen, wo ich eine Schuld einzufordern habe. Meinen Freund Telemachos aber sende du selbst« – Nestor hatte dies so angeboten – »mit deinem Sohne auf einem wohlgezimmerten Wagen mit deinen leichtfüßigsten Rossen bespannt nach Sparta.«

So sprach Athene, und siehe da, plötzlich verwandelte sie sich in einen Adler und flog empor zum Himmel. Alle sahen ihr staunend nach, Nestor ergriff den Jüngling Telemachos bei der Hand und sprach: »Du darfst nicht verzagen und trostlos werden, mein Lieber, da schon in deiner Jugend beschirmende Götter dich begleiten! Denn kein anderer war dein Genosse als Zeus' Tochter Athene, die auch deinen tapferen Vater vor allen anderen Argivern immer besonders geehrt hat!« Dann richtete der Greis ein frommes Gebet an die Göttin, gelobte ihr ein jähriges Rind am anderen Morgen zu opfern und führte mit Söhnen und Eidamen seinen Gast zur Nachtruhe nach Pylos in den Königspalast. Hier wurde noch einmal ein Trankopfer dargebracht und ein Umtrunk getan. Alsdann begab sich ein jeder zur Ruhe. Telemachos erhielt seine Lagerstatt in einem zierlichen Bettgestelle unter der hohen Halle des Hauses, und neben ihm legte sich der tapfere Peisistratos, Nestors Sohn, zur Ruhe. Kaum schimmerte die Morgenröte in den Palast, so erhob sich der rüstige Greis Nestor vom Lager, trat vor die Schwelle und setzte sich auf die schönen weißen Marmorquader nieder, die als Ruhesitze an den Flügeltoren des Palastes angebracht waren und wo schon vor alters sein Vater Neleus oft gesessen. Um ihn versammelten sich seine sechs Söhne, und der letzte, Peisistratos, brachte auch den Gast aus Ithaka mit, der den König Nestor begrüßte, dann aber die Versammlung wieder verließ. Nun wurde die Kuh herbeigeholt, die Nestor als Opfer der Athene gelobt hatte; der Goldschmied Laerkes wurde gerufen, der die Hörner des Rindes vergolden musste, die Mägde im Palast rüsteten ein Festmahl, setzten Stühle, brachten Holz und frisches Wasser herbei. Vom Schiffe herauf kamen Telemachos' Freunde. Die Söhne Nestors führten die Kuh an den vergoldeten Hörnern herbei, ein anderer trug Wasserbecken und Opfergerste herzu, der Vierte brachte die Axt, das Opfer zu schlachten, ein Fünfter hielt die Schale hin, um das Blut des Tieres aufzufangen. Als das Opfertier den Streich mit der Axt erhalten hatte, schlachtete es unter dem Flehen der Gemahlin und der Töchter Nestors der sechste Sohn Peisistratos. Die besten Stücke wurden der Göttin verbrannt und dunkler Wein darauf geschüttet, das Übrige ward an Spieße gesteckt und gebraten.

Telemachos war bei dem Opfer nicht zugegen gewesen, er hatte sich entfernt, um sich von der Reise im warmen Bade zu erholen, und trat jetzt in den schönen Leibrock gekleidet und in einen prächtigen Mantel gehüllt wieder unter die Versammelten. Nun setzte man sich zum Schmaus und Becher, und nach dem fröhlichen Mahle schirrte man die schönsten Rosse vor den Wagen, der den jungen Gastfreund nach Sparta bringen sollte. Die Schaffnerin legte Brot, Wein und andere Speisen hinein, und Telemachos bestieg den Wagensitz. Neben ihn setzte sich Peisistratos in den Sessel, fasste die Zügel und schwang treibend die Geißel. Die Rosse flogen dahin; bald lag die Stadt Pylos hinter ihnen, und den ganzen Tag ging es im Fluge fort, ohne dass die Tiere zu ruhen begehrten.

Als die Sonne sich zum Untergang neigte und die Pfade schattiger wurden, kamen sie nach der Stadt Pherä, wo ein edler Griechenheld namens Diokles, der Sohn des Orsilochos, hauste. Dieser nahm die reisenden Fürstensöhne gastlich auf, und sie ruhten in seiner Burg die Nacht über. Am anderen Morgen fuhren sie weiter durch üppiges Weizenfeld, und endlich, mit dem Abendschatten, kamen sie zu der großen, zwischen Bergen gelegenen Stadt Lakedämon oder Sparta.

Telemachos zu Sparta

Freunde und Nachbarn umgaben den Fürsten Menelaos zu Sparta im Palast beim fröhlichen Schmause; ein Sänger rührte die Harfe im dichten Gedränge; zwei Gaukler machten lustige Sprünge im Kreise; der Beherrscher des Landes feierte das doppelte Verlobungsfest zweier Kinder, der lieblichen Hermione, Helenas Tochter, die damals dem mutigen Sohne des Achilleus, Neoptolemos, als Braut entgegengesandt werden sollte, und eines Sohnes von einem Nebenweibe, Megapenthes, den er einer edlen Spartanerin verlobte. Unter diesem Getümmel hielten am Tore der Königsburg Telemachos und Peisistratos mit ihrem Wagen, und ein Krieger des Menelaos, der sie zuerst erblickte, meldete dem Fürsten die Ankunft der Fremden und fragte an, ob die Rosse abgespannt oder die Fremden, wegen der festlichen Feier im Hause, einer Herberge zur Bewirtung zugewiesen werden sollten. »Ei, Held Eteoneus«, antwortete ihm Menelaos ärgerlich, »du warst doch sonst nie ein Tor; heute aber redest du wie ein Kind! Wie viele Gastfreundschaft habe ich selbst bei anderen Menschen genossen; und ich sollte um irgendeiner Ursache willen Fremdlinge von meinem Herd abweisen? Hurtig die Rosse abgespannt und die Männer zum Gastmahl hereingeführt!« Der Krieger verließ eilends mit vielen Dienern den Saal, und die schäumenden Rosse wurden vom Wagenjoch abgelöst und vor reichlichen Hafer an die Krippe im Stalle gestellt, auch der Wagen wurde eingetan. Die Gäste wurden in den herrlichen Palast geführt und ihnen der Staub des Weges durch ein erquickendes Bad abgewaschen. Dann wurden sie dem König Menelaos zugeführt und nahmen an seiner Seite beim köstlichen Mahle Platz. Staunend betrachtete sich Telemachos die Pracht des

Palastes und der Bewirtung und flüsterte seinem Freunde ins Ohr: »Sieh nur, Peisistratos, das Erz, das rings in dem gewölbten Saale glänzt, das Gold und Silber, das schimmernde Elfenbein! Welch unendlicher Schatz! Zeus' Palast auf dem Olymp kann nicht herrlicher sein! Mich erfüllt dieser Anblick mit Staunen!« Telemachos hatte nicht so leise gesprochen, dass Menelaos nicht die letzten Worte vernommen hätte. »Liebe Söhne«, sagte er daher lächelnd, »mit Zeus wetteifere kein Sterblicher! Sein Palast ist unvergänglich und all sein Besitz! Aber das ist wahr; unter den Menschen wird sich nicht leicht einer mit mir im Reichtum messen können, habe ich ihn doch auch nach vielen Leiden und Irrfahrten eingetan und brauchte acht Jahre, bis ich wohlbehalten in der Heimat wieder ankam. Auf Zypern, in Phönizien, in Ägypten, Äthiopien, Libyen bin ich gewesen. Das ist ein Land, ihr Freunde! Dort kommen die Lämmer gleich mit Hörnern auf die Welt; die Schafe werfen dreimal des Jahres, und nie fehlt es dem Herrn und dem Hirten an Fleisch, Milch und Käse! Während ich mir in diesen Ländern viel kostbare Habe sammelte, hat mir zu Mykene ein anderer den Bruder erschlagen, ein Meuchelmörder, durch die List seines treulosen Weibes – so dass ich bei all meinem Besitze doch nicht recht fröhlich herrschen kann! Doch, das habt ihr wohl alles schon von euren Vätern vernommen, wer sie auch sein mögen! Und gern wäre ich mit dem Drittel meines Gutes zufrieden, wenn nur die Männer noch lebten, die vor Troja gefallen sind! Und doch keinen von ihnen betrauere ich so innig als einen, der mir Schlaf und Speise verleidet, wenn ich sein gedenke! Denn so viel erduldete doch kein anderer Grieche als Odysseus! Und nun weiß ich nicht einmal, ob er lebt oder tot ist! Vielleicht trauern um ihn längst sein alter Vater Laertes und seine züchtige Gemahlin Penelope und sein junger Sohn Telemachos, der noch ein Säugling war, als er ihn verließ.« So sprach Menelaos, und ohne es zu wollen, machte er dem Telemachos das Herz so weichmütig, dass ihm die Tränen von den Wimpern herabrollten und er den Purpurmantel mit beiden Händen fest vor die Augen drücken musste. Dem König Spartas blieb dies nicht verborgen, und er erkannte in dem Jüngling alsbald den Sohn des Odysseus.

Indessen wandelte auch die Fürstin Helena aus ihrem duftenden Frauengemache hervor, einer Göttin an Schönheit gleich; sie umringten anmutige Dienerinnen: die eine stellte ihr den Sessel hin, eine andere breitete den wollenen Teppich aus; die dritte brachte ihr einen silbernen Korb, das Gastgeschenk der Königin von Theben in Ägypten; er war mit gesponnenem Garne gefüllt, und die volle Spindel lag darüber. So setzte sich die Königin auf den Sessel, stellte die Füße auf den Schemel und begann ihren Gemahl neugierig nach dem Geschlecht der neu angekommenen Männer zu fragen. »Sah ich doch auf der Welt noch keinen Menschen, der dem hochgesinnten Odysseus so ähnlich wäre wie der eine der Jünglinge hier!« So sprach sie leise zu ihrem Gemahl, und dieser antwortete ihr: »Auch mir, o Frau, kommt es so vor. Füße, Hände, Blicke der Augen, Haupt und Scheitelhaare, alles ist dasselbe an beiden! Auch tropften dem Jüngling bittere Zähren aus den Wimpern, als ich vorhin unserer Not und des Odysseus gedachte!«

Peisistratos, Telemachos' Begleiter, vernahm diese Reden und sagte laut: »Du hast Recht, König Menelaos, dieser ist des Odysseus Sohn, Telemachos; er aber ist zu bescheiden, dreist mit dir zu sprechen. Ihn hat mit mir Nestor, mein Vater, gesandt, denn er hofft von dir Nachricht von seinem Vater zu erhalten.« – »Ihr Götter«, rief nun Menelaos aus, »so ist wirklich der Sohn des geliebtesten Mannes mein Gast, des Mannes, dem ich selbst so gern alle Liebe erwiesen hätte, wenn er auf der Heimkehr in meinem Hause einspräche!«

Als nun der König fortfuhr, so sehnlich von seinem alten Freunde zu reden, da mussten alle weinen, Helena und Telemachos und Menelaos selbst, und auch Nestors Sohn weinte, denn er musste an seinen Bruder Antilochos denken, der vor Troja, seinen Vater rettend, gefallen war. Endlich bedachten sie, dass es fruchtlos und nicht heilsam sei, dem Gram beim Abendschmause nachzuhängen, und wollten, nachdem die Diener ihnen mit Wasser die Hände besprengt, alle zur Nachtruhe aufbrechen. Helena aber, die als Zeus' Tochter in allerlei Wunderkünsten erfahren war, warf noch vorher schnell in den letzten Becher Weins, den sie tranken, ein Mittel, das allen Kummer und die Erinnerung an alle Leiden aus der Seele vertilgte. Wenn ein Mensch von dieser Mischung trank, so benetzte ihm den ganzen Tag über keine Träne die Wangen und wäre ihm Vater und Mutter gestorben, wäre ihm Sohn oder Bruder vor seinen Augen vom Schwert des Feindes durchbohrt worden. Da wurden sie alle fröhlich und sprachen noch lange in die Nacht hinein. Endlich wurde den Gästen ihr Bett von prächtigen Purpurpolstern und

Teppichdecken unter der Halle bereitet; Menelaos und Helena aber begaben sich in das Innere des Palastes.
Am anderen Morgen fragte der Fürst seine Gastfreunde über die Absicht ihrer Reise weiter aus und vernahm, wie es zu Ithaka im Hause seines Freundes Odysseus stehe. Als er hörte, wie sich die Freier dort gebärdeten, rief er entrüstet aus: »Ha, die Elenden, die im Lager des gewaltigen Mannes zu ruhen gedenken! Wie der Löwe zurückkommt, dem eine Hindin ihre Jungen ins Nest gelegt hat, während er im grünen Tale weidet, wird Odysseus kommen und Ahnen ein Ende voll Entsetzen bereiten! Denn wisse, was mir in Ägypten der Meeresgott Proteus von ihm geweissagt hat, als er, in mancherlei Gestalten verwandelt, endlich von mir gebunden und gezwungen ward, die Schicksale der heimkehrenden Griechenhelden mir kundzutun. ›Den Odysseus‹, sprach der Gott, ›sah ich im Geist auf einer einsamen Insel Tränen der Sehnsucht vergießen. Dort hält ihn die Nymphe Kalypso mit Gewalt zurück, und ihm gebricht's an Schiffen und Ruderern, um in die Heimat zurückzukehren.‹ Nun weißt du alles, lieber Jüngling, was ich dir über deinen Vater zu berichten vermag. Bleib nur noch elf oder zwölf Tage bei uns, dann will ich dich mit köstlichen Geschenken entlassen.«
Aber Telemachos dankte und ließ sich nicht zurückhalten. Nun schenkte ihm Menelaos einen silbernen Mischkrug mit goldenem Rande von unvergleichlich schöner Arbeit, ein Werk des kunstreichen Gottes Hephästos selbst, und ein köstliches Frühmahl von Ziegen und Schafen wurde dem Abschied nehmenden Gastfreunde bereitet.

Verschwörung der Freier

Während dies in Pylos und in Sparta vorging, freuten sich auf der Insel Ithaka die Freier von Tag zu Tag im Palast des Odysseus wie zuvor und ergötzten sich mit Scheibenschießen, Speerwürfen und anderen Spielen. Einst, als nur Antinoos und Eurymachos, die Vornehmsten und Schmucksten unter ihnen, seitwärts vom Spiele saßen, trat zu diesen Noëmon, der Sohn des Phronios, und sprach zu ihnen: »Können wir etwa vermuten, ihr Freier, wann Telemachos von Pylos zurückkehrt? Das Schiff, auf dem er fährt, habe ich ihm geliehen, und jetzt brauche ich es selbst, um damit nach Elis zu segeln, wo ich mir aus meinem Stutengarten gern ein Ross holte, um es zu zähmen und zuzurichten.«

Die beiden anderen staunten. Sie hatten gar nichts von der Abfahrt des Jünglings gewusst, sondern gemeint, er habe sich auf seine Besitzungen im Lande, auf seine Ziegenweiden und zu seinen Schweineherden begeben. Sie meinten, er habe Noëmons Schiff mit Gewalt genommen, und fuhren zornig auf. Dieser aber besänftigte sie und sprach:

»Ich selbst habe es ihm willig gegeben. Wer hätte auch einem bekümmerten Mann es versagen können? Das wäre gar zu hart gewesen! Zudem folgten ihm die edelsten Jünglinge, und als Führer trat Mentor mit ihm ins Schiff – oder war es vielleicht ein Gott, der dessen Gestalt angenommen; denn ich meine, den Helden noch am gestrigen Morgen hier gesehen zu haben!« So sprach Noëmon, verließ die Freier und ging zurück in seines Vaters Haus. Diese aber wurden bestürzt und unmutig bei der unerwarteten Nachricht. Sie standen von ihren Sitzen auf und traten mitten unter die anderen, die eben, vom Kampfspiele ruhend, im Kreise gelagert saßen. Zürnend vor Ärger stellte sich Antinoos unter sie und sprach mit funkelnden Augen: »Dieser Telemachos hat ein großes Werk unternommen, trotzig ist er auf die Fahrt gegangen, an die wir nimmermehr glauben wollten! Möge ihn Zeus vertilgen, ehe er uns Schaden zufügt! Drum, wenn ihr mir einen Schnellsegler und zwanzig Ruderer schaffen wollt, ihr Freunde, so laure ich ihm auf der Meerstraße, die Ithaka von Samos trennt, auf, und seine Entdeckungsreise soll mit Schrecken endigen!« Alle riefen dem Sprecher Beifall zu und versprachen ihm alles zu verschaffen, wessen er bedürfe. Dann brachen die Freier auf und zogen sich von Spiel und Rat in den Palast zurück.

Aber ihre Beratschlagung war nicht unbelauscht geblieben. Medon, der Herold, der im Herzen den schändlichen Freiern längst abhold war, obgleich er in ihren Diensten stand, war außerhalb des Hofes, doch nahe genug gestanden und hatte jedes Wörtchen gehört, das Antinoos sprach. Er eilte nach den Gemächern Penelopes und erzählte seiner Herrin alles, was er vernommen. Herz und Knie erbebten der Fürstin, als sie die böse Kunde gehört, und lange blieb sie sprachlos; der Atem stockte ihr, und die Augen waren mit Tränen gefüllt. Spät erst begann sie: »Herold! Warum reiset aber auch mein Sohn? Ist ihm nicht genug, dass sein Vater untergegangen ist? Soll der Name unseres Hauses ganz von der

Erde vertilgt werden?« Und da Medon ihr keinen Aufschluss zu geben vermochte, sank sie weinend an der Schwelle ihres Gemaches nieder, und ringsum schluchzten die Mägde mit ihr. »Warum ist er auch auf diese Fahrt gegangen, ohne es mir zu sagen! Gewiss hätte ich ihn auf bessere Gedanken gebracht! Rufe mir doch eine den alten Knecht des Hauses, Dolios, dass er gehe und dem greisen Laertes dies alles melde! Vielleicht, dass der alte Mann einen Rat in seinem erfahrenen Herzen findet!« Da tat Eurykleia, die alte Schaffnerin, ihren Mund auf und sprach: »Und wenn du mich tötest, Herrin, ich will dir's nicht verhehlen. Ich selbst habe um alles gewusst; ich reichte ihm, was er begehrte; aber ich musste ihm einen Eidschwur tun, vor dem zwölften Tage, oder ehe du ihn selbst vermisstest, nichts von seiner Reise zu melden. Jetzt aber rate ich dir, dich gebadet und geschmückt auf den Söller mit deinen Dienerinnen zu begeben und Athene, Zeus' Tochter, um ihren göttlichen Schutz für deinen Sohn anzuflehen.«

Penelope gehorchte dem Rate der Greisin und legte sich nach dem feierlichen Gebet, ohne einen Bissen genossen zu haben, kummervoll schlafen. Da sandte ihr Athene im Traum das Gebilde ihrer Schwester Iphthime, die Gemahlin des Helden Eumelos, die ihr Trost einsprach und die Wiederkehr ihres Sohnes verkündigte. »Sei getrost«, sprach sie, »deinen Sohn begleitet eine Führerin, um die ihn andere Männer beneiden dürften. Pallas Athene selbst ist an seiner Seite, sie wird ihn gegen die Freier schirmen; sie hat auch mich dir zugesandt.« So redete die Gestalt und verschwand an der verschlossenen Tür. Penelope erwachte aus dem Schlummer voll Freudigkeit und Mut. Sie baute auf den die Wahrheit verkündenden Morgentraum.

Inzwischen hatten die Freier ungehindert ihr Schiff gerüstet, und Antinoos hatte es mit zwanzig tapferen Ruderern bestiegen. Mitten in der Meerstraße, welche die Inseln Ithaka und Same trennt, lag ein Felseneiland voll schroffer Klippen. Auf diese steuerten sie los und legten sich dort in einen lauernden Hinterhalt.

Odysseus scheidet von Kalypso und scheitert im Sturm

Hermes, der Bote des Zeus, schwang sich aus dem Äther ins Meer, eilte wie eine Möwe durch die Wogen und kam, wie in der Götterversammlung beschlossen worden war, auf Ogygia, der Insel Kalypsos, an. Auch fand er die schön gelockte Nymphe wirklich zu Hause. Auf dem Herd brannte eine lodernde Flamme, und der Dunst des gespaltenen brennenden Zedernholzes wallte würzig über das Eiland hin. Kalypso aber sang mit klangreicher Stimme in der Kammer und wirkte dazu mit goldener Spule ein herrliches Gewebe. Die Grotte, in welcher ihre Gemächer waren, beschattete ein grünender Hain mit Erlen, Pappeln und Zypressen, in welchen bunte Vögel nisteten, Habichte, Eulen und Krähen. Auch ein Weinstock breitete sich über das Felsengewölbe aus, voll reifender Trauben, die aus dichtem Laube hervorblickten. Vier Quellen entsprangen in der Nähe und schlängelten sich nachbarlich dahin und dorthin; von ihnen bewässert, grünten schwellende Wiesen, mit Veilchen, Eppich und anderen Kräutern und Blumen durchsät.

Der Götterbote bewunderte die liebliche Lage der Nymphenwohnung, dann wandelte er in die geräumige Kluft. Kalypso erblickte den Nahenden und erkannte ihn auch alsbald, denn so fern sie auch voneinander wohnen mögen, so sind sich doch die ewigen Götter von Gestalt nicht unbekannt. Den Odysseus fand Hermes jedoch nicht zu Hause. Er saß, wie er gewohnt war, jammernd am Gestade und schaute mit Tränen in den Augen sehnsüchtig auf das öde Meer hinaus.

Als Kalypso die Botschaft des Gottes vernahm, den sie voll Herzlichkeit empfangen hatte, stutzte sie und sprach endlich: »O ihr grausamen, eifersüchtigen Götter! Duldet ihr's denn gar nicht, dass eine Unsterbliche sich einen Sterblichen zum lieben Gemahl erkiese? Verarget ihr mir den Umgang mit dem Manne, den ich vom Tode gerettet habe, als er, an den geborstenen Kiel seines Schiffes sich schmiegend, an meine Küste geschleudert ward? Alle seine tapferen Freunde waren in den Abgrund versunken; sein Schiff hatte der Blitz getroffen; einsam schwamm er auf den Trümmern einher. Ich empfing den armen Schiffbrüchigen freundlich, stärkte ihn mit Nahrung, ja, ich verhieß ihm zuletzt sogar, Unsterblichkeit und ewige Jugend zu verleihen. Doch weil gegen Zeus' Rat keine Ausflucht etwas vermag, so mag er denn wieder hinausfahren auf das unendliche Meer. Nur mutet mir nicht zu, dass ich ihn selbst fortschicke; fehlt es doch meinen Schiffen an Bemannung und an Rudergeräten! Doch soll es ihm an meinem guten Rate nicht fehlen, dass er ganz unversehrt das Ufer seines Heimatlandes erreiche.«

Hermes war mit dieser Antwort wohl zufrieden und enteilte wieder zum Olymp. Kalypso ging selbst an den Meeresstrand, wo der trauernde Odysseus saß, trat nahe zu ihm heran und sprach: »Armer Freund, dein Leben darf dir nicht fürder in Schwermut dahinschwinden. Ich entlasse dich. Auf, mächtige Balken gehauen, mit Erz zum Floß gefügt und mit hohen Brettern umsäumt! Allerlei Labsal, Wasser, Wein und Speise lege ich dir selbst hinein, versehe dich mit Gewanden und sende günstigen Wind vom Lande; mögen dich die Götter glücklich in die Heimat geleiten!«

Misstrauisch blickte Odysseus die Göttin an und sprach: »Gewiss, du sinnest auf etwas ganz anderes, schöne Nymphe! Nimmermehr besteige ich ein Floß, wenn du mir nicht den großen Göttereid schwörst, dass du mir nicht irgendein Übel zum Schaden ausgedacht hast!« Aber Kalypso lächelte, und sanft mit der Hand ihn streichelnd, antwortete sie: »Ängstige dich nicht mit solchen eiteln Gedanken! Die Erde, der Himmel und der Styx seien meine Zeugen, dass ich nichts Böses mit dir vorhabe! Ich rate dir das, was ich mir selbst in der Not ausdenken würde!« Mit diesen Worten ging sie voran, Odysseus folgte, und in der Grotte nahm sie noch den zärtlichsten Abschied von ihm.

Bald war das Floß gezimmert, und am fünften Tage schwoll das Segel des Odysseus im Winde. Er selbst saß am Ruder und steuerte kunsterfahren durch die Flut. Kein Schlaf kam ihm über die Augen, beständig blickte er nach den Himmelsgestirnen und richtete sich nach den Zeichen, die ihm Kalypso beim Scheiden angegeben hatte. So fuhr er siebzehn Tage durch das Meer. Am achtzehnten erschienen ihm endlich die dunklen Gebirge des phäakischen Landes, das sich ihm entgegenstreckte und trübe hinzog wie ein Schild im dunklen Meere. Jetzt aber ward ihn Poseidon gewahr, der eben von den Äthiopiern heimkehrte und über die Berge der Solymer hinschritt. Er hatte der letzten Ratsversammlung der Götter nicht beigewohnt und merkte, dass diese seine Entfernung benutzt hatten, den Odysseus aus der Schlinge zu ziehen. »Nun«, sprach er bei sich selbst, »er soll mir doch noch Jammers genug erfahren!« Und jetzt versammelte er die Wolken, regte das Meer mit dem Dreizack auf und rief die Orkane zum Kampfe miteinander herbei, so dass Meer und Erde ganz in Dunkel gehüllt wurden. Alle Winde pfiffen um das Floß des Odysseus her, dass diesem Herz und Knie zitterten und er zu jammern begann, dass er den Tod nicht von den Speeren der Trojaner gefunden. Als er noch so seufzte, rauschte eine Welle von oben herab, und das Floß geriet in einen Wirbel; das Ruder fuhr ihm aus der Hand, das Floß war in Stücke gegangen, er selbst taumelte weit von dem erschütterten Fahrzeug; Mastbaum und Segelstangen trieben da und dort über das tobende Meer hin. Odysseus aber war in die Brandung untergetaucht, und das nasse Gewand zog ihn immer tiefer hinab. Endlich kam er wieder empor, spie das Salzwasser, das er geschluckt hatte, aus und schwamm den Trümmern des Floßes nach, deren größtes Stück er endlich auch glücklich erreichte und sich mitten darauf niederließ. Wie er nun auf dem zerrissenen Floße dahintrieb gleich einer Distel im Winde, da erblickte ihn die Meeresgöttin Leukothea, und es erbarmte sie des armen Dulders. Wie ein Wasserhuhn flog sie aus dem Strudel empor, setzte sich auf das Gebälk und sprach zu ihm: »Lass dir raten, Odysseus! Zieh dein Gewand aus, überlass das Floß dem Sturme; schnell, umgürte dich hier mit meinem Schleier unter der Brust und dann – verachte schwimmend alle Schrecken des Meeres!« Odysseus nahm den Schleier; die Göttin verschwand, und obgleich er der Erscheinung misstraute, so gehorchte er doch ihrem Rate. Während Poseidon ihm die wildeste Woge sandte, dass das Bruchstück des Floßes ganz auseinander ging, setzte er sich wie ein Reiter auf einen einzelnen Balken, zog das lange, beschwerende Gewand, das Kalypso ihm geschenkt hatte, aus und sprang mit dem Schleier umgürtet in die Flut.

Poseidon schüttelte ernsthaft das Haupt, als er den entschlossenen Mann den Sprung wagen sah, und sprach: »So irre denn durch die Meeresflut, von Jammer umringt! Gewiss, du sollst auch so des Elends noch genug erdulden!« Mit diesen Worten verließ der Gott die See und zog sich nach seinem Palast zurück. Odysseus wogte nun noch zwei Tage und Nächte auf der See umher; da erblickte er endlich ein waldiges Ufer, wo die Brandung an Klippen donnerte, und eine hochschwellende Woge trug ihn, ehe er einen Entschluss fassen konnte, von selbst dem Gestade entgegen. Mit beiden Händen umfasste er eine Klippe; aber siehe da –

eine Woge kam und schleuderte ihn wieder ins Meer zurück. Er suchte sein Heil nun wieder im Schwimmen und fand endlich ein bequemes, seichtes Ufer und eine sichere Bucht, wo ein kleiner Fluss sich ins Meer ergoss. Hier flehte er zum Gott dieses Stromes, der ihn hörte, das Wasser besänftigte und es ihm möglich machte, schwimmend das Land zu erreichen. Ohne Stimme und Atem sank er auf den Boden, aus Mund und Nase strömte ihm das Meerwasser, und erstarrt von der fürchterlichen Anstrengung, sank er in eine Ohnmacht. Als er wieder aufzuatmen begann und das Bewusstsein ihm zurückkehrte, löste er sich den Schleier der Göttin Leukothea dankbar ab und warf ihn in die Wellen zurück, dass ihn die Geberin wieder erfassen konnte; dann warf er sich unter die Binsen nieder und küsste die wiedergewonnene Erde. Den nackten Mann fror, und die Nachtluft wehte schneidend von Morgen her. Er beschloss, den Hügel hinanzugehen und sich in die nahe Waldung zu bergen. Hier fand er ein Lager unter zwei verschlungenen, dichten Olivenbäumen, einem wilden und einem veredelten, die so dick belaubt waren, dass kein Wind, kein Regen und kein Sonnenstrahl sie je durchdrang. Dort häufte sich Odysseus von der Menge gefallener Baumblätter ein Lager, legte sich mitten hinein und deckte sich wieder mit Blättern zu. Ein erquickender Schlaf ergoss sich bald über seine Augenlider und ließ ihn alles überstandene und bevorstehende Leid vergessen.

Nausikaa

Während Odysseus von Anstrengung und Schlaf überwältigt im Walde lag, war seine Beschützerin Athene liebreich für ihn bedacht. Sie eilte in das Gebiet der Phäaken, auf dem er angekommen war, welche die Insel Scheria bewohnten und hier eine wohlgebaute Stadt gegründet hatten. Dort herrschte ein weiser König mit Namen Alkinoos, und in seinen Palast begab sich die Göttin. Sie suchte hier das Schlafgemach Nausikaas auf, der jungfräulichen Tochter des Königs, die an Schönheit und Anmut einer Unsterblichen ähnlich war. Diese schlief, von zwei Mägden, die ihre Bettstellen an der Pforte hatten, bewacht, in einer hohen, lichten Kammer. Athene nahte sich dem Lager der Jungfrau leise wie ein Lüftchen, trat ihr zu Häupten, und in eine Gespielin verwandelt, sprach sie zu ihr im Traume: »Ei, du träges Mädchen, wie wird dich doch die Mutter schelten! Hast du auch gar nicht für deine schönen Gewänder gesorgt, die ungewaschen im Schranke liegen! Wenn nun einmal deine Vermählung herankommt und du etwas Schönes für dich selbst brauchst und für die Jünglinge, die deine Brautführer sein werden, wie soll es dann werden? Schmucke Kleider empfehlen jedermann, und auch deine lieben Eltern haben an nichts eine größere Freude! Auf, erhebe dich mit der Morgenröte, sie zu waschen; ich will dich begleiten und dir helfen, damit du geschwinder fertig wirst. Du bleibst doch nicht lange mehr unvermählt, werben doch schon die Edelsten unter dem Volke um die schöne Königstochter!«

Der Traum verließ das Mädchen; eilig erhob sie sich vom Lager und suchte die Eltern in ihrer Kammer auf. Diese waren bereits aufgestanden; die Mutter saß am Herde mit Dienerinnen und spann purpurne Seide, der König aber begegnete ihr unter der Pforte, er hatte schon einen Rat der angesehensten Phäaken bestellt und wollte sich soeben zu ihnen begeben. Da fasste ihn die entgegenkommende Tochter bei der Hand und sprach schmeichelnd: »Väterchen, willst du mir nicht einen Lastwagen anspannen lassen, damit ich meine kostbaren Gewänder zur Wäsche nach dem Flusse führen kann? Sie liegen mir so schmutzig umher. Auch dir ziemt es, in reinen Kleidern im Rate dazusitzen! So wollen auch deine fünf Söhne, von welchen drei noch unvermählt sind, beständig in frisch gewaschener Kleidung umhergehen und fein schmuck beim Reigentanz erscheinen. Und am Ende liegt doch alles auf mir!«

So sprach die Tochter; dass sie aber an die eigene Vermählung dabei denke, das mochte die Jungfrau sich und dem Vater nicht gestehen. Dieser aber merkte es doch und sprach: »Geh, mein Kind, ein geräumiger Korbwagen und Maultiere sollen dir nicht versagt sein; befiehl den Knechten nur anzuspannen!« Nun trug die Jungfrau die feinen Gewänder aus der Kammer und belud den Wagen; die Mutter fügte Wein in einem Schlauche, Brot und Gemüse hinzu, und als sich Nausikaa in den Wagensitz geschwungen, gab sie ihr noch die Ölflasche mit, sich zugleich mit den dienenden Jungfrauen zu baden und zu salben. Die Jungfrau war eine geschickte Wagenlenkerin, sie ergriff selbst Zaum und Geißel und lenkte die Tiere mit den Dienerinnen dem anmutigen Ufer des Fluses zu. Hier lösten sie das Gespann, ließen die Maultiere im üppigen Grase weiden und trugen die Gewänder am Waschplatz in die geräumigen Behälter, die zu diesem Behufe gegraben waren. Dann wurde von den emsigen Mädchen die Wäsche mit den Füßen gestampft, gewaschen und gewalkt, und endlich wurden alle Kleider der Ordnung nach am Meeresufer ausgebreitet, wo reingespülte Kiesel eine Steinbank bildeten. Alsdann erfrischten sich die Mädchen selbst im Bade, und nachdem sie sich mit duftigem Öl gesalbt, verzehrten sie das mitgebrachte Mahl fröhlich am grünen Ufer und harrten, bis ihre Wäsche an den Sonnenstrahlen getrocknet wäre.

Nach dem Frühstück belustigten sich die Jungfrauen mit Tanz und Ballspiel auf der Wiese, nachdem sie ihre Schleier und was von Kleidern sie hindern konnte abgelegt. Nausikaa selbst stimmte zuerst den Gesang dazu an, an hohem Haupt und edlem Angesicht vor allen den reizenden Mädchen hervorragend. Die Jungfrauen taten ihr alle nach, und ihre Fröhlichkeit war groß. Wie nun die Königstochter einmal den Ball nach einer Gespielin warf, da lenkte ihn die unsichtbar gegenwärtige Göttin Athene so, dass er in die Tiefe des Flussstrudels fallen musste und das Mädchen verfehlte. Darüber kreischten die Spielenden alle auf, und Odysseus, dessen Lager in der Nähe unter den Olivenbäumen war, erwachte. Horchend richtete er sich auf und sprach zu sich selber: »In welcher Menschen Gebiet bin ich gekommen? Bin ich unter wilde Räuberhorden geraten? Doch deucht mir, ich hörte lustige Mädchenstimmen, wie von Berg- oder Quellnymphen! Da bin ich doch wohl in der Nähe von gesitteten Menschenkindern!«

So sprach er zu sich, und indem er mit der nervigen Rechten aus dem verwachsenen Gehölz einen dicht belaubten Zweig abbrach und seine Blöße damit bedeckte, tauchte er aus dem Dickicht hervor, und von der Not gedrängt, erschien er wie ein Berglöwe unter den zarten Jungfrauen. Er war von dem Meeresschlamm noch ganz entstellt: die Mädchen meinten ein Seeungeheuer zu sehen und flüchteten sich, die einen da-, die anderen dorthin, auf die hohen waldigen Anhöhen des Gestades. Nur die Tochter des Alkinoos blieb stehen; Athene hatte ihr Mut ins Herz eingeflößt, und sie stand gegen den Fremdling gekehrt. Odysseus besann sich, ob er die Knie der Jungfrau umfassen oder aus ehrerbietiger Ferne sie anflehen sollte, ihm ein Kleid zu schenken und den Weg nach Menschenwohnungen zu zeigen. Er hielt das Letztere für ziemlicher und rief ihr daher von weitem zu: »Seiest du eine Göttin oder eine Jungfrau, schutzflehend nahe ich mich dir! Bist du eine Göttin, so achte ich dich der Artemis gleich an Gestalt und Schönheit; bist du eine Sterbliche, so preise ich deine Eltern und deine Brüder selig! Das Herz muss ihnen im Leibe beben über deine Schönheit, wenn sie sehen, wie solch ein herrlich Geschöpf zum Reigentanz einherschreitet. Und wie hochbeglückt ist der, der dich als Braut nach Hause führt! Mich aber sieh du gnädig an, denn ich bin in unaussprechlichen Jammer gestürzt. Gestern sind es zwanzig Tage, dass ich von der Insel Ogygia abgefahren bin; vom Sturm ergriffen, wurde ich auf dem Meere umgeworfen und endlich als Schiffbrüchiger an die Küste geschleudert, die ich nicht kenne, wo mich niemand kennt! Erbarme dich mein; gib mir eine Bedeckung für meinen Leib, zeige mir die Stadt, wo du wohnst. Mögen dir die Götter dafür geben, was dein Herz begehrt, einen Gatten, ein Haus und Frieden und Eintracht dazu!«

Nausikaa erwiderte auf diese Anrede: »Fremdling, du scheinst mir kein schlechter und kein törichter Mann zu sein. Da du dich an mich und mein Land gewendet hast, soll es dir weder an Kleidung noch an irgendetwas mangeln, was der Schutzflehende erwarten kann. Ich will dir auch die Stadt zeigen und den Namen unseres Volkes sagen. Phäaken sind es, die diese Felder und dieses Reich bewohnen; ich selbst bin die Tochter des hohen Königs Alkinoos.« So sprach sie und rief die dienenden Mädchen, indem sie ihnen Mut einflößte und wegen des Fremdlings sie zu beruhigen suchte. Die Mägde aber standen und ermahnten eine die andere, hinzuzutreten. Endlich gehorchten sie der Fürstin; nachdem sich Odysseus an einem versteckten Orte gebadet, legten sie ihm Mantel und Leibrock, die sie aus den Gewändern hervorsuchten, zur Bedeckung in das Gebüsch. Als der Held sich den Schmutz vom Leibe gewaschen und sich gesalbt hatte, zog er die Kleider an, die ihm die Fürstentochter geschenkt hatte und die ihm wohl zu Leibe saßen. Dazu machte seine Beschützerin Athene, dass er schöner und völliger von Gestalt anzuschauen war; von dem Scheitel goss sie ihm schön geringeltes Haar, und Haupt und Schultern glänzten von Anmut. So in Schönheit strahlend, trat er aus dem Ufergebüsch und setzte sich seitwärts von den Jungfrauen.

Nausikaa betrachtete die herrliche Gestalt mit Staunen und begann zu ihren Begleiterinnen: »Diesen Mann verfolgen gewiss nicht alle Götter. Einer von ihnen muss mit ihm sein und hat ihn jetzt in das Land der

Phäaken gebracht. Wie unansehnlich erschien er anfangs, als wir ihn zuerst erblickten, und jetzt wahrhaftig gleicht er den Bewohnern des Himmels selbst! Wohnte doch ein solcher Mann unter unserem Volke und wäre ein solcher mir zum Gemahl vom Geschick erkoren! Aber auf, ihr Mädchen, stärket mir den Fremdling auch mit Trank und Speise!« Dies geschah, Odysseus aß und trank und labte sich an der lang entbehrten Nahrung.

Hierauf wurde der Wagen mit den gewaschenen und getrockneten Gewändern wieder bedeckt, die Maultiere vorgespannt, und Nausikaa nahm auf dem Wagensitz ihren Platz ein. Den Fremdling aber hieß sie zu Fuße mit den Dienerinnen hinter dem Wagen folgen. »Dies tue«, sprach sie freundlich zu ihm, »solange es durch Wiesen und Äcker geht; bald aber wirst du die Stadt gewahr werden; eine hohe Mauer umschließt sie, zu beiden Seiten der Stadt liegt ein trefflicher Hafen mit schmalem Zugange. Dort ist auch ihr Marktplatz und ein herrlicher Tempel des Meeresgottes Poseidon, wo Seile, Segeltücher, Ruder und andere Schiffsgeräte bereitet und verkauft werden. Denn mit Köcher und Bogen machen sich unsere Phäaken nicht viel zu schaffen, aber tüchtige Seeleute, das sind sie! Wenn wir nun in der Nähe der Stadt sind, dann, guter Fremdling, vermeide ich gerne das lose Geschwätz der Leute, denn dieses Volk ist übermütig; da könnte wohl ein Bauer, der uns begegnet, sagen: ›Was folgt doch der Nausikaa für ein schöner, großer Fremdling? Wo fand sie doch den auf? Er wird sicherlich ihr Gemahl!‹ Das wäre mir ein herber Schimpf. Gefiele es mir doch an einer Freundin nicht, wenn sie sich ohne Wissen der Eltern zu einem Fremden gesellte vor der öffentlichen Vermählung! Darum, wenn du an ein Pappelgehölz kommst, das der Athene heilig ist und aus dem ein Quell entspringt, der sich durch die Wiese schlängelt, kaum einen Heroldsruf von der Stadt entfernt, dort verweile ein wenig; nur so lange, bis du annehmen kannst, dass wir in der Stadt angekommen sind; dann folg uns nach, du wirst den herrlichen Palast meines Vaters leicht aus den andern Häusern herauskennen. Dort umfasse die Knie meiner Mutter; denn wenn sie dir wohl will, so darfst du sicher sein, deiner Väter Heimat wieder zu schauen!«

So sprach Nausikaa und fuhr auf dem Wagen davon, doch langsam, dass die Mägde und Odysseus folgen konnten. Am Hain Athenes blieb dann der Held zurück und betete flehend zu seiner Beschirmerin. Athene hörte ihn auch, nur fürchtete sie die Nähe ihres Bruders Poseidon und erschien ihm deswegen nicht öffentlich in dem fremden Lande.

Odysseus bei den Phäaken

Die Jungfrau war schon in dem Palast ihres Vaters angekommen, als Odysseus den heiligen Hain verließ und gleichfalls den Weg nach der Stadt einschlug. Athene entzog ihm auch jetzt ihre Hilfe nicht. Dass kein mutwilliger Phäake den wehrlosen Wanderer kränken konnte, verbreitete sie, für ihn selbst unbemerkt, rings um ihn her Nacht, und ganz nahe vor den Toren konnte sie es doch nicht lassen, ihm in sichtbarer Gestalt als ein junges Phäakenmädchen, den Wasserkrug in der Hand, zu begegnen. »Töchterchen«, redete der Held sie an, »willst du mir nicht den Weg zur Wohnung des Königs Alkinoos zeigen? Ich bin ein verirrter Fremdling, komme aus fernen Landen und kenne hier niemand!« – »Recht gern, guter Vater«, sagte die Göttin in Mädchengestalt, »mein ehrlicher Vater wohnt ganz nahe dabei! Aber geh nur ganz still mit mir: die Leute sind hier den Fremden nicht sonderlich gewogen; das kecke Leben zur See macht sie trotzig!« Unter diesen Worten ging Athene schnell voran, und Odysseus folgte, aber kein Phäake wurde ihn gewahr. Gemächlich konnte er den Hafen, die Schiffe, die getürmten Mauern der Stadt anstaunen; endlich sprach Athene: »Dies ist, fremder Vater, das Haus des Alkinoos, wandle nur getrost hinein, dem mutigen Manne gelingt alles! Doch eins lass mich dir sagen: Suche vor allen Dingen die Königin auf; sie heißt Arete und ist die Nichte ihres eigenen Gemahls. Der vorige König nämlich, Nausithoos, ein Sohn Poseidons und der Periböa, der Tochter des Gigantenbeherrschers Eurymedon, hinterließ zwei Söhne, unseren König Alkinoos und einen anderen, Rhexenor. Der Letztere lebte nicht lange und hinterließ eine einzige Tochter, und dies ist unsere Königin Arete. Alkinoos ehrt sie, wie nur irgendein Weib auf der Erde geehrt werden kann, und ebenso verehrt sie auch alles Volk, denn sie ist voll Verstandes und Geistes und weiß selbst Männerzwiste mit ihrer Weisheit zu entscheiden. Wenn du sie gewinnen kannst, so sei getrost.«

So sprach die verkleidete Göttin und enteilte. Odysseus stand still in Betrachtung des herrlichen Palastes versunken. Das hochragende Haus strahlte wie die Sonne. Tief hinein von der Schwelle erstreckten sich nach beiden Seiten Wände von gediegenem Erz mit Simsen von bläulichem Stahl. Die innere Wohnung verschloss eine goldene Pforte; die Pfosten, auf eherner Grundlage ruhend, waren von Silber mit silbernem Kranze, der Ring an der Pforte war von Gold; goldene und silberne Hunde, ein Werk des Hephästos, standen rechts und links wie Wächter der Königswohnung aufgepflanzt. Als er in den Saal gekommen war, sah er ringsum Sessel mit fein gewirkten Teppichen bedeckt, auf denen die Fürsten der Phäaken beim Königsmahl zu sitzen pflegten, denn dieses Volk liebte beständig Speise und Trank. Auf hohen Gestellen standen goldene Bildsäulen, Jünglinge vorstellend mit brennenden Fackeln in der ausgestreckten Hand, welche beim nächtlichen Schmause den Gästen leuchteten. Fünfzig Dienerinnen waren durch den Palast des Königs verbreitet; die einen mahlten auf der Handmühle Getreide, die anderen webten, noch andere wirbelten sitzend die Spindel. Die Weiber sind dort so gute Weberinnen wie die Männer Schiffsleute. Außerhalb des Hofes breitete sich ein Garten aus, eine Hufe ins Gevierte, mit einer Ringmauer umgeben und mit Bäumen voll der saftigsten Birnen, Feigen und Granaten, Oliven und Äpfel bepflanzt; diese trugen Sommer und Winter, denn immer wehte warme Westluft im Phäakenlande, so dass zu gleicher Zeit an den einen Bäumen Blüten prangten, an den anderen Früchte hingen. Daneben streckte sich auf ebenem Boden eine Weinpflanzung hin, wo ein Teil der Trauben im Sonnenstrahle reifte, andere der Winzer schon schnitt, wieder andere erst als Herlinge aus der Blüte schwollen und einige sich schon allmählich färbten. Am anderen Ende des Gartens dehnten sich schön geordnete Beete voll duftender Blumen; auch flossen in dem Raume zwei Quellen, die eine durchschlängelte den Garten, die andere quoll unter der Schwelle des Hofes am hohen Palast selbst, und aus ihr schöpften die Bürger ihr Wasser.

Nachdem Odysseus alle die Herrlichkeiten eine gute Weile bewundert hatte, betrat er den Palast und eilte nach dem Saale des Königs. Hier waren die vornehmen Phäaken zu einem Schmause versammelt. Weil aber der Tag sich neigte, gedachten sie des Schlafes und spendeten eben am Schlusse des Mahles dem Hermes ein Trankopfer. Odysseus durchwandelte noch in Nebel gehüllt ihre Reihen, bis er vor dem Königspaar angelangt war. Da zerfloss auf Athenes Wink das Dunkel um ihn her; er warf sich vor der Königin Arete schutzflehend nieder, umfing ihre Knie und rief: »O Arete, Rhexenors hohe Tochter, flehend liege ich vor dir und deinem Gemahl! Mögen die Götter euch Heil und Leben schenken, so gewiss ihr mir, dem Verirrten, Wiederkehr in die Heimat bereitet! Denn fern von den Meinigen streife ich schon lange in der Verbannung umher!« So sprach der Held und setzte sich am Herd in die Asche nieder, neben dem brennenden Feuer. Die Phäaken schwiegen alle, bei dem unerwarteten Anblicke staunend, bis endlich der graue, welterfahrene Held Echeneos, der Älteste unter den Gästen, das Schweigen brach und vor der Versammlung, zu dem König gewendet, also begann: »Fürwahr, Alkinoos, es ziemt sich nicht, dass irgendwo auf der Erde ein Fremdling in der Asche sitze. Gewiss denken meine Mitgäste wie ich und erwarten nur deinen Befehl. Lass darum den Fremden auf einem der schmucken Sessel gleich uns Platz nehmen und erhebe ihn aus dem Staube! Die Herolde sollen neuen Wein mischen, dass wir dem Zeus, dem Beschirmer des Gastrechts, auch noch ein Trankopfer bringen, und die Schaffnerin mag den neuen Gast mit Speise und Trank laben!«

Diese Rede gefiel dem guten König; er nahm den Helden selbst bei der Hand, erhob ihn und führte ihn zu einem Sessel an seiner eigenen Seite, wo der Liebling des Königs selbst, sein Sohn Laodamas, ihm Platz machen musste. Auch sonst geschah alles, wie Echeneos geraten, und Odysseus schmauste geehrt in der Mitte der Helden. Als das Opfer dem Zeus gebracht war, erhob sich die Versammlung, und der König lud alle Gäste auf den anderen Tag zu einem gleichen Freudenmahle ein. Dem Fremdling aber, ohne auch nur nach seinem Namen und Geschlecht zu fragen, versprach er, nach gastlicher Beherbergung, sichere Entsendung nach der Heimat. Als er aber den Helden, den Athene noch immer mit einem Schimmer überirdischer Hoheit umgeben hatte, näher betrachtete, da setzte er noch hinzu: »Solltest du aber einer der Unsterblichen sein, welche ja manchmal in sichtbarer Gestalt die Menschen bei ihren Festen besuchen – dann freilich bedarfst du unserer Beihilfe nicht, und es ist an uns, dich um deinen Schutz zu bitten!«

»Denke doch das nicht in deinem Herzen«, antwortete Odysseus dem König beschämt, »gleiche ich doch an Wuchs und Gestalt nicht den unsterblichen Göttern, sondern bin ein Sterblicher, wie ihr alle es seid! Ja, wenn ihr einen Menschen kennt, der euch auf Erden der unglückseligste deucht, so nehme ich es mit seiner Trübsal auf! Und so dachte ich denn auch jetzt an nichts anderes, als meinen Hunger an eurem Tische zu stillen, und ihr konntet auch daran wohl sehen, dass ich ein recht armer, sterblicher Mensch bin!«

Als die Gäste den Saal verlassen hatten und das Königspaar allein mit dem Fremdling im Saale zurückgeblieben war, betrachtete Arete die schön gewirkten Kleider des Mannes, Mantel und Leibrock, erkannte darin ihr eigenes Gewebe und sprach: »Zuerst muss ich dich nun doch fragen, o Fremdling, woher und wer du bist und wer dir diese Gewänder gegeben hat. Sagtest du nicht, dass du auf dem Meer umherirrend hierher gekommen seiest?« Odysseus antwortete hierauf mit einer getreuen Erzählung seiner Abenteuer auf Ogygia bei Kalypso und seiner traurigen letzten Fahrt und verschwieg zuletzt auch die Begegnung Nausikaas und ihren Edelmut nicht.

»Nun, das ist schon recht von meiner Tochter gehandelt«, sprach lächelnd Alkinoos, als die Erzählung zu Ende war, »aber eine Pflicht hat sie doch vergessen: dich sogleich mit den Dienerinnen selbst in unser Haus zu führen!« – »Hüte dich, o König«, antwortete Odysseus, »deine treffliche Tochter deswegen zu tadeln. War sie doch bereit, so zu handeln, wie du meinst; und ich selbst weigerte mich aus Blödigkeit, denn ich fürchtete, du könntest ein Ärgernis daran nehmen, wir Menschenkinder sind alle so gar argwöhnisch!« – »Nun, ich bin nicht ohne Ursache zum Jähzorn geneigt«, antwortete ihm der König; »indessen ist Ordnung in allen Dingen gut. Aber wenn doch die Götter es fügen wollten, dass ein Mann wie du meine Tochter zur Gemahlin begehrte, wie gerne wollte ich dir Haus und Besitzungen gewähren, wenn du bei uns bliebest! Doch mit Zwang will ich niemand bei mir halten, und morgen noch sollst du freies Geleit von mir bekommen. Ich gebe dir Schiff und Ruderer, wohin du fahren willst, und wäre deine Heimat so weit als die entfernteste Insel, nach welcher wir Schifffahrt treiben.«

Odysseus vernahm dieses Versprechen mit innigem Danke, verabschiedete sich von seinen königlichen Wirten und erholte sich auf weichem Nachtlager von allen erduldeten Mühseligkeiten.

Am anderen Morgen in aller Frühe berief der König Alkinoos das Volk zu einer Versammlung auf den Marktplatz der Stadt; sein Gast musste ihn dorthin begleiten, da setzten sich beide nebeneinander auf zwei schön behauene Steine. Inzwischen durchwandelte die Göttin Athene, in einen Herold verwandelt, die Straßen der Stadt und trieb die Häupter des Volkes an, der Versammlung beizuwohnen. Endlich füllten sich die Gänge und Sitze des Marktes mit den zusammenströmenden Bürgern. Alle schauten mit Bewunderung auf den Sohn des Laertes, dem Athene, seine Beschirmerin, immer noch eine überirdische Hoheit in Wuchs und Gestalt verliehen hatte. Alsdann empfahl der König in einer feierlichen Rede dem Volke den Fremdling und ermunterte es damit, ihm ein gutes Ruderschiff mit zweiundfünfzig phäakischen Jünglingen zur Verfügung zu stellen. Zugleich lud er die anwesenden Häupter des Volkes zu einem Festmahle, das dem Fremden zu Ehren gegeben werden sollte, in seinen Palast ein und befahl auch den Demodokos zu berufen den göttlichen Sänger, dem Apollon die Gabe des Liedes verliehen hatte und der mit seinem begeisternden Gesange das Herz der Gäste erfreuen sollte.

Nachdem die Volksversammlung aufgehoben war, rüsteten die Jünglinge das Schiff, wie ihnen befohlen war, brachten Mast und Segel hinein, hängten die Ruder in lederne Schleifen und spannten die Segeltücher auf; dann begaben sie sich in den Palast des Königs. Hier waren Hallen, Höfe und Säle schon voll von Geladenen, denn Jung und Alt hatte sich eingefunden. Zwölf Schafe, acht Schweine und zwei Stiere waren für das Mahl geschlachtet worden, und der liebliche Festschmaus dampfte schon. Auch den Sänger führte der Herold herbei, dem die Muse Gutes und Böses beschert hatte; das Licht der Augen hatte sie ihm genommen, dafür aber das Herz ihm mit lichten Gesängen aufgehellt. Diesem stellte der Herold einen Sessel an die Säule des Saales, mitten unter den Gästen, darauf hängte er über dem Haupte des Sängers die Harfe an einen Nagel und führte ihm die Hand, dass der Blinde sie finden konnte. Vor ihn hin stellte er einen Tisch mit dem Speisekorb und dem immer vollen Becher, dass er nach Herzenslust trinken konnte. Wie nun das Mahl vorüber war, hob der Sänger sein Lied an aus den schon damals berühmt gewordenen Heldenliedern von Troja. Der Inhalt seines Gesanges aber war der Streit zweier Helden, deren Name auf aller Lippen war, des Achilleus und des Odysseus.

Als unser Held seinen Namen nennen und im Liede feiern hörte, musste er das Haupt im Gewande verbergen, damit man die Träne nicht gewahr würde, die sich ihm aus den Augen stahl. Sooft der Sänger schwieg, enthüllte er sein Gesicht und griff zum Becher. Wenn aber das Lied von neuem begann, verhüllte er sein Haupt wieder. Keiner bemerkte es als der ihm zunächst sitzende König, der ihn tief aufseufzen hörte. Er hieß daher dem Gesang ein Ende machen und befahl, den Fremdling auch durch Kampfspiele zu ehren. »Unser Gast«, sprach er, »soll auch den Seinigen zu Hause melden können, wie wir Phäaken es im Faustkampf, Ringen, Sprung und Wettlauf allen Sterblichen zuvortun!« So wurde das Mahl aufgehoben, und die Phäaken folgten dem Rufe ihres Königs. Eilends begab sich alles auf den Markt. Dort erhob sich eine Menge edler Jünglinge, darunter auch drei Söhne des Alkinoos selbst, Laodamas, Halios und Klytoneos. Diese drei maßen sich zuerst miteinander im Wettlauf auf einer Sandbahn, die sich vor ihnen weithin erstreckte. Auf dieser flogen sie auf ein gegebenes Zeichen stürmend dahin und durchstäubten das Gefilde; Klytoneos war es, der den anderen es bald zuvortat und das Ziel als Sieger erreichte. Dann wurde der Ringkampf versucht, in diesem siegte der junge Held Euryalos; darauf kamen die Springer; hier zeigte sich der Phäake Amphialos als der Überlegene; im Scheibenschwingen gewann es Elatreus, endlich im Faustkampfe Laodamas, der Königssohn.

Dieser erhob sich jetzt in der Versammlung der Jünglinge und sprach: »Freunde, wir sollten doch auch erforschen, ob der Fremdling auch etwas von unseren Kämpfen versteht; Gestalt, Schenkel und Füße versprechen nichts Schlechtes, seine Arme sind nervig, sein Nacken ist voll Kraft, sein Wuchs ist mächtig. Und scheint er gleich von Gram und Elend gebrochen, so mangelt es ihm doch noch nicht an Jugendstärke!« – »Du hast Recht«, sprach jetzt Euryalos, »darum gehe hin, o Fürst, und fordere ihn selbst zum Wettstreit auf!« Laodamas tat dieses mit freundlichen, höflichen Worten.

Doch Odysseus erwiderte: »Verlangt ihr das von mir, mich zu kränken, ihr Jünglinge? Die Trübsal nagt an mir, und keine Lust zum Wettkampfe bewegt mein Herz! Ich habe genug gestrebt und erduldet, und jetzt verlangt mich nach nichts anderem als nach der Heimkehr in mein Vaterland!« Laodamas antwortete ihm unwillig: »Fürwahr, Fremdling, du gebärdest dich nicht wie ein Mann, der sich aufs Kämpfen versteht; du

magst wohl ein Schiffshauptmann und zugleich Kaufherr sein, so ein Warenmäkler, als ein Held erscheinst du nicht.« Odysseus runzelte bei diesen Worten die Stirn und sprach: »Das ist keine feine Rede, mein Freund, und du erscheinst mir als ein recht trotziger Junge. Verleihen doch die Götter nicht einem und demselben Manne die Gaben der Schönheit und Anmut und das Geschenk der Beredsamkeit und der Weisheit; mancher ist von unansehnlicher Gestalt, aber seinen Worten ist ein Reiz verliehen, dass alle, die sie hören, davon entzückt werden; und auch ein solcher ragt in der Volksversammlung hervor, und man ehrt ihn wie einen Unsterblichen. Dagegen sieht oft einer aus wie ein Gott, und an seinen Worten ist wenig Witz. Dennoch ich bin kein Neuling im Wettkampfe, und als ich meiner Jugend und meinem Arme noch vertrauen konnte, nahm ich es mit den Tüchtigsten auf. Jetzt haben mich Schlachten und Stürme freilich heruntergebracht. Doch du hast mich herausgefordert, und ich will's auch so versuchen!«
So sprach Odysseus und erhob sich vom Sitz, ohne den Mantel abzulegen. Er ergriff eine Scheibe, größer, dicker und schwerer als die, nach welchen die Phäakenjünglinge zu langen pflegten, und warf sie kräftig, dass der Stein laut dahinsauste; unter seinem Schwunge bückten sich die umherstehenden Phäaken, und er flog weit über das Ziel hinaus. Schnell machte Athene, in einen Phäaken verstellt, das Zeichen, wo der Stein gefallen war, und sprach: »Dein Zeichen soll auch ein Blinder erkennen, Mann, so weit liegt es von allen anderen ab! In diesem Kampfe bist du sicher, nie besiegt zu werden!« Odysseus freute sich, dass er einen so guten Freund im Volk gefunden habe, und sprach mit leichterem Herzen: »Nun, ihr Jünglinge, schleudert mir dorthin nach, wenn ihr es vermögt! Und ihr, die ihr mich so schwer beleidigt habt, kommt her und versucht euch mit mir, in welchem Kampfe ihr wollt, ich werde keinem ausweichen! Mit jedem will ich kämpfen, nur nicht mit Laodamas, denn wer stritte auch gern mit dem, der ihn bewirtet? Besonders gut verstehe ich's, den Bogen zu spannen, und wenn viele Genossen mit mir um die Wette schössen, ich wäre doch der erste, der meinen Man mit dem Pfeile träfe. Nur einen kenne ich, den Griechen Philoktetes, der hat es mir noch zuvorgetan vor Troja, sooft wir uns dort im Schiffe übten! Auch mit dem Wurfspieße treffe ich nicht weniger sicher und schieße so weit wie ein anderer mit dem Pfeil. Nur im Wettlaufe, da möchte vielleicht an

anderer es mir zuvortun, selbst unter euch, denn das stürmische Meer hat mir viel Kraft genommen, zumal da ich tagelang ohne Nahrung auf meinem Fahrzeuge saß.«
Als die Jünglinge dieses vernahmen, verstummten sie alle, nur der König nahm das Wort und sagte: »Wohl hast du uns deine Tüchtigkeit enthüllt, Fremdling, und hinfort soll dich kein Mensch mehr wegen deiner Stärke tadeln. Wenn du nun daheim bei Gattin und Kindern sitzest, so denk auch an unsere Männlichkeit zurück. Als Faustkämpfer und Ringer tun wir uns freilich nicht hervor, aber im Wettlaufe siegen wir, und auf die Schifffahrt verstehen wir uns auch. Schmaus, Saitenspiel, Reigentanz – darin sind wir auch Meister; den schönsten Schmuck, das lindeste Bad, das weichste Lager – das findet man bei uns! Auf denn, ihr Tänzer, ihr Schifflenker, ihr Läufer, ihr Sänger! Zeigt euch vor dem Fremdling, dass er zu Hause etwas von euch zu erzählen hat. Und bringt auch die Harfe des Demodokos her.« Sogleich machte sich ein Herold auf und schaffte die Harfe herbei. Neun auserwählte Kampfordner ebneten den Raum für den Tanz und umzirkelten die Schaubühne. Ein Spielmann stellte sich mit der Harfe in die Mitte, und der Tanz der blühendsten Jünglinge begann, im schönsten Takte, im raschesten Schwunge hoben sie ihre Füße. Odysseus selbst musste staunen; er hatte noch nie so behänden und anmutigen Tanz gesehen. Dazu sang der Sänger ein liebliches Lied von den heitersten Geschichten aus dem Leben der Götter. Nachdem der Reigentanz lange genug gedauert, hieß der König seinen Sohn Laodamas und den geschmeidigen Hallos den Einzeltanz miteinander aufführen, denn mit ihnen wagte es niemand, sich zu messen. Diese nahmen einen zierlichen purpurroten Ball zur Hand, und der eine schwang ihn, indem er sich rücklings dazu beugte, hoch in die Luft empor, der andere, emporspringend, fing ihn auf, ehe er wieder mit den Füßen auf den Boden trat. Dann tanzten sie in leichten, wechselnden Schwenkungen umeinander her, und andere Jünglinge, die im Kreise umherstanden, klatschten mit den Händen dazu. Odysseus wandte sich bewundernd zu dem König und sprach: »In der Tat, Alkinoos, du kannst dich der geschicktesten Tänzer auf dem ganzen Erdboden rühmen. In dieser Kunst habt ihr euresgleichen nicht!« Alkinoos tat sich auf dieses Urteil nicht wenig zugute. »Hört ihr's«, rief er seinen Phäaken zu, »wie der Fremdling über uns urteilt? Er ist doch ein sehr verständiger

Mann, und er verdient es wohl, dass wir ihm auch ein anständiges Gastgeschenk reichen. Wohlan! Zwölf der Fürsten des Landes und ich selbst als der dreizehnte sollen ihm jeder einen Mantel und einen Leibrock herbeibringen und zudem ein Pfund des köstlichsten Goldes. Das wollen wir ihm zu einer großen Gabe vereint schenken, damit er mit fröhlichem Herzen von uns scheide. Und außerdem soll Euryalos es versuchen, mit freundlichen Worten ihn ganz mit uns auszusöhnen.« Alle Phäaken riefen ihm Beifall zu. Ein Herold ging, die Geschenke zu sammeln. Euryalos nahm sein Schwert mit silbernem Heft und elfenbeinerner Scheide, übergab es dem Gaste und sprach dazu: »Väterchen, haben wir ein kränkendes Wort gegen dich fallen lassen, so sollen es die Winde verwehen! Dir aber mögen die Götter fröhliche Heimfahrt verleihen! Heil und Freude dir!« – »Auch dir«, antwortete Odysseus, »möge dich deine Gabe nie reuen!« Mit diesen Worten hängte er sich das schmucke Schwert um die Schulter. Es war um Sonnenuntergang, als die Geschenke ankamen und alle vor der Königin niedergelegt wurden. So hieß Alkinoos auch noch eine zierliche Lade für die Gewänder herbeischaffen, darin wurden die Gaben gelegt und für Odysseus in den Palast getragen. Dort fügte der König, der sich mit der ganzen Gesellschaft in seine Wohnung begeben hatte, noch andere Gaben an köstlichen Gewändern hinzu und außerdem ein herrliches goldenes Gefäß. Dem Gaste wurde ein Bad bereitet, indes zeigte ihm die Königin selbst alle die köstlichen Geschenke in der offenen Lade und sprach dazu: »Betrachte dir den Deckel selbst genau und verschließe die Lade, dass dich ja keiner, wenn du etwa schläfst, während der Heimfahrt beraube und die schöne Kiste davontrage!« Odysseus schlug den Deckel sorgfältig ein und verschloss die Lade mit einem vielfach verschlungenen Knoten; dann erquickte er sich im warmen Bade und wollte nun wieder in die Gesellschaft der zu Schmaus und Trunk niedergesessenen Männer zurückzukehren. Da fand er vor dem Türpfosten des Saales beim Eingang in Erwartung die holdselige Jungfrau Nausikaa stehen, die er seit seinem Einzuge in die Stadt nicht mehr erblickt hatte und die seither züchtiglich und fern von den Männerfesten im Frauengemach einsam verschlossen gelebt; nun aber wollte sie zum Abschied den edlen Gast auch noch einmal grüßen! Nachdem sie einen langen, bewundernden Blick auf die edle Heldengestalt des Mannes geworfen, sprach sie endlich, indem sie den Hereintretenden sanft aufhielt: »Heil dir und Segen, edler Gast! Gedenke meiner auch im Lande deiner Väter, da du mir ja doch dein Leben verdankest!« Gerührt antwortete ihr Odysseus: »Du edle Nausikaa, wenn mich Zeus den Tag der Heimkunft erleben lässt, so werde ich dich, meine Retterin, täglich wie eine Gottheit anflehen!« Mit diesen Worten betrat er den Saal wieder und setzte sich an der Seite des Königs nieder. Hier waren die Diener eben damit beschäftigt, das Fleisch zu zerlegen und den Wein aus den großen Mischkrügen in die Becher einzuschenken. Auch der blinde Sänger Demodokos wurde wieder hereingeführt und nahm seinen alten Platz an der Mittelsäule des Saales ein. Da winkte Odysseus dem Herold, schnitt vom Rücken des vor ihm liegenden gebratenen Schweines das beste Stück ab, streckte es ihm auf einer Platte hin und sagte: »Herold, reiche dem Sänger dieses Fleisch; obgleich ich selber in der Verbannung bin, so möchte ich ihm doch gern etwas Liebes erweisen. Stehen doch die Sänger bei dem ganzen Menschengeschlecht in Achtung, weil die Muse selbst sie den Gesang gelehrt hat und mit ihrer Huld über ihnen waltet.« Dankbar empfing der blinde Sänger die Gabe. Nach dem Mahle wandte sich Odysseus noch einmal an Demodokos: »Ich preise dich vor anderen Sterblichen, lieber Sänger«, sprach er zu ihm, »dass dich Apollon oder die Muse so schöne Lieder gelehrt hat! Wie lebendig und genau du das Schicksal der griechischen Helden zu schildern verstehst, als hättest du alles mit angesehen und mit angehört! Fahre nun fort und singe uns auch noch die schöne Mär vom hölzernen Rosse und was Odysseus dabei getan hat!« Der Sänger gehorchte freudig, und alles lauschte seinem Gesange. Als der Held so seine Taten preisen hörte, musste er wieder heimlich weinen, aber nur Alkinoos bemerkte es. Er gebot daher dem Sänger Stillschweigen und sprach im Kreise der Phäaken: »Besser ist's, die Harfe ruhet nun, denn wahrlich, ihr Freunde, nicht jedermann zur Lust singt der Sänger jene Mär. Seit wir beim Mahle sitzen und das Lied ertönt, hört unser schwermütiger Gast nicht auf, seinem Grame nachzuhängen, und wir streben vergebens ihn zu erheitern. Und doch muss einem fühlenden Manne ein Gast so lieb sein wie ein Bruder. Nun denn, Fremdling, so sag uns redlich, wer sind deine Eltern, welches ist dein Vaterland? Einen Namen führt doch jeder Mensch, sei er von edler oder von geringer Abkunft! Dein Land müssen wir ohnedem wissen und deine Geburtsstadt, wenn dich meine Phäaken heimbringen sollen. Weiter brauchen sie nichts; sie bedürfen auch der Piloten nicht, haben sie nur den Namen des Ortes, so finden sie die Fahrt durch Nacht und Nebel!«

Auf diese freundliche Rede erwiderte der Held ebenso liebreich: »Glaube doch ja nicht, edler König, dass euer Sänger mich nicht ergötze! Vielmehr ist es eine Wonne, einem solchen zuzuhören, wenn er seine göttergleiche Stimme vernehmen lässt, und ich weiß mir nichts Angenehmeres, als wenn ein ganzes Volk bei festlicher Freude horchend am Munde eines Sängers hängt, während die Gäste in langen Reihen sitzen, vor jedem sein Tisch voll Brot und voll Fleisch steht und der Schenk fleißig mit dem Kruge bei den Bechern kreist! Ihr aber wünscht meine Leiden von mir zu vernehmen, ihr lieben Gastfreunde; da werde ich noch tiefer in Kummer und Gram versinken. Denn wo soll ich anfangen und womit enden? – Doch, hört vor allen Dingen mein Geschlecht und mein Vaterland!«

Odysseus erzählt den Phäaken seine Irrfahrten
Kikonen, Lotophagen, Zyklopen, Polyphem

»Ich bin Odysseus, der Sohn des Laertes; die Menschen kennen mich, und der Ruhm meiner Klugheit ist über die Erde verbreitet. Auf der sonnigen Insel Ithaka wohne ich, in deren Mitte sich das waldige Gebirge Neriton erhebt, ringsumher liegen viele kleinere bewohnte Eilande, Same, Dulichion, Zakynthos. Meine Heimat ist zwar rau, doch nährt sie frische Männer, und das Vaterland ist einem jeden das Süßeste! Wohlan nun, vernehmet von meiner unglückseligen Heimfahrt von der trojanischen Küste! Von Ilion weg trug mich der Wind nach der Kikonenstadt Ismaros, die ich mit meinen Genossen eroberte. Die Männer vertilgten wir; die Frauen samt der anderen Beute wurden verteilt. Nach meinem Rate hätten wir uns nun eilig davongemacht. Aber meine unbesonnenen Begleiter blieben schwelgend bei der Beute sitzen, und die entflohenen Kikonen, durch ihre landeinwärts wohnenden Brüder verstärkt, überfielen uns beim Schmause am Gestade. Die Übermacht siegte. Sechs Freunde von jedem unserer Schiffe blieben auf dem Platze, wir anderen entgingen dem Tode nur durch schleunige Flucht.

Also steuerten wir weiter westwärts, froh, der Todesgefahr entronnen zu sein, aber von Herzen traurig über den Tod unserer Genossen. Da sandte Zeus uns einen Orkan aus Norden. Meer und Erde hüllten sich in Wolken und Nacht; mit gesenkten Masten flogen wir dahin, und ehe wir die Segel eingezogen hatten, krachten die Stangen zusammen, und die Segeltücher zerrissen in Stücke. Endlich arbeiteten wir uns ans Gestade und lagen dort zwei Tage und Nächte vor Anker, bis wir die Masten wieder aufgerüstet und neue Segel aufgespannt hatten. Wir steuerten nun wieder vorwärts und hatten alle Hoffnung, bald in die Heimat zu gelangen, wäre nicht, eben als wir um das Vorgebirge Malea, an der Südspitze der Pelopsinsel von Griechenland, herumfuhren, der Wind ganz plötzlich in Nord umgeschlagen und hätte uns seitwärts in die offene See hineingetrieben. Da wurden wir nun neun Tage vom Sturm herumgeschleudert; am zehnten gelangten wir ans Ufer der Lotophagen, die sich von nichts als Lotosfrucht nähren. Hier stiegen wir ans Gestade und nahmen frisches Wasser ein. Dann sandten wir zwei unserer Freunde auf Kundschaft aus, und ein Herold musste sie begleiten. Diese gelangten in die Volksversammlung der Lotophagen und wurden von diesem gutmütigen Volke, dem es nicht in den Sinn kam, etwas zu unserem Verderben zu unternehmen, auf das Freundlichste empfangen. Aber die Frucht des Lotos, welche sie ihnen zu kosten gaben, hat eine ganz eigentümliche Wirkung. Sie ist süßer als Honig, und wer von ihr kostet, der will nichts mehr von der Heimkehr wissen, sondern immer in dem Lande bleiben. So mussten wir denn auch unsere Genossen aufsuchen und, während sie weinten und widerstrebten, mit Gewalt nach den Schiffen zurückführen. Auf unserer weiteren Fahrt kamen wir nun zu dem wild lebenden grausamen Volke der Zyklopen. Diese bebauen das Land gar nicht, sondern überlassen alles den Göttern. Auch wächst wirklich dort alle mögliche Nahrung ohne Zutun des Pflanzers und Ackermanns; Weizen, Gerste, die edelsten Reben voll großbeeriger Trauben, und Zeus gibt in mildem Regen seinen Segen dazu. Auch halten sie keine Gesetze, treten in keine Ratsversammlung zusammen, sondern alle wohnen auf felsigen Gebirgshöhen, rings in gewölbten Erdhöhlen; da richtet sich der Zyklop, wie er mag, mit Weibern und Kindern ein; übrigens bekümmert sich keiner um den anderen. Außerhalb der Bucht, in mäßiger Entfernung vom Zyklopenlande, erstreckt sich eine bewaldete Insel voll wilder Ziegen, die, von keinem Jäger geängstigt, hier sorglos grasen. Kein Mensch wohnt darauf; die Zyklopen selbst, die den Schiffsbau nicht verstehen, kommen auch nicht dahin. Bewohner könnten sich die Insel leicht zum blühendsten Lande umschaffen, denn der Boden ist höchst fruchtbar: feuchte, schwellende Wiesen breiten sich über den Strand aus, das unbenutzte Ackerfeld ist locker, der Boden fett; die gelegensten Hügel böten sich dem Weinbau dar. Auch ist ein vor allen Winden geschirmter Hafen da, so sicher, dass man die Schiffe weder anzubinden noch vor Anker zu legen braucht. Der Bucht zugekehrt, quillt das reinste Wasser perlend aus der Felsenkluft, und grünende Pappeln stehen ringsumher. Dorthin geleitete ein schirmender Gott unsere Schiffe in der dunklen Nacht. Als der Morgen anbrach, betraten wir das Eiland und erlegten auf fröhlicher Jagd so viele Ziegen, dass ich jedem meiner zwölf Schiffe neun zuteilen konnte und sogar noch zehn Tiere für mich behielt. Da saßen wir denn am lieblichen Ufer den ganzen Tag und taten uns bis zum späten Abend recht gütlich mit dem frischen Ziegenfleisch und altem Weine, den wir in der Kikonenstadt erbeutet hatten und in Henkelkrügen mit uns führten.

Am anderen Morgen wandelte mich die Lust an, das gegenüberliegende Land auszukundschaften, von dessen Bewohnern, den Zyklopen, ich noch nicht wusste, wie sie geartet seien. Ich fuhr daher mit vielen Genossen auf meinem Schiffe hinüber. Als wir dort landeten, sahen wir am äußersten Meeresstrand eine hochgewölbte Felsenkluft, ganz mit Lorbeergesträuch überschattet, wo sich viele Schafe und Ziegen zu lagern pflegten; ringsumher war von eingerammten Steinen und hohen Fichten und Eichen ein Gehege erbaut. In dieser Umzäunung hauste ein Mann von riesiger Gestalt, der die Herde einsam auf entfernte Weiden trieb und nie mit anderen, auch nicht mit seinesgleichen, umging und immer nur auf boshaften Frevel sann. Das war eben ein Zyklop. Während wir nun das Gestade mit den Augen musterten, wurden wir alles dieses gewahr. Da wählte ich mir zwölf der tapfersten Freunde aus, hieß die übrigen an Bord bleiben und mir das Schiff bewahren und nahm einen ledernen Schlauch voll des besten Weines zu mir, den mir ein Priester Apollons in der Kikonenstadt Ismaros geschenkt hatte, weil wir seiner und seines Hauses geschont. Diesen trugen wir nebst guter Reisekost in einem Korbe und gedachten damit den Mann zu kirren, der schon auf den ersten Anblick unbändig und keinem Gesetze unterworfen erschien.

Als wir bei der Felsenkluft angekommen waren, fanden wir ihn selbst nicht zu Hause, denn er war bei seinen Herden auf der Weide. Wir traten ohne weiteres in die Höhle ein und wunderten uns über die innere Einrichtung. Da standen Körbe von mächtigen Käselaiben strotzend umher; in den Ställen, die in der Grotte angebracht waren, stand es gedrängt voll von Lämmern und jungen Ziegen, und jede Gattung war besonders eingesperrt. Da lagen verstreut Kübel voll Molken, Bütten Eimer zum Melken. Anfangs drangen die Genossen in mich, von dem Käse zu nehmen, so viel wir könnten, und uns davonzumachen, oder Lämmer und Ziegen nach unserem Schiffe hinzutreiben und dann wieder zu unseren Freunden nach der Insel hinüberzusteuern. Hätte ich ihrem Rate doch gefolgt! Aber ich war allzu begierig, den seltsamen Bewohner der Höhle zu schauen, und wollte lieber ein Gastgeschenk erwarten, als mit einem Raube von dannen zu ziehen. Deswegen zündeten wir ein Feuer an und opferten. Dann nahmen wir ein weniges von dem Käse und aßen. Nun warteten wir, bis der Hausherr heimkäme.

Endlich nahte er, auf seinen Riesenschultern eine ungeheure Last trockenen Scheitholzes tragend, das er gesammelt, um sich sein Abendmahl damit zu kochen. Er warf sie zu Boden, dass es fürchterlich krachte und wir alle vor Angst zusammenfuhren und uns in den äußersten Winkel der Grotte versteckten. Da sahen wir denn, wir er seine fette Herde in die Kluft eintrieb, doch nur die, welche er wollte; Widder und Böcke blieben draußen in dem eingehegten Vorhofe. Nun rollte er ein mächtiges Felsstück vor den Eingang, das zweiundzwanzig vierrädrige Wagen nicht von der Stelle hätten schaffen können. Dann setzte er sich gemächlich auf den Boden, melkte der Reihe nach die Schafe und Ziegen, legte die Säugenden ans Euter, machte die eine Hälfte der Milch mit Lab gerinnen, formte Käse daraus und stellte sie in Körben zum Trocknen hin, die andere Hälfte verwahrte er in großen Geschirren, denn das war sein täglicher Trunk. Wie er mit allem fertig war, machte er sich ein Feuer an, und nun geschah es, dass er uns in unserem Winkel erblickte. Auch wir sahen jetzt erst seine grässliche Riesengestalt ganz genau. Er hatte wie alle Zyklopen nur ein einziges funkelndes Auge in der Stirn, Beine wie tausendjährige Eichenstämme und Arme und Hände groß und stark genug, um mit Granitblöcken Ball zu spielen.

›Wer seid ihr, Fremdlinge?‹, fuhr er uns mit seiner rauen Stimme an, die

klang wie ein Donner im Gebirge. ›Woher kommt ihr über das Meer gefahren? Ist die Seeräuberei euer Geschäft, oder was treibt ihr?‹ Bei dem Gebrüll bebte uns das Herz im Leibe. Doch nahm ich mich zusammen und erwiderte: ›Ach nein, wir sind Griechen, kommen von der Zerstörung Trojas zurück und haben uns während der Heimfahrt auf dem Meere verirrt. So nahen wir deinen Knien und flehen dich um Schutz und eine Gabe an. Ja, scheue die Götter, lieber Mann, und erhöre uns! Denn Zeus beschirmt die Schutzflehenden und rächt ihre Misshandlung!‹
Aber der Zyklop erwiderte mit grässlichem Lachen: ›Du bist ein rechter Tor, Fremdling, und weißt nicht, mit wem du es zu tun hast! Meinst du, wir kümmern uns um die Götter und ihre Rache? Was gilt den Zyklopen Zeus, der Donnerer, und alle Götter miteinander! Sind wir doch viel vortrefflicher als sie! Will's mein eigen Herz nicht, so schone ich weder dich noch deine Freunde! Aber sage mir jetzt, wo du das Schiff geborgen hast, auf welchem du hergekommen bist! Wo liegt es vor Anker, nah oder fern?‹ So fragte der Zyklop voll Arglist, ich aber war bald mit einer schlauen Erfindung bei der Hand. ›Mein Schiff, guter Mann‹, antwortete ich, ›hat der Erderschütterer Poseidon nicht weit von eurem Ufer an die Klippen geworfen und zertrümmert; ich allein mit diesen zwölf Gesellen bin entronnen!‹ Auf diese Rede antwortete das Ungeheuer gar nicht, sondern streckte nur seine Riesenhände aus, packte zwei meiner Genossen und schlug sie wie junge Hunde zu Boden, dass ihr Blut und Gehirn auf die Erde spritzten. Dann zerhackte er sie Glied für Glied zur Abendkost und fraß sich an ihnen satt wie ein Löwe in den Bergen. Eingeweide, Fleisch, ja das Mark mitsamt den Knochen verzehrte er. Wir aber streckten die Hände zu Zeus empor und jammerten laut über die Freveltat.
Nachdem sich das Untier seinen Wanst gefüllt und den Durst mit Milch gelöscht, warf er sich der Länge nach in der Höhle zu Boden, und nun besann ich mich, ob ich nicht auf ihn losgehen und ihm das Schwert zwischen Zwerchfell und Leber in die Seite stechen sollte. Aber schnell bedachte ich mich eines Besseren. Denn was hätte uns das geholfen? Wer hätte uns den unermesslichen Stein von der Höhle gewälzt? Wir hätten zuletzt alle des jämmerlichsten Todes sterben müssen. Deswegen ließen wir ihn schnarchen und erwarteten in dumpfer Bangigkeit den Morgen. Als dieser erschienen und der Zyklop aufgestanden war, zündete er wie-

der ein Feuer an und fing an zu melken. Als er alles beendigt, packte er wieder zwei meiner Begleiter und verzehrte sie zu unserem Entsetzen wie das erste Mal zum Frühstück. Dann trieb er die feiste Herde aus der Höhle, nachdem er den Fels abgehoben, ging selbst mit hinaus und pflanzte den Stein wieder davor, wie man den Deckel auf den Köcher setzt. Wir hörten ihn mit gellendem Pfeifen seine Herde in die Berge treiben, wir aber blieben in der Todesangst zurück, und jeder erwartete, dass das nächste Mal die Reihe, gefressen zu werden, an ihn kommen werde. Ich selbst bewegte fortwährend Entwürfe der Rache in meinem Herzen, wie ich es angreifen sollte, dem Ungeheuer zu vergelten. Endlich kam mir ein Gedanke, der nicht übel war. Drinnen im Stalle lag die mächtige Keule des Zyklopen aus grünem Olivenholz; er hatte sie sich abgehauen, um sie zu tragen, wenn sie dürr geworden wäre; uns erschien sie an Länge und Dicke dem Mast eines großen Schiffes gleich. Von dieser Keule hieb ich mir einen Pfahl von der Dicke, wie ein Arm ihn umspannen kann, reichte ihn darauf den Freunden und hieß sie ihn glatt schaben, dann schärfte ich ihn oben ganz spitz und brannte ihn in der Flamme hart. Diesen Pfahl verbarg ich mit aller Sorgfalt im Miste, den es haufenweise in der Höhle gab. Dann losten meine Genossen, wer es wagen sollte, dem Ungeheuer den Brandpfahl mit mir ins Auge zu drehen, wenn er im Schlummer läge. Es traf gerade die vier Tapfersten der Freunde, die ich mir selbst ausgewählt hatte, und der fünfte war ich. Am Abend kam der grässliche Hirt mit seiner Herde heim. Diesmal ließ er nichts im Vorhof, sondern trieb alles miteinander in die Höhle; vielleicht argwöhnte er etwas oder schickte es auch, wie ihr bald hören werdet, ein Gott zu unseren Gunsten so. Übrigens fügte er wie bisher den Stein wieder in die Öffnung, tat alles wie sonst und fraß auch zwei aus unserer Mitte. Inzwischen hatte ich eine hölzerne Kanne mit dem dunkeln Wein aus meinem Schlauche gefüllt, näherte mich dem Ungeheuer und sprach: ›Da nimm, Zyklop, und trink! Auf Menschenfleisch schmeckt der Wein vortrefflich. Du sollst auch erfahren, was für ein köstliches Getränk wir auf unserem Schiff führten. Ich brachte ihn mit, um ihn dir zu spenden, wenn du Erbarmen mit uns trügst und uns heim ließest. Aber du bist ja ein ganz entsetzlicher Wüterich; wie mag dich künftig ein anderer Mensch besuchen! Nein, du bist nicht billig mit uns verfahren!‹

Der Zyklop nahm die Kanne, ohne ein Wort zu verlieren, und leerte sie mit durstigen Zügen, man sah ihm das Entzücken an, in welches ihn die Süßigkeit und Kraft des Trankes versetzte. Als er fertig war, sprach er zum ersten Mal freundlich: ›Fremdling, gib mir noch eins zu trinken und sage mir auch, wie du heißt, damit ich dich auf der Stelle mit einem Gastgeschenk erfreuen kann. Denn auch wir haben Wein hier zu Lande, wir Zyklopen. Damit du aber auch erfährst, wen du vor dir hast, so wisse, Polyphemos ist mein Name.‹ So sprach der Zyklop, und gern gab ich ihm von neuem zu trinken. Ja, dreimal schenkte ich ihm die Kanne voll, und dreimal leerte er sie in der Dummheit. Als ihm der Wein die Besinnung zu umnebeln begann, sprach ich schlauerweise: ›Meinen Namen willst du wissen, Zyklop? Ich habe einen seltsamen Namen. Ich heiße der Niemand, alle Welt nennt mich Niemand, Mutter, Vater hießen mich so, und bei allen meinen Freunden bin ich so geheißen.‹ Darauf antwortete der Zyklop: ›Nun sollst du auch dein Gastgeschenk erhalten; den Niemand, den verzehre ich zuletzt nach allen seinen Schiffsgenossen. Bist du mit der Gabe zufrieden, Niemand?‹

Diese letzten Worte lallte der Zyklop nur noch, lehnte sich rückwärts und taumelte bald ganz zu Boden. Mit gekrümmtem, feistem Nacken dehnte er sich schnarchend im Rausch, ja Wein und Menschenfleisch brach er in der Trunkenheit aus seinem Schlunde heraus. Jetzt steckte ich schnell den Pfahl in die glimmende Asche, bis er Feuer fing, und als er schon Funken sprühte, zog ich ihn heraus, und mit den vier Freunden, die das Los getroffen hatte, stießen wir ihm die Spitze tief ins Auge hinab, und ich, in die Höhle gerichtet, drehte den Pfahl, wie ein Zimmermann einen Schiffsbalken durchbohrt. Wimpern und Augenbrauen versengte die Glut bis auf die Wurzeln, dass es prasselte, und sein erlöschendes Auge zischte wie heißes Eisen im Wasser. Grauenvoll heulte der Verletzte auf, so laut, dass die Höhle von dem Gebrüll widerhallte, und wir, vor Angst bebend, flüchteten in den äußersten Winkel der Grotte.

Polyphemos riss sich indessen den Pfahl aus der Augenhöhle, von dem das Blut triefend herunterrann, er schleuderte ihn weit von sich und tobte wie ein Unsinniger. Dann erhob er ein neues Zetergeschrei und rief seine Stammesbrüder, die Zyklopen, herbei, die im Gebirge umher wohnten. Diese kamen von allen Seiten heran, umstellten die Höhle und wollten wissen, was ihrem Bruder geschehen sei. Er aber brüllte aus der Höhle heraus: ›Niemand, Niemand bringt mich um, ihr Freunde! Niemand tut es mit Arglist!‹ Als die Zyklopen das hörten, sprachen sie: ›Nun, wenn niemand dir etwas zu Leide tut, wenn dich keine Seele angreift, was schreist du denn so? Du bist wohl krank; aber gegen Krankheit haben wir Zyklopen kein Mittel!‹ So schrien sie und eilten wieder davon. Mir aber lachte das Herz im Leibe.

Der blinde Zyklop tappte indessen in seiner Höhle umher, immer noch vor Schmerzen winselnd. Er nahm den Felsstein vom Eingang, setzte sich dann unter die Pforte und tastete mit den Händen umher, um einen jeden von uns zu fangen, der Lust hätte, mit den Schafen zu entwischen; denn er hielt mich für so einfältig, dass ich es auf diese Weise angreifen würde. Ich aber sann inzwischen an tausenderlei Plänen herum, bis ich den rechten ausfindig machte. Es standen nämlich gemästete Widder mit dem dichtesten Vliese um uns her, gar groß und stattlich. Die verband ich ganz geheim mit den Ruten des Weidengeflechts, auf welchem der Zyklop schlief, je drei und drei; und der mittlere trug unter seinem Bauche immer einen von uns Männern, der sich an seiner Wolle festhielt, indessen die beiden anderen Widder rechts und links, die heimliche Last beschirmend, einhertrollten. Ich selber wählte den stattlichsten Bock, der hoch über alle anderen hervorragte. Ihn fasste ich am Rücken, wälzte mich unter seinen Bauch und hielt die Hände fest in die gekräuselten Wollenflocken gedreht. So unter den Widdern hängend, erwarteten wir mit unterdrückten Seufzern den Morgen. Er kam, und die männliche Herde sprang zuerst hüpfend aus der Höhle auf die Weide. Nur die Weibchen blökten noch mit strotzenden Eutern in den Ställen. Ihr geplagter Herr betastete jedem Widder, der hinausging, sorgfältig den Rücken, ob kein Flüchtling darauf sitze; an den Bauch und meine List dachte er in seiner Dummheit nicht. Nun wandelte auch mein Bock langsam zur Felsenpforte, schwer beladen mit Wolle, noch schwerer mit mir, der ich unter allerlei Gedanken mich dahintragen ließ. Auch ihn streichelte Polyphemos und sprach: ›Gutes Widderchen, was trabst du so langsam hinter der übrigen Herde aus der Höhle heraus? Du leidest ja sonst nicht, dass andere Schafe dir vorangehen; du bist sonst immer der Erste bei den Wiesenblumen und an dem Bache und abends der Allererste wieder im Stalle? Betrübt dich das ausgebrannte Auge deines

Herrn? Ja, hättest du Gedanken und Sprache wie ich, gewiss, du sagtest mir, in welchem Winkel sich der Frevler mit seinem Gesindel verbirgt; dann sollte mir sein Gehirn von der Höhlenwand spritzen und mein Herz wieder froh werden vom Leide, das der Niemand über mich gebracht!‹

So sprach der Zyklop und ließ den Widder auch hinausgehen. Und nun waren wir alle draußen. Sowie wir ein wenig von der Felskluft entfernt waren, machte ich mich zuerst von meinem Bock los und löste dann auch meine Freunde ab. Wir waren unser leider nur noch sieben, umarmten uns mit herzlicher Freude und jammerten um die Verlorenen. Doch winkte ich ihnen, dass keiner laut weinen, sondern dass sie mit den geraubten Widdern sich schnell nach unseren Schiffen mit mir aufmachen sollten. Erst als wir wieder auf unseren Ruderbänken saßen und durch die Wogen dahinfuhren, auf einen Heroldsruf vom Ufer entfernt, schrie ich dem am Uferhügel mit seiner Herde bergwärts hinanklimmenden Zyklopen meine Spottrede zu: ›Nun, Zyklop, du hast doch keines schlechten Mannes Begleiter in deiner Höhle gefressen! Endlich sind dir deine Freveltaten vergolten worden, und du hast die Strafe des Zeus und der Götter empfunden!‹

Als der Wüterich dieses hörte, wurde sein Grimm noch viel größer. Er riss einen ganzen Felsblock aus dem Gebirge heraus und warf ihn nach unserem Schiffe. Auch hatte er so gut gezielt, dass er das Ende unseres Steuerruders nur um ein weniges verfehlte. Aber von dem niederstürzenden Block schwoll die Flut an, und die rückwärts wallende Brandung riss unser Schiff wieder ans Gestade zurück. Mit aller Gewalt mussten wir die Ruder anstrengen, um dem Ungeheuer aufs Neue zu entfliehen und vorwärts zu kommen. Nun fing ich abermals an zu rufen, obgleich mich die Freunde, die einen zweiten Wurf befürchteten, mit Gewalt abhalten wollten. ›Höre, Zyklop‹, schrie ich, ›wenn dich je einmal ein Menschenkind fragt, wer dir dein Auge geblendet, so sollst du eine bessere Antwort geben, als du sie deinen Zyklopen erteilt hast! Sag ihm nur: der Zerstörer Trojas, Odysseus, hat mich geblendet, der Sohn des Laertes, der auf der Insel Ithaka wohnt!‹ So rief ich. Heulend schrie der Zyklop herüber: ›Wehe mir! So hat sich denn die alte Weissagung an mir erfüllt! Denn einst befand sich unter uns ein Wahrsager mit Namen Telemos, des Eurytos Sohn, welcher hier im Lande der Zyklopen alt geworden ist. Dieser hat mir gewahrsagt, dass ich dereinst durch Odysseus das Gesicht verlieren sollte. Da meinte ich dann immer, es sollte ein stattlicher Kerl daherkommen, so groß und stark, wie ich selber einer bin, und sollte sich mit mir im Kampfe messen. Und nun ist dieser Wicht gekommen, dieser Weichling, hat mich mit Wein berückt und mir im Rausch das Auge geblendet! Aber komm doch wieder, Odysseus! Diesmal will ich dich als Gast bewirten, will dir vom Meeresgott sicheres Geleit erflehen, denn wisse, ich bin der Sohn Poseidons. Auch kann nur er und kein anderer mich heilen!‹ Jetzt aber fing er an, zu seinem Vater Poseidon zu beten, dass er mir die Heimkehr nicht vergönnen solle. ›Und kehrt er jemals zurück‹, endete er, ›so sei es wenigstens so spät, so unglücklich, so verlassen als möglich, auf einem fremden Schiff, nicht auf dem eigenen, und zu Hause treffe er nichts als Elend an!‹

So betete er, und ich glaube, der finstere Gott hat ihn gehört. Auch ergriff er einen zweiten, noch viel größeren Felsblock und schleuderte ihn uns nach. Auch diesmal fehlte er nur um eine Kleinigkeit. Doch widerstanden wir dem Gegenstoße der Flut und ruderten getrost vorwärts. Bald waren wir auch wieder bei der Insel angekommen, wo die übrigen Schiffe geborgen in der Bucht lagen und die Freunde, schon lange traurig am Strande gelagert, uns erwarteten. Sie empfingen uns, als wir landeten, mit einem lauten Freudenruf. Als wir an Land gestiegen, war unser erstes Geschäft, die Herde des Zyklopen, die wir geraubt hatten, unter unsere Freunde zu verteilen. Den Widder jedoch, unter dessen Bauche ich entflohen war, schenkten mir meine Genossen im Voraus von der Beute. Ihn brachte ich sogleich dem Zeus zum Dankopfer dar und verbrannte ihm die Schenkel des Tieres. Der Gott verschmähte jedoch das Opfer und ließ sich von uns nicht versöhnen. Sein Beschluss war, dass alle unsere Schiffe, und außer mir auch alle meine Freunde, untergehen sollten.

Doch davon hatten wir keine Ahnung. Wir saßen vielmehr den ganzen Tag, bis die Sonne ins Meer sank, vergnügt beieinander, schmausten und tranken, als wären wir aller Sorgen ledig. Dann legten wir uns am Strande zum Schlummer nieder und schliefen beim Wogenschlage ein. Sobald jedoch der Himmel sich wieder rötete, saßen wir auch schon alle auf unseren Schiffen und ruderten weiter, der Heimat entgegen.«

Odysseus erzählt weiter
Der Schlauch des Äolos. Die Lästrygonen. Kirke

»Hierauf«, fuhr Odysseus fort, »gelangten wir an eine Insel, welche Äolos, der Sohn des Hippotes, ein vertrauter Freund der Götter, bewohnte. Dieses Eiland schwamm losgelöst in der Flut; eine eherne Mauer umgab es mit starrendem Erz, und ihre Grundlage war ein glatter Fels, der rings um das Inselland herumlief. Dieser Äolos hatte in seinem Palast sechs Söhne und sechs Töchter und feierte mit ihnen und der Gattin alle Tage ein Fest. Der gute Fürst beherbergte uns einen ganzen Monat und befragte uns recht eifrig über Troja, die Macht der Griechen und ihre Heimkehr. Über alles dieses gab ich ihm genaue Auskunft, und als ich ihn endlich bat, unsere Heimfahrt zu befördern, bezeigte er sich in allem höchst willig und schenkte uns einen dick aufgeschwollenen Schlauch, aus der Haut eines neunjährigen Stieres bereitet. In diesem waren sämtliche Winde eingeschlossen, die über die Erde dahinzuwehen pflegen; denn Äolos war vom Vater Zeus zum Verwalter der Winde bestellt und hatte die Macht empfangen, welche Winde er wollte, loszulassen und ihnen wieder Ruhe zu gebieten. Er selbst nun band uns den Schlauch mit einem glänzenden Seile von Silberfäden in meinem Schiff fest und schnürte ihn so zusammen, dass auch nicht die mindeste Luft herauskonnte. Doch hatte er sich darum der Winde nicht ganz entäußert, vielmehr von allen Gattungen noch genug zu Hause. Das zeigte er sogleich. Denn als wir uns eingeschifft hatten, ließ er unseren Schiffen den sanftesten Westwind nachwehen, der uns schnell und leicht in die Heimat bringen sollte. Aber es wurde uns nicht so gut, sondern unsere eigene Torheit brachte uns in großes Unglück.

Schon segelten wir neun Tage und Nächte lang auf dem Meere vorwärts, und in der zehnten Nacht waren wir so nahe an meiner Heimatinsel Ithaka, dass wir die Wachtfeuer des Ufers erblicken konnten. Da musste mich müden Mann der Schlummer beschleichen, denn ich hatte mich unaufhörlich damit beschäftigt, das Segel meines Schiffes zu stellen, um desto schneller das Vaterland zu erreichen, und dieses Geschäft mochte ich keinem anderen anvertrauen. Während ich nun schlief, spannen meine Schiffsgesellen ein Gespräch darüber an, was wohl in dem Schlauch sein möchte, welchen mir der König Äolos zum Gastgeschenk gegeben hatte. Da zeigte sich, dass sie alle in dem Wahn befangen waren, ich führe Silbers und Goldes genug in dem Sacke bei mir, und endlich fing einer der Lüsternsten also an: ›Der Odysseus ist doch auch überall hoch geachtet und geehrt! Wie viel Beute hat er nicht nur von Troja mit hinweggebracht! Und wir, die wir alle die nämlichen Gefahren und Mühseligkeiten ausgestanden haben, wir kehren sämtlich mit leeren Händen in die Heimat zurück! Jetzt hat ihm Äolos auch vollends einen Sack voll Silbers und Goldes gegeben! Wie wär's, wenn wir hineinguckten und auch erführen, wie viel Schätze da drinnen verborgen sind?‹ Dieser böse Rat leuchtete den übrigen Gesellen sogleich ein. Der Schlauch wurde aufgelöst, und kaum war das Band los, so brausten alle Winde miteinander daraus hervor, und die Windsbraut riss alle unsere Schiffe wieder hinaus in die offene See.

Ich selbst fuhr über dem Brausen aus dem Schlafe empor. Als ich das Unglück sah, das angerichtet war, überlegte ich einen Augenblick bei mir, ob ich nicht lieber über Bord springen und mich in den Abgrund begraben sollte. Doch fasste ich mich wieder und beschloss zu bleiben und alles, was da kommen könnte, zu ertragen. Die Wut der Orkane warf uns an die Insel des Äolos zurück. Hier ließ ich die Meinigen auf den Schiffen und eilte mit einem einzigen Freunde und dem Herolde in die Burg des Fürsten, den ich mit seiner Gemahlin und seinen Kindern gerade beim Mittagsmahle traf. Sie staunten alle nicht wenig über unsere Zurückkunft, als sie aber vollends die Ursache vernahmen, erhob sich der Verwalter der Winde zornig von seinem Sitze und rief mir entgegen: ›Verruchter Mensch, offenbar verfolgt dich die Rache der Götter! Einen solchen darf ich weder beherbergen noch geleiten! Geh mir aus dem Hause, Verworfener!‹ Mit diesem Fluche jagte er mich, den Seufzenden, von dannen, und schwermutsvoll schifften wir weiter. Meinen Gesellen schwand aller Mut beim Ruder; es war schon wieder der siebente Tag vergangen, und nirgends wollte sich ein Land zeigen.

Endlich kamen wir an eine Küste und zu einer turmreichen Stadt. Die Letztere hieß Telepylos und war der Sitz der Lästrygonen. Das alles wussten wir jedoch noch nicht, und von der Stadt erblickten wir auch nichts. Der Hafen, in welchen wir einfuhren, war vortrefflich, eng geschlossen und von allen Seiten durch schroffe Felsen geschirmt, so dass das Gewässer in der Bucht stets ruhig und wellenlos war. Ich knüpfte mein Schiff zuerst im Hafen an, erklomm das felsige Ufer und schaute mich, nach der Landseite gewendet, auf den Steinzacken um. Nirgends entdeckte ich bebautes Feld, keinen Ackersmann, keine Stiere. Nur Rauch wie von einer großen Stadt sah ich gen Himmel aufsteigen. Da schickte ich zur Erkundigung zwei auserlesene Freunde voraus mit einem Herold. Diese stiegen ans Land und fanden bald einen Weg, der über eine Waldung der Anhöhe jenem Rauche zuging und sie endlich in die Nähe der Stadt führte. Vor dieser begegneten sie einer Wasser schöpfenden Jungfrau, der rüstigen Tochter des Lästrygonenkönigs Antiphates. Sie stieg eben zu der Quelle Artakia hinab, wo die Einwohner ihr Wasser holten. Das Mädchen, über deren Größe sie sich nicht genug wundern konnten, bezeichnete ihnen freundlich ihres Vaters Wohnung und gab ihnen die gewünschte Auskunft über Land, Stadt und Beherrscher. Als sie nun aber in die Stadt und an den Palast kamen, so erstarrten sie erst vor Entsetzen. Da stand die Gemahlin des Lästrygonenkönigs vor ihnen, so riesengroß wie der Gipfel eines Berges. Denn die Lästrygonen waren Riesen und Menschenfresser. Auch rief die Königin sogleich ihren Gemahl, und dieser griff zum Gruße nach dem einen der Gesandten und befahl sogleich, ihn für sich zum Abendessen zuzurüsten. Die zwei anderen nahmen in der Todesangst die Flucht nach den Schiffen. Der König aber rief brüllend die ganze Stadt unter die Waffen, und über tausend Lästrygonen, lauter Riesen, den Giganten ähnlich, kamen heraus und schleuderten große Feldsteine nach uns, so dass man auf den Schiffen nichts als das Geschrei Sterbender und das Zusammenkrachen der getroffenen Schiffsbalken hörte. Nur mein eigenes Schiff war von mir hinter einem Felsen so angebunden worden, dass es die Steine nicht treffen konnten. Als nun die übrigen Schiffe am Versinken waren, nahm ich von ihrer Mannschaft in mein Schiff auf, so viel meiner Freunde noch unverletzt waren, und entrann mit ihnen auf meinem Schiffe unversehrt aus dem Hafen. Die anderen Fahrzeuge alle versanken mit einer Unzahl Toter und Sterbender in den Abgrund.

Nun fuhren wir auf dem einzigen Schiffe zusammengedrängt weiter und kamen wieder an eine Insel mit Namen Ääa. Hier wohnte eine sehr schöne Halbgöttin, die Tochter des Sonnengottes und der Okeanostochter Perse und Schwester des Königs Äetes. Sie hieß Kirke und hatte einen herrlichen Palast auf der Insel. Wir aber wussten nichts von ihr.

Wir fuhren in eine Bucht der Insel ein, legten unser Schiff vor Anker und lagerten uns, müde von der Anstrengung, voll Verdruss und Betrübnis im Ufergrase. Am dritten Morgen machte ich mich, mit Schwert und Lanze bewehrt, auf, das Land auszukundschaften. Endlich ward ich einen Rauch gewahr, und dieser stieg aus Kirkes Palast auf. Doch ging ich nicht sogleich auf die Spur los, sondern durch frühere Gefahren gewitzigt, kehrte ich erst zu meinen Freunden zurück und sandte Späher aus. Wir hatten auch alle schon lange keine genügende Nahrung zu uns genommen. Da erbarmte sich auf meinem Rückwege der Götter einer über uns und schickte mir einen Hirsch mit hohem Geweih in den Weg, der durstig aus dem Walde zum Bache hinunter in raschen Sätzen stürzte. Ich erschoss ihn im Laufe, indem ich ihn mit meiner Lanze mitten in das Rückgrat traf, dass sie unten am Bauche wieder hervordrang. Dann zog ich die Lanze, mit dem Fuß auf das Tier gestemmt, aus der Wunde, machte mir ein Seil von Weidenruten, band es dem Wild um die Füße und trug es so um den Nacken gehängt zum Schiffe, indem ich mich unter der ungewohnten Last beim Gehen auf meine Lanze stützen musste.
Meine Begleiter fuhren freudig empor, als sie die schöne Waldbeute auf meinen Schultern erblickten. Geschwind wurde das Tier geschlachtet und ein Festschmaus angestellt, indem wir auf dem Schiffe zusammensuchten, was von Brot und Wein zu finden war. Nun meldete ich ihnen von dem Rauche, den ich entdeckt hatte. Aber meine Freunde wurden ganz mutlos, denn alle mussten an die Höhle des Zyklopen und den Hafen des Lästrygonenkönigs denken, wo uns die Hoffnung beide Mal so grausam irregeführt hatte. Ich allein blieb mutig unter ihren Tränen. Ich teilte alle meine Genossen, so viel ihrer mir geblieben waren, in zwei Scharen und gab der einen mich selbst, der anderen den Eurylochos zu Anführern. Dann schüttelten wir Lose in einem ehernen Helme. Das Los traf den Eurylochos, und er musste sich sofort mit zweiundzwanzig Genossen, die ihm nur unter Seufzern folgten, auf den Weg machen nach der Seite, von welcher ich den Rauch hatte aufsteigen sehen.
Diese Schar fand bald den herrlich aus behauenen Steinen aufgeführten Palast der Göttin Kirke in einem anmutigen Tale der Insel versteckt. Wie staunten aber meine Genossen, als sie in der Umzäunung des Hofes und vor der Pforte des Wohnhauses Wölfe mit spitzem Gebiss und Löwen mit zottigen Mähnen umherwandeln sahen! Voll Angst erblickten

sie die grässlichen Ungeheuer und dachten schon darauf, wie sie sich aus dem unheimlichen Orte durch die schleunigste Flucht retten möchten. Aber schon waren sie umringt von den wilden Tieren. Diese taten ihnen jedoch nichts zu Leide, stürzten auch nicht nach Art der Bestien mit einem Satze auf sie zu, sondern sie näherten sich ihnen langsam und schmeichelnd und trugen ihre langen Schweife wedelnd aufgerichtet wie Hunde, wenn sie dem Herrn entgegengehen, der ihnen gute Bissen von einem Schmause mitbringt. Es waren dies, wie wir nachher erfuhren, lauter durch die Zauberkünste Kirkes verwandelte Menschen.

Da die Tiere ihnen nichts antaten, fassten meine Freunde wieder Mut und näherten sich der Pforte des Palastes. Aus diesem hörten sie die wohlklingende Stimme Kirkes, die eine vortreffliche Sängerin war, erschallen. Sie sang zu ihrer Arbeit, denn sie saß eben über dem Gewebe eines großen wundervollen Gewandes, wie es nur Göttinnen zu wirken verstehen. Der Erste, der einen Blick in den Palast geworfen hatte und sich dieses Anblickes erfreute, war der Held Polites, der mir besonders befreundet war. Auf seinen Rat riefen unsere Freunde die Bewohnerin heraus, und sie erschien auch wirklich freundlich an der Pforte und nötigte alle Angekommenen herein mit Ausnahme ihres Führers Eurylochos, der ein besonnener Mann war und, durch die früheren Vorfälle gewarnt, irgendeinen Betrug witterte.

Die anderen führte Kirke gar holdselig in ihren Palast ein und hieß sie auf hohen, schmucken Sesseln Platz nehmen. Alsdann brachte man Käse, Mehl, Honig und süßen pramnischen Wein herbei, woraus ein Gericht köstlicher Kuchen von Kirke geknetet wurde, während dieser Arbeit aber mischte sie unvermerkt Unheil bringende Säfte unter den Teig, welche die Armen von Sinnen bringen und sie ihres Vaterlandes vergessen machen sollten. Und wirklich wurden sie alle miteinander, sowie sie von der verführerischen Speise gekostet hatten, in borstige Schweine verwandelt, fingen an zu grunzen und wurden von der Zauberin samt und sonders in die Koben getrieben. Hier ließ ihnen Kirke statt der köstlichen Bissen Steineicheln und Kornellen, wie anderen Schweinen, zur Nahrung vorwerfen.

Eurylochos hatte von weitem das alles zum Teil mit angesehen, zum Teil geschlossen. Er eilte, was er nur konnte, zu unserem Schiffe zurück, um das schreckliche Schicksal unserer Freunde mir und den Zurückgebliebenen zu verkündigen. Als er aber bei uns ankam, konnte er anfangs kein einziges Wort hervorbringen, weil ihm die entsetzliche Angst noch immer die Sprache raubte; aus seinen Augen stürzten Tränen, und seine Seele war ganz in Jammer versenkt. Wie wir nun alle voll Verwunderung in ihn drangen zu sprechen, fand er endlich Worte und erzählte das jämmerliche Schicksal der anderen Freunde. Auf diese Schreckensbotschaft warf ich mir augenblicks das Schwert um die Schultern und den Bogen darüber, dann befahl ich ihm, mich auf der Stelle den Weg nach dem Palast zu führen. Er aber umschlang mir mit beiden Armen die Knie und flehte mich an, zurückbleiben zu dürfen und selbst zurückzubleiben. ›Glaube mir‹, schluchzte er, ›du kehrst weder selbst um, noch bringst du einen der verlorenen Freunde zurück. Oh, lass uns von diesem verwünschten Strande fliehen!‹ Ihm nun erlaubte ich zu bleiben, ich selbst aber gehorchte der Notwendigkeit und ging. Auf dem Wege begegnete mir ein blühender Jüngling, mit dem holdesten Reiz der Jugend geschmückt, und streckte mir den goldenen Stab entgegen, an welchem ich Hermes, den Boten der Himmlischen, erkannte. Er fasste mich freundlich bei der Hand und sprach: ›Armer, was rennest du so aller Gegend unkundig durch das Waldgebirge? Deine Freunde sind bei der Zauberin Kirke in Schweineställe gesperrt. Willst du gehen, sie zu erlösen? Eher wirst auch du zu den anderen gesteckt werden! Nun wohl, ich will dir ein Mittel an die Hand geben, dich zu bewahren. Wenn du dieses Heilkraut bei dir trägst‹ – bei diesen Worten grub er eine schwarze Wurzel mit milchweißer Blüte aus dem Boden und nannte sie mir Moly –, ›so vermag ihr Betrug nicht dir zu schaden. Sie wird dir nämlich ein süßes Weinmus bereiten und ihre Zaubersäfte darein mengen. Dieses Kraut aber wird sie verhindern, dich in ein Vieh zu verwandeln. Wenn sie dich dann mit ihrem langen Zauberstabe berührt, so reiß du dir nur dein scharfes Schwert von der Hüfte und renne auf sie los, als wolltest du sie ermorden. Dann zwingst du ihr leicht einen heiligen Eid ab, dass sie keinerlei Tücke an dir üben wolle. Du magst alsdann ohne Gefahr bei ihr wohnen und ihr in allem zu Willen sein, und wenn ihr vertraut geworden seid, wird sie dir auch deine Bitte nicht abschlagen und dir deine Freunde zurückgeben!‹

So sprach Hermes und verließ mich, in den Olymp zurückkehrend. Ich selbst eilte unruhig und nachdenklich dem Palast der Zauberin entgegen.

Auf meinen Ruf öffnete sie die Pforte und hieß mich freundlich hereintreten, was ich, obwohl mit einem Herzen voll Ingrimm, auch tat. Nun führte sie mich zu einem herrlichen Thronsessel, rückte mir einen Schemel unter die Füße und mengte sofort in goldener Schale wirklich ihr Weinmus. Sie konnte kaum erwarten, bis ich es ausgeleert, und ohne im Mindesten an meiner Verwandlung zu zweifeln, die auf der Stelle eintreten würde, berührte sie mich mit ihrem Stabe und sprach: ›Fort mit dir in den Schweinestall zu deinen Freunden!‹ Ich aber riss das Schwert von der Seite und rannte wie mordbegierig auf die Zauberin ein. Nun schrie sie laut auf, warf sich zu Boden und umfasste meine Knie, indem sie mir jammernd entgegenrief: ›Wehe mir! Wer bist du, Gewaltiger, den mein Trank nicht zu verwandeln vermag? Noch kein anderer Sterblicher hat der Stärke meines Zaubers widerstanden. Bist du vielleicht der erfindungsreiche Odysseus selbst, dessen Ankunft, wenn er von Troja zurückkehrte, mir Hermes schon lange geweissagt hat? Wenn du es bist, so stecke dein Schwert in die Scheide und lass uns Freunde werden!‹ Ich aber veränderte meine drohende Stellung nicht und antwortete: ›Wie kannst du verlangen, Kirke, dass ich mich freundlich gegen dich erweisen soll, da du meine Begleiter in deinem Hause zu Schweinen verwandelt hast? Muss ich nicht vermuten, dass du nur darum dich zuvorkommend gegen mich beträgst, um auch meinem Leibe irgendein Leid anzutun? Ich kann nur alsdann dein Freund werden, wenn du mir einen heiligen Eid schwörst, mir auf keinerlei Weise schaden zu wollen!‹ Die Göttin beschwur auf der Stelle, was ich verlangte, und nun war auch ich zufrieden und überließ mich sorglos der Nachtruhe.

Frühmorgens waren vier Dienerinnen, lauter schöne und edelgeborene Nymphen, damit beschäftigt, die Säle ihrer Herrin in Ordnung zu bringen. Die eine bedeckte die Thronsessel mit herrlichen purpurnen Polstern, eine zweite stellte silberne Tische vor die Sessel und setzte goldene Körbe darauf, die dritte mischte in einem silbernen Kruge den Wein und verteilte goldene Becher auf den Tischen umher; von der vierten endlich wurde frisches Quellwasser herbeigetragen, der Kessel auf den Dreifuß gesetzt und die Glut darunter geschürt, bis das Wasser kochte. Dieses musste mir zu einem erquickenden Bade dienen, und als ich darauf gesalbt und angekleidet war, sollte ich in Kirkes Gesellschaft das Morgenmahl genießen. Aber obgleich reichliche Speisen vor mir auf meinem Ti-

sche standen, streckte ich doch nicht die Hände danach aus, sondern saß schweigend und kummervoll meiner schönen Wirtin gegenüber. Als diese mich endlich nach der Ursache meines stummen Grames fragte, da sprach ich: ›Welcher Mann, der noch ein Gefühl für Recht und Billigkeit hat, könnte sich auch an Speise und Trank erfreuen, solange er seine Freunde im Elend weiß? Wenn du willst, dass ich mit Lust bei dir genießen soll, so lass mich meine lieben Genossen mit Augen sehen!‹
Kirke ließ sich nicht lange bitten, sie verließ das Gemach, ihren Zauberstab in der Hand. Draußen schloss sie die Tür des Kobens auf und trieb alle meine Freunde heraus, die mich, der ich inzwischen auch herbeigekommen war, in der Gestalt neunjähriger Schweine umwimmelten, Nun ging sie bei allen umher und bestrich jeden mit einem anderen Safte. Auf einmal schälten sie sich nun aus der borstigen Hülle und wurden alle zu Männern, und zwar jünger und schöner, als sie vorher gewesen waren. Freudig eilten sie auf mich zu und reichten mir die Hände; als sie aber ihres elenden Schicksals gedachten, fingen sie alle zu weinen und zu jammern an. Die Göttin sprach darauf schmeichelnd zu mir: ›Nun, lieber Held, habe ich ja deinen Willen getan. Tu du nun mir auch den Gefallen und lass dein Schiff ans Ufer ziehen, birg seine Ladung in den Felsengrotten des Ufers und lass es dir dann mit deinen lieben Genossen wohl bei mir sein!‹
Ihre Schmeichelrede gewann mein Herz. Ich suchte das Schiff und die zurückgebliebenen Freunde auf, die mich schon lange für tot beklagt hatten und nun mit Freudentränen auf mich zustürzten. Als ich ihnen den Vorschlag machte, das Schiff ans Ufer zu ziehen und bei der Göttin einzukehren, zeigten sich auch sogleich alle willig, nur Eurylochos wehrte die Genossen ab und sprach zu ihnen: ›Habt ihr denn ein gar so großes Verlangen nach eurem Verderben, dass ihr in den Palast der Zauberin eingehen wollt, die uns alle in Löwen, Wölfe und Schweine verwandeln und zwingen wird, in dieser scheußlichen Gestalt ihr Haus zu hüten? Wie ist der Zyklop mit unseren Freunden umgegangen, als der Unverstand des Odysseus uns ihm in die Hände geliefert?‹ Als ich diese Schmähung hörte, empfand ich einige Lust in mir, das Schwert zu ziehen und ihm den Kopf vom Rumpfe zu schlagen, obgleich er nahe mit mir verwandt war. Die Freunde sahen die Bewegung, die ich machte, fielen mir in den Arm und brachten mich zur Besinnung.

Nun brachen wir alle auf, und Eurylochos selbst, durch meine Drohung erschreckt, weigerte sich nicht zu folgen. Inzwischen hatte Kirke unsere Freunde gebadet, mit Öl gesalbt und herrlich bekleidet, und wir fanden sie alle ganz fröhlich beim Schmaus versammelt. Da war ein Weinen und Umarmen und Begrüßen! Die Göttin sprach allen Mut ein und tat uns so viel Liebes, dass wir von Tag zu Tag fröhlicher wurden und das ganze Jahr über bei ihr blieben. Wie aber nun das Jahr zu Ende ging, riefen mich meine Begleiter und ermahnten mich, endlich der Heimkehr eingedenk zu sein. Sie bewegten mir auch mit ihrer Rede das Herz, und noch an demselben Abend umfasste ich Kirkes Knie und flehte sie an, Wort zu halten und mich, wie sie mir anfangs gelobt hatte, zur Heimat zu entsenden. Die Zauberin antwortete: ›Du hast Recht, Odysseus, es geziemt mir nicht, dich länger mit Zwang bei mir zu halten, aber bevor du heimkommst, müsst ihr doch noch einen Umweg machen. Ihr müsst das Reich des Hades und der Persephone, das Schattenreich, besuchen und die Seele des blinden Greises, des thebanischen Propheten Teiresias, um die Zukunft befragen; denn diesem ist auch im Tode noch sein voller Geist und die Sehergabe durch Persephones Gunst verblieben: die Seelen der anderen Toten sind alle nur wandelnden Schatten gleich.‹

Als ich diesen Beschluss vernahm, fing ich zu weinen und zu jammern an; mir graute vor der Behausung der Toten, und ich fragte, wer mich denn geleiten sollte, denn eine Schifffahrt in die Unterwelt hat noch kein Sterblicher bei Leibes Leben unternommen. ›Lass dich die Sorge um das Geleite deines Schiffes nicht bekümmern‹, antwortete mir die Göttin, ›richte nur getrost den Mast in die Höhe und spanne die Segel aus! Der Nordwind wird euch schon hintreiben; bist du einmal am Gestade des Okeanos, des Stromes, der die Erde umgürtet, so landest du an einem niedrigen Ufer, wo du Erlen, Pappeln und Weidenbäume beisammen erblickst. Dies ist der Hain Persephones; dort ist auch der Eingang in die Unterwelt. Hier in einem Tale bei einem Felsen, wo die schwarzen Ströme Pyriphlegeton und Kokytos, der Letztere ein Arm des Styx, sich in den Acheron oder die Unterwelt stürzen, wirst du eine Kluft finden, durch welche der Weg in das Schattenreich geht. Da gräbst du eine Grube und bringst den abgeschiedenen Seelen ein Totenopfer von Honig, Milch, Wein, Wasser und Mehl dar, gelobst ihnen auch ein Schlachtopfer, wenn du nach Ithaka heimkommst, und noch außerdem dem Teiresias einen schwarzen Widder; dann opferst du noch zwei schwarze Schafe, ein männliches und ein weibliches, und blickst dem vereinigten Strome durch die Kluft in die Tiefe nach, während deine Genossen die Tiere verbrennen und zu den Göttern beten. Da werden dir die Seelen der Toten erscheinen, und die Luftgebilde werden herauf ans Licht zu dringen begehren und von dem Blute der Totenopfer kosten wollen. Du aber wehrst sie mit dem Schwerte ab und erlaubst ihnen nicht, näher zu gehen, bis du den Teiresias befragt hast. Denn dieser wird bald herannahen und dir auch über deine Heimfahrt Aufschluss geben.‹

Diese Rede tröstete mich einigermaßen. Am anderen Morgen versammelte ich meine Freunde und wollte sie zum Aufbruch mahnen. Nun hatte sich einer von ihnen, mit Namen Elpenor, der Jüngste von allen, aber weder besonders mutig noch sehr verständig, vom süßen Weine Kirkes trunken, von den Freunden fern und, um kühlere Luft zu atmen, auf dem platten Dache des Palastes gelagert. Dort war er am vorigen Abend eingeschlummert und hatte die Nacht über in ungestörtem Schlafe gelegen. Als er nun durch das Gewühl der sich erhebenden und zur Versammlung eilenden Freunde plötzlich aufgeweckt wurde, fuhr er empor und vergaß in der Betäubung, wo er war; anstatt sich zur Treppe zu wenden, taumelte er über das Dach hinaus und fiel den hohen Palast herunter, so dass ihm das Genick zerbrach und sein Geist auf der Stelle zum Hades fuhr.

Ich aber sammelte meine Begleiter um mich her und sprach: ›Ihr meint nun wohl, teuere Freunde, nun gehe es geradeswegs ins liebe Vaterland? Aber ach, dem ist leider nicht so; die Göttin Kirke hat uns eine ganz andere Fahrt vorgeschrieben. Wir sollen hinunter in das schreckliche Reich des Hades und dort die Seele des thebanischen Sehers Teiresias wegen unserer Heimfahrt befragen!‹ Als meine Genossen dieses hörten, da brach ihnen fast das Herz vor Kummer; sie jammerten laut auf und rauften sich die Haare aus. Aber ihre Klage half ihnen nichts. Ich befahl ihnen aufzubrechen und mit mir zum Schiffe zu wandeln. Kirke war uns vorausgeeilt, sie hatte die zwei Opferschafe uns ins Schiff bringen und dort anbinden lassen, auch uns mit Honig, Wein und Mehl für das Opfer reichlich versorgt. Als wir ankamen, schlüpfte sie mit einem stummen Abschiedsgruß leicht an uns vorüber. Wir aber zogen das Schiff ins Meer, richteten den Mast und die Segel und setzten uns betrübt auf die

Ruderbänke. Ein günstiger Fahrwind, den uns Kirke schickte, blies in die Segel, und bald waren wir wieder auf der hohen See.«

Odysseus erzählt weiter
Das Schattenreich

»Die Sonne tauchte ins Meer«, fuhr Odysseus nach einer Pause fort, den horchenden Phäaken zu erzählen, »als wir, von einem wunderbaren Fahrwinde vorwärts getrieben, am Ende der Welt beim Gestade der Kimmerier, das in ewigem Nebel liegt und von den Sonnenstrahlen niemals beleuchtet wird, am Strome Okeanos, der die Welt umgürtet, anlangten. Wir kamen an den Fels und die Zusammenströmung der Totenflüsse, wie es uns Kirke bezeichnet hatte, und opferten ganz nach ihrer Vorschrift. Sowie das Blut aus den Gurgeln der Schafe in die Grube floss, tauchten tief aus der Unterwelt die Seelen der Abgeschiedenen nach der Felsenkluft empor, in welcher wir uns, den Strom zur Seite, befanden. Jünglinge und Greise, Jungfrauen und Kinder kamen, auch viele Helden mit klaffenden Wunden und in blutbesudelten Rüstungen; scharenweise, mit hohlem, grausenvollem Stöhnen umflatterten sie nach Art der Schatten die Opfergrube, so dass mich ein Entsetzen erfasste. Schnell ermahnte ich die Genossen, nach Kirkes Rat die geopferten Schafe zu verbrennen und zu den Göttern zu flehen. Ich selbst riss das Schwert von der Hüfte und wehrte den Luftgebilden, vom Opferblute zu lecken, bevor ich den Teiresias befragt hätte.

Zuallererst nun nahte sich mir die Seele unseres Freundes Elpenor, dessen Leib noch unbegraben in Kirkes Wohnung lag. Mit Tränen im Auge klagte mir der Schatten sein Verhängnis und beschwor mich, nach der Insel Aioia zurückzufahren und ihm ein ehrliches Begräbnis angedeihen zu lassen. Ich versprach es ihm, und das Schattenbild lagerte sich mir gegenüber. So saßen wir in wehmütigem Gespräch, dort die Schattengestalt, hier ich, das Schwert quer über dem Opferblute haltend. Bald gesellte sich zu uns auch die Mutter des Verstorbenen, Antiklea, die ich noch lebendig verlassen hatte, als ich gegen Ilios aufbrach. Sie sah mich bittend und schmerzlich an und entfernte sich endlich mit dem Sohne. Nun erschien die Seele des Thebaners Teiresias, einen goldenen Stab in der Rechten. Er erkannte mich sogleich und hob an: ›Edler Sohn des Laertes, was trieb dich, das Sonnenlicht zu verlassen und diesen Ort des Entsetzens zu besuchen? Aber ziehe nur dein gezücktes Schwert von der Grube zurück, damit ich von dem Opferblute trinke und so in den Stand gesetzt werde, dir dein Schicksal zu weissagen.‹ Ich wich bei diesen Worten von der Grube und stieß mein Schwert in die Scheide. Nun trank der Schatten von dem schwarzen Blut und fing alsbald zu wahrsagen an: ›Du forschest bei mir, Odysseus, nach einer fröhlichen Heimkehr ins Vaterland; aber ein Gott wird sie dir schwer machen, und du kannst dich der Hand des Erderschütterers nicht entziehen. Du hast ihn schwer dadurch beleidigt, dass du seinem Sohne Polyphemos das Auge geblendet hast. Dennoch soll dir die Rückkehr nicht ganz abgeschnitten sein; halte nur dein und deiner Genossen Herz im Zaume. Zuerst landet ihr auf der Insel Thrinakia; wenn ihr dort die heiligen Rinder und Schafe des Sonnengottes unberührt lasst, so dürfte euch die Heimfahrt wohl gelingen. Verletzet ihr sie aber, dann weissage ich deinem Schiff und deinen Freunden Verderben. Wenn du selbst auch entrinnest, so kommst du spät, elend und einsam nach Hause, auf einem fremden Schiff. Auch dort findest du nur Jammer; übermütige Männer, die dein Gut verprassen und um dein Weib Penelope freien. Wenn du diese, sei es mit List oder Gewalt, bezwungen und getötet und ruhiges Glück dir lange gelächelt hat, so nimm, doch erst am Abend deines Lebens, dein Ruder auf die Schulter und wandere immer fort und fort, bis du zu Menschen kommst, die das Meer nicht kennen, keine Schiffe haben, ihre Speisen mit keinem Salze würzen. Und wenn dir dort in der Fremde ein Wanderer begegnet und dir sagt, du tragest des Worflers Schaufel auf dem Rücken, dann stoße das Ruder in die Erde, bring dem Poseidon ein Opfer und wandere wieder heim. Endlich wird dich, während dein Reich blüht, ein friedlicher Greisentod fern dem Meere hinwegnehmen.‹

Dies war der Inhalt seiner Weissagung. Ich dankte dem Seher, aber ein neuer Gegenstand, der sich mir zeigte, legte mir eine Frage auf die Zunge. ›Was sehe ich dort?‹ sprach ich zu ihm. ›Das ist ja der Schatten meiner Mutter! Wie stumm sitzt sie am Opferblute, ohne ihren Sohn anzuschauen! Wie mache ich es, ehrwürdiger Greis, dass sie mich erkenne?‹ – ›Vergönne ihr nur‹, erwiderte der Seher, ›vom Opferblute zu trinken, so wird sie ihr Schweigen bald brechen.‹ Da wich ich von der Grube mit dem Schwerte zurück, und die Mutter trank. Urplötzlich erkannte sie mich, heftete ihr tränendes Auge auf mich und sprach: ›Lieber Sohn, wie kamst du lebendig in die Todesnacht herab? Haben dich der Okeanos und die anderen furchtbaren Ströme nicht gehindert? Irrest du noch immer seit Trojas Fall umher und kommst nicht von deiner Heimat Ithaka?‹ Nachdem ich ihr hierüber Aufschluss gegeben hatte, befragte ich die Mutter über ihren Tod, denn ich hatte sie lebend verlassen, als ich gen Troja zog. Auch wie es sonst bei uns zu Hause stehe, fragte ich sie mit pochendem Herzen. Und der Schatten erwiderte: ›Deine Gattin, nach der du so ängstlich fragst, weilt in deinem Hause mit unerschütterlicher Treue, und Tag und Nacht weint sie um dich. Dein Zepter führt kein anderer, sondern dein Sohn Telemachos verwaltet dein Gut. Dein Vater Laertes hat sich aufs Land zurückgezogen und kommt nie mehr in die Stadt; dort schläft er nicht in einer Fürstenkammer, nicht in einem weichen Bett; neben dem Herdfeuer liegt er, wie andere Knechte, auf dem Stroh, in ein schlechtes Kleid gehüllt, den ganzen Winter über; im Sommer bettet er sich unter freiem Himmel auf ein Bündel Reisig; und das alles tut er aus Jammer über dein Geschick. Ich selbst bin dem Gran über dich, mein lieber Sohn, erlegen, denn keine Krankheit hat mich dahingerafft.‹

So sprach sie und machte mich vor Sehnsucht erbeben. Als ich sie aber in die Arme schließen wollte, zerstob sie wie ein Traumbild. Nun kamen andere Schatten daher, viele Gattinnen berühmter Helden. Sie tranken alle von dem Opferblut und erzählten mir ihr Geschick. Als die Frauen nacheinander wieder verschwunden waren, ward mir ein Anblick zuteil, der mir das Herz im Busen bewegte. Es kann nämlich die Seele des Völkerfürsten Agamemnon heran. Schwermütig bewegte sich der große Schatten nach der Opfergrube und trank von dem Blute. Da blickte er auf, erkannte mich und fing zu weinen an. Vergebens streckte er die Hände aus, mich zu erreichen; in den Gliedern war keine Spannkraft; er sank zurück zur Ferne und antwortete von dort aus auf meine sehnlichen Fragen. ›Edler Odysseus‹, sprach er, ›mich hat nicht, wie du wähnst, der Zorn des Meeresgottes verderbt, nicht Feinde auf der Feste haben mich bezwungen. Wie man den Stier an der Krippe erschlägt, hat mich mein Weib Klytämnestra mit ihrem Buhlen Ägisthos im Bade erschlagen, mich, der ich nach Hause voll Sehnsucht nach Frau und Kin-

dern gekommen war. Darum rate ich dir, Odysseus, zeige dich nicht allzu gefällig gegen die Gattin, vertraue ihr aus Zärtlichkeit nicht ein jegliches Geheimnis an. Doch du hast ein verständiges und tugendhaftes Weib, du Glücklicher! Und das Knäblein, das an ihrer Brust lag, als wir Griechenland verließen, dein Telemachos, wird als Jüngling voll herzlicher und kindlicher Liebe seinen Vater empfangen. Mein ruchloses Weib hat mir nicht einmal gegönnt, die Augen an dem Anblick meines Sohnes zu laben, bevor sie mich ermordete! Dennoch rate ich dir, heimlich und nicht öffentlich am Gestade Ithakas zu landen: denn es ist doch keinem Weibe zu trauen!‹
Mit diesen finsteren Worten wandte sich der Schatten um und verschwand. Nun kamen die Seelen des Achilleus und seines Freundes Patroklos, des Antilochos und des großen Ajax. Zuerst trank Achilleus, erkannte mich und staunte. Ich erzählte ihm, warum ich gekommen. Als ich aber den berühmten Griechen auch im Hades als Gebieter der Geister selig pries, erwiderte er missmutig: ›Sprich mir nichts Tröstliches vom Tode, Odysseus! Lieber wollte ich als Tagelöhner auf Erden das Feld bestellen, ohne Eigentum und Erbe, als über die sämtliche Schar der Toten herrschen!‹ Dann musste ich ihm vom Heldenleben seines Sohnes Neoptolemos erzählen, und als er viel Gutes und Rühmliches über ihn vernommen, wandelte der erhabene Schatten zufriedenen und mächtigen Schrittes der Tiefe wieder zu und verlor sich darin.
Auch die anderen Seelen der Abgeschiedenen, die inzwischen von dem Blute getrunken hatten, standen mir nun Rede. Nur der Schatten des Ajax, den ich einst im Streit um die Waffen des Achilleus besiegt und der sich deswegen entleibt hatte, stellte sich seitwärts und zürnte. Mit sanften Worten redete ich ihn an: ›Telamons Sohn, kannst du denn auch im Tode den Unmut nicht vergessen, in welchen dich die Rüstung des Achilleus versetzt hat, welche die Götter den Argivern doch nur zum Fluche bestimmt hatten? Denn durch sie bist du, der ein Turm war in der Feldschlacht, dahingesunken, dass wir dich nächst Achilleus bejammern mussten. Doch ist keiner von uns an deinem Tode schuldig; es war ein Verhängnis, das Zeus dir und uns zugesandt hat. Darum, edler Fürst, bezwinge dein Gemüt, nahe mir, rede mit mir!‹ Aber der Schatten antwortete nicht, sondern ging ins Dunkel zu anderen abgeschiedenen Seelen.

Nun erblickte ich auch die Schatten längst verstorbener Helden: den Totenrichter Minos; den gewaltigen Jäger Orion, welcher, die Keule in der Hand, Schattenbilder von Luchsen und Löwen aufscheuchte; den Tityos, dem für seine Frevel zwei Geier, von jeder Seite einer, an der Leber fraßen; den Tantalos, der dürstend mitten im Wasser stand, dass es ihm das Kinn bespülte, aber sooft er trinken wollte, wich die Welle zurück und versiegte, dass der schwarze Boden zu seinen Füßen sichtbar wurde; auch ragten Bäume voll Früchten über sein Haupt herein, voll Birnen, Feigen, Granaten, Oliven, Äpfeln; wenn er aber, der Hungernde, sie mit den Händen haschen wollte, da schwang der Sturm die Äste aufwärts den Wolken zu, und seine Hand griff in die leere Luft. Auch den Sisyphos sah ich, den vergebliche Pein abquälte. Er war bemüht, ein großes Felsstück einen Berg emporzuschieben; mit angestemmten Händen und Füßen arbeitete er sich ab und wälzte den Stein die Berghöhe hinauf. Sooft er aber schon glaubte, ihn auf dem Gipfel droben zu haben, glitt ihm das Felsstück aus den Händen und rollte schändlicherweise den Berg hinunter. Da begann denn seine Anstrengung von neuem, der Angstschweiß floss ihm von den Gliedern, und das Haupt hüllte eine Wolke von Staub ein. Ihm zunächst stand der Schatten des Herakles, doch nur sein Schatten, denn er selbst lebt als Gemahl der Jugendgöttin ein seliges Leben unter den Olympischen. Sein Schatten aber stand, finster wie die Nacht, hielt den Pfeil auf der Bogensehne und blickte schrecklich umher, als wollte er ihn eben gegen den Feind abschnellen. Ein prächtiges Wehrgehenk, mit allerlei Tiergestalten geschmückt, hing ihm über die Schultern.

Auch er verschwand, und nun kam noch ein ganzes Gedränge anderer Heldenseelen. Gern hätte ich den Theseus und seinen Freund Peirithoos wieder gesehen. Aber bei dem grausenvollen Getöse der unzähligen Scharen kam mich plötzlich eine solche Furcht an, als streckte mir die Meduse ihr Gorgonenhaupt entgegen. Eilig verließ ich mit meinen Genossen die Kluft und wandte mich wieder zum Gestade des Okeanos und zu unserem Schiffe zu. Dann segelten wir, wie ich es dem Schatten Elpenors versprochen hatte, nach Kirkes Insel zurück.«

Odysseus erzählt weiter
Die Sirenen, Skylla und Charybdis, Odysseus bei Kalypso

»Nachdem wir nun die Gebeine unseres verunglückten Genossen«, fuhr Odysseus fort, »auf der Insel Äaa verbrannt und zur Erde bestattet, auch dem Toten einen Grabhügel aufgehäuft hatten und eine Denksäule darauf gesetzt und von Kirke sehr freundlich empfangen und bewirtet worden waren, fuhren wir weiter, von ihr vor allerlei Gefahren gewarnt und reichlich mit Lebensmitteln versorgt.

Das erste Abenteuer, das wir zu bestehen hatten und von welchem uns Kirke geweissagt, erwartete uns am Eilande der Sirenen. Dieses sind sangreiche Nymphen, die jedermann bezaubern, der auf ihr Lied horcht. Am grünen Gestade sitzen sie und singen ihre Zauberlieder dem Vorüberfahrenden zu. Wer sich zu ihnen hinüberlocken lässt, ist ein Kind des Todes, und man sieht deswegen an ihrem Ufer moderndes Gebein genug umherliegen. Bei der Insel dieser verführerischen Nymphen angekommen, hielt unser Schiff still, denn der Fahrwind, der uns bisher gelinde vorwärts getrieben, hörte mit einem Mal auf zu wehen, und das Gewässer schimmerte wie ein Spiegel. Meine Begleiter nahmen die Segel von den Stangen, falteten sie zusammen, legten sie im Schiffe nieder und setzten sich ans Ruder, um das Schiff so vorwärts zu bringen. Ich aber gedachte an das Wort, das Kirke, die mir dieses alles voraussagte, gesprochen hatte. ›Wenn du an die Insel der Sirenen kommst und ihr Gesang euch droht, so verklebe die Ohren deiner Freunde mit Wachs, dass sie nichts hören; begehrst du aber selbst ihr Lied zu vernehmen, so befiehl, dass man dich, an Händen und Füßen gefesselt, an den Mast binde, und je sehnlicher du deine Freunde bittest, dich loszubinden, desto fester sollen sie die Seile schnüren!‹

Daran dachte ich jetzt, zerschnitt eine große Wachsscheibe und knetete sie mit meinen nervigen Fingern; das weiche Wachs strich ich sodann meinen Reisegenossen in die Ohren. Sie aber banden mich auf mein Geheiß aufrecht unten an den Mast; dann setzten sie sich wieder an die Ruder und trieben das Fahrzeug getrost vorwärts. Als die Sirenen dieses heranschwimmen sahen, standen sie in der Gestalt reizender Mägdlein am Ufer und stimmten mit wundersüßer Stimme ihren hellen Gesang an, der also lautete:

›Komm, preisvoller Odysseus, erhabener Ruhm der Achäer,
Lenke das Schiff ans Land, um unsere Stimme zu hören.
Denn noch ruderte keiner vorbei im dunkeln Schiffe,
Eh' er aus unserem Munde die Honigstimme gehört;
Jener sodann kehrt fröhlich zurück und mehreres wissend.
Denn wir wissen dir alles, wie viel in den Ebenen Trojas
Argos Söhn' und die Troer vom Rat der Götter geduldet,
Alles, was irgend geschah auf der viel ernährenden Erde.‹

So sangen sie. Mir aber schwoll das Herz im Busen vor Begierde, sie länger zu hören; ich winkte meinen Freunden mit dem Kopf, mich loszulassen. Aber sie mit ihren tauben Ohren stürzten sich nur umso rascher aufs Ruder, und zwei von ihnen, Eurylochos und Perimedes, kamen herbei und legten mir, wie ich früher befohlen hatte, noch viel stärkere Stricke an und schnürten auch die alten fester zusammen. Erst als wir glücklich vorübergesteuert und ganz außer dem Bereich der Sirenenstimmen waren, nahmen meine Freunde sich selbst das Wachs aus den Ohren, und mir lösten sie die Fesseln wieder. Ich aber dankte ihnen herzlich für ihre Beharrlichkeit.
Kaum waren wir etwas vorwärts gerudert, als ich von ferne Wasserstaub und eine mächtige Brandung gewahr wurde. Das war die Charybdis, ein täglich dreimal unter einem Fels hervorquellender und wieder zurückwallender Strudel, der jedes Schiff verschlingt, das in seinen Rachen gerät. Meinen Begleitern fuhren die Ruder vor Schrecken aus der Hand: sie fielen plätschernd in das Wasser, und das Schiff stand still. Ich selbst sprang von meinem Sitz auf, durcheilte das Schiff und sprach den Freunden, von Mann zu Mann gehend, Mut ein. ›Liebe Freunde‹, sagte ich, ›wir sind ja keine Neulinge in Gefahren. Was immer kommen mag, ein größeres Leid als in der Höhle des Zyklopen kann uns nicht treffen, und doch half euch dort meine Klugheit hinaus. Darum, gehorcht mir nur alle. Bleibt fest auf euren Bänken sitzen und schlagt mutig mit den Rudern‹ – diese hingen oben in ledernen Riemen – ›auf die Brandung los. Ich denke, Zeus hilft uns durch schleunige Flucht aus dieser Not. Du aber, Steuermann, nimm alle deine Besinnung zusammen und lenke das Schiff durch Schaum und Brandung, so gut du kannst! Arbeite dich an den Fels hin, damit du nicht in den Strudel gerätst!‹ So hatte ich die

Freunde vor dem Strudel Charybdis gewarnt, von welchem mir Kirke erzählt hatte, aber von dem Ungeheuer Skylla, das gegenüber drohte, schwieg ich noch weislich; ich fürchtete, die Genossen möchten mir vor Schrecken wieder die Ruder fahren lassen und sich im inneren Schiffsraume zusammendrängen.

Eines anderen Gebotes hatte ich jedoch vergessen, das Kirke mir auch gegeben. Sie hatte mir nämlich verboten, mich zum Kampfe mit diesem Ungeheuer zu rüsten; ich hüllte mich aber in meine volle Waffenrüstung, nahm zwei Speere in die Hand und stellte mich so aufs Verdeck, um dem herankommenden Ungeheuer zu begegnen. Aber obgleich mir die Augen vom Umherschauen schmerzten, konnte sie mein Blick doch nicht entdecken, und so fuhr ich denn voll Todesangst in den immer enger werdenden Meeresschlund hinein. Diese Skylla hatte mir Kirke so geschildert: ›Sie ist kein sterblicher Gegner, vielmehr ein unsterbliches Unheil, und Tapferkeit vermag nichts gegen sie; die einzige Rettung ist, ihr zu entfliehen. Sie wohnt gegenüber der Charybdis in einem sein spitzes Haupt in die Wolken streckenden Fels, ewig von dunklem Gewölk umfangen, von keinem Sonnenstrahl erleuchtet und ganz aus glattem Gestein aufgetürmt. Mitten in diesem Fels ist eine Höhle, schwarz wie die Nacht, in dieser haust die Skylla und gibt ihre Gegenwart nur durch ein fürchterliches Bellen kund, welches über die Flut herüberhallt wie das Geschrei eines neugeborenen Hundes. Dieses Ungeheuer hat zwölf unförmliche Füße und sechs Schlangenhälse, auf jedem grinst ein scheußlicher Kopf mit drei dichten Reihen von Zähnen, die sie fletscht, ihre Opfer zu zermalmen; halb ist sie einwärts in die Felskluft hinabgesenkt, ihre Häupter aber streckt sie schnappend aus dem Abgrunde hervor und fischt nach Seehunden, Delfinen und wohl auch größeren Tieren des Meeres. Doch nie hat sich ein Schiff gerühmt, ohne Verlust an ihr vorübergekommen zu sein; gewöhnlich hat sie, ehe sich's der Schiffer versieht, in jedem Rachen einen Mann zwischen den Zähnen, den sie aus dem Schiffe geraubt hat.‹

Dieses Bild hatte ich vor meiner Seele und spähte vergebens umher. Indessen waren wir mit dem Schiffe ganz nahe an die Charybdis geraten, die die Meeresflut mit ihrem gierigen Rachen einschlürfte und wieder herausspie, sie brauste wie ein Kessel über dem Feuer, und weißer Schaum flog empor, solange sie die Flut herausbrach; wenn sie dann die Woge wieder hinunterschluckte, senkte sich das trübe Wassergemisch ganz in die Tiefe, der Fels donnerte, und man konnte in einen Abgrund von schwarzem Schlamm hinuntersehen. Während nun unsere Blicke mit starrem Entsetzen auf dieses Schauspiel gerichtet waren und wir unwillkürlich mit dem Schiffe zur Linken auswichen, waren wir unversehens plötzlich der bisher nicht entdeckten Skylla zu nahe gekommen, und ihre Rachen hatten auf einen Zug sechs meiner tapfersten Genossen von Bord hinweggeschnappt; ich sah sie mit schwebenden Händen und Füßen zwischen den Zähnen des Ungeheuers hoch in die Lüfte gezückt: noch aus ihren Rachen heraus riefen sie mich hilfeflehend bei Namen, einen Augenblick darauf waren sie zermalmt. So viel ich auf meiner Irrfahrt erduldet habe, ein jammervollerer Anblick ist mir nicht geworden! Jetzt aber waren wir auch glücklich zwischen dem Strudel der Charybdis und dem Felsen der Skylla hindurch, die von der Sonne glänzende Insel Thrinakia lag vor uns, und noch auf dem Meere hörten wir das Gebrüll der heiligen Rinder des Sonnengottes und das Blöken seiner Schafe. Durch so viel Unglück gewitzigt, dachte ich auf der Stelle an die Warnung des blinden Teiresias in der Unterwelt und kündigte den Genossen an, dass er und Kirke mich gemahnt, die Insel des Helios zu fliehen, weil uns dort erst das allerjämmerlichste Schicksal bedrohe. Diese Erklärung betrübte meine Begleiter über die Maßen, und Eurylochos sagte ärgerlich: ›Du bist doch ein grausamer Mann, Odysseus, ganz von Stahl, und hast kein Gelenk im Nacken! Wie willst du im Ernst uns, den von Anstrengung und Ermüdung Entkräftigten, nicht gönnen, einen Fuß ans Land zu setzen und uns auf dieser Insel mit Speise und Trank zu erquicken, sondern blindlings sollen wir in die Stille der Nacht hinausfahren durch die schwarzen Meereinöden? Wenn nun plötzlich im Dunkel der unbändige Südwind oder der pfeifende West herangewirbelt käme! Lass uns wenigstens diese finstere Nacht am Ufer verleben, das uns so gastlich zuwinkt!‹

Als ich diesen Widerspruch zu hören bekam, da merkte ich wohl, dass ein feindseliger Gott Böses über uns beschlossen hatte. Ich sagte daher nur: ›Eurylochos, es ist keine Kunst, mich zu zwingen, den einzelnen Mann, eurer so viele. So gebe ich euch denn nach. Aber einen heiligen Schwur müsst ihr mir tun, dem Sonnengott kein Rind oder auch nur ein Schaf abzuschlachten, wenn ihr etwa seiner Herden ansichtig werden solltet. Begnüge sich vielmehr jeder mit der Kost, mit der uns die gute

Kirke versorgt hat!‹ Diesen Eid leisteten mir alle willig; darauf ließen wir das Fahrzeug in eine Bucht einlaufen, aus der sich süßes Wasser in die gesalzene Flut ergoss. Alle stiegen aus dem Schiff, und es währte nicht lange, so war das Nachtessen bereit. Nach dem Mahle beweinten wir die Freunde, welche von der Skylla verschlungen worden waren, aber mitten unter den Tränen überwältigte uns müde Seefahrer der Schlummer.

Es mochte noch ein Drittel der Nacht übrig sein, als Zeus einen entsetzlichen Sturm sandte, so dass wir mit der Morgenröte eilig unser Fahrzeug in eine Meergrotte in Sicherheit brachten. Noch einmal warnte ich die Genossen vor dem Rindermorde, denn bei der ungestümen Witterung sahen wir einem längeren Aufenthalte auf der Insel entgegen. Auch verweilten wir wirklich einen vollen Monat allda, weil beständiger Südwind blies, der nur auf kurze Zeit mit dem Ostwind abwechselte; es war uns einer ungünstig wie der andere. Solange von Kirkes Vorrat noch Speise und Wein übrig war, hatte es keine Not. Als wir aber alle Nahrung aufgezehrt hatten und der Hunger sich bei uns einstellte, gingen meine Begleiter anfangs auf den Fisch- und Vogelfang aus, und ich selbst machte auch einen Ausflug längs des Ufers, ob mir kein Gott oder kein Sterblicher begegnen möchte, der mir einen Ausweg aus dieser Not anzeigte. Als ich weit genug von den Freunden entfernt war und mich ganz in der Einsamkeit sah, wusch ich meine Hände, um sie rein emporstrecken zu können, in der Flut, warf mich demütig auf die Knie und flehte zu allen Göttern um Rettung. Sie aber schickten mir einen wohltätigen Schlummer.

Während ich nun so fern war, erhob sich Eurylochos unter meinen Begleitern und gab ihnen einen verderblichen Rat: ›Hört mein Wort‹, sprach er, ›schwer bedrängte Freunde. Zwar ist jeder Tod den Menschen schrecklich, aber das entsetzlichste Geschick ist doch der Hungertod! Wohlan, was bedenken wir uns, die schönsten von den Rindern des Helios den Göttern zu opfern und uns am übrig bleibenden Fleische zu sättigen? Sind wir nur glücklich nach Ithaka gekommen, so wollen wir ihn schon versöhnen und ihm einen herrlichen Tempel bauen, auch köstliche Weihgeschenke darin aufstellen. Schickt er uns aber im augenblicklichen Zorn einen Sturm zu und bohrt unser Schiff in den Grund – nun, so will ich lieber in einem Augenblick meinen Atem in den Fluten verhauchen, als so jämmerlich auf dieser einsamen Insel verschmachten!‹

Dies Wort gefiel seinen hungrigen Genossen. Sogleich machten sie sich auf, trieben die allerbesten Rinder von der Herde des Sonnengottes herbei, die ganz in der Nähe weideten, und nachdem sie zu den Göttern gefleht, schlachteten sie diese, weideten sie aus und brachten die Eingeweide mit den in Fett eingewickelten Lenden den Unsterblichen dar. Wein zum Trankopfer hatten sie keinen, weil aller längst verzehrt war; die Eingeweide und Schenkel wurden daher nur mit Quellwasser besprengt. Die reichlichen Überreste steckten sie an Spieße, und eben setzten sie sich zum Mahle, als ich – dem die Götter den Schlaf wieder von den Augenlidern geschüttelt – herankam und mir der Opferduft schon von weitem entgegendampfte. Da jammerte ich zum Himmel empor: ›O Vater Zeus und ihr anderen Himmlischen! Zum Fluch habt ihr mich in Schlummer gesenkt. Denn welcher Tat haben sich meine Freunde vermessen, während ich schlief!‹
Inzwischen war dem Sonnengotte durch eine dienende Göttin schon die Nachricht von dem großen Frevel zugekommen, der an seinem Heiligtum verübt worden war. Zornig trat er in den Kreis der Olympischen und klagte ihnen die Unbill. Zeus selbst fuhr zürnend von seinem Throne auf, als er solches hörte, zumal da Helios drohte, den Sonnenwagen zum Hades hinabzulenken und der Erde nicht mehr zu leuchten, wenn die Verbrecher nicht zur vollen Strafe gezogen würden. ›Leuchte du‹, sagte zu ihm Zeus, ›immerhin den Göttern und den Menschen, Helios, ich will das Schiff der verfluchten Räuber bald mit meinem Donnerkeil treffen, dass es in Trümmer gehe und zerschmettert in den Abgrund versinke!‹ Diese Worte des Zeus hat mir die edle Göttin Kalypso gemeldet, die es durch ihren Freund, den Götterboten Hermes, erfahren hat.
Als ich nun bei dem Schiffe und den Genossen angekommen, fuhr ich sie an und schalt sie in tiefstem Unmut. Leider aber war alles zu spät, denn die Rinder lagen geschlachtet vor mir. Aber entsetzliche Wunderzeichen bezeugten den geschehenen Frevel! Die Häute krochen umher, als wären sie lebendig, das rohe und gebratene Fleisch an den Spießen brüllte, wie Rinder zu brüllen pflegen. Doch meine hungrigen Begleiter kehrten sich daran nicht. Sechs Tage hintereinander schmausten sie. Erst am siebenten Tage, als alles Ungewitter vorüber schien, stiegen wir wieder zu Schiffe und fuhren in die offene See hinaus. Als wir dahinsteuerten und das Land schon längst aus den Augen verloren hatten, breitete Zeus ein

schwarzblaues Gewölk gerade über unsere Häupter aus, und das Meer unter uns wurde immer dunkler. Plötzlich brach ein wütender Orkan aus Westen auf uns los, beide Taue des Mastbaumes zerrissen, dass er krachend rückwärts niedersank und alles Gerät auf das Schiff schleuderte. Die ganze Last stürzte dem am Steuerende sitzenden Piloten auf den Kopf und zerschellte ihm den Schädel, so dass er wie ein Taucher ins Meer hinabglitt und die Wellen den Leichnam verschlangen. Jetzt fuhr ein Blitz mit krachendem Donner auf das Schiff hernieder und zerschmetterte es, dass es voll von Schwefeldampf wurde. Meine Freunde stürzten aus dem Fahrzeug wie schwimmende Krähen und zappelten um das Schiff her, wogten auf und nieder und versanken endlich alle. Bald war ich ganz allein auf dem Schiffe und irrte darauf umher, bis die Flanken sich vom Kiel ablösten; der liegende Mastbaum krachte vollends hernieder auf den entblößten Kiel, und so fuhr das offene Wrack dahin. Ich hatte indessen die Besinnung nicht verloren, ergriff ein ledernes Seil, das noch an dem Mast hing, und band damit Mast und Kiel zusammen. Dann setzte ich mich darauf und ließ mich in der Götter Namen von dem tobenden Sturme dahinschleudern.

Endlich hörte der Orkan zu wüten auf, und der West legte sich; darüber erhob sich aber der Südwind und versetzte mich in neue Angst, denn nun war ich in Gefahr, der Skylla und Charybdis wieder zugetrieben zu werden. Und dies geschah auch: der Morgen dämmerte kaum, als ich Skyllas spitzen Säulenfels gewahr wurde und die grässliche aus und ein sprudelnde Charybdis gegenüber erblickte. Diese verschlang, als ich bei ihr angekommen war, augenblicklich mit ihrem Strudel den Mast; ich selbst ergriff die Äste eines von ihrem Fels überhangenden Feigenbaumes, schmiegte mich daran und hing in der freien Luft wie eine Fledermaus. So schwebte ich bodenlos über der Charybdis, bis Mast und Kiel aus ihrem Schlunde wieder hervorsprudelten. Diesen Augenblick ersah ich, war mit einem Sprung wieder auf meinem alten Sitz und ruderte nun auf dem schmalen Kiele mit den Händen aus dem Wirbel fort. Dennoch wäre ich verloren gewesen, wenn Zeus' Gnade meine Balken nicht von den Felsen der Skylla abgelenkt und glücklich aus dem durchwogten Felsenschlunde herausgeleitet hätte.

Neun Tage trieb ich nun noch auf der See umher; in der zehnten Nacht brachten mich gnädige Götter endlich auf Kalypsos Insel, Ogygia. Diese hehre Göttin pflegte und erquickte mich ... doch warum will ich euch davon erzählen? Habe ich doch schon gestern dir, edler König, und deiner Gemahlin dies mein letztes Abenteuer berichtet.«

Odysseus verabschiedet sich von den Phäaken

Odysseus schwieg und ruhte von seiner langen Erzählung aus. Die Phäaken, die mit Entzücken zugehört, waren alle noch in seine Rede versunken und schwiegen auch. Endlich brach Alkinoos das Stillschweigen und sprach: »Heil dir, edelster der Gäste, den mein Königshaus jemals aufgenommen hat! Da du in meiner Wohnung eingekehrt bist, so hoffe ich, du werdest nicht mehr vom rechten Wege in die Heimat abirren und bald im Hause deiner Väter alles Elend, das du erduldet hast, vergessen! Höret nun auch ihr, liebe Freunde und beständige Gäste meines Palastes! In einer schönen Lade liegen bereits herrliche Kleidungsstücke für unseren edlen Gast bereit, dazu künstlich gearbeitetes Gold und manches andere Geschenk, das ich und die Fürsten unter euch ihm bestimmt haben. Hierzu füge ein jeder von uns noch einen großen Dreifuß und ein Becken. Die Volksversammlung wird uns für diese großen Geschenke, die freilich dem Einzelnen schwer fallen würden, genügend entschädigen!«
Allen gefiel diese Rede, und die Versammlung der Gäste wurde aufgehoben. Am anderen Morgen brachten die Phäaken sämtliche Erzgeschenke auf das Schiff, und Alkinoos selbst stellte alles sorgfältig unter die Bänke, damit die Ruderer nicht dadurch gehindert würden. Hierauf kehrten alle miteinander an den Palast des Königs zurück, und dort wurde das Abschiedsmahl gerüstet. Nach dem Opfer, das Zeus von dem geschlachteten Rinde dargebracht wurde, begann der Festschmaus, und der von allem Volk hoch geehrte blinde Sänger Demodokos sang herrliche Lieder dazu.
Odysseus aber war mit seiner Seele nicht gegenwärtig. Oft schaute er durch die Fenster des Saales nach dem Stand der Sonne und wünschte sehnlich ihren Untergang, so sehnlich wie ein Bauer, der den ganzen Tag den Pflug über seinen Acker gelenkt hat, nach der Abendkost verlangt. Und endlich sprach er ohne Scheu zu seinem königlichen Wirt: »Gepriesener Held Alkinoos, gieß das Trankopfer aus und entlasse mich! Du

hast ja schon getan, was meines Herzens Wunsch ist. Die Geschenke liegen auf meinem Schiffe, die Fahrt ist bereit. Mögen die Himmlischen dich segnen; möge ich mein Weib untadelhaft zu Hause finden und Kind, Verwandte und Freunde wohlbehalten! Dich aber mögen die Götter segnen mit allem Guten!«

In seinen Wunsch stimmten die Phäaken laut und von Herzen ein. Alkinoos befahl dem Herolde Pontonoos, allen Gästen umher die Becher noch einmal zu füllen. Nun stand jeder von seinem Sitze auf, und wie auf einen Wink brachten sie das Dankopfer für ihres Gastes glückselige Rückkehr den olympischen Göttern dar. Da erhob sich Odysseus, reichte seinen Becher der Königin Arete und sprach: »Lebe wohl, hohe Königin, immerdar, bis das Alter kommt und der Tod, die allen Menschen bevorstehen. Ich kehre jetzt heim. Freue du dich zu Hause deiner Kinder, deines Volkes und deines edeln Gemahls!«

So sprach Odysseus und verließ die Schwelle des Palastes. Auf des Königs Befehl, der ihm scheidend die Hand mit herzlichem Drucke gereicht, geleitete ihn ein Herold, und auf Aretes Geheiß drei Dienerinnen, bis ans Schiff. Die eine trug die schönen Gewänder, Mantel und Leibrock, die andere die verschlossene Lade, die dritte Speise und Wein. Alles wurde wohl im Schiffe geborgen. Auf dem Verdeck aber wurde ein zottiges Fell und Leinwand darüber ausgebreitet. Da stieg Odysseus schweigend ein und legte sich darauf nieder. Die Ruderer setzten sich auf die Bänke. Das Schiff ward losgebunden und wogte fröhlich unter dem Schlage der Ruder dahin.

Odysseus kommt nach Ithaka

Der Schlummer des Odysseus war süß, aber auch so tief wie der Tod. Das Schiff aber flog schnell und sicher dahin, wie ein Wagen mit vier Hengsten durch die Ebene oder wie ein Habicht durch die Luft fliegt. Es war, als wüsste es, welch einen kostbaren Schatz es an dem Manne trage, der in Klugheit mit den Himmlischen wetteiferte und mehr Leiden erduldet hatte als irgendein Sterblicher. Jetzt aber hatte er im ruhigsten Schlafe alles vergessen, was er jemals in Schlachten und auf den Meereswellen Herbes erfahren.

Als der Morgenstern am Himmel stand und den Tag ankündigte, steuerte das Schiff in vollem Laufe schon auf die Insel Ithaka zu, und bald lief es in die sichere Bucht ein, welche dem Meeresgott Phorkys gewidmet war. Zwei Landspitzen mit gezackten Felsen laufen hier zu beiden Seiten in das Meer hinaus und bilden für die Schiffe einen sicheren Hafen. Im Mittelpunkt der Bucht stand ein schattiger Ölbaum, und daneben war eine gar liebliche Grotte, in deren tiefer Dämmerung Meernymphen ihren Wohnsitz hatten. Darin standen viele steinerne Krüge und Urnen gereiht, in welchen Bienen Honig bereiteten; auch Webstühle von Stein konnte man da sehen, mit purpurnen Fäden bezogen, welche die Nymphen zu wundervollen Gewändern webten. Zwei nie versiegende Quellen rannen durch die Grotte, die einen doppelten Eingang hatte: gegen Mitternacht für die Menschen, gegen Mittag eine verborgene Pforte für die unsterblichen Nymphen, welche nie ein Sterblicher betrat. Bei dieser Höhle landeten die Phäaken, hoben den schlummernden Odysseus mitsamt Teppich und Polster aus dem Schiff und legten ihn vor die Grotte unter dem Ölbaum im Sande nieder. Hierauf wurden auch alle die Gaben ausgeladen, welche ihm Alkinoos und seine Fürsten als Geschenke mitgegeben, und sie legten alles sorgfältig seitwärts vom Wege, damit nicht etwa ein vorübergehender Wanderer den Fortschlummernden berauben möchte. Den Helden aus dem Schlafe zu wecken wagten sie nicht, denn ihnen deuchte, der Schlummer sei von den Göttern selbst ihm zugesendet. Hierauf setzten sie sich wieder ans Ruder und fuhren ihrer Heimat zu.

Aber der Meeresgott Poseidon grollte den Phäaken, dass sie mit Hilfe der Pallas ihm seine Beute entrissen hätten, und er erbat sich vom Göttervater die Erlaubnis, an ihrem Schiffe Rache nehmen zu dürfen. Dieser gönnte sie ihm, und als das Schiff der Insel Scheria, dem Lande der Phäaken, schon ganz nahe war und mit vollen Segeln einherwogte, stieg Poseidon aus den Wellen empor, schlug es mit der flachen Hand und verschwand wieder in der Flut. Das Schiff aber mit allem, war darauf war, wurde plötzlich in einen Felsen verwandelt und wurzelte im Meeresboden fest. Die Phäaken, welche auf die Nachricht, dass ihre Landsleute zurückkämen, nach dem Strande geeilt waren, konnten nicht genug staunen, als das Schiff, welches eben noch in vollem Fluge begriffen war, plötzlich, in seinem Laufe gehemmt, still stand. Aber Alkinoos erhob sich in der Versammlung und sprach: »Weh uns, gewiss erfüllt sich jetzt an uns die uralte Weissagung, von welcher mir mein Vater erzählt hat. Poseidon, sagte mir dieser, zürne uns in seinem Herzen, dass wir, die gewandten Schiffer, jeden Fremdling glücklich in seine Heimat bringen. Einst aber werde ein phäakisches Schiff, das auch von einer solchen Begleitung heimkehre, von ihm am Ufer versteinert werden und unsere Stadt als ein Felskamm umziehen. Darum wollen wir in Zukunft uns nicht mehr einfallen lassen, den Fremden das Geleit zu geben, die als Schutzflehende in unsere Stadt kommen; dem zürnenden Meeresgott aber wollen wir zwölf Stiere opfern, damit er sich erbarme und unsere Stadt nicht ganz mit einem Gebirge von Felsen einschließe.« Die Phäaken erschraken, als sie dieses hörten, und rüsteten sich in aller Eile zu dem Opfer.

An Ithakas Strande war Odysseus indessen vom Schlummer erwacht, aber so lange schon von der Heimat entfernt, erkannte er sie nicht mehr. Zudem hatte Pallas Athene um ihn selbst einen Nebel gebildet, damit er unkenntlich würde und seine Gattin und Mitbürger ihn nicht früher zu erkennen vermöchten, ehe die Freier durch seine Hand ihre Missetat gebüßt hätten. So erschien denn jetzt dem Helden alles fremd: die geschlängelten Pfade, die Meeresbuchten, die himmelan ragenden Felsen, die Bäume mit ihren hohen Wipfeln. Er fuhr vom Boden auf, blickte bang umher, schlug sich an die Stirn und rief wehklagend: »Ich Unglücklicher, in welche neue Fremde bin ich wieder gekommen, unter welche Unholde von Menschen? Wohin rette ich mich mit dem geschenkten Gute? Wär' ich doch bei dem Volke der Phäaken geblieben, wo ich so freundlich gepflegt worden bin! Jetzt aber haben sie mich freilich auch verraten; sie versprachen, mich nach Ithaka zu führen, und haben mich hier in dem fremden Lande ausgesetzt. Vergelte es ihnen Zeus, der Rächer! Gewiss haben sie mir auch von meinem Gute gestohlen!« Der Held blickte sich um, sah Dreifüße, Becken, Gold, Kleider, alles in bester Ordnung umherstehen und liegen, fing an zu mustern und zu zählen: und siehe da, ihm mangelte nichts. Als er nun nachdenklich und die Heimat betrauernd am Strande umherirrte, gesellte sich zu ihm die Göttin Athene in Gestalt eines zarten Jünglings, eines Schafhirten, aber wie ein Königssohn mit feinen Gewändern angetan, mit schönen Sohlen an den Füßen und einem Spieß in der Hand. Odysseus war froh, einem

Menschen zu begegnen, und fragte ihn mit freundlichen Worten, auf welchem Gebiet er sich befinde, ob es ein Festland oder eine Insel sei. »Du musst aus der Ferne daherkommen«, antwortete die Göttin, »wenn du erst nach dem Namen dieses Landes fragen musst. Ich versichere dich, man kennt es im Westen und im Osten. Zwar ist es gebirgig, und Rosse kann man hier keine tummeln wie im Argiverlande; arm ist es aber deswegen nicht; Wein und Getreide gedeihen herrlich. Ziegen und Rinder hat es in Menge, dazu die schönsten Waldungen und Quellwasser genug. Auch durch seine Bewohner ist es berühmt worden. Frage nur das trojanische Land, das doch fern genug ist, das wird dir etwas von der Insel Ithaka zu erzählen wissen!«

Wie herzlich froh war Odysseus, als er den Namen seines Vaterlandes nennen hörte! Doch hütete er sich wohl, sich dem vermeintlichen Hirten sogleich zu erkennen zu geben. Er stellte sich, als käme er mit der Hälfte seines Gutes von Kreta, der fernen Insel, her, wo er die andere Hälfte seinen Söhnen zurückgelassen. Mord, an dem Räuber seiner Habe verübt, habe ihn genötigt, sich aus der Heimat zu flüchten. So erzählte er eine weitläufige Fabel. Als er zu Ende war, lächelte Pallas Athene, fuhr ihm streichelnd über die Wange und verwandelte sich plötzlich in eine schöne, schlanke Jungfrau. »Wahrhaftig«, sprach sie zu ihm, »das müsste ein Ausbund von Schlauheit sein, der dich in Listen besiegte, und wenn es auch eine Gottheit wäre! Selbst im eigenen Lande legst du die Verstellung nicht ab! Doch reden wir nicht länger davon; bist du doch der klügste aller Sterblichen, wie ich die einsichtsvollste unter den Göttern. Mich hast du aber doch nicht erkannt, hast nicht geahnt, dass ich auch zuletzt noch in allen Gefahren neben dir stand und dir die Liebe des Phäakenvolkes verschaffte. Jetzt aber bin ich gekommen, um dir das geschenkte Gut verbergen zu helfen, zugleich um dir zu sagen, was für Prüfungen dich im eigenen Palast erwarten, und Rat darüber mit dir zu pflegen.«

Staunend blickte Odysseus an der Göttin empor und antwortete ihr: »Wie sollte auch ein Sterblicher dich erkennen, erhabene Tochter des Zeus, wenn du in allerlei Gestalten verkleidet ihm begegnest! Habe ich dich doch nicht mehr in deiner eigenen Gestalt gesehen, seit Troja zerstört ward, nur dass du im Phäakenlande dich mir zu erkennen gegeben und mir den Weg in die Stadt gezeigt. Jetzt aber beschwöre ich dich bei deinem Vater: sage mir, ist's wirklich wahr, dass ich im geliebten Vaterlande bin, und tröstest du mein Herz nicht mit einer Täuschung?« – »Überzeuge dich mit deinen eigenen Augen«, antwortete Athene, »erkennst du nicht die Bucht des Phorkys, den Ölbaum dort, die Nymphengrotte, wo du so manche Sühneopfer dargebracht hast, und jenes finstere Waldgebirge, es ist ja das dir wohl bekannte Neriton!« So sprach Athene und zerstreute schnell den Nebel vor den Augen des Helden, dass das Heimatland klar vor ihm lag. Erfreut warf sich Odysseus auf die mütterliche Erde nieder, sie zu küssen, und betete zu den Nymphen, den Schutzgöttinnen des Ortes, wo er stand. Hierauf half ihm die Göttin die Habe, die er mitgebracht hatte, in der Felskluft verbergen, und als alles wohlversteckt und ein Stein davorgewälzt war, setzten sich Göttin und Held unter den Olivenbaum und beratschlagten über den Untergang der Freier, von deren frechen Werbungen in seinem eigenen Haue sowie von der Treue seiner Gattin Athene ihrem Schützling ausführlichen Bericht erstattete. »Wehe mir«, rief Odysseus, als er alles vernommen, »hättest du mir nicht alle diese Umstände verkündigt, gnädige Göttin, so hätte mich zu Hause ein ebenso schmählicher Tod erwartet wie den Agamemnon in Mykene. Wenn aber du mir ernstlich deine Hilfe gewährst, so fürchte ich, der einzelne Mann, selbst dreihundert Feinde nicht.«

Hierauf erwiderte die Göttin: »Sei getrost, mein Freund, nimmermehr werde ich dich versäumen. Vor allen Dingen will ich dafür sorgen, dass kein Mensch auf diesem Eilande dich erkenne. Das Fleisch um deine stattlichen Glieder soll zusammenschrumpfen, dein braunes Haar vom Haupte schwinden; deinen Leib hülle ich in einen Kittel, in welchem jedermann dich nur mit Abscheu betrachtet; deine strahlenden Augen mach ich blöde, so dass du nicht nur den Freiern, sondern auch deinem Weib und deinem Sohn ganz entstellt erscheinst. Zuerst nun heiße ich dich deinen redlichsten Untertan aufzusuchen, den Hirten, der die Schweine bewacht und mit treuer Seele an dir hängt. Bei der Quelle Arethusa am Koraxfelsen wirst du ihn finden, wie er seine Herde hütet; dort setzest du dich zu ihm und erkundigst dich nach allem, was zu Hause vorgeht. Unterdessen eile ich nach Sparta und rufe deinen lieben Sohn Telemachos zurück, der dort beim Fürsten Menelaos nach deinem Schicksal geforscht hat.« – »Ei, warum hast du ihm nicht lieber alles gleich gesagt«, fragte Odysseus etwas ärgerlich, »da dir doch alles be-

kannt war? Sollte etwa auch er im Elend auf dem Ozean umherirren gleich mir, während Fremde sein Gut verprassten?« Aber die Göttin sprach ihm Mut und Trost ein und sagte: »Ängstige dich nicht um deinen Sohn, mein Lieber! Ich selbst habe ihn geleitet, und meine Absicht bei seiner Reise war, den Jüngling in der Fremde zu bilden und ihn sich Ruhm gewinnen zu lassen, damit er auch den Freiern als ein Mann entgegentreten könnte. Auch drückt ihn keineswegs ein Leiden; ruhig sitzt er im Palast des Menelaos, und nichts, was sein Herz nur wünschen mag, fehlt ihm. Es ist wahr, die Freier haben ihm zu Schiffe einen Hinterhalt gestellt und sind darauf gefaßt, ihn umzubringen, bevor er die Heimat wieder erreicht. Ich aber fürchte nichts für ihn. Ehe dies geschieht, wird noch viele von den Freiern selbst der Boden decken!«
So sprach die Göttin und berührte den Helden leicht mit ihrem Stab, worauf ihm sogleich die Glieder zusammenschrumpften und er in einen zerlumpten, schmutzigen Bettler verwandelt wurde. Sie reichte ihm den Bettelstab nebst einem garstigen geflickten Ranzen an einem geflochtenen Tragbande und verschwand.

Odysseus bei dem Sauhirten

In dieser Gestalt wandelte der ganz unkenntlich gemachte Held über die Höhen des Wildgebirges hin nach der Stelle, die ihm seine Beschützerin bezeichnet hatte und wo er wirklich den treuesten seiner Knechte, den Sauhirten Eumäos, antraf. Er fand diesen auf der Hochebene des Gebirges, wo er seiner Herde ringsum aus schweren Steinen, die er selbst herbeischleppte, ein Gehege gebaut und es mit Hagedorn umpflanzt hatte. Innerhalb der Einfriedung standen, einer an dem andern, zwölf Koben, in deren jedem fünfzig Mutterschweine zur Zucht eingesperrt lagen; die männlichen, in weit geringerer Anzahl, ruhten außerhalb der Ställe. Von diesen ließen nämlich die Freier Tag für Tag dem Sauhirten einen gemästeten Eber zu ihren Schmäusen abfordern, und es waren ihrer nur noch dreihundertsechzig. Die Herde bewachten vier Hunde, die so wild aussahen wie reißende Wölfe.
Der Sauhirt war gerade damit beschäftigt, sich schönes Stierleder zu Sohlen zu schneiden, seine Knechte hatten sich alle zerstreut: drei waren

mit den ausgetriebenen Schweinen auf der Weide; ein vierter war nach der Stadt geschickt worden, um den übermütigen Freiern das verlangte Mastschwein zu bringen.

Die Hunde wurden den herannahenden Odysseus zuerst gewahr und stürzten bellend auf ihn los; dieser legte den Stab aus der Hand und setzte sich. Gewiss hätte er nun in seinem eigenen Gehöft die Schmach erfahren müssen, von seinen Hunden angefallen zu werden, wenn der Sauhirt nicht aus der Tür seiner Hütte hervorgeeilt und, das Sohlenleder aus den Händen lassend, den Tieren Einhalt getan und sie mit Steinen auseinandergescheucht hätte. Dann wandte er sich zu seinem Herrn, den er für einen Bettler hielt, und sprach: »Wahrhaftig, es hätte wenig gefehlt, Greis, so hätten dich die Hunde zerfleischt, und du hättest mir zu der Trübsal, die ich schon habe, noch weiteren Kummer bereitet! Ist es doch genug, dass ich hilflos um meinen armen fernen Herrn jammern muss. Hier sitze ich und mäste seine fettesten Schweine für andere Leute zum Schmaus, während er selbst vielleicht im Elend nicht einmal ein Stückchen trockenes Brot zu verzehren hat und in der Fremde herumirrt, wenn er anders das Tageslicht noch sieht! Komm in die Hütte, armer Mann, und lass dich mit Wein und Speise erquicken, und wenn du satt bist, sage mir, von wannen du bist und was für Gram du erduldet hast, dass du gar so jämmerlich aussiehst!«

Beide betraten die Hütte, der Sauhirt streute dem Ankömmling Laub und Reisig auf den Boden, bereitete seine eigene Lagerdecke, ein großes, zottiges Gamsfell, darüber und hieß ihn sich niederlassen. Als Odysseus dankbar seine Freude über einen so gütigen Empfang aussprach, antwortete ihm Eumäos: »Sich, Alter, man soll keinen Gast verschmähen, auch den geringsten nicht. Meine Gabe ist freilich nur klein. Wäre mein guter Herr zu Hause geblieben, so hätte ich es wohl noch besser; Haus, Gut und Weib hätte er mir gegeben, und ich könnte Fremdlinge anders bewirten! Nun aber ist er zu Grunde gegangen. Möchte doch Helenas Stamm im Unheil vergehen, da sie so viele Tapfere ins Verderben gestürzt!«

So sprach der Sauhirt, umschlang sich seinen Leibrock mit dem Gürtel und ging hin zu dem Koben, wo die Ferkel scharenweise lagen. Von denen nahm er zwei und schlachtete sie zur Bewirtung seines Gastes, zerschnitt das Fleisch, steckte es an die Spieße, bestreute es mit weißem

Mehl und legte das Gebratene frisch an den Spießen dem Gaste vor. In eine hölzerne Kanne goss er aus dem Kruge süßen alten Wein, setzte sich dem Fremdlinge gegenüber und sagte: »Iss nun, fremder Mann, so gut wir es haben! Es ist eben Ferkelfleisch, denn die Mastschweine essen mir die Freier weg, diese gewalttätigen Menschen, die weniger Götterfurcht im Herzen haben als die frechsten Seeräuber! Wahrscheinlich haben sie von dem Tode meines Herrn Kunde, dass sie um seine Gattin gar nicht werben, wie andere Leute, sondern, niemals zu den Ihrigen heimkehrend, in aller Ruhe fremdes Gut verprassen. Tag und Nacht schlachten sie nicht ein- und zwei-, nein mehrere Mal und leeren dazu ein Weinfass ums andere. Ach, mein Herr war so reich wie zwanzig andere zusammen! Zwölf Rinderherden, ebenso viele Schaf-, Schweine- und Ziegenherden besitzt er auf dem Lande, die ihm teils Hirten, teils Mietlinge versehen. In dieser Gegend allein sind elf Ziegenherden, welche wackere Männer hüten; auch sie müssen den Freiern alle Tage den auserlesensten Geißbock abliefern. Ich bin sein Oberhirt über die Schweine, auch ich muss Tag für Tag den besten Eber auswählen und den unersättlichen Schwelgern zusenden!«

Während der Hirt so sprach, verschlang Odysseus, wie einer, der nicht denkt, was er tut, hastig das Fleisch und trank den Wein in raschen Zügen, ohne ein Wort zu sprechen. Sein Geist war ganz mit der Rache beschäftigt, die er an den Freiern zu nehmen vorhatte. Als er satt gegessen und getrunken und der Hirt ihm den Becher noch einmal voll gefüllt, trank er ihm freundlich zu und sprach: »Bezeichne mir doch deinen Herrn näher, lieber Freund! Es wäre gar nicht unmöglich, dass ich ihn kennte und ihm irgendwo einmal begegnet wäre; denn ich bin gar weit in der Fremde herumgekommen!« Aber der Sauhirt antwortete ihm ganz ungläubig: »Meinst du, wir werden einem umherirrenden Manne, der uns von unserem Herrn etwas erzählen will, so leicht Glauben beimessen? Wie oft ist es schon geschehen, dass Landfahrer, die nach einer Pflege verlangten, vor meine Herrin und ihren Sohn gekommen sind und sie mit ihren Märchen über unseren armen Herrn bis zu Tränen gerührt haben, bis man ihnen Mantel und Leibrock dargereicht und sie wohl bewirtet hatte. Ihn aber haben gewiss Hunde und Vögel schon lange das Fleisch von den Gebeinen verzehrt, oder die Fische haben's gefressen, und die nackten Knochen liegen am Kieselstrande. Ach, nimmermehr bekomme ich einen so gütigen Herrn, er war gar zu freundlich, gar zu liebreich. Wenn ich an Odysseus denke, ist mir gar nicht, als dächte ich an meinen Gebieter, sondern wie ein älterer Bruder steht er mir vor der Seele.«

»Nun, mein Lieber«, antwortete ihm Odysseus, »weil dein ungläubiges Herz so zuversichtlich seine Rückkehr leugnet, so sage ich dir mit einem Eidschwur: Odysseus kommt. Meinen Lohn, den Mantel und Leibrock, verlange ich erst, wenn er da ist; denn so entblößt ich bin, mit einer Fabel möchte ich mir nichts verdienen, ich hasse die Lügner bis auf den Tod. So höre denn, was ich dir bei Zeus, bei diesem deinem gastlichen Tische und bei dem Herde des Odysseus schwöre: wann dieser Monat abgelaufen ist, wird er eintreten in sein Haus und die Frechen züchtigen, die es wagen, sein Weib und seinen Sohn zu beschweren.« – »O Greis«, erwiderte Eumäos, »ich werde dir so wenig den Lohn für deine Botschaft zu entrichten haben, als Odysseus nach Hause zurückkehrt. Fasele nicht, trinke ruhig deinen Wein und sprich von etwas anderem. Deinen Eid lass gut sein! Von Odysseus hoffe ich nichts mehr; mir macht jetzt nur sein Sohn Telemachos Sorge; in ihm hoffte ich einst an Leib und Seele den Vater wieder zu schauen. Aber ein Gott oder Mensch hat ihm den Sinn betört: er ist gen Pylos gefahren, um nach dem Vater zu forschen; unterdessen legten sich die Freier zu Schiff in einen Hinterhalt und werden mit ihm den letzten Sprössling vom uralten Stamme des Arkeisios vertilgen. Doch erzähle du, Greis, mir jetzt dein eigenes Leiden, wer du bist und was brachte dich nach Ithaka?«

Odysseus machte sich den Scherz und erzählte dem Sauhirten ein langes Märchen, in dem er sich für den verarmten Sohn eines reichen Mannes von der Insel Kreta ausgab und die buntesten Abenteuer von sich erzählte. Auch den Krieg von Troja hatte er mitgemacht und den Odysseus dort kennen gelernt. Auf der Heimkehr verschlug ihn der Sturm an die Küste der Thesproten, bei deren König er wieder etwas von Odysseus vernommen haben wollte. Dieser sei der Gast jenes Fürsten gewesen und habe ihn kurz vor der Ankunft des Bettlers verlassen, um zu Dodona beim Orakel den Ratschluss des Zeus zu vernehmen.

Als er mit dem langen Gewebe seiner Lügen zu Ende war, sprach der Sauhirt ganz gerührt: »Unglücklicher Fremdling, wie hast du mir das Herz im Leibe aufgeregt, indem du mir deine mühseligen Irrfahrten so ausführlich geschildert! Nur eines glaube ich dir nicht: nämlich das, was du mir von Odysseus sagst. Was brauchst du auch so in den Wind hineinzulügen! Mir ist es ganz verleidet, nach meinem Herrn umherzufragen und zu forschen, seit mich ein Ätolier angelogen hat, der, wegen eines Totschlags flüchtig, in mein Gehege kam und mir beteuerte, dass er selbst ihn auf der Insel Kreta bei Idomeneus seine vom Sturm zerschmetterten Schiffe ausbessernd und ergänzend angetroffen habe. Im Sommer oder doch im Herbste komme er mit seinen Genossen und unendlichem Gute gewiss zurück. Darum, du Unglücklicher, bemühe dich nicht, meine Gunst durch solche Lügen erschmeicheln zu wollen, das Gastrecht ist dir ja ohnedies gesichert.«

»Guter Hirt«, antwortete Odysseus«, »ich will dir einen Vergleich vorschlagen. Wenn jener wirklich zurückkommt, so sollst du mich mit Mantel und Leibrock nach Dulichion entlassen, wohin mein Herz verlangt; kommt aber dein Herr nicht heim, so hetze die Knechte gegen mich, dass sie mich von einer Felsenspitze ins Meer stürzen, damit anderen Bettlern die Lust zu lügen vergeht.« – »Ei, das wäre ein schöner Ruhm für mich«, fiel ihm der Sauhirt in die Rede, »wenn ich meinen Gast, den ich in die Hütte geführt und bewirtet habe, hinterdrein erschlüge! Da könnte ich ja in meinem Leben nicht mehr zu Zeus beten! Doch das Abendessen wird bald herankommen, und es ist an der Zeit, dass meine Knechte heimkehren, dann wollen wir wieder fröhlich sein.«

Wirklich kamen auch bald darauf die Schweine mit ihren Hütern herbei und wurden grunzend in die Koben getrieben. Jetzt befahl der Hirt, ein fünfjähriges Mastschwein zur Ehre seines Gastes zu schlachten. Ein Teil wurde unter Gebet den Nymphen und dem Gotte Hermes geopfert, einen andern reichte er den Hütern, das beste Rückenstück wurde seinem Gaste zuteil, obgleich er in seinen Augen nur ein Bettler war.

Das rührte Odysseus in der Seele, und er rief dankbar aus: »Möge dich, guter Eumäos, Zeus so lieben, wie du mich, der in solcher Gestalt zu dir kam, geehrt hast.« Der Sauhirt sprach ihm freundlich zum Mahle zu, und während sie sich fröhlich in der Hütte sättigten, bedeckten draußen Wolken den Mond, der Westwind sauste, und bald ergoss sich der Regen in Strömen. Den Helden fing es in seinen Bettlerlumpen zu frieren an, und um den Hirten zu versuchen, ob er in seiner Aufmerksamkeit so weit gehen würde, ihm seinen warmen Mantel abzutreten, fing er wieder an, ein recht erlogenes Märchen zu erzählen. »Höret mich«, sprach er, »Eumäos und ihr anderen Hirten! Der gute Wein betört mich nun einmal zu schwatzen und entlockt mir Worte, die vielleicht besser verschwiegen blieben. Als wir einst vor Troja uns in einen Hinterhalt gelegt, wir drei, Odysseus, Menelaos und ich, mit einer Schar von Kriegern, schmiegten wir uns der Burg gegenüber zwischen Rohr und Sumpf unter unsere Rüstungen, und es wurde Nacht. Der Nordwind kam mit einem Schneegestöber, und bald hatte der Frost unsere Schilde mit einem Rande von Glatteis umzogen. Den beiden anderen tat dies nicht viel, sie hatten sich in ihre Mäntel gewickelt und schlummerten, von der Kälte unangefochten, unter ihren Schilden. Ich dagegen hatte beim Weggehen unbedachtsamerweise meinen Mantel den Freunden zurückgelassen, denn auf eine solche Kälte hatte ich keineswegs gerechnet, sondern war nur im Gürtel und mit dem Schild ausgegangen. Nun war noch ein Drittel von der Nacht übrig und die Morgenkälte am schneidendsten. Da stieß ich endlich meinen Nachbarn, den schlafenden Odysseus, mit dem Ellbogen an und ermunterte ihn mit den Worten: ›Du, wenn die Nacht noch lange währt, bringt mich der Frost um. Ein böser Dämon hat mich verführt, im bloßen Rock ohne Mantel zu gehen.‹ Wie das Odysseus hörte, der bekanntlich ein Mann zum Rat so gut wie zur Schlacht war, so flüsterte er mir zu: ›Still, dass kein Achäer uns hört; dir soll bald geholfen sein!‹ Dann richtete er sich vom Lager auf, stützte sein Haupt auf den Ellbogen und rief über die Schläfer hin: ›Freunde, die Götter haben mir einen warnenden Traum gesendet: Wir haben uns zu weit von den Schiffen entfernt, will nicht einer gehen und dem Agamemnon die Aufforderung bringen, uns noch mehr Streitgenossen zu schicken?‹ Auf diese Worte sprang einer unserer Krieger, Thoas, der Sohn des Andrämon, dienstbereit vom Boden auf, legte seinen Mantel von sich und eilte zu den Schiffen. Ich nahm ihn, wickelte mich behaglich ein und schlief nun getrost bis zur Morgenröte. Ja, wäre ich noch der junge, stattliche Mann wie damals, so würde mir aus Liebe wie aus Scheu wohl auch irgendein Sauhirt im Gehege hier seinen Mantel zum Schirm gegen Nachtfrost leihen. Jetzt kümmert sich freilich kein Mensch in meinen Lumpen um mich!«

»Das ist ein schönes Gleichnis«, sagte Eumäos lachend, »das du uns da erzählt hast, Fremdling, darum soll es dir auch jetzt weder an Kleidung noch an irgendetwas anderem mangeln. Morgen musst du freilich wieder mit deinen Lumpen fürlieb nehmen, denn wir selbst haben nichts übrig zum Anlegen; wenn aber der Sohn des Odysseus glücklich heimkehren sollte, so wird er dich ganz gewiss mit Mantel und Leibrock beschenken und dich geleiten lassen, wohin du wünschest.« So sprechend, erhob sich Eumäos und bereitete seinem Gaste nicht weit vom Feuerherd ein Bett, das er ihm aus Schafpelzen und Ziegenhäuten zurecht machte, und nachdem sich Odysseus darauf niedergelegt, deckte er ihn mit einem dichten, großen Mantel zu, den er selbst bei den heftigen Winterstürmen anzuziehen pflegte.

So lag denn der Held warm gebettet und schickte sich zum Schlummer an: neben ihm legten sich auch die Knechte zum Schlaf nieder; aber Eumäos wählte sein Nachtlager nicht in der Hütte, denn er mochte nicht entfernt von seinen Schweinen schlafen; er nahm vielmehr die Waffen zur Hand und begab sich hinaus zu den Ställen, das Schwert um die Schulter gegürtet und in einen dichten Mantel gehüllt. Auch ein zottiges Ziegenfell nahm er mit zur Unterlage, und in der Hand trug er einen scharfen Spieß, Hunde und Männer, die etwa herannahen könnten, damit zu schrecken. So legte er sich, vor dem schneidenden Nordwinde geschirmt, vor die Koben seiner Schweine. Odysseus war noch nicht eingeschlafen, als der Sauhirt in diesem Aufzuge die Hütte verließ. Er blickte ihm teilnehmend nach und freute sich innerlich im Herzen, einen so ehrlichen und getreuen Knecht zu besitzen, der das Gut seines Herrn, den er längst für verloren hielt, mit so gewissenhafter Sorge verwaltete. In diesem Gefühl überließ sich der Held dem erquickenden Schlummer.

Telemachos verlässt Sparta

Pallas Athene, die Göttin, wandelte inzwischen nach Sparta und fand dort die beiden Jünglinge aus Pylos und aus Ithaka bei dem Fürsten Menelaos auf ihr Nachtlager hingestreckt. Peisistratos, der Sohn des Nestor, lag in süßem Schlafe; den Telemachos aber labte kein Schlummer. Er wachte die ganze Nacht hindurch aus Bekümmernis über das Schicksal seines Vaters. Da sah er auf einmal die Tochter des Zeus vor seinem Bett stehen, die also zu ihm sprach: »Du tust nicht wohl daran, Telemachos, fern von deinem Hause dich in der Irre umherzutreiben, während in deinem Palaste zügellose Männer dein Gut unter sich verteilen. Wohlan, bitte den Fürsten Menelaos unverzüglich um die Heimfahrt, ehe deine Mutter eine Beute der Freier wird. Denn bereits stürmen Vater und Brüder auf sie ein und verlangen, dass sie den Eurymachos zum Gemahl erkiese, der allerdings mit seinen Geschenken alle anderen übertroffen hat und sich noch zu reichlicher Bräutigamsgabe erbietet. Wenn sie aber diesen wählt, dann magst du selbst zusehen, wie es dir ergehen wird! Eile daher zurück, und im schlimmsten Fall übergib deine Güter einer getreuen Dienerin, bis dir die Götter einmal eine würdige Gemahlin bescheren. Aber noch eines vernimm: in der Meerenge zwischen Ithaka und Same liegen gerüstet die tapfersten Freier in einem Hinterhalte in der Absicht, dich umzubringen, ehe du dein Vaterland wieder erreichst. Steuere deswegen fern von den anderen Inseln und fahre nur in der Nacht: für guten Wind wird ein Gott sorgen. Hast du sodann das nächste Ufer von Ithaka erreicht, so sende deine Genossen alle sogleich nach der Stadt, du selbst aber begib dich vor allen Dingen zu dem treuen Hirten, der deine Schweine bewacht; bei ihm bleibst du bis an den Morgen, und von dort aus meldest du der Mutter Penelope deine glückliche Rückkunft aus Pylos!«

Nachdem sie also gesprochen, flog die Göttin wieder zum Olymp empor. Telemachos aber weckte den Sohn Nestors, indem er ihn mit dem Fuß an die Ferse stieß, und rief: »Wach auf, Peisistratos, schirre die Rosse vor den Wagen und lass uns die Heimfahrt beginnen.« – »Wie«, antwortete der Sohn Nestors noch im halben Schlummer, »wir werden doch im Dunkel der Nacht nicht auf die Fahrt gehen wollen? Warte doch, bis der Morgen kommt, dann legt uns König Menelaos schöne Geschenke in den Wagensessel und entlässt uns mit freundlichen Abschiedsworten.« Während sie so noch länger miteinander über die Abreise unterhandelten, erschien die Morgenröte, und Menelaos erhob sich noch vor den Jünglingen von dem Lager. Als ihn Telemachos in der Ferne durch die Halle wandeln sah, warf er sich schnell in seinen Leibrock, schlug den Mantel um die Schultern, trat zu dem Fürsten und bat ihn um Entlassung in die Heimat. Freundlich entgegnete ihm Menelaos: »Lieber Gast, ich bin weit entfernt, dich länger aufhalten zu wollen, wenn du dich nach Hause sehnst. Ich selbst kann den Wirt nur tadeln, der durch lästige Freundschaft sich gegen seinen Gastfreund als ein Feind beweist. Es ist ebenso arg, einen Eilenden aufzuhalten, als einen Zögernden an die Heimkehr zu erinnern. Warte nur so lange, bis ich dir Geschenke in den Wagen gelegt und die Weiber dir einen Schmaus bereitet haben.« – »Edler Fürst«, entgegnete Telemachos, »ich wünsche nur deswegen heimzukehren, um nicht, während ich nach dem Vater forsche, selbst zu Grunde zu gehen, denn es warten allerlei Gefahren auf mich, und im väterlichen Palast wird mein Erbgut aufgezehrt.« Als Menelaos dieses hörte, sorgte er in aller Eile für das Mahl und verfügte sich mit Helena und Megapenthes in die Vorratskammer. Hier suchte er selbst einen goldenen Becher heraus, seinem Sohn Megapenthes gab er einen schönen silbernen Krug zu tragen, und aus dem Kasten suchte Helena das unterste ihrer selbst gewirkten Gewänder hervor, welches das schönste und größte von allen war. Mit diesen Gaben kehrten sie zu dem Gastfreund zurück; Menelaos reichte ihm den Becher, sein Sohn stellte den Krug vor ihm auf, und Helena ging mit ihrem Gewand in den Händen ihm entgegen und sprach: »Nimm dieses Geschenk, lieber Sohn, als ein Andenken aus der Hand Helenas; am Hochzeitstage soll es deine junge Braut tragen; bis dahin mag es im Gemach deiner Mutter liegen. Du aber kehre mit fröhlichem Herzen in das Haus deiner Väter zurück!«

Telemachos empfing die Gaben mit ehrerbietigem Dank, und sein Freund Peisistratos legte sie, jede einzelne bewundernd, im Wagenkorbe nieder. Dann führte Menelaos die Gäste noch einmal in seinen Saal, und der Abschiedsimbiss wurde genossen. Als sie schon auf dem Wagen saßen, trat Menelaos mit einem vollen Becher in der Rechten noch einmal vor die Rosse, brachte zu glücklicher Abfahrt den Unsterblichen eine Opferspende dar, trank mit einem Handschlag den Jünglingen zu, sagte ihnen Lebewohl und gab ihnen einen Gruß an seinen greisen Freund Nestor auf. Während Telemachos noch dankte und seinen Wunsch aussprach, den Vater Odysseus im Palast heimgekehrt zu treffen und ihm von des Menelaos Gastfreundschaft Bericht abstatten zu können: siehe, da flog ein Adler mit einer zahmen Gans aus dem Hof in den Klauen, von schreienden Männern und Weibern verfolgt, rechtsher gerade vor die Rosse der Jünglinge. Alle freuten sich über dieses Zeichen, Helena aber sprach: »Höret meine Weissagung, ihr Freunde! Wie

der Adler aus seinem Nest im Gebirge gekommen ist und die Gans weggerafft hat, die sich vom Fett unserer Wohnung mästete, so wird Odysseus nach langer Irrfahrt und Qual als Rächer in die Heimat zurückkehren oder ist schon zurückgekehrt, den gemästeten Freiern zum Verderben!« – »Geb' Zeus es so«, antwortete Telemachos, »dann, edle Fürstin, will ich dich zu Hause stets wie eine Göttin anflehen.«
Und nun eilten die beiden Gäste auf dem Wagen davon. Am Abend übernachteten sie, gastreich gepflegt, wieder in der Burg bei dem gütigen Helden Diokles zu Pherä, und am zweiten Tag erreichten sie glücklich die Stadt Pylos. Aber ehe sie hineinfuhren, wandte sich Telemachos bittend an seinen jungen Freund: »Lieber Peisistratos«, sprach er, »so befreundet unsere Väter sind, so innig diese Fahrt uns beide vereinigt hat, verarge mir's nicht, wenn ich die Stadt nicht betreten will, dass dein greiser Vater mich nicht aus lauter Liebe mit Zwang in seiner Wohnung zurückhalte, denn du weißt ja selbst, wie sehr ich meine Heimkehr beschleunigen muss.« Peisistratos fand sein Gesuch natürlich, lenkte mit seinen Rossen an der Stadt vorüber und brachte den Freund geradewegs an den Strand zu seinem Schiff. Hier nahm er recht herzlichen Abschied von seinem Freund und sprach: »Besteige nur rasch dein Schiff und fahre davon; denn erführe mein Vater, dass du da bist, er würde gewiss selbst kommen und dich nötigen, in seinem Palast einzukehren.« Telemachos gehorchte seinen Worten, die Genossen bestiegen das Schiff und setzten sich auf die Ruderbänke, er selbst aber stellte sich noch auf dem Strande hinten an das Steuerruder des Schiffes und brachte seiner Beschützerin Athene unter Gebet ein Opfer dar.
Während er dies tat, näherte sich ein Mann mit hastigen Schritten dem äußersten Ufer, streckte seine Hände nach Telemachos aus und rief: »Bei deinem Opfer, Jüngling, bei den Göttern und bei der Wohlfahrt deines Hauptes und der Deinigen flehe ich zu dir: Sage mir, wer du bist und wo du wohnest.« Als Telemachos ihm alles der Wahrheit nach kurz zugerufen, fuhr er fort zu bitten: »Auch ich bin auf der Wanderschaft begriffen. Ich bin der Seher Theoklymenos, mein Geschlecht stammt aus Pylos, ich selbst aber hauste zu Argos. Dort habe ich im Streit und Jähzorn einen Mann aus mächtigem Geschlecht erschlagen und bin seinen Brüdern und Verwandten, die mir den Tod geschworen haben, entronnen. Hinfort bleibt mir nichts übrig, als wie ein Verbannter durch

die Welt zu irren. Du aber, guter Jüngling, betrachte mich als einen Schutzflehenden und lass mich zu dir ins Schiff, denn meine Verfolger sind mir auf den Fersen!«
Telemachos, der einen milden Sinn hatte, nahm den Fremdling gern in sein Schiff auf und versprach ihm, auch in Ithaka für seinen Lebensunterhalt zu sorgen. Er empfing zuerst den Speer aus den Händen des Fremden und legte ihn aufs Verdeck nieder; dann bestieg er selbst mit dem Seher das Schiff und setzte sich mit ihm an das Steuerende; die Seile, mit welchem das Fahrzeug am Gestade angebunden war, wurden abgelöst, der Mast aus Fichtenholz in die mittlere Vertiefung des Schiffsbodens gestellt und hoch aufgerichtet, die weißen Segel mit Riemen an den Stangen aufgespannt, und unter dem Sausen des günstigen Windes flog das Schiff davon.

Gespräche beim Sauhirten

In der Hütte des Sauhirten zu Ithaka saß Odysseus mit Eumäos und den anderen Hirten am Abend dieses Tages vergnüglich bei der Nachtkost, und um ihn zu versuchen, wie lange er ihm wohl Herberge gönnen werde, sprach er nach dem Essen zu seinem Wirt: »Morgen, mein Freund, will ich an meinem Bettelstab in die Stadt gehen, um euch nicht länger beschwerlich zu fallen. Da rate mir denn und gib mir einen Begleiter mit, der mir den Weg zeige, denn ich will in der Götter Namen die Stadt durchirren und sehen, wo ich ein wenig Wein und Brot erhalte. Auch möchte ich gern in den Palast des Königs Odysseus gehen und dort seiner Gemahlin Penelope sagen, was ich von ihm weiß. Am Ende würde ich auch den Freiern gegen Unterkunft und Speise meine Dienste anbieten; verstehe ich mich doch trefflich aufs Holzspalten, Feueranmachen, Bratspießwenden, Speisevorlegen und Weinverteilen und auf andere derlei Geschäfte, wie sie Vornehme von den Geringeren zu fordern pflegen.« Aber der Sauhirt runzelte die Stirn und erwiderte: »Gast, was kommt dir für ein Gedanke in den Sinn, willst du dich ganz ins Verderben stürzen? Meinst du, die trotzigen Freier werden nach deinen Diensten lüstern sein? Die haben ganz andere Diener, als du einer wärest! Jünglinge in den zierlichsten Kleidern, mit blühendem Antlitz, das

Haupt von Salben duftend, stehen ihnen zu Gebote und bedienen die prächtigsten Tische, welche stets mit Fleisch, Brot und Wein belastet sind. Bleib du bei uns, wo deine Gesellschaft weder mir noch den Meinigen beschwerlich ist, und warte auf den guten Sohn des Odysseus, der dich mit aller Notdurft wohl versorgen wird.«

Odysseus nahm das Anerbieten dankbar an und bat darauf den Hirten, ihm auch zu erzählen, wie es den Eltern seines Herrn gehe, ob sie noch lebten oder schon in den Hades hinabgestiegen seien. »Laertes, der Vater, lebt noch«, antwortete ihm Eumäos, »aber er beweint untröstlich den entfernten Sohn und die Gattin, die der Gram um den Verlorenen umgebracht hat. Auch ich muss diese gute Frau beweinen, ist sie es doch, die mich mit ihrer Tochter Ktimene fast wie einen Sohn aufgezogen hat. Als später die Tochter nach Samos vermählt wurde, stattete mich die Mutter reichlich aus und schickte mich hierher aufs Land. Jetzt muss ich freilich vieles entbehren und nähre mich, so gut ich kann, von meinem Amte hier. Penelope, die jetzige Königin, kann nichts für mich tun; sie ist von den Freiern umgeben und bewacht, und ein ehrlicher Diener kann gar nicht bis zu ihr durchdringen.« – »Guter Sauhirt«, fragte Odysseus weiter, »woher stammst du denn, und wie bist zu in den Dienst dieses Hauses gekommen?« Der Hirt schenkte seinem Gast den Becher wieder voll und erwiderte: »Trink, mein guter Alter, und lass dich die lange Geschichte nicht verdrießen, hier zwingt uns ja niemand, früh zu Bett zu gehen, und wir können die ganze Nacht durch schwatzen. Dort über Ortygia hin liegt eine nicht sonderlich bevölkerte, aber fruchtbare und gesunde Insel mit Namen Syria mit zwei Städten. Über beide herrschte als mächtiger Fürst mein Vater Ktesios, der Sohn des Ormenos. Als ich noch ein kleiner Knabe war, landeten dort trügerische Seefahrer aus Phönizien, die allerlei niedliche Waren auf ihrem Schiff zum Verkauf mitbrachten und lange an unserer Küste blieben. Nun hatten wir damals in unserer Wohnung ein phönizisches Weib, schön und schlank von Gestalt, die mein Vater als Sklavin erstanden hatte und die wegen ihrer kunstreichen Arbeiten sehr beliebt war. Diese wurde mit einem der phönizischen Krämer ihrer Landsleute vertraut und hängte ihr Herz an ihn. Der Schiffer versprach ihr, sie mit sich als seine Gattin in seine und ihre Heimat nach Sidon zu bringen, und die treulose Sklavin gelobte ihm dagegen, aus meines Vaters Hause nicht nur die Hände voll Gold als Fährlohn mitzubringen, sondern auch noch etwas Besseres. ›Ich erziehe nämlich‹, sagte sie, ›den kleinen Sohn des Fürsten, er ist schon recht gescheit für sein Alter und läuft so mit, wenn ich Gänge außer dem Hause zu machen habe. Diesen bringe ich euch auf das Schiff, und ihr werdet keinen kleinen Gewinn von ihm machen.‹ So sprach das falsche Weib und ging nach dem Palast zurück, als wenn nichts geschehen wäre; denn die Kaufleute verweilten noch ein ganzes Jahr auf der Insel. Als sie sich endlich mit dem schwer beladenen Schiff zur Heimfahrt rüsteten, erschien ein listiger Mann mit einem goldenen Halsband im Palast meines Vaters und bot es zum Verkauf an. Mutter und Mägde umstanden ihn im Saal, fassten es eine um die andere mit der Hand, musterten es mit den Augen und feilschten um den Preis. Währenddessen gab der Mann – denn es war ein Bote der Phönizier – dem Weibe einen heimlichen Wink. Kaum hatte er das Haus verlassen, so nahm diese mich an der Hand und entführte mich aus dem Palast. Im Vorsaal fand sie Tische und Becher für Gäste des Vaters aus der Ratsversammlung gerüstet. Da sah ich, wie sie schnell drei goldene Gefäße hinwegnahm und im Wurf ihres Gewandes verbarg; in meiner Einfalt besann ich mich nicht darüber, sondern folgte ihr. Die Sonne war eben am Untergehen, als wir am Hafen anlangten und mit der übrigen Mannschaft das Schiff bestiegen.

Wir fuhren mit günstigem Winde ab und mochten etwa sechs Tage lang gesteuert sein, als das verräterische Weib, vom Pfeil der Artemis, wie man sagt, getroffen, plötzlich im Schiffsraum tot zu Boden fiel wie ein Seehuhn, das der Jäger geschossen. Man warf sie über Bord den Fischen zur Beute, und ich kleines Kind blieb allein ohne einen Menschen, der sich meiner angenommen hätte, auf dem Schiff. Die Phönizier aber landeten endlich in Ithaka, wo mich der alte Laertes von den Kaufleuten erhandelte. Auf diese Weise habe ich zuerst unsere Insel mit Augen gesehen.«

»Nun«, sprach Odysseus, »du darfst doch nicht ganz unzufrieden mit deinem Schicksal sein, denn Zeus hat dir zu dem Bösen doch auch Gutes beschert und dich einem freundlichen Mann in die Hand gegeben, der es dir an nichts fehlen ließ und auf dessen Gute du noch immer in Gemächlichkeit lebst! Ich Armer dagegen irre in beständiger Verbannung umher!«

Unter solchen Gesprächen war ihnen die Nacht fast ganz dahingegangen, und sie schliefen nur noch wenig, bis die anbrechende Morgenröte sie weckte.

Telemachos kommt heim

An demselben Morgen landete Telemachos mit seinen Begleitern an Ithakas Gestade. Dem Rate Athenes gehorchend, hieß er sie darauf ohne Verzug nach der Stadt fortzurudern, versprach ihnen, am andern Morgen durch ein fröhliches Mahl den Dank für die Reise zu bezahlen, und schickte sich zum Wege nach den Hirten an. »Aber wo soll ich hingehen, mein Sohn«, fragte den Scheidenden Theoklymenos, »wer in der Stadt wird mich aufnehmen? Soll ich etwa geradeswegs auf den Palast deiner Mutter zugehen?« – »Hätte unser Haus«, antwortete Telemachos, »ein anderes Ansehen, als es gegenwärtig hat, so würde ich dir unbedenklich dazu raten, so aber würdest du von den Freiern doch nicht vorgelassen, und meine Mutter webt im einsamsten Gemache des Hauses an einem Gewande. Da wäre es noch klüger, dich in das Haus des Eurymachos zu begeben, der ein Sohn des in Ithaka hoch angesehenen Mannes, des Polybos, und der Erste unter denen ist, die sich um meine Mutter bewerben!« Während er noch redete, flog ein Habicht mit einer Taube vorüber, deren Gefieder er berupfte. Da führte der Seher den Jüngling bei der Hand auf die Seite und sagte ihm ins Ohr: »Sohn, wenn meine Kunst mich nicht ganz täuscht, so gilt dieses Zeichen deinem Hause. Nie wird ein anderes Geschlecht auf Ithaka walten: ihr seid die ewigen Beherrscher dieses Landes!«

Ehe nun Telemachos von Theoklymenos Abschied nahm, empfahl er diesen noch seinem vertrautesten Freunde, dem Piräos, dem Sohne des Klytios, dass er den Fremdling in seine eigene Wohnung aufnehmen und liebreich pflegen möchte, bis Telemachos in die Stadt käme. Dann schied er, und die Genossen fuhren weiter.

Inzwischen rüsteten Odysseus und der Sauhirt in der Hütte das Frühstück, und die Knechte trieben die Schweine hinaus. Als sie behaglich beim Mahle saßen, ließen sich draußen Fußtritte hören, und die Hunde wurden laut, doch ohne zu bellen, sie schienen vielmehr einem Herankommenden zu schmeicheln. »Gewiss«, sagte Odysseus zu dem Hirten,

»besucht dich ein Freund oder Bekannter; denn gegen Fremde gebärden sich deine Hunde ganz anders, das habe ich erfahren!«

Das Wort war noch nicht ganz ausgeredet, als sein lieber Sohn Telemachos unter der Hüttentür stand. Der Sauhirt ließ das Trinkgeschirr vor freudiger Bestürzung aus der Hand sinken, eilte seinem jungen Herrn entgegen, umschlang ihn und bedeckte ihm weinend Antlitz, Augen und Hände mit seinen Küssen, als wäre er vom Tode erstanden. Ein alter Vater kann seinen einzigen spät geborenen Sohn, wenn dieser nach zehn Jahren aus der Fremde kommt, nicht herzlicher bewillkommnen. Jener trat erst über die Schwelle, als er von seinem Diener vernommen, dass in der Mutter Hause nichts Neues vorgefallen sei. Dann übergab er dem Hirten seine Lanze und ging in die Hütte. Sein Vater Odysseus wollte dem Hereintretenden auf seinem Sitze Platz machen, Telemachos aber hielt ihn und sagte freundlich: »Bleib nur sitzen, Fremdling, der Mann da wird mir schon meinen Platz anweisen.« Inzwischen bereitete Eumäos seinem jungen Herrn ein weiches Polster aus grünem Laube, darüber er einen Schafpelz deckte. Nun setzte sich Telemachos zu den beiden, und der Sauhirt tischte eine Schüssel mit gebratenem Fleische auf, stellte den Brotkorb dazu und mischte in der hölzernen Kanne den Wein. So schmausten sie alle drei zusammen. Da fragte denn Telemachos den Diener nach dem Fremdling, und dieser brachte kurz vor, was Odysseus ihm vorgefabelt. »Er hat sich jetzt«, beschloss er seine Antwort, »aus einem thesprotischen Schiffe geflüchtet und kam in mein Gehege; ich gebe ihn dir in die Hände, tue mit ihm, wie du willst.« – »Dein Wort ängstigt mich«, erwiderte Telemachos, »wie kann ich den Mann in meinem Hause, so wie es dort aussieht, beschirmen? Behalte du ihn lieber hier, ich will ihm Rock und Mantel auf den Leib, Beschuhung an die Füße und um die Lenden ein zweischneidiges Schwert schicken, auch Speise genug, damit er dir und deinen Knechten nicht beschwerlich falle. Nur kann ich nicht dareinwilligen, dass er sich unter die Freier begebe, denn diese schalten und walten gar zu frech im Hause, selbst ein gewaltiger Mann vermöchte nichts gegen sie.«

Odysseus, der Bettler, drückte seine Verwunderung darüber aus, dass die Freier dem Sohne des Hauses zum Trotz sich so viele Unarten herausnehmen dürften. »Hasst dich denn etwa«, fragte er den Telemachos, »das Volk, oder liegst du mit Brüdern im Streite, oder gibst du dich von freien Stücken so tief herunter? Wär' ich so jung wie du und der Sohn des Odysseus, oder gar er selber käme zurück – denn noch ist ja die Hoffnung dazu noch nicht ganz verloren –, eher sollte mir ein Fremder den Kopf von der Schulter hauen, ja lieber wollte ich in meinem eigenen Hause sterben, als dass ich so schändliche Taten länger mit anschaute!«

Darauf antwortete Telemachos: »Nein, lieber Gast, das Volk hasst mich nicht, auch habe ich keine Brüder, die mich anfeindeten, ich bin das einzige Kind im Hause; aber feindselig gesinnte Männer von allen Inseln umher und von Ithaka selbst werben in Unzahl um meine Mutter. Sie weicht ihnen aus, ohne ihnen wehren zu können, und in kurzem wird mein Haus und Gut verwüstet sein.« Dann wandte er sich zu dem Sauhirten und sprach: »Du aber, Väterchen, tu mir den Gefallen und eile hinein in die Stadt zu Penelope, meiner Mutter, und sag ihr, dass ich da bin, doch so, dass es ja kein Freier vernimmt.« – »Soll ich«, fragte Eumäos, »nicht den Umweg zu deinem Großvater Laertes machen und ihm deine Heimkehr auch zu wissen tun? Seitdem du nach Pylos gefahren bist, erzählen sie, habe er keine Speise und keinen Trank mehr genossen und nicht mehr nach den Feldarbeiten gesehen, in beständiger Betrübnis sitze er dort, von den Gliedern schwinde ihm das Fleisch.« – »So betrübt er ist«, antwortete Telemachos, »so kann ich dich doch den Umweg nicht machen lassen. Nicht bald genug kann mir die Mutter wissen, dass ich wiedergekommen bin!« So sprach er und trieb den Diener an. Der Sauhirt langte sich seine Sohlen hervor, band sie sich unter die Füße, griff zu seiner Lanze und eilte fort.

Odysseus gibt sich dem Sohne zu erkennen

Pallas Athene, die Göttin, hatte nur den Augenblick abgewartet, wo Eumäos die Hütte verlassen haben würde. Da erschien sie unter der Tür in Gestalt einer schönen Jungfrau, doch nicht dem Telemachos sichtbar, sondern nur seinem Vater und den Hunden; diese aber bellten nicht, sondern verkrochen sich winselnd nach der anderen Seite des Hofes. Dem Odysseus winkte die Göttin; er verstand ihr Gebot und verließ auf der Stelle die Hütte. An der Hofmauer fand er seine Beschützerin stehen, die zu ihm sprach: »Jetzt, Odysseus, brauchst du dich nicht länger vor dem Sohne zu verbergen. Beide miteinander möget ihr zum Verderben der Freier in die Stadt hineingehen. Ich selbst werde euch auch nicht lange fehlen; denn ich brenne vor Begierde, diese Frevler zu bekämpfen!« So sprach die Göttin und berührte den Bettler mit ihrem goldenen Stab. Da war ein Wunder zu sehen. Mantel und Leibrock umgaben wie früher des Helden sich verjüngende Gestalt wieder; sein Wuchs strebte empor, sein Antlitz bräunte sich, die Wangen wurden voller, die Haare dicht, und um das Kinn sprosste wieder das gekräuselte schwarze Barthaar. Nachdem sie solches vollbracht hatte, verschwand Athene.

Als Odysseus wieder in die Hütte eintrat, sah ihn der Sohn mit Staunen an, glaubte einen Gott zu erblicken, und mit abgewandten Augen sprach er: »Fremdling, du siehst ganz anders aus als vorhin; andere Kleider hast du an, deine ganze Gestalt ist verwandelt, du bist fürwahr einer der Himmlischen! Lass dir opfern und schone unser.« – »Nein, ich bin kein Gott«, rief Odysseus, »erkenne mich doch, Kind, ich bin ja dein Vater, um den du dich so viel gegrämt hast!« Die so lange gewaltsam gehemmten Tränen stürzten ihm bei diesen Worten aus den Augen, er eilte auf den Sohn zu und umfing ihn unter Küssen. Aber Telemachos konnte es noch immer nicht glauben. »Nein, nein«, rief er, »du bist nicht mein Vater Odysseus, ein böser Dämon täuscht mich, damit ich nur noch tiefer ins Leid versinke. Wie vermöchte sich auch ein Mensch aus eigener Kraft so zu verwandeln!« – »Staune doch den heimkehrenden Vater nicht so grenzenlos au, lieber Sohn« erwiderte Odysseus, »ich bin es, der nach zwanzig Jahren in die Heimat zurückkommt, und kein anderer. Das Wunder ist ein Werk der Göttin Athene, sie hat mich so umgeschaffen, dass ich bald als ein Bettler einhergehe, bald als ein Jüngling; denn den Göttern wird es leicht, einen Sterblichen bald zu erniedrigen, bald zu erhöhen.«

So sprach Odysseus und setzte sich. Jetzt erst wagte es der Jüngling, unter heißen Tränen seinen Vater zu umschlingen; in beiden regte sich der lange Gram, sie fingen an, laut zu weinen; und ihre Klage tönte so herzzerreißend wie der Ruf der Vögel, denen man ihre Jungen geraubt hat, ehe sie flügge geworden sind. Als sie sich genug ausgeweint, fragte endlich Telemachos den Vater, auf welchem Wege er in die Heimat gekommen sei, und nachdem ihm der Vater Bescheid gegeben, sagte der Letztere: »Und jetzt bin ich da, mein Sohn, auf Athenes Befehl, dass wir uns über den Mord unserer Feinde beraten. Nenne mir die Freier der Reihe nach, dass ich wisse, wie viel ihrer sind und ob wir beide allein zu ihrer Bekämpfung hinreichen oder ob wir uns nach Bundesgenossen umsehen sollen.« – »Ich habe zwar immer von deinem Ruhme gehört, mein Vater«, erwiderte Telemachos, »und dass dein Arm so stark sei wie dein Rat verständig. Das aber war ein stolzes Wort, und nimmermehr vermöchten wir zwei etwas gegen so viele. Es sind ihrer nicht nur zehn oder zwanzig, es sind viel mehr; aus Dulichion allein zweiundfünfzig der mutigsten Jünglinge, mit sechs Dienern; aus Same vierundzwanzig, aus Zakynth zwanzig, aus Ithaka selbst zwölf. Mit ihnen sind der Herold Medon, ein Sänger und zwei Köche. Darum, wenn es möglich ist, lass uns auf weitere Verteidiger denken.« – »Bedenke«, sprach Odysseus darauf, »dass Athene und Zeus unsere Bundesgenossen sind, die, wenn sich einmal in meinem Palast der Krieg erhoben hat, uns nicht lange werden auf ihre Hilfe warten lassen. Du selbst nun, lieber Sohn, gehe mit dem nächsten Morgen in die Stadt zurück und setze dich unter die Freier, als wäre nichts geschehen. Mich wird der Sauhirt, nachdem ich wieder zum greisen Bettler umgestaltet worden bin, dir nachführen. Welchen Schimpf sie alsdann mir auch im Saale antun mögen und wenn sie nach mir werfen und mich an den Füßen über die Schwelle ziehen, du musst dein Herz bezähmen und es ertragen. Mit Worten magst du sie zu besänftigen suchen, aber sie werden dir nicht folgen, denn ihr Verderben ist beschlossen. Auf einen Wink von mir wirst du sodann die Rüstungen, die wir im Saale umherhängen haben, in einer der oberen Kammern des Hauses verbergen. Vermissen sie die Freier und fragen danach, so sagst du nur, du habest sie wegschaffen lassen, weil sie vom Rauche des Kamins geschwärzt seien und den Glanz, mit dem sie unter Odysseus geschimmert, verloren haben. Für uns beide lässt du nur zwei Schwerter, zwei Speere und zwei stierlederne Schilde zurück, damit wir sie zum Kampf ergreifen können, wenn jene in der Verblendung, die ihnen die Götter senden werden, sich an uns wagen. Übrigens darf kein Mensch vernehmen, dass Odysseus zurückgekehrt ist, selbst Laertes, selbst der Sauhirt nicht, ja nicht einmal Penelope, deine Mutter. Unterdessen wollen wir unsere Dienstmannen und das Gesinde prüfen, wer davon uns noch ehrt und fürchtet und wer unser vergessen hat und dich verach-

tet.« – »Lieber Vater«, erwiderte Telemachos, »du sollst mich gewiss nicht nachlässig finden, aber glaube nicht, dass die Prüfung viel helfen wird. Es währt gar zu lange, bis du im Lande umhergehst, um jeden Einzelnen auszuforschen, indessen jene dir im Palast gemächlich dein Gut verprassen. Zwar die Weiber im Hause auszukundschaften, das will ich selbst übernehmen, aber die Männer in den einzelnen Höfen – das sparen wir lieber für die Zukunft, wenn wir einmal im Palast Meister sind.«
Odysseus gab seinem Sohne Recht und freute sich über seine Besonnenheit.

Vorgänge in der Stadt und im Palast

Das Schiff, das den Telemachos und seine Genossen von Pylos nach Ithaka gebracht hatte, war inzwischen im Hafen der Stadt angekommen, und die Begleiter des Königssohnes hatten einen Herold zu seiner Mutter Penelope gesendet, um ihr die Botschaft von der Heimkehr des Sohnes zu überbringen. Mit derselben Nachricht kam gleichzeitig der Sauhirt vom Lande her, und beide trafen sich im Hause des Königs. Da sagte der Herold zu Penelope laut vor allen Dienerinnen: »Dein Sohn, o Königin, ist wiedergekommen.« Eumäos aber sagte ihr im Geheimen und ohne Zeugen, was ihm sein junger Herr aufgetragen hatte, insbesondere, dass sie durch eine Schaffnerin seinem Großvater Laertes die fröhliche Botschaft auch zukommen lassen möchte. Als der Sauhirt alles ausgerichtet, eilte er wieder heim zu seinen Schweinen. Die Freier aber erfuhren die kurze Nachricht von der Heimkehr Telemachos', die der Herold gebracht hatte, durch die treulosen Dienerinnen. Unmutig setzten sie sich zusammen auf die Bänke vor dem Tor, und Eurymachos sprach hier in der Versammlung: »Das hätten wir doch nimmermehr gedacht, dass der Knabe diese Fahrt so trotzig vollenden würde. Lasst uns nur geschwind ein Schiff ausrüsten, einen Schnellsegler, unseren Freunden im Seehinterhalte die Botschaft zu bringen, dass sie vergebens auf ihn warten und nur wieder umkehren dürfen.«
Während Eurymachos sprach, hatte ein anderer Freier, Amphinomos, das Gesicht umgewandt und einen Blick auf den Hafen der Stadt geworfen, den man von dem Vorhofe des Palastes aus mit den Augen erreichen konnte. Er sah das Schiff, in welchem sich diejenigen der Freier be-

fanden, die auf den Hinterhalt ausgefahren waren, wie es eben mit vollen Segeln in den Hafen einlief. »Es bedarf keiner Botschaft an unsere Freunde«, rief er, »hier sind sie ja schon; sei es, dass ein Gott sie von Telemachos' Heimkehr benachrichtigt hat, sei es, dass er ihnen entkommen ist und sie ihn nicht einzuholen vermochten.« Die Freier erhoben sich und eilten nach dem Meeresstrande. Dann begaben sie sich mit den Neuangekommenen auf den Markt, wo sie niemand sonst aus dem Volke zuließen, sondern ihre abgesonderte Versammlung veranstalteten. Hier trat der Anführer der Ausrüstung, der Freier Antinoos, unter den Anwesenden auf und sprach: »Wir sind nicht schuld, dass der Mann uns entronnen ist, ihr Freunde! Späher um Späher hatten wir den Tag über auf den Höhen des Gestades aufgestellt, und wenn die Sonne untergegangen war, blieben wir nie die Nacht über auf dem Lande, sondern wir kreuzten beständig auf der Meerenge und waren nur darauf bedacht, den Telemachos zu erhaschen und in aller Stille umzubringen. Ihn aber muss einer der Unsterblichen heimgeleitet haben, denn nicht einmal sein Schiff ist uns zu Gesicht gekommen! Dafür wollen wir ihm hier in der Stadt selbst den Untergang bereiten. Denn der Jüngling wird klug und wächst uns allmählich über den Kopf. Auch das Volk wird uns am Ende aufsässig; bringt er es unter die Leute, dass wir ihm auflauerten, ihn zu morden, so fallen sie am Ende über uns her und jagen uns aus dem Lande. Ehe dies geschieht, lasst uns ihn aus dem Wege räumen; in seine Besitzungen teilen wir uns, den Palast lassen wir der Mutter und dem zukünftigen Gemahl. Gefällt euch aber mein Gedanke nicht, wollt ihr ihn leben und im Besitze seiner Güter lassen, nun, dann wollen wir ihm auch die Habe nicht länger verzehren, dann lasst einen jeden von seiner eigenen Heimat aus um die Fürstin sich mit Brautgeschenken bewerben, und sie wähle den, der ihr am meisten gibt und vom Schicksal begünstigt wird!« Als er seine Rede beendigt hatte, entstand ein langes Schweigen unter den Freiern. Endlich erhob sich Amphinomos, der Sohn des Nisos, aus Dulichion, der Edelste und Bestgesinnte unter den Freiern, der sich durch seine klugen Reden auch der Königin Penelope am meisten zu empfehlen wusste, und sagte seine Meinung in der Versammlung. »Freunde«, sprach er, »ich möchte doch nicht, dass wir Telemachos heimlich ums Leben brächten! Es ist doch etwas Grässliches, ein ganzes Königsgeschlecht im letzten Sprössling zu morden. Lasst uns lieber vorher die Götter befragen; erfolgt ein günstiger Ausspruch des Zeus, so bin ich selbst bereit, ihn zu töten; verwehren es uns die Götter, so rate ich euch, von dem Gedanken abzustehen.«

Diese Rede gefiel den Freiern wohl; sie schoben ihren Plan auf und kehrten in den Palast zurück. Auch diesmal hatte sie ihr Herold Medon, der heimliche Anhänger Penelopes, belauscht und der Königin von allem Nachricht gegeben. Diese eilte jedoch dicht verschleiert mit ihren Dienerinnen in den Saal zu den Freiern hinab und redete in heftiger Gemütsbewegung den Urheber des tückischen Vorschlages also an: »Antinoos, du frecher Unheilstifter, mit Unrecht rühmt dich Ithakas Volk als den verständigsten unter deinen Genossen; nie bist du das gewesen. Du verachtest die Stimme der Unglücklichen, auf welche doch Zeus selbst horcht, und bist verwegen genug, auf den Tod meines Sohnes Telemachos zu sinnen. Erinnerst du dich nicht mehr, wie dein Vater Eupithes, von seinen Feinden verfolgt, weil er Seeräuberei gegen unsere Verbündeten getrieben, schutzflehend in unser Haus geflohen kam? Seine Verfolger wollten ihn töten und ihm das Herz aus dem Leibe reißen; Odysseus aber war es, der die Tobenden abhielt und besänftigte. Und du, sein Sohn, willst zum Danke das Gut des Odysseus verschwenden, wirbst um seine Gattin und willst sein einziges Kind ermorden? Du tätest besser daran, auch die anderen von solchem Frevel abzuhalten.«

Statt seiner antwortete Eurymachos: »Edle Penelope, sei nicht bekümmert um das Leben deines Sohnes. Nie, solange ich lebe, wird es ein Mann wagen, Hand an ihn zu legen. Hat doch auch mich Odysseus manchmal als Kind auf den Knien gewiegt und mir einen guten Bissen in den Mund gegeben! Deswegen ist mir auch sein Sohn der Geliebteste unter allen Menschen; den Tod soll er nicht zu fürchten haben, wenigstens nicht von den Freiern, kommt er von Gott, dann kann ihm freilich niemand ausweichen!« So sprach der Falsche mit der freundlichsten Miene, im Herzen aber sann er auf nichts als Verderben.

Penelope kehrte wieder in ihr Frauengemach zurück, warf sich aufs Lager und weinte um ihren Gemahl, bis ihr der Schlummer die Augen zudrückte.

Telemachos, Odysseus und Eumäos kommen in die Stadt

An demselben Abend kam der Sauhirt in seine Hütte zurück, während Odysseus und sein Sohn Telemachos gerade damit beschäftigt waren, ein geschlachtetes Schwein zur Nachtkost zuzubereiten. Der Erstere, vom Stab Athenes berührt, war bereits wieder zum zerlumpten Bettler eingeschrumpft, dass Eumäos ihn nicht zu erkennen vermochte. »Kommst du endlich, Sauhirt«, rief dem Eintretenden Telemachos zuerst entgegen, »und was bringst du Neues aus Ithaka? Lauern die Freier noch immer auf mich, oder sind sie von ihrem Hinterhalte zurück?« Eumäos meldete ihm, was er von den beiden Schiffen gesehen, und Telemachos winkte vergnügt lächelnd seinem Vater, doch so, dass es der Sauhirt nicht bemerkte. Nun schmausten sie traulich miteinander alle drei und legten sich dann zur Ruhe.
Am anderen Morgen früh rüstete sich Telemachos, um nach der Stadt zu gehen, und sprach zu Eumäos: »Alter, ich muss jetzt nach der Mutter sehen. Du selbst komm nach mit diesem armen Fremdling, dass er sich in den Häusern umher seine Brosamen und seinen Wein erflehe; ich kann unmöglich aller Welt Last auf mich laden und habe genug an meinem eigenen Kummer zu tragen. Hält sich der Greis dadurch für beleidigt, desto schlimmer für ihn!« Odysseus, der sich über die geschickte Verstellung seines Sohnes im Herzen nicht genug wundern konnte, sagte nun auch seinerseits: »Lieber Jüngling, ich selbst begehre nicht länger hier zu bleiben; ein Bettler bringt sich in der Stadt immer besser fort als auf dem Lande. Geh du denn immerhin, und wenn ich mich in meinen Lumpen noch ein wenig am Feuer gewärmt habe und die Luft milder geworden ist – denn die Stadt ist, wie man mir sagt, weit von hier entfernt –, so mag dein Diener mich dahin begleiten.«
Nun eilte Telemachos in die Stadt. Es war noch ziemlich früh am Tage, als er vor seinem Palast ankam, und die Freier hatten sich noch nicht eingefunden. Er lehnte seine Lanze an eine Säule des Einganges und schritt über die steinerne Schwelle in den Saal. Hier war die Schaffnerin Eurykleia damit beschäftigt, die stattlichen Thronsessel mit schönen Vliesen zu bedecken. Als sie des Jünglings ansichtig ward, eilte sie mit Freudentränen auf ihn zu und hieß ihn willkommen; auch die anderen Mägde umringten ihn und küssten ihm Hände und Schultern. Jetzt trat auch sei-

ne Mutter Penelope aus der Kammer, schlank wie Artemis und schön wie Aphrodite. Weinend schloss sie ihren Sohn in die Arme und küsste ihm Antlitz und Augen. »Kommst du, kommst du, mein süßes Leben«, rief sie schluchzend, »nimmermehr hoffte ich, dich wieder zu sehen, seit du heimlich und ohne meinen Willen nach Pylos gesegelt warst, um Erkundigung vom lieben Vater einzuziehen! Nun sage mir doch, was bringst du für Nachrichten, liebes Kind?« – »Ach, Mutter«, antwortete Telemachos, der seine wahren Gefühle mit Gewalt in den Busen zurückdrängen musste, »rege mir, der ich selbst eben erst den Verderben entflohen bin, den Gram um den Vater nicht wieder auf. Bade du dich jetzt, lege reine Gewänder an und gelobe droben in dem Söller mit deinen Jungfrauen den Göttern köstliche Dankopfer, wenn sie einst uns die Vergeltung gönnen. Ich selbst will zum Markte hingehen, um einen Fremdling ins Haus zu führen, der mich auf der Fahrt begleitet hat und dessen Pflege ich bis zur eigenen Wiederkehr einem Freunde anempfohlen habe.« Penelope folgte seinem Rat, und Telemachos eilte, den Speer in der Hand, von seinen Hunden begleitet, auf den Markt. Athene hatte ihm besondere Anmut verliehen, dass den Kommenden alle Bürger anstaunten, und auch die Freier versammelten sich sogleich um ihn und sagten ihm viel Schönes ins Angesicht, während sie im Herzen über ihren bösen Entwürfen brüteten. Telemachos verweilte jedoch nicht in ihrem Gedränge. Er setzte sich zu drei alten Freunden seines Vaters, Mentor, Antiphos und Halitherses, und erzählte ihnen, was er durfte. Jetzt führte auch Piräos seinen Gastfreund Theoklymenos an der Hand daher, und Telemachos begrüßte beide; Piräos aber wandte sich an seinen Freund und sprach: »Lieber Telemachos, schicke doch auf der Stelle Dienerinnen in mein Haus, dass sie die Geschenke in Empfang nehmen, die dir Menelaos mitgegeben hat.« – »Freund«, erwiderte Telemachos, »die Sachen liegen besser bei dir. Wissen wir doch noch nicht, welche Wendung die Sache nimmt. Falle ich von dem Meuchelmorde der Freier und teilen sie mein Erbgut, so gönne ich jene köstlichen Gaben dir besser als ihnen; strafe dagegen ich sie mit dem Untergange, dann komm du und bringe fröhlich dem Fröhlichen jene Schätze!«

So sprach Telemachos, fasste den landesflüchtigen Seher Theoklymenos bei der Hand und führte ihn vom Markte weg in seinen Palast. Dort nahmen beide ein erquickendes Bad und genossen in Penelopes Gesellschaft, welche ihnen gegenüber an der zierlichen Spindel saß, das Frühstück im Saal. Da sprach denn die Mutter Telemachos' traurig zu ihrem Sohne: »Eigentlich tu ich besser daran, zum Söller hinaufzusteigen und dort einsam mein Los zu beweinen wie bisher; denn dir gefällt es ja doch nicht, mir zu erzählen, was du vom heimfahrenden Vater gehört hast.« – »Liebe Mutter«, antwortete Telemachos, »gern will ich dir alles der Wahrheit nach verkündigen, was ich vernommen habe, wenn es nur Tröstliches wäre! So liebreich mich der greise Nestor zu Pylos aufnahm, so wusste er mir doch gar nichts vom Vater zu melden, aber er sandte mich mit seinem eigenen Sohne zu Wagen gen Sparta. Dort ward ich von dem großen Helden Menelaos gastlich aufgenommen und sah auch die Königin Helena, um welche Trojaner und Griechen so vieles erduldet haben. Hier erfuhr ich endlich weniges vom geliebten Vater, was dem Fürsten Menelaos der Meergott Proteus in Ägypten mitgeteilt hatte. Dieser hatte ihn auf der Insel Ogygia in Kummer versunken gesehen. Dort hält den Odysseus die Nymphe Kalypso wider Willen in ihrer Grotte zurück, und es fehlt ihm an Schiffen und Ruderern, um die Heimat zu erreichen.« Als der Seher Theoklymenos die Fürstin bei dieser Nachricht sehr bewegt sah, unterbrach er seinen Gastfreund und sagte: »Königin, dieser weiß nicht alles. Vernimm du meine Weissagung: fürwahr, Odysseus sitzt bereits irgendwo im Gefilde seiner Heimat, oder er schleicht heimlich umher, auf das Verderben der Freier sinnend! Dies hat mir ein Vogelzeichen gesagt, das ich deinem Sohne auf der Stelle so gedeutet habe.« – »Möchte sich dein Wort erfüllen, edler Gast«, antwortete Penelope mit einem Seufzer, »mein Dank dafür sollte nicht ausbleiben.« Während die drei sich so im Wechselgespräch unterhielten, erfreuten sich die Freier vor dem Palast auf dem Pflaster des Hofes wie gewöhnlich mit Scheibenschießen und Speerwerfen und brachen endlich auf die Erinnerung des Herolds zum Mittagsmahl ins Innere des Palastes auf. Unterdessen hatten sich in der Hütte des Eumäos auch dieser und sein Gast zum Weg in die Stadt angeschickt. Odysseus, der Bettler, hatte den hässlichen geflickten Ranzen umgeworfen und der Sauhirt ihm den Stab in die Hand gegeben. So wanderten beide dahin und überließen das Gehöft den Knechten und Hunden zur Bewachung. Sie waren schon an dem Stadtbrunnen angekommen, der von den Vorfahren des Odysseus schön in den Felsen gefasst worden war; ein Pappelhain war in die Runde gepflanzt, und aus den Steinen sprang der hohe helle Wasserstrahl. Hier erreichte sie Melanthios, der Hirte, mit zwei Knechten, der den Freiern die besten Ziegen aus der Herde zum Schmaus in die Stadt hineintrieb. Als dieser das wandernde Paar erblickte, fing er laut an zu schimpfen. »Wahrhaftig, da heißt es recht, ein Taugenichts führt den anderen, und Gleich zu Gleich gesellt sich gern. Wohin führst du den heißhungrigen Bettler, verdammter Sauhirt, dass er an den Türpfosten müßig stehe und um Brocken bettle? Gäbest du ihn mir zum Hüter meines Geheges, dass er die Ställe ausfegte und den Zicklein Laub vorwürfe, so könnte er, mit Ziegenkäse gefüttert, noch Fleisch um seine dürren Lenden sich wachsen sehen! Aber freilich, er hat nichts gelernt, er kann nichts als sich den gefräßigen Bauch füllen.« So rief jener und gab ihm in der Bosheit einen Fußtritt in die Hüfte, aber Odysseus wich nicht aus dem Fußsteig. Im Herzen besann er sich freilich, ob er ihm nicht mit seinem Stab einen Streich über das Haupt versetzen sollte, dass er nicht mehr aufstände, aber er bezwang sein Herz und duldete die Schmach. Eumäos hingegen schalt den Unverschämten ins Gesicht und sprach, nach dem Brunnen gewendet: »Ihr heiligen Quellnymphen, Töchter des Zeus! Hat euch jemals Odysseus köstliche Opfer dargebracht, so gewährt mir meine Bitte, dass endlich einmal der Held Odysseus heimkehre! Er würde diesem trotzigen Müßiggänger den Übermut bald vertreiben, ist er doch der unbrauchbarste Hirte von der Welt und versteht nichts, als den ganzen Tag in der Stadt herumzulungern!« – »Du Hund«, erwiderte Melanthios schimpfend, »du wärest wert, dass man dich auf den Inseln drüben als Sklave verkaufte und ein gutes Stück Geld aus dir löste. Möchte doch der Bogen Apollons oder der Dolch der Freier deinen Telemachos treffen, auf welchen du pochest, dass er zu Grunde ginge wie sein Vater!« Mit solchen Scheltworten ging er an ihnen vorüber und setzte sich im Palast mitten unter die Freier, gerade dem Eurymachos gegenüber, an die Tafel, denn diese hatten ihn gern und teilten ihm stets von ihrem Schmause mit.

Jetzt waren auch Odysseus und der Sauhirt vor dem Königspalast angekommen. Als jener sein Haus nach so langer Zeit wieder erblickte, bewegte sich ihm das Herz im Leibe; er fasste seinen Begleiter an der Hand und sprach: »Fürwahr, Eumäos, das muss die Wohnung des Odysseus sein! Welch ein Palast, welch eine Reihe von Gemächern! Wie wohl um-

schlossen ist der Vorhof mit Mauern und Zinnen; welch mächtige Torflügel bilden den Eingang; wahrlich, diese Burg ist unbezwinglich! Auch merke ich wohl, dass viele Menschen da drinnen ein Gastmahl begehen; duftet es doch bis zu uns heraus von Speisen, und die Harfe des Sängers, der den Schmaus mit seinen Liedern würzt, schallt aus dem Saal hervor!«
Sie beratschlagten nun miteinander und beschlossen, dass der Sauhirt vorangehen und sich für den Odysseus im Saal umsehen, dieser aber so lange vor dem Tor warten sollte. Während sie noch miteinander sprachen, erhob ein alter Haushund an der Tür Haupt und Ohren von seinem Lager. Er hieß Argos; Odysseus selbst hatte ihn noch aufgezogen, ehe er gen Troja auszog. Er begleitete sonst die Männer auf die Jagd, jetzt aber lag er, im Alter verachtet, vor der Tür auf einem Düngerhaufen, mit Ungeziefer bedeckt. Als dieser den Odysseus bemerkte, schien er ihn trotz der Verkleidung zu kennen, er senkte die Ohren und wedelte mit dem Schwanz; aber näher herangehen konnte er vor Schwäche nicht mehr. Odysseus wischte sich heimlich eine Träne aus dem Auge, als er es bemerkte; dann sprach er, seinen Schmerz verhehlend, zu dem Sauhirten: »Der Hund, der hier auf dem Miste liegt, scheint einmal nicht so übel gewesen zu sein, man sieht es seinem Wuchse noch an!« – »Freilich«, erwiderte Eumäos, »es war der liebste Jagdhund meines unglücklichen Herrn; da hättest du ihn in den waldigen Tälern sehen sollen, wie weidlich er durchs Gestrüpp dem Wild nachspürte! Jetzt aber, seit sein Herr dahin ist, liegt er hier verachtet, und die Mägde geben ihm nicht einmal das nötige Futter.«
Mit diesen Worten ging der Sauhirt in den Palast, der Hund aber, nachdem er im zwanzigsten Jahre seinen Herrn wieder gesehen, senkte seinen Kopf und starb.

Odysseus als Bettler im Saal

Im Innern des Hauses wurde zuerst Telemachos den Sauhirten gewahr und rief ihn heran. Eumäos schaute sich vorsichtig um, ergriff den leeren Stuhl, auf welchem der Fleischzerleger vor dem Mahl zu sitzen pflegte, und setzte sich auf einen Wink an den Tisch seines Herrn, diesem gegenüber, wo ihm sofort der Herold Fleisch und Brot reichte. Bald nach ihm wankte auch Odysseus, der Bettler, am Stabe herein und setzte sich innerhalb der Pforte auf die Schwelle von Eschenholz nieder, an den einen der schön geschnitzten Türpfosten aus Zypressenholz gelehnt. Sobald Telemachos ihn erblickte, langte er aus dem vor ihm stehenden Korbe ein ganzes Brot, nahm dazu eine Hand voll Fleisch und gab beides dem Sauhirten mit den Worten: »Hier, mein Freund, reiche diese Gabe dem Fremdling und sage ihm, er solle sich der Scham entschlagen und bei den Freiern herumbetteln!« Odysseus empfing die Gabe segnend mit beiden Händen, legte sie sich vor die Füße auf seinen Ranzen und begann zu essen. Das ganze Mahl über hatte der Sänger Phemios die Gäste mit seinem Lied ergötzt; jetzt schwieg er, und man hörte nur noch den wilden Lärm der Schmausenden durch den Saal. In diesem Augenblick näherte sich die Göttin Athene unsichtbar dem Odysseus und trieb ihn an, Brocken von den Freiern einzusammeln und die billiger Denkenden von den rohen unterscheiden zu lernen. Aber dennoch war ihnen allen miteinander das Verderben von der Göttin zugedacht: es sollte nur einer milderen Todes sterben als der andere. Odysseus befolgte das Geheiß der Göttin, er ging flehend von Mann zu Mann und streckte seine Hand hin, so geläufig, als wäre er seit lange das Betteln gewöhnt. Manche zeigten sich mitleidig und gaben ihm, und es entstand ein Fragen unter den Freiern, woher der Mann wohl kommen möge. Da sagte zu ihnen der Ziegenhirt Melanthios: »Ich habe den Burschen zuvor schon gesehen, der Sauhirt hat ihn hereingebracht!« Diesen fuhr jetzt der Freier Antinoos zornig an: »Du berüchtigter Sauhirt, sage uns, warum hast du diesen Menschen in die Stadt geführt? Haben wir nicht Landstreicher genug, dass du uns auch noch diesen Fresser in den Saal schleppst?« – »Harter Mann«, antwortete Eumäos gelassen, »den Seher, den Arzt, den Baumeister, den Sänger, der uns durch seine Lieder erfreut, sie alle beruft man wetteifernd in die Paläste der Großen; den Bettler hat niemand berufen, er kommt von selber, aber man stößt ihn auch nicht hinaus! Und das soll auch diesem nicht geschehen, solange Penelope und Telemachos dies Haus bewohnen.« Aber Telemachos hieß ihn schweigen und sagte: »Bemühe dich mit keiner Antwort, Eumäos, du kennst ja die böse Gewohnheit dieses Mannes, andere zu beleidigen. Dir aber, Antinoos, sage ich: Du bist nicht mein Vormund, dass du mir gebieten dürftest, diesen Fremdling aus dem Hause zu trei-

ben. Gib ihm vielmehr und schone meines Gutes nicht! Aber freilich, du willst lieber selbst verzehren als anderen geben!« – »Siehe da, wie der trotzige Knabe mich schmäht«, rief Antinoos dagegen, »wollte jeder Freier diesem Bettler eine Gabe reichen, er brauchte drei Monate lang das Haus nicht wieder zu betreten!« Damit ergriff er seinen Fußschemel, und als Odysseus auf seinem Rückweg zu der Schwelle eben an ihm vorüberging und auch ihn noch um eine Gabe anflehte, wobei er von langen Bettlerfahrten durch Ägypten und Zypern ihm vorjammerte, rief dieser unwillig: »Welch ein Dämon hat uns diesen zudringlichen Schmarotzer gesandt! Weiche von meinem Tisch, dass ich dir dein Ägypten und Zypern nicht gesegne!« Und als Odysseus murrend sich zurückzog, warf ihm Antinoos den Fußschemel nach, dass dieser ihm rechts an die Schulter fuhr, dicht beim Halsgelenk. Odysseus stand unverrückt wie ein Fels und schüttelte schweigend sein gedankenbeschwertes Haupt. Dann kehrte er zur Schwelle zurück, legte den mit Gaben gefüllten Ranzen zu Boden und klagte niedersitzend den Freiern die Kränkung, die ihm Antinoos angetan. Dieser aber rief dem Bettler zu: »Schweig und friss, du Fremdling, oder packe dich, sonste zieht man dich an Hand und Fuß über die Schwelle, dass dir die Glieder bluten!«
Diese Rohheit empörte selbst die Freier; einer von ihnen erhob sich und sprach: »Antinoos, du hast nicht wohl daran getan, nach dem Unglücklichen zu werfen. Wie nun, wenn es ein Himmelsbote wäre, der Menschengestalt angenommen? Denn solches geschieht ja manchmal!« Aber Antinoos achtete nicht auf diese Warnung. Telemachos selbst sah schweigend die Misshandlung seines Vaters und drängte seinen Ingrimm in den Busen zurück.

In ihrem Frauengemach konnte Penelope durch die offenen Fenster alles vernehmen, was im Saale geschah. So hörte sie auch, wie es dem Bettler dort erging, und empfand Mitleid mit ihm. Sie ließ in der Stille den Sauhirten zu sich hereinrufen und befahl ihm, jenen kommen zu heißen. »Vielleicht«, setzte sie hinzu, »weiß er mir etwas von meinem Gemahl zu berichten oder hat ihn gar selbst gesehen, denn er scheint weit in der Welt umhergewandert zu sein.« – »Ja«, antwortete Eumäos, »wenn die Freier schweigen und hören möchten, er könnte vieles erzählen. Drei Tage schon beherberge ich ihn, und seine Berichte entzücken mein Herz, als wären sie das Leid eines Sängers. Er ist von Kreta und mit deinem Gemahl, wie er behauptet, durch väterliches Gastrecht verbunden. Und so will er denn auch wissen, dass Odysseus gegenwärtig im Land der Thesproter lebe und nächstens mit vielem Gute heimkehren werde.« – »Geh«, sagte Penelope bewegt, »rufe den Fremdling herbei, dass er mir selbst erzähle! Diese üppigen Freier! Es fehlt uns nur ein Mann, wie Odysseus war, käme dieser, so würden er und Telemachos den Trotzigen bald vergelten!« Als sie so sprach, nieste eben Telemachos im Saal so laut, dass das Gewölbe widerhallte. Penelope musste lächeln und sprach zum Sauhirten: »Hörst du, wie mein Sohn mir zuniest, ist das nicht eine gute Vorbedeutung? Rufe mir geschwind den Fremdling herbei!«

Eumäos meldete dem Bettler den Befehl Penelopes, dieser aber erwiderte: »Wie gern möchte ich der Königin erzählen, was ich von Odysseus weiß, und ich weiß viel von ihm; aber das Betragen der Freier flößt mir Besorgnis ein. Eben jetzt, wo ich durch den Wurf des bösen Mannes dort so schwer gekränkt worden bin, hat sich weder Telemachos noch ein anderer meiner angenommen. Darum soll Penelope für jetzt ihr Verlangen bewältigen, bis die Sonne untergegangen ist, dann soll sie mich an ihren Herd sitzen lassen, denn mich friert in meinen Lumpen; so will ich ihr alles Mögliche erzählen.« So begierig Penelope auf den Fremdling war, so konnte sie seinen Gründen doch nicht Unrecht geben und beschloss, sich zu gedulden.

Eumäos kehrte unter das Gewühl der Freier zurück und flüsterte seinem jungen Herrn ins Ohr: »Ich will mich jetzt wieder nach meinem Gehege aufmachen, Herr, sorge du hier für das Nötige, zumal aber für dich selbst, und sei vor jeder Gefahr auf der Hut, welche von Seiten der arglistigen Freier dich bedrohen könnte.« Auf die Bitte Telemachos' verweilte jedoch der Sauhirt noch bei Tische, bis es Abend geworden war; dann brach er auf und versprach, am frühen Morgen mit auserlesenen Schweinen wiederzukommen.

Odysseus und der Bettler Iros

Die Freier waren noch immer beisammen, als ein berüchtigter Bettler aus der Stadt in den Saal trat, ein ungeheurer Vielfraß, groß von Gestalt, aber ohne alle Leibeskraft; von Haus aus hieß er Arnäos, aber die Jugend der Stadt nannte ihn mit einem Beinamen Iros, was einen Boten bezeichnete, denn er pflegte um Lohn Botendienste zu tun. Die Eifersucht führte ihn herbei, denn er hatte von einem Nebenbuhler gehört, und so kam er heran, den Odysseus aus seinem eigenen Hause zu vertreiben. »Weiche von der Tür, Greis«, rief er beim Eintreten, »siehst du nicht, wie mir alles mit den Augen zuwinkt, dich am Fuß hinauszuschleppen? Geh freiwillig und zwinge mich nicht dazu!« Finster blickte ihn Odysseus an und sprach: »Die Schwelle hat Raum für uns beide. Du scheinst mir arm zu sein wie ich. Beneide mich nicht, wie ich selbst dir deinen Anteil gönne. Reize meinen Zorn nicht und fordere mich nicht zum Faustkampf heraus; so alt ich bin, so möchten dir doch bald Brust und Lippen bluten, und das Haus dürfte morgen Ruhe vor dir haben.« Jetzt fing Iros nur noch ärger zu poltern an: »Was schwatzest du da, Fresser?«, sprach er. »Was plauderst du wie ein Hökerweib? Ein paar Streiche von mir rechts und links sollen dir Backen und Maul zerschmettern, dass dir die Zähne auf den Boden fallen wie aus einem Schweinsrüssel. Hast du Lust, es mit einem Jüngling aufzunehmen, wie ich einer bin?« Mit lautem Lachen kehrten sich die Freier dem hadernden Paare zu, und Antinoos sprach: »Wisset ihr was, Freunde, seht ihr dort die Blutwürste, in Ziegenmagen gefüllt, auf den Kohlen braten? Diese lasst uns den beiden edlen Streitern als Kampfpreis aussetzen; wer von beiden Sieger ist, nehme sich davon, so viel er mag, und kein anderer Bettler außer ihm soll in Zukunft diesen Saal betreten!«

Allen Freiern gefiel diese Rede. Odysseus indessen stellte sich zaghaft als ein vom Elend entkräfteter Greis, er verlangte zum Voraus das Versprechen von den Freiern, dass sie sich mit ihren jugendlichen Händen nicht zu Gunsten des Iros in den Kampf einlassen wollten. Sie gelobten ihm dieses willig, und auch Telemachos stand auf und sprach: »Fremdling, wenn du es vermagst, so bemeistere jenen immerhin. Ich bin der Wirt, und wer dich verletzt, der hat es mit mir zu tun.« Die Freier alle nickten diesen Worten Beifall zu. Odysseus gürtete sein Gewand und stülpte die Ärmel auf. Da erschienen – denn unvermerkt verherrlichte Athene seinen Wuchs – nervige Schenkel und Arme, mächtige Schultern und Brust, so dass die Freier staunen mussten und Nachbar zum Nachbarn sprach: »Welche Lenden der Greis aus seinen Lumpen hervorstreckt! Wahrlich, dem armen Iros wird es übel ergehen!« Dieser fing auch an zu zagen; die Diener mussten ihn mit Gewalt umgürten, und seine Gelenke schlotterten. Antinoos, der ganz anderes von diesem Wettkampf erwartet hatte, wurde voll Ärgers und sprach: »Großsprecher, wärst du nie geboren, dass du vor dem kraftlosen Greis erbebst! Ich sage dir, wenn du besiegt wirst, so wanderst du mir zu Schiff nach Epiros zum König Echetos. dem Schrecken aller Menschen, der wird dir Nase und Ohren abschneiden und sie den Hunden vorwerfen!« So schrie Antinoos, jenem aber zitterten die Glieder nur noch mehr. Dennoch führte man ihn hervor, und beide erhoben ihre Hände zum Kampf. Odysseus besann sich einen Augenblick, ob er den Elenden mit einem einzigen Streiche töten sollte oder ihm nur einen sanften Schlag versetzen, um keinen Argwohn bei den Freiern zu erwecken. Das Letztere schien ihm klüger, und so gab er ihm denn, als beide hintereinander gekommen waren und Iros ihn mit der Faust rechts auf die Schulter getroffen hatte, nur eine leichte Schlappe hinter das Ohr. Dennoch zerbrach er ihm den Knochen, dass das Blut aus dem Munde schoss und Iros sich zähneklappernd und zappelnd auf dem Boden wand. Unter unbändigem Lachen und Klatschen der Freier zog ihn Odysseus weg von der Pforte, zum Vorhof und zum Haupttor hinaus, lehnte ihn an die Hofmauer, und indem er ihm den Stab in die Hände gab, sprach er spottend. »Da bleib du sitzen auf der Schwelle und verscheuche Hunde und Schweine!« Dann kehrte er in den Saal zurück und setzte sich mit seinem Ranzen wieder auf die Schwelle.

Sein Sieg hatte den Freiern Achtung eingeflößt, sie kamen lachend zu ihm hin, reichten ihm die Hände und sprachen: »Mögen dir Zeus und die Götter geben, was du begehrest, Fremdling, dass du uns den überlästigen Burschen zur Ruhe gebracht hast, der nun zum König Echetos wandern mag!« Odysseus ließ sich den Wunsch als ein gutes Vorzeichen gefallen. Antinoos selbst aber legte ihm einen mächtigen Ziegenmagen vor, der mit Fett und Blut gefüllt war, Amphinomos aber brachte zwei Brote aus dem Korbe herbei, füllte einen Becher mit Wein und trank ihn unter Handschlag dem Sieger zu, indem er sagte: »Auf dein Wohlergehen, fremder Vater, mögest du künftig von aller Trübsal frei sein!« Odysseus blickte ihm ernsthaft ins Auge und erwiderte: »Amphinomos, du scheinst mir ein recht verständiger Jüngling zu sein und bist eines angesehenen Mannes Kind. Nimm dir mein Wort zu Herzen! Es gibt nichts Eitleres und Unbeständigeres auf Erden, als der Mensch ist. Solange ihn die Götter begünstigen, meint er, die Zukunft könne ihm nichts Böses bringen, und wenn nun das Traurige kommt, so findet er keinen Mut in sich, es zu ertragen. Ich selbst habe das erfahren und habe im Vertrauen auf meine Jugendstärke in glücklichen Tagen auch manches getan, was ich nicht hätte tun sollen. Darum warne ich einen jeden, im Übermut nicht zu freveln, und rate ihm, die Gaben der Götter in Demut zu empfangen. So ist es auch nicht klug, dass die Freier sich jetzt so trotzig gebärden und der Gattin des Mannes so viel Schmach antun, der schwerlich lange mehr von seiner Heimat entfernt, der vielleicht so nahe ist! Möge dich, Amphinomos, ein guter Dämon aus dem Hause hinwegführen, ehe du jenem begegnest!« So sprach Odysseus, goss eine Spende aus, trank und gab dann den Becher dem Jüngling zurück. Der Freier senkte nachdenklich sein Haupt und schritt betrübt durch den Saal, als ahnte ihm etwas Schlimmes. Dennoch entrann er dem Verhängnis nicht, das ihm Athene bestimmt hatte.

Penelope vor den Freiern

Jetzt legte es Pallas Athene der Königin in die Seele, vor den Freiern zu erscheinen, einem jeden von ihnen sein Herz mit Sehnsucht zu füllen und sich durch ihr Betragen vor dem Gemahl, dessen Gegenwart sie freilich noch nicht ahnte, und vor ihrem Sohne Telemachos im vollen Glanz ihrer Seelenhoheit und ihrer Treue zu zeigen. Die alte vertraute Schaffnerin billigte ihren Entschluss. »Geh nur, Tochter«, sprach sie, »und berate deinen Sohn mit einem Worte zur rechten Zeit, aber nicht so, wie du jetzt bist, deine schönen Wangen von Tränen entstellt, musst du hinuntergehen, sondern bade und salbe dich zuvor, und alsdann zeige dich den Freiern.« Aber Penelope antwortete kopfschüttelnd: »Mute mir das nicht zu, gute Alte; alle Lust, mich zu schmücken, ist mir vergangen, seit mein Gemahl mit seinen Schiffen gen Troja fuhr. Aber rufe mir meine Dienerinnen Autonoe und Hippodameia, dass sie im Saale mir zur Seite stehen; denn unbegleitet zu den Männern hinabzugehen verbietet mir ja die Scham.«
Während Eurykleia, die Schaffnerin, mit diesem Auftrage sich entfern-

te, versenkte Athene die Gattin des Odysseus auf Augenblicke in einen süßen Schlummer, dass sie sich sanft in ihrem Sessel streckte, und verlieh ihr die Gaben überirdischer Schönheit; das Gesicht wusch sie ihr mit Ambrosia, womit sich Aphrodite zu salben pflegt, wenn sie mit den Grazien den Reigen führen will; ihren Wuchs machte sie höher und voller; ihre Haut ließ sie wie Elfenbein schimmern. Dann verschwand die Göttin wieder; die beiden Mägde kamen mit Geräusch hereingeeilt, Penelope erwachte aus ihrem Schlummer, rieb sich die Augen und sprach: »Ei, wie sanft habe ich geschlafen, möchten mir die Götter nur auf der Stelle einen so sanften Tod senden, dass ich mich nicht länger um meinen Gemahl härmen und im Hause Kummer ausstehen müsste!« Mit diesen Worten erhob sie sich aus dem Sessel und stieg aus den oberen Gemächern des Palastes zu den Freiern hinab. Dort stand sie in der Pforte des gewölbten Saales still, die Wangen mit dem Schleier umhüllt, in jugendlicher Schönheit; zu beiden Seiten stand sittsam eine Dienerin. Als die Freier sie sahen, schlug ihnen allen das Herz im Leibe, und jeder wünschte und gelobte sich, sie als Gattin heimzuführen. Die Königin aber wandte sich an ihren Sohn und sprach: »Telemachos, ich erkenne dich nicht; fürwahr, schon als Knabe zeigtest du mehr Verstand denn jetzt, wo du groß und schön wie der Sohn des edelsten Mannes vor mir stehst! Welche Tat hast du soeben im Saale begehen lassen? Hast geduldet, dass ein armer Fremdling, der in unserer Behausung Ruhe suchte, aufs Unwürdigste gekränkt worden ist? Das muss uns ja vor allen Menschen Schande bringen!«

»Ich verarge dir deinen Eifer nicht, gute Mutter«, erwiderte hierauf Telemachos, »auch fehlt es mir nicht an der Erkenntnis des Rechten; aber diese feindseligen Männer, die um mich her sitzen, betäuben mich ganz, und nirgends finde ich einen, der mich unterstützt. Doch ist der Kampf des Fremden mit Iros gar nicht ausgegangen, wie es die Freier wünschten; möchten diese doch ebenso gezwungen ihr Haupt hängen lassen, wie jener Elende draußen an der Schwelle des Hofes dasitzt!« Telemachos hatte dieses so gesprochen, dass die Freier es nicht hören konnten, Eurymachos aber rief, ganz trunken von dem Anblick der reizenden Königin: »Ikarios' Tochter, wenn dich alle Achäer in ganz Griechenland sehen könnten, wahrhaftig, es erschienen morgen noch viel mehr Freier zum Schmause, so weit übertriffst du alle Weiber an Gestalt und

Geist!« – »Ach, Eurymachos«, antwortete Penelope, »meine Schönheit ist dahin, seit mein Gemahl mit den Griechen gen Troja fuhr! Käme er wieder zurück und beschirmte mein Leben, ja dann möchte ich wieder aufblühen; jetzt aber traure ich. Ach, als Odysseus das Ufer verließ und mir zuletzt die Hand reichte, da sprach er: ›Liebes Weib, die Griechen werden, denke ich, wohl nicht alle gesund von Troja heimkehren; die Trojaner sollen kampferprobte Männer sein, treffliche Speerschleuderer, Bogenschützen und Wagenlenker. So weiß denn auch ich nicht, ob mein Dämon mich zurückführen oder dort wegraffen wird. Beschicke du alles im Haus und sorge mir für Vater und Mutter womöglich noch zärtlicher, als du bisher getan hast. Und wenn dein Sohn herangewachsen ist und ich nicht mehr heimkehre, so magst du dich vermählen, wenn du willst, und unsere Wohnung verlassen.‹ So sprach er, und nun wird alles wahr! Weh mir, der entsetzliche Tag der Hochzeit naht heran, und unter welchem Kummer gehe ich ihm entgegen! Denn diese Freier da haben ganz andere Sitten, als man sonst bei Brautwerbern findet. Wenn andere eines ansehnlichen Mannes Tochter zum Weibe begehren, so bringen sie Rinder und Schafe zum Schmaus mit und Geschenke für die Braut und verprassen nicht fremdes Gut ohne alle Entschädigung!«

Mit inniger Lust hörte Odysseus diese klugen Worte. Für die Freier übernahm Antinoos die Antwort und erwiderte: »Edle Königin, gern wird dir jeder von uns die köstlichsten Gaben darbringen, und wir bitten dich, entziehe dich unseren Geschenken nicht. Aber in unsere Heimat kehren wir nicht zurück, bis du dir den Bräutigam aus unserer Mitte auserkoren hast.« Alle Freier stimmten in diese Rede ein. Diener wurden abgeschickt, und bald kamen die Geschenke heran. Für Antinoos wurde ein gewirktes buntes Gewand, an dem zwölf goldene Spangen hinabfielen, die mit schön gebogenen Haken in die Schlussringe eingriffen, herbeigebracht; für Eurymachos ein kunstvolles goldenes Brustgeschmeide, mit anderem edlen Metall eingelegt, das wie die Sonne strahlte; für Eurydamas ein Paar Ohrringe, jeder in drei Diamanten spielend; aus Pisandros' Palast wurde ein Halsband voll der köstlichsten Kleinode dahergetragen, und so reichte ihr auch jeder der anderen Freier ein besonderes Geschenk dar. Dienerinnen des Hauses kamen, nahmen die Geschenke in Empfang, und Penelope stieg mit ihnen wieder in den Söller empor.

Odysseus abermals verhöhnt

Die Freier vergnügten sich jetzt, bis der Abend hereinbrach, im Tanze und schwärmten ganz ausgelassen. Als es dunkel wurde, stellten die Mägde drei Feuerlampen zur Beleuchtung im Saale umher und legten getrocknete Scheite, mit Kienspänen gemischt, hinein. Während sie nun um die Wette die Glut anfachten, gesellte sich Odysseus zu ihnen und sagte: »Ihr Mägde des Odysseus, des allzu lange abwesenden Herrn, hört, euch ziemte besser, droben bei eurer ehrwürdigen Fürstin zu sitzen, die Spindel zu drehen und Wolle zu kämmen. Für das Feuer im Saale lasset mich sorgen! Und blieben die Freier bis zum hellen Morgen da, ich will nicht müde werden; ich bin ans Dulden gewöhnt!«
Die Mägde sahen einander an und schlugen ein Gelächter auf. Endlich sprach eine junge, schöne Dienerin, Melantho, welche von Penelope wie ein Kind aufgezogen worden, die aber jetzt mit dem Freier Eurymachos in schändlichem Einverständnis lebte, die frechen Schmähworte: »Du elender Bettler, du bist ein rechter Narr, dass du nicht in eine Schmiedeesse oder andere Herberge schlafen gehst und hier, wo so viel edlere Männer sind als du, uns Gesetze vorschreiben willst. Sprichst du im Rausche, oder bist du beständig ein solcher Tor? Oder schwindelt dir, weil du den Iros besiegt hast? Nimm dich in Acht, dass nicht ein Besserer sich erhebt, dir rechts und links mit derber Hand das Haupt zerschlägt und dich, von Blute triefend, aus dem Palast verstößt!« – »Hündin«, antwortete Odysseus finster, »ich gehe, deine frechen Worte dem Telemachos zu melden, dass er dich in Stücke zerhaue.« Die Mägde meinten, er habe im Ernst geredet, und sein Wort scheuchte sie auseinander, dass sie mit bebenden Knien aus dem Saale flohen. Nun stellte sich Odysseus selbst ans Geschirr, fachte die Flammen an und hing seinen Rachegedanken nach. Athene aber spornte das Herz der üppigen Freier zum kränkenden Spott, und Eurymachos sagte zu seinen Gesellen, dass ein lautes Gelächter entstand: »Der Mann ist wahrhaftig als eine lebendige Leuchte von einem Gott in diesen Saal geschickt worden; schimmert nicht sein Kahlkopf, auf dem auch kein einziges Härchen mehr zu erblicken ist, gerade wie eine Fackel?« Und zu Odysseus gewendet, sprach er: »Höre, Bursche, hättest du nicht Lust, dich mir zum Knechte zu verdingen, mir auf meinen Gütern die Dornen einzusam-

meln und Bäume zu pflanzen? An Kost und Nahrung sollte dir's nicht gebrechen. Aber ich merke wohl, du bettelst lieber und füllst dir deinen Bauch mit Almosen, was keinen Schweiß kostet.« – »Eurymachos«, antwortete Odysseus mit fester Stimme, »ich wollte, es wäre Frühling und wir mähten miteinander um die Wette Gras auf der Wiese, du hieltest die Sense und ich hielte sie, und beide müssten wir nüchtern bis spät in die Nacht arbeiten: es sollte sich zeigen, wer es länger aushielte! Oder ich wollte, wir ständen beide an der Pflugschar, du solltest sehen, wie ich die Furche in einem Zuge durchschnitte! Oder es wäre Krieg, und ich trüge Schild und Helm, dazu zwei Lanzen; du solltest sehen, ob ich nicht in den vordersten Reihen kämpfte, und gewiss, es fiele dir nicht ein, mich höhnend an meinen Magen zu erinnern! Trotziger Mensch, du dünkst dich groß und gewaltig zu sein, weil du dich nur erst mit wenigen und dazu nicht mit den Edelsten gemessen hast; aber wenn einmal Odysseus in die Heimat zurückkäme, da möchten dir bald diese Hallen, so weit sie der Werkmeister gebaut hat, zu eng werden für die Flucht!« Jetzt wurde Eurymachos erst recht grimmig. »Elender«, schrie er, »empfange auf der Stelle den Lohn für deine trunkenen Reden!« Mit diesem Zuruf schleuderte er einen Fußschemel nach Odysseus, dieser aber warf sich zu den Knien des Amphinomos nieder, dass der Schemel über ihn hin und dem Mundschenken an die rechte Hand fuhr, so dass diesem die Weinkanne mit hellem Klang auf den Boden rollte, er selbst aber mit einem Schrei rückwärts zu Boden fiel.

Die Freier lärmten indessen fort und fluchten dem Fremdling, dass er eine solche Störung in ihre Freuden bringe, bis Telemachos höflich, aber bestimmt seine Gäste einlud, sich zur Nachtruhe zu begeben. Da erhob sich Amphinomos in der Versammlung und sprach: »Ihr habt billige Worte vernommen, meine Freunde, widersetzt euch ihnen nicht; auch den Fremdling soll hinfort niemand, weder ihr noch ein Diener im Palast, mit Wort und Werken kränken! Füllt die Becher noch einmal zur Opferspende, und dann lasst uns nach Hause wandeln. Der Fremdling aber bleibe hier unter dem Schutz des Telemachos, an dessen Herd er sich geflüchtet hat.« Es geschah, wie Amphinomos geraten hatte, und bald verließen die Freier den Saal.

Odysseus mit Telemachos und Penelope allein

Im Saale standen jetzt nur noch Odysseus und sein Sohn. »Geschwind lass uns jetzt die Rüstungen verwahren«, sagte jener zu diesem. Telemachos aber rief die Schaffnerin heraus und sagte: »Mütterchen, halte mir die Mägde drin zurück, bis ich des Vaters Waffen aus dem beständigen Dampf in die Kammer getragen.« – »Schon recht«, antwortete Eurykleia, »dass du endlich auch einmal darauf denkst, des Hauses zu warten und dein Gut zu beschirmen, Sohn! Aber wer soll dir die Fackel vortragen, wenn ich keine Dienerin mit dir gehen lassen darf?« – »Der Fremdling dort«, erwiderte Telemachos lächelnd; »wer aus meinem Brotkorb isst, darf mir nicht müßig stehen!« Nun trugen Vater und Sohn die Helme, die Schilde, die Lanzen, alles miteinander in die Kammer, und vor ihnen her schritt mit goldener Lampe Pallas Athene und verbreitete überall Licht. »Welch ein Wunder«, sagte Telemachos leise zum Vater, »wie schimmern die Wände des Hauses! Wie deutlich sehe ich jede Vertiefung, jeden Fichtenbalken, jede Säule, und alles leuchtet wie Feuer! Fürwahr, es muss ein Gott bei uns sein, ein Himmelsbewohner!« – »Sei still, Sohn«, antwortete ihm Odysseus, »und forsche nicht, das ist so der Brauch der Unsterblichen. Lege dich jetzt schlafen, ich selbst will noch ein wenig aufbleiben und Mutter und Dienerinnen auf die Probe stellen.«

Telemachos entfernte sich, und Penelope trat jetzt aus ihrer Kammer, schön wie Artemis und Aphrodite. Sie stellte sich ihren eigenen, köstlich mit Silber und Elfenbein ausgelegten Sessel zum Feuer und setzte sich auf den Schafpelz, der ihn bedeckte. Dann kam eine Schar von Mägden, die räumten Brot und Becher von den Tischen, stellten diese selbst beiseite und sorgten aufs Neue für Beleuchtung und Heizung des Saales in den Geschirren. Hier geschah es, dass Melantho den Odysseus zum zweiten Mal höhnte: »Fremdling«, sagte sie, »du wirst doch nicht die Nacht über dableiben und im Palast herumlungern wollen? Begnüge dich mit dem Genossenen und geh auf der Stelle aus der Tür hinaus, wenn nicht dieser Feuerbrand dir nachfliegen soll!« Odysseus schaute sie finster an und entgegnete: »Unbegreifliche, warum bist du so erbittert auf mich? Weil ich in Lumpen gehe und bettle? Ist das nicht das gemeinsame Schicksal aller Umherirrenden? Einst war auch ich glücklich, wohnte im reichen Hause, gab dem wandernden Fremdling, wie auch sein Aussehen sein mochte, was er bedurfte. Auch Diener und Dienerinnen hatte ich genug; doch das alles hat mir Zeus genommen. Bedenke, Weib, dass es dir auch so gehen könnte, wenn die Fürstin dir einmal ernstlich zürnte! Wenn gar Odysseus heimkäme? Noch ist die Hoffnung dazu nicht ganz verschwunden! Oder wenn Telemachos, der kein Kind mehr ist, an seiner Stelle handelte?«

Penelope hörte, was der Bettler sprach, und schalt die übermütige Dienerin: »Schamloses Weib, ich kenne deine schlechte Seele wohl und weiß, was du tust, du sollst es mir mit deinem Kopfe büßen! Hast du doch selbst von mir gehört, dass ich den Fremdling ehre und ihn in meinen eigenen Gemächern über den Gemahl befragen will, und dennoch wagst du's, ihn vor mir zu verhöhnen!« Melantho schlich eingeschüchtert davon, die Schaffnerin musste dem Bettler einen Stuhl hinstellen, und nun begann Penelope das Gespräch: »Vor allen Dingen, Fremdling«, sagte sie, »nenne mir dein Haus und Geschlecht.« – »Königin«, antwortete Odysseus, »du bist eine untadelhafte Frau, auch deines Gatten Ruhm ist groß, dein Volk, dein Land hat ein gutes Lob. Du aber frage mich nach allem, nur nicht nach meinem Geschlecht und nach meiner Heimat, ich habe zu viel Weh erduldet, als dass ich daran erinnert werden dürfte. Wenn ich es aufzählen sollte, so müsste ich trostlos klagen und würde von den Dienerinnen oder gar von dir selber mit Recht gescholten.« Hierauf fuhr Penelope fort: »Du siehst, Fremdling, dass es auch mir nicht besser ergangen ist, seit mein geliebter Gemahl mich verlassen hat. Du kannst die Männer selbst zählen, die um mich werben und mich bedrängen und denen ich seit drei Jahren durch eine List entgangen bin, die ich jetzt nicht mehr fortsetzen kann.« Damit erzählte sie ihm von ihrem Gewebe und wie der Betrug durch die Mägde entdeckt worden war. »Hinfort kann ich«, endete sie, »der Vermählung nicht mehr ausweichen; meine Eltern drängen mich, mein Sohn zürnt über die Verschwendung seines Erbgutes. So siehst du, wie es mir ergeht. Nun wohlan, verschweige mir auch dein Geschlecht nicht, Mann, du bist doch nicht der fabelhaften Eiche oder dem Felsen entsprossen!«

»Wenn du mich nötigst«, erwiderte Odysseus, »so will ich es dir wohl sagen.« Und nun fing der Schalk an, sein altes Lügenmärchen von Kreta zu erzählen. Dieses sah der Wahrheit so ähnlich, dass Penelope in Tränen zerfloss und es den Odysseus im innersten Herzen erbarmte. Dennoch standen ihm die Augensterne wie Horn oder Eisen unbeweglich unter den Augenlidern, und er war besonnen genug, die Tränen zurückzuhalten. Als die Königin lange genug geweint, begann sie von neuem: »Jetzt muss ich dich doch auch ein wenig prüfen, Fremdling, ob es wirklich wahr ist, wie du erzählest, dass du meinen Gemahl in deinem Hause bewirtet hast. Sage mir doch, welches Gewand er trug, wie er aussah, wie sein Gefolge war.« – »Du verlangst etwas Schweres nach so langer Trennung«, erwiderte Odysseus, »denn es geht nun ins zwanzigste Jahr, dass der Held bei uns auf Kreta landete. Doch soviel ich mich erinnere, war sein Kleid zwiefach, purpurn, von langer Wolle, eine goldene Spange daran, die mit doppelten Röhren schloss; vorn war ein prächtiges Stickwerk angebracht, ein Rehlein, das zwischen den Vorderklauen des Hundes zappelte; unter dem Purpurmantel schaute der feinste schneeweiße Leibrock hervor. Ein buckliger Herold mit einem Lockenhaar und braunem Gesicht, namens Eurybates, folgte ihm.« Von neuem musste die Königin weinen, denn alle Zeichen trafen genau ein. Odysseus tröstete sie mit einem neuen Märchen, in das er jedoch manche Wahrheit einmischte, von seiner Landung auf Thrinakia und seinem Aufenthalt im Lande der Phäaken. Das alles wollte der Bettler vom König der Thesproten wissen, wo Odysseus vor seiner Reise zum Orakel nach Dodona sich zuletzt aufgehalten und große Schätze hinterlegt habe, die der Bettler selbst gesehen zu haben vorgab. Somit sei seine Rückkunft so gut als gewiss.

Aber seine Worte vermochten Penelope nicht zu überzeugen. »Mir ahnet im Geiste«, sprach sie mit gesenktem Haupte, »dass das niemals geschehen wird.« Sie wollte nun den Mägden befehlen, dem Fremdling die Füße zu waschen und ihm ein gutes warmes Lager zu bereiten. Odysseus schlug jedoch den Dienst von den verhassten Dienerinnen aus und wollte nichts anders denn wie bisher auf schlechtem Stroh liegen. »Nur wenn du ein altes, redliches Mütterchen hast, Königin«, sprach er, »das so viel im Leben duldete wie ich selbst, das mag mir die Füße waschen.« – »Nun, so erhebe dich, ehrliche Eurykleia«, rief Penelope, »hast du doch einst den Odysseus großgezogen: wasche diesem da die Füße, der gerade so alt ist wie dein Herr.« – »Ach«, sagte sie mit einem Blick auf den Bettler, »solche Füße, solche Hände hat vielleicht jetzt auch Odysseus, pflegen doch die Menschen im Unglück frühe zu altern!« Die alte Schaffnerin weinte bei diesen Worten, und als sie sich anschickte, dem Fremdling die Füße zu waschen, und ihn nun schärfer ins Auge fasste, da sprach sie: »Es haben uns schon viele Fremdlinge besucht, aber dem Odysseus so ähnlich an Stimme, Gestalt und Füßen, wie du, ist mir noch nie ein Mensch erschienen!« – »Ja, das haben alle gesagt, die uns beide gesehen«, antwortete Odysseus gleichgültig, während er am Feuerherde saß und sie die zum Fußwaschen bestimmte Wanne mit kaltem und kochendem Wasser mischend füllte. Als sie sich an die Arbeit machte, rückte Odysseus vorsichtig ins Dunkel, denn er hatte von seiner frühen Jugend her über dem rechten Knie eine tiefe Narbe, wo ihm einmal auf einer Jagd ein Eber mit dem Zahne seitwärts ins Fleisch gefahren war. An diesem Mal fürchtete Odysseus von der Alten erkannt zu werden und rückte deswegen mit den Füßen aus dem Licht. Aber es war vergebens. Sowie die Schaffnerin mit den flachen Händen über die Stelle fuhr, erkannte sie die Narbe unter dem Druck und ließ vor Freude und Schrecken das Bein in die Wanne gleiten, dass das Erz klang und das Wasser überspritzte. Atem und Stimme stockten ihr, und ihr Auge füllte sich mit Tränen. Endlich fasste sie den Helden beim Knie: »Odysseus, mein Sohn, wahrlich, du bist es«, rief sie, »ich habe es mit Händen gegriffen.« Aber Odysseus drückte ihr mit seiner Rechten die Kehle zu, mit der Linken zog er sie an sich und flüsterte: »Mütterchen, willst du mich verderben? Du redest freilich wahr, aber noch darf es kein Mensch im Palast wissen! Schweigst du nicht, und es gelingt mir, die Freier zu bezwingen, so erwartet dich dasselbe Schicksal wie die gottlosen Mägde.« – »Welch ein Wort sprichst du da«, antwortete die Schaffnerin ruhig, als er ihr die Kehle wieder losgelassen, »weißt du nicht, dass mein Herz fest ist wie Fels und Eisen, hüte dich nur vor den anderen Mägden im Palast! Ich will dir alle nennen, die dich verachten.« – »Es braucht das nicht«, sprach Odysseus, »ich kenne sie schon, und du darfst ruhig sein!« Inzwischen hatte Eurykleia ein zweites Fußbad geholt, denn das erste war ganz verschüttet. Nachdem er nun wohlgebadet und gesalbt war, besprach sich Penelope noch eine Weile mit ihm. »Mein Geist schwankt hin und her«, sagte sie, »guter Fremdling, ob ich bei meinem Sohne bleiben soll, aus Scheu vor meinem Gemahl, der ja doch vielleicht noch lebt, und für jenen unser Gut verwalten, oder ob mich der Edelste unter den Freiern, der die herrlichste Brautgabe bietet, heimführen soll. Solange Telemachos noch ein Kind war, ließ mich seine Jugend nicht heiraten; nun er aber das Jünglingsalter erreicht hat, wünscht er selbst, dass ich aus dem Hause gehe, weil sein Erbgut sonst doch nur vollends verschwelgt wird. – Aber jetzt erkläre mir auch noch einen Traum, lieber Mann, da du doch so klug zu sein scheinst. Ich habe zwanzig Gänse im Hause und sehe ihnen immer mit Lust zu, wie sie ihren Weizen, mit Wasser gemischt, fressen. Da träumt mir nun, ein Adler komme vom Gebirge her und breche meinen Gänsen die Hälse; alle lagen gemordet wild durcheinander im Palast, der Raubvogel aber schwang sich in die Lüfte. Ich begann laut zu schluchzen und träumte weiter. Mir war, als kämen die Frauen aus der Nachbarschaft, mich in meinem Grame zu trösten. Auf einmal kehrte auch der Adler zurück, setzte sich auf das Gesims und fing an, mit Menschenstimme zu reden: ›Sei getrost‹, sprach er, ›Ikarios' Tochter, das ist ein Gesicht und kein Traum: die Freier sind die Gänse, ich selbst, der ich ein Adler war, bin Odysseus, ich bin zurückgekommen, alle Freier umzubringen.‹ So sprach der Vogel, und ich wachte auf. Sogleich ging ich nach meinen Gänsen zu schauen, aber diese standen ganz ruhig am Trog und fraßen.« – »Fürstin«, erwiderte der versteckte Bettler, »es ist gewiss so, wie dir Odysseus im Traume sagte, das Gesicht kann gar keine andere Bedeutung haben: er wird kommen, und kein Freier wird am Leben bleiben.«

Aber Penelope seufzte und sprach: »Träume sind doch nur Schäume, und morgen kommt der entsetzliche Tag, der mich vom Hause des Odysseus scheiden wird. Da will ich den Wettkampf bestimmen; mein Gemahl pflegte manchmal zwölf Äxte hintereinander aufzustellen; dann trat er in die Ferne zurück und schnellte den Pfeil vom Bogen durch alle zwölf hindurch. Wer nun von den Freiern dieses Kunststück mit des Odysseus Bogen, den ich immer noch aufbewahre, vollbringt, dem will ich folgen.« – »Tue das, ehrwürdige Königin«, sprach Odysseus entschlossen, »bestimme morgen auf der Stelle den Wettkampf; denn eher kommt dir Odysseus, als dass jene seinen Bogen spannen und durch die zwölf Löcher der Äxte den Pfeil schnellen.«

Die Nacht und der Morgen im Palast

Die Königin sagte dem Fremdling gute Nacht. Odysseus begab sich in den Vorsaal, wo ihm Eurykleia ein Bett bereitet hatte, das er sich gefallen ließ. Über eine ungegerbte Stierhaut waren Schafpelze zum Lager gebreitet, und den Liegenden deckte ein Mantel zu. Lange wälzte er sich schlaflos auf seinem Lager; die schändlichen Mägde, die es mit den Freiern hielten, stürmten unter Scherz und Gelächter an ihm vorüber, dass sich ihm das Herz im Innersten empörte. Aber der Held schlug an seine Brust, strafte sich selbst und sprach im Geiste: »Dulde es, mein Herz, hast du doch schon Härteres ertragen! Weißt du nicht mehr, wie du beim Zyklopen saßest und zusehen musstest, wie das Ungeheuer deine Genossen fraß? Dulde!« So bezwang er sein Herz; doch warf er sich noch lange hin und her und sann auf Rache gegen die Freier, als sich auf einmal Athene in Jungfrauengestalt über sein Haupt neigte und seinen bangen Gedanken, wie er über so viele Meister werden sollte, mit den Worten ein Ziel setzte: »Kleinmütiger, verlässt man sich doch schon auf einen geringeren Freund, auf einen Sterblichen, der nicht so reich an Ratschluss und an Kraft ist; ich aber bin eine Göttin und beschirme dich in jeder Gefahr; und wenn dich fünfzig Scharen voll Mordlust umringten, dennoch würdest du es durchführen! Überlass dich immerhin dem Schlummer, denn endlich tauchst du aus der Trübsal auf.« So sprach sie und bedeckte ihm die Augenlider mit süßem Schlaf.

Penelope ihrerseits erwachte nach einem kurzen Schlummer, setzte sich aufrecht in ihrem Bette hin und begann laut zu weinen. Unter Tränen richtete sie ihr Gebet an die Göttin Artemis: »Heilige Tochter des Zeus«, rief sie flehend, »träfe doch auf der Stelle dein Pfeil mein Herz oder raffte mich ein Sturmwind hinweg und würfe mich ans fernste Ufer des Okeanos, ehe ich meinem Gemahl Odysseus untreu werden und mich dem schlechteren Manne vermählen muss! Erträglich ist das Leiden, wenn man den Tag durchweint und doch die Nacht über Ruhe hat; mich aber peinigt ein Dämon selbst im Schlafe mit den schmerzlichsten Träumen! So war mir im Augenblicke noch, als stände mein Gatte mir zur Seite, herrlich von Gestalt, ganz wie er mit dem Kriegsheere von dannen zog, und mein Herz war voll Freude, denn ich meinte zuversichtlich, dass es Wahrheit sei!« So schluchzte Penelope, und Odysseus vernahm die Stimme der Weinenden. Es war ihm ganz bange, vor der Zeit erkannt zu werden. Eilig raffte er sich auf, verließ den Palast, und unter freiem Himmel betete er zu Zeus um ein günstiges Zeichen für seine Pläne. Da erschien ein gewaltiges Licht am Himmel, und ein plötzlicher Donner rollte über dem Palast hin. In der nahen Mühle des Palastes hielt eine Müllerin still, die die ganze Nacht durch gemahlen, blickte zum Himmel empor und rief: »Wie Zeus doch donnert, und ist weit und breit kein Gewölk zu sehen! Er hat wohl irgendeinem Sterblichen ein Zeichen gewährt. O Vater der Götter und Menschen, möchtest du auch meinen Wunsch erfüllen und die verfluchten Freier vertilgen, die mich Tag und Nacht in der Mühle das Mehl zu ihren Schmäusen bereiten lassen!« Odysseus freute sich der guten Vorbedeutung und kehrte in den Palast zurück.

Hier wurde es allmählich laut; die Mägde kamen und zündeten das Feuer auf dem Herd an; Telemachos warf sich in die Kleider, trat an die Schwelle der Frauengemächer und rief der Schaffnerin mit verstellten Worten: »Mütterchen, habt ihr den Gast auch mit Speise und Lager geehrt, oder liegt er unbeachtet da? Die Mutter scheint mir ganz die Besinnung verloren zu haben, dass sie den schlechten Freiern so viel Ehre erweist und den besseren Mann ungeehrt lässt!« – »Du tust meiner Herrin unrecht«, antwortete Eurykleia, »der Fremdling trank so lange und so viel Wein, als ihm beliebte, und Speise verlangte er auch keine mehr. Man bot ihm ein köstliches Lager an, aber er verschmähte es, mit Mühe ließ er sich ein schlechteres gefallen.«

Nun eilte Telemachos, von seinen Hunden begleitet, auf den Markt in die Volksversammlung. Die Schaffnerin aber befahl den Mägden, alles zu dem bevorstehenden Schmause des Neumondfestes zuzubereiten, und nun legten die einen purpurne Teppiche auf die schmucken Sessel, andere scheuerten die Tische mit Schwämmen, wieder andere reinigten die Mischkrüge und die Becher, und ihrer zwanzig eilten an den Quellbrunnen, Wasser zu schöpfen. Auch die Diener der Freier kamen heran und spalteten Holz in der Vorhalle. Der Sauhirt kam mit den fettesten Schweinen herbei und grüßte seinen alten Gast aufs Freundlichste. Melanthios mit zwei Geißhirten brachte die auserlesensten Ziegen, die von den Knechten in der Halle angebunden wurden. Dieser sprach im Vorübergehen zu Odysseus im höhnischem Ton: »Alter Bettler, bist du immer noch da und weichst nicht von der Tür? Wir nehmen wahrscheinlich nicht Abschied voneinander, bevor du meine Fäuste gekostet! Gibt es denn gar keine anderen Schmäuse, denen du nachzuziehen hast?« Odysseus erwiderte auf diese Schmähworte nichts, sondern schüttelte nur das Haupt.

Nun betrat ein ehrlicher Mann den Palast: es war Philötios, der den Freiern ein Rind und gemästete Ziegen zu Schiffe herbeigebracht hatte. Dieser sprach im Vorübergehen zu dem Sauhirten: »Eumäos, wer ist doch der Fremdling, der jüngst in dieses Haus kam? Er gleicht an Gestalt ganz und gar unserem König Odysseus. Geschieht es doch wohl, dass das Elend auch einmal Könige zu Bettlern umgestaltet!« Dann nahte er sich dem verkleideten Helden mit einem Handschlage und sprach: »Fremder Vater, so unglücklich du scheinst, so möge es dir wenigstens in Zukunft wohl ergehen! Mich überlief der Schweiß, als ich dich sah, und Tränen traten mir in die Augen, denn ich musste an Odysseus denken, der jetzt wohl auch in Lumpen gehüllt in der Welt umherirrt, wenn er anders noch lebt! Schon als Jüngling hat er mich zum Hüter seiner Rinder gemacht, deren Zucht vortrefflich gedeiht, leider aber muss ich sie anderen zum Schmause daherführen! Auch wäre ich längst vor Ärger aus diesem Lande geflohen, wenn ich nicht immer noch hoffte, Odysseus kehre dereinst zurück und jage diesen Schwarm auseinander.« – »Kuhhirt«, erwiderte ihm Odysseus, »du scheinst kein schlechter Mann zu sein; ja, beim Zeus schwöre ich dir, heute noch, und solange du im Palast bist, kehrt Odysseus heim, und deine Augen werden es schauen, wie er die Freier abschlachtet!« – »Möchte Zeus es wahr machen«, sagte der Rinderhirt, »meine Hände sollten auch dabei nicht feiern!«

Der Festschmaus

Die Freier, nachdem sie in ihrer Versammlung sich über Telemachos' Ermordung besprochen, kamen allmählich auch im Palast an. Sie legten ihre Mäntel ab, die Tiere wurden geschlachtet, gebraten und verteilt; Diener mischten den Wein in Krügen, der Sauhirt reichte die Becher umher, Philötios in zierlichen Körben die Brote, den Wein schenkte Melanthios, und das allgemeine Mahl begann.

Den Odysseus setzte Telemachos absichtlich an die Schwelle des Saales auf einen schlechteren Stuhl und stellte einen armseligen Tisch davor. Hier ließ er ihm gebratenes Eingeweide auftragen, füllte seinen Becher mit Wein und sprach: »Hier schmause ruhig, und ich rate niemandem, dich zu schmähen!« Antinoos selbst ermahnte seine Freunde, den Fremdling gewähren zu lassen, denn er merkte wohl, dass dieser unter dem Schutz des Zeus stehe; aber Athene stachelte die Freier heimlich zum Spott auf. Es war unter ihnen ein schlecht gesinnter Mann mit Namen Ktesippos von der Insel Same: »Ihr Freier, höret«, sprach dieser mit höhnischem Lächeln, »zwar hat der Fremdling hier längst seinen Anteil so gut wie wir selber, und es wäre auch nicht recht, wenn Telemachos einen so vornehmen Gast überginge! Doch will ich ihm noch ein besonderes Geschenk verehren, er mag die Schaffnerin damit bezahlen, die ihm den Schmutz vom Leibe gewaschen hat!« So höhnend, zog er einen Kuhfuß aus dem Korbe und schleuderte ihn mit seiner nervigen Hand nach dem Bettler. Aber Odysseus beugte sein Haupt, wich aus und drängte den Zorn mit einem grässlichen Lächeln in die Brust zurück; der Knochen fuhr an die Mauer.

Jetzt stand Telemachos auf und rief: »Schätze dich glücklich, Ktesippos, dass du den Fremdling nicht getroffen hast; wäre es geschehen, ich hätte dir die Lanze durch den Leib gestoßen, und dein Vater hätte dir eine Leichenfeier statt der Hochzeit rüsten können! Drum erlaube sich keiner mehr eine Ungebühr in meiner Wohnung, lieber bringt mich selbst um, als dass ihr die Fremdlinge beleidigt, es wäre mir auch besser, zu sterben, als immer so schändliche Taten mit anzusehen!« Alle verstummten, als sie so ernstliche Worte hörten; endlich stand Agelaos, der Sohn des Damastor, unter ihnen auf und sprach: »Telemachos hat Recht! Aber er und seine Mutter sollen jetzt ein Wort in Güte mit sich reden lassen. Solange noch irgendeine Hoffnung vorhanden war, dass Odysseus jemals in seine Heimat zurückkehren könne, so war es begreiflich, wenn man die Freier hinhielt. Jetzt aber ist es keinem Zweifel unterworfen, dass jener niemals zurückkommt. Wohlan denn, Telemachos, tritt zu deiner Mutter, bestimme sie, den Edelsten unter uns Freiern und den, der die meisten Gaben bietet, zu wählen, damit du selbst hinfort ungeschmälert dein väterliches Erbe genießen kannst!«

Telemachos erhob sich von seinem Sitz und sprach: »Beim Zeus! Auch ich verzögere die Wahl nicht länger, vielmehr spreche ich schon lange der Mutter zu, sich einen von ihren Bewerbern zu erwählen. Nur, mit Gewalt werde ich sie nie aus dem Hause treiben.« Diese Worte Telemachos' wurden mit einem unbändigen Gelächter von den Freiern aufgenommen, denn schon verwirrte Pallas Athene ihren Geist, dass sie grinsend ihre Gesichter verzerrten; auch aßen sie das Fleisch halb roh und blutig hinein; plötzlich füllten sich ihre Augen mit Tränen, und sie gingen von der größten Ausgelassenheit zur tiefsten Schwermut über. Dies alles bemerkte der Seher Theoklymenos wohl. »Was ist euch«, sprach er, »ihr Armen? Eure Häupter sind ja wie in Nacht gehüllt, eure Augen sind voll Wasser, und aus eurem Munde tönen Wehklagen! Und was schaue ich, an allen Wänden trieft Blut, Halle und Vorhof wimmeln von Gestalten des Hades, und die Sonne am Himmel ist ausgelöscht!« Die Freier aber verfielen wieder in ihre vorige Lustigkeit und fingen aus Leibeskräften zu lachen an. Endlich sprach Eurymachos zu den anderen: »Dieser Fremdling, der sich erst seit kurzem in unserer Mitte befindet, ist wahrhaftig ein rechter Narr. Schnell, ihr Diener: wenn er hier im Saale nichts als Nacht sieht, so führt ihn hinaus auf Straße und Markt!« – »Ich brauche deine Begleiter nicht, Eurymachos«, antwortete Theoklymenos entrüstet, indem er aufstand. »Augen, Ohren und Füße sind gesund, auch ist bei mir der Verstand noch auf dem rechten Platz; ich gehe von selbst, denn der Geist weissagt mir das Unheil, das euch naht und dem keiner von euch entflieht.« So sprach er und verließ eilig den Palast, ging zu Piräos, seinem vorigen Gastfreund, und fand bei diesem die freundlichste Aufnahme.

Die Freier aber fuhren fort, Telemachos zu verhöhnen. »Schlechtere Gäste als du, Telemachos«, sprach einer von ihnen, »hat doch kein Mensch in der Welt beherbergt: einen ausgehungerten Bettler und einen Narren, der wahrsagt! Wahrhaftig, du solltest mit ihnen durch Griechenland reisen und sie für Geld auf den Märkten sehen lassen!« Telemachos schwieg und schickte seinem Vater einen Blick zu, denn er erwartete nur das Zeichen, um loszubrechen.

Der Wettkampf mit dem Bogen

Jetzt war auch Penelopes Zeit gekommen. Sie nahm einen schönen Schlüssel aus Erz mit elfenbeinernem Griffe zur Hand und eilte damit, von Dienerinnen begleitet, in eine ferne Hinterkammer, wo allerlei kostbare Geräte des Königs Odysseus aus Erz, Gold und Eisen aufbewahrt waren. Unter anderem lagen hier auch sein Bogen und der Köcher voller Pfeile, beides Geschenke eines lakedämonischen Gastfreundes. Als Penelope die Pforte aufgeschlossen, schob sie die Riegel zurück. Diese krachten, wie ein Stier im Felde brüllt, die Türflügel öffneten sich, und Penelope trat ein und musterte die Kästen, wo Kleider und Geräte verwahrt lagen. Da fand sie auch Bogen und Köcher an einem Nagel hängen, streckte sich und nahm beide herab. Der Schmerz überwältigte sie, sie warf sich auf einen Stuhl, und Bogen und Köcher auf dem Schoße, saß sie lange in Tränen da. Endlich erhob sie sich; die Waffen wurden in eine Lade gelegt, mit welcher ihr die Dienerinnen folgten. So trat sie mitten unter die Freier in den Saal, ließ Stille gebieten und sprach: »Wohlan, ihr Freier, wer mich erwerben will, der gürte sich, es gilt einen Wettkampf! Hier ist der große Bogen meines erhabenen Gemahls: wer ihn am leichtesten spannt und durch die Löcher von zwölf hintereinander aufgestellten Äxten hinschnellt, dem will ich folgen als seine Gemahlin, will diesen Palast meines ersten Gatten mit ihm verlassen!«

Hierauf befahl sie dem Sauhirten, den Freiern Bogen und Pfeile vorzulegen. Weinend empfing Eumäos die Waffen aus der Lade und breitete sie vor den Kämpfern aus; und auch der Rinderhirt weinte. Das ärgerte den Antinoos. »Dumme Bauern«, schalt er, »was macht ihr mit euren Tränen unserer Königin das Herz schwer! Sättigt euch beim Mahle oder weint vor der Tür draußen! Wir aber, ihr Freier, wollen uns an den schweren Wettstreit machen; denn diesen Bogen da zu spannen dünkt mich gar nichts Leichtes. Unter uns allen ist kein Mann wie Odysseus, ich erinnere mich seiner noch wohl, obgleich ich damals noch ein kleiner Knabe war und kaum reden konnte.« So sprach Antinoos, im Herzen aber dachte er sich die Bogensehne schon gespannt und den Pfeil durch die Äxte hindurchgeflogen. Ihm aber war der erste Pfeil aus der Hand des Odysseus beschieden.

Jetzt stand Telemachos auf und sprach: »Fürwahr, Zeus hat mir meinen

Verstand genommen! Meine Mutter erklärt sich bereit, dieses Haus zu verlassen und einem Freier zu folgen, und ich lache dazu. Wohlan, ihr Freier, ihr wagt den Wettkampf um ein Weib, wie in ganz Griechenland keines mehr ist. Doch das wisst ihr selbst, und ich brauche meine Mutter euch nicht zu loben. Darum ohne Zögern den Bogen gespannt! Hätte ich doch selbst Lust, mich im Wettkampf zu versuchen; dann, wenn ich euch besiegte, würde mir die Mutter das Haus nicht verlassen!« So sprach er, warf Purpurmantel und Schwert von der Schulter, zog eine Furche durch den Estrich des Saales, bohrte die Äxte eine um die andere in den Boden und stampfte die Erde wieder fest. Alle Zuschauer bewunderten seine Kraft und Pünktlichkeit. Dann griff er selbst nach dem Bogen und stellte sich damit auf die Schwelle. Dreimal versuchte er, den Bogen zu spannen, dreimal versagte ihm die Kraft. Nun zog er die Sehne zum vierten Mal an, und jetzt wäre es ihm gelungen; aber ein Wink des Vaters hielt ihn mitten in der Anstrengung zurück. »Ihr Götter!«, rief er. »Entweder bin ich ein Schwächling oder noch zu jung und nicht im Stande, einen Beleidiger von mir abzuwehren! So versucht es denn ihr anderen, die ihr kräftiger seid als ich!« Also sprechend, lehnte er Bogen und Pfeil an den Türpfosten und setzte sich wieder nieder auf den Thronsessel, von dem er aufgestanden war.

Mit triumphierender Miene erhob sich jetzt Antinoos und sprach: »Auf denn, ihr Freunde, fangt an dort hinten, von der Linken zur Rechten, wie der Weinschenk den Umgang hält!« Da stand zuerst Leiodes auf, der ihr Opferer war und immer zuhinterst im Winkel am großen Mischkrug saß; er war der Einzige, dem der Unfug der Freier zuwider war und der die ganze Rotte hasste. Dieser trat auf die Schwelle und bemühte sich vergebens, den Bogen zu spannen. »Tu es ein anderer«, rief er, indem er die Hände schlaff herabsinken ließ, »ich bin der Rechte nicht! Und vielleicht ist keiner in der Runde, der es vermag.« Mit diesen Worten lehnte er Bogen und Köcher an den Pfosten. Aber Antinoos schalt ihn und sprach: »Das ist eine ärgerliche Rede, Leiodes; weil du ihn nicht spannen kannst, soll es auch kein anderer vermögen? Auf, Melanthios«, sagte er dann zum Ziegenhirten, »zünde ein Feuer an, stelle uns den Sessel davor und bring uns eine tüchtige Scheibe Speck aus der Kammer, da wollen wir den ausgedörrten Bogen wärmen und salben, dann soll es besser gehen!« Es geschah, wie er befohlen, aber es war vergebens. Umsonst bemühte sich ein Freier nach dem anderen, den Bogen zu spannen. Zuletzt waren nur noch die beiden tapfersten, Antinoos und Eurymachos, übrig.

Odysseus entdeckt sich den guten Hirten

Nun geschah es, dass sich beim Hinausgehen aus dem Palast der Rinderhirt und der Sauhirt begegneten, und ihnen folgte auf dem Fuße der Held Odysseus. Als sie Pforte und Vorhof hinter sich hatten, holte er jene ein und sprach zu ihnen leise und vertraulich: »Ihr Freunde, ich möchte wohl ein Wort mit euch reden, wenn ich mich auf euch verlassen kann; sonst schweige ich lieber. Wie wäre es, wenn den Odysseus jetzt plötzlich ein Gott aus der Fremde zurückführte? Würdet ihr die Freier verteidigen oder ihn? Redet unverhohlen, ganz wie es euch ums Herz ist.« – »O Zeus im Olymp«, rief der Rinderhirt zuerst, »wenn mir dieser Wunsch gewährt würde, wenn der Held käme, du solltest sehen, wie sich meine Arme regen würden!« Ebenso flehte Eumäos zu allen Göttern, dass sie dem Odysseus Heimkehr verleihen möchten.

Als nun dieser ihres Herzens Gesinnung erkannt hatte, da sprach er: »Nun denn, ihr Kinder, so vernehmt's: ich selbst bin Odysseus! Nach unsäglichen Leiden komme ich im zwanzigsten Jahre zurück in meine Heimat, und ich sehe, dass ich euch beiden willkommen bin, euch allein unter allem Gesinde; denn keinen unter allen hörte ich jemals um meine Wiederkehr zu den Göttern flehen. Dafür will ich auch jedem von euch, wenn ich die Freier bezwungen habe, ein Weib geben, Acker schenken, Häuser bauen ganz nahe bei meinem Hause, und Telemachos soll euch behandeln wie seine leiblichen Brüder. Damit ihr aber an der Wahrheit meiner Aussage nicht zweifelt, so erkennet hier die Narbe von jener Wunde, die der Eber dem Knaben auf der Jagd beigebracht hat.« Damit schob er die Lumpen seines Kleides auseinander und entblößte die große Narbe. Jetzt begannen die beiden Hirten zu weinen, umschlangen ihren Gebieter und küssten ihm Gesicht und Schultern. Auch Odysseus küsste die treuen Knechte, dann aber sprach er: »Hängt eurem Grame nicht nach, liebe Freunde, dass uns keiner im Palast verrate. Auch wollen wir alle nur einzeln, einer nach dem anderen, hineingehen. Dann werden es die Freier nicht gestatten wollen, dass auch mir Bogen und Köcher gereicht werde; du aber, Eumäos, wandle nur keck mit dem Bogen durch den Saal und reiche ihn mir. Zugleich befiehlst du den Weibern, die Pforten des Hintergemachs fest zu verriegeln; und wenn man auch inwendig im Saal Lärmen von Männerstimmen und Stöhnen hört, so soll sich keine aus der Tür wagen, sondern ruhig bei der Arbeit verharren. Dir aber, treuer Philötios, sei das Hoftor anvertraut; riegle es fest zu und binde das Seil ums Schloss.«

Nach dieser Weisung begab sich Odysseus in den Saal zurück, und die Hirten folgten ihm, einer um den andern. Eurymachos drehte gerade den Bogen unermüdlich über dem Feuer um, aber es gelang ihm nicht, die Sehne zu spannen, und unmutig seufzend sprach er: »Ei, wie kränkt es mich! Nicht so sehr um Penelopes Hand gräme ich mich, denn es gibt der Griechinnen noch genug in Ithaka und anderwärts; sondern dass wir gegen den Helden Odysseus so ganz kraftlos erscheinen sollen; darüber werden uns die Enkel noch verspotten!« Antinoos aber wies den Freund zurecht und sagte: »Rede nicht so, Eurymachos, es feiert heute das Volk ein großes Fest: da ziemt es eigentlich gar nicht, den Bogen zu spannen. Lasst uns das Geschoss hinweglegen und wieder eins trinken; die Äxte mögen immerhin im Saale stehen bleiben, dann opfern wir morgen dem Apollon und vollbringen den Bogenkampf!«

Jetzt wandte sich Odysseus an die Freier und sprach: »Ihr tut wohl daran, heute zu rasten; morgen wird euch hoffentlich Apollon, der Fernhintreffer, Sieg verleihen. Einstweilen gestattet mir, den Bogen zu erproben und zu versuchen, ob in den elenden Gliedern noch etwas von der alten Kraft geblieben ist.« – »Fremdling«, fuhr Antinoos bei diesen Worten des Helden auf, »bist du ganz von Sinnen? Betört dich der Wein? Willst du Hader beginnen, wie der Kentaure auf der Hochzeit des Peirithoos? Bedenke, dass dieser selbst zuerst das Verderben fand; so soll auch dich das Unheil treffen, sobald du den Bogen spannst, und du wirst keinen Fürsprecher mehr unter uns finden!« Nun mischte sich auch Penelope in den Streit. »Antinoos«, sprach sie mit sanfter Stimme, »wie unziemlich wäre es, den Fremdling vom Wettkampf ausschließen zu wollen! Fürchtest du etwa, wenn es dem Bettler gelänge, den Bogen zu spannen, er würde mich als Gattin heimführen? Schwerlich macht er sich selbst diese Hoffnung. Bekümmere sich nur deswegen keiner von euch in seinem Herzen! Das wäre ja unmöglich, unmöglich!« – »Nicht das fürchten wir, o Königin«, antwortete ihr Eurymachos hierauf; »nein, sondern wir fürchten nur die Nachrede bei den Griechen, dass nur schlechte Männer, von denen keiner vermocht hat, den Bogen des unsterblichen Helden zu spannen, um seine Gattin geworben haben; zuletzt aber sei ein Bettler aus der Fremde gekommen, der habe den Bogen ohne Anstrengung gespannt und durch die Äxte geschossen!« – »Der Fremdling ist nicht so schlecht, wie ihr wähnt«, sprach darauf Penelope, »seht ihn nur recht an, wie groß und gedrungen sein Gliederbau ist! Auch er rühmt sich eines edlen Mannes als Erzeugers. So gebt ihm denn den Bogen; spannt er ihn, so soll er nichts weiter von mir haben als Mantel und Leibrock, Speer und Schwert und Sohlen unter die Füße. Damit mag er hinziehen, wohin sein Herz begehrt.« Nun fiel Telemachos ein und sagte: »Mutter, über den Bogen hat kein Achäer zu gebieten als ich, und keiner soll mich mit Gewalt davon abhalten, und wollte ich ihn dem Fremdling auf der Stelle schenken, damit in die weite Welt zu gehen. Du aber, Mutter, geh in dein Frauengemach zu Webstuhl und Spindel, das Geschoss gebührt den Männern.« Staunend fügte sich Penelope der entschlossenen Rede des verständigen Sohnes.

Und nun brachte der Sauhirt den Bogen, während die Freier ein wütendes Geschrei erhoben: »Wohin mit dem Geschoss, du Rasender? Juckt es dich, von deinen eigenen Hunden bei den Schweineställen zerrissen zu werden?« Erschrocken legte er den Bogen von sich; aber Telemachos rief mit drohender Stimme: »Hierher mit dem Bogen, Alter, du hast nur einem zu gehorchen, sonst jage ich dich mit Steinen hinaus, obgleich ich der Jüngere bin. Wäre ich nur den Freiern so überlegen, wie ich dir es bin!« Die Freier lachten und ließen von ihrem Zorne nach. Der Sauhirt reichte dem Bettler den Bogen, dann befahl er der Schaffnerin, die Pforten des Hintergemachs zu verriegeln, und Philötios eilte aus dem Palast und verschloss sorgfältig die Pforte des Vorhofs.

Odysseus aber beschaute sich den Bogen von allen Seiten, ob in der langen Zeit die Würmer nicht das Holz zernagt hätten und sonst etwas an ihm gebräche; und unter den Freiern sprach wohl ein Nachbar zum andern: »Der Mann scheint sich auf den Bogen nicht übel zu verstehen! Hat er wohl selbst einen ähnlichen zu Hause oder will er sich einen da-

nach bilden? Seht doch, wie ihn der Landstreicher in den Händen hin und her dreht!«
Nachdem Odysseus den gewaltigen Bogen von allen Seiten geprüft, spannte er ihn nur leichthin, wie der Sänger die Saiten eines Lautenspiels; griff mit der rechten Hand in die Sehne und versuchte ihre Spannkraft. Diese gab einen hellen Ton von sich wie das Zwitschern der Schwalbe. Die Freier aber durchzuckte ein Schmerz, und sie erblassten. Zeus aber donnerte vom Himmel mit heilvoller Vorbedeutung. Da fasste Odysseus mutig den Pfeil, der auf dem Tische aus dem Köcher geschüttet vor ihm lag, fasste den Bogen, zog die Sehne und die Kerbe und schnellte, mit sicherem Auge zielend, den aufgelegten Pfeil ab. Keine Axt verfehlte der Schuss: der Pfeil flog vom vordersten Öhr hindurch bis zum letzten. Dann sprach der Held: »Nun, der Fremdling in deinem Palast hat dir keine Schande gebracht, Telemachos! Meine Kraft ist noch ungeschwächt, sosehr mich die Freier verhöhnt haben. Jetzt aber ist es Zeit, dass wir den Achäern den Abendschmaus geben, noch ehe es Nacht wird, dann folge Lautenspiel und Gesang, und was sonst noch das festliche Mahl erfreuen mag.«
Mit diesen Worten gab Odysseus seinem Sohne den heimlichen Wink. Schnell warf sich dieser sein Schwert um, griff zum Speer und stellte sich gewappnet neben den Stuhl des Vaters.

Die Rache

Da streifte sich Odysseus die Lumpen rückwärts von den Armen, und Bogen und Köcher voll Geschosse in der Hand, sprang er auf die hohe Schwelle, hier schüttete er sich die Pfeile vor seinen Füßen aus und rief in die Versammlung hinab: »Der erste Wettkampf wäre nun vollbracht, ihr Freier! Nun folgt der zweite; und jetzt wähle ich mir ein Ziel, wie es noch kein Schütze getroffen hat; und doch gedenke ich es nicht zu verfehlen.«
So sprach er und zielte mit dem Bogen auf Antinoos. Dieser hob eben den gehenkelten Pokal und führte ihn ahnungslos zum Munde. Da fuhr ihm der Pfeil des Odysseus in die Gurgel, dass die Spitze aus dem Genick hervordrang. Der Becher entstürzte seiner Hand; dem Erschossenen fuhr ein dicker Blutstrahl aus der Nase, und während er zur Seite sank, stieß er

den Tisch samt den Speisen mit dem Fuße um, dass diese auf den Boden rollten. Als die Freier den Fallenden gewahrten, sprangen sie tobend von ihren Thronsesseln auf; rings durchforschten sie die Wände des Saales nach Waffen: aber da war kein Speer und kein Schild zu sehen. Nun machten sie sich mit grimmigen Scheltworten Luft: »Was schießest du auf Männer, verfluchter Fremdling? Unseren edelsten Genossen hast du getötet. Aber es ist dein letzter Schuss gewesen, und bald werden dich die Geier fressen.« Sie meinten nämlich, er habe ihn getroffen, ohne es zu wollen, und ahnten nicht, dass sie alle das gleiche Schicksal bedrohe. Odysseus aber rief mit donnernder Stimme zu ihnen herunter: »Ihr Hunde, ihr meint, ich komme nimmermehr von Troja zurück: deswegen verschwelgtet ihr mein Gut, verführtet mein Gesinde, warbet bei meinem Leben um mein eigenes Weib, scheutet Götter und Menschen nicht! Jetzt aber ist die Stunde eures Verderbens gekommen!«

Wie sie solches hörten, wurden die Freier bleich, und Entsetzen ergriff sie. Jeder sah sich schweigend um, wie er entfliehen möchte; nur Eurymachos fasste sich und sprach: »Wenn du wirklich Odysseus der Ithaker bist, so hast du ein Recht, uns zu schelten, denn es ist viel Unziemliches im Palast und auf dem Lande geschehen. Aber der, der an allem schuld war, liegt ja bereits von deinem Pfeil erschossen. Denn Antinoos ist's, der das alles angestiftet hat, und zwar warb er nicht einmal ernstlich um deine Gemahlin, sondern er selbst wollte König von Ithaka werden und gedachte deinen Sohn heimlich zu ermorden. Doch der hat ja nun sein Teil: du aber schone deine Stammesgenossen; lass dich versöhnen! Jeder von uns soll dir zwanzig Rinder zum Ersatz für das Verzehrte bringen, auch Erz und Gold, so viel dein Herz verlangt, bis wir dich wieder gnädig gestimmt haben!« – »Nein, Eurymachos«, antwortete Odysseus finster, »und wenn ihr mir all euer Erbgut bötet und noch mehr, ich werde nicht ruhen, bis ihr mir alle mit dem Tod euere Missetaten gebüßt habt. Tut, was ihr wollt, kämpfet oder fliehet, keiner wird mir entrinnen!«

Herz und Knie zitterten den Freiern. Noch einmal sprach Eurymachos, und zwar jetzt zu seinen Freunden: »Liebe Männer, dieses Mannes Hände wird niemand mehr aufhalten, zieht die Schwerter, wehrt sein Geschoss mit den Tischen ab: alsdann werfen wir uns auf ihn selber, suchen ihn von der Schwelle zu verdrängen; dann zerstreuen wir uns durch die Stadt und rufen unsere Freunde auf.« So sprach er, zog sein

Schwert aus der Scheide und sprang mit grässlichem Geschrei empor. Da durchbohrte ihm der Pfeil des Helden die Leber; das Schwert sank ihm aus der Hand, er wälzte sich mitsamt dem Tische zu Boden, warf Speisen und Becher zur Erde und schlug mit der Stirn auf den Estrich. Den Sessel stampfte er mit den Füßen hinweg; es waren die letzten Zuckungen, und er lag tot auf dem Boden. Nun stürmte Amphinomos gegen Odysseus hinan, um sich mit dem Schwerte Bahn durch den Eingang zu machen. Aber diesen erreichte Telemachos' Speer im Rücken zwischen den Schultern, so dass er vorn aus der Brust hervordrang und der Getroffene auf das Angesicht zu Boden fiel. Telemachos entzog sich nach dieser Tat dem Gewühl der Freier durch einen Sprung und stellte sich zu seinem Vater auf die Schwelle, dem er einen Schild, zwei Lanzen und einen ehernen Helm zubrachte. Dann eilte er selbst zur Tür hinaus und in die Rüstkammer. Hier suchte er für sich und die Freunde noch weitere vier Schilde, acht Lanzen und vier Helme mit wallendem Rossschweif aus. Damit waffneten sie sich, er und die beiden treuen Hirten. Die vierte Rüstung brachten sie dem Odysseus, und so standen nun alle vier nebeneinander.

Solange dieser noch Pfeile hatte, streckte er mit jedem Schuss einen Freier danieder, dass sie übereinander taumelten. Dann lehnte er den Bogen an den Türpfosten, warf sich eilig den vierfachen Schild über die Schultern, setzte sich den Helm aufs Haupt, dessen Busch fürchterlich nickte, und fasste dann zwei mächtige Lanzen. In dem Saale war noch eine Seitenpforte angebracht, die in einen Gang führte, der in den Hausflur auslief. Die Öffnung der Pforte war aber eng und fasste nur einen einzigen Mann. Dieses Pförtchen hatte Odysseus dem Eumäos zur Hut anvertraut; nun aber, da jener seine Stelle verlassen, sich zu waffnen, blieb es unbewacht. Einer von den Freiern, Agelaos, bemerkte dieses. »Wie wäre es«, rief er, »Freunde, wenn wir uns durch die Seitenpforte flüchteten und so in die Stadt gelangten, um das Volk aufzuwiegeln, dann hätte der Mann bald ausgewütet!« – »Sei kein Tor«, sagte Melanthios zu ihm, der Ziegenhirt, der in der Nähe stand und auf der Seite der Freier war, »Pforte und Gang sind so eng, dass nur ein einzelner Mann hindurchkann, und wenn sich von jenen vieren nur einer davorstellt, so wehrt er uns allen. Lass lieber mich unbemerkt hinausschlüpfen, so hol ich euch Waffen genug vom Söller.« Dies tat der Ziegenhirt und kam auf wiederholten Gängen mit zwölf Schilden und ebenso vielen Helmen und Lanzen zurück. Unerwartet sah Odysseus seine Feinde mit Rüstungen umhüllt und lange Speere in den Händen bewegend. Er erschrak und sprach zu seinem Sohne Telemachos: »Das hat uns eine der falschen Mägde oder der arge Geißhirt zugerichtet!« – »Ach, Vater, ich bin selbst daran schuld«, erwiderte Telemachos, »ich habe vorhin, als ich die Waffen holte, die Tür der Rüstkammer in der Eile nur angelehnt.« Der Sauhirt eilte nun hinauf zur Kammer, um sie zu verschließen. Durch die offene Tür sah er, wie drin schon wieder der Geißhirt stand, um weitere Waffen zu holen. Er eilte mit dieser Nachricht nach der Schwelle zurück. »Soll ich mich des Schalks bemächtigen?«, fragte er seinen Herrn. »Ja«, erwiderte dieser, »nimm den Rinderhirten mit, überfallt ihn in der Kammer, dreht ihm Hände und Füße auf den Rücken und hängt ihn mit einem starken Seil an die Mittelsäule der Kammer, dass er in Qualen harre. Dann schließt die Tür zu und kehrt zurück.« Die Hirten gehorchten. Sie beschlichen den Falschen, wie er eben im Winkel der Kammer nach Waffen umherspähte. Als er wieder zu der Schwelle kam, in der einen Hand einen Helm, in der anderen einen alten, verschimmelten Schild, packten sie ihn, warfen den Schreienden zu Boden, fesselten ihm Hände und Füße auf den Rücken, knüpften an einen Haken der Decke ein langes Seil, schlangen es um seinen Leib und zogen ihn an der Säule bis dicht an die Balken empor. »Wir haben dich sanft gebettet«, sprach der Sauhirt, »schlaf wohl!« Nun verschlossen sie die Pforte und kehrten auf ihre Posten zu den Helden zurück. Unverhofft gesellte sich zu den vieren ein fünfter Streiter: es war Athene in Mentors Gestalt, und Odysseus erkannte die Göttin freudig. Als die Freier den neuen Kämpfer bemerkten, rief Agelaos zornig aus: »Mentor, ich sage dir, lass dich durch Odysseus nicht verleiten, die Freier zu bekriegen, sonst ermorden wir mit Vater und Sohn auch dich und dein ganzes Haus.« Athene entbrannte bei diesen Worten, sie spornte den Odysseus an und sprach: »Dein Mut scheint mir nicht mehr derselbe zu sein, Freund, wie du ihn zehn Jahre lang vor Troja bewiesen. Durch deinen Rat sank diese Stadt: und nun, wo es gilt, in deiner eigenen Heimat Palast und Gut zu verteidigen, zagest du den Freiern gegenüber?« So sprach sie, seinen Mut anfeuernd, für ihn zu streiten gedachte sie nicht. Denn plötzlich schwang sie sich in Vogelgestalt empor und saß einer Schwalbe gleich auf dem rußigen Gebälk der Decke. »Mentor ist wieder hinweggegangen, der Prahler«, rief Agelaos seinen Freunden zu, »die vier sind wieder allein. Lasst uns nun den Kampf wohl überlegen; werft nicht alle zugleich euere Lanzen, sondern ihr sechs da zuerst; und zielt mir fein alle nur auf Odysseus: liegt er nur erst, so kümmern uns die anderen wenig!« Aber Athene vereitelte ihnen den gewaltigen Wurf: des einen Lanze durchbohrte den Pfosten; des anderen fuhr in die Tür, anderen blieb sie in der Wand stecken. Jetzt rief Odysseus seinen Freunden zu: »Wohl gezielt und geschossen!« Und alle vier schickten ihre Lanzen ab, und keiner fehlte: Odysseus traf den Demoptolemos, Telemachos den Euryades, den Elatos der Sauhirt, der Rinderhirt den Pisandros, welche miteinander in den Staub sanken. Einen Augenblick flüchteten sich die noch übrigen Freier in den äußersten Winkel des Saales: bald aber wagten sie sich wieder hervor und zogen die Speere aus den Leichnamen. Dann schossen sie neue Lanzen ab; die meisten fehlten wieder, nur der Speer des Amphimedon streifte dem Telemachos die Knöchelhaut an der einen Hand, und des Ktesippos Lanze ritzte dem Sauhirten die Schulter über dem Schild. Beide wurden zum Lohne von den Verletzten durch Lanzenwürfe getötet, und der Sauhirt begleitete seinen Wurf mit den Worten: »Nimm dies, du Lästerer, für den Kuhfuß, mit dem du meinen Herrn beschenktest, als er noch im Saale bettelte.«

Den Eurydamas hatte der Wurf des Odysseus niedergestreckt. Jetzt erstach er mit der Lanze Agelaos, den Sohn des Damastor; Telemachos jagte dem Leokritos den Speer durch den Bauch; Athene schüttelte ihren verderblichen Agisschild von der Decke herab und jagte den Freiern Entsetzen ein, dass sie wie Kinder, von der Bremse gestochen, oder wie kleine Vögel vor den Klauen des Habichts im Saale hin und her irrten. Odysseus und seine Freunde waren von der Schwelle herabgesprungen und durchwüteten mit Morden den Saal, dass überall Schädel krachten, Röcheln sich erhob und der Boden von Blut floss.

Einer der Freier, Leiodes, warf sich dem Odysseus zu Füßen, umklammerte seine Knie und rief: »Erbarme dich! Nie habe ich Mutwillen in deinem Hause getrieben, habe die anderen gezähmt, aber sie folgten mir nicht! Ich bin ihr Opferer und habe nichts getan, soll ich denn auch fallen?« – »Wenn du ihr Opferer bist«, erwiderte Odysseus finster, »so hast du wenigstens für sie gebetet!« Und nun raffte er das Schwert des

Agelaos, das dieser im Tode hatte sinken lassen, vom Boden auf und hieb dem Leiodes, während er noch flehte, das Haupt vom Nacken, dass es in den Staub hinrollte.

Nahe an der Seitenpforte stand der Sänger Phemios, die Harfe in den Händen. Er überlegte in der Todesangst, ob er sich durch das Pförtchen in den Hof zu retten suchen oder die Knie des Odysseus umfassen sollte. Endlich entschloss er sich zu dem Letzteren, legte die Harfe zwischen dem Mischkrug und Sessel zu Boden und warf sich vor Odysseus nieder. »Erbarme dich meiner«, rief er, seine Knie umschlingend, »du selbst bereutest es, wenn du den Sänger erschlagen hättest, der Götter und Menschen mit seinem Lied erfreut. Ich bin der Lehrling eines Gottes, und wie ein Gott will ich dich im Gesange feiern! Dein Sohn kann es mir bezeugen, dass ich nicht freiwillig hierher kam, dass sie mich gezwungen haben, zu singen!« Odysseus hob das Schwert, doch er zögerte; da sprang Telemachos herzu und rief: »Halt, Vater, verwunde mir diesen nicht, er ist unschuldig; auch den Herold Medon, wenn er nicht schon von den Hirten oder dir ermordet ist, lass uns verschonen, er hat mich schon als Kind im Hause so sorglich gepflegt und wollte uns immer wohl.« Medon, der, in eine frische Rinderhaut gehüllt, unter seinem Sessel verborgen lag, hörte die Fürbitte, wickelte sich los und lag bald dem Telemachos flehend zu Füßen. Da musste der finstere Held Odysseus lächeln und sprach: »Seid getrost ihr beide, Sänger und Herold, Telemachos' Bitte schützt euch. Geht hinaus und verkündiget den Menschen, wie viel besser es sei, gerecht als treulos zu handeln.« Die zwei eilten aus dem Saal und setzten sich, noch immer vor Todesangst zitternd, im Vorhofe nieder.

Bestrafung der Mägde

Odysseus blickte umher und sah keinen lebenden Freier mehr. Sie lagen hingestreckt am Boden wie Fische, die der Fischer aus dem Netz geschüttet. Da ließ Odysseus durch seinen Sohn die Schaffnerin berufen. Sie fand ihren Herrn unter den Leichen wie einen Löwen stehen, der Stiere zerrissen hat, dem der Rachen und die Brust von schwarzem Blute triefen und dessen Auge funkelt. So stand Odysseus, an Händen und Füßen mit Blut bedeckt. Frohlockend jauchzte die Schaffnerin, denn der Anblick war groß und fürchterlich. »Freue dich, Mutter«, rief ihr der Held ernsthaft entgegen, »aber jauchze nicht: kein Sterblicher soll über Erschlagene jubeln! Diese hier hat das Gericht der Götter gefällt, nicht ich. Jetzt aber nenne mir die Weiber des Palastes, welche mich verachtet haben, welche treu geblieben sind.« – »Es sind fünfzig Dienerinnen im Hause«, antwortete Eurykleia, »die wir Kleiderwirken, Wollekämmen, das Hauswesen bestellen gelehrt haben. Von diesen haben sich zwölf von euch abgewendet und weder mir noch Penelope gehorcht, denn dem Sohne überließ die Mutter das Regiment über die Mägde nicht. – Nun aber lass mich meine schlummernde Herrin erwecken, o König, und ihr die Freudenbotschaft verkünden.« – »Wecke jene noch nicht«, antwortete Odysseus, »sondern schicke mir die zwölf treulosen Mägde herunter.« Eurykleia gehorchte, und zitternd erschienen die Dienerinnen. Da rief Odysseus seinen Sohn und die treuen Hirten zu sich heran und sprach: »Tragt nun die Leichname hinaus und heißt die Weiber Hand anlegen. Dann sollen sie die Sessel und Tische mit Schwämmen säubern und den ganzen Saal reinigen. Wenn dies geschehen ist, führt mir die Mägde hinaus zwischen Küche und Hofmauer und macht sie alle mit dem Schwerte nieder, dass ihnen der Mutwille ausgetrieben wird, dem sie sich mit den Freiern überlassen haben!« Wehklagend und weinend sammelten sich die Weiber auf einer Stelle, aber Odysseus trieb sie zum Werke und war hinter ihnen her, bis sie die Toten hinausgetragen, Sessel und Tische gesäubert, den Estrich reingeschaufelt und den Unrat vor die Tür geschleppt hatten. Dann wurden sie von den Hirten zum Palast hinaus zwischen Küche und Hofmauer gedrängt, wo kein Ausweg war. Und nun sprach Telemachos: »Diese schändlichen Weiber, die mein und meiner Mutter Haupt verunehrt haben, sollen keines ehrlichen Todes sterben!« Mit diesen Worten knüpfte er von Pfeiler zu Pfeiler, das Küchengewölbe entlang, ein ausgespanntes Seil, und bald hingen die Mägde mit der Schlinge um den Hals, alle zwölf nebeneinander, wie ein Zug Drosseln im Netze und zappelten nur noch eine kurze Weile mit den Füßen in der Luft.

Jetzt wurde auch der boshafte Ziegenhirt Melanthios über den Vorhof herbeigeschleppt und in Stücke gehauen. Als Telemachos und die Hirten dies vollbracht hatten, war das Werk der Rache beendigt, und sie kehrten zu Odysseus in den Saal zurück.

Hierauf befahl Odysseus der Schaffnerin Eurykleia, Glut und Schwefel auf einer Pfanne zu bringen und Saal, Haus und Vorhof zu durchräuchern. Noch ehe sie aber dieses Geschäft vornahm, brachte sie ihrem königlichen Herrn Mantel und Leibrock. »Du sollst mir« sprach sie, »lieber Sohn und unser aller Herr, nicht mehr so mit Lumpen bedeckt im Saale dastehen, du, die herrliche Heldengestalt. Das wäre ja ganz unziemlich.« Odysseus aber ließ die Kleider noch liegen und hieß die Alte an ihr Geschäft gehen. Während diese nun den Saal und das ganze Haus durchräucherte, rief sie auch die treu gebliebenen Dienerinnen herbei. Diese drängten sich bald um ihren geliebten Herrn, hießen ihn mit Freudentränen willkommen, drückten ihr Angesicht auf seine Hände und konnten sich mit Küssen nicht ersättigen. Odysseus aber weinte und schluchzte vor Freuden, denn jetzt erkannte er, wer ihm treu geblieben war.

Odysseus und Penelope

Als das Mütterchen mit der Räucherung fertig war, stieg es empor zum Söller, um jetzt endlich der geliebten Herrin zu verkündigen, dass ihr Gemahl Odysseus es sei und kein anderer, der in die Heimat zurückgekommen. Die Füße der Alten trippelten hurtig, aber die Knie versagten ihr beinahe. So trat sie vor das Lager Penelopes, und die Schlummernde weckend, sprach sie: »Liebe Tochter, erwache, du sollst mit deinen eigenen Augen dasjenige sehen, worauf du von Tag zu Tag gewartet hast: Odysseus ist daheim; Odysseus ist endlich im Palast! Er hat die trotzigen Freier, die dich so sehr geängstigt, die seine Habe verzehrten, die seinen Sohn beschimpften – er hat sie erschlagen!«

Penelope rieb sich den Schlummer aus den Augen und sagte: »Mütterchen, du bist eine Törin; die Götter haben dich mit Blödsinn geschlagen. Was weckst du mich mit deiner lügenhaften Botschaft aus dem sanftesten Schlummer? Seit Odysseus ausgefahren ist, habe ich nicht mehr so fest geschlafen! Hätte mich eine andere mit diesem Märchen getäuscht, ich würde sie nicht nur mit scheltenden Worten fortschicken; und auch dich schützt nur dein Alter, aber auf der Stelle geh mir hinunter in den Saal.«

»Tochter, spotte nicht«, entgegnete die Schaffnerin, »der Fremdling ist's, der Bettler, dessen alle im Saale spotteten. Dein Sohn Telemachos wusste es längst, aber er sollte das Geheimnis verbergen, bis Rache an den Freiern genommen war.«

Als sie solches hörte, sprang die Fürstin vom Lager und schmiegte sich an die Alte, und unter einem Strome von Tränen sprach sie: »Mütterchen, wenn du wirklich die Wahrheit redest, wenn Odysseus wirklich im Palast ist: sage mir, wie bewältigte er die Freier, die zahllos versammelten?« – »Ich selber habe es weder gesehen noch gehört«, antwortete Eurykleia, »denn wir Frauen saßen voll Angst in den fest verschlossenen Gemächern, aber das Ächzen hörte ich wohl; und als mich endlich dein Sohn herbeirief, da fand ich deinen Gemahl dastehen, von Leichen umringt, denn die Freier alle lagen auf dem Boden übereinander gestreckt. So blutig er anzuschauen war, er hätte dir doch gefallen, Tochter: jetzt aber liegen die Leichname alle weit draußen vor der Hofpforte; das ganze Haus ist von mir mit reinigendem Schwefel durchräuchert worden: du kannst ohne alles Grauen hinabsteigen.« – »Alte, ich kann es immer noch nicht glauben«, sprach Penelope, »es ist ein Unsterblicher, der die Freier erschlagen hat. Aber Odysseus – ach nein, der ist fern, der ist nicht mehr am Leben!« – »Ungläubiges Herz«, entgegnete kopfschüttelnd die Schaffnerin, »so will ich dir noch ein untrüglicheres Zeichen angeben. Du kennst ja die Narbe, die von des Ebers Zahn herrührt; nun, damals, als ich auf deinen Befehl dem Bettler die Füße wusch, da erkannte ich sie und wollte dir's auf der Stelle verkündigen: aber er schnürte mir die Gurgel zu und litt es nicht.« – »So lass uns denn hinabgehen«, sagte Penelope, vor Furcht und Hoffnung zitternd; und so stiegen sie beide miteinander hinab in den Saal und schritten über die Schwelle. Hier setzte sich Penelope, ohne ein Wort zu reden, im Glanze des Herdfeuers dem Odysseus gegenüber. Er selbst saß an der Säule mit gesenkten Augen und wartete auf ihr Wort. Aber Staunen und Zweifel machten die Königin stumm; bald glaubte sie sein Angesicht zu erkennen, bald deuchte es ihr wieder fremd, und ihre Augen ruhten nur auf den Lumpen des Bettlers. Endlich trat Telemachos zur Mutter und sprach halb lächelnd, halb scheltend: »Böse Mutter, wie kannst du so unempfindlich bleiben? Setze dich doch zum Vater, forsche, frage! Welches andere Weib, wenn ihr Gatte nach so viel Jammer im zwanzigsten Jahre heimkehrt, würde sich so gebärden! Hast du denn allein statt des Herzens einen Stein im Busen?«

»Ach, lieber Sohn«, erwiderte Penelope, »ich bin in Staunen verloren; ich kann ihn nicht anreden, ich kann ihn nicht fragen, ich kann ihm nicht gerade ins Angesicht schauen! Und doch ist er es wirklich, er ist's, mein Odysseus, er ist zurückgekommen in sein Haus! Doch werden wir einander schon erkennen, und viel sicherer, denn wir haben geheime Zeichen, die niemand sonst bekannt sind.« Da wandte sich Odysseus mit sanftem Lächeln an seinen Sohn und sprach: »Lass die Mutter immerhin mich versuchen; sie verachtet mich, weil ich in so gar hässliche Lumpen gehüllt bin. Nun, wir wollen sehen, wie wir sie überzeugen. Jetzt aber tut anderes Not. Wer auch nur einen einzigen Mann aus dem Volke getötet hat, der flieht Haus und Heimat, auch wenn jener nur wenige Rächer hinterlässt. Wir aber haben die Stützen des Landes, die edelsten Jünglinge der Insel und der Nachbarschaft erschlagen, was tun wir?« – »Vater«, sagte Telemachos, »da musst du allein sorgen. Du giltst in aller Welt für den klügsten Ratgeber.« – »So will ich euch denn sagen«, erwiderte Odysseus, »was ich für das Klügste halte. Du, die Hirten, alles was im Hause ist, ihr nehmt vor allen Dingen ein Bad und schmückt euch aufs Allerbeste; auch die Mägde kleiden sich in ihre besten Gewänder, der Sänger aber nimmt die Harfe zur Hand und spielt uns allen einen Reihentanz auf. Wer dann über die Straße geht, wer in der Nähe wohnt, meint nicht anders, als das Fest dauere noch fort im Hause, und so verbreitet sich wohl das Gerücht von der Ermordung der Freier nicht eher in der Stadt, als bis wir unsere Besitzungen auf dem Lande erreicht haben, dann wird uns ein Gott eingeben, was weiter zu tun ist.«

Bald ertönte das ganze Haus von Harfenspiel, Gesang und Tanz. Auf der Straße sammelten sich die Einwohner und sprachen zueinander: »Nun ist kein Zweifel! Penelope hat sich wieder verheiratet, und im Palast wird das Vermählungsfest gefeiert. Die böse Frau, konnte sie nicht erwarten, bis der Gemahl ihrer Jugend zurückgekehrt wäre?« Endlich gegen Abend verlief sich das Volk. Odysseus hatte sich in dieser Zeit gebadet und gesalbt. Athene aber goss ihm jetzt wieder Anmut um das Haupt: sein dunkles Haar umringelte in vollem Wuchse den Scheitel, und einem Unsterblichen gleich stieg er aus der Badewanne. So trat er in den Saal und setzte sich wieder in seinen Thronsessel, der Gemahlin gegenüber. »Seltsame Frau«, sprach er, »die Götter haben dir doch ein fühlloses Herz verliehen, kein anderes Weib wird so hartnäckig ihren Gatten verleugnen, wenn er im zwanzigsten Jahre nach so viel Trübsal heimkehrt. So wende ich mich denn an dich, Eurykleia, Mütterchen, dass du mir irgendwo mein Lager bereitest; denn diese hier hat ein eisernes Herz in der Brust!«

»Unbegreiflicher Mann«, sprach jetzt Penelope, »nicht Stolz, nicht Verachtung, kein ähnliches Gefühl hält mich von dir zurück; ich weiß noch recht gut, wie du aussahest, als du Ithaka zu Schiffe verließest. Wohl denn, Eurykleia, bereite ihm das Lager außerhalb des Schlafgemachs, richte es wohl zu mit Vliesen, Mänteln und Teppichen.«

So versuchte Penelope ihren Gemahl, Odysseus aber blickte unwillig auf und sprach: »Das war ein kränkendes Wort, Frau, meine Bettstelle vermag kein Sterblicher zu verrücken, und wenn er alle Jugendkräfte anstrengte. Ich selbst habe mir die Lade gezimmert, und es ist ein großes Geheimnis daran. Mitten auf dem Platze, wo wir den Palast anlegten, stand im blühendsten Saft ein schattiger Olivenbaum und war wie eine Säule gewachsen. Da ließ ich die Wohnung so anlegen, dass derselbe innerhalb des Schlafgemaches zu stehen kam. Als nun die Kammer schön aus Steinen erbaut und die Decke von Holz zierlich gebohnt war, kappte ich die Krone des Ölbaumes ab, den Stamm fing ich an von der Wurzel aus zu behauen und zu glätten. So bildete ich scharf nach der Richtschnur den Fuß des Bettes und meißelte dieses selbst bis zur Vollendung aus; dann wurde die Lagerstatt von mir künstlich mit Gold, Silber und Elfenbein durchwirkt und von starker Stierhaut darin Riemen für die Betten ausgespannt. Dies ist unser Lager, Penelope! Ob es noch steht, weiß ich nicht, wer es aber anders gestellt hat, der musste den Ölbaum von seiner Wurzel trennen.«

Die Knie zitterten der Königin, als sie das Zeichen erkannte. Weinend erhob sie sich vom Stuhle, lief auf ihren Gatten zu, umschlang ihm den Hals mit offenen Armen, küsste sein Haupt und küsste es wieder und begann: »Odysseus, du bist ja immer so gut, so voll Verstandes gewesen, zürne mir nicht. Die ewigen Götter haben Leid über uns verhängt, weil es ihnen zu selig deuchte, wenn wir unser junges Leben in Eintracht miteinander verbringen und auf sanftem Wege dem Alter nahen sollten. Du musst mir nicht gram sein, dass ich dich nicht auf der Stelle zärtlich willkommen geheißen habe. Mein armes Herz war in beständiger

Angst, es möchte mich irgendein schlauer Betrüger täuschen. Jetzt, nachdem du mir genannt hast, was kein Sterblicher außer dir und mir und unserer alten Pförtnerin Aktoris, die mir aus dem väterlichen Hause hierher gefolgt ist, wusste; jetzt ist mein hartes Herz besiegt und überzeugt!«

Die halbe Nacht verging den Gatten unter gegenseitiger Erzählung des unendlichen Elends, das sie beide in den zwanzig verflossenen Jahren erduldet, und der Königin kam kein Schlaf in die Augenlider, bis ihr Gemahl von allen seinen Irrfahrten ihr den ausführlichsten Bericht abgestattet hatte.

Endlich begab sich alles im Palast zur erwünschten Ruhe und suchte Erholung von den erschütternden Begebenheiten des Tages.

Odysseus und Laertes

Am anderen Morgen hatte sich Odysseus in aller Frühe reisefertig gemacht. »Liebes Weib«, sprach er zu Penelope, »wir beide haben bisher den Becher des Leidens bis zur Neige geleert, du mein Ausbleiben beweinend, ich durch Zeus und andere Götter von der Heimkehr ins Vaterland abgehalten. Jetzt, nachdem wir beide wieder vereinigt sind, unsere Herrschaft, unser Besitz uns wieder gesichert ist, sorge du für alles Gut, das mir im Palast noch geblieben ist. Was die Freier in ihrer Üppigkeit uns verprasst haben, das werden uns teils die Geschenke, mit welchen sie zuletzt ihre Bewerbung unterstützt haben, teils Raub und Gaben, die ich aus der Fremde mitbringe, reichlich ersetzen, so dass unsere Meierhöfe bald wieder gefüllt sein werden. Ich selbst aber will mich jetzt auf das Landgut hinausbegeben, wo mein guter alter Vater mich schon so lange betrauert. Ich rate dir aber, da das Gerücht von der Ermordung der Freier sich doch allmählich in der Stadt verbreiten muss, dass du dich mit deinen Dienerinnen in die Frauengemächer zurückziehest und niemand Gelegenheit gibst, dich zu schauen und zu befragen.«

So sprach Odysseus, warf sich sein Schwert um die Schulter und weckte nun auch seinen Sohn Telemachos und die beiden Hirten, die sofort alle drei auf seinen Befehl gleichfalls die Waffen ergriffen und mit dem ersten Frühlichte, den Helden an der Spitze, durch die Stadt eilten. Ihre Beschirmerin aber, Pallas Athene, hüllte die Wandelnden in einen dichten Nebel, so dass kein einziger Bewohner der Stadt sie erkannte.

Es dauerte nicht allzu lange, so hatten die vier Wanderer den lieblich gelegenen, wohl geordneten Meierhof des greisen Laertes erreicht. Es war eines der ersten Güter, das der Vater des Odysseus zum Ererbten an sich gebracht hatte. In der Mitte des Hofes lag von Wirtschaftsgebäuden umringt, das Wohnhaus. Hier aßen und schliefen die Knechte, die ihm das Feld bestellten. Eben daselbst wohnte auch eine alte Sizilierin, die auf dem einsamen Landgute den alten Mann mit größter Sorgfalt pflegte. Als sie nun vor der Wohnung standen, sprach Odysseus zum Sohn und zu den Hirten: »Betretet ihr einstweilen das Haus und schlachtet ein auserlesenes Mastschwein für unser Mittagsmahl. Ich selbst will aufs Feld hinausgehen, wo der gute Vater ohne Zweifel bei der Arbeit ist, und ihn auf die Probe stellen, ob er mich wohl noch erkennt. Es wird nicht lange währen, so kehre ich mit ihm zurück, und wir feiern dann zusammen das fröhliche Mahl.« Odysseus reichte seinen Genossen Schwert und Speer, und diese wandten sich der Wohnung zu.

Er schlug nun den Weg nach den Pflanzungen seines Vaters ein und kam zuerst durch den Würzgarten. Vergebens sah er sich hier nach dem Oberknechte Dolios, seinen Söhnen und den übrigen Knechten um. Sie waren alle ins Feld hinausgegangen, um Dornsträucher zu suchen und damit die Einfriedung um die Baumpflanzung herzustellen. Als der König in dieser Letzteren angekommen war, fand er endlich den alten Vater selbst zwischen den schönen Reihengängen seiner Bäume stehen, wie er eben beschäftigt war, ein kleines Bäumchen umzugraben. Der Greis sah einem alten Knechte nicht unähnlich: er hatte einen groben, schmutzigen, an vielen Stellen geflickten Leibrock an; um die Beine trug er ein paar alte Felle von Ochsenleder, um sich damit gegen die Dornen zu schützen; an den Händen Handschuhe; auf dem Kopfe eine Mütze von Geißfell. Als Odysseus seinen Vater in diesem elenden Aufzuge erblickte, gebeugt vom Alter, die Spuren des tiefsten Kummers auf dem Gesicht, musste sich der Held vor Schmerz an den Stamm eines Birnbaumes lehnen und weinte bitterlich. Am liebsten hätte er den Vater unter Küssen umarmt und ihm auf einmal gesagt, dass er sein Sohn und ins Land der Väter zurückgekehrt sei. Doch konnte er der Versuchung nicht widerstehen, auch den Vater auszuforschen und mit leisem Tadel sein Herz auf die Probe zu stellen. So trat er denn, während der Greis mit gebücktem Haupte eifrig die Erde um den jungen Baumspross auflockerte, diesem näher und begann also: »Greis, du scheinst dich recht gut auf den Gartenbau zu verstehen. Reben, Oliven, Feigen-, Birn- und Apfelbäume, alle sind aufs Beste gepflegt; auch den Blumen- und Gemüsebeeten fehlt es nirgends an der nötigen Sorge. Aber an einem fehlt es dir noch, und nimm es mir nicht übel, dass ich dir's ehrlich sage: du selbst scheinst nicht gehörig gepflegt zu werden, Alter, dass du in solchem Schmutz und so hässlicher Kleidung einhergehst! Von deinem Herrn ist das nicht wohl getan. Auch scheint mir deine eigene Trägheit nicht an dieser Behandlung schuld zu sein. Betrachtet man deine Gestalt und Größe, so findet sich gar nichts Knechtisches an dir, du hast vielmehr ein königliches Ansehen; ein Mann wie du verdiente es, gebadet und wohlgespeist auszuruhen, wie man's den Alten gönnen mag. So sage mir doch, wer ist dein Herr und für wen bestellst du diesen Garten? Und ist dieses Land wirklich Ithaka, wie mir ein Mann, dem ich eben begegnete, gesagt hat? Es war übrigens ein unfreundlicher Mensch; er antwortete mir nicht einmal, als ich ihn fragte, ob der Gastfreund noch lebe, den ich hier besuchen will. In meiner Heimat habe ich nämlich vor langer Zeit einen Mann beherbergt – es ist noch nie ein lieberer Gast über meine Schwelle gekommen. Dieser stammte von Ithaka und erzählte mir, dass er ein Sohn des Königs Laertes sei; ich bewirtete den werten Freund aufs Allerbeste und reichte ihm ein stattliches Ehrengeschenk, als er von mir schied: sieben Talente des feinsten Goldes, einen silbernen Krug mit den schönsten Blumengewinden vom selben Metall, zwölf Teppiche, ebenso viele Leibröcke und Mäntel und vier schmucke, kunstbegabte Mägde, die er sich selbst auslesen durfte.«

So fabelte der erfindungsreiche Odysseus. Sein Vater aber hatte bei dieser Nachricht das Haupt vom Boden aufgerichtet; Tränen waren ihm in die Augen getreten, und er sprach: »Freilich, guter Fremdling, bist du in das Land gekommen, nach welchem du fragst. Aber es wohnen mutwillige, frevelhafte Menschen darin, die du mit allen deinen Geschenken nicht zu sättigen vermöchtest. Der Mann, welchen du suchst, ist nicht mehr da. Hättest du ihn noch lebend auf Ithaka getroffen, o wie reichlich hätte er deine schönen Geschenke dir vergolten! Aber sage mir, wie lange ist es her, dass dein unglücklicher Gastfreund, mein Sohn, dich besucht hat? Denn er ist es gewesen, mein armer Sohn, der jetzt vielleicht irgendwo im tiefen Meeresgrunde liegt oder dessen Fleisch die wilden Tiere und die Raubvögel verzehrt haben. Nicht die Eltern haben ihm das Totenhemd angezogen, nicht seine edle Gattin Penelope hat schluchzend am Bette des Gatten geweint und ihm die Augen zugedrückt! Aber wer und woher bist denn du, wo ist dein Schiff, wo sind deine Genossen? Oder kamst du auf einem gedungenen Fahrzeug als Reisender und bist allein an unserem Ufer ausgestiegen?«

»Ich will dir nichts vorenthalten, edler Greis«, antwortete Odysseus; »ich bin Epereitos, der Sohn des Apheidas aus Alybas; ein Sturm hat mich wider Willen von Sikanien an euer Gestade getrieben, wo mein Schiff nicht fern von der Stadt vor Anker liegt. Fünf Jahre sind's, dass dein Sohn Odysseus meine Heimat verlassen hat. Er ging fröhlichen Mutes, und Glücksvögel begleiteten ihn. Wir gedachten uns noch oft als Gastfreunde zu sehen und uns gegenseitig schöne Gaben zu verehren.«

Dem alten Laertes wurde es Nacht vor den Augen, mit beiden Händen langte er nach der schwarzen Erde, streute sie sich auf sein schneeweißes Haupt und fing laut zu jammern an. Jetzt wallte dem Sohn das Herz über; der Atem wollte ihm die Brust zersprengen: er stürzte auf seinen Vater zu, umschlang ihn unter Küssen und rief: »Ich selbst bin es, Vater, ich selbst, nach welchem du fragst! Im zwanzigsten Jahre bin ich in die Heimat zurückgekommen. Trockne deine Tränen, gib allem Jammer Abschied, denn ich sage dir's kurz: alle Freier habe ich in unserem Palast erschlagen!«

Staunend blickte ihn Laertes an und rief endlich laut aus: »Wenn du wirklich Odysseus, wenn du mein heimgekehrter Sohn bist, so gib mir ein unzweifelhaftes Zeichen, auf dass ich glaube!« – »Vor allen Dingen«, erwiderte Odysseus, »sieh hier die Narbe, lieber Vater, die von der Wunde des Ebers auf jener Jagd herrührt, als ihr mich selbst, du und die Mutter, zu ihrem guten alten Vater Autolykos schicktet, dass ich die Gaben, die er mir einst verheißen hatte, bei ihm abholen sollte. Aber du sollst auch noch ein zweites Zeichen haben: ich will dir die Bäume zeigen, die du mir einst geschenkt hast. Denn als ich noch ein kleines Kind war und dich in den Garten begleitete, da gingen wir zwischen den Reihen umher, und du zeigtest und benanntest mir die verschiedenen Gattungen. Dreizehn Birnbäume hast du mir geschenkt, zehn Apfelbäume, vierzig kleine

Feigenbäume und fünfzig Weinreben dazu, die jeden Herbst voll prächtiger Trauben stehen müssen.« Der Greis konnte nicht mehr zweifeln, er sank am Herzen seines Sohnes in Ohnmacht. Dieser hielt ihn aufrecht in den nervigen Armen. Endlich, als sein Bewusstsein zurückgekehrt war, rief er mit lauter Stimme: »Zeus und ihr Götter alle, ja ihr lebt noch, sonst wären die Freier nicht bestraft worden! Aber jetzt ängstigt mich eine neue Sorge um dich, mein Sohn. Die edelsten Häuser in Ithaka und den Inseln sind durch dich verwaist: die Stadt, die ganze Nachbarschaft wird sich gegen dich erheben.« – »Sei guten Mutes, lieber Vater«, sprach Odysseus, »und lass dich das jetzt nicht bekümmern. Folge mir zu deinem Wohnhause, dort harren schon dein Enkel Telemachos, der Rinderhirt und der Sauhirt und haben uns das Morgenessen bereitet.«

So gingen sie beide zusammen in das Landhaus, wo sie Telemachos und die Hirten schon mit der Zerlegung des Fleisches beschäftigt fanden und der rote Festwein eingeschenkt in den Pokalen perlte. Noch vor dem Schmause wurde Laertes auf Veranlassung seiner treuen alten Dienerin gebadet und gesalbt und legte zum ersten Mal nach langen Jahren wieder sein schönes fürstliches Gewand an. Während er sich damit bekleidete, nahte sich ihm unsichtbar die Göttin Pallas Athene und verlieh auch dem Greise aufrechten Wuchs und Hoheit der Gestalt. Als er wieder zu den anderen eintrat, blickte sein Sohn Odysseus verwundert an ihm empor und sprach: »Vater, sicherlich hat einer der unsterblichen Götter dir Gestalt und Wuchs verherrlicht!« – »Ja, bei allen Göttern«, sagte Laertes, »wäre ich, wie ich mich heute verjüngt und kräftig fühle, gestern bei dir im Saale gewesen und hätte an deiner Seite gekämpft: fürwahr, es wäre mancher Freier sterbend vor mir ins Knie gesunken!«

So wechselten sie miteinander freudige Gespräche und setzten sich endlich alle ums Mahl. Jetzt kam auch der alte Meier Dolios samt seinen Söhnen müde von der Feldarbeit zurück. Über die Schwelle getreten, sahen sie den König Odysseus dasitzen, erkannten ihn und standen staunend wie in den Boden gewurzelt. Odysseus aber redete ihnen freundlich zu: »Geschwind, Alter, setze dich mit deinen Söhnen zu uns ans Mahl, wir harren schon lange auf euch! Nehmt euch ein andermal Zeit zum Staunen.« Da eilte Dolios mit ausgebreiteten Armen auf den Helden zu, ergriff seine Hand und bedeckte sie mit Küssen. »Lieber Herr, Heil dir und Segen«, rief er, »nachdem du unser aller Wunsch erfüllt hast und endlich heimgekommen bist! Sage mir, weiß es Penelope schon, oder sollen wir ihr Botschaft zukommen lassen?« – »Sie weiß alles«, antwortete Odysseus, »du musst dich nicht bemühen.« Da setzte sich Dolios zum Mahl; seine Söhne drängten sich um Odysseus, küssten ihm die Hände und hießen ihn willkommen; dann nahmen auch sie an der Seite ihres Vaters Platz, und alles schmauste fröhlich zusammen.

Aufruhr in der Stadt durch Athene gestillt

In der Stadt Ithaka eilte inzwischen das Gerücht durch alle Straßen und verkündigte das grausame Verhängnis, das die Freier getroffen hatte. Von allen Seiten her drängten sich jetzt die Blutsverwandten der Gefallenen nach dem Palast des Odysseus, wo sie an einer abgelegenen und abgesonderten Stelle des Hofes die Leichname der Ihrigen aufgeschichtet fanden. Unter lautem Wehklagen, darein sich Drohungen mischten, trugen sie die Toten, ein jeder den seinigen, hinaus und bestatteten sie: die aber aus anderen Städten und Inseln waren, wurden auf schnellen Fischerkähnen in ihre Heimat gesandt. Dann versammelten sich die Väter, Brüder und Anverwandten der Freier insgesamt auf dem Markte, und in der zahlreichen Volksversammlung trat Eupithes auf. Dies war der Vater des Antinoos, des jugendlichsten und trotzigsten Freiers, des ersten, der von Odysseus' Pfeil gefallen war. Der Vater war ein mächtiger, hoch angesehener, noch rüstiger Mann, dem unheilbarer Schmerz um den Tod seines Sohnes an der Seele nagte. Dieser vergoss Tränen vor dem Volke und sprach: »Freunde, gedenkt an das mannigfaltige Unglück, das der Mann, den ich vor euch verklage, über Ithaka und die Nachbarstädte gebracht hat! Vor zwanzig Jahren entführte er uns so viele und so tapfere Männer auf seinen Schiffen; verlor die Schiffe, verlor die Genossen. Endlich allein wieder heimgekehrt, hat er die edelsten Jünglinge unseres Volksstammes erschlagen. Auf denn, ehe sich der Verbrecher hinaus auf die Pelopsinsel nach Pylos oder Elis rettet, verfolgt ihn, ergreift ihn! Wir könnten sonst vor Schmach die Augen nicht wieder aufschlagen. Ja, für unsere spätesten Geschlechter wäre es noch eine Schande wenn wir, ihre Ahnen, die Mörder unserer leiblichen Söhne und Brüder nicht bestraft hätten. Ich wenigstens könnte nicht mehr mit gutem Gewissen leben: über ein kurzes, so zöge der Schatten des Sohnes mich zu sich hinab! Darum ihnen nach, wenn ihr Männer seid! Greifen wir Vater und Sohn, ehe sie uns übers Meer entrinnen!«

Erbarmen ergriff die ganze Versammlung, als sie den Mann unter Tränen also reden hörten. In diesem Augenblick kamen aus dem Palast des Königs Phemios, der Sänger, und der Herold Medon gewandelt und traten auf dem Markt in den Kreis der Versammelten. Die Männer staunten nicht wenig, die beiden längst auch verloren Geachteten noch am Leben zu sehen. Hierauf erbat sich Medon, der Herold, das Wort und sprach zu dem versammelten Volk: »Männer von Ithaka, hört meine Rede. Was Odysseus vollbracht hat, das hat er, ich kann es euch beschwören, nicht ohne den Ratschluss der Unsterblichen vollendet. Ich selbst habe den Gott gesehen, der ihm in Mentors Gestalt immer zur Seite war und bald dem Odysseus das Herz kräftigte, bald umhertobend im Saale die Besinnung der Freier zerrüttete. Das Werk dieses Gottes ist es, dass sie sterbend übereinander taumelten.«

Entsetzen ergriff das versammelte Volk, als es den Herold so sprechen hörte. Als der erste Eindruck vorüber war, nahm ein ergrauter Held, Halitherses, der Sohn Mastors, der allein unter allen auf die Vergangenheit zurückzublicken und hinüberzuschauen in die Zukunft verstand, in der Versammlung das Wort und sprach: »Hört, ihr Einwohner von Ithaka, was ich euch zu Gemüte führen will. Ihr selbst seid schuld an allem, was geschehen ist. Warum waret ihr so träge, warum habt ihr meinen und Mentors Rat nicht befolgt und habt eure üppigen Söhne nicht im Zaum gehalten, als sie Tag für Tag hingingen, dem abwesenden Manne sein Gut verprassten und unwürdige Forderungen an seine Gemahlin richteten, als käme er nimmermehr zurück? Ihr selbst habt euch alles dasjenige zuzuschreiben, was jetzt im Palast vorgefallen ist. Und wenn ihr klug seid, so werdet ihr mitnichten den Mann verfolgen, der sich nur der Feinde seines Hauses erwehrt hat. Tut ihr es, so komme das Unheil über euch, das ihr euch selbst herbeizieht.«

Halitherses trat unter das Volk zurück, und unter der Versammlung entstand Getümmel und Zwiespalt. Die eine Hälfte erhob sich zornig und stürmisch, die andere beharrte bei der Beratung. Die aufgeregte Hälfte hielt es mit den Vorschlägen des Eupithes; dieser Teil der Bürger warf sich in die Rüstungen, kam auf dem Blachfelde vor der Stadt zusammen,

und nun stellte sich Eupithes an die Spitze der Heerschar und machte sich mit ihr auf, den Tod seines Sohnes und der anderen Freier zu rächen. Sobald Pallas Athene vom Olymp herab den Auszug dieses Haufens gewahr wurde, trat sie vor ihren Vater Zeus und sprach: »Herr der Götter, eröffne mir, mit welchem Rate deine Weisheit sich trägt. Willst du die ruhigen Einwohner Ithakas durch Krieg und Zwietracht züchtigen oder gedenkst du den Streit beider Parteien in Frieden beizulegen?« – »Was willst du schon Beschlossenes erforschen, Tochter!«, antwortete Zeus. »Hast du nicht selbst mit meinem Willen den Beschluss gefasst und vollzogen, dass Odysseus endlich als ein Rächer in seine Heimat zurückkehre? Nachdem dir dies gewährt worden ist, so tue auch ferner, was dir gefällt; willst du aber mein Gutdünken wissen, so ist es dieses: nachdem Odysseus die Freier gestraft hat, werde ein heiliger Bund beschworen, und er sei und bleibe ihr König für immer. Uns aber lass dafür sorgen, dass aus dem Geist aller Beteiligten die Ermordung ihrer Söhne und ihrer Brüder vertilgt werde; gegenseitige Liebe soll unter allen herrschen wie zuvor; Einigkeit und Wohlstand sollen unerschüttert bleiben.«
Die Entscheidung des Zeus war der Göttin hochwillkommen. Sie verließ das Felsenhaupt des Olymp, durchflog die Luft und ließ sich auf der Insel Ithaka nieder.

Der Sieg des Odysseus

Auf dem Landgute des Laertes war das Mahl vorüber. Sie saßen noch um den Tisch gelagert, als der Held nachdenklich zu seinen Freunden sprach: »Mir deucht, unsere Gegner werden in der Stadt auch nicht gefeiert haben, und es dürfte nicht überflüssig sein, wenn einer aus dem Hause sich aufmachte, die Straße auszukundschaften.« Auf der Stelle stand einer von den Söhnen des Dolios auf und ging, seinem Worte gehorsam, über die Schwelle des Hauses. Er brauchte sich nicht weiter von der Wohnung entfernen, denn er sah einen gewaltigen Heerhaufen im vollen Anmarsch begriffen. Erschrocken kehrte er zu den versammelten Freunden in den Saal des Hauses zurück und rief: »Sie kommen, Odysseus, sie kommen, sie sind ganz in der Nähe! Werft euch eilig in die Rüstungen.« Da fuhren die Tafelnden vom Tische auf und hüllten sich augenblicklich in ihre Waffen. Es waren Odysseus, sein Sohn und die Hirten zu vieren und sechs Söhne des Dolios, endlich, so grauköpfig sie waren, Dolios und Laertes selbst. Auch sie hatten sich gerüstet und gegürtet. Odysseus stellte sich an die Spitze, und der kleine Trupp trat aus der Pforte des Hauses hervor.

Kaum waren sie im Freien, als sich in Mentors Gestalt der gewaltigste Bundesgenosse zu ihnen gesellte, die erhabene Göttin Pallas Athene. Dieser Anblick erfüllte den Helden Odysseus, der sie auf der Stelle erkannte, mit der freudigsten Hoffnung. »Telemachos«, sprach er zu seinem Sohn, »erfülle jetzt die Erwartungen, die dein Vater von dir hegt. Zeige dich in der Schlacht da, wo die tapfersten Männer fechten, und mache deinem Stamm Ehre, der sich von jeher durch Tapferkeit und Mut unter allen Sterblichen ausgezeichnet hat.« – »Kannst du nach der Schlacht mit den Freiern an meiner Kampflust noch zweifeln, Vater?«, erwiderte Telemachos. »Du wirst sehen, dass ich deinen Stamm nicht schände!« Solcher Worte freute sich Laertes, der Vater und Großvater. »Welch ein Tag ist dies, ihr Götter«, rief er, »wie frohlockt mein Herz! Einen Wettkampf der Tapferkeit beginnen ihrer drei: Vater, Sohn und Enkel!« Da nahte Pallas Athene dem Greis und flüsterte ihm ins Ohr: »Sohn des Akrisios, mir lieb vor allen deinen Streitgenossen, richte dein Gebet an Zeus und die Tochter des Zeus: dann wage einen kühnen Lanzenschwung.« So sprach Athene und erfüllte die Brust des Alten mit Mut. Er flehte zu Zeus und Athene und sandte die Lanze ab. Der Wurf des Laertes fehlte nicht: er traf das Helmvisier des feindlichen Anführers Eupithes, und dieser vermochte den kräftig geschwungenen Speer nicht zu hemmen, er durchbohrte die Wange des Feindes, und der Vater des Antinoos rasselte mit seinen Waffen getötet in den Staub. Odysseus aber und Telemachos und all ihre Genossen wüteten im Vorderkampfe mit Schwert und Lanze, und sie hätten alle Feinde vertilgt, und keiner hätte die Heimat wieder geschaut, wenn nicht plötzlich Pallas Athene ihre Götterstimme hätte ertönen lassen und ihr lauter Zuruf alle Streiter mitten im Kampf gehemmt hätte. »Lasst ab, ihr Ithaker, lasst ab«, rief sie, »vom unseligen Kriege; schont Menschenblut und trennt euch!«

Entsetzen ergriff die Herangekommenen bei diesem Donnerlaute, die Waffen fielen den Erschrockenen aus der Hand und rollten auf die Erde; wie vom Sturmwind umgewendet, drehten sich die Feinde und flohen der Stadt zu, nur darauf bedacht, ihr Leben zu retten. Odysseus und die

Seinigen aber waren beim Ruf der Bundesgenossin nicht erschrocken; hoch schwangen sie Lanzen und Schwerter, und Odysseus flog an der Spitze der Verfolgenden fürchterlich schreiend vorwärts wie ein Adler, der einem Raube zustürzt. Vor ihnen allen her aber zog, wie im Gewitterflug, Athene, noch immer in Mentors Gestalt.
Doch Zeus' Befehl sollte erfüllt und der Friede nicht länger gestört werden, sein Blitz schlug vor der Göttin in den Boden, und die Unsterbliche selbst bebte vor dem Strahl zurück. »Sohn des Laertes« sprach sie, zu Odysseus rückwärts gewendet, »jetzt lass ab vom Kampf, bezähme dein Herz, du möchtest dem allmächtigen Donnerer missfallen!« Mit williger Seele gehorchten Odysseus und seine Schar, und Athene zog mit ihnen allen in die Stadt zurück und auf den Marktplatz von Ithaka. Herolde wurden ausgesendet und alles Volk zur Versammlung entboten. Und nun erfüllte sich Zeus' Versprechen; aus allen Herzen war der Groll gewichen. An Gestalt und Stimme Mentor ähnlich, erneuerte Pallas Athene selbst zwischen Odysseus und den Häuptern der Stadt und Gegend den Bund des ewigen Landfriedens, und diese huldigten mit dem gesamten Volke dem Helden als ihrem König und Schutzherrn. Jubelnde Scharen begleiteten ihn nach dem Palast zurück, aus dem ihm Penelope, zu welcher der Ruf des Sieges und des Friedens gedrungen war, mit allen ihren Dienerinnen, bekränzt und festlich geschmückt, entgegentrat. Lange glückliche Jahre verlebte das wieder vereinigte Gattenpaar. Erst in später Zeit erfüllte sich an Odysseus, was ihm einst Teiresias in der Unterwelt von seinen letzten Schicksalen geweissagt hatte, bis ihn im höchsten Greisenalter ein sanfter Tod ereilte.

ÄNEAS

Äneas verlässt die trojanische Küste

Seinen Vater Anchises auf den Schultern, seinen Sohn Askanius an der Hand, geschützt von seiner Mutter Venus, war der trojanische Held Äneas dem Brand seiner eroberten Vaterstadt entronnen und am Fuß des Idagebirges, wo dieser in das Meer ausläuft, in der kleinen Hafenstadt Antandrus angekommen. Hier sammelten sich um ihn befreundete Flüchtlinge in großer Anzahl, Männer, Frauen und Kinder, lauter unglückliche, des Vaterlands verlustige Menschen und alle bereit, unter seiner Anführung eine neue Heimat aufzusuchen. Noch ungewiss, wohin sie das Geschick führen, wo es ihnen Ruhe vergönnen würde, fingen sie mit Hilfe der geretteten und zusammengeschossenen Habe sich eine Flotte zu zimmern an, die mit dem ersten Beginn des Frühlings fertig war, unter Segel zu gehen. Der älteste Trojaner, der sich in ihrer Mitte befand, der greise Held Anchises selbst, gab das Zeichen zum Aufbruch und sagte zuerst dem unterjochten Geburtslande ein ewiges Lebewohl. Weinen und Wehklagen ertönte von den Schiffen, als sie sich von der Heimatküste losrissen, und bald war diese aus den Blicken der Flüchtlinge verschwunden.

Nach einer ununterbrochenen Fahrt von mehreren Tagen landete die Flotte an dem Gestade Thrakiens, das vorzeiten der wilde Verächter des Bacchus, der König Lykurgus, beherrscht hatte, dessen jetzige Bewohner aber, solange der Staat der Trojaner noch bestand, durch gleichen Götterdienst und Gastfreundschaft mit diesen aufs Engste verbunden waren. Doch hatte dieses Verhältnis eine grausame Störung erlitten, denn als das Glück von Troja zu wanken begann und Ajax, der Telamonier, vom Schiffslager der Griechen aus einen Streifzug zur See gegen die mit Priamos verbündeten Thrakier unternommen hatte, lieferte Polymnestor, der treulose König des Landes, den jungen Sohn des trojanischen Königs, Polydorus, den Griechen aus und erkaufte sich mit dieser Gabe den Frieden. Der Jüngling aber wurde von den Belagerern unter den Mauern Trojas und vor den Augen des Vaters gesteinigt.

Doch Äneas wusste nicht, an welchem Ufer er mit seinen Schiffen vor Anker gegangen war. Voll Freude, eine wirtliche Küste erreicht zu haben, betrat er mit seinen Freunden das Land, und ohne von den Eingeborenen gehindert zu werden, schritten sie zu einer Niederlassung und legten den Grund zu einer neuen Stadt, in deren ruhigem Besitze sie sich von den Schlägen des Schicksals zu erholen gedachten und welcher Äneas, als das Haupt der Auswanderer, seinem eigenen Namen nach den Namen Änos beilegte. Der Bau war schon im Werden, und der fromme Held wollte für sein Werk den Schutz der Unsterblichen erflehen und brachte Zeus, dem Göttervater, und seiner eigenen Mutter Venus einen untadeligen Stier am Gestade zum Opfer. In der Nähe befand sich ein schöner Hügel, auf welchem Kornellen und Myrten in üppigem Wuchse wucherten. Nach diesem Wäldchen hatte sich Äneas begeben, um die frisch errichteten Rasenaltäre mit Laub und Zweigen zu bedecken. Da erfuhr er ein Grausen erregendes Wunder. Sobald er einen Strauch aus den Wurzeln reißen wollte, quollen aus diesen schwarze Blutstropfen und flossen auf den grünen Waldboden, dass dem Helden selbst in den Adern das Blut erstarrte. Angstvoll warf sich Äneas auf die Erde und flehte zu den Nymphen des Waldes und zu Bacchus, dem Schutzgott der thrakischen Fluren, die Schrecken abzuwenden, mit welchen dieses Wunderzeichen ihm drohte. Dann ergriff er mit erneuter Kraft ein drittes Bäumchen, und mit dem Knie auf den Boden gestemmt, versuchte er, es zu entwurzeln. Da ließ sich ein klägliches Stöhnen aus dem Boden vernehmen, und endlich kam ihm eine Stimme zu Ohren, welche in verlorenen Tönen sprach: »Was quälst du mich, unglücklicher Äneas? Meine Seele wohnt in diesem Boden, in den Wurzeln und Ästen dieses Waldes, in welchem ich als Kind einst ahnungslos spielte. Ich bin dein Namensgenosse, dein Verwandter, Äneas, bin Polydorus, der Sohn des Priamus, der einst von seinem Pflegevater an die Griechen verraten und vor deinen Augen unter Trojas Mauern zerschmettert ward. Mein Gebein ist von mitleidigen Thrakiern gesammelt und hier im Vaterland bestattet worden. Verletze meine Freistätte nicht, du selbst aber fliehe dieses Ufer, das dir und allen Trojanern mit Unheil droht, denn noch herrscht das Geschlecht des Verräters in diesem Lande.«

Als Äneas sich vom ersten Schrecken erholt hatte, kehrte er zu den Seinigen zurück und meldete das Gesicht zuerst seinem Vater und dann den anderen Häuptlingen des ausgezogenen Volkes. Alle vereinigten sich, mit ihm die verruchte Stätte des entweihten Gastrechts zu verlassen. Die begonnenen Arbeiten wurden eingestellt, und nachdem sie dem unglücklichen Polydorus ein Totenfest gefeiert, schoben die Trojaner ihre Schiffe wieder vom Strande, bestiegen sie und verließen mit ihnen den Hafen. Günstiger Wind führte sie bald weit in die offene See hinaus, und nach glücklicher Fahrt erschien ihnen mitten im Meer unter vielen anderen Inseln ein wunderliebliches kleines Eiland, das sich lachend aus den Fluten emporhob. Sein Name war Delos; es war einst eine schwimmende Insel gewesen, und Apollo war auf ihr geboren und hatte sich ihrer, als sie wie unentschlossen um andere Inseln und Küstenländer herumirrte, mitleidig angenommen und sie in der Mitte der Kykladeninseln in dem Meeresgrunde befestigt, dass sie hinfort den Stürmen trotzen und glückliche Bewohner nähren konnte. Die Menschen, die sich dort ansiedelten, hatten dankbar ihre Stadt dem Apollo geweiht und waren gastliche, gute Leute. Dorthin steuerte Äneas mit seiner Flotte, und ein sicherer Hafen nahm die müden Seefahrer auf. Sie landeten und betraten die Stadt, die dem Fernhintreffer Phöbus Apollo gewidmet war, mit tiefer Ehrfurcht. Ihr König Anius, der zugleich Priester des Phöbus war, wandelte mit der heiligen Binde um die Schläfe und dem Lorbeer in der Hand den Ankömmlingen entgegen und erkannte in dem greisen Anchises einen alten Gastfreund. Unter Gruß und Handschlag wurden Äneas und seine Genossen in die Mauern aufgenommen und wallfahrteten vor allem anderen in den altertümlichen Tempel des Schutzgottes der Insel. Äneas warf sich in tiefer Ehrfurcht vor dem Hause Apollos nieder und betete mit aufgehobenen Händen: »Gib uns, du großer Beschützer des trojanischen Volkes, ein eigenes Haus, gönne uns eine bleibende Statt; lass das Geschlecht deiner Schützlinge nicht aussterben, hilf ihnen ein zweites Troja gründen! Sprich, wer soll unser Führer sein? Wohin schickst du uns? Gib uns ein Zeichen, großer Gott, offenbare dich unsern Seelen!«

Kaum hatte der Held dies ausgesprochen, als die Schwelle des Gottes, der Lorbeerhain, der den Tempel umgab, und das ganze Gebirge ringsumher sichtlich und fühlbar erbebte, und aus den offenen Hallen des Tempels ertönte vom Dreifuße das Orakel heraus: »Ausdauerndes Volk der Dardaner, ihr kehrt in den Schoß eines Landes zurück, das schon den Stamm eurer Ahnherren getragen hat. Eure alte Mutter sucht ihr auf: von dort aus wird das Haus des Äneas in seinen spätesten Enkeln alle Länder der Erde beherrschen.«

Bei der Stimme des Gottes hatten sich alle demütig zur Erde niedergeworfen. Als sie den günstigen Ausspruch vernommen hatten, sprangen sie freudig wieder auf; ein jubelndes Getümmel entstand, und sie befragten sich untereinander, von welchem Lande wohl Apollo spreche und wo den Irrenden eine neue Heimat winke.

Als sie so untereinander beratschlagten, erhob der ehrwürdige Held Anchises, der Vater des Äneas, der in die Kunden der Vorwelt eingeweiht war, seine Stimme: »Lasst mich euch, ihr Häupter des Volkes«, sprach er, »eure Hoffnungen deuten. Mitten im inselreichsten Meere liegt eine Insel, aus welcher Jupiter, der Göttervater selbst, abstammt. Sie heißt Kreta und ist auch die Wiege unseres Volksstammes. Und wie Trojas Hauptgebirge, heißt auch die waldige Bergkette, die sich durch dieses Inselland zieht, das Idagebirge. Zu seinen Füßen dehnen sich die fruchtbarsten Fluren, und mit hundert Städten ist das Land geschmückt. Dorther soll unser Stammvater Teucer ins troische Land gekommen sein, dorther all unser Götterdienst stammen, und gewiss, dorthin führt uns auch jetzt Apollos Befehl, lasset uns ihm folgen! Die Reise dorthin ist nicht allzu weit, schickt uns Jupiter Fahrwind, so befindet sich unsere Flotte am dritten Morgen im Angesicht der Insel Kreta.«

Den Flüchtlingen wird Italien versprochen

Über diese Deutung waren die Auswanderer hoch erfreut. Ehe sie wieder zu Schiff gingen, schlachteten sie dem Meeresgotte Neptunus und dem Apollo, der sie mit seinem Orakel getröstet hatte, jedem einen Stier und den mächtigsten Winden Lämmer, dem wilden Sturm ein schwarzes, dem sanften Zephyr ein weißes. Dann verließen sie den Hafen von Delos, und ihre Schiffe durchflogen mit dem günstigsten Fahrwinde die Wellen; es war das Inselmeer der Kykladen; das Gewässer schien ganz von Eilanden zu wimmeln, die da und dort mit ihren schneeweißen Marmorfelsen aus den Fluten stiegen. Der heiterste Himmel begünstigte die Fahrt; um die Wette steuerten die Fahrzeuge dahin, und von allen Seiten ertönte fröhliches Geschrei von den Schiffen: »Auf, ihr Freunde, Kreta gesucht, das teure Heimatland unserer Väter aufgefunden!«
Am dritten Morgen hatte die Flotte wirklich, wie es von Anchises vorausgesagt worden war, den lachenden Strand der Insel Kreta erreicht, und als die Flüchtlinge gelandet waren und sich von den Einwohnern wohl aufgenommen sahen, da fing Äneas abermals mit großer Begierde die ersehnten Mauern einer Pflanzstadt zu gründen an. Die Flotte war ans Ufer gezogen, und unter den fleißigen Händen der Pflanzer stiegen bald Mauern und Häuser empor, und sie begannen sich wohnlich einzu-

richten. Nach Pergamus, der Burg von Troja, gab Äneas der neuen Stadt den Namen Pergamus, und auch sie erhielt ihre gesonderte Burg auf einem Hügel. Schon beschäftigte sich die Pflanzung mit den ersten bürgerlichen Einrichtungen; unter dem jungen Volke der Auswanderer wurden Ehen geschlossen, Äcker wurden verteilt, und die Häupter des Volkes traten zusammen und berieten sich über die Gesetze des erneuten Volkes: da bedrohte ein neues Unglück die armen Flüchtlinge mit gänzlichem Verderben. Ein glutheißer Sommer brannte ringsum die Felder aus, ohne Nahrung erkrankte die Saat, Gras und Kräuter verdorrten, auf den Bäumen verwelkten die Blüten ohne Früchte; ein schreckliches Sterben riss unter den Menschen selbst ein, und was der Tod verschonte, das schleppte sieche Leiber herum. Auf einer Versammlung, in welcher der zusammenschmelzende Haufen über seine trostlose Lage beratschlagte, stand Anchises mit bekümmertem Herzen auf und riet seinen Unglücksgefährten, die Schiffe wieder zu besteigen, rückwärts nach dem Kykladenmeer zu steuern und wieder auf der Insel Delos das Orakel dieses Gottes um gnädigen Aufschluss anzuflehen, wohin sie die Schifffahrt ferner zu richten hätten und welches Ziel ihrer Not bestimmt sei. Diesem Rate trat das gesamte Volk bei, und sie beschlossen, alles bewegliche Eigentum auf die Schiffe zurückzubringen, sobald dies geschehen sei, die Anker zu lichten und die fast vollendete Stadt zu verlassen.

Als alle Vorbereitungen getroffen waren und unter fortdauerndem Elende die letzte Nacht herankam, welche sie unter Kretas unglücklichem Himmel zuzubringen gedachten, lag Äneas, müde von Sorgen und doch schlaflos, auf seinem Bett, und sein Geist brütete in der stillen Finsternis. Jetzt stellte sich ein plötzliches Gesicht seinen Augen dar. Der Vollmond brach eben aus den Wolken und erhellte mit seinen Strahlen die Bäume seines Schlafgemachs. Da schienen in voller Beleuchtung hart vor dem Liegenden die heiligen Hausgötter der Trojaner, die er aus dem wütenden Feuer seiner Vaterstadt gerettet hatte. Ihr Mund tat sich auf, ihre nie vernommene Stimme sprach zu ihm, und was sie redeten, waren Worte des Trostes: »Apollo selbst«, so lautete ihre Rede, »schickt uns in deine Behausung. Du sollst uns vertrauen; wir, die wir aus dem Brande Trojas dir folgten und auf deiner Flotte mit dir durch die stürmische Meeresflut gefahren sind, wir werden deinem Geschlecht einen Wohnsitz finden, den Ruhm deiner Enkel verherrlichen und ihrer Stadt die

Herrschaft der Welt verleihen. Du selbst bist dazu erkoren, deinen großen Nachkommen diesen Sitz vorzubereiten, und darfst deswegen die langen Beschwerden der Flucht nicht scheuen. Freilich, den Ort, wo du dich jetzt angesiedelt, musst du verlassen, nicht dieses Ufer hat der delische Apollo gemeint, nicht auf Kreta solltest du dich anbauen; nein, weit von hier liegt das Land, auf welches dich der Götterspruch hinweist, die Griechen nennen es Hesperien; es ist ein uraltes Land, mächtig durch die Waffen seiner Bewohner, reich durch den Segen seines Bodens. Seine ersten Bewohner hießen Önotrier, von den jüngeren soll es jetzt Italien genannt werden und das Volk Italervolk, nach dem Namen eines einheimischen Königs Italus. Dies ist der Sitz, der euch von euren Ahnen her gehört, dorther stammen eure Väter Dardanus und Jasius, die ältesten Begründer eures Geschlechts. Wohlan, mach dich auf, melde deinem betagten Vater fröhlich dieses unzweifelhafte Wort, Italien soll er aufsuchen: die Gefilde Kretas verweigert euch Jupiter.«
Ein kalter Angstschweiß hatte den Helden überlaufen, solange die Götter vor ihm standen und sprachen; doch als sie verschwunden waren, fühlte er sich von ihren Worten wunderbar getröstet, raffte sich vom Lager auf, streckte die flachen Hände betend, wie die Alten pflegten, gen Himmel empor und brachte auf seinem Hausherd den heimischen Göttern ein Trankopfer dar. Nachdem dieses fröhlich vollbracht war, eilte Äneas zu seinem alten Vater und meldete ihm ausführlich das Nachtgesicht. Diesem gingen die Augen des Geistes auf: er erkannte den doppelten Ursprung der Trojaner, den einen von Dardanus, den anderen von Teucer, und sah nun wohl ein, dass er in der Verwechslung der beiden alten Stammländer sich getäuscht habe. »Lieber Sohn«, sprach er, »jetzt erst erinnere ich mich, dass die Seherin Kassandra allein es war, welche mir das Geschick der Zukunft richtig geweissagt hat. Sie verkündigte unserem Geschlecht ein Land, welches sie bald Hesperien, bald Italien benannte. Das geschah aber, als Troja noch lange stand, und wer dachte damals in Ernste daran, dass jemals teukrische Männer ihre Heimat verlassen und nach den fernen Küsten Hesperiens auswandern würden? Ja, wer achtete damals überhaupt nur auf die Reden Kassandras, die für eine Närrin und keine Seherin galt! Jetzt aber lasst uns dem Wort Apollos nachgeben und auf seine Warnung dem besseren Winke folgen.«
So sprach Anchises. Inzwischen hatte sich das Volk zur beschlossenen

Abfahrt nach Delos versammelt; als es nun die neue Weisung der Götter vernommen, brach es in einen lauten Jubel aus. Alles rüstete sich, nur wenige Kranke und Genesende blieben in der neugegründeten Pflanzstadt zurück. Durch sie wurde die neue Ansiedlung der Trojaner erhalten: glücklichere Zeiten kamen, die kleinen Überbleibsel vermehrten sich, und in späten Tagen blühte auf der Insel Kreta noch Pergamus, die Troerstadt.

Die anderen aber richteten die Segel, und bald steuerte die Flotte wieder auf der hohen See.

Sturm und Irrfahrten. Die Harpyien

Als kein Land mehr sichtbar und ringsumher nur Himmel und Gewässer war, sammelte sich über den Häuptern der Schiffenden ein graues Gewölk, das Nacht und Sturm herbeiführte, und die Woge fing in schwarzer Finsternis zu schauern an. Sofort brachten Orkane das Meer in Aufruhr, Berge von Fluten stiegen auf, die Flotte ward auseinander geworfen, und die Schiffe trieben zerstreut über den strudelnden Abgrund hin. Die schwarzen Wetterwolken raubten das Tageslicht und hüllten alles in eine dichte Regennacht, welche nur Blitz auf Blitz aus den zerrissenen Wolken erhellte. Dieses fürchterliche Ungewitter dauerte drei Tage und drei sternlose Nächte, und während dieser Zeit wusste selbst der erfahrene Steuermann der Flotte, Palinurus, nicht mehr, wo sich in dem blinden Dunkel die Verirrten befanden und welcher Himmelsgegend die umhergeworfenen Fahrzeuge zugetrieben wurden. Endlich, am vierten Tage, legte sich der Sturm allmählich, ein fernes Gebirge zeigte sich am Horizont. Dieser Anblick gab den Verzweifelnden den geschwundenen Mut wieder: als sie dem Lande näher gekommen waren, zogen sie die Segel ein, warfen sich über die Ruder und wühlten mit aller Anstrengung in dem noch immer empörten Meeresschaum.

Das Land, welches die Verirrten aufnahm, gehörte einer der beiden Strophadeninseln an, die sich im großen ionischen Meere befinden, der Pelopsinsel gegenüber. Es war ein unwirtliches, durch schauerliche Bewohner verrufenes Land. Die Harpyien, die gefräßigen Ungeheuer, seitdem sie die Wohnung des Königs Phineus verlassen hatten und von seinem unglücklichen Tische verscheucht worden waren, hatten an diesem Gestade den hässlichen Sitz aufgeschlagen. Diese grausenhaften Scheusale waren, wie bekannt, ein Vogelgezücht mit Jungfrauengesichtern, die aber, beständig vom Hunger gebleicht, entsetzlich anzuschauen waren. An den Händen hatten sie Krallen, mit welchen sie alle Speisen ergriffen, deren sie sich bemächtigen konnten, und mit dem ekelhaften Auswurf ihres Leibes besudelten sie jeden Ort, an dem sie erschienen. Von diesen Bewohnerinnen des ihnen gänzlich unbekannten Ufers hatten Äneas und seine Fluchtgenossen keine Ahnung. Sie liefen in den Hafen ein, der vor ihnen lag, und waren ganz fröhlich, als sie sich wieder auf festem Lande befanden. Der erste Anblick des Gestades zeigte ihnen auch nichts Unheimliches: Herden von Rindern und Ziegen gingen grasend auf der Weide, ohne alle Hüter. Der ausgestandene Hunger hieß die Gelandeten nicht lange zögern: sie fuhren mit dem Schwert unter das Vieh, brachten Jupiter und den Göttern ein Schlachtopfer dar und setzten sich selbst zum leckeren Schmaus am Ufer in die Runde. Sie erfreuten sich aber des Mahles noch nicht lange, als sie plötzlich von den nahen Hügeln her einen lauten Flügelschlag wie von vielen Vögeln vernahmen. Als wären sie vom Sturmwinde herbeigeführt, erschienen plötzlich die Harpyien, fielen über die Speisen her, zerrten daran herum und besudelten alles mit ihrer abscheulichen Berührung. Allenthalben ertönte ihre grässliche Stimme und verbreitete sich ihr scheußlicher Pesthauch. Die Tafelnden flüchteten sich mit ihrer Opfermahlzeit an eine abgelegene Stelle, unter einen hohen Felsen, der rings von schattigen Bäumen eingeschlossen war. Hier zündeten sie Feuer auf neuen Rasenaltären an und stellten auch ihr Mahl wieder auf. Aber aus den heimlichsten Winkeln und von ganz anderer Himmelsgegend her kam wieder derselbe sausende Schwarm, machte sich mit seinen Krallenfüßen an die Beute und befleckte das Mahl auf alle Weise. Äneas und die Seinigen griffen endlich zu dem letzten Mittel, sie verbargen ihre Schwerter und Schilde ringsumher im Gras, und als die hässlichen Vögel sich wieder im Schwarme herniedersenkten und die krummen Ufer umflatterten, brachen seine Genossen auf das Zeichen eines ihrer Freunde, der vom Felsen herab seine Beobachtungen anstellte, los und versuchten dann, die Untiere mit ihren Schwertern zu erlegen. Aber keine Gewalt vermochte das Gefieder zu durchdringen, keine Wunde saß auf ihren Rücken fest;

eilige Flucht entzog sie den Streichen, sie ließen ihre Beute angefressen zurück und überall Spuren voll Unflat. Nur eine von den Harpyien, Celäno mit Namen, setzte sich auf den höchsten Felsen und brach in die prophetischen Fluchworte aus: »Ist es nicht genug, uns Rinder und Ziegen gemordet zu haben, ihr trojanischen Fremdlinge? Müsst ihr uns unschuldige Harpyien auch noch aus dem Heimatlande vertreiben? Nun, so hört die Prophezeiung, die mir Phöbus anvertraut hat und die ich euch als Rachegöttin verkündige. Ihr fahrt nach Italien, ihr werdet es auch erreichen, sein Hafen wird euch aufnehmen: aber nicht eher umgebt ihr die euch verheißene Stadt mit Mauern, als bis euch ein grässlicher Hunger, die Strafe für das Unrecht, das ihr an uns beginget, zwingen wird, von euren eigenen Tischen zu nagen und sie selbst aufzuzehren.« So sprach sie, schwang die Fittiche und floh in die Waldung zurück. Den Trojanern erstarrte das Blut in den Adern vor Schrecken; sie wussten nicht, hatten sie es mit fluchwürdigen Vögeln oder mit mächtigen Göttinnen zu tun. Endlich hob der Vater Anchises seine Hände flehend gen Himmel und betete zu den Göttern um Abwendung alles Unheils. Dann riet er seinem Sohn und den Genossen der Flucht, sich in aller Eile wieder einzuschiffen.

Äneas an der Küste Italiens. Sizilien und der Zyklopenstrand. Tod des Anchises

Nach langen Irrfahrten und mancherlei Abenteuern erschien endlich eine niedrige Küste mit dämmernden Hügeln aus der Ferne. »Italien!«, rief zuerst der Held Achates, der das Land vor den anderen erblickt hatte. »Italien!«, riefen einfallend unter Freudengeschrei die jubelnden Genossen. Der Greis Anchises bekränzte einen bauchigen Becher und füllte ihn bis zum Rand mit Wein. Auf dem Hinterverdeck stehend, flehte er die Meeresgötter um günstigen Wind und leichte Fahrt an. Auch wehte wirklich die erbetene Luft kräftiger, immer näher flogen sie einem sich vor ihren Augen erschließenden Hafen, und von einem Hügel des Landes winkte ihnen ein schöner Minervatempel. Vertrauensvoll rollten sie die Segel zusammen und drängten die Schiffe nach dem Strande. Der Hafen bildete, von der östlichen Brandung des Meeres ausgehöhlt, einen Bogen, an vorgelagerten Klippen spritzte die Meerflut schäumend auf, eine Mauer getürmter Felsen senkte rechts und links ihre Arme ins Meer herab, und der Tempel, in der Mitte der Bucht gelegen, trat in den Hintergrund. Hier erblickten sie am Gestade als erstes Vorzeichen vier schneeweiße Rosse, die hier und dort im tiefen Grase weideten. »Rosse bedeuten Krieg«, rief Anchises aus, »mit Krieg droht uns dieses Land, so gastlich es aussieht. Lasst uns Minerva, die auf uns herniederblickt, anbeten und eilig mit unseren Schiffen umkehren!«

Sie taten nach dem Rat des Alten und flogen zurück in das Meer. Nun fuhren sie an mancherlei Küstenländern vorüber, immer dem Süden zu, vorbei am Meerbusen von Tarent an der Stadt Kroton mit ihrem Junotempel, an dem klippenvollen Szylazium. Schon tauchte aus der fernen Flut Sizilien mit seinem Ätna, schon von weitem hörten sie jetzt ein gewaltiges Tosen des Meeres, Brandung um die Felsen, am Gestade gebrochenen Laut: aus tiefem Abgrund sprudelte die Flut empor, und Sand unter Wasserschaum stäubte in die Luft. »Das ist die Charybdis«, rief der länderkundige Anchises, »das grässliche Felsenriff. Werft euch an die Ruder, Gefährten, reißt uns aus der Todesgefahr.« Eifrig lenkten alle mit den Schiffen zur Linken um, Palinurus mit dem krachenden Schiffsschnabel voran. Bald flogen die Schiffe aus den Wölbungen des Strudels zu den Wolken empor, und wenn die Wogen verrollten, versanken sie wie in die Unterwelt, und dies geschah dreimal. Als sie der Gefahr glücklich entronnen waren, gerieten sie, aller Bahn unkundig, an den Strand der Zyklopen, wo ein geräumiger Hafen sie aufnahm. In ihrer Nähe hörten sie hier den Feuer speienden Berg Ätna donnern, der bald schwarzes Gewölk, Pechqualm und glühende Asche in die Luft emporwirbelt, bald das Eingeweide des Berges, Steine und geschmolzene Felsen, hinaufschleudert und vom untersten Grunde aus brausend siedet. Der Leib des Giganten Enceladus, vom Blitze Jupiters versengt, soll hier in den Gründen der Erde liegen, und der mächtige Ätna, über ihn geworfen, sende, sagt man, den Flammenhauch des Riesen aus seinem Schlund empor; sooft jener, unter der drückenden Last ermattet, seine Seite wechselt, bebt die ganze Insel von dumpfer Erschütterung, und ein Rauch hüllt den Himmel in seinen Schleier.

Äneas und seine Genossen waren bei Nacht an die Insel verschlagen worden, und der Berg war ihnen noch dazu von Wäldern verdeckt.

Auch umzog den verfinsterten Himmel ein dichtes Gewölk, und hinter seinen Schichten verbargen sich der Mond und die Sterne. So hörten sie die ganze Nacht hindurch nur das fürchterliche Tosen, ohne die Ursache davon erraten zu können. Als der Morgenstern am Himmel stand und Aurora die Schatten vertrieb, sahen die Flüchtlinge, die sich am Strande gelagert, einen fremden seltsamen Mann, ganz in Lumpen gehüllt, ein rechtes Jammerbild des Elends, plötzlich aus den Wäldern hervortreten und die Hände flehend nach ihnen zu dem Ufer ausstrecken. Abscheulicher Schmutz entstellte ihn, die Fetzen seines Gewandes waren mit Dornen zusammengeheftet, sein langes verwirrtes Barthaar flog im Winde. Übrigens erkannte man auch in diesem jämmerlichen Aufzug noch den Griechen, der einst vor Troja gekämpft hatte. Als dieser in der Ferne trojanische Rüstungen sah, stutzte er einen Augenblick und hemmte schüchtern seine Schritte. Bald aber rannte er entschlossen wieder vorwärts zum Ufer und flehte weinend zu den Ankömmlingen hinüber: »Bei den Gestirnen, bei den Göttern, beim Himmelslichte beschwöre ich euch, Trojaner, nehmt mich fort mit euch, wohin es auch gehen mag! Ich weiß wohl, ich bin einer vom Danaerheer, ich habe eure Stadt befehdet, habe sie zerstören helfen. Nun, seid ihr unversöhnlich, so reißt mich in Stücke und versenkt mich im tiefsten Wasser: wird mir so doch der Trost zuteil, von Menschenhänden zu sterben!« So sprach der Unglückliche, umfasste die Knie des Helden Äneas und schmiegte sich fest an ihn. Da ermahnten ihn alle, sein Geschlecht, seinen Namen, sein Schicksal zu melden, und der ehrwürdige Greis Anchises reichte ihm selbst die Hand und nötigte ihn, vom Boden aufzustehen. Allmählich erholte sich der Arme von der Furcht. »Ich stamme«, begann er, »aus Ithaka und war ein Genosse des erfahrungsreichen Helden Odysseus. Achämenides ist mein Name; weil mein Vater Adamastus arm war, entschloss ich mich, mit gegen Troja zu ziehen. Es war mein Unheil; den Gefahren des Krieges glücklich entronnen, wurde ich hier in der scheußlichen Höhle des Zyklopen vergessen, als Odysseus und meine anderen Begleiter, so viele der Menschenfresser noch nicht geopfert hatte, die Höhle mit List verließen. Ich lag krank und elend in einem Winkel der Kluft und hatte es mit angesehen, wie das Ungetüm von meinen armen Freunden ein Paar ums andere verschlang, und mit Hand angelegt, als der einäugige Riese von Odysseus im Rausch geblendet ward.

Ich selbst bin nur durch ein Wunder aus seiner Höhle entkommen; aber, umringt vom ungeschlachten Volk der Zyklopen, brachte ich seit vielen Tagen mein Leben in Hunger und Todesangst hin. Auch ihr, unglückliche Fremde, wenn ihr nicht die Beute dieses abscheulichen Riesenvolkes werden wollt – denn gleich Polyphem irren über hundert in diesem unwirtlichen Gebirge umher –, besteigt auch ihr eilig die Schiffe wieder und löst die Seile vom Strande! Drei Monate sind es, dass ich zwischen Höhlen und Wildlagern mein Leben fortschleppe, mich von der ärmlichen Kost der Waldbeeren und Wurzeln ernähre, stets auf der Lauer vor dem Riesengeschlecht, vor dessen tosenden Tritten und brüllenden Stimmen ich erbebe. Da sah ich diese Flotte dem Ufer nahen; ihr mich zu ergeben brach ich auf, wessen sie auch sein mochte.«
Kaum hatte er dieses gesprochen, als die Trojaner auch schon auf der Höhe des Berges den Zyklopen Polyphem gewahr wurden, den unförmigen Riesen mit dem geblendeten Auge, einen behauenen Fichtenstamm als Stock in der Hand, inmitten seiner Schafherde einherschlendernd, seines einzigen Trostes im Unglück. Am Meere angekommen, ging er mitten in die Fluten hinein, die ihm doch noch nicht einmal bis an die Hüfte gingen. Hier bückte er sich und wusch aus dem ausgestochenen Auge das immer noch fließende Blut, stöhnend und zähneknirschend. Bei diesem grässlichen Anblick beschleunigten die Trojaner ihre Flucht, nahmen den bejammernswürdigen Flüchtling, obgleich er ihr Stammfeind war und ihre Stadt hatte zerstören helfen, mit sich zu Schiffe und hieben stillschweigend die Seile ab. Jetzt vernahm der Riese den Ruderschlag und wandte seine Schritte, noch immer in der Flut, dem Schall des Geräusches zu. Mit Mühe entging das letzte Schiff seinen haschenden Händen, und als er vergebens in die Luft griff, erhob er ein so ungeheures Gebrüll, dass die Klüfte des Ätna wie von einem langen Donner widerhallten und das ganze Zyklopengeschlecht, in den hohen Bergen aufgestört, zum Gestade herabgerannt kam. Wie luftige Eichen oder Zypressen ragten ihre Häupter gen Himmel, und sie schickten der absegelnden Flotte drohende Blicke nach.
Um der Skylla und Charybdis zu entgehen, segelte diese rückwärts längs dem Gestade der Insel hin, von Achämenides beraten, der diesen Weg früher mit Odysseus zurückgelegt hatte. Auf dieser Fahrt traf den Äneas ein großer Schmerz. Sein greiser Vater Anchises, von den Anstrengun-

gen, Gefahren und Schrecken der Reise ermattet, sollte Italien, das gelobte Land seiner Sehnsucht, nicht mehr erreichen. Er wurde zusehends schwächer, seine Sinne schwanden, seine Zunge erlahmte, und ohne nur ein Lebewohl sagen zu können, gab er in den Armen seines Sohnes den Geist auf, als sie eben in den Hafen der sizilianischen Stadt Trepanum eingelaufen waren.

Die trojanischen Flüchtlinge veranstalteten dem ehrwürdigen Vater ihres Führers ein feierliches Leichenbegängnis. Doch hing Äneas nicht lange der Trauer nach. Die Verheißung der Götter trieb ihn, das Volk, welches sich ihn zum Beschützer erkoren hatte, dem Lande der Ahnen entgegenzuführen und das versprochene Reich dort zu gründen.

Äneas nach Karthago verschlagen

Kaum hatte die Flotte Sizilien aus dem Gesicht und segelte fröhlich auf der hohen See dahin, als Juno, die alte Feindin der Trojaner, die vom Olymp auf den Schiffszug herniederblickte, bei sich selber sprach: »Wie, sollte mein Beginnen auf halbem Wege stehen bleiben? Sollte Troja nicht ganz zerstört, sein Volk und Königsgeschlecht nicht mit der Wurzel vertilgt sein? Soll dieser Eidam des Priamus, soll sein Enkel wirklich von Italien Besitz nehmen? Konnte nicht Pallas die heimkehrende Flotte der Griechen auseinander schlagen und mit Orkanen das Meer durchwühlen, nur um die Schuld Ajax des Lokrers zu rächen? Und ich, die Königin der Götter, Jupiters Gemahlin und Schwester, soll dieses eine Volk jahrelang vergebens bekämpfen?« Solche Gedanken bewegte sie in ihrem zornigen Herzen und eilte in das Gebiet der Stürme, nach der Grotte Äolus, des Königs der Winde. Auf ihren Befehl und ihre Bitten, mit reizenden Versprechungen gemischt, ließ dieser sämtliche Winde aus ihrem Verschluss los; diese stürzten wie Heere zur Feldschlacht heraus, wirbelten durch die Länder, legten sich, Ost und Süd, West und Nord zugleich, auf das Meer und reizten die Wogen gegeneinander auf, in deren Mitte die Flotte des Trojaners schwamm. Ein Jammergeschrei erhob sich unter den Männern, die Taue rasselten, während Blitz auf Blitz zuckte und die Donner durch den Himmel rollten. Äneas pries in diesem Augenblick alle diejenigen glücklich, die unter

Trojas Mauern zu seiner Verteidigung gefallen waren, er beneidete seine Freunde Sarpedon und Hektor um den Tod durch die Hand des Tydiden und des großen Achilles. Aber seine Seufzer verwehte der Nordorkan, der die Segel der Schiffe nach vorn riss und diese selbst auf fürchterlichen Wasserbergen bis in die Wolken schleuderte. Die Ruder zerbrachen, die Meerflut drang ein, und die Schiffe legten sich wie sterbend auf die Seite. Drei von den Fahrzeugen schleuderte der Südwind auf verborgene Klippen, drei stieß der Ostwind von der hohen See auf seichte Sandbänke; auf eins, das lykische Bundesgenossen mit ihrem Führer Orontes trug, wälzte sich eine ungeheure Welle nieder und warf den Steuermann kopfüber ins Meer; dann drehte der Wirbel das Schiff dreimal in der Runde herum, und der Abgrund verschlang es. Auch das mächtige Schiff des Ilioneus und Achates, das Schiff des Abas und Aletes überwältigte der Sturm, und das Meerwasser drang durch die lockeren Fugen der Planken ein.

Jetzt endlich nahm der Meeresgott Neptunus von dem brausenden Aufruhr Kunde und wunderte sich über die losgelassenen Orkane. Er erhob aus den wilden Wogen sein ruhiges Haupt und schaute ringsum. Da erblickte er das Geschwader des Äneas allenthalben im Meere zerstreut und die Schiffe seiner Lieblinge, der Trojaner, von den Wogen bedeckt und in Regengüsse gehüllt. Auf der Stelle erkannte er den Groll und die Ränke seiner Schwester Juno, rief den Ost und West gebieterisch zu sich her und sprach zu ihnen: »Was für ein Trotz hat euer freches Geschlecht ergriffen, so ohne meinen Befehl Himmel und Meer untereinander zu mischen und die Wogen bis an die Sterne zu türmen? Ich will euch …! Doch für diesmal sei eure einzige Strafe, die Meeresflut auf der Stelle zu verlassen; geht und sagt eurem Herrn, nicht ihm sei der Dreizack und die Herrschaft über die See verliehen worden, sondern mir; ihm gehören Felsen und Grotten, wo euer Gemach ist; dort mag er in verschlossenem Kerker über euch herrschen, bis man euch braucht!«

So sprach er, und während seiner Rede glättete er die schwellenden Wogen, verscheuchte die geballten Wolken und erheiterte die Luft, dass die Sonne wieder schien. Seine Meeresgötter mussten die Schiffe, die zwischen Klippen geraten waren, von den zackigen Felsen hinwegdrängen; er selbst hob die auf den Sandbänken aufsitzenden mit seinem Dreizack wie mit einem Hebel und machte sie wieder flott; dann glitt er auf seinem Wagen, von Seerossen gezogen, leicht über den Saum der Flut dahin, und das Getöse des Meeres schwieg überall dort, wo der Gott mit verhängtem Zügel die Rosse lenkte und einen Blick über die Wasser warf, wie bei einem Volksaufruhr der gemeine Pöbel, der voll Trotz mit fliegenden Fackeln und Steinen umhertobte, plötzlich schweigt und horchend aufblickt, wenn ein Mann von Tugend und Verdienst erscheint. Die müden Seefahrer sahen eine Küste vor sich liegen, rafften ihre Kräfte zusammen und steuerten dem Lande entgegen. Es war Afrikas Gestade. Bald nahm sie ein sicherer Port auf. Auf der einen Seite sonnige Wälder auf sanften Hügeln, auf der anderen ein Gehölz voll schwarzer Schatten an steiler Höhe, im Hintergrunde der Bucht eine Felsengrotte mit Quellen und Moosbänken. Dorthin fuhr Äneas mit seinen sieben Schiffen, dies war der ganze Überrest der Flotte. Die Trojaner stiegen aus und lagerten sich in ihren triefenden Gewändern dem Ufer entlang. Der Held Achates schlug an einem Kiesel Feuer, fing die Glut in trockenen Blättern auf, nährte sie mit dürrem Reisig und fachte sie durch Schwingen zur Flamme an. Dann wurde das Bäckergerät und das vom Wasser halb verdorbene Getreide aus den Schiffen geladen und das gerettete Korn mit dem Mühlstein zermalmt.

Unterdessen erstieg Äneas klimmend einen Felsen mit seinem treuen Waffenträger Achates und ließ oben die Blicke über die weite Meeresfläche hinschweifen, ob er nichts von den vom Sturme verschlagenen Schiffen erblicken könnte, vom Antheus, vom Kapys mit den Fahrzeugen der Phrygier, von der Flagge des Kaikus; aber kein Schiff begegnete seinem Blick: nur drei Hirsche sah er unten am Strande, denen eine ganze Herde folgte, deren Nachzügler bis tief in ein Tal hinein weideten. Schnell ließ er sich Bogen und Pfeile reichen und streckte den Führer der Herde nieder, einen Hirsch mit hochästigem Geweih; und er ruhte nicht, bis er sieben Tiere erlegt hatte, so viel als die Zahl seiner Schiffe war. Dann kehrte er zur Bucht zurück; die Beute ward eingeholt und unter die Freunde verteilt. Auch stattliche Krüge mit Wein ließ Äneas aus den Schiffen herbeiholen, die ein Gastfreund an der sizilischen Küste ihm geschenkt, und mit dem süßen Tranke flößte er Trost in ihre kummervollen Herzen. »Freunde«, sprach er, »sind wir doch lange mit Trübsal vertraut, selbst mit größerer, als diese gegenwärtige ist, darum lasst uns hoffen, dass ein Gott auch ihr ein Ende machen werde. Rufet nur den alten Mut zurück; in später Zeit werdet ihr euch mit großer Lust an alle diese Leiden erinnern. Denkt nur daran, dass das Ziel so vieler Not und Gefahr Italien ist, dass uns dort unser Geschick ruhige Sitze zeigt, dass dort ein zweites Troja emporblühen wird!«

Der Held sprach freilich diese Hoffnungsworte mit kummervollem Herzen, und er musste seinen tiefen Schmerz gewaltsam in die Seele zurückdrängen. Indessen schlachteten und brieten die Genossen das Wildbret und labten sich an Schmaus und Wein, über die verlorenen Genossen zwischen Furcht und Hoffnung geteilt sich unterhaltend.

Venus von Jupiter mit Rom getröstet. Sie erscheint ihrem Sohne

Auf der Zinne des Olymp stand Jupiter, der Göttervater, und heftete die Blicke, die über Meer und Land und Völker geflogen waren, endlich auf die afrikanische Küste, in das libysche Reich der Königin Dido, wo eben Äneas gelandet war. Zu dem Sinnenden trat seine Tochter Venus, in ihren glänzenden Augen schwammen Tränen, und sie sprach traurig: »Was hat dir mein Äneas getan, allmächtiger Beherrscher der Menschen und der Götter, dass ihm, nachdem er schon so viel Unheil erduldet hat, der ganze Erdkreis um Italiens willen verschlossen wird? Hast du nicht selbst mir verheißen, dass dorther aus dem erneuerten Blute des trojanischen Stammvaters im Laufe der Jahre dereinst das Römervolk kommen und die Herrschaft über Land und Meer erhalten sollte? Nur diese Verheißung söhnte mich mit dem Falle Trojas aus; was hat deinen Sinn so auf einmal verwandelt?«

Der Vater lächelte die Göttin huldvoll an, herzte sie mit einem Kuss und sprach mit dem Blicke, mit welchem er die Wolken vom Himmel verscheucht: »Sei getrost, Töchterchen, das Los deiner Schützlinge bleibt unverrückt. Laviniums Mauern in Italien werden sich erheben, in mächtigem Kriege wird Äneas dort siegen, trotzige Völker bändigen, Gesetz und Ordnung gründen. Drei Jahre wird er in Latium herrschen, sein Sohn Askanius oder Julus wird den Sitz der Herrschaft von Lavinium nach Alba Longa verlegen. Drei Jahrhunderte wird dort das Geschlecht des Priamus auf dem Throne sitzen, bis eine Priesterin der Vesta aus dem

Königshause dem Kriegsgott Zwillingsknaben gebiert. Von diesen wird Romulus, von einer Wölfin gesäugt, seinem Vater Mars neue Mauern bauen und der Stifter des Römervolkes werden. Die Römer aber mache ich zu Herren der Welt, und ihrer Herrschaft sei kein Ziel gesetzt. Juno selbst, welche deinen Sohn jetzt so quält, wird sich mit diesen seinen Enkeln versöhnen und sie mit mir begünstigen, und der größte Römer wird ein Nachkomme des Julus sein und Julius heißen. Sein Ruhm wird zu den Sternen sich erheben, er selbst, dein Nachkomme, Tochter, wird in den Himmel unter die Götter aufgenommen werden. Unter den Menschen aber wird nach beendigten Kriegen der ewige Friede wohnen, eiserne Riegel werden die Pforten der Zwietracht schließen, die, mit hundert Ketten gefesselt, vergebens mit den blutigen Zähnen knirschen wird.«

So sprach Jupiter und sandte sofort seinen Sohn, den Götterboten Merkur, nach Karthago, um dort den Trojanern gastliche Herberge zu bereiten. Dieses Land war ein uralter Sitz phönizischer Pflanzer, und Juno beschirmte das Reich mit besonderer Huld. Ihre Rüstung, ihre Wagen waren dort aufbewahrt, und längst war es Wunsch und Bestreben der Göttin, hier ein Weltreich zu begründen. Jetzt aber beherrschte dieses libysche Reich Dido, die Witwe des Phöniziers Sychäus, welche hier die neue Stadt und Burg Karthago erbaut hatte.

Am anderen Morgen machte sich Äneas, nur von seinem Freund Achates begleitet, zwei Wurfspieße in der Hand, auf, um das neue Land zu erforschen, an dessen Gestade ihn der Sturm geworfen hatte. Da begegnete ihm mitten im Walde seine Mutter Venus in Gestalt einer bewaffneten Jägerin, wie Spartas Jungfrauen sich zu tragen pflegen: ein Bogen hing ihr über den Schultern, das Haar flatterte frei in den Lüften, das leichte Gewand war ihr bis ans Knie aufgeschürzt. »Sagt mir doch, ihr Jünglinge«, so redete sie die schreitenden Helden an, »habt ihr keine meiner Gespielinnen gesehen, in Luchspelz gekleidet, mit übergehängtem Köcher?« – »Nein«, entgegnete ihr Äneas, »aber wer bist du, Jungfrau? In deinem Antlitz und deiner Stimme ist etwas Übermenschliches, bist du eine Nymphe, bist du eine Göttin? Doch wer du auch seist: sag uns, in welchem Lande sind wir? Der Sturm hat uns an dieses Gestade verschlagen, und wir irren schon lange in der Welt umher.« Hierauf erwiderte Venus lächelnd: »Wir tyrischen Mädchen pflegen uns immer so zu tragen, und ich bin darum nicht Apollos Schwester, weil du mich mit dem Köcher bewaffnet siehst. Du bist unter Tyriern, Fremdling, in einem Reiche der Phönizier, in der Nähe von Agenors Stadt; dennoch ist der Weltteil, in welchem du dich befindest, Afrika, das Land ist libysch und das Volk wild und kriegerisch. Eine Königin herrscht über uns, Dido; auch sie stammt aus Tyrus und war dort die geliebte Gattin des reichen Phöniziers Sychäus. Aber ihr Bruder Pygmalion, der König von Tyros, ein unmenschlicher Tyrann, hasste den Schwager, und um die Liebe der Schwester unbekümmert, erschlug er ihren Gatten, geblendet von Goldgier, heimlich am Altar der Götter. Der blasse Schatten des Gemordeten erschien seiner Gemahlin im Traume, mit einer tiefen Schwertwunde in der Brust, und entschleierte ihr das geheime Verbrechen; er riet ihr zu schleuniger Flucht aus dem Vaterlande und bezeichnete ihr die unterirdische Stelle, wo der alte verborgene Reichtum des Königs, Silber und Gold, ihre Fahrt zu unterstützen, bereit läge. Dido folgte seinem Winke; der Tyrannenhass sammelte viele Gefährten um sie. Was von Schiffen bereit lag, wurde mit dem Golde des kargen Pygmalion angefüllt. So gelangten sie an die Küste Afrikas und an den Ort, wo du jetzt bald die gewaltigen Mauern der neuen Stadt Karthago und ihre himmelansteigende Burg erblicken wirst. Hier erkaufte sie anfangs nur ein Stück Landes, welches nach der Tat Byrsa oder Stierhaut genannt wurde. Denn sie verlangte nur so viel Feldes, als sie mit einer Stierhaut zu umspannen vermochte. Diese Haut aber schnitt sie in so dünne Riemen, dass diese den ganzen Raum einschloss, den jetzt Byrsa, die Burg Karthagos, einnimmt. Von dort aus erwarb sie mit ihren Schätzen immer größeres Gebiet, und ihr königlicher Geist gründete das mächtige Reich, das sie jetzt beherrscht. Nun wisst ihr, wo ihr seid, ihr Männer. Aber wer seid denn ihr, woher kommt ihr und wohin wandert ihr?« Mit diesen Fragen veranlasste die Göttin eine rührende Erzählung seines Schicksals aus dem Munde ihres Sohnes, dessen Klage sie jedoch bald unterbrach: »Wenn meine Eltern mich nicht umsonst die Deutung des Vogelfluges gelehrt haben«, sagte sie, »so verkündige ich dir die Rettung deiner verschlagenen Schiffe und die Rückkehr deiner Freunde. Denn ich sah am offenen Himmel in freudigem Zuge zwölf Schwäne fliegen, die kurz zuvor ein Adler, der Vogel Jupiters, auseinander gescheucht hatte. In langem Zuge suchten sie teils das Land zu gewinnen, teils schwebten sie schon über dem gewonnenen: so erreichten auch deine Genossen schon zum Teil den Hafen, zum Teil nähern sie sich ihm mit vollen Segeln. Du aber geh immerhin auf dem betretenen Pfade fort.« So sprach die Jungfrau und wandte sich um. Ihr rosiger Nacken erglänzte von überirdischem Licht, ihre ambrosischen Locken verbreiteten einen himmlischen Wohlgeruch, ihr Kleid wallte blendend zu den Fersen hernieder, ihre Gestalt erschien übermenschlich groß, ihr Schreiten verkündigte die Göttin. Jetzt erkannte Äneas plötzlich seine Mutter und rief die Fliehende vergebens zurück. Diese aber umhüllte die Wanderer mit einer dichten Umkleidung von Nebel, dass niemand sie schauen und ihre Absichten erforschen könne. Sie selbst schwebte hoch durch die Lüfte nach ihrem Lieblingssitze Paphos.

Äneas in Karthago

Die beiden Wanderer gingen rüstig im Nebel dahin, immer dem Fußpfade nach. Bald hatten sie den Hügel erstiegen, der sich hoch über die Stadt erhob und auf die gegenüberstehende Burg hinuntersah. Mit Staunen betrachtete Äneas den stolzen Königsbau, der sich da erhob, wo früher nur armselige Bauernhütten gestanden hatten, die hohe steinerne Pforte der Stadt, die breiten gepflasterten Straßen, den Lärm und das Gewühl darin. Noch aber wurde an der Stadt gebaut, die Tyrier betrieben das Werk mit allem Eifer: die einen waren mit den Stadtmauern beschäftigt, die anderen mit der Vollendung der Burg, zu deren Höhen sie Quadersteine emporwälzten; viele bezeichneten mit Furchen erst den Platz, auf welchem sich ihr Haus erheben sollte. Der größere Teil der Einwohnerschaft war auf dem Marktplatze versammelt, wählte den Senat und die Richter des Volkes und beratschlagte über die Gesetze des neuen Staates. Noch andere gruben bereits an den Häfen, einige legten den Grund zu dem Theater und hieben dazu mächtige Säulen als Zierden der künftigen Bühne aus dem Felsen. Alle waren so geschäftig wie die Bienen zu Beginn des Sommers.

In ihrem Nebelgewande geborgen, befanden sich Äneas und sein Begleiter bald in der Mitte des beschäftigten Volkes und gingen unerkannt hindurch. Mitten in der Stadt grünte ein schöner Hain, voll des kühlsten Schattens, wo die Phönizier oder Pöner zuerst ein Glückszeichen, das ihnen Juno sandte, ausgegraben hatten, ein Pferdehaupt, wodurch ihnen Kriegsglück und Nahrung vorbedeutet ward. Hier baute die Königin Dido der Juno einen prächtigen Tempel; Stufen, Torpfosten und Türflügel, alles war von Erz. In diesem Haine fasste sich der Held Äneas erst wieder einen getrosten Mut und gab sich in seiner verzweifelten Lage kühneren Gedanken der Hoffnung hin. Denn während er sich in dem herrlichen Tempel umschaute und über die prächtigen Kunstwerke, die sich darin befanden, staunte, stieß er auf eine Reihe von Wandgemälden, in welchen die Schlachten Trojas dargestellt waren. Priamus, die Atriden, Achilles, Rhesus und Diomedes, fliehende Griechen und wieder Trojaner, der Knabe Troilus, von seinen Pferden geschleift, Trojanerinnen mit fliegendem Haar im Tempel der Pallas, Hektors geschleppte Leiche, Penthesilea mit ihren Amazonen, alles erkannte der Held Äneas, ja am Ende entdeckte er auch sich selbst, wie er von der Mauer herab den ungeheuren Stein auf die Feinde schleudert.

Während er dies alles unter Schmerz und Lust mit Verwunderung sich beschaute, nahte die Königin Dido selbst im höchsten Glanze jugendlicher Schönheit, von einem großen Gefolge tyrischer Jünglinge umgeben, dem Tempel. Unter der Wölbung des Portals setzte sie sich, von Bewaffneten umringt, auf einen hohen Thron und teilte dem Volke, das sich um sie versammelte, teils nach billiger Schätzung, teils durchs Los, die Arbeiten in der neuen Stadt zu, sprach Recht, gab Gesetze. Da sahen Äneas und Achates plötzlich mitten in dem Gewühle ihre verloren geachteten Freunde und Genossen, den Sergestus, den Kloanthus und viele andere Teukrer, welche der Sturm von ihnen getrennt und an andere Küsten verschlagen hatte. Freude und Angst ergriff sie bei diesem Anblick: sie glühten vor Begierde, ihnen die Rechte zu traulichem Handschlag zu reichen, und doch machte sie das Unbegreifliche der Sache wieder irre: sie hielten deswegen in ihrem Nebelgewölbe an sich und warteten zu, ob sie nicht im Verlauf der Dinge das Schicksal der Freunde aus ihrem eigenen Munde erfahren würden. Denn es waren, wie sie sahen, auserwählte Männer von jedem Schiffe. Auch drängten sie sich bald aus der Menge hervor, traten in die Vorhalle des Tempels ein, und als ihnen das Wort von der Königin vergönnt wurde, hob ihr Führer Ilioneus zu sprechen an: »Edle Königin, wir sind arme Trojaner, die der Sturm von Meer zu Meer geschleudert hat. Wir richteten den Lauf unserer Flotte nach dem fernen Italien, als ein unvermuteter Orkan uns unter die Klippen schleuderte, wo viele unserer Schiffe ohne Zweifel zu Grunde gegangen sind. Die Überbleibsel der Flotte haben euer Gestade erreicht. Aber was sind das für Menschen, unter die wir geraten sind? Welches Barbarenvolk duldet solche Gebräuche? Man verwehrt uns, den Strand zu betreten, man droht mit Krieg, mit Verbrennung unserer Schiffe. Wenn ihr von Menschlichkeit nichts wisst, so scheut doch wenigstens die Götter! Äneas war unser Führer – es gibt keinen größeren und frommeren Helden! Wenn das Schicksal uns diesen Mann erhalten hat, so wird euch der Dienst, den ihr uns erweist, niemals gereuen. Darum gestattet uns, die lecken Schiffe ans Land zu ziehen, in euren Wäldern Schiffsbalken zu zimmern und Ruder zu verfertigen. Finden wir unseren König und unsere Freunde wieder, dann dürfte uns wohl die Fahrt nach dem verheißenen Italien glücken. Hat aber ihn die libysche Flut verschlungen und ist unsere Hoffnung dahin, nun, dann gib uns wenigstens sicheres Geleit, mächtige Königin, dass wir zu unserem Gastfreunde am sizilischen Strande, von dem wir herkommen, wieder zurückkehren können.«

Die Königin senkte vor den Männern den Blick auf die Erde und antwortete kurz: »Verbannt die Angst aus euren Herzen, Trojaner! Mein Schicksal ist so hart, mein Reich ist so jung, dass ich genötigt bin, die Grenzen des Landes ringsumher durch strenge Wachen sicherzustellen. Trojas Stadt aber und ihr unglückliches Volk, ihre Helden, ihren Waffenruhm, ihre fürchterliche Zerstörung kennen wir gar wohl. Unsere Stadt ist nicht so abgelegen, dass sie nichts von ihrem Schicksale wüsste; unsere Herzen sind nicht so unempfindlich, dass es uns nicht rührte. Möget ihr euch denn Hesperien zum Wohnsitz erwählen oder Siziliens Insel: in beiden Fällen getröstet euch meiner Hilfe, ich will euch mit allem Nötigen versehen und in Frieden ziehen lassen; es wäre denn, dass ihr euch lieber hier im Lande ansiedeln wolltet! Wollt ihr das, so steht euch frei, eine Stadt zu gründen, und meine Gesetze sollen euch denselben Schutz verleihen wie meinen eigenen Untertanen. Was euren König betrifft, so sende ich auf der Stelle sichere Männer an meine Ufer und im Lande umher, ihn auszuspähen, ob er nicht, irgendwo gestrandet, in Wäldern oder in Städten umherirrt.«

Die beiden Helden in der Wolke brannten vor Begierde, den Nebel zu durchbrechen, als sie solches hörten. »Hörest du es, Sohn der Göttin«, flüsterte zuerst Achates seinem erhabenen Freunde zu, »die Schiffe der Freunde alle sind gerettet; nur einer fehlt, den wir selbst ins Meer sinken sahen; sonst entspricht alles den Verheißungen deiner Mutter.« Kaum war dieses gesprochen, als die Nebelwolke sich von selbst teilte und in den offenen Äther verschwand. Da stand nun Äneas im heiteren Lichte, wie ein Gott an Schultern und Haupt glänzend: seine Mutter hatte ihm schönes, wallendes Lockenhaar auf das Haupt, das Purpurlicht der Jugend auf die Wangen und in das heitere Auge den Strahl der Huld gezaubert. Wie ein Sünder stand er vor allen da, wandte sich zur Königin und sprach: »Da bin ich, nach dem ihr verlangt, aus den Wellen Libyens gerettet, ich, der Trojaner Äneas! Edle, großmütige Königin, die du die Trümmer meines unglücklichen Volkes erbarmungsvoll in deine Stadt aufgenommen hast, keiner von allen Trojanern, die über die ganze Erde zerstreut sind, kann dir würdigen Dank bezahlen; mögen dir die Himmlischen vergelten! Selig sind die Eltern, die dich gezeugt haben! Solange die Erde steht, wird dein Name bei uns von Ruhme strahlen, welches Land uns auch rufen mag!« So sprach Äneas und eilte auf seine Freunde zu, die Rechte, die Linke ihnen in die Wette darreichend. Als sich Dido vom ersten Erstaunen erholt hatte, sprach sie: »Sohn der Göttin, welches Schicksal verfolgt dich durch solche Gefahren? Du bist also jener Äneas, welchen einst die erhabene Göttin Venus Anchises, dem Trojaner, an den Wellen des Simois geboren hat! Wohl hab ich vieles von den Schicksalen deines Geschlechts und deines Volkes von meinen Vater Belus vernommen. Als dieser in Zypern kriegte, kam der Argiver Teucer, Telamons Sohn, zu ihm, der dort nach dem trojanischen Kriege eine Niederlassung gegründet hatte; dieser erzählte viel von euren Heldentaten. Er war zwar euer Feind im Kriege, aber zugleich euer Blutsverwandter, denn auch er rühmte sich, vom alten Geschlecht der Teukrer abzustammen; seine Mutter Hesione, welche Telamon als eine Kriegsgefangene von seinem Freunde Herkules zum Geschenk erhalten hatte, war eine Tochter des trojanischen Königs Laomedon. Nun aber, ihr Männer, tretet getrost in unsere Häuser ein, auch ich bin eine Verbannte, auch ich fand nach langen Mühsalen erst in diesem Lande Ruhe. Ich bin wohlvertraut mit dem Jammer und verstehe mich auf den Beistand Unglücklicher.«

So sprach Dido und führte den Helden unverzüglich in ihren Palast, auch ordnete sie in allen Tempeln ein prächtiges Opferfest an. Das Innere der Burg wurde mit königlichem Prunk ausgeschmückt und in den schönsten Sälen des Palastes ein Festmahl zugerüstet. Kunstvolle Purpurteppiche prangten überall, schweres Silber belastete die Tische, goldene Pokale mit erhabener Kunstarbeit schimmerten allenthalben. Indessen ließ dem edlen Äneas seine Vaterliebe keine Ruhe; er schickte den treuen Diener Achates schleunig zu der Flotte, dem Knaben Askanius die frohe Botschaft zu verkündigen und ihn selbst herbeizuführen. Auch allerlei Ehrengeschenke, die er aus dem Schutthaufen Trojas gerettet, befahl er herbeizubringen: einen prächtigen Mantel mit goldgewirkten Bildern, den Schleier Helenas, ein Wundergeschenk ihrer Mutter Leda, den sie aus Sparta mitgebracht, das Zepter der Ilione, der ältesten Tochter des Priamus, ein Halsgeschmeide von Perlen und eine Krone, von Gold und Edelsteinen glänzend. Mit diesen Aufträgen eilte Achates nach den Schiffen.

Dido und Äneas

Aber die himmlische Mutter des Helden war nicht beruhigt über sein Schicksal, sie fürchtete die doppelzüngigen Tyrier und das betrügliche Königshaus. Auch dass Juno, die Todfeindin des Äneas, Schutzgöttin des Landes war, machte ihr schwere Sorge. Sie sann deswegen auf eine ganz neue List. Ihr Sohn, der Liebesgott, sollte die Gestalt des Knaben Askanius annehmen und an seiner Stelle in Karthagos Hofburg erscheinen. Würde nun Dido den holden Jungen beim königlichen Schmause auf den Schoß nehmen und ihn harmlos herzen und küssen, so sollte ihr Amor das heimliche Feuer und das betörende Gift der Liebe einhauchen. Der Liebesgott gehorchte dem Gebote seiner Mutter, er entledigte sich in aller Eile seiner Flügel und wandelte in kurzem, vergnügt über die Rolle, die er zu spielen hatte, dem kleinen Julus oder Askanius täuschend ähnlich, an der Hand des Achates, der keinen Betrug ahnte, der Königsstadt entgegen. Den wahren Askanius hatte Venus im Schlummer in ihr eigenes Gebiet, in den Hain Idaliums, entführt und ihn dort in duftenden Majoran unter kühlen Schatten gelegt.

Als Achates mit dem kleinen Gott an der Hand in Karthagos Burg eintraf, hatte sich die Königin schon auf einem goldenen, mit köstlichen Teppichen gepolsterten Throngestell in der Mitte des Saales niedergelassen; Äneas und die trojanischen Helden kamen von allen Seiten herbei und lagerten sich die Tische entlang auf purpurne Polster; Diener boten Reinigungswasser und Handtücher herum und langten das Brot aus den Körben hervor; fünfzig Mägde standen in langen Reihen in der Küche vor den dampfenden Speisen an flammenden Herden; andere hundert Mägde und ebenso viele schmucke Diener türmten die Gerichte auf den Tischen umher und stellten die goldenen Becher vor die Gäste. Auch die Tyrier kamen jetzt scharenweise herbei und lagerten sich auf das Gebot ihrer Königin an den Tafeln. Die Geschenke des Äneas wurden herumgegeben und bewundert. Dann richteten sich aller Blicke auf den kleinen vermeintlichen Julus, der mit heuchlerischen Umarmungen sich an den Hals seines Vaters warf, seinen Mund mit Küssen bedeckte und wunderkluge Worte dazu sprach. Die arme Dido besonders, die schon von dem Gott ihrem Verderben geweiht war, konnte ihr Gemüt gar nicht sättigen und blickte bald den Knaben, bald die Geschenke mit immer funkelnderen Augen an. Der kleine Liebesgott riss sich endlich von dem erheuchelten Vater los und eilte auf die Königin zu. Diese nahm ihn arglos auf die Arme, blickte ihn liebreich an und herzte ihn zärtlich, ohne zu ahnen, welch ein mächtiger Gott sich ihr anschmiege. Amor aber, den listigen Befehlen seiner Mutter gehorsam, verwischte allmählich das Bild des verstorbenen Gemahls in ihrem Geist und reizte die erstorbenen Gefühle ihrer Brust zu neuer, lebendiger Neigung.

Der Schmaus ging zu Ende, die Gerichte wurden von den Tafeln genommen, gewaltige Weinkrüge aufgestellt und die Becher aufs Neue gefüllt. Lautes Rauschen wälzte sich durch die Säle des Palastes; die Nacht war herbeigekommen, und flammende Kronleuchter hingen von dem goldenen Deckengetäfel herunter. Jetzt ließ sich Dido die herrlichste Schale, schwer von Gold und Edelsteinen, reichen und füllte sie bis zum Rande mit Wein: sie war längst der Mundbecher aller tyrischen Könige. Diese hielt die Königin, von ihrem Thron sich erhebend, hoch in der Rechten, und in diesem Augenblick verstummte der Lärm in den Sälen des Palastes. »Jupiter«, sprach sie mit feierlicher Stimme, »mächtiger Beschirmer des Gastrechts, lass diesen Tag den Tyriern und unseren trojanischen

Freunden günstig sein, und unsere späten Enkel mögen des Festes noch mit Lust gedenken! Auch du, Freudengeber Bacchus, auch du, huldreiche Juno, sei mit uns!« So sprechend, goss sie das Trankopfer auf den Tisch, nippte dann von der goldenen Schale selbst und bot sie dem tyrischen Häuptling, der ihr zunächst saß. Nun machte der Pokal bei Tyriern und Trojanern die Runde, und derweil sang ein lockiger Sänger zur goldenen Zither sinnvolle Lieder vom Ursprung der Welt, der Menschen und der Tiere. Als der Gesang zu Ende war, hing Dido an dem Munde des erzählenden Äneas, vernahm seine Schicksale mit pochendem Herzen und schlürfte in langen Zügen das Gift der süßen Liebe ein.

Didos Liebe betört den Äneas

Die Mienen, die Worte des Helden gruben sich der Königin tief ins Herz. Als die Gäste den Palast längst verlassen hatten und sie wenige schlaflose Stunden auf ihrem Lager zugebracht, suchte sie das Gemach ihrer geliebten Schwester und vertrautesten Freundin Anna auf und begann dieser ihr ganzes Herz aufzuschließen. »Schwester Anna«, sprach sie, »mich ängstigen wunderbare Träume. Welch ein seltener Gast hat unsere Wohnungen betreten, welche Waffen, welcher Mut, welche Blicke! Man sieht ihm wohl an, dass er von den Göttern abstammt! Und welches Geschick hat er erfahren, welche Kriege durchgekämpft, welche Fahrten bestanden! Wahrhaftig, Schwester, wenn ich nicht unwiderruflich beschlossen hätte, mich durch das Band der Ehe keinem Manne mehr zu gesellen, seit der Tod mich um meine Erstlingsliebe betrogen hat: dieser einzigen Schwäche könnte ich vielleicht unterliegen. Aber eher soll mich die Erde verschlingen, eher der Blitz mich treffen, ehe ich meinem ermordeten Gemahl die Treue breche; er hat meine Liebe mit sich fortgenommen, er behalte sie auch im Grabe!« Tränen erstickten ihre Stimme, und sie vermochte nicht weiterzusprechen.

Ihre Schwester blickte sie mitleidig an und erwiderte: »Dido, ich liebe dich mehr als mein Leben, willst du deine holde Jugend denn ganz in Witwengram verjammern? Meinst du, der Staub deines Gatten kümmere sich um deine Entsagung? Kommt es dir denn gar nicht in den Sinn, in welchem Gebiet du hausest, dass du auf der einen Seite von kriegerischen Gätulen, von unbändigen Numidierstämmen, von ungastlichen Sandbänken, auf der anderen Seite von wasserlosen Wüsten eingeschlossen bist? Und welche Kriege drohen dir von Tyrus her, von deinem unversöhnlichen Bruder? Glaube mir, durch Gunst unserer Schutzgöttin Juno ist es geschehen, dass die trojanischen Schiffe hier gelandet sind. Schwester, wie mächtig würde unsere Stadt, wie mächtig das Reich durch eine solche Vermählung werden! Wie wird sich der Ruhm der Pöner steigern, von den Waffen der Trojaner begleitet! Sei klug, liebe Schwester, opfere den Göttern, biete Gastgeschenke an, umstricke die Helden mit Zerstreuungen aller Art, solange ihre Flotte noch zerschellt ist und die Winde den Reisenden zuwider sind.«

Anna entflammte mit diesen Worten Didos glühende Seele noch mehr und schläferte alle Scheu in ihrem Herzen ein. Sie gingen zusammen in die Tempel und opferten den Göttern. Dann führte Dido den geliebten Helden durch ihre Stadt, zeigte ihm den sidonischen Königsglanz und feierte ihrem Gast zu Ehren ein neues Mahl; wieder herzte sie den Askanius, das Ebenbild seines Vaters, wieder konnte sie nicht satt werden, den Helden von Trojas Leiden erzählen zu hören.

Dies alles war der Göttermutter Juno vom Olymp herab nicht entgangen. Der rechte Zeitpunkt, den Helden für immer um das verheißene Italien zu betrügen und das Volk der Trojaner in fremden Stämmen sich verlieren zu lassen, schien ihr gekommen. Sie suchte ihre Tochter Venus auf und begann heftig, doch freundlich zu ihr: »Wahrhaftig, du und dein Knabe, ihr habt einen schönen Sieg davongetragen! Doch wozu noch längeren Hader? Lass uns ein Ehebündnis und damit ewigen Frieden schließen! Du hast, was du mit ganzer Seele suchtest: Dido glüht von Liebe zu Äneas. Wohlan, lass uns die Völker verschmelzen, sie mag dem trojanischen Gatten dienen, und Tyrier sollen seine Hochzeitsgabe sein.«

Venus merkte die heimliche Absicht der Heuchlerin wohl, sie erwiderte aber ganz willfährig: »Wie könnte ich so töricht sein, dir dieses zu verweigern, Mutter? Wie könnte ich es wagen wollen, in endlosem Kampf mich mit dir zu messen? Ich fürchte nur, Jupiter möchte den Verein beider Völker nicht gestatten. Doch du bist ja seine Gemahlin, dir ziemt es, sein Herz durch Bitten geneigt zu machen. Was du zu Wege bringst, ist mir recht.« – »Lass das meine Sorge sein«, erwiderte Juno vergnügt,

»vor allen Dingen muss der Bund geschlossen werden. Lass mich nur die Geschicke lenken, Geschehenem wird Jupiter seine Billigung nicht versagen.« Zustimmend und freundlich nickte Venus, aber im Herzen spottete sie des Betrugs.

Am nächsten Morgen veranstaltete die Königin eine große Jagd, ihren fremden Gästen zu Ehren. Auserlesene Jünglinge mit Schlingen, Netzen, breiten Jagdspießen, von Reitern und Spürhunden begleitet, verließen die Tore. Vor dem Palast stand der Zelter der Königin, mit Gold geschmückt und mit Purpurdecken behangen, und kaute mutig an seinem beschäumten Gebiss; an der Pforte harrten die Pönerfürsten. Endlich trat Dido heraus, umdrängt von großem Jagdgefolge; sie trug ein buntgesticktes sidonisches Jägerkleid; darüber einen mit goldener Schnalle aufgeschürzten Purpurrock; ein goldenes Diadem umschlang ihre Stirn, und von der Schulter hing ihr der goldene Köcher. Vier Trojaner waren in ihrem Zuge, darunter auch der muntere Julus. Endlich schloss sich der Schönste von allen, Äneas, mit seinen vertrautesten Helden ebenfalls der Begleitung an.

Als die Gesellschaft das Gebirge erreicht hatte, zerstreute sie sich bald auf der unwegsamen Wildbahn; von den Felsenkuppen sah man bald Gämsen über die Hügel herstürzen; auf der anderen Seite verließen Hirsche in stäubender Flucht ihre Berge, drängten sich in bangen Haufen zusammen und durchrannten die offenen Felder. Mitten im Tal tummelte der Knabe Julus oder Askanius sein mutiges Pferd und flog damit bald an diesen, bald an jenen Jägern vorüber; das schüchterne Wild war ihm viel zu gering, immer hoffte er, es werde ein schäumender Eber angelaufen kommen oder ein Löwe mit gelber Mähne hinter dem Hügel hervorschreiten.

Die Jäger waren so ganz in ihre Lust vertieft, dass sie nicht merkten, wie der Himmel sich zu verdunkeln begann, und das drohende Ungewitter, das sich in den Wolken zusammenzog, erst entdeckten, als der Wind durch die Bäume sauste und plötzlich Regen und Hagel herniederströmten. Tyrier und Trojaner suchten zerstreut und verirrt durch Felder und Wälder sich verschiedenen Schutz vor dem Unwetter. Während nun angeschwollene Waldströme von den Bergen stürzten und ein Zufluchtsort vom andern getrennt und abgeschnitten wurde, fanden sich durch Junos Veranstaltung die Königin Dido und der Trojanerheld Äneas zugleich in der nämlichen Grotte zusammen, um vor dem immer mehr tobenden Ungewitter Schutz zu finden. Mit dem Aufruhr der Natur, beim Leuchten der Blitze und dem Krachen des Donners entfesselte sich auch die bisher zurückgehaltene Neigung der Königin; sie vergaß aller weiblichen Scheu und gestand dem Helden ihre glühende Liebe. Da schwanden dem betörten Äneas die göttlichen Verheißungen, er erwiderte ihre Zärtlichkeit und besiegelte mit einem leichtsinnigen Schwur die Ausbrüche ihrer Leidenschaft.

Äneas verlässt auf Jupiters Befehl Karthago

Das Ungewitter war vorüber, die Jagdgesellschaft hatte sich wieder zusammengefunden, und Äneas kehrte an Didos Seite nach der Stadt und in den Palast zurück. Ein Freudenfest folgte auf das andere, keiner Abfahrt ward gedacht, und der Winter kam heran.

Jetzt machte sich Fama, die Göttin des Gerüchtes, auf und durchflog die Städte Libyens. Diese, ein Wesen von seltsam beweglicher Gestalt, ist eine Tochter der Mutter Erde und die jüngste Schwester der Giganten. Sooft sie aus ihrer Verborgenheit hervorgeht, ist sie anfangs ganz klein und schüchtern, aber im Fortschreiten wächst sie an Kräften und Größe, erhebt sich bald in die Lüfte; und während ihre Füße über den Boden gleiten, verbirgt sich ihr Scheitel in den Wolken. Ihre Gestalt ist grässlich, ihr Haupt ganz mit Flaumfedern bedeckt; so viel Federn, so viel funkelnde Augen darunter, so viel Zungen und Mäuler, die nie schweigen, so viel immer gespitzte Ohren. Nachts fliegt sie zwischen Erde und Himmel einher, rauscht durch die Schatten, und nie schließen sich ihre Augenlider zum Schlummer. Den Tag über aber lauscht sie hingekauert, bald am Giebel der Häuser, bald auf den Zinnen der Türme, und schreckt Stadt und Land mit ihrem krächzenden Ruf, und es ist ihr einerlei, ob sie Wahrheit verkündet oder Lug und Trug meldet.

Dieses hässliche Wesen füllte auch jetzt mit mancherlei Gerüchten die Länder Afrikas an und erzählte schadenfroh alles durcheinander, was geschah und nicht geschah: Ein Fremdling sei gekommen, ein Mann aus trojanischem Geschlecht, Äneas mit Namen, diesen habe sich die reizende Königin Dido zum Gemahl erkoren; sie vergesse der Sorge für ihre

Herrschaft, die Zügel der Regierung entgleiten ihren Händen, und das Paar durchschwelge in Pracht und Üppigkeit den Winter. Solche Sagen ließ die hässliche Göttin durch den Mund des Volkes gehen. Dann richtete sie ihren Lauf plötzlich nach Gätulien zu dem König Jarbas, dessen Hand kürzlich von Dido verschmäht worden war. Diesem entflammte sie das gekränkte Herz durch ihre Zuflüsterungen zum wildesten Grimm. Er war ein Sohn Jupiters und einer libyschen Nymphe und hatte seinem Vater hundert prächtige Tempel in Numidien erbaut, wo stets geschäftige Priester opferten und die Pforten immer mit Blumen bekränzt waren. Dieser, von dem bitteren Gerücht in Wut versetzt, warf sich jetzt vor die Altäre und flehte mit rückwärts erhobenen Händen zum Himmel empor: »Allmächtiger Jupiter, dem die maurischen Völker dienen, siehst du das und sendest deinen Blitz nicht? Ein landflüchtiges Weib, das für Geld sich ein Städtchen gegründet hat, der ich in meinem Gebiet das Ufer zum Pflügen, das Land zum Beherrschen verliehen habe, ein solches Weib hat trotzig meine Hand verschmäht, ergibt sich dem glatten Trojaner und lässt den Weichling meines Raubes genießen? Und wir sind solche Toren und hören nicht auf, in deinen Tempeln dir Geschenke darzubringen, und glauben an deine Weltregierung!« So betete er und fasste seines Vaters Altar. Jupiter hörte ihn und richtete seinen Blick vom Olymp auf Karthago. Dann berief er seinen Sohn Merkurius. »Was hat Äneas«, sprach er zornig, »im feindlichen Lande zu schaffen? Nicht dazu habe ich ihn zweimal den Waffen der Griechen und so oft den Stürmen entrissen. Rom soll er mir gründen! Auf der Stelle soll er davonrudern, ich will's! Und das sollst du ihm von mir verkünden.« Wie ein Vogel durcheilte der Gott mit seinen fliegenden Sohlen die Luft; bald war er in Karthago und fand hier den Helden Äneas, wie er eben den Bau neuer Paläste überwachte. Sein Schwert funkelte von Edelsteinen; sein Mantel, den Dido selbst gefertigt, glühte von Purpur; er glich vom Kopf bis zur Sohle einem tyrischen Fürsten und nicht mehr einem Trojaner. Da stellte sich Merkur, allen anderen unsichtbar, neben ihn und schalt ihm ins Ohr: »Weibersklave, hier stehest du, deiner Bestimmung und deines Reiches vergessend, und bauest einer Fremden die Stadt! Weißt du nichts mehr von deinem Sohn Askanius und von der Römerherrschaft, die du gründen sollst? Wisse, Jupiter sendet mich vom Olymp, dich zu strafen, dich fortzutreiben!«

Der Gott war entflogen, ehe sich Äneas von seiner Betäubung erholen konnte, aber das Göttergebot hallte in seiner Seele nach und gestattete ihm nicht mehr an anderes zu denken als an schleunige Flucht. Nachdem er seinen Vorsatz von allen Seiten geprüft und erwogen, berief er seine vertrautesten Genossen zu sich an einen einsamen Ort und befahl ihnen, in aller Stille die Flotte zu rüsten, die Genossen am Strande zu versammeln, die Waffen in Bereitschaft zu halten, aber die Ursache dieses neuen Beginnens aufs Vorsichtigste zu verheimlichen. Er selbst wolle, noch bevor Dido den vom Himmel erzwungenen Treubruch ahne, die günstigste Stunde ausspähen, um ihr so mild als möglich den Beschluss des Schicksals beizubringen.

Aber wer kann sich vor einem liebenden Herzen verbergen? Die Königin merkte den Betrug; war sie doch schon bange, als alles noch sicher war. Jetzt hatte ihr die tückische Fama gemeldet, dass die Trojaner ihre Flotte rüsteten und die Abfahrt betrieben. Wie wahnsinnig irrte sie in den Straßen ihrer Stadt umher, und endlich trat sie vor den Geliebten selbst und sprach zu ihm: »Treuloser, du hofftest dein Verbrechen mir zu verhehlen und dich schweigend aus meinem Lande zu schleichen; meine Liebe, meine Hand, mein Tod kann dich nicht zurückhalten? Mitten im Winter betreibst du die Fahrt, Grausamer, und willst dich lieber den Nordwinden in den Arm werfen als in meinen Armen ruhen? Warum fliehest du mich, Äneas? Bei diesen Tränen, bei deinem Handschlag, bei unserer begonnenen Ehe beschwöre ich dich, wenn ich Gutes um dich verdient habe, wenn etwas an Dido dir süß war, so ändere deine Gesinnung, so erbarme dich meines sinkenden Hauses; um deinetwillen hassen mich die Völker Libyens, ja die Tyrier selbst, um deinetwillen habe ich der Zucht entsagt, die mich unsterblich machte. Gastfreund, denn Gatte bist du nicht mehr, wem lässest du die Sterbende zurück? Soll ich warten, bis mein Bruder Pygmalion meine Mauern stürmt, bis der Gätulier Jarbas mich in die Gefangenschaft führt?«

So sprach die verzweifelnde Dido. Äneas aber, von Jupiter gewarnt, zeigte keine Regung in seinem Blicke und presste den Kummer ins Herz zurück. Endlich erwiderte er kurz: »Solange ich mich selbst kenne, Königin, solange mein Geist in diesen Gliedern sich regt, werde ich Didos Wohltaten nicht vergessen. Glaube nicht, dass ich mich wie ein Dieb davonstehlen wollte; wir sind nicht vermählt, ich habe nie die Brautfackel

angesprochen, nicht zu solchem Bunde bin ich zu dir gekommen. Erlaubte mir das Geschick, nach freier Wahl mein Leben einzurichten, so würde ich zuerst die geliebte Heimat Troja und des Priamus Haus wieder aufrichten; aber nach Italien heißt mich Apollo steuern, dort ist mein Herz und mein Schatz, dort ist mein Vaterland. Darf ich meinen Sohn um das verheißene Reich betrügen? Jupiter selbst verbietet es mir; Merkur, sein Bote, ist mir leibhaftig erschienen. Deswegen quäle dich und mich nicht länger mit Klagen; nicht freiwillig suche ich Italien auf!«
Seitwärts gewendet, blickte schon lange die Königin den Redenden an, ließ die Augen rollen, maß ihn schweigend von der Sohle bis zum Scheitel und brach endlich in die Worte der Entrüstung aus: »Keine Göttin hat dich geboren, nicht Dardanus ist dein Ahn, aus den Felsen des Kaukasus bist zu entsprossen, hyrkanische Tiger haben dich gesäugt! Hat er bei meinen Tränen auch geseufzt? Hat er nur das Auge gewendet, die Liebende beweint, bedauert? Als Bettler an den Strand geworfen, habe ich ihn aufgenommen, die Flotte, die Genossen aus dem Rachen des Todes ihm zurückgegeben, ihn zu meines Thrones Gemeinschaft erhoben: und nun schützt er ein Orakel des Apollo, nun gar die Ankunft eines Götterboten vor und einen Befehl der Himmlischen, als ob diesen der Treubruch am Herzen läge! Nun wohl, ich streite nicht, ich halte dich nicht, suche dein Italien im Sturm! Wenn es noch Götter gibt, wird meine Rache dich in den Klippen finden! Mein Schatten zieht dir nach, und wenn du büßest, werde ich es in der Tiefe des Hades vernehmen!« Atem und Stimme versagten der Unglücklichen, und sie wurde von den Armen ihrer Dienerinnen aufgefangen.
Wohl fühlte sich Äneas versucht, den Kummer Didos durch liebreichen Trost zu lindern, und seine eigene große Liebe zu der Königin bewegte ihm den Geist, doch vermochte sie nicht ihn wankend zu machen; er blieb dem Gebote der Götter treu und wanderte nach seiner Flotte. Diese war bald segelfertig, und Dido musste es von der Zinne ihrer Burg mit ansehen, wie das Ufer von den Abziehenden wimmelte. »Anna«, sprach sie zur herbeigerufenen Schwester, »siehst du das Getümmel längs des ganzen Gestades? Hörst du die Segel in den Lüften schwirren, siehst du, wie die Schiffer die Verdecke bekränzen? Ach, hätte ich das geahnt, ich würde es auch zu ertragen vermögen! Jetzt aber bitte ich dich, Schwester, tu es mir Armen zuliebe; dich hat ja der Verräter immer geehrt, hat

dir seine geheimsten Gefühle anvertraut: geh zu ihm, Schwester, rede den stolzen Feind mit untertänigen Worten an. Frag ihn, ob ich denn eine Griechin sei, die zu Aulis Trojas Untergang mit beschworen habe, ob ich die Asche seines Vaters Anchises frevelnd in die Lüfte gestreut, dass er solche Rache an mir zu nehmen beschlossen? Heiß ihn wenigstens bessere Zeit zur Flucht, günstigere Winde erwarten; ich verlange ja nicht, dass er auf Italien verzichte, ich will nur eine Frist für meine wahnsinnige Liebe, will nur Muße, bis ich mein Schicksal begreifen und tragen gelernt habe!«

Also flehte sie, und die geängstigte Schwester ging und trug dem Helden die Klagen Didos noch einmal vor. Ihn aber vermochte kein Menschenwort ferner zu erweichen; ein Gott verschloss dem gefühlvollen Manne das sonst jedem Schmerz offene Ohr. Wie wenn die Nordwinde den uralten Stamm einer Eiche von beiden Seiten her umfassen und sich abmühen, ihn auszuwühlen: die Wipfel rauschen, der Stamm bebt, fallende Blätter decken den Boden; sie aber haftet fest im Felsenboden, und so hoch ihr Scheitel in die Luft ragt, so tief streckt sie ihre Wurzeln hinunter in die Tiefe – gerade so wurde der Held von den beiden Schwestern mit Bitten bedrängt, und er fühlte auch in seinem edlen Herzen alle die Qualen; aber er blieb unbeweglich wie die Eiche.

Jetzt erst erkannte Dido den Willen des Schicksals und wünschte sich den Tod; ja, sie mochte den Himmel über sich nicht mehr sehen. Noch mehr bestärkte sie in ihrem Entschlusse zu sterben das schreckliche Zeichen, das ihr der Himmel beim neuesten Opfer vor Augen stellte, wo der aus der Schale gegossene helle Wein sich in schwarzes Blut verwandelte. Dieses Vorzeichen erzählte sie niemandem, selbst der Schwester nicht. Seitdem dachte sie nur darauf, wie sie alle die Ihrigen täuschen und sich auf die sicherste Weise den Untergang bereiten könnte. Deswegen trat sie mit heiterer Miene, Hoffnung in den Augen und das grässliche Vorhaben sorgfältig verbergend, vor die Schwester und sprach: »Preise mich glücklich, liebe Anna! Ich habe ein Mittel gefunden, das mir den Treulosen entweder zurückgeben oder mich von meiner Liebe befreien muss. Eine Äthiopierin, die in den Hesperidengärten des Tempels dieser Göttinnen pflegt, ist hier und verspricht mir, durch ihren Zaubergesang entweder das Herz des Geliebten zu gewinnen oder mein eigenes der Liebe los und ledig zu machen. Sie hat aber dazu gewisse Gebräuche vorgeschrieben: nun nehme ich selbst in einer Sache, die mich so nahe betrifft, nicht gern meine Zuflucht zu magischen Künsten, deswegen beschwöre ich dich, liebste Schwester, errichte mir, wie die Zauberin vorgeschrieben, im inneren Schlosshofe heimlich einen Scheiterhaufen, lege darauf die Waffen des ungetreuen Mannes, die er in seinem Gemache zurückgelassen hat, seine Gewänder, die Betten seines Lagers. Alle Überbleibsel des Schändlichen möchte ich vertilgen, und überdem ordnet es die Priesterin so an.«

Dido sprach und verstummte, indem Totenblässe sich über ihr Antlitz verbreitete. Ihre Schwester Anna mutmaßte indessen nicht, dass sich hinter diesem seltsamen und neuen Opfergebrauch ein Gedanke des Selbstmords verstecke; sie ahnte nicht, von welcher Raserei das Gemüt ihrer Schwester ergriffen sei; auch befürchtete sie nichts Schlimmeres als beim Tode des ersten Gemahls ihrer Schwester, des Tyriers Sychäus, und ging, sich ihres Auftrags zu entledigen.

Sobald aber der aus Kien- und Eichenholz aufgeschichtete Holzstoß hoch genug errichtet war, erschien die Königin selbst, bekränzte ihn mit Zypressenzweigen und zog Blumenketten um ihn her. Dann legte sie Schwert, Gewänder und Bildnis des Äneas darauf, ringsum aber standen Altäre aufgerichtet. Die fremde Seherin mit fliegendem Haar rief alle Götter der Unterwelt an und goss einen eigenen Höllentrank über den Scheiterhaufen aus; Kräuter, die mit Sicheln im Mondenschein abgemäht worden waren, wurden darauf geworfen und noch allerlei Beschwörungen vorgenommen. Dann kehrte die trauernde Königin zur letzten Nachtruhe auf Erden in ihren Palast zurück.

Äneas lag indessen, nachdem die Abfahrt beschlossen war, auf dem Hinterverdeck des Schiffes, dem Schlummer hingegeben. Da erschien ihm noch einmal der Gott Merkurius im Traume und schien ihn zu ermahnen: »Sohn der Göttin, wie kannst du in so gefährlicher Lage schlummern? Siehst du nicht, wie viele Gefahren dich umringen? Hörst du die günstigen Westwinde nicht sausen? Betrug, grässliche Frevel der Rachgier wälzt die verlassene Königin in ihrem Herzen! Wirst du nicht fliehen, solange du noch kannst?« Erschrocken sprang der Held vom Lager auf und trieb die Genossen zur schleunigen Flucht an.

Die Morgenröte war inzwischen angebrochen, die Königin hatte den Söller bestiegen, sah den Strand leer und die Flotte mit schwellenden Segeln auf der hohen See. Schmerzvoll schlug sie mit der Hand an ihre Brust, raufte sich die blonden Locken aus, und nach langem Wehklagen rief sie ihre Amme Barce und befahl, ihre teure Schwester Anna herbeizurufen. Sobald sie sich allein sah, stürmte sie in den inneren Hof der Burg und bestieg, vom Taumel des Wahnsinns getrieben, das hohe Gerüst, auf welchem das Schwert ihres treulosen Geliebten lag; dieses zog sie aus der Scheide, warf sich auf das Bett und die Kleider des Helden, die zuoberst ausgebreitet lagen, und sprach von dem hohen Holzstoße herab in die einsamen Lüfte die Abschiedsworte: »Ihr süßen Überbleibsel glücklicherer Tage, nehmt dies Leben von mir, erlöset mich von aller Betrübnis! Dido hat ausgelebt, hat den vorgeschriebenen Lauf des Schicksals geendigt. Nicht als ein kleiner Schatten wird sie zur Unterwelt hinabsteigen! Ich habe eine herrliche Stadt gegründet, habe Mauern erblickt, die von mir erbaut, habe meinen Gemahl Sychäus gerächt, meinen feindseligen Bruder bestraft! In allem wäre ich glücklich gewesen, wäre der Trojaner mit seiner Flotte nicht an Libyens Küste gelandet!« Sie konnte vor Schmerz nicht weitersprechen, drückte ihr Gesicht in den Pfühl und stieß sich das Schwert in die Brust.

Auf ihr Stöhnen eilten ihre Dienerinnen aus dem Palast und sahen sie zusammengesunken, den Stahl von Blut gerötet, die Hände bespritzt. Lautes Jammergeschrei tönte durch die Gemächer und tobte durch die erschütterte Stadt. Mitten im Laufe – denn sie war auf den Ruf der Alten mit dem letzten Opfergeräte herbeigeeilt – vernahm Anna die entsetzliche Tat. Sie schlug sich die Brust mit den Fäusten, zerfleischte mit den Nägeln ihr Antlitz und stürzte durch das Gedränge des sich sammelnden Volkes in den Hof der Königsburg hinab. »Schwester, Schwester«, rief sie der Sterbenden schon von weitem zu, »was hast du getan, wie hast du mich betrogen? Warum hast du mich nicht zur Gefährtin deines Todes erkoren? Du hast mich doch getötet, das Volk, deine Väter, die ganze Stadt hast du gemordet!« Unter solchen Wehklagen erstieg sie die Stufen des Holzstoßes und umarmte die kaum noch Atem holende Schwester, die mit Mühe den Blick erhob und deren schwarze Wunde aufs Neue zu bluten anfing. Dreimal strebte sie vergebens sich aufzurichten und hauchte zusammengesunken den Geist in den Armen der Schwester aus.

Der Tod des Palinurus. Landung in Italien. Latinus. Lavinia

Äneas musste das Ende Didos, das sein Leichtsinn herbeigeführt hatte, obgleich ihm von den Göttern selbst geboten worden war, sie zu verlassen, mit neuen Irrfahrten und wiederholten Unglücksfällen büßen. Ein Sturm verschlug ihn rückwärts nach Sizilien, wo er vom König Acestes, dessen Mutter eine Trojanerin war, gütig aufgenommen wurde und dem Schatten seines Vaters Anchises, welchen er ein Jahr zuvor bei Trepanum begraben hatte, bei der Wiederkehr dieses Tages herrliche Leichenspiele feierte. Inzwischen warfen die trojanischen Frauen, von der Botin Junos, Iris, angereizt und der langen Seefahrt überdrüssig, Feuer in die Flotte, dass vier der schönsten Schiffe verbrannten; die übrigen rettete Jupiter durch einen Regenguss. In der folgenden Nacht erschien dem kummervollen Helden sein Vater Anchises im Traum und brachte ihm Jupiters Befehl, die älteren Weiber und unkriegerischen Greise in Sizilien zurückzulassen: er selbst solle mit dem Kern der Mannschaft nach Italien segeln.

Der Held gehorchte dem Götterwinke, gründete zu Ehren seines königlichen Wirtes die Stadt Acesta in Sizilien und bevölkerte sie mit den Greisen und den alten Müttern seiner Flotte; er selbst brach mit den kräftigsten Männern, den Jünglingen, Frauen, Jungfrauen und Knaben auf und verließ die Küste. Diesmal gewährte ihm Neptunus, durch die Bitten der Liebesgöttin bewältigt, sicheres Meer und glückliche Fahrt. Zuletzt wurden sie bei dem günstigsten Winde und blauesten Himmel so sorglos, dass die Ruderer selbst in einer heiteren Nacht sich unter ihre Ruderbänke legten und dem tiefsten Schlafe überließen. Der verführerische Gott des Schlafes hatte sich von den am hellen Nachthimmel funkelnden Gestirnen des Äthers herabgesenkt und nahte in der Gestalt des Helden Phorbas selbst dem wachsamen Steuermanne Palinurus, der auf dem hohen Verdeck am Steuer saß: »Sohn des Jasius«, sprach er leise zu ihm, »siehst du nicht, wie das Meer die Flotte selber treibt und die sanft wehende Luft dich einlädt, endlich einmal auch ein Stündlein dir Ruhe zu gönnen? Lege doch dein Haupt nieder, entziehe die ermüdeten Augen der steten Arbeit, komm, lass mich ein wenig dein Amt für dich übernehmen!« Palinurus vermochte kaum den schläfrigen Blick gegen den Redenden aufzuheben und sagte: »Was sprichst du? Ich soll das tückische Element nicht kennen, wenn es Ruhe heuchelt, und ihm vertrauen? Ich, den so oft der Betrug des heiteren Himmels hintergangen hat!« So sprach er und klammerte sich an das Ruder, indem er sich zwang, seine Augen nach den Sternen zu richten. Aber der Gott träufelte ihm in einem Zweige ein paar Tropfen vom Lethe auf seine Schläfe, und plötzlich schlossen sich seine Augen. Da legte er sich über den Schlummernden und gab ihm einen Stoß, und Palinurus stürzte mitsamt dem Steuer kopfüber in die Wellen. Der Schlaf erhob sich wie ein Vogel in die Luft. In den Wogen erwachte der arme Steuermann und rief umsonst versinkend die Hilfe seiner schlafenden Genossen an.

Die Flotte verfolgte indessen unter dem versprochenen Schutze des Meergottes auch ohne Steuermann ihren Weg, und endlich war Italiens Küste erreicht. Äneas fuhr das Gestade entlang und landete zuletzt in dem Hafen von Cajeta. Damals hatte er diesen Namen noch nicht und erhielt ihn erst von der alten treuen Amme des Helden, welche Cajeta hieß, nach der Landung hier starb und, ehe der Zug weiterging, an dem Orte feierlich beigesetzt wurde. Dann begab sich Äneas noch einmal mit seinen Gefährten zu Schiffe und gelangte glücklich in den Hafen von Ostia. Hier sah er vom Meer aus ein großes Gehölz; zwischen diesem brach der Tiberstrom, gelb von Sand, unter reißenden Wirbeln sich seine Bahn ins Meer. Bunte Vögel flatterten unter lieblichem Gesange über der Mündung und durchschwebten den Hain.

Das italische Land, in welchem sich die trojanischen Auswanderer nun befanden, war das alte Latium, das Gebiet der Laurenter. Seine ruhigen Städte und Felder beherrschte ein schon alternder König mit Namen Latinus, ein Sohn des Faunus und ein Urenkel des Gottes Saturnus. Das Geschick hatte diesem Fürsten keinen Sohn gegönnt; aber um seine einzige, schon herangereifte schöne Tochter Lavinia warben aus Latium und ganz Italien viele Fürstensöhne, vor allem der schönste aller Jünglinge, der Sohn des Rutulerkönigs Daunus, und ihn begünstigte die Mutter Lavinias, die Königin Amata, vor allen anderen. Aber schreckhafte Götterzeichen setzten sich dieser Verbindung entgegen. In den hohen Höfen der latinischen Königsburg stand ein Lorbeerbaum, welchen der alte König schon angetroffen und dem Phöbus geweiht hatte, als er den Palast gründete. Nun besetzte einst plötzlich den Gipfel des Baumes ein dichter Bienenschwarm, der mit lautem Gesumse durch die heitere

Luft herbeigeflogen kam; Füße an Füße klammernd, hing der ganze Schwarm wie eine Blumendolde plötzlich vom grünenden Aste des Baumes herunter. Man rief einen Wahrsager herbei, der das Zeichen deuten sollte. Dieser sprach: »Ich sehe einen Mann und ein Heer vom Auslande herbeiziehen, aus einer Himmelsgegend nach einer andern Himmelsgegend, und sehe ihn zuoberst in dieser Burg herrschen! Und wiederum geschah ein neues Zeichen. Als die Jungfrau Lavinia mit ihrem Vater am Altar stand und dieser die Opferflamme anfachte, da schien es, als fingen die Locken der Jungfrau Feuer, ihr Haar brenne, die Krone von Gold und Edelsteinen glühe und verstreue in Rauch und Flammen gehüllt Glut durch den ganzen Palast. Das wurde nun vollends für ein bedeutsames und grausenhaftes Wunder gehalten: zwar Lavinia selbst – so lautete die Deutung der Seher – gehe einem herrlichen Geschick und großem Ruhm entgegen, aber dem Volke weissage dieses Zeichen einen fürchterlichen Kriegsbrand. Latinus befragte darüber das Orakel seines Vaters Faunus. Aber auch dieses wahrsagte ihm einen fremden Eidam, aus dessen Stamm ein Geschlecht erwachsen werde, dem die Herrschaft der ganzen Welt bestimmt sei.

Am Tibergestade streckte sich der gelandete Äneas mit seinem Sohne Julus und den übrigen Trojanerfürsten unter einem hohen, schattigen Baume nieder und bereitete ein Mahl. In der Eile nahmen sie sich nicht einmal die Mühe, das Gerät aus den Schiffen herbeizuholen, sondern sie buken breite Weizenkuchen, die ihnen statt der Tische und Teller dienten und auf welchen sie die Speisen ausbreiteten. Als der kleine Vorrat, den sie mit zu Lande gebracht, verzehrt und ihr Hunger noch nicht gestillt war, ergriffen sie Teller und Tische von Weizenmehl und bissen rüstig zu. Da sagte der kleine Julus lachend: »Wir verzehren ja unsere eigenen Tische!« Dieser Scherz fiel allen mit schwerem entscheidendem Gewicht ins Ohr. Freudig sprang Äneas vom Boden auf und rief: »Heil dir, du fremdes Land! Du bist's, das mir vom Geschick verheißene! Auf heitere Weise wird erfüllt, was uns die Harpyie Celäno als etwas Entsetzliches prophezeit hatte. Der Hunger werde uns an unbekannten Gestaden, so krächzte sie, nötigen, die eigenen Tische zu verzehren. Wohlan denn, es ist geschehen, der Spruch hat sich erfüllt, von dem auch mein Vater Anchises mir geweissagt hatte. Wenn dieses geschieht, sprach er, dann ist das Ende der Mühseligkeiten da, dann baut Häuser!«

Jetzt erkundigten sich die Fremdlinge, welche das fruchtbare Land durchstreiften und bald auf Wohnungen stießen, nach dem Volk und König des Landes, und schnell ward eine Gesandtschaft an Latinus, den König der Laurenter, beschlossen.

Lavinia dem Äneas zugesagt

Der Sohn des Anchises wählte aus allen Schiffen des Geschwaders die ausgezeichnetsten Männer, hundert an der Zahl, als Redner oder Gesandte, die an den Laurenterkönig abgeschickt werden sollten. Diese traten, bebänderte Ölzweige gleich Schutzflehenden in den Händen, die Reise an und gelangten bald in die Stadt der Latiner. Vor der Stadt tummelte sich die Jugend Latiums zu Wagen und zu Ross, andere vergnügten sich mit Wurfspießwerfen und Bogenschießen, mit Faustkampf und Wettrennen. Als nun die fremden Gesandten kamen, eilte ein Bote zu Ross in die Stadt voran und brachte dem alten König die unerwartete Botschaft, dass eine Schar großer, herrlicher Männer friedlich herannahe. Dieser befahl sogleich, sie in seine Wohnung zu rufen, und versammelte alle die Seinigen um den Thron seiner Ahnen.
Der Palast des Königs war groß und herrlich, in der obersten Burg der Stadt gelegen. Hundert Säulen trugen ihn, und ein heiliger Hain umringte ihn mit hohen, Ehrfurcht gebietenden Bäumen. Im Innern des Hauses saß auf einem hohen Throne Latinus und beschied die Trojaner vor sich. Als sie eingetreten waren, sprach er mit freundlichem Angesicht: »Euer Geschlecht ist mir nicht unbekannt, ihr Dardaniden, und ihr waret mir verkündiget, noch als ihr lange auf dem Meer umherirrtet. Möget ihr nun durch Stürme hierher verschlagen oder absichtlich gekommen sein! Wisset, dass ihr an keiner ungastlichen Küste gelandet seid. Verkennet in uns Latinern nicht das harmlose Geschlecht des Saturnus, das ohne Zwang und Gesetz Billigkeit übt und den alten, frommen Gebräuchen des Gottes mit edler Freiheit folgt! Auch erinnere ich mich wohl noch – obgleich die Sage durch viele Jahrhunderte verdunkelt ist –, dass euer Ahnherr Dardanus aus dieser unserer Gegend abstammen solle.
Ihm erwiderte Ilioneus, der von allen zum Sprecher ausersehen war: »Kein Orakel hat uns an dein Gestade genötigt, erhabener Sohn des

Faunus, kein Gestirn hat uns in der Richtung des Weges getäuscht! Mit freiem Willen erreichten wir dein Ufer, und bewusste Absicht hat uns in dein Land geführt. Wir sind aus einem herrlichen Reich vertrieben worden, und der Erzvater unseres Geschlechts ist Jupiter selbst. Auch unser Fürst und Anführer Äneas, der Sohn der Göttin Venus, ist Jupiters Enkel, und er wieder ist es, der uns in deinen Palast gesandt hat. Den Sturm, der Troja niedergerissen, kennt alle Welt; auch dir ist er nicht unbekannt geblieben. Dieser Verwüstung sind wir entflohen und flehen euch um einen Fleck an, wo wir die Götter unserer Heimat aufstellen können, um ein sicheres Ufer, um Wasser und Luft, die ein gemeinsames Gut aller Sterblichen sind! Es wird Italien nie gereuen, Troja in seinen Schoß genommen zu haben. Stammt doch Dardanus von hier und ruft uns hierher zurück. Auch trieb uns ein besonderes Gebot der Götter, dieses Land aufzusuchen. Damit du aber erkennst, o König, dass wir in Wahrheit diejenigen sind, für welche wir uns ausgeben, so verehrt dir unser Führer Äneas die Geschenke, die wir für dich mitgebracht haben und die freilich nur kleine Überbleibsel aus Trojas Brande sind: diesen goldenen Pokal, aus welchem der Vater unseres Helden, Anchises, sein Trankopfer zu verrichten pflegte; dies Gewand des hohen Königs Priamus, das er trug, wenn er dem zusammengerufenen Volk Recht sprach, endlich seinen heiligen Kopfschmuck, sein Zepter und andere Gewänder, kunstvolle Werke trojanischer Frauenhände!«

Während Ilioneus sprach, hatte der alte König Latinus die Augen unbeweglich zu Boden gesenkt wie ein tief Nachdenkender: er gab wenig auf die herrlichen Geschenke Acht, welche die Gesandten vor den Stufen seines Thrones ausbreiteten; wohl bewegte er in seinem Herzen den Orakelspruch seines Vaters Faunus. Auf einmal wurde ihm klar, dieser und kein anderer sei der verheißene Bräutigam seiner Tochter, dieser zur gemeinschaftlichen Beherrschung des Reiches ausersehen; aus ihm werde das Geschlecht aufsprießen, das bestimmt sei, über die ganze Erde zu herrschen. Da erheiterte sich seine Miene, er richtete sein Haupt auf und sprach: »Mögen die Götter unser Werk und ihre Verheißung segnen. Ich gewähre eure Wünsche, Trojaner, und eure Geschenke nehme ich an. Nur soll Äneas selbst zu mir kommen und sich vor dem Angesicht eines Freundes nicht scheuen. Ihr aber überbringt ihm mein Anerbieten. Mein ist eine einzige Tochter, die mir das Orakel meines

Vaters, verbunden mit anderen Wunderzeichen, nicht vergönnt einem einheimischen Manne zu vermählen. Aus dem Ausland soll mir nach der Weissagung der Gatte meiner Tochter kommen.«
Nachdem er so gesprochen, ließ der alte König aus seinem herrlichen Marstall, in welchem an hohen Krippen dreihundert der schmucksten Rosse standen, für jeden Trojaner ein mit Purpur gedecktes Pferd herbeiführen; goldene Ketten hingen den Rossen bis an die Brust herab, das Geschirr und der Zaum ihrer Mäuler waren von Gold. Dem Äneas selbst aber sandte er einen Wagen samt einem Doppelgespann, schnaubende Rosse, aus unsterblichem Samen gezeugt.

Juno facht Krieg an. Amata. Turnus. Die Jagd der Trojaner

Dieses Glück des Äneas konnte seine Feindin Juno nicht mit gleichgültigen Augen betrachten. Sie rief die Furie Alekto aus der Unterwelt herauf, um die Eintracht im Keime zu zerstören. Diese schwebte zuerst nach Latium und nahm Besitz von dem stillen Gemach der Amata; sie warf der Königin, der ohnedem schon peinliche Sorgen über das Herannahen der Trojaner und die ersehnte Vermählung ihrer Tochter Lavinia mit dem Rutulerfürsten Turnus das Herz zernagten, heimlich aus ihrem Schlangenhaar eine der Nattern auf die Brust, damit sie, von diesem Scheusal gebissen, das ganze Haus in Verwirrung bringe. Die Schlange verwandelte sich sofort in Amatas goldenen Halsring, in ihren langen Schleier, ihr Lockengeschmeide und durchschlüpfte und umirrte ihr so alle Glieder. Zu gleicher Zeit träufelte sie unvermerkt ihr Gift auf die Haut, und dieses begann, den Leib zu durchrieseln. Solange es noch nicht bis ins Mark der Gebeine durchgedrungen war, zeigte sich noch nicht seine volle Wirkung; so äußerte es sich nicht anders, wie natürliche Gemütsbewegungen sich zu offenbaren pflegen: Amata fing an zu weinen und über die Vermählung ihrer Tochter zu klagen: »Grausamer Gatte«, sagte sie zu sich selbst, »du hast weder mit mir noch mit deiner Tochter Mitleid! Wo ist deine frühere Sorge um die Deinigen, wo das heilige Wort, das du so oft deinem Blutsverwandten Turnus gegeben hast? An heimatlose Flüchtlinge verschenkst du unser Kind!«
Solche Klagen richtete sie auch an ihren Gemahl selbst. Aber als sie ihn

fest und unwiderruflich auf seinem Beschlusse beharren sah, da erst durchströmte sie das Schlangengift der Furie ganz, und sie tobte wie wahnsinnig durch die Stadt. Nun war Alekto zufrieden und hatte hier das Werk, das ihr Juno aufgetragen, vollbracht. Sofort schwang sie sich in die Hauptstadt der Rutuler, welche die Geliebte Jupiters, Danae, gegründet haben soll und die von alters her den Namen Ardea führte. Hier fand sie im Gemach des Königspalastes den Fürsten Turnus in tiefem Schlaf. Da legte Alekto ihre Furienkleider ab und nahm die Gestalt eines alten Weibes an, mit hässlichen Runzeln auf der Stirn und unter dem Schleier hervorquellenden grauen Haaren, um welche sich ein Olivenzweig schlang, so dass sie ganz und gar der greisen Kalybe, der Tempelpriesterin Junos, glich. In dieser Gestalt trat sie vor den schlummernden Jüngling und sprach: « Ist es auch möglich, Turnus, kannst du ohne Zorn es mit ansehen, wie alle deine Hoffnung vereitelt und das Zepter, das dich erwartet, an trojanische Landfahrer verschenkt wird? Mich sendet Jupiter selbst zu dir: du sollst dein Volk waffnen, sollst zum freudigen Kampf aus den Toren ziehen, am Strande den Phrygiern ihre bunten Schiffe verbrennen und sie selbst vertilgen!« Lachend erwiderte im Traum der Jüngling: »Alte! Dass die Trojanerflotte in den Tiber eingelaufen ist und Juno meiner gedenkt, wusste ich schon längst, das andere sind Schreckbilder, mit denen dich dein Alter quält. Warte du der Götterbilder und des Tempels, Krieg und Frieden lass den Mann betreiben!« Die Furie durchbebte ein Zorn bei diesen Worten, und der Jüngling empfand ihren Schauder auf der Stelle. Er hörte das Zischen ihrer Nattern, sein Blick erstarrte, und er wollte noch mehreres erwidern, als die nächtliche Gestalt, plötzlich übermenschlich groß geworden, den Aufgerichteten mit einem Stoß aufs Lager zurückwarf, aus dem Haar zwei Schlangen hervorzog, mit ihnen wie mit einer Peitsche zu klatschen anfing und dazu mit schäumendem Munde sprach: »Meinst du noch, ich sei ein verschimmeltes altes Weib und verstehe mich nicht auf den Zwist der Könige? Erkenne die Rachegöttin in mir, die Krieg und Tod in ihrer Hand trägt!« In diesem Augenblick schwang sie mit ihrer Furienhand die Fackel und warf sie auf die unbedeckte Brust des Jünglings, so dass der schwarze, qualmende Brand fest an seinem Fleisch haftete. Seine Glieder und Gebeine überströmte ein Schweiß. »Waffen!«, schnaubte er noch in der Besinnungslosigkeit des Schlafes; Waffen suchte er erwacht in seinem Bett, Waffen in seinem Hause; rasende Kriegswut tobte in seiner Brust, wie die Welle in einem siedenden Kessel unter dem Reisigfeuer aufhüpft. Sobald der Morgen angebrochen war, beschickte er die Häuptlinge seines Volkes und hieß sie zu den Waffen gegen den treulosen König Latinus greifen und sich zum Kampf gegen beide, Latiner und Trojaner, rüsten.

Während so Turnus den Mut seiner Landsleute anstachelte, flog die Furie zuletzt auch noch an den Tiberstrand, wo Julus mit seinen Begleitern in den dichten Uferwäldern eben auf der Jagd dem Wild nachging. Hier beseelte Alekto die Spürhunde mit plötzlicher Wut, berührte ihre Nasen mit dem bekannten Geruch und jagte sie ganz hitzig einem Hirsch nach. Dieses Wild war besonders herrlich und von Geweihen hoch: die Knaben des Tyrrhus, welcher der Oberhirt über die Herden des Königs Latinus war, behüteten ihn; denn er war vom Euter seiner Mutter weggenommen und in den Wäldern des Königs aufgefüttert worden. Die Tochter des Tyrrhus, Silvia, hatte das Tier ganz an ihre Befehle gewöhnt, sie kämmte es, wusch es in lauterer Waldquelle und schmückte sein Geweih mit weichen Blumenkränzen; es ließ sich willig von ihr streicheln, war an den Tisch seines Herrn gewöhnt, irrte frei in den Wäldern umher und stellte sich jeden Abend freiwillig in der Wohnung des königlichen Hüters.

Auf die Spur dieses schönen zahmen Hirsches führte die Furie des Askanius Rüden, während er eben den heißen Ufersand verlassen hatte und nach Kühlung begehrend den Tiberstrom hinabschwamm. Askanius fasste das herrliche Wild ins Auge, drückte den Pfeil vom Bogen ab und sandte ihn tief in das Gedärme des Tieres. Der verwundete Hirsch fuhr aus dem Wasser, kam blutig zum wohl bekannten Hause seines Herrn, schleppte sich ächzend in den Stall und erfüllte wie ein um Mitleid Flehender das ganze Haus mit Gewinsel. Jammernd entdeckte zuerst Silvia ihren Liebling und rief mit lautem Geschrei die Bauern der Umgegend zu Hilfe. Diese kamen mit angebrannten Pfählen und Keulen bewaffnet: Tyrrhus selbst rief seinen Gesellen herbei, der just eine stämmige Eiche mit dem Beil spaltete; und als Alekto den rechten Zeitpunkt ersehen, stellte sie sich auf den Giebel des Hofgebäudes und ließ durch das gewundene Horn den lauten Hirtenruf in die Gegend hinaustönen. Von allen Seiten strömte jetzt tobendes Bauernvolk herbei, aber auch dem

Askanius kam die trojanische Mannschaft zu Hilfe. Bald waren es auf der andern Seite auch nicht mehr bloß mit Prügeln bewaffnete Haufen; es hatten sich zwei ordentliche Schlachtreihen gebildet: Schwerter wurden gezogen, Bogen gespannt.

Der erste Pfeilschuss von Seiten der jagenden Trojaner, die sich gegen die anstürmenden Feinde zur Wehr setzten, traf den ältesten Sohn des Tyrrhus, Almo, in die Kehle, dass ihm Stimme und Leben zugleich schwand. Nun begann ein allgemeines Gemetzel unter den Hirten. Der ehrlichste und begütertste Bauer in ganz Latium, der alte Galäsus, der fünf Rinder- und fünf Schafherden besaß und hundert Pflüge über seine Äcker gehen hatte, war aus den Scharen des Bauernvolkes hervorgetreten, um den Frieden zu vermitteln; aber er wurde nicht angehört, und ein Pfeilregen bedeckte ihn, unter dem er sterbend erlag. Jetzt stürzten die überwältigten Hirten aus dem Kampfe in die Stadt und trugen ihre Erschlagenen, den Almo, den Galäsus und viele andere, wehklagend durch die Tore. Sie riefen die Götter laut um Hilfe an, eilten auf den Königspalast zu und versammelten sich um Latinus, ihren Herrn. Auch Turnus fand sich schreiend und tobend ein mit der lauten Anklage, dass die Herrschaft des Landes an die Trojaner verraten werde. So umringten sie alle, in Klagen und Lärm wetteifernd, die Königsburg des Alten. Dieser aber stand unbeweglich wie ein Fels im Meere. Dennoch vermochte er dem blinden Toben auf die Dauer nicht Widerstand zu leisten. »Wehe mir«, rief er endlich, »ich fühl es wohl, uns reißt der Sturm fort. Armes Volk, du wirst, gegen den Willen der Götter kämpfend, diesen Frevel mit deinem eigenen Blut büßen! Auch du, Turnus, wirst dem Strafgericht des Himmels nicht entgehen! Ich aber glaubte schon im Hafen zu sein und hoffte in Ruhe zu enden, nun gönnt ihr mir nicht einmal einen friedlichen Tod!«

Der Götterkönigin Juno, der Feindin Trojas, dauerte der Verzug zu lange. In der Latinerstadt steht ein Tempel des Krieges mit zweifachen Pfosten, von hundert ehernen Riegeln verschlossen; sein Hüter ist Janus, der uralte Städtegott der Latiner. Wenn die Häupter des Volkes blutigen Kampf auf Leben und Tod beschließen, so öffnet der König selbst im feierlichen Kriegsgewand die knarrenden Pfosten. Dieses zu tun ermahnte das Volk jetzt auch seinen König Latinus, er aber weigerte sich dieses grässlichen Dienstes und verbarg sich in die tiefste Einsamkeit seines Palastes. Da schwang sich Juno selbst vom Himmel hernieder, stieß mit eigener Götterhand an die widerstrebenden Pfosten, drehte die Angeln, und donnernd fuhren die ehernen Pforten des Kriegstempels auseinander.

Ausbruch des Krieges. Äneas sucht bei Evander Hilfe

Ganz Italien, so ruhig und friedsam es vorher war, geriet in plötzlichen Brand. In allen Häusern wurden die Schilde geglättet, die Speere gespitzt, die Äxte am Schleifstein gewetzt; die Trompeten riefen zum Marsch, die Fahnen flatterten. Alle Männer griffen zu den Waffen, die einen zogen zu Fuß ins Feld, die anderen wirbelten hoch zu Rosse den Staub des Weges auf; Streitwagen flogen hinter schnaubenden Pferden daher, die Ebenen glänzten von Gold und Eisen, von Panzer und Schwert. Aus allen Städten Hesperiens kamen die ersten Sprösslinge der alten Heldengeschlechter hervor, deren Ahnen zum Teil Götter und Göttersöhne waren. Unter den Ersten schritt in männlicher Schönheit Turnus voran, seine herrlichen Waffen in der Hand, um einen ganzen Kopf über die anderen hervorragend. Ein dreifacher Busch wehte von seinem Helm, auf dessen Kuppel die Glut atmende Chimära abgebildet war; auf seinem Schilde war in getriebener Arbeit Jo abgebildet, wie sie eben zur Kuh wird, ihr Hüter Argus und ihr Vater Inachus, der den Strom aus der Urne gießt. Hinter Turnus und seinen Helden drängten sich die Latiner und Rutuler, Aurunker, Sikaner und eine Menge ausonischer Völkerschaften; beschildete Fußgänger, vor allen Mezentius mit seinem Sohne Lausus, Aventinus, der Sohn des Herkules und der Rhea, Katillus und Koras, die Brüder des Tiburtus aus Tibur und viele andere; dann kam die Reiterei der Volsker, schimmernd in Erzpanzern, geführt von ihrer jungfräulichen Fürstin Kamilla. Diese hatte ihre weiblichen Hände nie an Minervas Rocken und Webstuhl gewöhnt, im rauen Männerkampfe war sie aufgewachsen, auf ihrem flüchtigen Rosse hatte sie mit den Winden um die Wette laufen gelernt; sie flog so luftig dahin, dass sie über die Saatflur gesprengt wäre, ohne ein Hälmchen zu rühren, ohne eine Ähre zu verletzen, und über die Meerflut, ohne die Sohlen zu netzen. Alt und Jung blickte ihr verwundert nach, wie sie mit ihrer Schar durch Städte und Dörfer zog, den königlichen Purpur über die runden Schultern geworfen, das reiche Haar mit einer goldenen Nadel aufgebunden, Köcher und Bogen auf der Achsel und die scharfe Lanze in der Hand.

Diese gewaltigen Kriegsrüstungen erfüllten den Äneas und seine Trojaner mit schweren Sorgen. Da erschien jenem im Traum der Flussgott Tiberinus und stieg in meerblauem Kleide, die Haare mit einem Schilfkranz beschattet, zwischen Pappelstauden in Greisengestalt aus dem Strom empor. »Göttlicher Held«, sprach er, »verzage nicht. Der Groll der Himmlischen gegen dich ist verschwunden. Damit du nicht wähnst, ein nichtiges Traumbild zu schauen, will ich dir ein Zeichen sagen. Unter den Eichen des Ufers wirst du ein großes Mutterschwein liegend finden, das dreißig Frischlinge geboren hat; dort ist die Stelle, wo nach dreißig Jahren dein Sohn Askanius die verheißene Stadt Alba, Roms Mutterstadt, gründen wird. Für jetzt aber merke, wie du dich gegen die Gefahr zu schützen hast, die dich bedroht. Nicht weit von hier, im Tuskerlande, haben sich arkadische Pelasger, vom alten König Pallas abstammend, unter ihrem Fürsten Evander angesiedelt und auf einem hohen Hügel die Stadt Pallanteum, nach dem Namen ihres Ahnherrn, gegründet. Ob es gleich Griechen sind, so darfst du sie doch nicht scheuen, denn es sind unversöhnliche Feinde des Latinervolks. Mit diesen sollst du dich verbünden, und sie werden deine Kampfgenossen werden. Opfere der Göttermutter Juno, sobald du erwachst, und überwinde ihren Zorn durch Demut. Alsdann begib dich auf den Weg zu Evander.«

Der Gott verschwand, und der erwachte Äneas befolgte seinen Rat. Zwei Schiffe wurden aus der Flotte herausgewählt und mit auserlesenen Freunden bemannt. Noch ehe der Held mit ihnen abging, erfüllte sich das verkündigte Zeichen. Am Saume des Waldes, unter einer mächtigen Eiche, schneeweiß schimmernd, erblickte man ein Schwein mit dreißig Jungen. Der Mahnung des Stromgottes eingedenk, opferte Äneas die Mutter und ihre ganze Zucht der mächtigen Göttin Juno und versöhnte durch ein so herrliches Opfer ihr grollendes Herz. Dann schiffte er sich auf dem Tiber ein, der, von dem Flussgott gebändigt, glatt und eben dalag wie der Spiegel eines Landsees. Die Fluten selbst staunten, und der Uferwald wunderte sich, als sie bunte Verdecke und Männer mit hellen Schilden den Strom fast ohne Ruderschlag heraufziehen sahen. Jene aber fuhren Tag und Nacht durch lange Krümmungen zwischen grünenden Hainen auf dem spiegelhellen Wasser dahin. Endlich, am anderen Morgen, sahen sie von fern Mauern, Häuser und eine Burg auf hohem Berge schimmern. Sogleich drehten sie ihre Schiffsschnäbel dem Lande zu, wo der Berg, auf welchem die Stadt Pallanteum gelegen war, sich mit seinem Fuß in den Fluss verlor.

Es war gerade der Tag, an welchem der Arkadierkönig Evander, seinen Sohn Pallas an der Seite, mit dem kleinen Rat seiner Stadt und den angesehensten Jünglingen in einem benachbarten Hain dem Herkules ein feierliches Opfer darbrachte. Der Weihrauch und das Blut dampfte auf den Altären, und das Opfermahl hatte schon begonnen. Als nun die Arkadier die hohen Schiffe zwischen den dunkeln Uferwäldern unter leisem Ruderschlag herbeischwimmen sahen, erschraken sie vor dem plötzlichen Anblick und wollten den Schmaus verlassen. Doch der mutige Jüngling Pallas verbot ihnen, das Fest zu unterbrechen, er selbst ergriff seine Lanze, flog den Ankömmlingen entgegen und rief ihnen zu: »Was führte euch auf diese ungewohnte Bahn, ihr Männer, woher seid ihr? Wohin trachtet ihr? Bringt ihr uns Krieg oder Frieden?« Äneas antwortete von dem hohen Verdeck seines Schiffes, indem er das Zeichen des Friedens, den Olivenzweig, hoch in der ausgestreckten Rechten hielt: »Trojaner siehst du, Jüngling, Männer, zum Kampf mit den Latinern gerüstet, welche uns Flüchtlinge mit Waffengewalt aus ihrem Lande vertreiben wollen. Wir kommen zum König Evander, um ihn um sein Bündnis und um Hilfe zu bitten.« Als Pallas den großen Trojanernamen hörte, staunte er und rief in freudiger Bestürzung: »Willkommen, Gast, wer du auch seist, tritt immerhin vor meinen Vater und nimm mit unserer Wohnung fürlieb!«

Pallas hatte den Ausgestiegenen mit traulichem Handschlag begrüßt, und bald wiederholte der Held sein Gesuch vor dem König der Arkadier, ohne jedoch sich selbst zu nennen. Jener aber hatte Augen, Angesicht und Gestalt des Redenden lange mit Schärfe gemustert und erwiderte endlich: »Wie gerne nehme ich dich auf, tapferer Sohn Trojas, dein Geschlecht, dein Name verbirgt sich mir nicht. Wort, Stimme und Gestalt deines großen Vaters Anchises steigen wieder in meiner Seele auf; wohl entsinne ich mich noch des Helden Priamus, als er mit seinen Helden auf der Fahrt gen Salamis, das Reich seiner Schwester Hesione, der Gemahlin Telamons, zu besuchen, auch durch unser Arkadien gezogen kam. Mir sprosste damals der erste Flaum um die jungen Wangen, und mit Ehrfurcht betrachtete ich den König und die Häupter seines Volkes, vor allen aber den herrlichen Anchises. Ich konnte mein Verlangen nicht bezähmen, ihn anzureden und ihm meine Rechte darzubieten. Er folgte mir als Gastfreund in unsere Wohnung, und beim Abschied verehrte er mir Köcher und Pfeile, ein golddurchwirktes Kriegsgewand und zwei vergoldete Zäume, herrliche Gaben, die jetzt mein Sohn Pallas besitzt. Darum dürft ihr euch zum Voraus als meine Verbündeten betrachten, und morgen früh schon sollt ihr, verstärkt durch unseren Beistand, nach eurem Lager zurückkehren. Unterdessen begeht mit uns dieses schöne Jahresfest, das wir nicht verschieben dürfen.« So sprach er, hieß die aufgeräumten Becher und Speisen wieder zurückbringen und die Trojaner auf den Rasenbänken Platz nehmen; den Äneas selbst aber führte er zu einem herrlichen gepolsterten Sessel aus Ahorn, über den ein zottiges Löwenfell gebreitet war. Der Priester des Altars und auserlesene Jünglinge brachten geröstete Stücke der Stiere herbei, häuften das Brot in Körben auf und reichten um die Wette Wein herum.

Den reichlichen Schmaus würzte der König Evander mit einer schönen Erzählung vom Ursprung dieses Opfers, indem er mit den Fingern seinen Gästen eine Felsenkluft wies, in welcher der grässliche Halbmensch Kakus, der Sohn des Vulkanus, gehaust, der dem Herkules die erbeutete Rinderherde des Riesen Geriones stahl und von Herkules bezwungen wurde. Für den Sieg über dieses Untier brachten die dankbaren Arkadier noch immer dem Herkules, als Schutzgott der Gegend, ein Jahresopfer dar.

Über dieser Erzählung war der Abend herangerückt, und nach vollendetem Opfer begaben sich alle in die Stadt. Diese war nur klein, wer hätte ahnen können, dass einst die Weltstadt Rom an ihrer Stelle stehen sollte? Die Arkadier waren ein ländliches Hirtenvolk und hatten aus ihrer Heimat keine Schätze mitgebracht. Aber Mut und nervige Arme konnten sie den Trojanern zum Beistand anbieten. Deswegen gefiel es dem Äneas doch in dem Hause Evanders, das mehr einer Hütte denn einen Palast glich, und er sank auf einem weichen Blätterlager, über welches das zottige Fell eines Bären gebreitet war, in sanften Schlummer.

Der Schild des Äneas

Mittlerweile ging Vulkanus, von seiner Gattin Venus durch Bitten getrieben, in die Ätnakluft der Zyklopen, die Waffen des Äneas, die ihm den Sieg über die Latiner verschaffen sollten, zu schmieden. Er nahte sich der donnernden Höhle, die ganz von Feueressen durchflammt war. Gewaltige Schläge auf dem Amboss stöhnten widerhallend weit hinaus in die Ferne, im Gewölbe sprühten zischende Stahlschlacken, und aus den Öfen atmete unaufhörliche Glut. Dort in der weiten Kluft schmiedeten das Eisen Tag und Nacht hindurch, mit aufgestülpten Ärmeln die rußigen Zyklopen Brontes, Steropes und Pyrakmon mit unzähligen Knechten. Die einen waren gerade an einem halb fertigen Blitzstrahl, der mit zwölf Zacken geschmiedet wurde, und sie schweißten eben die drei Hagelspitzen, die drei Regenspitzen, die drei Glutspitzen und die drei Sturmwindspitzen daran und mischten Flamme, Donnergeroll und Entsetzen darunter. Die anderen verfertigten dem Mars Räder und Wagen, wieder andere aus Gold und Drachenschuppen den glatten Ägisschild der Minerva mit dem Medusenhaupt.

»Weg mit allem«, rief Vulkanus, in die Höhle tretend, »auf anderes eure Gedanken gerichtet, ihr Zyklopen! Dem tapfersten Manne sollt ihr jetzt seine Kriegswaffen schmieden; da gilt es Kraft, Kunst und Erfahrung: ans Werk ohne Verzug!« Die Zyklopen kannten schon die kurz angebundene Weise ihres Herrn und machten sich rasch an die Arbeit. Bald floss das Erz und Gold in Bächen, in den Öfen zerschmolz der Stahl. Ein gewaltiger Schild wurde geformt und Scheiben auf Scheiben siebenfach geschmiedet; einige setzten die Blasbälge in Bewegung; andere verkühlten das zischende Erz im Löschtrog. Dann wurde die Masse mit der Zange umgedreht, und die Hämmernden schwangen die Arme im Takt und schlugen auf den Amboss, dass die Höhle schmetterte.

Am anderen Morgen übergab der greise Evander, der nicht selbst mit in den Krieg ziehen konnte, dem scheidenden Gastfreund vierhundert arkadische Reiter, dazu den Trost und die Hoffnung seines Alters, seinen eigenen Sohn Pallas, und beschenkte noch außerdem alle seine Trojaner mit Rossen, den Äneas selbst mit dem herrlichsten, das ein gelbes Löwenfell bedeckte und dessen Klauen vergoldet waren. Dann ergriff Evander die Hand seines abziehenden Sohnes, drückte sie an seine Brust und

sprach unter Tränen: »Ach, dass mir Jupiter die vergangenen Lebensjahre zurückbrächte und ich wäre, wie ich einst unter Pränestes Mauern war, als ich dem König Herilus, der drei Leben von seiner Mutter, der Nymphe, mitbekommen hatte, dreimal in den Orkus hinabschickte, bis er nicht mehr wiederkam! Jetzt kann ich nichts, als dich und unseren Freund den Göttern empfehlen, mögen sie mich erhören, mögen sie dir fröhliche Wiederkehr bereiten! Möge mir kein Schreckensbote je das Ohr verwunden!« Mit diesem Abschied sank der greise Vater zusammen und wurde von den Dienern in die Wohnung zurückgetragen.
Die Reiter aber zogen aus den offenen Toren, mit ihnen Äneas und ein Teil der trojanischen Mannschaft, den anderen Teil hatte der Held mit den Schiffen auf dem Strome zurückfahren lassen. Als sie in einem entlegenen Tale zwischen finsteren Tannenwaldungen angekommen waren und, vom langen Zuge ermüdet, ihre Rosse und der eigenen Leiber pflegten und Äneas an einem kühlenden Waldwasser, abgesondert von der ganzen übrigen Schar, unter einer Eiche sich gelagert, ersah seine Mutter Venus den günstigen Augenblick, senkte sich mit den frisch geschmiedeten Waffen aus dem Gewölk des Äthers hernieder, legte sie dem Sohne zu Füßen, machte sich diesem sichtbar und sprach: »Schau her, Kind, welch ein Geschenk dir die Gunst meines Gemahls bereitet hat. Jetzt darfst du dich nicht mehr besinnen, die stolzesten Laurenter, ja den wilden Rutuler Turnus selbst zum Kampfe herauszufordern.« Äneas staunte. Beseligt von der Gegenwart seiner göttlichen Mutter und der großen Ehre, konnte er sich an dem funkelnden Waffengeschmeide gar nicht satt sehen und wendete bald den buschigen Helm, bald das gediegene Schwert, bald den Erzpanzer, der rötlich wie Blut oder wie die Sonne durch Wolken strahlend glühte, bald die goldenen Beinschienen und den schlanken Speer in seinen Händen um. Am längsten aber verweilten seine Blicke auf dem kunstreichen, mit unerschöpflicher Bilderpracht in erhabener Arbeit übersäten Schild. Auf diesem hatte der Gott des Feuers eine ganze Reihe von Begebenheiten abgebildet, in welche sich Äneas vergebens mit seiner Beschauung vertiefte, denn es waren die Schicksale und Triumphe der Römer, des Volkes, das erst in später Zukunft dem Stamme seines Sohnes Julus entsprießen sollte. In der Mitte des Schildes war eine Wölfin abgebildet, der Zwillingsknaben am Euter hingen, zu welchen sie liebkosend ihren Hals zurückbeugte und die sie

mit der Zunge beleckte. Jeder Knabe aus unserer Zeit hätte dem Äneas sagen können, dass die Kinder Romulus und Remus hießen. Dann war eine Stadt abgebildet, wo im hohen Theater von kräftigen Männerhänden Frauen als ein Raub davongetragen wurden; es war Rom und der Raub der Sabinerinnen; dann vor Jupiters Altar zwei bewaffnete Herrscher mit Sühneopfern und mit Bundesschalen in der Hand: Romulus und Tatius. Nicht fern davon schleifte ein König mit seinem Viergespann einen Verbrecher zu Tode: Tullus Hostilius den falschen Mettius. Auf einer halb abgebrochenen Brücke stand einäugig ein Verteidiger, und durch den Strom schwamm eine Jungfrau, indes ein zorniger Kriegerkönig am jenseitigen Ufer thronte; es war Kokles, Klölia und Porsena, der Etrusker. Auf einer hohen Burg mit Palästen und Tempeln stand ein bewaffneter Wächter, und silberne Gänse flatterten durch goldene Hallen, während am Fuße des Berges Barbaren auf der Lauer standen: Manlius und die Gallier. Und so kam eine Geschichte um die andere, bis auf Catilina, Cato und Augustus herab. Unkundig aller dieser Dinge, freute sich Äneas des Schildes, wie ein Kind sich des Bilderbuches freut; dann kleidete er sich in die himmlischen Waffen, fasste den Schild mit der Linken, und im Gefühl hohen Götterschutzes mischte er sich wieder in den Zug der Seinigen.

Turnus im Lager der Trojaner

Während dies in Tuscien vorging, schickte Juno, deren Groll gegen Äneas doch noch nicht gedämpft war, ihre Botin Iris zu dem Rutuler Turnus. Diese meldete dem Anführer der Feinde, dass Äneas sein Lager, seine Genossen, seine Flotte verlassen und sich nach dem Reiche Evanders gewendet habe, und befahl ihm, das trojanische Lager zu stürmen. Turnus folgte auf der Stelle dem Ruf. Der Held Messapus voran, Tyrrhus und seine Söhne in der Hinterhut, mit dem Kerne des Heeres Turnus selbst, zogen sie durchs offene Feld nach dem Gestade des Tiber. Plötzlich sah Kaikus, der Wächter der vordersten trojanischen Warte, ein dunkles Staubgewölk vom Felde wirbelnd aufsteigen. »Brüder«, rief er rückwärts gewendet, »es verfinstert ein nahender Schwarm die Luft, Waffen herbei, schnell auf die Lagermauern, der Feind ist da!« Auf diese

Nachricht stürzten die auf dem Felde zerstreuten Trojaner durch alle Tore ins Lager zurück und sammelten sich, wie es Äneas für unvorhergesehene Fälle scheidend befohlen hatte, auf den Schanzen und Mauern, obgleich sie Scham und Zorn vielmehr zum offenen Gefechte getrieben hätte. Sie sperrten also die Tore und vollzogen in allem die Gebote ihres Führers, indem sie den Feind auf den Zinnen und in den hohlen Türmen erwarteten.
Turnus aber eilte dem Heere, das ihm zu langsam vorwärts ging, mit zwanzig auserlesenen Reitern voran und erschien auf einem thrakischen gefleckten Schimmel unvermutet vor den Mauern des Lagers. »Wer wagt sich zuerst an den Feind?«, fragte er rückwärts gewendet seine kleine Schar und schleuderte seinen Wurfspieß durch die Lüfte hinan. Jubelnd taten seine Genossen dasselbe und höhnten die feigen Trojanerseelen, die sich hinter ihren Mauern verschanzt hielten und es nicht wagten, ins Feld zum offenen Kampfe herabzusteigen. Indessen spähte Turnus hoch zu Ross, den goldenen Helm mit dem roten Federbusch auf dem Haupte, ringsum die Mauern des Lagers aus und suchte einen unbemerkten Zugang. So schnaubt ein Wolf bei Wind und Regen die halbe Nacht hindurch um den vollen Schafstall herum und ergrimmt über das Blöken der Schafe und Lämmer, die drinnen in Sicherheit sitzen. Endlich fiel ihm die Flotte ins Auge, die, ganz von Dämmen und Wellen umgeben, sich geborgen an die eine Seite des Lagers lehnte. Jauchzend ermahnte er seine Freunde, diese in Brand zu stecken, ergriff selbst zuerst die flammende Fackel, und sofort bewehrte sich die gesamte Jugend des allmählich nachgerückten Heeres mit Feuerbränden, die von den Herden der benachbarten Hütten geraubt worden waren. Und unfehlbar wäre nun die Flotte der Trojaner verbrannt worden, wenn nicht ein göttliches Wunder das Feuer von den Schiffen abgewendet hätte. Schon damals nämlich, als Äneas am Fuße des Idagebirges die Flotte zimmerte, die ihn in das fremde Land tragen sollte, flehte Cybele, die Mutter aller Götter, zum allmächtigen Jupiter: »Sohn, gib mir, was ich von dir verlange! Ich habe dem dardanischen Manne, der einer Flotte bedurfte, willig meinen schönen Hain von Ahornbäumen und Kiefern fällen lassen. Nun aber ängstigt mich die Sorge, meine geliebten Bäume, zu Schiffen umgewandelt, möchten ein Raub der Stürme werden. Darum erhöre meine Bitte, lass es dem Holz zugute kommen, dass es auf

dem Ida gewachsen ist, und schütze die Schiffe vor aller Gefahr.« – »Das kann ich nicht«, erwiderte Jupiter, »ich vermag dem von sterblichen Händen Erbauten nicht Unsterblichkeit auf Erden zu verleihen, doch was ich für sie tun kann, das will ich. So viel ihrer ausgedient das Ziel und den Hafen Ausoniens erreichen, die will ich von der sterblichen Form befreien, und wie die Töchter des Nereus sollen sie als Göttinnen des Meeres ein seliges Leben in den Fluten führen.«

Dieses Wort ging jetzt in Erfüllung. Als Turnus den Brand in die Schiffe werfen wollte, verbreitete sich von Morgen her ein Strahlengewölk über den Himmel, und ein grauenvoller Schall aus den Lüften durchlief die Scharen der Trojaner und der Rutuler. »Bemühet euch nicht so ängstlich«, rief es, »ihr Trojaner, meine Schiffe zu schirmen. Eher wird Turnus das Meer verbrennen als sie! Ihr aber, Schiffe, schwimmt erlöst dahin, seid Meeresgöttinnen, die Mutter der Götter will es so!« Bei diesem Worte wurden die Schiffe plötzlich lebendig, zerrissen jedes seine Seile, mit welchen sie angebunden waren, tauchten mit den Schnäbeln wie Delfine ins Meer unter und schwammen, wieder aufgetaucht, in Gestalt schöner Jungfrauen durch die Meeresflut. Entsetzen ergriff die Rutuler. Messapus, ihr vorderster Führer, schreckte mit scheuem Gespann auf seinem Wagen zusammen, ja der Tiberstrom selbst zog sich mit seinen Wellen schaudernd vom Meere zurück. Nur der tollkühne Turnus ließ die Hoffnung noch nicht fahren. »Merkt ihr nicht, Freunde«, sprach er, »dass dieses Wunder allein gegen die Trojaner gerichtet ist? Jupiter selbst hat ihnen ihre Hilfe entrissen, alle Hoffnung zur Heimkehr ist ihnen mit der Verwandlung ihrer Schiffe abgeschnitten, und die Rutuler brauchen keine Feuerbrände mehr! Das Land aber ist in unseren Händen. Tausende in ganz Italien waffnen sich für uns. Mich ängstigen keine Göttersprüche und Verheißungen, deren sie sich rühmen. Auch mir ist mein Schicksal bestimmt, und es lautet auf Vertilgung dieses verruchten Geschlechtes mit dem Schwerte!«

Auch mit der Tat blieb Turnus so unverdrossen wie mit dem Worte. Dem Messapus wurde das Geschäft übertragen, die Tore mit Kriegern zu umstellen und die Wälle rings mit Feuern zu umzingeln, und unter ihm versahen, von vierzehn auserlesenen Hauptleuten befehligt, je hundert Jünglinge, schimmernd von Gold und mit rotbebuschten Helmen, den Dienst. Diese machten, einander ablösend, die Runde, und die Feiernden lagerten sich ins Gras und taten sich beim Weinkruge gütlich. Die Trojaner von ihren Wällen herab schauten dieses und hielten die Zinnen aufs Vorsichtigste mit Bewaffneten besetzt. Nicht ohne Besorgnis umwandelten sie die Tore, versahen die Bollwerke mit Brücken und brachten den nötigen Vorrat von Geschossen herbei. Das Ganze leiteten Mnestheus und Serestus, welche Äneas vor seiner Abfahrt über das Lager gesetzt hatte. Und so wachte denn das ganze Heer innerhalb der Lagermauern.

Nisus und Euryalus

Unter dem trojanischen Heere befanden sich zwei kühne Jünglinge: Nisus und Euryalus. Nisus, ein Sohn des Hyrtakus, einer der besten Speerwerfer und Pfeilschützen, hatte sich aus dem Idagebirge an den auswandernden Helden angeschlossen. Euryalus war der schönste unter allen teukrischen Knaben, und der erste Flaum der Jugend sprosste ihm um die Wangen. Beide waren durch die innigste Freundschaft verbunden, stürzten sich immer zusammen in die Schlacht und hüteten auch jetzt eines der Tore, nebeneinander Wache haltend. »Ich möchte doch wissen«, fing da zuerst Nisus an, »ob die Götter uns diese Tatenlust in der Seele aufwecken, oder ob seine blinde Begier einem jeden der Gott ist! Mir ist diese träge Ruhe lästig, und schon lange treibt mich der Geist, etwas Rechtes zu unternehmen. Sieh, wie sich die Rutuler ihrem blinden Vertrauen hingeben! Nur hier und da glänzt um die Mauern ein Feuer, fast alle liegen von Wein und Schlaf begraben da, und das tiefste Schweigen herrscht ringsum. So vernimm denn, Freund, welcher Gedanke in mir aufgestiegen ist. Alle unter uns, Volk und Väter, verlangen, dass Äneas herbeigerufen werde und dass man ihm dieserhalb sichere Boten zuschicke, die uns Kunde von ihm zurückbringen. Wenn man nun dir, dem Zurückbleibenden, verspräche, was ich für dich fordern will – denn mir genügt an der Ehre –, was meinst du? Ich könnte am Fuße des Hügels dort den Weg nach dem Tuskerlande und den Berg von Pallanteum wohl finden!«

Euryalus wurde bei dem Vorschlage seines Freundes von Staunen ergriffen, denn auch ihn beseelte jugendliche Ruhmbegierde. »Also wolltest du«, sprach er zu seinem feurigen Genossen, »mich, den unbärtigen

Knaben, als Teilnehmer an der herrlichen Tat verschmähen? Wie könnte ich auch dich allein in eine solche Gefahr hinauslassen! Nein, so hat mich mein Vater Opheltes nicht erzogen, und auch du hast mich bisher nicht so kennen gelernt. Auch ich achte das Leben gering und erkaufe willig mit ihm den Ruhm!« – »Nie habe ich so etwas von dir befürchtet«, erwiderte Nisus, »aber wenn mich irgendein Unfall oder ein Gott, wie es bei solchen Entschlüssen wohl zu gehen pflegt, ins Verderben risse, so wünschte ich, dass du mich überlebst. Deine Jugend ist des Lebens werter als ich. Auch hätte ich gern einen, der meinen Leichnam aus der Schlacht rettet oder mit Lösegeld erkauft und in den Boden verscharrt oder, wenn dies Glück mir nicht beschieden wäre, wenigstens dem Abwesenden ein Totenopfer brächte und einen Denkstein errichtete. Wie könnte ich auch deiner armen Mutter so bitteren Schmerz bereiten, die allein von so vielen Müttern es verschmäht hat, in Sizilien zurückzubleiben, und dir auf die weite Wanderung gefolgt ist?« Aber Euryalus erwiderte: »Du hältst mir umsonst nichtige Beweggründe vor, mein Vorsatz ist unerschütterlich, lass uns eilen.« So sprach er und weckte zugleich die nächsten Wachtposten, die zur Ablösung bestimmt waren. Nachdem sie diesen das Wächteramt übertragen hatten, eilten sie beide vor den hohen Rat der Trojaner. Denn die Fürsten des Heeres berieten sich bis tief in die Nacht hinein über die wichtigsten Angelegenheiten der neuen Pflanzung. Während sie nun mitten im Lager, an die Speere gelehnt und auf die Schilde gestützt, im Kreise standen und Rat darüber pflogen, was zu beginnen sei und wer dem Äneas die Nachricht zu bringen hätte, da baten Nisus und Euryalus herbeigeeilt um augenblicklichen Zutritt in die Versammlung. Askanius, der an seines Vaters Stelle, so jung er war, im Rate saß, hieß die Ungeduldigen eintreten und Nisus als den älteren zuerst reden. »Hört uns günstig an«, sprach dieser zu den Helden, »und messet, was wir euch vorschlagen, nicht nach den Jahren ab. Wir haben die Gegend ausgekundschaftet. Dort, am Scheidewege des Tores, das wir bewachen, in der Nähe des Meeres, finden sich Lücken in den Wachtfeuern der Feinde: dort ist Raum, um sich durchzuschleichen. Wenn ihr uns erlaubt, das Glück zu benützen, so wollen wir als Boten zu Äneas gehen, und ihr sollt uns bald mit Begleitern und mit Beute zurückkehren sehen.«

Mit Bewunderung vernahmen die Helden den Entschluss der Jünglinge.

»Nun, ihr Götter«, rief Aletes, der ergrauteste unter ihnen aus, »ihr seid noch nicht gesonnen, die Trojaner zu vertilgen, da ihr uns so entschlossene Jünglingsherzen erweckt!« So sprach er und legte seine Hände auf beider Schultern. Dann rief der zarte Jüngling Askanius: »Guter Nisus, lieber Euryalus, in euren Schoß lege ich mein Glück und meine Hoffnung, lasset mich meinen Vater wieder schauen! Wenn er zurück ist, ängstigt mich nichts mehr. Zwei silberne Becher, zwei köstliche Dreifüße, zwei Talente Goldes, den schönen alten Krug, den Dido meinem Vater geschenkt hat, das alles sollt ihr jetzt schon haben und, wenn wir siegen, noch viel mehr. Hast du das herrliche Ross gesehen, Nisus, das Turnus reitet, und seine goldene Rüstung? Sie seien dein. Zwölf Gefangene wird euch mein Vater verleihen, Männer mit vollen Waffenrüstungen und Frauen und vom Felde des Latinus herrliche Güter. Du aber«, so sprach er zu Euryalus gewendet, »verehrter Jüngling, dessen Jugend meine Jahre nachstreben, dich begrüße ich schon jetzt von ganzem Herzen als Kampfgenossen und unzertrennlichen Freund.« Darauf nahm Euryalus das Wort: »Es soll kein Tag kommen«, sprach er, »an dem ich mich meines tapferen Entschlusses unwürdig zeige. Aber vor allen Geschenken bitte ich dich um eines, Julus. Meine Mutter, vom alten Königsgeschlechte des Priamus stammend wie du, hat sich nicht abhalten lassen, mit mir auszuwandern, und ich verlasse sie ohne Abschied, denn ich könnte ihren Tränen nicht widerstehen. Nimm du dich der Verlassenen an, tröste sie in der Not, wenn das Schicksal mich nicht zurückkehren lässt!« In der Seele des Askanius erwachte bei diesen Worten die Liebe zum Vater noch heftiger, er fing laut zu weinen an und versprach ihm unter Tränen alles. Auch die Helden ergriff tiefe Rührung; Mnestheus zog sich die Löwenhaut von der Schulter und warf sie dem Nisus um; Aletes tauschte mit ihm den Helm, und Euryalus empfing aus der Hand des Julus sein eigenes Schwert mit goldenem Griff, in der Scheide von Elfenbein.

So gewaffnet wurden sie von allen Edeln, Jünglingen und Greisen bis ans Tor begleitet. Bald waren sie über die Gräben hinaus und kamen im Dunkel der Nacht an die schlafenden Posten der Rutuler. Diese lagen voll Trunkenheit und Schlaf verstreut auf dem Rasen zwischen Wagenrädern, Riemen und umherliegenden Waffen. »Die Gelegenheit ruft«, sprach Nisus leise zu seinem jungen Freund, »halte du mir den Rücken frei, ich will dir aufräumen und uns eine Gasse machen.« Während er so mit gedämpfter Stimme sprach, hieb er den ersten Wächter, den Vogelschauer des Königs Turnus, Rhamnes, der aus voller Kehle schnarchend dalag, samt drei sorglosen Knechten nieder; dann den Waffenträger des Remus, den er mitten unter seinen Rossen überraschte und ihm den gesenkten Hals abhieb, und dann den Herrn selbst. Auch Euryalus war nicht müßig; beide tobten wie Löwen in den Hürden und richteten ein furchtbares Gemetzel unter den Wächtern an. Ja, Euryalus drang schon bis zu den Wachtfeuern des Rutulerfeldherrn Messapus vor, die im Verglimmen waren und dessen angebundene Wagenrosse gemächlich das Gras abweideten. Aber Nisus rief ihn zurück. »Siehst du nicht«, sprach er warnend, »dass das Morgenlicht schon anzubrechen droht? Rache ist ja geübt und Bahn gebrochen.« So ließen sie auch alle Beute liegen, und Euryalus nahm nur den Pferdeschmuck des Rhamnes mit und schlang sich seinen Schwertgurt um die Schulter; auch setzte er sich freudig den bebuschten Helm des Messapus aufs Haupt, den er bei den vordersten Wachtfeuern aufgelesen und der ihm gerade passte. Darauf verließen sie das feindliche Lager und gewannen das Freie.

Aber um dieselbe Zeit zogen aus der Latinerstraße dreihundert Reiter mit Schilden unter ihrem Führer Volscens diese Straße, welche dem Fürsten Turnus Botschaft vom König zu bringen hatten. Sie waren schon ganz nahe am Lagerwall, als sie von fern die beiden eilenden Gestalten bemerkten und im dämmernden Frührot den unbesorgten Euryalus der erbeutete Helm mit seinem tückischen Schimmer verriet. »Bewaffnete Männer«, schrie Volscens bei diesem Anblick, »wo eilet ihr hin?« Jene antworteten nicht, sondern flüchteten sich in den Wald und vertrauten auf die Dämmerung. Aber die Reiter, der Nebenwege kundig, warfen sich in das Gehölz und versperrten alle Ausgänge mit Wachen. Der Wald war mit dichten Eichen und wilden Gesträuchen bewachsen, und kaum sichtbar schimmerte der Fußpfad durch das Dickicht. Den Euryalus hemmte die Beute, und die Furcht täuschte ihn über die Richtung des Weges. Nisus aber entkam glücklich aus dem Walde und eilte schon sorglos auf die Seen zu, die später den Namen Albanerseen erhielten. Jetzt erst stand er still und sah sich vergebens nach dem fehlenden Freunde um. »Euryalus«, rief er wehklagend, »wo bist du, Armer, wo find ich dich?«, und nun warf er sich aufs Neue in den verworrenen Wald. Dort vernahm er bald Rossegestampf, Lärm und die Trompeten der Nachhut, und es währte nicht lange, so ward er des ganzen Reitergeschwaders ansichtig, das den übermannten Euryalus mit sich fortschleppte. Was sollte er tun? Welche Hoffnung war, den armen Jüngling zu befreien? Sollte er sie aufgeben und sich den Tod in den starrenden Schwertern suchen? Er hielt inne, dann drehte er mit zurückgebogenem Arme plötzlich den Speer empor und zum Monde emporblickend, der blass am morgendlichen Himmel stand, betete er: »Luna, Beschützerin der Wälder, Latonas Tochter, wenn dir je mein Vater für mich geopfert, wenn ich selbst je dir meine Jagdbeute geweiht, lenke meinen Speer und lass diese Rotte mich zerstreuen!« So sprach er und schleuderte mit Leibeskraft seine Lanze. Diese drang dem abgekehrten Rutuler Sulmo in den Rücken und zur Brust heraus, dass er sich zuckend auf dem Boden wälzte. Erschrocken schauten sich die Reiter in der Runde um. Da flog das zweite Geschoss des Nisus und durchbohrte einem anderen Rutuler, dem Tagus, knirschend beide Schläfen. Volscens, der Anführer der Reiter, geriet in Wut, denn nirgends erblickte er den Speerschwinger; grimmig rief er: »So bezahle denn du mir mit deinem Blute für beide!«, und ging mit entblößtem Schwerte auf den Euryalus los. Vor Entsetzen schreiend, brach Nisus jetzt aus seinem Versteck hervor. »Ich bin der Täter«, rief er, »auf mich nur richtet eure Schwerter, der ganze Betrug rührt von mir her! Ich schwör es euch, dieser ist unschuldig, nur Liebe zum unglücklichen Freund war sein Vergehen!« Sein Rufen kam zu spät, Volscens hatte dem Knaben schon das Schwert durch die Brust gestoßen, dieser wälzte sich im Tode, die schönen Glieder überströmte das Blut, und sein Hals neigte sich auf die Schultern, wie eine purpurne Blume vom Pfluge durchschnitten dahinsinkt, wie ein blühender Mohnstängel sein vom Regen belastetes Haupt zur Erde senkt. Da warf sich Nisus in den Feind, stieß den Andrang der Reiter rechts und links zurück, ging gerade auf den Führer Volscens los und bohrte sein blitzendes Schwert in des schreienden Feindes Mund, dass er sterbend vom Rosse fiel. Dann warf er sich über den Leib seines getöteten Freundes und ruhte, ganz von den Geschossen der Reiter durchbohrt, über dem Leichnam im Frieden des Todes.

Die Reiterschar zog den erschlagenen Feinden die Rüstungen ab, trug ihre Leichname mit dem ihres Anführers Volscens in das Lager des Turnus, und bald mussten die Trojaner von den Türmen ihres Lagers herab mit Grausen die von schwarzem Blute noch triefenden gespießten Köpfe der beiden Jünglinge schauen, die sie mit so zuversichtlichen Hoffnungen entlassen hatten. Die Kunde des Unglücks verschonte auch die Mutter des Euryalus nicht. Sie wurde von ihr am Webstuhl über der Tagesarbeit getroffen. Da entrollte das Schifflein ihren Händen, sie zerraufte sich das Haar, sie rannte nach dem Walle in die vordersten Reihen der Streiter, keine Gefahr achtend, und brach in ein Klagegeheul aus, dass es die festesten Krieger erschütterte. Unter vielen Tränen befahl endlich Julus und mit ihm der weise Ilioneus zwei alten Helden, sie aus den Reihen der Männer hinwegzuziehen und unter ihren Armen in die Wohnung zu geleiten.

Sturm des Turnus abgeschlagen

Schmetternd ertönten die Trompeten der Rutuler. Ein Schrei erhob sich in dem ganzen Lager, und der Widerhall von den Bergen antwortete. Von allen Seiten stürmten die Feinde heran, rückten unter den Schilddächern vor; mühten sich, die Gräben auszufüllen und die Schanzen einzureißen, und schon legten sie an den Stellen, wo die Vorfechter des Lagers dünner auf den Zinnen standen, die Sturmleitern an die Mauern. Die Trojaner dagegen, durch die lange Verteidigung ihrer Vaterstadt im Belagerungskampfe wohl geübt, verstreuten Geschosse aller Art, wälzten Steine und Felsblöcke auf die Schilddächer und stießen die Emporkletternden mit Spießen darnieder. Schon setzten die angerückten Rutuler das blinde Gefecht nicht mehr fort, sondern lenkten ihre Schritte rückwärts von den Mauern und versuchten es nur mit Lanzenwürfen, die Teukrer vom Walle hinwegzutreiben. Endlich richteten sie alle ihre Streitkräfte auf einen hoch emporragenden Turm, der durch schwebende Brücken mit der Lagermauer verbunden war. Diesen zu erobern strengten sich die Rutuler um die Wette an: die Trojaner aber verteidigten ihn, indem sie bald von der Zinne herab Steine wälzten, bald durch hohe Schießscharten Pfeile hinunterschnellten. Endlich schleuderte Turnus eine Brandfackel, die, an die Seite des Turmes sich anhängend, das Getäfel ergriff. Ehe die Verteidiger sich flüchten konnten, stürzte das unterhöhlte Gebälk zusammen, und krachend fiel der Turm zu Boden.

Die einen fielen mit ihm, von den eigenen Waffen durchbohrt, die anderen spießten sich in die Trümmer des Holzes; und viele von denen, die noch unversehrt waren, sahen sich bald von Scharen des Turnus umringt und wurden niedergehauen. Endlich erwehrten sich die Trojaner der Zudrängenden. Der Knabe Askanius, der bisher nur fliehendes Wild mit seinen Pfeilen zu erlegen gewohnt war, durchbohrte dem Remulus, der kürzlich des Turnus jüngere Schwester gefreit hatte und, auf diese Auszeichnung stolz, prahlend auf die Teukrer eindrang und sie feige Phrygier schalt, das Haupt mit einem sicheren Pfeilschuss. Die Trojaner jubelten, und die erschreckten Feinde machten einen Schritt rückwärts. Julus wollte sie verfolgen. Da stellte sich ihm Apollo selbst in den Weg. Dem alten Waffenträger seines Großvaters, der ihm vom Vater beigegeben war, an Gestalt und Stimme gleich, sprach er: »Sohn des Äneas, dir genüge, dass du *einen* Helden ungestraft erlegt hast; diesen Beginn deines Ruhmes hat Apollo dir vergönnt, für jetzt aber meide den Krieg!« Die Fürsten Ileums erkannten die Gegenwart des Gottes und hielten den Julus vom weiteren Kampfe ab. Sie selbst aber erneuerten das Gefecht, und der Schlachtruf tönte um die äußersten Bollwerke der Mauer fort. Als die innerhalb der Tore aufgestellten trojanischen Wächter hörten und sahen, wie ihre Freunde draußen so mutvoll und kraftvoll kämpften, fassten Pandarus und Bitias, die Söhne Alkanors vom Berg Ida, stark und schlank wie ihre heimischen Tannen, den trotzigen Entschluss, das ihnen vom Feldherrn anvertraute Tor zu öffnen und im Übermute den Feind in die Mauern einzuladen. Sie selbst aber standen inwendig mit blinkenden Schwertern rechts und links am Eingang, und von ihren hohen Helmen nickten die Federbüsche. Als die Rutuler die Torflügel offen sahen, stürmten sie, ohne sich zu besinnen, hinein. Aber vier oder fünf ihrer Helden mit einem ganzen Gefolge von Kriegern fielen unter den Stößen und Streichen der beiden Jünglinge oder wurden in schmählicher Flucht zum offenen Tore hinausgetrieben.

Jetzt wagten die Trojaner sich schon in dichteren Scharen zusammenzurotten, ein regelmäßigeres Handgemenge entspann sich, und die Rutuler wurden rückwärts gedrängt. Als Turnus, der auf einer anderen Seite stritt, die Nachricht von dieser neuen Wendung des Kampfes erhielt, stürzte er, von grässlichem Zorn gespornt, mit einer auserlesenen Schar von Kriegern herbei und warf sich über eine Bahn von trojanischen Leichen auf das geöffnete Lagertor. Seine mächtige Lanze, aus der Ferne geschleudert, durchbohrte den Bitias, dass der Boden von seinen fallenden Riesengliedern bebte und der Schild auf den Liegenden herniederprasselte. Die Trojaner flohen zurück in das Tor, und nach drängten sich die siegenden Rutuler. Da fasste Pandarus mit einem Blick auf die ausgestreckte Leiche seines Bruders die Torflügel in ihren Angeln und warf sie, mit den Schultern angestemmt, in die Wölbung zurück, dass das Tor verschlossen war und viele Trojaner im Gefecht draußen, viele Rutuler, in die Mauern eingezwängt, zurückblieben. Aber der Unbesonnene hatte nicht bedacht, dass mitten unter den Eingeschlossenen Turnus selbst sich befand wie ein Tiger, der in den Stall eingelassen ist. Voll Entsetzen erkannten die Trojaner das schreckliche Gesicht und die riesigen Glieder. Nur Pandarus, ein Riese wie er, erschrak nicht. Voll Erbitterung über die Ermordung seines Bruders, stellte er sich ihm entgegen und rief: »Hier bist du nicht im Palast der Schwiegermutter, schmachtender Bräutigam, im Feindeslager stehst du und wirst nicht wieder hinauskommen!« Turnus lächelte nur und erwiderte ganz ruhig: »Bind an, wenn du es wagst, und beginne nur den Zweikampf: und wenn du ein Hektor wärst, so sollst du deinen Achilles finden!« Pandarus schleuderte darauf seinen Wurfspieß ab, an dem noch die Rinde mit allen Knoten saß; aber Juno lenkte das Geschoss ab, und die Lanze flog in den Torflügel. Jetzt bäumte sich Turnus und schwang sein Schwert: »Diesem Streiche wirst du nicht entfliehen«, schrie er und spaltete ihm die Schläfe mitten durch die Stirn, dass das Haupt in gleiche Teile zerhauen dem Zusammensinkenden von den Schultern herunterhing.

Zitternd stoben die Trojaner auseinander; und wäre dem Sieger jetzt der Gedanke gekommen, das Tor wieder zu öffnen und seine Freunde hereinzulassen, so wäre es um die neue Ansiedlung Trojas geschehen gewesen. So aber ließ er sich von der Mordlust betören und drang von Sieg zu Sieg mit den Seinen immer tiefer in das Innere des Lagers ein. Schon war die Verwirrung bis zu Serestus und Mnestheus gedrungen, die in der Mitte der Mauern befehligten. Da brachte zuerst Mnestheus die fliehenden Freunde mit den Worten zur Besinnung: »Wohin wendet ihr euch, Unsinnige, was für andere Mauern, was für andere Burgen besitzt ihr? Soll ein einziger Mann, rings umschlossen von euren Wällen, ungestraft ein solches Gemetzel unter euch anrichten? Habt ihr euer Vaterland, euren Führer Äneas, die Götter eurer Heimat so schamlos vergessen?« Mit solchen Reden beschämte und kräftigte er die Fliehenden, dass sie, in eine dichte Rotte zusammengedrängt, wieder standhielten. Den Turnus hatte der siegreiche Kampf selbst allmählich ermüdet. Zum Tore zurückzudringen konnte er nicht mehr hoffen; so kämpfte er sich mühsam vorwärts, wo das Lager ohne Mauern an den Fluss grenzte. An den Sandbänken des Stromes angelangt, zog er sich mit schnelleren Schritten, doch noch ohne Flucht, zurück, und wenn ihm der Feind zu nahe an den Leib kam, trieb er ihn immer noch siegreich mit dem Schwerte zurück. Nun flogen aus der Ferne von allen Seiten Geschosse nach ihm, von den anprallenden Steinen erklang sein Helm, der Busch war zerfetzt, der Schild steckte voll Speere und ward so schwer, dass seine Linke ihn kaum mehr zu halten vermochte. In diesem Augenblick stürmte auch Mnestheus in blitzenden Waffen auf ihn zu, und wie flüssiges Pech rann ihm der Schweiß über den Leib. So war er fechtend am Rande des Flusses angekommen. Da zum ersten Mal kehrte Turnus dem Feinde den Rücken und warf sich in voller Rüstung in die Wogen des Tiberstroms. Dieser nahm den Kommenden willig auf und trug ihn mit sanften Wellen aus dem Bereiche des Lagers ans Gestade, wo er bald, von Blut und Staub rein gewaschen, bei den Seinigen ankam.

Äneas kommt ins Lager zurück

Jupiter hatte in einer Götterversammlung die Klagen seiner Gemahlin Juno und die Fürbitten seiner Tochter Venus angehört und beschlossen, ohne Einmischung der Himmlischen alles dem Schicksal zu überlassen, und so dauerte denn die Belagerung der trojanischen Niederlassung und der Kampf der Rutuler und Trojaner um die Mauern fort.

Inzwischen war Äneas mit seiner Heeresabteilung und der arkadischen Reiterei in der blühenden tuskischen Stadt Agylla angekommen. Diese hatte ihren grausamen König Mezentius vertrieben, und da der Verjagte zu Turnus entflohen war, so lebten die Bewohner der Stadt in tödlicher Feindschaft mit Rutulern und Latinern. Deswegen wurde Äneas von dem jetzigen Beherrscher der Stadt, dem König Tarchon, sobald er ihm Geschlecht und Namen gemeldet und ihm von den Kriegsrüstungen des

Turnus und Mezentius erzählt hatte, mit offenen Armen aufgenommen. Der König vereinigte nicht nur die eigene Streitmacht mit ihm, sondern rief auch alle etrurischen Bundesstädte zur Teilnahme an dem Kampfe auf. Es währte nicht lange, so sah sich der Trojaner an der Spitze einer furchtbaren Flotte und segelte, nachdem er arkadische und tuskische Reiter auf dem Landwege vorangeschickt hatte, mit dreißig Schiffen von der etrurischen Meeresküste ab. Wie er nun in der Nacht aus Vorsicht selber am Steuer saß und den Lauf seines Schiffes, dem die anderen folgten, regierte, umringte ihn auf einmal ein Chor tanzender Nymphen. Es waren die Schiffe der Trojaner, welche Cybele, um sie vor den Brandfackeln des Turnus zu retten, jüngst an der Mündung des Tiber verwandelt hatte. Sie erkannten, belebt und beseelt, ihren Herrn; die beredteste fasste sein Schiff mit der Rechten, ragte mit dem Rücken aus dem Wasser hervor, streichelte besänftigend die Flut mit der Linken und sprach: »Wachst du, Göttersohn? O wache und lass den Wind in die Segel blasen! Wir sind Fichten vom Idagebirge, deine treuen Schiffe, jetzt durch Cybeles Erbarmen dem Brand der Rutuler entzogen und in Meeresgöttinnen verwandelt. Eile, Freund, dein Sohn Askanius, von Wall und Graben umschlossen, ist von den Rutulern belagert, und der Kampf tobt um seine Mauern. Deine Reiter sind zwar angekommen und stehen nicht fern vom Lager, aber Turnus weiß es und ist entschlossen, Kriegsvolk zwischen sie und das Lager zu werfen. Auf denn, beflügle deinen Lauf! Wenn der Tag anbricht, wirst du in der Tibermündung sein; dann ergreife den funkelnden Goldschild, den Vulkanus dir gab, und strecke ihn dem Lager deiner Genossen entgegen. Sei getrost, der morgende Tag wird dir Sieg verleihen!«

So sprach sie und gab im Hinuntertauchen dem Hinterverdeck des Schiffes einen Stoß, dass es schneller als Lanzen und Pfeile durch die Wellen fuhr. Als hätten sie Flügel, eilten dem Feldherrnschiff auch die anderen Schiffe nach, und mit dem ersten Morgenlicht hatte der Sohn des Anchises sein Lager vor Augen. Da gedachte er des Befehls der Nymphe; er ergriff seinen flammenden Schild, stellte sich damit auf das Vorderdeck, hielt ihn mit der Linken hoch in die Lüfte und streckte ihn seinen Feinden entgegen. Wie eine Sonne, die aus den Fluten taucht, schien er zu den Trojanern hinüber, die den Schiffszug vom Wall herab gewahr wurden. Sie erhoben ein Jubelgeschrei, und ihre Lanzenwürfe verdoppelten sich. Die Rutuler und ihre Fürsten begriffen von dieser plötzlichen Begeisterung der Feinde nichts, bis sie auf einmal hinter sich das Meer von Segeln angefüllt und ein Flotte an den Strand laufen sahen. Da leuchtete ihnen wie ein blutroter Komet oder wie der pestdrohende Sirius Äneas im Schmuck seiner Götterwaffen entgegen: seine Helmkuppel strahlte wie ein Brand, Glut entströmte dem Federbusch, der goldene Schildbuckel spie weit und breit Feuerstrahlen aus.

Dennoch verließ den tollkühnen Turnus das Selbstvertrauen nicht, er hoffte den landenden Feinden den Strand durch Schnelligkeit abzugewinnen und sie vom Ufer zu verdrängen. »Die Stunde ist gekommen«, rief er den Seinen zu, »die ihr so sehnlich herbeigewünscht habt. Jetzt könnt ihr eure Gegner zermalmen, der Kriegsgott selbst hat sie euch in die Hand gelegt. Denkt eurer Weiber und Kinder, setzt den Taten eurer Väter die Krone auf! Solange die Schritte der Ausgestiegenen noch schwanken, solange sie noch straucheln, empfangt sie am Strande! Das Glück begünstigt die Kühnen!«

Indessen wurden die landenden Trojaner und ihre Bundesgenossen aus dem Schiffe des Äneas teils auf Brücken ans Land gesetzt, teils schwangen sie sich mit Hilfe der Ruder aufs Trockene oder ließen sich von den rückprallenden Wellen ans Ufer tragen. Der König Tarchon aber, der mit der übrigen Flotte folgte, beschaute sich das Ufer und sah eine günstige Stelle, wo das Meer in der Mündung des Flusses nicht mit gebrochenen Wogen rauschte, nicht aus der Tiefe gärte, sondern sich frei dem flachen Ufersande zuwälzte. Dorthin befahl er plötzlich die Schiffsschnäbel zu drehen und rief seinen Genossen zu: »Jetzt, meine Freunde, rudert frisch darauflos, bohrt euch mit den Kielen eine Furche ins Feindesland, mag das Schiff auch scheitern, wenn es nur den Strand gewonnen hat!« Die Etrusker, als sie solches hörten, ruderten wie besessen und trieben die beschäumten Schiffe vorwärts, bis die Schnäbel das Trockene erreicht und alle Kiele unversehrt im Sande aufsaßen, nur Tarchons eigenes Schiff nicht. Dieses blieb an einer schrägen Sandbank hängen, die sich unter den Fluten hinzog; lange schwankte es und bot den Wellen Trotz. Endlich brach das Getäfel auseinander und schüttete die ganze Ladung seiner Männer mitten in die Flut aus, unter zerbrochene Ruder und umherwogende Balken hinein. Nur mit Mühe rettete sich Tarchon mit den Seinigen ans Land.

Äneas und Turnus kämpfen. Turnus tötet den Pallas

Als Turnus die Feinde gelandet sah, stand er von der Belagerung ab, raffte sein Heer in Eile zusammen, stellte es längs dem Gestade auf und ließ die Hörner zum Angriff blasen. Auch Äneas hatte die Seinigen, Trojaner und Bundesgenossen, geordnet und warf sich zuerst, um den Kampf spielend zu beginnen, auf die Scharen des latinischen Hirtenvolkes und richtete unter ihnen eine große Niederlage an. Dann wandte er sich gegen die Helden der Feinde selbst, und in erbittertem Streite wurde bald von beiden Seiten gefochten. Heer stieß auf Heer, Fuß hing an Fuß, Mann drängte sich an Mann, und lange schwankte die Schlacht.

Seitwärts vom Hauptkampf, wo ein Waldstrom Felsen in den Weg gewälzt und entwurzelte Bäume am Ufer umher zerstreut hatte, kämpfte Pallas, der junge Sohn des Königs Evander, mit seinen Arkadiern. Der unebene Boden erlaubte diesen nicht, sich der Pferde zu bedienen, und weil sie des Fußkampfes nicht gewohnt waren, boten sie endlich den eindringenden Latinern und Rutulern den Rücken. Nur allmählich brachte der Zuruf ihres jungen Führers sie wieder zum Stehen. »Bei dem Ruhm und bei den Siegen meines Vaters, bei meiner eigenen Hoffnung beschwöre ich euch, ihr Männer« schrie er, »haltet stand, vertraut euren Armen und nicht euren Füßen! Wir haben keine Wahl, entweder vorwärts ins trojanische Lager oder rückwärts in die See!« Mit diesen Worten führte er sie aufs Neue gegen den Feind und focht wie ein junger Löwe, indem er mit Lanze und Schwert bald diesen, bald jenen niederstreckte. Nun sammelte sich die Streitkraft seiner Genossen wieder gedrängt um ihn her, und Schritt für Schritt gewannen die Arkadier wieder Boden, bis ihnen Lausus, der heldenmütige Sohn des Mezentius, Einhalt tat. Die Arkadier zogen sich auf ihre Freunde, die Etrusker und Trojaner, zurück, aber unter allen wütete der italische Held mit seinen tödlichen Streichen. Endlich sahen sich Lausus und Pallas einander gegenüber, beide Jünglinge, an Alter wenig verschieden, beide herrlich von Gestalt, beide zu frühem Tod in diesem Treffen vorbestimmt. Doch sollte keiner von des anderen Hand fallen: denn beide erwartete das Verhängnis unter den Händen eines größeren Feindes.

Turnus, der mit seinem Streitwagen das Heer durchflog, erblickte das Paar, wie es eben voll Kampflust aufeinander losging. »Halt«, rief er von seinem Wagen herab, »ich allein will mit Pallas kämpfen, mir allein ist sein Leben bestimmt: möchte sein Vater Evander doch zuschauen!« Verwundert richtete der Jüngling den spähenden Blick nach der Stelle, von der herab der trotzige Ruf erschollen war; dann maß er sich seinen neuen Gegner mit großen Augen und rief endlich mutig zu ihm empor: »Entweder erbeute ich heute eine Feldherrnrüstung oder einen rühmlichen Tod; beides wird mein Vater willkommen heißen, darum spare dein Drohen!« So sprach er und schritt in die Mitte der Gasse hervor, die des Turnus Zuruf geöffnet hatte. Auch Turnus sprang von seinem Doppelgespann, wie ein Löwe herbeifliegt, wenn er fern vom Berg herab einen kämpfenden Stier in der Ebene erblickt hat. Als Pallas ihn auf Schussweite vor sich sah, schleuderte er den Speer mit aller seiner Jugendkraft ab und riss sofort das Schwert aus der Scheide. Der Lanzenwurf war gut gezielt, er durchbrach dem Turnus den Rand des Schildes, seinen Riesenleib aber streifte er nur. Jetzt wiegte Turnus lange seinen Wurfspieß mit der scharfen Eisenspitze und sprach dazu: »Nun merk auf, ob mein Geschoss nicht besser durchdringt.« Dann flog sein Speer und fuhr dem Jüngling durch Schild, Panzer und Busen bis tief ins Herz. Vergebens zog dieser den Speer noch warm aus der Wunde, die Seele entfloh mit dem strömenden Blut, und er sank tot unter den rasselnden Waffen auf den Boden. Turnus setzte den linken Fuß auf den Toten, löste ihm den schönen Gürtel vom Leibe, auf welchem der Kentaurenkampf in getriebenem Gold abgebildet war. »Das Grab«, sprach er dann, »verweigere ich dem Jüngling nicht: bringt ihn immerhin seinem Vater Evander, ihr Arkadier!« So sprach Turnus und flog auf seinen Streitwagen zurück. Wehklagend trugen die Arkadier ihren erschla-genen Königssohn aus der Schlacht, und Etrusker und Trojaner, von den vordringenden Rutulern gemäht, zogen sich ihnen in verworrener Flucht nach.

Zu Äneas, der auf einem anderen Flügel des Heeres focht, kam die Botschaft vom Weichen der Seinigen. Da raffte sich der Held mit den mutigsten Genossen auf, brach sich mit dem Schwert eine breite Bahn durch den Feind und suchte den Turnus. Vor seinen Augen schwebten ihm Evanders gastlicher Tisch und der holde Jüngling Pallas, der ihm mit so vielen Vatertränen anvertraut worden war. Schmerz und Rachelust erfüllten seine Heldenbrust. Vier Söhne des Sulmo, vier Söhne des Ufens griff er lebendig aus den Feinden heraus und ließ sie aus der

Schlacht führen, um als Sühnopfer für Pallas zu bluten. Keinen Mann, keinen flehenden Jüngling schonte er, der dem Rasenden in den Weg trat, welcher wie ein brausender Bergstrom oder die nächtliche Windsbraut wütete. Zu gleicher Zeit brach der Jüngling Askanius mit den eingeschlossenen Trojanern, den günstigen Zeitpunkt ersehend, aus dem Lager hervor.

Turnus von Juno gerettet. Lausus und Mezentius von Äneas erschlagen

Die Rutuler wären verloren gewesen, wenn nicht Juno den Göttervater im Olymp demütig um Erlaubnis angefleht hatte, Turnus, ihren Führer, aus der Hand des Äneas zu retten und der Schlacht zu entführen. »Verlangst du nur Verzug seines Todes«, sprach Jupiter, »so mag es immerhin sein! Wenn du aber damit das Schicksal des ganzen Krieges zu ändern vermeinst, so hegst du eine vergebliche Hoffnung.« Weinend erwiderte Juno: »Oh, dass dein Herz mir gewährte, was dein Mund mir verweigert! Soll mein unschuldiger Schützling so traurig endigen? Doch ich danke dir schon für den Aufschub; vielleicht lenkt sich deine Milde doch noch auf gnädigeren Beschluss!«

Juno, von Gewölken umgürtet, ließ sich vom Sturm durch die Lüfte tragen und hatte bald das Lager der Laurenter erreicht. Hier schuf sie aus einer hohlen Wolke ein wesenloses Schattengebilde, das an Gestalt dem Helden Äneas täuschend ähnlich war, bekleidete es mit einem Schatten von Panzer, Schild und Helm, der herrlichen Rüstung des Göttersohnes nachgebildet, verlieh ihm den Schritt des Wandelnden und, ohne seinen Geist, den Hall seiner Stimme. So flog die Gestalt dahin wie ein Traumbild, das unsere Sinne trügt, mischte sich unter die vordersten Reihen der Kämpfenden, reizte den Turnus mit Geschossen und forderte ihn zum Kampf heraus. Turnus eilte der Gestalt entgegen und warf die Lanze nach ihr, da wandte jene den Tritt und bot ihm den Rücken. Mit gezogenem Schwert, unter höhnischem Ruf, folgte Turnus und merkte nicht, dass er schon die Schlachtlinie verlassen hatte. Zunächst am Strande lag eines der etrurischen Schiffe, dorthin warf sich das fliehende Bild des Äneas und schien sich zagend in seine Schlupfwinkel zu verbergen. Nicht langsamer folgte Turnus, sprang über die Brücke und fasste

Fuß auf dem Vorderdeck. Jetzt hatte Juno ihren Zweck erreicht. Kaum hatte Turnus den Bord berührt, so riss sie das Seil ab und ließ das Schiff von der gerade zurückrollenden Ebbe hinaus in die See tragen.

Inzwischen tobte der rechte Äneas im Kampfe fort und begehrte umsonst nach dem entfernten Feind. Sein Schattenbild aber verließ den Winkel, in dem es sich geborgen, und flatterte, von Turnus ungesehen, in die Luft. Als dieser seinen Feind nicht fand und vom Meereswirbel dahingerissen wurde, schaute er nach dem Lande zurück, ratlos und ohne Dank für seine Rettung. »Allmächtiger Vater«, rief er, die Hände gen Himmel erhebend, »hieltest du mich so großer Schande würdig, wolltest du mich so hart bestrafen? Alle meine Freunde habe ich im grausamen Todeskampfe zurückgelassen: wie kehr ich zu ihnen zurück? Oh, dass der Meeresabgrund sich unter mir auftäte, dass die Winde mein Schiff an einer Klippe zerschellten!« Erst gedachte er sich ins Schwert zu stürzen und hatte es schon aus der Scheide gezogen, doch ein Versuch, zu den Seinigen zurückzukehren, deuchte ihm für diese selbst ersprießlicher, und so sprang er, gewaffnet wie er war, ins Meer. Aber Juno trieb die Wellen ihm entgegen. Der Strom nahm ihn mit sich fort, und erst bei seiner Vaterstadt Ardea spülten ihn die Wellen ans Land.

Die Schlacht vor den Lagermauern wütete fort. Die Trojaner waren im Vorteil und jauchzten. Aber der vertriebene König von Agylla, der Etrusker Mezentius, der wildeste Bundesgenosse der Rutuler, der bisher bei der Hinterhut gehalten hatte, brach jetzt vor und stürzte sich auf die Feinde. Als die Etrusker ihren Todfeind herankommen sahen, stürmten sie in ihrem alten Hasse alle auf den einen los und bedrängten ihn von allen Seiten mit ihren Geschossen. Er aber stand wie ein Fels im Meer fest, streckte Etrusker und Phrygier, wer ihm nahte, zu Boden. Bald war der Kampf wieder ins Gleiche gesetzt; schon konnten sich die Trojaner nicht mehr Sieger nennen. Mezentius hatte eine Gasse in die Feinde gebrochen, und furchtbar schritt seine hohe Gestalt in den mächtigen Waffen einher. Da ward Äneas, der inzwischen auf der anderen Seite des Treffens getobt hatte, den furchtbaren Feind aus der Ferne gewahr, ließ plötzlich vom Gefecht ab und kehrte sich ihm entgegen. Dieser aber hemmte seinen Schritt auf Schussweite von seinem Feind, ergriff mit der Linken die Hand seines Sohnes Lausus, der ihm schon lange an der Seite gestritten hatte, hob mit der Rechten den Wurfspieß, schwenkte ihn in den Lüften und rief: »Wohlan, du mein Arm, der du von jeher mein Gott warst, denn ich kenne keinen anderen, und du mein Speer, jetzt gilt's! Du aber, mein Sohn Lausus, sollst das lebendige Siegeszeichen über diesen Räuber werden, wenn du mir in der erbeuteten Prachtrüstung des Feindes prangst!« Nun warf er den zischenden Wurfspieß seinem Gegner zu; dieser aber prallte vom Schilde des Äneas zurück und traf Antores, einen edlen argivischen Auswanderer, der mit Evander nach Italien gekommen war und nun zusammensinkend seinem fernen griechischen Vaterlande einen Seufzer der Sehnsucht zuschickte. Darauf schleuderte auch Äneas seinen Speer ab. Dieser durchbohrte den dreifachen Erzschild des Feindes und fuhr diesem in die Weiche. Als Äneas das Blut des Etruskers fließen sah, riss er erfreut sein Schwert von der Hüfte und drang wütend auf den Bebenden ein. Gespießt von der Lanze und entkräftet zog sich Mezentius mit dem durchbohrten Schild zurück. Tränen rollten seinem guten Sohne Lausus aus den Augen, als er den Vater verwundet sah; er brach mit seinem Schild vor und lief dem Trojaner, der schon mit seiner Rechten zum tödlichen Streich ausholte, unter die drohende Klinge, indem er dem Vater den Schild vorhielt. Ihm folgten seine Genossen mit großem Geschrei, und alle schleuderten Geschosse, so dass Äneas mitten in seinem Grimm stillhalten und sich mit seinem Schild bedecken musste. Von Lanzen umhagelt, rief er dem Lausus zu: »Wahnsinniger, was rennst du in den Tod? Deine Liebe betrügt dich über deine Kräfte!« Als aber Lausus nicht wich, verdoppelte sich der Grimm des Helden, und nun rannte ihm Äneas das Schwert, tief eintauchend, mitten durch den Leib, das den Weg ohne Mühe durch den leichten Schild und den goldgestickten Rock des Jünglings, das Kunstwerk der zärtlichen Mutter, gefunden hatte. Aber als Äneas in das erbleichende Antlitz des sterbenden Knaben sah, da erbarmte ihn sein, und das Bild der kindlichen Liebe durchbebte sein eigenes Vaterherz. Er reckte die Hand nach dem Sinkenden aus und rief: »Unglückseliger Jüngling, du hättest eine bessere Gabe von mir für dein rühmliches Tun verdient! Deine leichte Rüstung und dein Goldkleid, dessen du dich freutest, soll nicht von dir genommen werden. Wie du bist, sollst du bei deinen Vätern schlafen dürfen, und so wenigstens sollst du innewerden, dass du einem großmütigen Feind erlegen bist!« So sprach Äneas, hob ihn selbst von der Erde empor, dass das schmucke Lockenhaar nicht von Staub und Blut besudelt würde, und ermahnte seine erschrockenen Genossen, den Leichnam in Empfang zu nehmen.

Der verwundete Mezentius hatte sich indessen an den Tiberstrand gerettet und stillte, an einen Uferbaum gelehnt, das Blut seiner Wunde mit dem Wasser des Flusses. Sein eherner Helm hing an einem Ast, seine schwere Rüstung lag im Grase, junge, erlesene Streitgenossen standen um ihn her, er selbst, schwach und keuchend, stützte sich das Haupt mit der Hand, und sein hängender Bart fiel ihm auf die Brust herab. Gar oft fragte er nach seinem Sohne Lausus, viele Boten sandte er, die ihn herbeirufen, die ihm seines geängsteten Vaters Befehle bringen sollten. Da nahte sich die weinende Schar der Freunde, die den entseelten Jüngling mit seiner klaffenden Brustwunde auf dem Schilde dahertrugen. Mezentius, Unheil vorahnend, verstand ihr Wehklagen schon in der Ferne. Als sie angekommen waren, streute er Staub auf sein graues Haar, streckte die Hände gen Himmel und klammerte sich dann um den Leichnam. »Ist's möglich«, rief er, »geliebter Sohn, konnte mich die Lebenslust so betören, dass ich dich statt meiner in die Hand des Feindes rennen ließ? Muss dein Tod mein Leben sein? Wehe mir, jetzt erst wird mir die Verbannung aus dem Etruskerlande zur unerträglichen Qual! Jetzt erst fühle ich meine Wunde! Ist's möglich, dass ich noch lebe, dass ich das Tageslicht und die Menschen nicht verlasse? Aber ich will sie verlassen!« Mit diesen Worten richtete er sich auf bis zur kranken Hüfte, und so tief die Wunde saß, verlangte er doch sein Ross. Dies war seine Lust, dies war sein Trost: noch aus allen Gefechten hatte es ihn siegreich zurückgetragen. Auch das Streitross schien über den Jammer seines Herrn zu trauern, es stand mit gesenktem Haupt da, und die Mähne floss regungslos über den Hals. »Wir haben lange gelebt, guter Phöbus«, redete der wunde Held sein Pferd an, »wenn irgendetwas auf der Erde lang ist; aber heute noch wirst du als Sieger mit mir den Lausus rächen und Haupt und Rüstung des Mörders blutig heimtragen, oder wir fallen miteinander, denn du wirst, hoffe ich, keinen Trojaner tragen wollen!« Schnell waffnete sich der Greis wieder, so gut es die Wunde erlaubte; das Erz des Helmes umleuchtete sein Haupt, der Rossschweif flatterte in den Lüften, seine Hand hielt ein Bündel Speere; so trugen ihn Schmerz, Wahnsinn und Mut hoch zu Rosse wieder in die Schlacht.

»Das gebe Jupiter und Apollo«, rief Äneas erfreut, als er den Gegner wieder auf sich zukommen sah, »dass du den Zweikampf mit mir erneuerst!« Und nun eilte er ihm mit erhobenem Speer entgegen. Mezentius rief dagegen: »Glaubst du mich noch schrecken zu können, nachdem du mir den Sohn entrissen hast? Ich fürchte den Tod nicht, ich frage nach keinem Gott, sterben will ich, aber dir sende ich zuvor diese Gabe!« Sprach's und sandte einen ersten Speer nach seinem Feind und einen zweiten und einen dritten, indem er ihn dreimal dazu mit seinem Ross umkreiste. Äneas drehte seinen Schild nach den Würfen und fing die Geschosse, eins um das andere, mit der goldenen Schutzwaffe auf. Dann brach er hervor und schleuderte seine eigene Lanze dem Streitrosse des Feindes in die Schläfe. Das Tier bäumte sich, streckte seine Vorderhufe in die Lüfte, schüttelte den Reiter ab und deckte ihn fallend mit dem Rücken. Ein Schrei stieg aus den beiden Heeren gen Himmel. Äneas aber flog herbei, riss das Schwert aus der Scheide und rief höhnend: »Wo ist nun der wilde Mezentius, wohin hat sich der Trotzende verkrochen?« – »Grausamer« seufzte der Gefallene vom Boden empor, »spottest du mein im Tode noch? Sterb ich doch den edeln Tod in der Schlacht! Nur um *eine* Gunst bitte ich dich: gönne meinem Leib die Decke des Bodens; du weißt, dass mich wilder Hass alter Untertanen umringt: wehre ihre Wut von mir ab, gönne mir *ein* Grab mit meinem Kinde!« So sprach er und reichte den Hals dem Schwerte des Feindes dar, sein Blut strömte auf die Rüstung, und sein Leben war dahin.

Waffenstillstand

Die Morgenröte stand über dem Schlachtfelde, das die Trojaner als Sieger innehatten. Äneas richtete auf einem Hügel ein Siegeszeichen auf. Der Stamm einer riesigen Eiche, von dem alle Äste abgehauen waren, wurde mit der funkelnden Waffenrüstung des Feldherrn Mezentius bekleidet; rechts wurden der blutige bebuschte Helm, die zerbrochenen Speere des Fürsten, sein Panzer, der zwölfmal von Geschossen getroffen und durchbohrt war, aufgehängt; links der eherne Schild und an seinem Gurte das Schwert in der Scheide von Elfenbein. Der gesamte Haufe der trojanischen Führer drängte sich um das Denkmal, und Äneas weihte die Beute unter feierlichem Flehen dem Schlachtengott.

Alsdann wandten sie ihre Schritte nach dem Lager, wo der greise Arkadier Acötes, der als Waffenträger und Gefährte seinem geliebten Zögling gefolgt war, den entseelten Leib des Pallas hütete, der in einer bedeckten Halle der Lagerburg untergebracht war und den eine Schar von Dienern und teilnehmenden Trojanern und Trojanerinnen mit aufgelöstem Haar umstand. Als Äneas durch die Pforte trat, erhob sich lautes Stöhnen, alle Anwesenden schlugen an die Brust, und die Burg dröhnte von Jammer. Wie nun Äneas das Haupt des Pallas, mit dem blassen Angesicht, auf dem Polster erblickte und in der jugendlichen Brust die offene Speerwunde, da rief er, indem ihm die Tränen aus den Augen hervorquollen: »Unglückseliger Knabe, hat dir das trügerische Glück, das dich so schmeichlerisch begleitete, nicht vergönnt, das Reich, das du deinen Freunden gründen halfest, zu schauen und als Sieger in die Heimat zurückzukehren! Nicht solches habe ich deinem Vater Evander versprochen, als er mich beim Scheiden umarmte und sprach: ›Hüte dich, du gehst in den Kampf mit einem streitbaren und harten Volk!‹ Weh' uns, vielleicht bringt in diesem Augenblick dein Vater den Göttern Gelübde für dich dar, in welchem wir deinen Leichnam bestatten!« So sprach er weinend und befahl, die Leiche auf ein Geflecht von Eichenzweigen zu legen und ins Lager zu tragen. Dort ward der Jüngling auf einem hohen Grashügel mitsamt der Tragbahre niedergelassen und lag da nun wie ein gepflücktes Veilchen oder eine welkende Hyazinthenblüte, von welcher Schönheit und Farbenschimmer noch nicht ganz gewichen sind. Äneas selbst brachte zwei purpurne, mit Gold durchwobene Feiergewänder herbei, von Didos eigener Hand gewirkt: in das eine hüllte er den Leib des Lünglings, das andere schlang er um sein Lockenhaupt. In diesem Schmucke sollte der Tote seinem Vater nach Pallanteum zurückgeschickt werden. Dem Zuge folgten erbeutete Gefangene, Pferde mit Waffen beladen. Acötes, der alte Diener des Jünglings, der sich das Haar zerraufte und die Brust mit Fäusten schlug, und zuletzt Äthon, das Streitross des Königssohnes, das mit gesenktem Kopf einherschritt und Tränen vergoss wie ein Mensch. Dann kamen die Fürsten der Etrusker und Arkadier und ein Trauergefolge von Trojanern, alle mit gesenkten Waffen. Äneas sah dem Zuge der Begleitenden nach, bis er aus seinen Augen verschwand, rief dem Toten ein letztes Lebewohl zu und kehrte wieder in das Lager zurück.

Indessen waren aus der Stadt des Latinus Gesandte mit Ölzweigen in der Hand angekommen und flehten um die Erlaubnis, die Leiber der Ihrigen bestatten zu dürfen. Diesen erwiderte Äneas soll Huld, indem er ihnen ihre Bitte sogleich gewährte: »Welche Verblendung, ihr Latiner, hat euch unsere Freundschaft verschmähen lassen und in diesen großen Krieg verwickelt. Ihr begehret Frieden für eure Toten? Wie gern gewährte ich ihn auch den Lebenden! Auch wäre ich gewiss eurem Lande niemals genaht, wenn dieser Wohnplatz mir nicht durch das Schicksal angewiesen worden wäre. Dazu führe ich keineswegs Krieg mit eurem Volke. Nicht dieses, nur euer König hat unseren Bund verschmäht und sich lieber den Waffen des Turnus anvertraut. Will Turnus den Krieg mit der Faust enden, will er die Trojaner durchaus nicht in dem Lande dulden, nun so werfe er sich in seine Rüstung und kämpfe mit mir, Mann für Mann. Behalte dann Recht, wem ein Gott und seine Faust das Leben verleiht. Jetzt aber gehet und legt eure armen Mitbürger auf den Scheiterhaufen.«
Als die Gesandten so milde Worte aus dem Munde des Trojanerfürsten hörten, sahen sie schweigend vor Staunen einander an. Endlich sprach der greise Drances, von jeher ein Feind des Turnus: »Held von Troja, was soll ich mehr an dir bewundern, deine kriegerische Tugend oder deine Gerechtigkeit? Wir gehen, voll Dank unserer Vaterstadt deine Willensmeinung zu verkünden und, wenn es möglich ist, den König Latinus mit dir zu versöhnen.« Alle Gesandten bestätigten diese Rede mit ihrem Beifallsrufe. Es wurde ein Waffenstillstand auf zwölf Tage geschlossen, und nun schweiften im Schutze des Paktes Latiner und Trojaner durcheinander ungefährdet auf den waldigen Berghöhen umher; die Esche, die Fichte sank unter dem Streiche der Axt; die Eiche, die Zeder, die Buche wurde mit Keulen gespalten, und seufzende Wagen, schwer mit Holz beladen, fuhren der Stadt der Latiner zu.
Inzwischen war das Gerücht von dem Tode des Pallas zur Stadt des Evander gedrungen, die bisher nur von den Siegen ihres Königssohnes vernommen und geträumt hatte. Unaussprechliche Niedergeschlagenheit bemächtigte sich des Königs und aller Bürger. Leichenfackeln in der Hand, stürzten die Arkadier zu den Toren hinaus, und vom langen Zuge der Flammen leuchtete der Weg. Auf der anderen Seite kam ihnen die wehklagende Schar der Phrygier mit dem Leichnam entgegen.
Als die Frauen der Arkadier den Zug auf die Häuser der Stadt zukom-

men sahen, erfüllten sie die Straßen mit lautem Heulen. Jetzt vermochte auch den König Evander keine Gewalt mehr zurückzuhalten; er ging der Schar entgegen, und als die Tragbahre niedergestellt ward, warf er sich über die Leiche seines Sohnes und ließ seinem Schmerz in lautem Schluchzen und abgebrochenen Worten des Jammers den Lauf.

Volksversammlung der Latiner

Trojaner und Latiner hatten ihre Toten unter Tränen und Opfern bestattet, die lauteste Wehklage und längste Betrübnis aber war bei den Letzteren. Trauernde Mütter, Witwen, Schwestern, Knaben, ihrer Väter beraubt, irrten durch die Stadt umher, verfluchten den Krieg und das Eheverlöbnis des Turnus. Diese Stimmung verstärkte noch der Abgesandte Drances, indem er versicherte, dass nur Turnus von Äneas verlangt, nur er zur Entscheidung des Krieges durch einen Zweikampf herausgefordert werde. Auf der anderen Seite wurde auch Turnus von der entgegengesetzten Meinung eifrig verteidigt, ihn deckte der mächtige Name der Königin Amata; sein eigener Ruhm und die errungenen Siege verherrlichten ihn in den Augen des Volkes.

Die Niedergeschlagenheit der Latiner vermehrte indessen eine Botschaft, durch welche eine lang gehegte Hoffnung vereitelt wurde. Im unteren Teile Italiens, in Daunien, saß, auf der Rückkehr von Troja durch die Nachstellungen seiner treulosen Gattin aus seinem Reiche Argos vertrieben, der große Griechenheld Diomedes, der Sohn des Tydeus, und hatte dort die Stadt Argyripa gegründet. Gleich beim Ausbruch des Krieges hatte Turnus zu diesem alten Feinde der Trojaner einen Rutulerhelden namens Venulus abgeschickt, welcher dem Helden meldete, dass Trojaner, von Äneas, dem Schwiegersohne des Königs Priamus, angeführt, im Latinerlande sich festgesetzt hätten und ein zweites Troja gründen wollten. Gegen diese verhassten Ankömmlinge hatte Turnus die Hilfe des Königs Diomedes verlangt. Mitten in jener Aufregung nun kam Venulus, der Botschafter des Turnus, aus der griechischen Pflanzstadt des Diomedes zurück und brachte keine günstige Antwort mit. Damit war die letzte Hoffnung des alten Königs Latinus verschwunden. Niedergebeugt von Kummer, berief er die Häupter des Vol-

kes zu einer großen Versammlung in seinem Königspalast, setzte sich mit düsterer Stirn auf seinen Herrscherthron und hieß den zurückgekommenen Boten mit seinen Begleitern Bericht erstatten.
»Bürger«, begann hier Venulus, »wir sahen den Helden Diomedes und die Pflanzstadt der Argiver, unter den Eichenwäldern des Berges Garganus auf der schönen Anhöhe gelegen. Als wir ihm Namen und Heimat gesagt, unsere Geschenke vor ihm ausgebreitet und ihm gemeldet hatten, wer uns mit Krieg heimsuche, erwiderte uns der große Fürst mit freundlichem Angesicht: ›O ihr glücklichen Völker Ausoniens, ihr unter der Obhut des guten Saturnus lebenden, welch ein Schicksal stört auch euch aus der Ruhe auf? Wir Sieger Trojas sind die elendesten unter allen Sterblichen! Selbst Priamus müsste uns bemitleiden, wenn er schaute, wie schwer wir unseren Übermut büßen müssen. Der Lokrer Ajax hat im Meere sein Grab gefunden; Agamemnon liegt im eigenen Hause erschlagen; Menelaos irrt in Ägypten umher; Odysseus zitterte vor den Zyklopen. Auch mir haben die Götter die Wiederkehr in meine Heimat missgönnt, erlasset mir die Erzählung! Ich bin kein Mann des Glückes mehr, seit ich es gewagt habe, die unsterbliche Venus im Kampfe zu verwunden! Darum reizet mich nicht zu neuen Gefechten! Seit Troja gefallen ist, bin ich kein Feind der Trojaner mehr, denke auch nicht mit Freuden an das Übel zurück, das ich ihnen zugefügt. Die Geschenke, die ihr mir von Hause bringt, überreicht sie dem Äneas! Ich habe mich im Kampfe mit ihm gemessen: glaubt mir's, er ist ein gewaltiger Mann, wenn er sich mit seinem Schild emporbäumt und im Wirbel die Lanze dreht! Wären nach Hektors Tode noch zwei Männer wie er in Troja gewesen, so hätte die Welt nichts von unserem Siege zu erzählen. Darum bietet die Hände zum Frieden, solange es noch Zeit ist; seinen Waffen seid ihr nicht gewachsen.«
Als Venulus seinen Bericht geendigt hatte, entstand ein murrendes Tosen in der Volksversammlung, wie ein Gießbach durch Felsen rauscht. Wie die bewegten Lippen endlich still wurden, sprach der König Latinus von seinem hohen Throne herab: »Wir führen einen unglückseligen Krieg, ihr Bürger, mit unbezwinglichen Männern, mit einem Göttergeschlecht. Beherzigt deswegen, was ich euch verkünden will. Nicht fern von dem Tiber, gegen Abend, besitze ich ein altes Gebiet, von Rutulern und Aurunkern bebaut und beweidet und von Fichtenbergen begrenzt.

Dieses will ich den Trojanern abtreten und sie zu Reichsgenossen aufnehmen: dort mögen sie sich ansiedeln und die verheißene Stadt begründen. Ziehen sie es aber vor, ein anderes Land aufzusuchen, so wollen wir ihnen Erz, Schiffsbauzeug und Hände darreichen, um sich fünfzig Ruderschiffe zu bereiten und auszurüsten. Außerdem sollen hundert Gesandte aus den edelsten Geschlechtern von Latium sich aufmachen, mit Friedenszweigen in der Hand, und ihnen Gold, Elfenbein, Mantel und Thron als Reichskleinodien darbringen.«
Da stand der alte Drances in der Versammlung auf, ein reicher, beredter Mann, obwohl kein Held im Kampfe mehr, der seit langer Zeit den Ruhm des Turnus mit Scheelsucht betrachtete und rief: »Vortrefflicher König, es fehlt nur eins noch! Du solltest zu den herrlichen Geschenken, die du den Trojanern zu senden befiehlst, auch noch die Hand deiner Tochter Lavinia hinzufügen und so den Frieden mit einem ewigen Bunde besiegeln!« Jetzt entbrannte das Herz des Turnus, der, eben erst von seiner Vaterstadt zurückgekehrt, sich unter die Volksversammlung gemischt hatte. Aus der tiefsten Brust emporatmend, rief er: »O Drances, sooft der Krieg Fäuste verlangt, bist du mit der Zunge da! Jetzt aber gilt es nicht, den Ratssaal mit Worten anzufüllen: die Feinde umringen unsere Stadt, gefochten will es sein! Was wird uns der Ätolier Diomedes und seine Pflanzstadt helfen, wenn unser eigener Arm, wenn Latium, wenn ganz Volskerland, das sich für uns erhoben hat, es nicht vermag? Wenn es sich aber nur um *meine* Seele handelt, die ist euch längst geweiht; wenn es wahr ist, dass Äneas mich allein herausfordert: ich bin Turnus, er soll mich finden!«
Während sich die Latiner so über die Lage ihres Reiches zankten, kam Äneas mit seinem ganzen Gefolge heran, und plötzlich stürmte die Botschaft durch den Palast, dass Trojaner und Etrusker vom Tiberstrome hergezogen kämen.

Neue Schlacht. Kamilla fällt

Die Versammlung stob auseinander, aus der ganzen Stadt warf sich alles in Hast auf die Mauern. Die Stadttore wurden mit Gräben verschanzt, die Steine wurden aufgehäuft, Palisaden in den Boden gerammt, das Schlachthorn schmetterte, Mütter und Männer stellten sich in bunten Reihen auf den Mauerkranz. Auf einem hohen Wagen fuhr die Königin Amata und an ihrer Seite ihre Tochter Lavinia, die Ursache so vielen Leides, ihre reizenden Augen auf den Boden gesenkt, durch den Schwarm der Frauen nach der Burg der Stadt, um dort im Tempel der Minerva Gebet und Opfer darzubringen.

Turnus selbst gürtete sich eilig zum Kampfe. Bald starrte er im schuppigen Erzharnisch, legte sich die Goldschienen an die Beine und schnallte sich das Schwert an die Seite. Dann setzte er sich den goldenen Helm aufs Haupt und eilte, funkelnd vom Kopfe bis auf die Sohlen und frohlockend in Siegeshoffnung, von der Königsburg hinab. Unter dem Tore begegnete ihm Kamilla, hinter sich den Zug ihrer Volsker. Als sie den Helden erblickte, sprang die jungfräuliche Königin vom Rosse, und ihr folgte das ganze Geschwader. Dann sprach sie zu dem Rutulerfürsten: »Turnus, wenn anders ein Starker mit Recht auf sich selbst vertraut, so gelobe ich heute, die Schar des Äneas zu bestehen und mich allein mit meinen volskischen Reitern ihm entgegenzuwerfen.«

Solch Anerbieten war dem Helden willkommen. »Dieser Mut«, erwiderte er, »erhebt dich, o Jungfrau, hoch über dein Geschlecht und in den Rat der Männer. Von nun an sollst du die ganze Kriegsarbeit mit mir teilen. Meine Späher melden mir, dass Äneas seine leichten Reitergeschwader vorausgesandt hat, er selbst mit dem schweren Heerhaufen schreitet über den Bergrücken auf die Stadt zu. Dort will ich ihm in einem waldumwachsenen Hohlwege einen Hinterhalt bereiten und beide Schlünde des engen Pfades mit Kriegern besetzen. Du dagegen sollst die etruskischen Reiter mit deiner Reiterei empfangen, und ich gebe dir den Helden Messapus mit den latinischen Geschwadern bei. Die Oberfeldherrnschaft aber sei dir selbst anvertraut, unvergleichliche Jungfrau!«

Nach diesen Anordnungen ging Turnus seinen eigenen Weg. Durch ein enges Tal mit vielen Krümmungen, das von beiden Seiten eine schwarze Bergwand voll Waldes begrenzte, führte ein schmaler Fußpfad. Darüberhin, zuoberst auf dem Bergesgipfel, lag zwischen Wäldern verborgen ein ebenes Feld, wo sich ein sicherer Hinterhalt aufstellen ließ und von wo aus man nach Belieben rechts oder links angreifen oder aber von der Höhe herab Steine ins Tal herniederwälzen konnte. Dorthin zog Turnus mit seinen Scharen und lagerte sich auf der Höhe und in den Wälderschluchten.

Während dieses geschah, rückten die Trojaner und ihre etruskischen Bundesgenossen mit den Reitergeschwadern immer näher an die Mauern. Die Rosse brausten durch die Ebene, eine eiserne Saat von Spießen starrte, und die Felder schienen von den erhobenen Waffen zu brennen. Gegenüber erschienen die Latiner, Messapus mit Katillus und Korax an der Spitze, und die Reiterei der Volsker, von Kamilla angeführt. Als die Heere einander auf Speerwurfweite nahe gekommen waren, standen sie einen Augenblick still und brachen dann plötzlich mit Geschrei hervor, ermunterten ihre Rosse, und von allen Seiten flogen Geschosse wie Schneeflocken, so dass die Luft ganz verdunkelt wurde. Sobald die feindlichen Scharen, Speer gegen Speer, miteinander kriegten, fing die Schlachtordnung der Latiner zu wanken an, sie warfen bald die Schilde auf den Rücken und lenkten ihre Rosse nach der Stadt hin. Aber ihre Flucht war nur verstellt; sobald sie bei den Mauern angekommen waren, drehten sie sich wieder und warfen sich wie die Ebbe, die in die Flut umschlägt, mit erneutem Feldgeschrei auf die verfolgenden Etrusker, die nun ihrerseits wieder zurückwichen. So ging es zweimal, und erst das dritte Mal wurde das Treffen zur stehenden Schlacht, wo alle sich untereinander mengten und Mann sich Mann zum Kampfe auswählte. Jetzt erscholl bald ein Geächze von Sterbenden; Waffen und Leichen wälzten sich im Blutbade, halb lebende Rosse lagen unter Leichnamen vermischt, und andere bäumten sich über ihren abgeworfenen Reitern.

Mitten im Morde frohlockte die Volskerin Kamilla, einer Amazone gleich gekleidet und aufgeschürzt, sandte bald Pfeile vom Bogen, bald schlanke Lanzen mit der Hand, bald griff sie zur Streitaxt, und auf ihrer Schulter schallte klirrend ihr goldener Köcher. Wenn sie auch einmal mit ihrem Rosse umlenkte und weichend über den Plan hinflog, so wendete sie doch noch den Bogen rückwärts und schickte im Fliehen noch einen Pfeil ab. Ein auserlesenes Gefolge von tapferen Jungfrauen umgab sie, Larine, Tulla und Tarpeja, welche sie sich selbst zur Gesellschaft auserkoren hatte und die in Krieg und Frieden ihre treuen Begleiterinnen waren. Eine Menge Phrygier stürzte unter ihren Würfen und Streichen. Endlich begegnete ihr im Kampfe auch einer der tapfersten Apenninenbewohner, als sie eben dem kühnen Orsilochus durch den Helm das Haupt gespalten hatte, der streitbare Sohn des Aunus, ein Ligurier. Der Anblick der furchtbaren Jungfrau schreckte ihn, und als er sah, dass es ihm nicht mehr möglich war, dem Kampfe zu entrinnen und die ihn bedrängende Feindin abzulenken, sann er auf eine neue List und rief: »Was ist es denn so ein Großes, wenn ein Weib sich einem tapferen Rosse anvertraut! Entsag einmal dem flüchtigen Umherschweifen, steige von deinem Pferde und versuche den Kampf mit mir auf ebenem Boden, dann wollen wir sehen, ob dein windiges Prahlen standhält!« Diese Worte waren ein Stachel in das Herz der Jungfrau, sie übergab ihrer nächsten Gefährtin das Pferd und stellte sich dem Jüngling, nur mit Schwert und Schild bewaffnet, zum gleichen Fußkampfe. Der Jüngling aber glaubte seinen Betrug gelungen; ohne abzusteigen gab er seinem Pferde die Sporen und ergriff mit umgewandtem Zügel die Flucht. »Betrüger«, rief die Heldin, als sie ihn fliehen sah, »du sollst die Künste deiner Heimat umsonst versucht haben, und deine List wird dich nicht zum schelmischen Äneas zurückbringen!« Zugleich eilte sie mit geflügelten Sohlen dem Rosse voran, fiel ihm in die Zügel und stieß von vorn dem Reiter das Schwert in den Leib.

Aber auch auf der Gegenseite erhob sich ein gewaltiger Held, der Etruskerkönig Tarchon. Dieser trieb bald zu Rosse weichende Scharen vor sich her, belobte die Seinigen mit ermunterndem Zurufe, nannte jeden mit Namen, frischte die Zurückgedrängten zu neuem Kampfe auf und trieb unbekümmert um den Tod sein Ross mitten in die Schlacht hinein. Hier stieß er auf den Venulus, dem er sich stürmisch entgegenwarf, ihn vom Pferde riss und mit der rechten Hand umschlingend auf seinem eigenen Rosse im Fluge davontrug.

Mit Blicken und Geschrei folgten die staunenden Latiner dem Eilenden, der im Laufe seinem Feind mit dem abgebrochenen Schafte seiner eigenen Lanze zwischen die Fugen der Rüstung eine Todeswunde zu versetzen strebte. Venulus aber erwehrte sich des Streichs und hielt die Hand vor die Kehle. So war das Paar anzuschauen wie ein Adler, der eine geraubte Schlange durch die Luft entführt; das blutende Tier ringelt sich, bäumt sich immer höher und zischt mit dem Munde; der Vogel aber lässt es nicht aus dem krummen Schnabel fahren und peitscht die Lüfte mit seinen Flügeln. Dem Glück und Beispiel ihres Führers folgten die Etrusker und stürmten wieder mutiger voran.

Auch Kamilla fand einen kühnen Gegner in den Reihen der Etrusker. Der Held Arruns schwärmte mit seinem Speer um die rasche Amazone her und wich ihr nicht von der Seite, nach welcher Stelle des Treffens die Wut sie auch führen mochte. Nun verfolgte Kamilla gerade den phrygischen Cybelepriester Cloreus, dessen schuppiger Erzpanzer mit goldenem Geflechte wie ein gefiedertes Gewand sich um seinen Leib legte und den ein Überwurf von dunklem Purpur bedeckte. Ein goldener Helm strahlte auf seinem Haupte, ein Köcher aus Gold tönte um seine Schultern, und vom Bogen schoss er die schärfsten Pfeile. Sein ausländisches Waffengeschmeide machte die volskische Jungfrau lüstern, und sie verfolgte ihn, sei es, um die trojanische Wehr als Siegesbeute in einem italischen Tempel aufzuhängen, sei es, um selbst in dem erbeuteten Golde zu prangen. Als sie nun ganz mit Sinn und Blick auf diesen Feind gerichtet war und den Arruns aus den Augen gelassen hatte, schnellte dieser, zu Apollo flehend, dass er die Schmach der verbündeten Waffen tilgen und auch ihn nicht einem Weibe unterliegen lassen wolle, plötzlich und unversehens den Speer. Phöbus nickte ihm den halben Wunsch Gewährung. Die umringenden Volsker hörten die Lanze daherrauschen und suchten mit den Augen ihre Königin. Sie selbst aber dachte an nichts, bis ihr das Geschoss in der Brust haftete und ihr jungfräuliches Blut aus der Wunde drang. Zitternd eilte die Schar ihrer Gefährtinnen herbei, und sie fassten ihre Herrin in den Armen auf. Arruns aber, über seine eigene Tat wie erschrocken, entfloh, vor Freude und Furcht bebend, wie ein Wolf, nachdem er einen Farren oder einen Hasen erwürgt hat, noch ehe die Pfeile ihn verfolgen, plötzlich vom Wege abweicht und mit eingezogenem Schweif sich in die Waldungen flüchtet. Gerade so stahl sich Arruns hinweg und mischte sich hastig fliehend unter die Reiter. Kamilla aber zog sterbend an dem Eisen, dessen Spitze ihr eine tiefe Wunde in die Rippen gewühlt hatte, ihre Augen brachen, der Purpur der Wangen wich von ihrem Angesicht. Mit schwachem Atem sprach sie zu Akka, der liebsten ihrer Gespielinnen: »Fleuch, du Liebe, und überbring dem Turnus meine letzten Befehle, denn um mich her wird alles Nacht: Er soll hinfort den Kampf leiten und die Stadt vor den Trojanern beschützen!« So sprach sie, ließ die Zügel fahren und glitt, noch immer widerstrebend, vom Rosse auf den Boden herab, neigte dann Haupt und Hals und verschied.

Die Volsker erhoben ein Geschrei der Verzweiflung bei ihrem Tode, und nach ihrem Fall entbrannte die Schlacht noch wilder. Da traf auch den Mörder Kamillas, den Etrusker Arruns, ein Pfeil, von unsichtbarer Hand abgeschossen; es war Dianas Schuss, die ihre geliebte Jägerin rächte. Die Freunde des Getöteten schritten zum fortlaufenden Kampf über seinen Leichnam, und dieser blieb vergessen im Staube liegen. Nach dem Tode der Führerin begann nun zuerst das Reitergeschwader Kamillas zu fliehen, darauf auch die Rutuler. Alle flogen mit abgespannten Bogen, die Rosse antreibend, über das Blachfeld hin. Eine schwarze Wirbelwolke von Staub wälzte sich den Stadtmauern entgegen, von den Zinnen stieg ein Jammergeschrei der Mütter in die Lüfte: und bald waren die Tore von den nachfolgenden Scharen fast zugleich mit den Feinden erreicht, und unter Gemetzel drangen die Sieger in die Stadt ein. An anderen Stellen wurden von den verzweifelten Bürgern die Stadtpforten vor den Flüchtenden geschlossen, und diese, zu den Feinden hinausgesperrt, erlagen den Geschossen der siegreichen Feinde vor den Toren.

Unterdessen drang die Schreckenskunde auch zu Turnus in das dunkle Waldtal, denn Akka suchte ihn in seinem Hinterhalte auf und brachte ihm von dem Tode ihrer Herrin und der verlorenen Schlacht unzweifelhafte Nachricht. Von Wut und Schmerz im Innersten zerrissen, verließ dieser auf der Stelle das Gehölz und stürmte nach der Ebene hinab. Kaum hatte er sein Versteck verlassen, als Äneas vom Gebirge her in die Schluchten des Tales mit den Seinigen sorglos eingedrungen kam und bald, aus der finsteren Waldung heraustretend, auf der Ebene vor der Stadt sichtbar wurde. Da sah er den Heerhaufen des Turnus vor sich herziehen. Auch dieser hörte Heerestritt und Rossgeschnaube hinter sich, erkannte umgewandt den grimmigen Äneas und stellte sich in Schlachtordnung ihm gegenüber auf. Wäre nicht die Sonne schon im Sinken gewesen, auf der Stelle hätten beide Heere den Kampf der letzten Entscheidung ausgefochten.

Unterhandlung. Versuchter Zweikampf. Friedensbruch. Äneas meuchlerisch verwundet

Als Turnus sah, dass die Latiner, von den Feinden gedemütigt, ihre Blicke auf ihn allein richteten und ihn an sein Versprechen zu erinnern schienen, überflog eine Schamröte sein Gesicht, und sein Herz schlug ihm wieder stolzer in der Brust. Wie ein verwundeter Löwe sich wieder ernstlich zur Wehr setzt, die zottige Mähne fröhlich schüttelt und den Speer des Jägers, der ihm im Leibe sitzt, zerbricht, mit den blutigen Zähnen dazu knirschend, so entbrannte das Ungestüm des hohen Jünglings wieder. Er trat vor seinen Schwiegervater Latinus und sprach: »An mir soll der Verzug nicht liegen, wenn nur die feigen Trojaner ihr gegebenes Wort nicht brechen! Lass Opfertiere herbeischaffen, Vater, und schließe den Bund. Entweder schickt mein Arm heute noch den asiatischen Flüchtling zum Orkus hinunter und rächt unsere Schande, oder ich erliege seinem Schwert, und er mag deine Tochter Lavinia als Gattin heimführen!« Ihm antwortete Latinus mit ruhigem Herzen: »Je mehr du an trotziger Tapferkeit alle übertriffst, hochherziger Jüngling, desto mehr ist es meine Pflicht, dich zu beraten und alle Glücksfälle des Schicksals sorgfältig zu überlegen! Von Daunus deinem Vater her ist ein großes Reich dein, und du hast ihm manche Stadt durch Eroberung hinzugefügt! Gold und Gunst wird dir durch Latinus zuteil. Latium hat noch genug andere Bräute, die auch nicht unedlen Stammes sind. Lass mich dir die ganze Wahrheit sagen, so schmerzlich sie dir auch sein mag. Meine Tochter einem von den vorigen Freiern zu geben verhinderte mich der Warnungsspruch von Göttern und Menschen, dir zuliebe aber, getrieben durch die Verwandtschaft, durch die Tränen meiner Gemahlin, überwand ich alle Zweifel, nahm dich zum Eidam an und habe mich in diesen ungesegneten Krieg eingelassen. Unser Schicksal siehst du. Du allein stehst dem Frieden im Wege. Entsage meiner Tochter und verlange nicht von mir, das erst auf den zweifelhaften Ausgang eines Zweikampfes ankommen zu lassen, was du mir sogleich als Gewissheit zu gewähren vermagst! Denk an das ungetreue Kriegsglück! Erbarme dich auch deines bejahrten Vaters, den der Gram um dich in deiner Vaterstadt Ardea verzehrt.«

Aber keine Worte vermochten den Rutuler umzustimmen, ja er wurde durch diese sanfte Rede nur noch wilder gesinnt. Nicht einmal die Bitten, die Tränen, die Umarmungen der Königin wirkten auf sein Herz. Da kam endlich, von den Wehklagen ihrer Mutter aufgeschreckt, auch die Braut Lavinia herbeigeeilt. Tränen rannen ihr über die heißen Wangen, und die Scham jagte ihr Glut über das Angesicht. Wie Elfenbein von Purpur überlaufen, wie Lilienschnee von Rosen angeschimmert – so spielten die Farben auf ihrem jungfräulichen Antlitz. Turnus heftete einen Blick auf die Geliebte, und seine Gedanken verwirrten sich einen Augenblick; aber die Hoffnung, den verhassten Nebenbuhler zu besiegen, entflammte ihn noch mehr zum Streit, und er sprach zu der Königin gewendet: »Mutter, ich bitte dich, verfolge mich nicht mit deinen Tränen, mit deiner bangen Ahnung; Turnus hat keine Wahl mehr!« Dann rief er einen seiner Streitgenossen und sagte zu ihm: »Du, Idmon, eile zum trojanischen Führer und verkünde ihm ein Wort, das ihn nicht freuen wird. Er soll am nächsten Morgen seine Trojaner nicht zum Streite führen, wie ich meine Rutuler nicht: wir lassen die Heere von allem Streite ruhen, aber sobald die Sonne am Himmel aufgegangen ist, wollen wir beide mit unserem Blute den Krieg entscheiden, nur auf diese Weise soll das Schlachtfeld bestimmen, wem Lavinia als Gattin folgen wird.«

Nun ließ Turnus, ins Innere der Burg zurückgekehrt, seine schneeweißen, windschnellen Rosse vorführen, wappnete sich, ergriff die unbesiegte Lanze und übte sich mit rollenden Augen in spielendem Stoß. Auch Äneas, mit der Botschaft des Rutulerfürsten zufrieden, wappnete sich mit seiner göttlichen Rüstung. Kaum bestrahlte der Tag die höchsten Gipfel der Berge mit frühem Sonnenlichte, als schon Rutuler und Trojaner vor den Mauern der mächtigen Latinerstadt das Feld für den Zweikampf ihrer Feldherren abmaßen und in der Mitte den gemeinsamen Göttern Rasenaltäre aufbauten. Wasser und Feuer zum Opfer, Kränze für die Priester, Tiere und Altäre wurden herbeigebracht. Dann ergoss sich das gesamte Volk der Italer aus den Toren der Stadt; von der anderen Seite eilte das verbündete Heer der Trojaner und Etrusker herbei. Auf ein gegebenes Zeichen zog sich jeder auf seinen Platz zurück, und ein geräumiges Feld blieb zum Kampfe offen. Die Krieger stießen ihre Spieße in die Erde und lehnten die Schilde an. Aus der Stadt strömte jetzt auch noch unbewaffneter Pöbel heraus, selbst schwache Mütter und gebückte Greise. Innerhalb der Stadt besetzten sich Türme und Dä-

cher mit Zuschauern, und auf den höchsten Toren saßen der Schaulustigen genug.
Jetzt nahten die Könige; Latinus kam aus einem vierspännigen Prunkwagen einhergefahren; von seiner Stirn blitzte ein Diadem mit zwölf goldenen Strahlen, zum Zeichen, dass er vom Sonnengotte abstamme. Turnus erschien mit einem Zweigespann von weißen Rossen, zwei Wurfspieße in der Hand schüttelnd. Auf der anderen Seite eilte aus dem trojanischen Lager Äneas hervor, und seine Rüstung samt Schild strahlte wie Sternenschimmer; an seiner Seite ging Askanius, sein kräftig heranblühender Sohn. Dann brachte ein Priester in reinem Gewande ein borstiges Ferkel und ein langwolliges Lamm und stellte die Tiere an die brennenden Altäre. Die Fürsten wandten sich mit ihrem Angesicht der aufgegangenen Sonne zu, streuten gesalzenes Mehl auf die Opfer, schoren ihnen die Scheitel mit dem Stahle und gossen das Dankopfer auf die Altäre. Dann beschworen dort Äneas, hier Latinus mit feierlichen Gebeten den Vertrag: würde Äneas besiegt, so sollten die Trojaner unter Julus Latium auf der Stelle räumen und nach Pallanteum, der Stadt Evanders, sich zurückziehen; wäre der Sieg sein, so sollten sich Italer und Trojaner, jedes Volk frei und selbstständig, vereinigen, Latinus herrschen, Äneas die Tochter des Königs gewinnen und sich und seinem Volke eine Stadt bauen und nach ihrem Namen Lavinia nennen.
Den Rutulern erschien der Kampf längst als ein ungleicher: ihre Herzen gärten ungeduldig, und der Ausgang deuchte ihnen bei des Äneas überwiegender Heldenkraft sehr unsicher. Ihre Sorge vermehrte sich, als sie ihren Führer Turnus mit bleichem Antlitz und eingefallenen Wangen schweigend vortreten und mit gesenktem Haupte vor dem Altar stehen sahen. Seiner Schwester Juturna entgingen diese Eindrücke nicht; sie, eine unsterbliche Nymphe, verwandelte sich schnell in die Gestalt des Helden Kamers, der durch mächtige Ahnen und eigene Taten in großem Ansehen bei dem Rutulervolke stand, und mischte sich unter das Heer. »Rutuler«, flüsterte sie da, »schämt ihr euch nicht, für euch viele streitbare Männer, die ihr so gut kämpfen könnt, nur eine einzige Seele dem Tode darzubieten? Sind wir unseren Gegnern etwa an Kräften nicht gewachsen? Zählt einmal Trojaner, Arkadier und Etrusker: ihr werdet finden, dass, wenn wir uns Mann gegen Mann schlagen wollten, kaum jeder von uns Rutulern und Latinern seinen Gegner finden würde! Turnus

freilich wird zu den Göttern, an deren Altar er sich weiht, ruhmvoll emporsteigen, wenn er fällt; wir aber werden unser Vaterland verlieren, um trotzigen Zwingherren dienstbar zu sein: und es geschieht uns recht; warum saßen wir auch untätig hier im Grase, während wir hätten kämpfen können!«

So sprach Juturna, und sie tat noch mehr. Sie schickte den Italern ein sinnbetörendes günstiges Vorzeichen vom Himmel. Ein Goldadler Jupiters schwebte durch den lichten Äther, scheuchte die Vögel am Ufer des Stromes auf, schwang sich dann plötzlich zu den Wellen hinab und packte mit den Klauen den schönsten Schwan. Die Rutuler sahen staunend zum Himmel auf, wo alle die Vögel in einem luftverdunkelnden Schwarm sich von der Flucht umwandten und plötzlich ihren Feind, den Adler, verfolgten, der sich mit seiner Beute dem Himmelsgewölbe zuschwang. Schließlich ließ er, durch die Übermacht bezwungen und durch seine Last erschöpft, den Raub aus den Klauen fahren und in den Fluss fallen; dann schwang er sich wieder empor und verschwand in den Lüften. Rutuler und Latiner begrüßten diese Erscheinung mit Freudengeschrei, legten die Hand an den Schwertgriff und lauschten ihrem Seher Tolumnius, der ihnen das Zeichen günstig deutete und sie zu den Waffen greifen hieß. Zugleich warf er selbst zuerst sein Geschoss auf die gegenüberliegenden Feinde, dass es zischend die Luft durchfuhr. Ein Lärm erhob sich, Verwirrung kam in alle Reihen, alle Herzen gerieten in Aufruhr. Ihm gegenüber standen nämlich neun schöne, schlanke Brüder, Söhne des Arkadiers Gylippus und einer einzigen edlen etruskischen Mutter. Einem von diesen stattlichen Jünglingen war der Speer des Tolumnius an der Gürtelschnalle mitten durch den Leib geflogen und hatte ihn in den Sand hingestreckt. Die acht Brüder des Gefallenen, von Schmerz um den Bruder entbrannt, schwangen ihre Lanzen, zückten ihre Schwerter; gegen sie stürzte sich die Macht der Rutuler. Nun brachen alle Arkadier, Trojaner und Etrusker los. Die Altäre wurden im Gedränge zerwühlt, ein Sturm von Pfeilen durchlief die Luft, ein eiserner Speerhagel ergoss sich, Latinus selbst floh mit den Götterbildern, durch den Bruch des Bündnisses vertrieben; die einen schirrten ihre Wagen an, die anderen schwangen sich aufs Ross, und andere stürzten sich mit gezogenen Schwertern ins Handgemenge. Ein fürchterliches Morden erhob sich.

Äneas aber streckte die unbewehrte Rechte gen Himmel, warf sich unverhüllten Hauptes mitten unter die Seinigen und rief: »Wo rennt ihr hin, Freunde, welche plötzliche Zwietracht hat sich erhoben? Hemmt doch eure Wut; der Bund ist ja geschlossen, die Bedingungen sind festgesetzt. Wer hindert uns Führer am Kampfe?« Aber indem er noch sprach, schwirrte von unbekannter Hand ein Pfeil daher, und verwundet musste der Held den Kampfplatz verlassen.
Sowie Turnus sah, dass Äneas den Platz räumte und die Führer der Trojaner in Verwirrung gerieten, verlangte er Pferd und Waffen, schwang sich auf den Wagen, lenkte die Pferde in die Schlacht und richtete mit seinen Speeren Verheerung unter den Feinden an oder zermalmte sie unter seinen Rädern. Während er so auf dem Schlachtfelde Leichen auf Leichen häufte, brachten Mnestheus und Achates im Geleite des Askanius den verwundeten Äneas ins Lager zurück, blutend und Schritt für Schritt auf seinen Speer gestützt. Vergebens strengte er sich an, den im Leibe haftenden Pfeil am zerbrochenen Rohre herauszuziehen; er verlangte, dass die Wunde ausgeschnitten werde: Japis, der Arzt, erschien; auf seinen Speer gestützt, stand vor ihm der Held, unbewegt unter seinen weinenden Genossen. Der Alte aber, in der Heilkunde wohlerfahren, brauchte kein gewaltsames Mittel, sondern suchte mit wirksamen Heilkräutern den Pfeil in der Wunde locker zu machen, fasste das Eisen mit packender Zange, rüttelte mit der Hand an dem Rohr; doch alle seine Kunst war nicht vermögend, das Geschoss herauszuziehen. Und während er sich vergebens abmühte, sah man schon die Staubwolke der feindlichen Reiter, dichte Geschosse fielen bereits ins Lager, und das Geschrei der Kämpfenden näherte sich.

Äneas geheilt. Neue Schlacht. Sturm auf die Stadt

Da erbarmte sich Venus ihres gefährdeten Sohnes. Sie pflückte auf dem Idagebirge der Insel Kreta das herrliche Kraut Diktamnum mit seinen saftigen Blättern und purpurnen Blumen, brachte es, in eine dichte Wolke gehüllt, ins Lager herbei und träufelte von seinem Safte heimlich und von allen ungesehen in den Kessel, in welchem die Heilkräuter des Arztes brodelten, dazu mischte sie einige Tropfen Ambrosia und das duftende Panaceenkraut. Japis ahnte hiervon nichts, aber als er noch einmal die Wunde mit seinem Kräutersaft wusch, siehe, da entfloh plötzlich der Schmerz aus dem Leibe des Helden, zuinnerst in der Wunde versiegte das Blut; der Pfeil folgte von selbst und zwanglos der berührenden Hand und fiel aus dem Leibe heraus. Sichtlich waren dem geheilten Äneas die Kräfte zurückgekehrt. »Was zögert ihr?«, rief der Arzt ganz vergnügt. »Schnell dem Helden die Waffen gebracht! Das ist nicht aus menschlicher Macht, nicht nach den Gesetzen der Heilkunst erfolgt, das hat ein Größerer getan denn ich, und zu größeren Taten treibt er dich an, o König!«

Äneas, nach Kampf lechzend, legte schnell Schienen und Panzer an, zürnte allem Verzug und war froh, als er endlich den Helm auf dem Haupt sitzen hatte und den Speer in den Händen schwang. In voller Waffenrüstung umarmte er seinen Sohn Askanius, küsste ihn streifend durch das Helmgitter und sprach: »Lerne von mir die Tapferkeit, mein Kind, und die wahre Beharrlichkeit, das Glück aber lerne von anderen!« Dann schritt die gewaltige Heldengestalt aus dem Lagertor; Antheus und Mnestheus mit dichter Reiterschar drängten sich ihm nach; alles Volk aber strömte aus dem Lager, und ein wolkiger Staub verkündigte dem Turnus die Nahenden. Ein Schauder lief ihm durch Mark und Bein. Auch seine Schwester Juturna wandte sich mit ihm zur Flucht, bebend vor Furcht, und bald tobte der Trojanerheld in der Schlacht wie eine Windsbraut. Da fiel auch der Seher Tolumnius, der zuerst das Geschoss in die Reihen der Feinde geschleudert hatte.

Die Halbgöttin Juturna aber stieß auf ihrer Flucht den Metiskus, den Wagenlenker ihres Bruders, vom Sitz, schwang sich in seiner Gestalt selbst zum Bruder empor, ergriff die Zügel und schwirrte nun mit ihm wie eine Schwalbe mitten durch den Feind, bald da, bald dort ihn zeigend, dann wieder abwegs ihn führend, so dass niemand ihn zum Kampf einholen konnte. Auf allen Wendungen verfolgte Äneas den Flüchtigen, blieb ihm unaufhörlich auf der Spur und rief ihn durch zersprengte Geschwader von Feinden aus der Ferne zum Kampf herbei. Sooft er aber nahe kam, drehte Juturna den Wagen auf die Seite und ermüdete durch sein Ausweichen den vergebens nachfolgenden Helden. Nun rannte der Latiner Messapus, der eben zwei Speere in der Linken wiegte, herbei und schleuderte einen davon mit sicherem Schwung dem Trojaner entgegen. Äneas stand still, streckte sich in seiner Rüstung und bückte sich ins Knie. Der Speer fuhr über ihn hin, doch so, dass er ihm den Helmbusch vom Scheitel stieß. Da rief Äneas die Götter zu Zeugen des gebrochenen Bundes auf und stürzte sich zum schonungslosen Mord tief unter die Feinde.

Dann legte ihm seine Mutter Venus den Anschlag ins Herz, ohne Verzug seine Streitmacht seitwärts zu wenden und die Latiner durch unerwartete Not in Verwirrung zu setzen. Während er den dahinrollenden Wagen des Turnus noch immer verfolgte, fiel sein Blick auf die Mauern, und er sah die Stadt an, die noch immer unberührt, vom Kriege verschont und in Ruhe dalag. Plötzlich rief er seine Helden Mnestheus, Sergestus und Serestus herbei und besetzte die Höhen; das übrige Trojanerheer zog den Helden nach und drängte sich, ohne Schild und Lanzen niederzulegen, in einem Kreis um seinen Führer.

Da stand nun Äneas in der Mitte und sprach von einer Erhöhung herab: »Zögert nicht, meine Befehle zu erfüllen. Jupiter steht auf unserer Seite. Wenn die Feinde sich nicht heute unterwerfen, so stürze ich die Stadt des Latinus und mache ihre rauchenden Giebel dem Boden gleich! Soll ich etwa warten, bis es dem Turnus beliebt, den Kampf mit mir zu bestehen? Nein, hier vor euch liegt das Ziel des Krieges; eilet mit Fackeln herbei, mahnet sie mit Flammen an ihr Bündnis.« So sprach er, und sein ganzes Heer bildete auf der Stellen einen Keil und drängte sich in dichter Masse der Stadt zu; die Sturmleitern werden angelegt, Fackelbrände leuchten, an den Toren tobt der Sturm und fallen die Wachen; Pfeile und Lanzen fliegen über die Mauern. Vor allen im Heere hob Äneas seine Rechte hoch gen Himmel, wälzte alle Schuld auf den König Latinus und rief die Götter nochmals zu Zeugen des gebrochenen Bündnisses an.

Unter den geängstigten Bürgern entstand Zwietracht: die einen verlangten, man sollte die Stadt den Trojanern auftun, die Tore entangeln, den König Latinus selbst zurückrufen und zum Abschluss des Friedens zwingen; andere schleppten Waffen herbei und sannen auf die Verteidigung der Mauern. Die Königin Amata, als sie vom Dache des Palastes aus den Feind herannahen sah, die Mauern erstürmt, Brände auf die Häuser geworfen, nirgends den Turnus oder sonst ein Rutulerheer den Feinden entgegengestellt, klagte sich selbst laut als die Urheberin alles dieses Unheils an, zerriss sich ihr Purpurgewand und erhängte sich am

Deckengebälk ihres Frauengemachs. Als die Frauen der Latiner dieses Ende ihrer Herrin vernommen hatten, tönte ein lautes Jammern aus den Gemächern. Lavinia, ihre Tochter, raufte sich die goldenen Locken aus und zerschlug sich Brust und Wangen. Bald verbreitete sich der Ruf der Trauer durch die ganze Stadt; Latinus, der jammervolle Gatte, zerriss sein Gewand und jammerte durch den Palast, sich selbst anklagend, dass er den Trojaner nicht sogleich in die Stadt aufgenommen und sich zum Eidam auserkoren habe.

Turnus stellt sich zum Zweikampf und erliegt. Ende

Turnus setzte indessen auf dem äußersten Plan des Schlachtfeldes noch wenigen Fliehenden nach, aber seine Rosse liefen allmählich langsamer und müder. Da scholl ihm von ferne aus der zerrütteten Stadt verworrenes Geschrei und Getöse entgegen, und er begann zu ahnen, dass dort sich ein großes Unglück ereignet haben müsse. Er fiel der Schwester, die noch immer in Gestalt des Wagenlenkers Metiskus neben ihm im Wagen saß, in die Zügel, zog sie an und hielt in dumpfer Betäubung die Rosse zurück. Juturna aber sprach ärgerlich zu ihm: »Was besinnst du dich, Turnus? Willst du auf der Bahn des Sieges stillstehen? Hier lass uns die Trojaner verfolgen, für die Verteidigung der Häuser mögen andere sorgen!« Turnus blickte sie lange staunend an und sprach: »So hab ich mich doch nicht getäuscht! Mir war längst, als wenn nicht mein Wagenlenker Metiskus mir zur Seite säße, sondern als wenn du es wärest, geliebte Schwester! Ja, ich habe dich schon erkannt, als deine List das Bündnis der Könige trennte! Auch jetzt verbirgst du dich mir umsonst, o Göttliche! Aber sage mir, wer sandte dich vom Olympus herab und hieß dich um meinetwillen die Beschwerden der Sterblichen erdulden? Bist du etwa dazu abgesandt, den Tod deines armen Bruders zu schauen? Denn habe ich eine andere Aussicht? Sah ich nicht die edelsten und tapfersten Rutuler um mich her fallen? Nun muss ich auch noch mit ansehen, dass die Stadt erstürmt und verwüstet wird! Und ich sollte nicht mit meiner Faust die Worte des neidischen Drances widerlegen, sollte schimpflich mich dem Kampfe entziehen? Und mein Land, mein Volk sollte den Turnus fliehen sehen? Ist denn der Tod so etwas gar Unseliges? Ihr Götter der Unterwelt, seid ihr mir wenigstens geneigt, weil die Neigung der Himmlischen sich von mir abkehrt! Vorwurfslos, ein fleckenfreier Geist, will ich, des Ruhmes meiner Vorväter wert, zu euch hinuntersteigen!«

Kaum hatte er die Worte gesprochen, als mitten durch die Feinde auf einem schäumenden Rosse der Rutuler Saces, dem das Angesicht von einem Pfeilwurfe blutete, herangestürmt kam und den Turnus flehend beim Namen rief: »Komm, Turnus, komm, du bist unsere letzte Hoffnung! Äneas ist in der Stadt, bedroht die Burg; Feuerbrände fliegen nach den Häusern: der König zweifelt schon, wen er zum Eidam wählen soll; die Königin ist durch eigene Hand gefallen, nur Mesappus und Atinas halten das Treffen noch an den Toren auf.« Turnus hielt die Rosse wieder an und starrte, zwischen Scham und Kummer und rasender Liebe geteilt, mit irren Blicken in die Weite hinaus. Endlich rollten seine Augen wieder in ihren Kreisen, und seine Blicke fielen auf die Latinerstadt. Siehe, dort wallte von Stockwerk zu Stockwerk des höchsten hölzernen Mauerturmes die Feuersäule des Brandes empor, jenes Turmes, den er selbst aus riesigen Balken gezimmert, auf Räder gesetzt und durch mächtige Zugbrücken mit der Stadt verbunden hatte. »Jetzt, Schwester«, rief er, »jetzt besiegt uns das Glück; halte mich nicht länger auf; lass uns folgen, wohin das strenge Geschick mich ruft! Ich bin entschlossen, mit Äneas zu kämpfen; mag kommen, was da will, ruhmlos sollst du mich nicht sehen!«

So sprach er, sprang vom Wagen auf die Erde, stürzte durch die Lanzen der Feinde dahin und durchbrach, die trauernde Schwester zurücklassend, die Scharen der Trojaner. Wie ein Felsblock, vom Gipfel des Gebirges losgerissen, in die Tiefe hinabrollt, vom Boden emporhüpft, Wälder, Herden und Männer im Sturze mit sich fortreißt: so stürmte Turnus durch die zersprengten Reitergeschwader heran zu den Stadtmauern, wo der Kampf am dichtesten war, winkte mit der Hand und begann laut zu rufen: »Hört auf zu kämpfen, Rutuler! Hemmt eure Geschosse, ihr Latiner! Mir allein gebührt es, mit den Waffen über das Bündnis zu entscheiden!« Als die Streitenden dies hörten, entstand eine Gasse, und Äneas, der den Ruf des Turnus vernommen hatte, brach seinen Kampf ab, hüpfte vor Freuden auf, verließ die Höhen und schritt in klirrenden Waffen zur Ebene. Der greise Latinus selbst musste staunen, wie er die zwei gewaltigen Männer, aus zwei verschiedenen Weltteilen stammend, aufeinander zuschreiten sah, um den Hader durch das Schwert zu entscheiden.

Jene beiden aber stürzten, wo von den zurückweichenden Streitern ein offener Platz im Gefilde gelassen war, in reißendem Laufe hervor, warfen die Speere gegeneinander und rannten dann mit Schild und Schwert zum Kampfe an, dass der Grund erbebte. Nun folgte Hieb auf Hieb; die Kämpfenden riefen Glück und Tapferkeit zu Hilfe. Endlich streckte sich Turnus mit ganzem Leibe hervor und langte zuversichtlich, sich bloßgebend, zu einem entscheidenden Schwertstreiche aus. Trojaner und Latiner, in banger Erwartung, schrien laut auf. Aber die treulose Klinge brach dem Rutuler mitten im Hiebe und gab ihn preis, wenn er nicht das Heil in der Flucht suchte! Als er nämlich beim Wiederausbruche des Krieges den Streitwagen bestieg, da hatte Turnus in der Eile an der Stelle seines vom Vater ererbten Wunderschwertes die Klinge seines Wagenlenkers Metiskus ergriffen. Diese hielt ihm auch gut aus, solange er nur in den Rücken flüchtiger Trojaner einzuhauen hatte; aber sie war eben doch nur ein menschliches Schwert, und als sie auf der von dem Gotte Vulkanus geschmiedeten Wehr des Helden Äneas aufzusitzen kam, brach sie ihm wie mürbes Eisen mitten im Streich entzwei, und die Stücke lagen schimmernd im gelben Sande.

Nun warf sich Turnus, unsicher kreisend, bald da-, bald dorthin auf die Flucht, doch konnte er nicht entrinnen, denn auf zwei Seiten umschlossen ihn die Trojaner in dichtem Gedränge, auf der dritten hemmte seinen Lauf ein Sumpf, und auf der vierten, hinter Latinern und Rutulern, erhoben sich zugangslos die Mauern der Stadt. Auch verfolgte den Fliehenden, obgleich noch von der alten Pfeilwunde entkräftet und im Laufe selbst ermüdet, Äneas und bedrängte mit dem Fuße den Fuß des Bebenden. Jetzt erst entstand unter den zuschauenden Heeren ein rechtes Geschrei, Ufer und Hügel umher erschollen, und donnernd stieg der Ruf zum Himmelsgewölbe empor. Auf der Flucht rief der geängstigte Turnus diesem und jenem Rutuler mit Namen zu und verlangte sein eigenes Kampfschwert. Äneas aber bedrohte jeden, der ihm nahen würde, mit unausbleiblichem Verderben und schreckte mit der Drohung, sich auf die Stadt zu werfen und sie zu zerstören, alle Herannahenden zurück.

So durchkreisten sie die Bahn fünfmal, denn es galt kein Spiel und keinen geringen Kampfpreis. In einem wilden Ölbaume, der sich inmitten des Kampfplatzes befand und dem Faunus geweiht war, dem die glücklich gelandeten Schiffer hier Weihgeschenke aufzuhängen pflegten, steckte der Speer des Äneas vom ersten Kampfwurfe her und hatte sich in der Wurzel des Baumes gefangen. Beim Vorübereilen kam dem trojanischen Helden der Gedanke, seinen Speer herauszuziehen und den Feind, den er im Laufe nicht einzuholen vermochte, mit der Lanze zu verfolgen. Außer sich vor Schrecken sah dies Turnus und richtete sein Gebet an den einheimischen Gott Faunus mit den Worten: »O Faun und gütige Göttin des italienischen Bodens, wenn ich euch immer die schuldigen Ehren erwiesen habe, erbarmt euch meiner jetzt, haltet den Speer des Gegners fest!« Die Landesgötter hörten den Flehenden, und Äneas bemühte sich vergebens, die Lanze aus dem fest zusammenhaltenden Holze des zähen Stammes herauszuziehen. Während sich der Held hitzig anstemmte und abquälte, rannte die Schwester des Turnus, die Nymphe Juturna, wieder in die Gestalt seines Wagenlenkers Metiskus verwandelt, vor und händigte ihrem Bruder sein rechtes, gefeites Schwert ein. Venus aber, entrüstet, dass einer gewöhnlichen Nymphe ein so kühnes Werk erlaubt sein sollte, trat auch herbei und half dem Äneas den Speer aus der tiefen Wurzel hervorziehen.

Nun waren beide Kämpfer mit frischen Waffen versehen und von neuem Mut beseelt; beide richteten sich in die Höhe, der eine schwang sein Schwert, der andere bäumte sich mit dem Speer, und so standen sie mit fliegendem Atem einander zum letzten Kampfe gegenüber. Da sprach Jupiter, der aus dem goldenen Gewölk des Olymp dem Streite zusah, zu seiner Gemahlin Juno: »Endigen wir endlich diesen Krieg! Du weißt und bekennst es ja selbst, dass Äneas vom Geschicke dem Himmel bestimmt sei! Wozu stärkst du nun seinen Feind und gibst ihm durch Juturna sein Schwert wieder in die Hand? Du hast die Trojaner über Land und Meer verfolgt, den Krieg entzündet, den Palast in Trauer versenkt, das Brautfest durch Jammer gestört. Weitere Versuche verbiete ich dir!« Juno antwortete dem zürnenden Gemahl mit gesenktem Antlitz: »Wider Willen habe ich, weil dein Befehl mir heilig war, die Erde und den Turnus verlassen. Hätte ich dir nicht gehorchen wollen, so würdest du mich jetzt nicht hier in den Wolken das Unrecht erdulden sehen, sondern ich stände, mit Flammen umgürtet, vorn im Trojanertreffen. Dass

ich der Nymphe Juturna geraten, in der Not ihrem Bruder beizustehen, ist wahr; aber dass sie ohne mein Zutun dem Bruder das Schwert gereicht, das schwöre ich dir beim Styx! Auch will ich mich des Kampfes gar nicht mehr annehmen und bitte dich nur um eins: Wenn Turnus erlegen ist und Äneas die Königstochter heimführt, so zwinge die Latiner nicht, ihre alten Volksnamen aufzugeben und sich Trojaner zu nennen, zwinge sie nicht, ihre Sprache zu vertauschen, nicht, fremde Gewänder, Sitten und Gebräuche anzunehmen, lass sie das Volk bleiben, das sie gewesen sind, lass den Römerstamm aus italischer Wurzel emporwachsen! Troja aber sei und bleibe gefallen mitsamt seinem Namen!«
Lächelnd erwiderte der Göttervater seiner Gemahlin: »Kind des Saturnus, geliebte Schwester, was für Zorneswellen wälzest du noch in deinem Innern? Bezähme doch deinen vergeblichen Groll. Was du begehrst, soll dir ja gewährt sein. Latium soll Sprache, Sitten und Namen beibehalten. Der Trojaner soll sich mit dem Volke verschmelzen und nur so sich ansiedeln; er soll die Opfergebräuche des Landes annehmen, er soll ganz zum Latiner werden. Die Römer, das neue Geschlecht, das aus dem vermählten Blute der Italer und Teukrer entstehen wird, sollen das Volk sein, das dir, o Juno, die meiste Ehre erweisen wird!« Die Göttin nickte dem Gemahl freudig zu und änderte, zufrieden gestellt, ihre Gesinnung.
Nun dachte Jupiter darauf, die Schwester des Turnus aus dem Kampfe zu entfernen. Drei schreckliche Geschwister, Töchter der Rache, mit Schlangengürteln und Windesflügeln, Diren genannt, stehen immer vor Jupiters Throne bereit und werden von ihm zu den Sterblichen hinabgesandt, wenn er Seuchen, Krieg und andere Todesnot unter ihnen erregen will. Eine von diesen schickte Jupiter vom Äther herab und befahl ihr, der Nymphe als ein Unheil bringendes Zeichen zu begegnen. Die Dire flog zur Erde hinab wie ein Pfeil, und sobald sie die beiden feindlichen Heere erblickte, zog sie sich schnell in die Gestalt eines kleinen Käuzchens zusammen, wie es als Unglücksvogel auf Scheiterhaufen oder verlassenen Häusergiebeln zu sitzen pflegt. In dieser Gestalt umflatterte die Dire das Angesicht des Turnus, kreiste hernieder zu seinem Schild und schlug auch diesen mit den Fittichen. Dem kämpfenden Helden sträubte sich das Haupthaar, und seine Glieder erstarrten bei diesem unheilvollen Anblick. Juturna aber raufte sich das Haar aus und schlug sich an

die Brust, denn sie erkannte die Übermacht Jupiters und fluchte ihrer eigenen Unsterblichkeit. Sie bedeckte sich den Leib mit dem grünen Flutengewande und tauchte verzweifelnd in den nahen Tiberstrom unter.
Äneas drang jetzt heran, schüttelte seinen baumlangen Speer voll Wut und rief dem Gegner zu: »Was zögerst du noch, Turnus, was sträubst du dich länger? Nicht zum Wettkampfe haben wir uns vereinigt, sondern zum Waffenkampf! Sammle jetzt, was du von Kunst und Mut besitzest!« Turnus schüttelte das Haupt und entgegnete: »Nicht deine hitzigen Worte schrecken mich, du Trotziger: mich schreckt das Götterzeichen und die Feindschaft Jupiters!« Mehr sprach er nicht, sondern fasste einen gewaltigen Stein ins Auge, der neben ihm im Felde lag und einen Markstein vorstellte. Zwölf Männer, wie sie jetzt sind, würden ihn kaum auf den Nacken heben können. Diesen fasste der Rutulerheld mit der Hand, richtete sich empor und wollte ihn im Laufe gegen den Feind schleudern. Aber er kannte sich selbst nicht mehr, denn er fühlte seine Arme kraftlos, seine Knie schlottern, sein Blut zu Eis erstarren. Der Felsenstein, durch die leere Luft gewirbelt, erreichte sein Ziel gar nicht, er sank entkräftet auf den Boden, wie man oft im Traume einen Anlauf nimmt und doch nicht gehen und nicht sprechen kann. Turnus wandte sich unwillkürlich zur Flucht und säumte, die Rutuler und die Mauern der Stadt vor sich erblickend, in verzagender Angst und den Speerwurf des Feindes erwartend. Vergebens sah er sich nach seinem Wagen, vergebens nach der leitenden Schwester um.
Auch zauderte der Trojaner nicht und schleuderte aus Leibeskräften die Todeslanze, die wie ein Felsstück vom Geschütze abgesendet oder wie ein Blitzstrahl dahergesaust kam. Durch Schildrand und Panzer fuhr sie dem Feind in die Hüfte, und getroffen vom Stoße sank der gewaltige Turnus zusammenbrechend ins Knie.
Die Rutuler ächzten laut auf, dass die hohe Waldung umher widerhallte. Turnus lag gedemütigt auf dem Boden, streckte flehend seine Rechte zu dem Sieger empor und sprach: »Ich hab es so verdient; ich verlange keine Schonung für mich; brauche dein Glück! Aber wenn der Jammer meines Vaters dich zu rühren vermag – er ist mir, was dir Anchises war –, so erbarme dich des greisen Daunus. Gib mich – oder, willst du dieses nicht, so gib meinen entseelten Leib den Meinigen zurück! Ich gebe mich ja besiegt; Lavinia sei dein; setze deinem Hass ein Ziel!«

Äneas stand ausholend zum Streich, seine Blicke rollten über den Liegenden hin; doch hielt er die bewehrte Rechte zurück; und schon wollte seine Seele sich zum Mitleid kehren, als er zum Unheil des Besiegten hoch an dessen Schulter das Wehrgehenk des arkadischen Fürstensohnes Pallas erblickte, des holden Jünglings, den Turnus erschlagen hatte. Da entbrannte sein Schmerz und Zorn aufs Neue, und schrecklich im Grimme rief er: »Wie? Du, den der Raub der Meinigen schmückt, solltest mir entrinnen? Pallas, Pallas opfert dich mit diesem Stoß und nimmt Rache an dem verfluchten Blut!« So sprach Äneas und tauchte stürmisch sein Schwert in die ihm entgegengestreckte Brust des Feindes. Turnus sank zu Boden; Kälte durchrieselte ihm die Glieder, und unwillig floh sein Schatten aus dem erstarrenden Leibe hinab zur Unterwelt.

VERZEICHNIS DER PERSONEN UND ORTE

Absyrtos, König der Kolcher, Sohn des Aietes
Achäer, Name der Griechen
Acheloos, ältester Flussgott, größter Strom Griechenlands
Achates, Waffenträger des Äneas
Acheron, Fluss der Trauer in der Unterwelt
Achilleus, Sohn des Peleus und der Thetis, größter Held vor Troja
Achiver s. Achäer
Admetos, König von Pherä, Gemahl der Alkestis, Argonaut
Adrastos, König von Arges, Führer der Sieben gegen Theben
Agamemnon, König von Mykene, Sohn der Atreus, Tantalide, Oberfeldherr der Griechen vor Troja
Agapenor, Herrscher von Tegea in Arkadien
Agenor, König von Phönikien, Vater der Europa und des Kadmos
–, trojanischer Held, Sohn des Antenor
Ägeus, König von Athen, Vater des Theseus
Ägina, griechische Insel im saronischen Meerbusen
Ägis, Brustpanzer oder Schild des Zeus mit dem Bild der Gorgo Medusa, dessen Anblick den Beschauer versteinert
Ägisthos, Sohn des Thyestes
Ägle, Nymphe aus dem Hesperidengeschlecht
Agrigent, Stadt in Sizilien
Ägyptos, Sohn des Herakliden Kresphontes
Aietes, König der Kolcher
Ajax, der große A., König von Salamis, Sohn des Telamon, daher Telamonier, Held vor Troja
–, der kleine A., Fürst der Lokrer, Sohn des Oileus, griechischer Held
Akamas, Sohn des Theseus
–, Sohn des Antenor
–, der Thraker, Bundesgenosse Trojas
Akrisios, König von Argos
Akropolis, hoch gelegene Befestigung griechischer Städte; berühmt die A. von Athen mit dem Erechtheion
Alekto, eine der Erinnyen
Alexandros, griechischer Name für Paris
Alkestis, Gemahlin des Admetos
Alkinoos, König der Phäaken, Vater der Nausikaa
Alkmäon, Sohn des Amphiaraos, Führer der Epigonen
Alkmene, Mutter des Herakles,
Amata, Mutter der Lavinia, Gemahlin des Latinus
Amazonen, kriegerisches Frauenvolk
Ambrosia, Himmelsspeise der Unsterblichkeit, Speise der Götter
Amor s. Eros
Amphiaraos, Vater des Alkmäon, einer der Sieben gegen Theben
Amphitrite, Tochter des Nereus, Gattin Poseidons
Amphitryon, König in Tiryns
Amykos, König der Bebryken
Anchises, Herrscher in Dardanos in Troas, Sohn des Zeus, Vater des Äneas
Andromache, Gemahlin des Hektor
Andromeda, äthiopische Königstochter
Äneas, Sohn des Anchises und der

Aphrodite, einer der trojanischen Führer und Held der Äneis
Ankäos, Sohn des Lykurgos, Vater des Agapenor, Argonaut
Antäos, Riese, Sohn der Gäa
Antenor, weiser Trojaner im Ältestenrat
Antigone, Tochter des Ödipus und seiner Mutter Jokaste
Antilochos, Sohn des Nestor
Antinoos, Freier um Penelope
Antiphos, Sohn des Königs Thessalos, Enkel des Herakles
Äolos, Sohn des Hellen
–, König, Verwalter der Winde
Aphrodite, röm. Venus, Göttin der Schönheit und Liebe, dem Meerschaum entstiegen; auch als Tochter des Zeus und der Titanentochter Dione genannt. Gattin des Hephästos, Mutter des Äneas
Apollon, Phöbus A., röm. Apollo, Gott des Lichtes und Heils, Sohn des Zeus und der Leto, Zwillingsbruder der Artemis
Archilochos, Sohn des Antenor
Areopag, ältester Gerichtshof auf dem Areshügel in Athen
Ares, röm. Mars, Kriegsgott, Sohn des Zeus und der Hera, Freund der Aphrodite
Arete, Gemahlin des Alkinoos, Mutter der Nausikaa
Argiver, Name der Griechen
Argo, von Argos für die Argonauten erbauter Schiffstyp
Argolis, Landschaft im Peloponnes
Argonauten, Helden der A.-Sage
Argos, Erbauer der Argo
–, Sohn des Phrixos
Argos, hundertäugiger Wächter der Jo
Ariadne, Tochter des Minos
Arnäos s. Iros
Arsinoe, Gemahlin des Alkmäon
Artemis, röm. Diana, Göttin der Jagd, Keuschheit und des Mondes, Tochter des Zeus und der Leto, Zwillingsschwester des Apollon
Asios, trojanischer Heerführer
Askanios, röm. Askanius und Julus, Sohn des Äneas, Stammherr der Julier
Asklepios, röm. Äskulapius, Gott der Heilkunst
Astyanax, Sohn des Hektor
Astynome, Chryseis, Tochter des Priesters Chryses
Atalante, Tochter des Jason
Athamas, Vater des Phrixos
Athene, röm. Minerva, Göttin der Weisheit und der Kunst, entsprang dem Haupte des Zeus
Atlas, Titane, Bruder des Prometheus, Träger des Himmelsgewölbes
Atreus, König von Mykene, Sohn des Pelops, Vater der Atriden
Atriden, Agamemnon und Menelaos als Söhne des Atreus
Augias, König in Elis
Aulis, Hafen in Böotien
Aurora s. Eos
Automedon, Wagenlenker des Achilleus

Bacchantinnen, Begleiterinnen des Bacchos
Bacchos, Bacchus s. Dionysos
Bellerophontes, Sohn des Glaukos
Boreas, Name des Nordwindes
Briseis, Tochter des Brises, Sklavin des Achilleus
Brises, König und Priester von Lyrnessos, Vater der Briseis
Busiris, König in Ägypten

Celäno, eine der Harpyien
Chalkiope, Tochter des Aietes
Charitinnen, Göttinnen der Anmut und des heiteren, geselligen Lebens, Töchter des Zeus
Charybdis, Meeresschlund
Chimära, Feuer hauchendes göttliches Ungeheuer
Chiron, Kentaure, Lehrer und Erzieher vieler Helden
Chrysa, Stadt in Troas
Chryseis, svw. Astynome
Chryses, Priester des Apollon, Vater der Astynome oder Chryseis
Chrysothemis, Schwester der Elektra
Cybele, Göttin der Fruchtbarkeit

Dädalos, berühmtester Künstler und Erfinder der griechischen Sagen
Damastes s. Prokrustes
Danae, Geliebte des Zeus, Mutter des Perseus
Danaer, Ureinwohner in Argos; allg. die Griechen
Danaos, Sohn des Belos
Dardanos, Stammvater der Trojaner
Daunus, Vater des Turnus
Deianira, Gemahlin des Herakles
Deidameia, Mutter des Neoptolemos
Deiphobos, Sohn des Priamos
Delos, griechische Insel im Agäischen Meer
Delphi, griechische Tempelstadt mit berühmtem Orakel des Apollon
Demeter, Göttin der Fruchtbarkeit und des Ackerbaus, Mutter der Persephone
Demodokos, blinder Sänger im Lande der Phäaken
Demokoon, Sohn des Priamos
Demophoon, Sohn des Theseus
Deukalion, Sohn des Prometheus
Diana s. Artemis
Dido, phönikische Königstochter
Diomedes, Sohn des Ares
–, König von Argos, Sohn des Tydeus, Held vor Troja
Dionysos, röm. Bacchus, Gott des Weines, Sohn des Zeus und der Semele
Dioskuren, Kastor und Pollux, Söhne des Zeus und der Leda, Brüder der Helena
Dirke, berühmte Quelle in Theben
Dodona, Orakel des Zeus in Epiros
Dolionen, Volk an der phrygischen Küste
Dolon, Sohn des griechischen Herolds Eumedes vor Troja
Drepanum, Stadt auf Sizilien
Dulichion, größte Deltainsel des Flusses Acheloos

Echidna, Ungeheuer, halb Jungfrau, halb Schlange, zeugte mit Typhon den Zerberos, die lernäische Hydra, die Sphinx, den nemäischen Löwen und die Skylla
Eetion, König in Mysien
Elektra, Tochter des Agamemnon, Schwester der Chrysothemis, der Iphigenie und des Orestes
Elephenor, Fürst der Abanter auf Euböa
Eleusinische Mysterien, Kult der Demeter und der Persephone in Eleusis
Elysion, Gefilde der Seligen
Endymion, Hirt auf dem Berge Latmos, Geliebter der Selene
Eos, röm. Aurora, Göttin der Morgenröte, Schwester des Helios und der Selene
Epeios, griechischer Held
Ephesos, Stadt in Kleinasien

Epidauros, Hafenstadt von Argolis
Epigonen, Nachkommen, insb. die Söhne der erschlagenen Sieben gegen Theben
Epimetheus, Bruder des Prometheus
Erechtheion, ionisches Heiligtum auf der Akropolis in Athen
Erechtheus, König von Athen, Vater der Kreusa
Erichthonios, Erechtheus, attischer Heros
–, Sohn des Dardanos
Erinnyen, röm. Furien, Eumeniden, Göttinnen der Rache
Eriphyle, Mutter des Alkmäon
Eris, Göttin der Zwietracht, Schwester des Ares
Eros, röm. Amor, Gott der Liebe, Sohn der Aphrodite und des Ares
Erymantos, Gebirge in Arkadien
Eteokles, Sohn des Ödipus, Zwillingsbruder des Polyneikes
Euböa, Insel im Ägäischen Meer
Eumäos, Sauhirte des Odysseus
Eumelos, Sohn des Admetos, Held vor Troja
Eumeniden s. Erinnyen
Euphemos, Sohn des Poseidon und der Europa, Argonaut
Euphorbos, trojanischer Held
Euphites, Vater des Antinoos
Europa, Geliebte des Zeus
Euryalos, Sohn des Mekisteus, einer der Epigonen, Held vor Troja
–, phäakischer Held
–, Euryalus, Jüngling aus Troja
Eurydike, Gemahlin des Lykurg
–, Gemahlin des Kreon
–, Gemahlin des Ilos
Eurykleia, Amme des Odysseus
Eurylochos, Gefährte des Odysseus
Eurymachos, Freier um Penelope
Eurypylos, Führer der Ormenier, griechischer Waffengefährte vor Troja
–, trojanischer Held
Eurystheus, König zu Mykene
Eurytion, Kentaur
Eurytos, König von Öchalia in Thessalien
Evander, Arkadierkönig, Sohn des Hermes

Fama, griech. Ossa, Göttin des Gerüchtes, Botin des Jupiter
Faunus, römischer Gott des Waldes und Feldes
Furien s. Erinnyen

Gäa, Göttin alles Lebens, die Erde, Gemahlin des Uranos
Giganten, Söhne der Gäa
Glauke, Gemahlin des Jason
Glaukos, weissagender Meeresgott
–, trojanischer Waffengefährte aus Lykien
Goldenes Vlies, goldenes Widderfell
Gorgo, Gorgonen, Töchter des Phorkus, geflügelte Wesen mit Schlangen als Haare; wer sie anblickte, wurde zu Stein
Grazie s. Charitinnen

Hades, röm. Pluton, Herrscher der Unterwelt, Bruder des Zeus, Gemahl der Persephone
Hämon, Sohn des Thebanerkönigs Kreon
Harpyien, Sturmdämoninnen; auch gefräßige Missgestalten, halb Jungfrauen, halb Vögel
Hebe, röm. Juventas, Göttin der Jugendschönheit, Tochter des Zeus und der Hera, Gemahlin des Herakles
Hebros, Maritza, Fluss in Thrakien

Hekabe, Gemahlin des Priamos
Hekate, griechische mystische Göttin, die ein Geisterleben führt und Zaubereien bewirkt
Hekatombe, hundertköpfiges Tieropfer, auch jedes feierliche große Opfer
Hektor, tapferster Führer und Held der Trojaner, Sohn des Priamos, Gemahl der Andromache
Helena, Tochter des Zeus und der Leda, Gemahlin des Menelaos
Helikon, Gebirge in Böotien, Sitz der Musen
Helios, Sonnengott, Bruder des Eos und der Selene, Lenker des Sonnenwagens
Hellas, Bezeichnung für Griechenland, urspr. eine Stadt in Thessalien
Helle, Schwester des Phrixos
Hellen, Stammvater der Hellenen
Hellenen, Name der griechischen Stämme
Hellespontos, Dardanellen
Hephästos, röm. Vulkanus, Gott des Feuers, lahmer Sohn des Zeus und der Hera, Gemahl der Aphrodite
Hera, röm. Juno, Gattin und Schwester des Zeus, Hüterin der Ehe
Herakles, röm. Herkules, griechischer Heros, Sohn des Zeus und der Alkmene, seine Nachkommen die Herakliden
Hermes, röm. Merkurius, Sohn des Zeus und der Maia, Götterbote und Gott des Handels, Begleiter der Toten zum Hades
Hermione, Tochter der Helena
Hesione, Schwester des Priamos
Hesperiden, Töchter des Atlas
Hestia, röm. Vesta, Göttin des Hauses und des Herdes, Schwester des Zeus
Hippodameia, Gemahlin des Peirithoos
–, Gemahlin des Tisiphonos
Hippodamia, Tochter des Önomaos, Gemahlin des Pelops
Hippolyta, Amazonenkönigin
Hippolytos, ein Gigant
–, Sohn des Theseus und der Hippolyta
Hippomedon, Bruder des Adrastos, einer der Sieben gegen Theben
Horen, Göttinnen der Jahreszeiten
Hydra, Schlangenuntier
Hylas, Gefährte des Herakles, Argonaut
Hyllos, Sohn des Herakles
Hyperboreer, Fabelvolk jenseits des Nordwindes
Hypnos, röm. Somnus, Gott des Schlafes, Zwillingsbruder des Thanatos
Hypsipyle, Tochter des Thoas, Königin auf Lemnos

Idäos, Herold der Trojaner
Idas, Sohn des Aphareus
Idomeneus, Fürst der Kreter, griechischer Bundesgenosse
Ikaria, Insel im Ägäischen Meer
Ilion, Ilios, Ilium, s. Troja
Inachos, König der Pelasger, Vater der Jo
Ino, Tochter des Kadmos, Gemahlin des Athamas
Ion, Stammvater der Ionier, der griechischen Bewohner der Inseln im Ionischen Meer und der kleinasiatischen Küste
Iphigenia, Tochter des Agamemnon und der Klytämnestra

Iphikles, Sohn der Alkmene, Stiefbruder des Herakles
Iphitos, Sohn des Eurytos
Iris, Göttin des Regenbogens, Botin der Götter
Iros, Beiname des Arnäos, Bettler im Hause des Odysseus
Ismene, Tochter des Ödipus und seiner Mutter Jokaste
Isthmos = Landenge
Ithaka, Heimat des Odysseus
Ixion, König der Lapithen, Vater der Peirithoos

Janus, römischer Gott der Eingänge, Tore und Türen
Japetos, Titane, Bruder des Kronos, Vater des Prometheus
Jasion, Bruder des Dardanos
Jason, Führer der Argonauten, Gemahl der Medea
Jo, Tochter des Pelasgerkönigs Inachos, Geliebte des Zeus
Jokaste, Gemahlin des Laios, Mutter des Ödipus und Mutter seiner Kinder
Jolaos, Wagenlenker des Herakles
Jole, Tochter des Erytos
Jolkos, Stadt in Thessalien
Jon s. Ion
Julus s. Askanius
Juno s. Hera
Jupiter s. Zeus

Kadmos, Sohn des Königs Agenor, Gründer Thebens
Kalchas, Seher aus Mykene, Priester der Griechen vor Troja
Kalydon, Stadt in Ätolien
Kalydonischer Eber
Kalypso, Nymphe auf der Insel Ogygia
Kamilla, Fürstin der Volsker, Waffengefährtin des Turnus
Kapaneus, einer der Sieben gegen Theben
Karthago, phönikische Stadt in Nordafrika
Kassandra, Tochter des Priamos, Seherin
Kastalanische Höhle, am Südhang des Parnassos bei Delphi
Kastor, Zwillingsbruder des Pollux, s. Dioskuren; Held des Argonautenzuges
Kentauren, pferdeähnliche Fabelwesen mit menschlicher Brust und menschlichem Kopf
Kepheus, König von Äthiopien, Vater der Andromeda
Keyx, König von Trachis
Kikonen, thrakischer Volksstamm
Kirke, Tochter des Helios, Zauberin
Kithäron, Waldgebirge in Griechenland
Klytämnestra, Gemahlin des Agamemnon, Schwester der Helena
Kolcher, Bewohner der Landschaft Kolchis am Kaukasus
Kolonos, Hügel und Ort bei Athen
Kopreus, Sohn des Pelops
Kos, Insel des Dodekanes
Kreon, König von Theben
–, Bruder der Jokaste, Vater des Menökeus
–, Vater der Glauke
Kresphontes, König von Messene, Vater des Ägyptos
Kreusa, Tochter des Erechtheus, Mutter des Ion
–, Tochter des Priamos
Kronos, röm. Saturnus, Titane, Sohn des Uranos und der Gäa, der Ehe mit seiner Schwester Rhea

entsprossen Hestia, Demeter, Hera, Hades, Poseidon und Zeus
Kyknos, König von Kolonai, Sohn des Poseidon

Labdakos, König von Theben, Vater des Laios
Ladon, Fluss in Arkadien
Laertes, König von Ithaka, Vater des Odysseus
Laios, König von Theben, Vater des Ödipus
Laokoon, trojanischer Priester
Laomedon, Sohn des Ilos, Vater der Hesione und des Priamos, Erbauer Trojas
Lapithen, sagenhaftes Volk in Thessalien
Larissa, Stadt in Thessalien
Lästrygonen, Menschen fressendes Riesenvolk
Latiner, Bewohner der italischen Landschaft Latium
Latinus, König von Latium, Sohn des Faunus
Latona s. Leto
Lausus, Sohn des Königs Mezentius
Lavinia, Tochter des Latinus
Lavinium, Stadt in Latium
Leda, Gattin des Tyndareos, Geliebte des Zeus
Lemnos, Insel im Agäischen Meer
Lerna, Sumpfsee bei Argolis
Lernäische Schlange, neunköpfige Hydra, s. Echidna
Lesbos, größte Insel im Ägäischen Meer
Lethe, Gewässer der Unterwelt, das die Erinnerung auslöscht
Leto, röm. Latona, Titanin, Gemahlin des Zeus vor Hera, Mutter des Apollo und der Artemis
Leukothea, Meergöttin
Lotophagen, Volksstamm an der Küste Libyens
Luna s. Selene
Lykaon, König in Arkadien
–, Vater des Pandaros
–, Sohn des Priamos
Lykomedes, König auf Skyros, Vater der Deidameia
Lykurgos, Sohn des Pheres, König von Nemea
Lynkeus, Lotse der Argonauten
Lyrnessos, Stadt in Mysien

Mäander, Fluss in Kleinasien
Machaon, Sohn des Asklepios, Bruder des Podalirios, Held und Arzt vor Troja
Magnesia, Stadt in Kleinasien
Makaria, Tochter des Herakles und der Deianira
Malea, Südostspitze des Peloponnes
Manen, die Seelen der Verstorbenen
Manto, berühmte Seherin, Tochter des Teiresias
Mäotischer See, das Asowsche Meer
Marathon, Ort und enge Talebene an der Ostküste Attikas
Mars s. Ares
Medea, Tochter des Aietes, Gemahlin des Jason
Medon, Sohn des Oileus, Halbbruder Ajax' des Lokrers
–, Herold im Hause des Odysseus
Medusa, eine der Gorgonen
Megara, Landschaft am Isthmos von Korinth
–, Tochter des Thebanerkönigs Kreon, Gemahlin des Herakles
Meges, König in Elis, Sohn des Phyleus, Held vor Troja
Mekisteus, Bruder des Adrastos,

einer der Sieben gegen Theben und griechischer Waffengefährte vor Troja
Melanthios, Ziegenhirt im Hause des Odysseus
Meleager, Heros aus Kalydon in Ätolien, Argonaut
Meliböa, Küstenstadt vor Magnesia
Memnon, König von Äthiopien, Sohn des Eos, Waffengefährte der Trojaner
Menelaos, König von Sparta, Bruder des Agamemnon, Gemahl der Helena
Menestheus, Sohn des Peteos
Menökeus, Sohn des Kreon
Menötios, Held der Argonauten, Vater des Patroklos
–, Hirt im Hades
Mentor, Erzieher des Telemachos, Freund des Odysseus
Meriones, Waffengefährte des Idomeneus, Held vor Troja
Merkurius s. Hermes
Merope, Gemahlin des Kresphontes, Mutter des Ägyptos
Messapus, Sohn des Poseidon, Rossebändiger, Gefährte des Turnus in der Äneis
Mezentius, König in Etrurien, Vater des Lausus
Milet, Stadt in Kleinasien
Minerva s. Athene
Minos, König von Kreta
Minotaurus, Ungeheuer mit menschlichem Körper und Stierkopf
Mopsos, Sohn des Manto, Wahrsager der Argonauten
Musen, neun Töchter des Zeus, Göttinnen der Künste und Wissenschaften
Mykene, Stadt in Argolis
Myrmidonen, Volk in Thessalien und Ägina
Myrtilos, Wagenlenker des Önomaos
Mysien, nordwestliche Provinz Kleinasiens

Najaden, Wassernymphen
Nausikaa, Tochter des Phäakenkönigs Alkinoos
Nektar, Göttertrank, der Unsterblichkeit und ewige Jugend verleiht
Neleus, Sohn des Poseidon, Vater des Nestor, Argonaut
Nemea, Tal in Argolis
Nemeischer Löwe s. Echidna
Nemesis, Göttin der vergeltenden Gerechtigkeit
Neoptolemos, Sohn des Achilleus
Neptunus s. Poseidon
Nereiden, Meernymphen, Töchter des Meergottes Nereus, eines Sohnes der Gäa
Nessos, ein Kentaure
Nestor, Sohn des Neleus, weiser und ältester König vor Troja
Niobe, Tochter des Tantalos, Schwester des Pelops
Nisus, Freier der Penelope
–, Jüngling aus Troja, Freund des Euryalus
Nymphen, Naturgottheiten, Töchter des Zeus

Ödipus, Sohn des Thebanerkönigs Laios
Odysseus, König von Ithaka, Gemahl der Penelope, Irrfahrten nach Trojas Zerstörung
Ogygia, Insel der Kalypso
Oileus, König der Lokrer, Vater des kleinen Ajax, Argonaut

Okeanos, Weltstrom, der die Weltscheibe und Meere umschließt, auch Urvater der Götter und Titanen
Olymp, höchstes Gebirge Griechenlands, Sitz der Götter
Olympier, Beiname der Götter
Omphale, Königin in Lydien, Gattin des Herakles
Öneus, Vater des Meleager und des Tydeus
Önomaos, König von Elis, Sohn des Ares
Önone, Tochter eines Flussgottes, Gattin des Paris
Orakel, Weissagung und Weissagungsstätte
Orestes, Sohn des Agamemnon und der Klytämnestra
Orkus s. Hades
Orpheus, Sänger aus Thrakien, Argonaut

Palamedes, Sohn des Nauplios
Palinurus, Steuermann des Äneas
Palladion, Bild der Pallas Athene; Schutzbild
Pallas, Tochter des Triton, Gespielin der Athene; Beiname der Athene
–, Bruder des Ägeus
–, Sohn des Arkadierkönigs Evander
–, pelasgischer König
Pallatium, Stadt in Arkadien
Pan, röm. Faunus, bocksfüßiger Naturgott, Sohn des Hermes
Pandaros, Sohn des Lykaon, trojanischer Führer
Pandora, sagenhaftes Weib
Panthoos, trojanischer Greis, Vater des Polydamas
Päon, der Heilende, Arzt der olympischen Götter
Paphlagonen, syrischer Volksstamm
Paris, Alexandros, Sohn des Priamos und der Hekabe, Gemahl der Önone und der Helena
Parnassos, Gebirgszug in Griechenland
Parthenopäos, Sohn des Hippomenes und der Atalante, ein Fürst der Sieben gegen Theben
Parzen, gr. Moira, Schicksalsgöttinnen
Patroklos, Sohn des Menötios, Freund und Gefährte des Achilleus
Pegasos, geflügeltes Ross
Peirithoos, Freund des Theseus, Sohn des Ixion, Argonaut
Peisistratos, Sohn des Nestor
Pelasger, mythische Urbewohner Griechenlands
Peleus, Bruder des Telamon, Vater des Achilleus, Argonaut
Pelide, Name für Achilleus, als Sohn des Peleus
Pelias, Bruder des Neleus, Herrscher in Jolkos
Pelion, Gebirge in Thessalien
Peloponnes, die Insel des Pelops, Halbinsel im Süden Griechenlands
Pelops, Sohn des Tantalos, Gemahl der Tochter des Önomaos, Hippodameia
Penelope, Gattin des Odysseus, Mutter des Telemach
Penthesilea, Tochter des Ares, Amazonenkönigin
Pentheus, Sohn der Agave, Herrscher von Theben
Pergamon, Pergama, Burg in Ilion (Troja)
Pergamus, Stadt auf Kreta
Persephone, röm. Proserpina, Tochter des Zeus und der Demeter, Gemahlin des Hades, Beherrscherin der Schatten

Perseus, Sohn des Zeus und der Danae
Phäaken, sagenhaftes Seefahrervolk
Phädra, Tochter des Minos, Gemahlin des Theseus
Phaethon, Sohn des Helios
Phänops, Sohn des Asios
Phasis, der heutige Rioni, Fluss in Kleinasien, mündet im östlichen Schwarzen Meer
Phemios, Sänger am Hof des Odysseus
Pherä, Stadt in Thessalien
Pheres, Gründer von Pherä, Vater des Admetos
Philoktetes, griechischer Bogenschütze
Philötios, Rinderhirt des Odysseus
Phineus, Sohn des Belos
–, Sohn des Agenor
Phöbos, röm. Phöbus, s. Apollon
Phönizien, Phönikien, Küstenland Syriens
Phönix, Erzieher des Achilleus
Phrixos, Sohn des Athamas und der Wolkengöttin Nephale, die ihm einen goldvliesigen Widder schenkte
Phthia, Stadt in Thessalien
Phyleus, Sohn des Augias, Vater des Meges
Piräos, Hafen von Athen
Plejaden, sieben Töchter des Atlas, als Siebengestirn an den Himmel versetzt
Pluton s. Hades
Podalirios, Sohn des Asklepios, wie sein Bruder Machaon Arzt der Griechen vor Troja
Podarge, eine der Harpyien
Polites, Sohn des Priamos
–, Gefährte des Odysseus
Pollux, Zwillingsbruder des Kastor, beide die Dioskuren, Brüder der Helena, Helden der Argonauten
Polybos, König von Korinth, Pflegevater des Ödipus
–, Sohn des Antenor
–, Vater des Eurymachos
Polydamas, Sohn des Panthoos, trojanischer Held
Polydoros, jüngster Sohn des Priamos und der Laothoe
Polymnestor, König von Thrakien, Pflegevater des Polydoros
Polyneikes, Sohn des Ödipus, Zwillingsbruder des Eteokles, ein Fürst der Sieben gegen Theben
Polyphem, Sohn des Poseidon, Zyklop
Polyphemos, Held der Argonauten
Polypötes, griechischer Bundesgenosse vor Troja
Polyxena, jüngste Tochter des Priamos
Pontos, Land in Kleinasien
Poseidon, röm. Neptunus, Gott des Meeres, Sohn des Kronos, Bruder des Zeus, Gatte der Amphitrite
Priamos, Sohn des Laomedon, greiser König von Troja, Gemahl der Hekabe
Prokrustes, der »Gliederstrecker«, Beiname des Räubers Damastes
Prometheus, Titane, Sohn des Uranossohnes Japetos, Bruder des Epimetheus
Protesilaos, König von Phylake in Thessalien, griechischer Bundesgenosse vor Troja
Proteus, weissagender Meeresgott auf der Insel Pharos vor Ägypten
Pygmalion, König von Tyrus, Bruder der Dido
Pylades, Sohn des Königs Strophios in Phokis, Freund des Orestes

Pylos, Namen mehrerer Städte im Peloponnes
Pyrrha, Tochter des Epimetheus, Gemahlin des Deukalion

Remus, Bruder des Romulus
Rhadamanthos, König auf Kreta, Gemahl der Alkmene, Bruder des Minos
Rhesos, König von Thrake, Bundesgenosse der Trojaner
Rhodope, Gebirge Thrakiens
Rhodos, Stadt auf der gleichnamigen Insel vor Kleinasien
Rhötos, einer der Giganten
Romulus, Bruder des Remus, Begründer Roms
Rutuler, italische Völkerschaft

Salamis, griechische Insel im Golf von Ägina
Salmoneus, Herrscher in Elis
Same, auch Samos, Hauptstadt auf Kephallenia im Ionischen Meer
Samothrake, Insel im Ägäischen Meer
Sarpedon, Sohn des Zeus und der Laodameia, König der Lykier, trojanischer Bundesgenosse
Saturn s. Kronos
Satyrn, übermütige Begleiter des Dionysos
Segesta, Stadt in Sizilien
Selene, röm. Luna, Göttin des Mondes, Schwester der Eos und des Helios
Semele, Tochter des Kadmos, Geliebte des Zeus, Mutter des Dionysos
Sigeon, Vorgebirge in Troas
Silenos, Sohn des Hermes, Begleiter des Dionysos
Simois, Flüsschen bei Troja
Sirenen, Meerjungfrauen
Sirius, der Hundsstern
Sisyphos, Sohn des Äolos, Erbauer und Beherrscher Korinths
Skamander, Fluss bei Troja und Flussgott
Skylla, fürchterlich bellendes Ungeheuer mit zwölf Füßen und je sechs Hälsen und Rachen, s. Echidna
Skyros, Insel im Thrakischen Meer
Sminthios, Beiname des Apollon
Solymer, Volksstamm in Kleinasien
Sphinx s. Echidna, Ungeheuer mit Löwenrumpf und Kopf und Brust einer Jungfrau
Sthenelos, Enkel des Minos
–, Sohn des Kapaneus
Strophios, Bruder der Hekabe, König in Phokis, Pflegevater des Orestes
Stymphaliden, Vogelungeheuer
Styx, Fluss der Unterwelt, bei dem die Götter unverbrüchlichen Eid schwören
Symplegaden, zusammenschlagende Felsen
Syrinx, Nymphe

Talthybios, Herold des Agamemnon
Tantaliden, Nachkommen des Tantalos
Tantalos, Sohn des Zeus, König in Phrygien
Taphos, Insel im Ionischen Meer
Tataros, Ort der quälenden Strafe in der Unterwelt
Teiresias, blinder thebanischer Seher
Tekmessa, Gemahlin des Ajax, Sohn des Telamon
Telamon, König von Salamis, Bruder des Peleus, Argonaut
Telemachos, Sohn des Odysseus und der Penelope

Telephos, Sohn des Herakles
Tenedos, Insel vor der kleinasiatischen Küste
Tethys, Titanin, Gemahlin des Okeanos, Großmutter des Phönix
Teukrer, Bewohner Trojas
Teukros, röm. Teucer, König von Troja
–, Sohn des Telamon, Halbbruder des Ajax
Thanatos, röm. Mors, der Todesgott, Zwillingsbruder des Hypnos
Theben, Hauptstadt von Böotien
Themis, Titanin, Göttin des Rechtes und der Ordnung, Gemahlin des Zeus vor Hera
Theoklymenos, Seher aus Argos
Thersander, Sohn des Polyneikes
Theseus, griechischer Heros, Sohn des Ägeus
Thessalos, Sohn des Jason
–, Sohn des Herakles
Thessalien, Landschaft Nordgriechenlands
Thetis, Meergöttin, Gattin des Nereus, Mutter des Achilleus
Thoas, König auf Lemnos, Vater der Hypsipyle
Thoas, Führer der Ätoler vor Troja
–, König der Taurier
Thrasymedes, Sohn des Nestor
Thyestes, Bruder des Atreus
Tiber, Hauptstrom von Latium
Tiphys, Steuermann der Argonauten
Tiryns, Stadt in Argolis
Titanen, Nachkommen des Uranos und der Gäa
Tityos, Sohn der Gäa, Riese auf Euböa
Tmolosgebirge, Geburtsort des Zeus in Lydien
Triton, Meergott, Sohn des Poseidon und der Amphitrite, Vater der Pallas
Troilos, Sohn des Priamos
Troja, Troas, Ilion, Ilios, Ilium, Pergamos, Name für Stadt, Landschaft und Burg in Mysien an den Ausläufern des Idagebirges
Trözen, Stadt in Argolis
Turnus, Sohn des Daunus, König der Rutuler
Tyche, röm. Fortuna, Göttin des Zufalls und Glückes, Tochter des Okeanos
Tydeus, Sohn des Öneus, ein Fürst der Sieben gegen Theben, Vater des Diomedes
Tyndareos, König von Sparta, Gemahl der Leda
Tyrus und Sidon, Städte in Phönikien

Venus s. Aphrodite
Vesta s. Hestia
Vulkanus s. Hephästos

Xuthos, König von Athen, Vater des Ion

Zephyros, der milde Westwind
Zerberos, vielköpfiger Hund, Wächter der Unterwelt
Zeus, röm. Jupiter, Herrscher über die Menschen und Götter, nach seinem Vater Kronos Kronide genannt, Gatte der Hera
Zyklopen, einäugige Riesen, aus dem Titanengeschlecht, Diener des Zeus; auch grausames Riesenvolk

INHALT